CONSTITUTION

제4판
SIGNATURE 헌법 판례

1 | 기본권론

변호사 **강성민** 편저

- 2024년 3월 헌법재판소 결정례 선고분까지 반영
- 400개 이상의 헌법재판소 중요판례 전문·전문요약·결정요지
- 함께 보는 추가판례 약 50개 이상 수록
- 변호사시험 및 중요 국가시험 빈출지문 반영
- 법학전문대학원협의회 표준판례 반영

PREFACE

수험법학으로서의 헌법에서 가장 중요한 것은 역시 "헌법재판소 결정례"입니다.

1988년 9월 1일 개소한 헌법재판소는 1989년 1월 25일 첫번째 위헌 결정(1989.1.25. 88헌가7, 국가에 대한 가집행 선고금지를 규정한 소송촉진등에관한특례법 사건)을 내린 이후 2023년 2월까지 약 2000건이 넘는 위헌 취지의 결정을 내리는 등 총 46,000건이 넘는 결정을 선고하였습니다.

헌법재판소의 결정은 모든 것이 중요하고 의미가 있겠지만 수험법학을 준비하는 입장에서 위와 같은 헌법재판소 결정례를 빠짐없이 보는건 쉽지 않습니다. 이 책은 그동안 선고된 헌법재판소 결정례 중 수험적으로 의미 있고 학습이 필요한 판례들을 모아놓은 책입니다.

이 책의 특징은 다음과 같습니다.

1. 변호사시험과 사법시험, 그 외 국가시험에 자주 출제되는 지문을 반영하여, 헌법재판소 결정례 중 약 400건 정도를 추려서 수록해두었습니다.

2. 법학전문대학원협의회에서 선정한 "헌법 표준판례"의 취지를 반영하여 수록하였습니다.

3. 헌법재판소 결정례 중 그 논리가 중요한 판례들은 전문을 수록해두었는데, 그러면서도 수험적으로 의미가 없는 서술 부분은 과감히 생략·삭제하여 분량을 늘리지 않기 위해 노력하였습니다. 그 외에 논리가 복잡하지 않은 사건은 판시사항과 결정요지를 수록해두었습니다. 특히 제1판 대비 분량을 약 400페이지 정도 줄여 수험생들의 부담을 덜 수 있도록 하였습니다.

4. 본서에 대한 요약 키워드 노트를 별책으로 수록하여 이 책을 통한 최종복습에 도움이 될 수 있도록 하였습니다.

5. 판례의 수록순서와 교재의 목차는 저자의 『시그니처 헌법』의 순서를 따랐으며, 다만 기존 교재들과 달리 헌법재판론 파트를 가장 마지막에 배치하였습니다.

6. 제4판에서는 ① 2024. 2. 28. 2022헌마35 태아의 성별 고지 제한 사건, ② 2023. 3. 23. 2020헌가1 강제퇴거대상자에 대한 보호기간의 상한 없는 보호 사건, ③ 2023. 9. 26. 2019헌마1417 집회·시위를 위한 인천애뜰 잔디마당의 사용을 제한하는 인천광역시 조례 조항에 관한 헌법소원 사건, ④ 2023. 3. 23. 2021헌마975 '혼인 중 여자와 남편 아닌 남자 사이에서 출생한 자녀'에 대한 출생신고 사

건, ⑤ 2023. 3. 23. 2020헌라5 경기도가 남양주시에 대하여 실시한 감사가 남양주시의 지방자치권을 침해하였는지 여부에 관한 사건, ⑥ 2023. 3. 23. 2022헌라4 검사의 수사권 축소 등에 관한 권한쟁의 사건을 추가하였고, 그 외에 기존에 수록되어 있는 판례는 전반적으로 다시 한번 내용을 검토하여 다듬었습니다.

7. 삭제한 판례는 ① 2018. 2. 22. 선고 2017헌가29 출입국관리법상 강제퇴거대상자에 대한 보호조항 위헌제청 사건 (판례변경으로 인한 삭제), ② 2012. 12. 27. 선고 2011헌바89 전자장치 부착명령 및 준수사항 부과 사건 (유사한 쟁점수록으로 인한 삭제) ③ 2017. 12. 28. 선고 2015헌마1000 변리사회 의무가입과 의무연수에 관한 사건, ④ 2016. 11. 24. 선고 2014헌바203 법무법인 구성원변호사에게 합명회사 사원의 무한연대책임 준용 사건, ⑤ 2020. 10. 29. 선고 2016헌마86 신체장애인 운전면허시험용 이륜자동차 사건, ⑥ 2018. 5. 31. 선고 2016헌마626 국군포로 등에 대하여 억류기간 중 행적이나 공헌에 상응하는 예우를 할 수 있도록 대통령령을 제정하지 않은 행정입법부작위에 대한 헌법소원 사건 등 총 6개 판례를 본 서에서 제외하였습니다.

본 교재에는 2024년 3월 헌법재판소 결정례 선고분까지 반영하였습니다.
한편 본 교재에는 헌법재판소 결정례 중 그간 선고된 수 많은 판례 중 반드시 논리를 이해하거나 읽어놓으셔야 할 중요한 판례들만이 수록되어 있으므로, 수험을 준비하시는 분들이시라면 "최신판례"는 반드시 별도로 학습하셔야 합니다.

여러분들에게 도움이 되는 헌법 판례집을 만들기 위해 2017년부터 몇번이나 원고를 썼다가 고쳤다가를 반복하였고, 2021년에 이르러서야 제1판을 내놓은 뒤, 이제 여러분 앞에 그 네 번째 판을 내어놓습니다. 생각보다 많은 분량으로 책을 든 순간 겁부터 날거라 생각하지만, 본 서에 있는 모든 판례가 수험적으로 의미가 있으니 수록된 내용들은 반드시 숙지하도록 하십시오. 1회독만 잘 버텨낸다면 2회독은 훨씬 빠르게 보실 수 있으실거라 생각합니다.
만약 본 서로 독학을 하는게 힘드신 분들은 2024. 7. 10. 메가로이어스에서 개강하는 【2024 판례로 정리하는 헌법 주요 쟁점】 강의를 활용하시는 것도 좋겠습니다.

이 책이 여러분의 꿈을 이루는데 도움이 되기를 기원합니다.

2024. 6. 14.
강성민 변호사 드림

CONTENTS

제1편 기본권론

제1장 기본권 총론

제1절 기본권 일반 … 3

제2절 기본권의 성격 … 3

제3절 기본권과 제도보장 … 3

제4절 기본권의 주체 … 3
- 001. 외국인 근로자의 사업장 변경 횟수 제한 사건 [기각] … 3
  - 2011. 9. 29. 선고 2007헌마1083, 2009헌마230,352(병합)
- 002. 방송사업자에게 사과방송을 명할 수 있도록 한 사건 [위헌] … 9
  - 2012. 8. 23. 선고 2009헌가27
- 003. 잔여배아를 5년간 보존하고 이후 폐기하도록 한 생명윤리법 사건 [기각, 각하] … 12
  - 2010. 5. 27. 선고 2005헌마346
- 004. 반민규명법 사건 [합헌] … 14
  - 2010. 10. 28. 선고 2007헌가23
- 005. 대통령의 선거중립의무 준수요청 등 조치 취소 청구 사건 [기각] … 15
  - 2008. 1. 17. 선고 2007헌마700

제5절 기본권의 효력 … 21
- 006. 종립 사립고교 종교교육 사건 … 21
  - 대법원 2010. 4. 22. 선고 2008다38288 전원합의체 판결 [손해배상(기)]

제6절 기본권의 경합과 충돌 … 23
- 007. 금연구역 지정 사건 [기각] … 23
  - 2004. 8. 26. 선고 2003헌마457
- 008. 유니온 샵 협정 사건 [합헌] … 26
  - 2005. 11. 24. 선고 2002헌바95,96,2003헌바9(병합)

제7절 기본권의 제한 및 한계 … 31

| 법률유보원칙 |
- 009. 세월호피해지원법 사건 [위헌, 기각, 각하] … 31
  - 2017. 6. 29. 선고 2015헌마654
- 010. MBC문화방송에 대한 '경고' 사건 [인용(취소), 각하] … 34
  - 2007. 11. 29. 선고 2004헌마290
- 011. 최루액 혼합살수행위 위헌확인 사건 [인용(위헌확인), 각하] … 36
  - 2018. 5. 31. 선고 2015헌마476

| 본질내용침해금지 |
- 012. 사형제 사건 [합헌, 각하] … 38
  - 2010. 2. 25. 선고 2008헌가23

제8절 기본권의 보호의무

013. 공직선거 선거운동 시 확성장치 사용에 따른 소음 규제기준 부재 사건 [헌법불합치] 46
- 2019. 12. 27. 선고 2018헌마730

014. 담배 제조 및 판매 사건 [기각, 각하, 기타] 50
- 2015. 4. 30. 선고 2012헌마38

015. 미국산 쇠고기 수입위생조건 사건 [기각, 각하] 51
- 2008. 12. 26. 선고 2008헌마419,423,436(병합)

| 특별권력관계 |

016. 금치 처분을 받은 수형자에 대한 운동 등 금지 사건 [위헌, 기각] 53
- 2004. 12. 16. 선고 2002헌마478

017. 금치처분 받은 수용자에 대한 처우제한 사건 [위헌, 기각, 각하] 54
- 2016. 5. 26. 선고 2014헌마45

018. 금치처분을 받은 미결수용자의 집필 및 서신수수 금지에 관한 사건 [기각, 각하] 59
- 2014. 8. 28. 선고 2012헌마623

제2장 인간의 존엄과 가치·행복추구권

| 인간의 존엄과 가치 |

019. 구치소 내 과밀수용행위 위헌확인 사건 [인용(위헌확인)] 61
- 2016. 12. 29. 선고 2013헌마142

| 인격권 |

020. 피의자 조사과정 촬영허용행위 사건 [인용(위헌확인), 각하] 63
- 2014. 3. 27. 선고 2012헌마652

021. 공정거래위원회의 법위반사실공표명령 사건 [위헌] 66
- 2002. 1. 31. 선고 2001헌바43

022. 태아성감별 고지금지 사건 [헌법불합치] 70
- 2008. 7. 31. 선고 2004헌마1010,2005헌바90(병합)

023. 태아의 성별 고지 제한 사건 [위헌] 75
- 2024. 2. 28. 선고 2022헌마356

| 행복추구권 |

024. 표준어 규정 사건 [기각, 각하] 79
- 2009. 5. 28. 선고 2006헌마618

| 일반적 행동자유권 |

025. 자동차 운전자에게 좌석안전띠를 매도록 하고 이를 위반했을 때 범칙금납부통고를 하는 도로교통법 사건 [기각] 80
- 2003. 10. 30. 선고 2002헌마518

026. 기부금품 모집에 허가를 받도록 한 기부금품모집규제법 사건 [합헌] 83
- 2010. 2. 25. 선고 2008헌바83

027. 서울광장 차벽봉쇄 사건 [인용(위헌확인)] 84
- 2011. 6. 30. 선고 2009헌마406

028. 자동차 등을 이용하여 범죄행위를 한 때 운전면허 필요적 취소 사건 [위헌]   88
     - 2005. 11. 24. 선고 2004헌가28

029. 자동차등을 이용한 범죄행위와 운전면허의 필요적 취소 사건 [위헌]   90
     - 2015. 5. 28. 선고 2013헌가6

030. 운전면허 부정 취득 시 모든 운전면허 필요적 취소 사건 [위헌]   92
     - 2020. 6. 25. 선고 2019헌가9, 10(병합)

031. 청탁금지법(일명 김영란법) 사건 [기각, 각하]   94
     - 2016. 7. 28. 선고 2015헌마236·412·662·673(병합)

| 계약의 자유 |

032. 특수건물에 대하여 특약부 화재보험계약을 강제하는 사건 [한정위헌]   99
     - 1991. 6. 3. 선고 89헌마204

| 자기결정권 |

033. 자도소주 구입명령제도 사건 [위헌]   100
     - 1996. 12. 26. 선고 96헌가18

034. 간통죄 사건 [위헌]   105
     - 2015. 2. 26. 선고 2009헌바17 등(병합)

035. 낙태죄 사건 [헌법불합치]   106
     - 2019. 4. 11. 선고 2017헌바127

| 자기책임의 원리 |

036. 회계책임자가 300만원 이상의 벌금을 선고받은 경우 후보자의 당선을 무효로 하는 공직선거법 사건 [기각]   111
     - 2010. 3. 25. 선고 2009헌마170

| 인격의 자유로운 발현권 |

037. 과외교습금지 사건 [위헌]   114
     - 2000. 4. 27. 선고 98헌가16, 98헌마429(병합)

038. 수능시험의 EBS 교재 연계출제에 관한 사건 [기각, 각하]   120
     - 2018. 2. 22. 선고 2017헌마691

제3장 평등권

039. 제대군인 가산점 제도 사건 [위헌]   123
     - 1999. 12. 23. 선고 98헌마363

040. 남자에 한하여 병역의무를 부과한 병역법 사건 [기각, 각하]   127
     - 2010. 11. 25. 선고 2006헌마328

041. 직계비속 고소금지 규정 사건 [합헌]   129
     - 2011. 2. 24. 선고 2008헌바56

042. 외국인산업기술연수생에 대한 근로기준법 제외 사건 [위헌, 각하]   130
     - 2007. 8. 30. 선고 2004헌마670

043. 공중보건의사의 군사교육 소집기간 보수 미지급 사건 [기각]   132
     - 2020. 9. 24. 선고 2017헌마643

044. 자사고를 후기학교로 규정하고, 자사고 지원자에게 평준화지역 후기학교 중복지원을 금지한
　　초·중등교육법 시행령 사건 [위헌, 기각] 133
　　- 2019. 4. 11. 선고 2018헌마221
045. 국가유공자와 그 가족에 대한 가산점 규정 1차 사건 [기각] 139
　　- 2001. 2. 22. 선고 2000헌마25
046. 국가유공자와 그 가족에 대한 가산점 규정 2차 사건 [헌법불합치] 140
　　- 2006. 2. 23. 선고 2004헌마675
047. 청년고용할당제 사건 [기각, 각하] 144
　　- 2014. 8. 28. 선고 2013헌마553
048. 국가를 상대로 한 당사자소송에서의 가집행선고 제한 사건 [위헌] 146
　　- 2022. 2. 24. 선고 2020헌가12

제4장 자유권적 기본권

제1절 인신에 관한 자유 148

제1항 생명권 148
049. 직사살수 사건 [인용(위헌확인), 각하] 148
　　- 2020. 4. 23. 선고 2015헌마1149

제2항 신체를 훼손당하지 않을 권리 152

제3항 신체의 자유 152
| 형벌불소급 원칙 |
050. 소위 '황제노역'과 관련하여 노역장유치기간의 하한을 정하면서 개정 전 범죄행위에 대하여도
　　소급적용하도록 한 형법 조항 사건 [위헌] 152
　　- 2017. 10. 26. 선고 2015헌바239, 2016헌바177(병합)
051. 5·18민주화운동 등에 관한 특별법 사건 [합헌] 157
　　- 1996. 2. 16. 선고 96헌가2,96헌바7,96헌바13
| 명확성의 원칙 |
052. 제한상영가 등급 사건 [헌법불합치] 163
　　- 2008. 7. 31. 선고 2007헌가4
| 형벌에 관한 책임주의 |
053. 법인 양벌규정 사건(종업원 부분) [위헌] 164
　　- 2011. 12. 29. 선고 2011헌가20,21(병합)
| 책임과 형벌의 비례원칙 |
054. 반국가적 범죄를 반복하여 저지른 자에 대해 사형을 선고할 수 있게 한 사건 [위헌] 165
　　- 2002. 11. 28. 선고 2002헌가5
055. 2회 이상 음주운전 시 가중처벌 사건(이른바 '윤창호 사건') [위헌] 166
　　- 2021. 11. 25. 선고 2019헌바446

| 이중처벌금지 |

056. 청소년 성매수자에 대한 신상공개 사건 [합헌, 각하] 168
- 2003. 6. 26. 선고 2002헌가14

057. 위치추적 전자장치 부착명령 소급 청구 사건 [합헌] 172
- 2015. 9. 24. 선고 2015헌바35

| 연좌제금지 |

058. 배우자의 중대 선거범죄를 이유로 후보자의 당선을 무효로 하는 사건 [기각] 175
- 2005. 12. 22. 선고 2005헌마19

| 적법절차원칙 |

059. 피의자에 대한 지문채취 강제 사건 [합헌] 178
- 2004. 9. 23. 선고 2002헌가17·18(병합)

| 영장주의 |

060. 한나라당 대통령후보 이명박의 주가조작 등 범죄혐의의 진상규명을 위한 특별검사의 임명법 사건 [위헌, 기각] 181
- 2008. 1. 10. 선고 2007헌마1468

061. 보석허가결정에 대한 검사의 즉시항고 사건 [위헌] 190
- 1993. 12. 23. 선고 93헌가2

062. 행정상 즉시강제로서의 불법게임물 수거·폐기 사건 [합헌] 191
- 2002. 10. 31. 선고 2000헌가12

| 체포·구속 적부심사제도 |

063. 구속적부심사를 청구한 피의자에 대한 검사의 전격기소 사건 [헌법불합치] 194
- 2004. 3. 25. 선고 2002헌바104

| 변호인의 조력을 받을 권리 |

064. 미결수용자 공휴일 접견 불허 사건 [기각] 196
- 2011. 5. 26. 선고 2009헌마341

065. 불구속 피의자의 피의자신문에 변호인의 참여요청을 거부한 사건 [인용(위헌확인)] 200
- 2004. 9. 23. 선고 2000헌마138

066. 법원의 열람·등사 허용 결정에 따른 변호인의 열람·등사 신청에 대한 검사의 거부 사건 [인용(위헌확인)] 202
- 2010. 6. 24. 선고 2009헌마257

067. 변호인접견실에 CCTV를 설치하여 관찰한 행위와 미결수용자와 변호인 간에 수수한 서류 확인 및 등재행위 위헌확인 사건 [기각] 206
- 2016. 4. 28. 선고 2015헌마243

068. 인천국제공항 송환대기실에 수용된 난민에 대한 변호인접견거부 위헌확인 사건 [인용(위헌확인)] 208
- 2018. 5. 31. 선고 2014헌마346

069. 피의자신문에 참여한 변호인에 대한 후방착석요구행위 등 위헌확인 사건 [인용(위헌확인), 각하] 212
- 2017. 11. 30. 선고 2016헌마503

070. 변호인이 되려는 자의 피의자 접견신청을 불허한 사건 [인용(위헌확인), 각하] 218
- 2019. 2. 28. 선고 2015헌마1204

| 무죄추정의 원칙 |

071. 형사사건으로 기소된 공무원에 대한 필요적 직위해제 사건 [위헌]   221
- 1998. 5. 28. 선고 96헌가12

072. 형사사건으로 기소된 공무원에 대한 임의적 직위해제 사건 [합헌]   221
- 2006. 5. 25. 선고 2004헌바12

| 진술거부권 |

073. 음주측정 사건 [합헌]   223
- 1997. 3. 27. 선고 96헌가11

074. 정치자금의 수입·지출에 관한 회계장부 사건 [합헌]   226
- 2005. 12. 22. 선고 2004헌바25

| 인신보호제도 |

075. 정신질환자 보호입원 사건 [헌법불합치]   227
- 2016. 9. 29. 선고 2014헌가9

076. 인신보호법상 즉시항고 제기기간 사건 [위헌]   228
- 2015. 9. 24. 선고 2013헌가21

| 신체의 자유 |

077. 성충동 약물치료(속칭 화학적 거세)의 위헌 여부 [헌법불합치, 합헌]   229
- 2015. 12. 23. 선고 2013헌가9

078. 병에 대한 징계영창사건 [위헌]   232
- 2020. 9. 24. 선고 2017헌바157, 2018헌가10(병합)

079. 군사법경찰관의 구속기간의 연장을 허용하는 군사법원법 사건 [위헌]   234
- 2003. 11. 27. 선고 2002헌마193

080. 외국에서 형의 집행을 받은 자에 대한 임의적 감면조항 사건 [헌법불합치]   237
- 2015. 5. 28. 선고 2013헌바129

081. 상소제기기간 등을 미결구금일수에 산입하지 않는 형소법 규정 사건 [헌법불합치]   239
- 2000. 7. 20. 선고 99헌가7

082. 강제퇴거대상자에 대한 보호기간의 상한 없는 보호 사건 [헌법불합치]   240
- 2023. 3. 23. 선고 2020헌가1

제2절 사생활영역의 자유   243

제1항 사생활의 비밀과 자유   243

083. 4급 이상 공무원들의 병역면제사유인 질병명 공개 사건 [헌법불합치, 각하]   243
- 2007. 5. 31. 선고 2005헌마1139

084. 금융감독원의 4급 이상 직원에 대하여 공직자윤리법상 재산등록의무를 부과하고 퇴직일로부터 2년간 사기업체 취직을 제한하는 공직자윤리법 사건 [기각]   245
- 2014. 6. 26. 선고 2012헌마331

085. 어린이집 CCTV 설치 의무 조항 등 위헌확인 사건 [기각, 각하]   247
- 2017. 12. 28.자 2015헌마994

086. 변호사의 수임사건 건수 및 수임액 보고 사건 [기각]   251
- 2009. 10. 29. 선고 2007헌마667

| 개인정보자기결정권 |

087. 접견녹음파일 제공 사건 [기각] — 252
- 2012. 12. 27. 선고 2010헌마153

088. 통신매체이용음란죄 신상정보 등록 사건 [위헌] — 256
- 2016. 3. 31. 선고 2015헌마688

089. 카메라등이용촬영범죄자 신상정보 등록 사건 [헌법불합치, 기각] — 257
- 2015. 7. 30. 선고 2014헌마340·672, 2015헌마99(병합)

090. 주민등록법 상 지문날인제도 사건 [기각] — 261
- 2005. 5. 26. 선고 99헌마513, 2004헌마190(병합)

091. 주민등록번호 변경 사건 [헌법불합치] — 267
- 2015. 12. 23. 선고 2013헌바68, 2014헌마449(병합)

092. 교원의 노동조합 가입정보 공개금지 사건 [기각, 각하] — 270
- 2011. 12. 29. 선고 2010헌마293

093. 디엔에이감식시료의 채취 및 디엔에이신원확인정보 수집·이용 관련조항 사건 [기각, 각하] — 275
- 2014. 8. 28. 선고 2011헌마28,106,141,156,326,2013헌마215,360(병합)

094. 인터넷게임 관련 본인인증제 위헌확인 사건 [기각] — 278
- 2015. 3. 26. 선고 2013헌마517

095. 변호사시험 합격자 명단 공고 사건 [기각] — 280
- 2020. 3. 26. 선고 2018헌마77·283·1024(병합)

096. 국민건강보험공단의 서울용산경찰서장에 대한 요양급여내역 제공행위 위헌확인 사건 [인용(위헌확인), 각하] — 281
- 2018. 8. 30. 선고 2014헌마368

097. 형제자매의 증명서 교부청구 사건 [위헌] — 286
- 2016. 6. 30. 선고 2015헌마924

098. 가족관계의 등록 등에 관한 법률 제14조 제1항 본문 부진정입법부작위 위헌확인 사건 [헌법불합치] — 287
- 2020. 8. 28. 선고 2018헌마927

099. 보안관찰처분대상자에 대한 신고의무 부과 사건 [헌법불합치, 합헌] — 291
- 2021. 6. 24. 선고 2017헌바479

제2항 주거의 자유 — 293

100. '체포영장 집행시 별도 영장 없이 타인의 주거 등을 수색할 수 있도록 한 형사소송법 조항 위헌소원 및 위헌제청 사건' [헌법불합치] — 293
- 2018. 4. 26. 선고 2015헌바370, 2016헌가7(병합)

101. 불법체류 외국인 강제출국 사건 [기각] — 296
- 2012. 8. 23. 선고 2008헌마430

제3항 거주·이전의 자유 — 299

102. 여권의 사용제한 등에 관한 고시 위헌확인 [기각] — 299
- 2008. 6. 26. 선고 2007헌마1366

103. 형사재판 계속 중인 사람에 대한 출국금지 사건 [합헌] 302
- 2015. 9. 24. 선고 2012헌바302

제4항 통신의 자유 304

104. 수용자 발송 서신 무봉함 제출 사건 [위헌, 각하] 304
- 2012. 2. 23. 선고 2009헌마333

105. 통신비밀보호법 '위치정보 추적자료' 사건 [헌법불합치, 기각, 각하] 308
- 2018. 6. 28. 선고 2012헌마191, 550(병합), 2014헌마357(병합)

106. 통신비밀보호법 '기지국수사' 사건 [헌법불합치, 기각, 각하] 314
- 2018. 6. 28. 선고 2012헌마538

107. 인터넷회선 감청 위헌확인 사건 [헌법불합치, 각하] 316
- 2018. 8. 30. 선고 2016헌마263

108. 통신비밀보호법상 불법취득된 타인간의 대화내용 공개 사건 [합헌] 321
- 2011. 8. 30. 선고 2009헌바42

제3절 정신생활영역의 자유 325

제1항 양심의 자유 325

109. 준법서약제도 사건 [기각] 325
- 2002. 4. 25. 선고 98헌마425, 99헌마170·498(병합)

110. 명예회복에 적당한 처분에 사죄광고를 포함시킨 사건 [한정위헌] 329
- 1991. 4. 1. 선고 89헌마160

111. 양심적 병역거부 사건(2004년) [합헌] 330
- 2004. 8. 26. 선고 2002헌가1

112. 양심적 병역거부 사건 [헌법불합치, 합헌] 332
- 2018. 6. 28. 선고 2011헌바379, 2012헌가17

113. 연말정산 간소화를 위한 의료비 내역 정보 제출 의무 사건 [기각] 340
- 2008. 10. 30. 선고 2006헌마1401,1409(병합)

제2항 종교의 자유 345

114. 미결수용자의 종교행사 등에의 참석 금지 사건 [인용(위헌확인)] 345
- 2011. 12. 29. 선고 2009헌마527

115. 육군훈련소 내 종교행사 참석 강제 사건 [인용(위헌확인)] 350
- 2022. 11. 24. 선고 2019헌마941

116. 사법시험 제1차시험의 시행일자를 일요일로 정하여 공고한 사건 [기각] 353
- 2001. 9. 27. 선고 2000헌마159

117. 군종장교의 종교적 표현의 자유 및 종교적 비판 355
- 대법원 2007. 4. 26. 선고 2006다87903

제3항 언론·출판의 자유 356

118. 의료광고 금지규정 사건 [위헌] 356
- 2005. 10. 27. 선고 2003헌가3

119. 청소년유해매체물의 표시방법 사건 [기각, 각하] 358
　　- 2004. 1. 29. 선고 2001헌마894
120. 정보통신망을 통한 음란표현 형사처벌 사건 [합헌, 각하] 360
　　- 2009. 5. 28. 선고 2006헌바109,2007헌바49,57,83,129(병합)
121. 인터넷게시판 본인확인제의 위헌 여부 사건 [위헌] 364
　　- 2012. 8. 23. 선고 2010헌마47,252(병합)
122. 선거운동기간 중 인터넷게시판 실명확인 사건 [위헌] 368
　　- 2021. 1. 28. 선고 2018헌마456, 2020헌마406, 2018헌가16(병합)
123. 인터넷신문의 고용 요건을 규정한 신문법 시행령 등 위헌확인 사건 [위헌, 기각, 각하] 371
　　- 2016. 10. 27. 선고 2015헌마1206, 2016헌마277(병합)
124. 서울특별시 학생인권조례 사건 [기각, 각하] 377
　　- 2019. 11. 28. 선고 2017헌마1356
125. 공공의 안녕질서 또는 미풍양속을 해하는 내용의 통신금지 사건 [위헌, 각하] 380
　　- 2002. 6. 27. 선고 99헌마480
126. 공익을 해할 목적의 허위의 통신 금지(미네르바) 사건 [위헌] 385
　　- 2010. 12. 28. 선고 2008헌바157,2009헌바88(병합)
127. '쥐코' 동영상 대통령 명예훼손 사건 [인용(취소)] 386
　　- 2013. 12. 26. 선고 2009헌마747
128. 사실 적시 명예훼손죄에 관한 위헌확인 등 사건 [기각] 387
　　- 2021. 2. 25. 선고 2017헌마1113
| 검열금지 |
129. 선거여론조사 실시 신고제도 위헌확인 사건 [기각] 388
　　- 2015. 4. 30. 선고 2014헌마360
130. 건강기능식품법상 기능성광고에 대한 사전심의 조항 위헌소원 및 위헌제청 사건 [위헌] ... 390
　　- 2018. 6. 28. 선고 2016헌가8, 2017헌바476(병합)
131. 영상물등급위원회의 등급분류보류제도 사건 [위헌] 395
　　- 2001. 8. 30. 선고 2000헌가9
132. 방영금지가처분 사건 [합헌] 398
　　- 2001. 8. 30. 선고 2000헌바36
| 알 권리 |
133. 국방부 불온서적 지정 사건 [기각, 각하] 400
　　- 2010. 10. 28. 선고 2008헌마638
134. 변호사시험 성적 비공개 사건 [위헌] 406
　　- 2015. 6. 25. 선고 2011헌마769, 2012헌마209·536(병합))

제4항 집회·결사의 자유　　　　　　　　　　　　　　　　　　　　　　　409
| 집회의 자유 |
135. 채증활동규칙 및 경찰의 집회 참가자에 대한 촬영행위 위헌확인 사건 [기각, 각하] 409
　　- 2018. 8. 30. 선고 2014헌마843

136. 야간 옥외집회 금지 사건 [헌법불합치] 414
　- 2009. 9. 24. 선고 2008헌가25
137. 야간 시위 금지 사건 [한정위헌] 417
　- 2014. 3. 27. 선고 2010헌가2,2012헌가13(병합)
138. 국회의사당 인근 옥외집회 금지 사건 [헌법불합치] 422
　- 2018. 5. 31. 선고 2013헌바322, 2016헌바354, 2017헌바360·398·471, 2018헌가3·4·9(병합)
139. 국무총리 공관 인근 옥외집회 금지 사건 [헌법불합치] 426
　- 2018. 6. 28. 선고 2015헌가28, 2016헌가5(병합)
140. 각급 법원 인근 옥외집회 금지 사건 [헌법불합치] 427
　- 2018. 7. 26. 선고 2018헌바137
141. 외교기관 인근 원칙적 집회 금지 사건 [합헌] 428
　- 2010. 10. 28. 선고 2010헌마111
142. 집회·시위를 위한 인천애뜰 잔디마당의 사용을 제한하는 인천광역시 조례 조항에 관한 헌법소원 사건 [위헌] 429
　- 2023. 9. 26. 선고 2019헌마1417
143. 옥외집회신고서 반려행위 사건 [인용(위헌확인)] 432
　- 2008. 5. 29. 선고 2007헌마712
144. 옥외집회·시위 사전신고의무 사건 [합헌] 437
　- 2014. 1. 28. 선고 2011헌바174,282,285,2012헌바39,64,240(병합)

| 결사의 자유 |

145. 전화·컴퓨터통신을 이용한 농협 이사 선거운동 사건 [위헌] 441
　- 2016. 11. 24. 선고 2015헌바62
146. 상호신용금고의 임원과 과점주주에 대한 연대변제책임 사건 [한정위헌] 446
　- 2002. 8. 29. 선고 2000헌가5·6, 2001헌가26, 2000헌바34, 2002헌가3·7·9·12(병합)

제5항 학문과 예술의 자유 451
　147. 서울대학교 법인화 위헌확인 사건 [기각, 각하] 451
　　- 2014. 4. 24. 선고 2011헌마612
　148. 국립대학교 총장 간선제 사건 [기각] 454
　　- 2006. 4. 27. 선고 2005헌마1047,1048(병합)
　149. 교육부장관이 강원대학교 법학전문대학원의 2015학년도 및 2016학년도 신입생 각 1명의 모집을 정지한 행위의 위헌 여부 [인용(위헌확인), 인용(취소)] 459
　　- 2015. 12. 23. 선고 2014헌마1149

제4절 경제생활영역의 자유 463

제1항 재산권 463
　150. PC방 전체를 금연구역으로 지정한 국민건강증진법 사건 [기각, 각하] 463
　　- 2013. 6. 27. 선고 2011헌마315·509, 2012헌마386(병합)
　151. 한약사가 아닌 약사의 한약조제 금지 사건 [합헌] 465
　　- 1997. 11. 27. 선고 97헌바10

152. 국민연금법 분할연금 사건 [헌법불합치] ... 467
- 2016. 12. 29. 선고 2015헌바182

153. 근로자의 퇴직금 전액에 대하여 우선변제수령권을 인정하는 사건 [헌법불합치] ... 470
- 1997. 8. 21. 선고 94헌바19,95헌바34,97헌가11

154. 지방의회의원에 대한 퇴직연금의 지급을 정지하는 공무원연금법 조항에 관한 위헌소원 사건
 [헌법불합치] ... 472
- 2022. 1. 27. 선고 2019헌바161

155. 개발제한구역지정 사건 [헌법불합치] ... 475
- 1998. 12. 24. 선고 89헌마214,90헌바16,97헌바78(병합)

156. 택지소유상한에 관한 법률 사건 ... 482
- 1999. 4. 29. 선고 94헌바37외66건(병합)

157. 지역균형개발법 민간개발자 고급골프장 수용 사건 [헌법불합치] ... 490
- 2014. 10. 30. 선고 2011헌바129·172(병합)

158. 골프장 수용 사건 [헌법불합치, 합헌] ... 494
- 2011. 6. 30. 선고 2008헌바166,2011헌바35(병합)

| 특별부담금 |

159. KBS TV수신료 사건 [합헌, 각하] ... 498
- 2008. 2. 28. 선고 2006헌바70

160. 문예진흥기금 사건 [위헌] ... 505
- 2003. 12. 18. 선고 2002헌가2

161. 국민체육진흥법상 '회원제로 운영하는 골프장 시설의 입장료에 대한 부가금' 조항에 관한
 위헌제청 사건 [위헌] ... 512
- 2019. 12. 27. 선고 2017헌가21

162. 먹는샘물 수입판매업자에 대한 수질개선부담금 사건 [합헌] ... 517
- 2004. 7. 15. 선고 2002헌바42

제2항 직업의 자유 ... 522

163. 성매매처벌법 사건 [합헌] ... 522
- 2016. 3. 31. 선고 2013헌가2

164. 한국방송광고공사와 이로부터 출자를 받은 회사가 아니면 지상파방송사업자에 대해 방송광고
 판매대행을 할 수 없도록 한 사건 [헌법불합치] ... 524
- 2008. 11. 27. 선고 2006헌마352

165. 학교정화구역 내 극장시설금지 사건 [위헌, 헌법불합치] ... 527
- 2004. 5. 27. 선고 2003헌가1,2004헌가4(병합)

166. 학교환경위생정화구역 내 당구장시설 금지 사건 [위헌] ... 537
- 1997. 3. 27. 선고 94헌마196

167. 학교정화구역 내 납골시설금지 사건 [합헌] ... 538
- 2009. 7. 30. 선고 2008헌가2

168. 치과전문의자격시험제도 미실시 사건 [인용(위헌확인), 각하] ... 539
- 1998. 7. 16. 선고 96헌마246

169. 전문과목을 표시한 치과의원의 진료범위 제한 규정 위헌확인 사건 [위헌] 544
　　- 2015. 5. 28. 선고 2013헌마799
170. 법인의 약국 개설금지 사건 [헌법불합치] 547
　　- 2002. 9. 19. 선고 2000헌바84
171. 세무사 자격 보유 변호사의 세무대리 금지사건 [헌법불합치] 552
　　- 2018. 4. 26. 선고 2015헌가19
172. 성범죄 의료인 취업제한 사건 [위헌, 기각] 553
　　- 2016. 3. 31. 선고 2013헌마585·786, 2013헌바394, 2015헌마199·1034·1107(병합)
173. 대형마트 영업 제한 사건 [합헌] 558
　　- 2018. 6. 28. 선고 2016헌바77, 78, 79(병합)
174. 심야시간대 청소년의 인터넷게임 이용금지 강제적 셧다운제 사건 [기각, 각하] 564
　　- 2014. 4. 24. 선고 2011헌마659,683(병합)
175. 부천시·강남구 담배자동판매기 설치금지조례 사건 [기각] 567
　　- 1995. 4. 20. 선고 92헌마264,279
176. 백화점 셔틀버스 운행 금지 사건 [기각] 571
　　- 2001. 6. 28. 선고 2001헌마132
177. 제1종 운전면허 취득요건으로 시력 0.5 이상을 요구하는 사건 [기각] 573
　　- 2003. 6. 26.자 2002헌마677
178. 요양기관 강제지정제 사건 [합헌] 575
　　- 2002. 10. 31. 선고 99헌바76, 2000헌마505(병합)
179. 이화여대 로스쿨 사건 [기각, 각하] 583
　　- 2013. 5. 30. 선고 2009헌마514
180. 경비업과 그 밖의 업종의 겸영금지를 규정한 경비업법 사건 [위헌] 588
　　- 2002. 4. 25. 선고 2001헌마614

제3항 소비자의 권리 592
　181. 소비자불매운동에 적용된 업무방해죄 등 위헌소원 사건 [합헌, 각하] 592
　　　- 2011. 12. 29. 선고 2010헌바54,407(병합)

제5장 정치적 기본권

제1절 총 설 597

제2절 참정권 597
　182. 선고유예를 받은 공무원의 당연퇴직 사건 [위헌] 597
　　　- 2002. 8. 29. 선고 2001헌마788, 2002헌마173(병합)
　183. 5급 공채 공무원시험 응시연령 상한을 32세로 정한 공무원임용시험령 사건 [헌법불합치, 각하] 601
　　　- 2008. 5. 29. 선고 2007헌마1105
　184. 총장후보자 지원자에게 기탁금을 납부하도록 한 총장후보자 선정규정에 관한 사건 [위헌, 각하] 604
　　　- 2018. 4. 26. 선고 2014헌마274

185. 총장임용후보자선거에서 후보자가 기탁금을 납부하도록 하고 납부된 기탁금의 일부만을 반환하도록 한 대학 규정에 관한 사건 [위헌, 기각] 606
- 2021. 12. 23. 선고 2019헌마825

186. 교육공무원의 정년을 62세로 단축한 교육공무원법 사건 [기각] 608
- 2000. 12. 14. 선고 99헌마112·137(병합)

제6장 청구권적 기본권

제1절 청구권적 기본권 일반이론 611

제2절 청원권 611

187. 지방의회에 청원을 할 때 지방의회 의원의 소개를 얻도록 한 사건 [기각] 611
- 1999. 11. 25. 선고 97헌마54

188. 로비제도 금지 사건 [합헌] 613
- 2005. 11. 24. 선고 2003헌바108

제3절 재판청구권 617

189. 사법보좌관에 의한 소송비용액 확정결정절차 사건 [합헌] 617
- 2009. 2. 26. 선고 2007헌바8

190. 수용자가 변호사와 접견할 때도 접촉차단시설이 설치된 장소에서 하도록 한 사건 [헌법불합치, 각하] 619
- 2013. 8. 29. 선고 2011헌마122

191. 수형자와 소송대리인인 변호사간의 접견 시간 및 횟수에 관한 사건 [헌법불합치] 625
- 2015. 11. 26. 선고 2012헌마858

192. 수형자의 사복착용에 관한 사건 [헌법불합치, 기각] 628
- 2015. 12. 23. 선고 2013헌마712

193. 디엔에이감식시료채취 영장 발부 절차 사건 [헌법불합치, 기각, 각하] 632
- 2018. 8. 30. 선고 2016헌마344·2017헌마630(병합)

194. 과거사 민주화보상법 '재판상 화해 간주' 사건 [위헌, 각하] 641
- 2018. 8. 30. 선고 2014헌바180 등 (병합)

195. 소청심사위원회 재심결정에 대한 학교법인의 불복금지 규정 사건 [위헌] 646
- 2006. 2. 23. 선고 2005헌가7,2005헌마1163(병합)

196. 지방세 부과처분에 대한 필수적 전치주의 규정 사건 [위헌, 각하] 649
- 2001. 6. 28. 선고 2000헌바30

197. 대한변호사협회 징계를 받은 변호사의 즉시항고 규정 사건 [위헌] 652
- 2002. 2. 28. 선고 2001헌가18

198. 특허청의 항고심판결정에 대하여 곧바로 대법원 상고를 규정한 특허법 사건 [헌법불합치] 653
- 1995. 9. 28. 선고 92헌가11, 93헌가8·9·10(병합)

199. 심리불속행제도 사건 [합헌] 654
- 1997. 10. 30. 선고 97헌바37, 95헌마142·215, 96헌마95(병합)

200. 범죄인인도심사를 서울고등법원의 전속관할로 한 사건 [합헌] 658
- 2003. 1. 30. 선고 2001헌바95

201. 영상물에 수록된 19세 미만 성폭력범죄 피해자 진술에 관한 증거능력 특례조항 사건 [위헌] 659
  - 2021. 12. 23. 선고 2018헌바524
202. 현역병의 군대 입대 전 범죄에 대한 군사법원의 재판권 규정 사건 [합헌, 각하] 663
  - 2009. 7. 30. 선고 2008헌바162

| 형사피해자의 재판절차진술권 |

203. 업무상과실 또는 중대한 과실로 인한 교통사고로 말미암아 피해자로 하여금 상해에 이르게 한 경우 공소를 제기할 수 없도록 한 교통사고처리특례법 사건 [위헌] 666
  - 2009. 2. 26. 선고 2005헌마764,2008헌마118(병합)

제4절 국가배상청구권 674

204. 과거사 국가배상청구 '소멸시효' 사건 674
  - 2018. 8. 30. 선고 2014헌바148·162·219·466, 2015헌바50·440(병합); 2014헌바223·290, 2016헌바419(병합)
205. 헌법 규정에 대한 헌법소원심판청구 사건 [합헌, 각하] 678
  - 1996. 6. 13. 선고 94헌바20
206. 국가배상법상 이중배상금지규정 사건 [한정위헌] 679
  - 1994. 12. 29. 선고 93헌바21
207. 한센병 환자의 국가배상청구 사건 683
  - 대법원 2017. 2. 15. 선고 2014다230535

제5절 형사보상청구권 685

208. 형사보상금 액수제한 및 형사보상결정에 대한 불복금지 사건 [위헌, 기각] 685
  - 2010. 10. 28. 선고 2008헌마514,2010헌마220(병합)

제6절 범죄피해자구조청구권 688

제7장 사회적 기본권

제1절 사회적 기본권의 일반론 689

제2절 인간다운 생활을 할 권리 689

209. 2002년도 국민기초생활보장 최저생계비 고시 사건 [기각] 689
  - 2004. 10. 28. 선고 2002헌마328
210. 국민의료보험법상 보험급여 제한사유 사건 [한정위헌] 694
  - 2003. 12. 18. 선고 2002헌바1
211. 산업재해보상보험법 적용제외사업 사건 [합헌, 각하] 697
  - 2003. 7. 24. 선고 2002헌바51
212. 출퇴근 재해 사건 [헌법불합치, 각하] 701
  - 2016. 9. 29. 선고 2014헌바254
213. 고엽제후유증환자로 등록신청을 하지 않고 사망한 경우 유족등록신청자격부인 사건 [헌법불합치, 각하] 705
  - 2001. 6. 28. 선고 99헌마516

제3절 교육을 받을 권리 — 707

214. 교육대학교 등 수시모집 입시요강 위헌확인 사건 [인용(위헌확인)] — 707
- 2017. 12. 28. 선고 2016헌마649

215. 검정고시 합격자의 재응시 제한 사건 [인용(위헌확인), 각하] — 710
- 2012. 5. 31. 선고 2010헌마139,157,408,409,423(병합)

216. 고교평준화 사건 [기각] — 713
- 2012. 11. 29. 선고 2011헌마827

217. 학교폭력 가해학생에 대한 재심 제한 사건 [기각, 각하] — 718
- 2013. 10. 24. 선고 2012헌마832

218. 의무교육인 중학교 학생을 대상으로 학교급식비를 징수하도록 한 학교급식법 사건 [합헌] — 720
- 2012. 4. 24. 선고 2010헌바164

219. 중학교 학생으로부터의 학교운영지원비 징수 사건 [위헌, 각하] — 723
- 2012. 8. 23. 선고 2010헌바220

220. 공동주택 수분양자들에게 학교용지부담금을 부과하도록 규정한 사건 [위헌] — 725
- 2005. 3. 31. 선고 2003헌가20

221. 개발사업자에게 학교용지부담금을 부과하도록 규정한 사건 [합헌] — 732
- 2008. 9. 25. 선고 2007헌가1

222. 국정교과서제도 사건 [기각] — 737
- 1992. 11. 12. 선고 89헌마88

223. 임용기간이 만료한 대학교원에 관한 사건 [헌법불합치] — 741
- 2003. 2. 27. 선고 2000헌바26

제4절 근로의 권리 — 743

224. 해고예고수당 청구 사건 [위헌] — 743
- 2015. 12. 23. 선고 2014헌바3

225. 외국인근로자 출국만기보험금 지급시기 제한 사건 [기각] — 746
- 2016. 3. 31. 선고 2014헌마367

제5절 근로3권 — 749

226. 노조전임자 및 근로시간 면제 제도(타임오프제) 사건 [기각, 각하] — 749
- 2014. 5. 29. 선고 2010헌마606

227. 노동조합 운영비 원조 부당노동행위 금지조항 사건 [헌법불합치, 각하] — 751
- 2018. 5. 31. 선고 2012헌바90

228. 특수경비원의 쟁의행위 금지 사건 [기각, 각하] — 756
- 2009. 10. 29. 선고 2007헌마1359

229. 청원경찰 근로3권 전면 제한 사건 [헌법불합치, 각하] — 757
- 2017. 9. 28. 선고 2015헌마653

230. 노동조합설립신고제 사건 [합헌] — 761
- 2012. 3. 29. 선고 2011헌바53

231. 전국교수노동조합 사건 [헌법불합치] ... 766
　- 2018. 8. 30. 선고 2015헌가38
232. 전국교직원노동조합 사건 [기각, 각하] ... 770
　- 2015. 5. 28. 선고 2013헌마671,2014헌가21(병합)
233. 법외노조통보처분 취소 전원합의체 판결 ... 775
　- 대법원 2020. 9. 3. 선고 2016두32992
234. 공무원의 노동조합 설립 및 운영 등에 관한 법률 사건 [기각] ... 780
　- 2008. 12. 26. 선고 2005헌마971,1193,2006헌마198(병합)

제6절 환경권 ... 788

제7절 혼인과 가족생활의 보장 ... 788

235. 호주제 사건 [헌법불합치] ... 788
　- 2005. 2. 3. 선고 2001헌가9,10,11,12,13,14,15,2004헌가5(병합)
236. 자녀에게 부의 성과 본을 따르도록 한 민법 규정 사건 [헌법불합치] ... 790
　- 2005. 12. 22. 선고 2003헌가5,6(병합)
237. 민법 제844조 제2항 중 "혼인관계종료의 날로부터 300일 내에 출생한 자"의 위헌 여부 [헌법불합치] ... 792
　- 2015. 4. 30. 선고 2013헌마623
238. 친생부인의 소의 제척기간을 출생을 안날로부터 1년내로 규정한 사건 [헌법불합치] ... 795
　- 1997. 03. 27. 선고 95헌가14,96헌가7(병합)
239. 8촌 이내 혈족 사이의 혼인 금지 및 무효 사건 [헌법불합치,합헌] ... 796
　- 2022. 10. 27. 선고 2018헌바115
240. 부부의 자산소득을 합산하여 과세하도록 규정한 소득세법 사건 [위헌] ... 799
　- 2002. 8. 29. 2001헌바82
241. 1세대 3주택 이상 보유자 양도소득세 중과세 위헌소원 사건 [헌법불합치] ... 803
　- 2011. 11. 24. 선고 2009헌바146
242. 종합부동산세법 사건 [헌법불합치, 합헌] ... 805
　- 2008. 11. 13. 선고 2006헌바112,2007헌바71,88,94,2008헌바3,62,2008헌가12(병합)
243. 남성단기복무장교를 육아휴직 허용대상에서 제외하고 있는 군인사법 사건 [기각] ... 810
　- 2008. 10. 30. 2005헌마1156
244. '혼인 중 여자와 남편 아닌 남자 사이에서 출생한 자녀'에 대한 출생신고 사건 [헌법불합치, 기각] ... 816
　-2023. 3. 23. 선고 2021헌마975

제8절 모성의 보호 ... 821

제9절 보건권 ... 821

245. 수용자에 대한 국민기초생활 보장법상 급여 정지 사건 [기각] ... 821
　- 2012. 2. 23. 선고 2011헌마123

판례색인 ... 823

제1편
기본권론

제1장 기본권 총론

제2장 인간의 존엄과 가치·행복추구권

제3장 평등권

제4장 자유권적 기본권

제5장 정치적 기본권

제6장 청구권적 기본권

제7장 사회적 기본권

제4판
SIGNATURE
헌법 판례 ❶ 기본권론

제1장 기본권 총론

제1절 기본권 일반
제2절 기본권의 성격
제3절 기본권과 제도보장

제4절 기본권의 주체

 **외국인 근로자의 사업장 변경 횟수 제한 사건** [기각]
― 2011. 9. 29. 선고 2007헌마1083, 2009헌마230,352(병합)

판시사항

1. 외국인에게 직장 선택의 자유에 대한 기본권주체성을 한정적으로 긍정한 사례
2. 외국인의 직장 선택의 자유에 대한 심사기준
3. 외국인근로자의 사업장 이동을 3회로 제한한 구 '외국인근로자의 고용 등에 관한 법률' 제25조 제4항이 직장 선택의 자유를 침해하는지 여부(소극)
4. 이 사건 법률조항의 포괄위임입법금지원칙 위반 여부(소극)
5. 외국인 근로자의 사업장 변경을 1회에 한하여 추가적으로 허용하는 구 '외국인근로자의 고용 등에 관한 법률 시행령 제30조 제2항이 법률유보원칙에 위반되는지 여부(소극)
6. 이 사건 시행령조항이 직장 선택의 자유를 침해하는지 여부(소극)

사건의 개요

 청구인들은 인도네시아, 필리핀, 베트남 국적의 외국인근로자로서 '외국인근로자의 고용 등에 관한 법률'에 의한 고용허가를 받아 우리나라에 입국하여 근로를 개시하였다. '외국인근로자의 고용 등에 관한 법률' 제25조 제4항은 외국인근로자는 자신이 근로하는 사업 또는 사업장(이하 '사업장'이라 한다)을 3회 초과하여 변경하는 것을 금지하고 있는데 청구인들은 위 법률 제25조가 정한 절차에 따라 사업장을 3회 변경하였다. 청구인들의 3회째 사업장에서 더 이상 근로가 어렵게 되자 청구인들은 사업주와 함께 안산고용지원센터를 찾아가 사업장 변경문제를 협의하였으나 위 법률 제25조 제4항 및 동법 시행령 제30조 제2항 규정에 의하여 더 이상 사업장 변경신청 또는 변경은 불가능하다는 통보를 받았다.

 이에 청구인들은 외국인근로자의 사업장 변경은 원칙적으로 3회를 초과할 수 없도록 하고, 예외적으

로 사업장 변경이 모두 외국인근로자에게 귀책 없는 사유만으로 이루어진 경우 1회에 한하여 추가로 변경을 허용하고 있는 '외국인근로자의 고용 등에 관한 법률' 제25조 제4항 및 동법 시행령 제30조 제2항이 청구인의 직업선택의 자유, 근로의 권리 등을 침해하여 위헌이라고 주장하면서 이 사건 헌법소원심판을 청구하였다.

심판대상조항 및 관련조항

구 외국인근로자의 고용 등에 관한 법률(2003. 8. 16. 법률 6967호로 제정되고, 2009. 10. 9 법률 제9798호로 개정되기 전의 것)

제25조(사업 또는 사업장 변경의 허용) ① 외국인근로자는 다음 각 호의 1에 해당하는 경우가 발생하여 그 사업 또는 사업장에서 정상적인 근로관계를 지속하기 곤란한 때에는 노동부령이 정하는 바에 따라 직업안정기관에 다른 사업 또는 사업장으로의 변경을 신청할 수 있다. (각 호 생략)
④ 제1항의 규정에 의한 외국인근로자의 다른 사업 또는 사업장으로의 변경은 제18조 제1항의 규정에 의한 기간 중 원칙적으로 3회를 초과할 수 없다. 다만, 대통령령으로 정하는 부득이한 사유가 있는 경우에는 그러하지 아니하다.

구 외국인근로자의 고용 등에 관한 법률 시행령(2004. 3. 17. 대통령령 제18314호로 제정되고, 2010. 4. 7. 대통령령 제22114호로 개정되기 전의 것)

제30조(사업 또는 사업장의 변경) ② 법 제25조 제4항 단서의 규정에 따라 직업안정기관의 장은 외국인근로자가 법 제25조 제1항 제2호 내지 제4호의 1에 해당하는 사유만으로 사업 또는 사업장을 3회 변경한 경우에는 1회에 한하여 사업 또는 사업장의 변경을 추가로 허용할 수 있다.

주문

이 사건 심판청구를 기각한다.

I 적법요건에 관한 판단

1. 외국인의 기본권 주체성

우리 재판소는, 헌법재판소법 제68조 제1항 소정의 헌법소원은 기본권의 주체이어야만 청구할 수 있다고 한 다음, '국민' 또는 국민과 유사한 지위에 있는 '외국인'은 기본권의 주체가 될 수 있다고 판시하였다. 즉, 인간의 존엄과 가치 및 행복추구권 등과 같이 단순히 '국민의 권리'가 아닌 '인간의 권리'로 볼 수 있는 기본권에 대해서는 외국인도 기본권 주체가 될 수 있다고 하여 인간의 권리에 대하여는 원칙적으로 외국인의 기본권 주체성을 인정하였다.

2. 청구인들의 기본권 주체성 존부

가. 관련 기본권의 확정

근로의 권리란 "일할 자리에 관한 권리"와 "일할 환경에 관한 권리"를 말하며, 후자는 건강한 작업환경, 일에 대한 정당한 보수, 합리적인 근로조건의 보장 등을 요구할 수 있는 권리 등을 의미하는바, 직장변경의 횟수를 제한하고 있는 이 사건 법률조항은 위와 같은 근로의 권리를 제한하는 것은 아니라 할 것이다.

한편, 직업선택의 자유는 누구나 자유롭게 자신이 종사할 직업을 선택하고, 그 직업에 종사하며, 이를 변경할 수 있는 자유를 말하며, 이에는 개인의 직업적 활동을 하는 장소 즉 직장을 선택할 자유도 포함된다. 이때 직장선택의 자유란 개인이 그 선택한 직업분야에서 구체적인 취업의 기회를 가지거나, 이미 형성된 근로관계를 계속 유지하거나 포기하는 데 있어 국가의 방해를 받지 않는 자유로운 선택·결정을 보호하는 것을 내용으로 한다. 이 사건 법률조항은 외국인근로자의 사업장 최대변경가능 횟수를 설정하고 있는바, 이로 인하여 외국인근로자는 일단 형성된 근로관계를 포기(직장이탈)하는 데 있어 제한을 받게 되므로 이는 직업선택의 자유 중 직장 선택의 자유를 제한하고 있다.

나. 직장 선택의 자유에 있어서 외국인의 기본권 주체성 인정 여부

직업의 자유는 자신이 원하는 직업 내지 직종을 자유롭게 선택하는 직업선택의 자유와 자신이 선택한 직업을 자기가 결정한 방식으로 자유롭게 수행할 수 있는 직업수행의 자유를 모두 포함하는 것으로 보아야 한다. 이러한 직업의 선택 혹은 수행의 자유는 각자의 생활의 기본적 수요를 충족시키는 방편이 되고 또한 개성신장의 바탕이 된다는 점에서 헌법 제10조의 행복추구권과 밀접한 관련을 갖는다.

또한 개개인이 선택한 직업의 수행에 의하여 국가의 사회질서와 경제질서가 형성된다는 점에서, 직업의 자유는 사회적 시장경제질서라고 하는 객관적 법질서의 구성요소이기도 하다.

직업의 자유 중 이 사건에서 문제되는 직장 선택의 자유는 인간의 존엄과 가치 및 행복추구권과도 밀접한 관련을 가지는 만큼 단순히 국민의 권리가 아닌 인간의 권리로 보아야 할 것이므로 권리의 성질상 참정권, 사회권적 기본권, 입국의 자유 등과 같이 외국인의 기본권주체성을 전면적으로 부정할 수는 없고, 외국인도 제한적으로라도 직장 선택의 자유를 향유할 수 있다고 보아야 한다.

한편 기본권 주체성의 인정문제와 기본권 제한의 정도는 별개의 문제이므로, 외국인에게 직장 선택의 자유에 대한 기본권주체성을 인정한다는 것이 곧바로 이들에게 우리 국민과 동일한 수준의 직장 선택의 자유가 보장된다는 것을 의미하는 것은 아니라고 할 것이다.

다. 청구인들의 직장 선택의 자유에 대한 기본권 주체성

청구인들이 이미 적법하게 고용허가를 받아 적법하게 우리나라에 입국하여 우리나라에서 일정한 생활관계를 형성, 유지하는 등, 우리 사회에서 정당한 노동인력으로서의 지위를 부여받은 상황임을 전제로 하는 이상, 청구인들이 선택한 직업분야에서 이미 형성된 근로관계를 계속 유지하거나 포기하는 데 있어 국가의 방해를 받지 않고 자유로운 선택·결정을 할 자유는 외국인인 청구인들도 누릴 수 있는 인간의 권리로서의 성질을 지닌다고 볼 것이다.

그렇다면, 위와 같은 직장 선택의 자유라는 권리의 성질에 비추어 보면 이 사건 청구인들에게 직장 선택의 자유에 대한 기본권 주체성을 인정할 수 있다 할 것이다.

Ⅱ 본안 판단

1. 이 사건 법률조항에 대한 판단

가. 직장 선택의 자유 침해 여부

1) 심사기준

입법자가 외국인력 도입에 관한 제도를 마련함에 있어서는 내국인의 고용시장과 국가의 경제상황, 국가안전보장 및 질서유지 등을 고려하여 정책적인 판단에 따라 그 내용을 구성할 보다 광범위한 입법재량이 인정된다. 따라서 입법자가 고용허가제라는 제도를 마련함에 있어 사업장 변경 가능 횟수를 제한하고 있는 이 사건에 있어서는 그 입법의 내용이 합리적인 근거 없이 현저히 자의적인 경우에만 헌법에 위반된다고 할 수 있다.

2) 직장 선택의 자유 침해 여부

이 사건 법률조항에 의한 외국인근로자의 사업장 변경제한은 외국인근로자의 무분별한 사업장 이동을 제한함으로써 내국인근로자의 고용기회를 보호하고 외국인근로자에 대한 효율적인 고용관리로 중소기업의 인력수급을 원활히 하여 국민경제의 균형 있는 발전이 이루어지도록 하기 위하여 도입된 것이다. … 나아가 이 사건 법률에서는 외국인근로자의 사업장 변경을 전면적으로 금지하는 것이 아니라 이 사건 법률 제25조 제1항과 이 사건 법률조항에 의하여 일정한 사유가 있는 경우에는 외국인근로자에게 3년의 체류기간 동안 3회까지 사업장을 변경할 수 있도록 하고 대통령령이 정하는 부득이한 사유가 있는 경우에는 추가로 사업장변경이 가능하도록 하여 외국인근로자의 사업장 변경을 일정한 범위 내에서 가능하도록 하고 있다. 이는 내국인근로자의 고용기회 보호와 중소기업의 인력부족 해소라는 고용허가제의 도입목적을 달성하는 한편, 청구인들이 우려하고 있는 바와 같은 사업장 변경의 전면적 제한으로 인하여 발생할 수 있는 외국인근로자의 강제노동을 방지하기 위한 것으로 외국인근로자에 대한 보호의무를 상당한 범위에서 이행하고 있다고 할 것이므로 이 사건 법률조항이 입법자의 재량의 범위를 넘어 명백히 불합리하다고 할 수는 없다. 따라서 이 사건 법률조항은 청구인들의 직장 선택의 자유를 침해하지 아니한다.

나. 포괄위임입법금지원칙 위반 여부

1) 헌법 제75조의는 "대통령은 법률에서 구체적으로 범위를 정하여 위임받은 사항에 관하여 대통령령을 발할 수 있다."라고 규정하여 위임입법의 헌법상 근거를 마련하는 한편 대통령령으로 입법할 수 있는 사항을 '법률에서 구체적으로 범위를 정하여 위임받은 사항'으로 한정함

으로써 일반적이고 포괄적인 위임입법은 허용되지 않는다는 것을 명백히 하고 있다. 위임의 구체성·명확성의 요구 정도는 그 규율대상의 종류와 성격에 따라 달라질 것이지만 특히 처벌법규나 조세법규와 같이 국민의 기본권을 직접적으로 제한하거나 침해할 소지가 있는 법규에서는 구체성·명확성의 요구가 강화되어 그 위임의 요건과 범위가 일반적인 급부행정의 경우보다 더 엄격하게 제한적으로 규정되어야 하는 반면에, 규율대상이 지극히 다양하거나 수시로 변화하는 성질의 것일 때에는 위임의 구체성·명확성의 요건이 완화되어야 할 것이다.

2) 법률의 위임은 반드시 구체적·개별적으로 한정된 사항에 대하여 행하여져야 할 것이다. 다만 구체적인 범위는 각종 법령이 규제하고자 하는 대상의 종류와 성격에 따라 달라진다 할 것이므로 일률적 기준을 정할 수는 없지만, 적어도 법률의 규정에 의하여 이미 대통령령으로 규정될 내용 및 범위의 기본사항이 구체적으로 규정되어 있어 누구라도 당해 법률로부터 대통령령에 규정될 내용의 대강을 예측할 수 있으면 족하고, 여기서 그 예측가능성의 유무는 당해 특정조항 하나만을 가지고 판단할 것이 아니고 관련 법조항 전체를 유기적·체계적으로 종합 판단하여야 하며, 각 대상 법률의 성질에 따라 구체적·개별적으로 검토되어야 할 것이다.

3) 이 사건 법률조항 단서는 특별한 사정이 있는 경우에는 사업장변경횟수를 원칙보다 늘려줌으로써 외국인근로자의 기본권을 본문보다 더 배려하기 위해서 만들어진 조항이라고 할 것이다. 이러한 경우 어떠한 사유가 있을 때 본문의 예외를 인정하여 사업장 변경가능 횟수를 늘려줄 것인지 여부 등은 일률적으로 법률에 규정하기는 어렵다. 이는 내국인근로자의 고용기회와 중소기업의 인력수급 상황 등 국내 노동시장의 여러 가지 요소를 고려하여 정책적으로 결정되어야 할 사항이기 때문이다. 따라서 이는 규율하고자 하는 내용이 다양하거나 수시로 변화하는 성질의 것으로서 이를 법률에 일률적으로 규정하기는 어렵고 위임의 구체성·명확성의 요건이 완화되어야 할 경우에 해당한다고 할 것이다.

한편 '부득이'의 사전적 의미는 '마지못하여 하는 수 없이'를 말하는바, 그렇다면 이 사건 법률조항 단서의 '부득이한 사유'는 외국인근로자로서는 어쩔 수 없이 사업장을 변경할 수밖에 없는 경우, 즉 외국인근로자의 귀책사유 없이, 자의에 의한 변경이 아닌 경우를 의미하며, 대통령령은 이와 같은 범위 내에서 규정될 것임을 충분히 알 수 있다. 따라서 이 사건 법률조항 단서는 포괄위임입법금지원칙에 위반되지 아니한다.

2. 이 사건 시행령조항의 기본권 침해 여부

가. 법률유보원칙 위반 여부

우리 헌법은 제75조에서 대통령령은 '법률에서 구체적으로 범위를 정하여 위임받은 사항'에 관하여만 발할 수 있다고 한정함으로써 위임입법의 범위와 한계를 제시하고 있다. 따라서 위임명령의 내용은 수권법률이 수권한 규율대상과 목적의 범위 안에서 정해야 하는데 이를 위배한 위임명령은 위임입법의 한계를 벗어난 것이고, 결국 법률의 근거가 없는 것으로서 법률유보원칙에 위반된다.

이 사건 시행령조항의 모법인 이 사건 법률조항 단서는 "다만, 대통령령으로 정하는 부득이한 사유가 있는 경우에는 그러하지 아니하다."라고 규정되어 있는 반면, 이 사건 시행령 조항은 '부득이한 사유'의 구체적인 내용 외에 '1회에 한하여' 사업장 변경을 추가로 허용한다는 내용을 담고 있어, 사업장의 추가 변경가능 횟수를 규정한 '1회에 한하여'라는 부분은 법률의 위임범위를 벗어난 것이 아닌지 문제될 수 있다. 그러나 사업장의 추가 변경을 무제한으로 허용하지 않는 이상 그 횟수 역시 시행령에 함께 규정하도록 위임하는 것이 당연한 요청인 점, 이 사건 법률조항 단서는 '대통령령으로 정하는 부득이한 사유가 있는 경우에는 그러하지 아니하다'라고 규정되어 있으나 이를 '대통령령으로 정하는 바에 따라 부득이한 사유가 있는 경우에는 그러하지 아니하다'라고 합헌적으로 해석할 수 있는 점에서 이 사건 법률조항은 추가 변경가능 횟수 역시 시행령에 위임한 것으로 봄이 타당하다.

따라서 이 사건 시행령조항은 모법인 이 사건 법률조항의 위임범위내에서 부득이한 사유의 구체적인 내용 및 사업장 추가 변경가능 횟수를 규정한 것으로서 법률유보원칙에 위배되지 아니한다.

나. 직장 선택의 자유 침해 여부

청구인들은 이 사건 시행령조항이 외국인근로자의 사업장 추가변경이 예외적으로 허용되는 경우를 정하면서 그 요건을 지나치게 엄격하게 정하고 추가로 변경가능한 횟수를 1회에 한정함으로써 청구인들의 직업의 자유 등을 침해하였다고 주장한다.

살피건대, 이 사건 시행령조항의 모법조항인 이 사건 법률조항이 앞서본 바와 같이 외국인근로자의 직장 선택의 자유를 침해한 것이 아닌 점, 이 사건 시행령조항은 외국인근로자의 3년의 체류기간동안 3회의 사업장 변경 기회를 주는 이 사건 법률조항에 더하여 사업장 변경을 추가로 허용해주기 위하여 마련된 것인 점, 외국인근로자의 언어적, 문화적 적응기간의 필요성, 국가안전보장, 질서유지를 위한 외국인근로자에 대한 체계적 관리의 필요성 등에 비추어 보아도 이 사건 시행령조항이 사업장의 추가적 변경을 1회에 한하여 허용한 것이 합리적인 이유 없이 현저히 자의적이라고 볼 수는 없다. 따라서 이 사건 시행령조항은 청구인들의 직장 선택의 자유를 침해하지 아니한다.

III 결 론

그렇다면 이 사건 심판청구는 이유 없으므로 이를 기각하기로 하여 주문과 같이 결정한다.

002 방송사업자에게 사과방송을 명할 수 있도록 한 사건 [위헌]
― 2012. 8. 23. 선고 2009헌가27

판시사항

방송법 제100조 제1항 제1호 중 '방송사업자가 제33조의 심의규정을 위반한 경우'에 관한 부분이 방송사업자의 인격권을 침해하는지 여부(적극)

사건의 개요

방송통신위원회는 2009. 4. 6. 주식회사 문화방송에 대하여 2008. 12. 20. 자 '뉴스 후' 프로그램이 사실을 정확하고 객관적인 방법으로 다루도록 규정한 '방송심의에 관한 규정'(이하 '심의규정'이라 한다) 제14조를 위반하였고, 2009. 1. 3. 자 '뉴스 후' 프로그램이 사회적 쟁점이나 이해관계가 첨예하게 대립된 사안을 다룰 때에는 공정성과 균형성을 유지하고 관련 당사자의 의견을 균형있게 반영하도록 규정한 심의규정 제9조 제2항을 위반하였다는 이유로 구 방송법 제100조 제1항 제1호 및 제4항에 따라 '시청자에 대한 사과'의 제재조치(이하 '이 사건 사과명령'이라 한다)를 하였다. 문화방송은 이 사건 사과명령에 대한 취소소송을 제기하였고, 당해 사건 법원은 2009. 11. 13. 직권으로 방송법 제100조 제1항 제1호에 대하여 위헌법률심판제청결정을 하였다.

심판대상

방송법(2009. 7. 31. 법률 제9786호로 개정된 것)

제33조(심의규정) ① 방송통신심의위원회는 방송의 공정성 및 공공성을 심의하기 위하여 방송심의에 관한 규정(이하 "심의규정"이라 한다)을 제정·공표하여야 한다.
② 제1항의 심의규정에는 다음 각 호의 사항이 포함되어야 한다.
    9. 보도·논평의 공정성·공공성에 관한 사항

제100조(제재조치 등) ① 방송통신위원회는 방송사업자·중계유선방송사업자 또는 전광판방송사업자가 제33조의 심의규정 및 제74조 제2항에 의한 협찬고지 규칙을 위반한 경우에는 5천만 원 이하의 과징금을 부과하거나 다음 각 호의 제재조치를 명할 수 있다. 제35조에 따른 시청자불만처리의 결과에 따라 제재를 할 필요가 있다고 인정되는 경우에도 또한 같다. 다만, 방송통신심의위원회는 심의규정 등의 위반정도가 경미하여 제재조치를 명할 정도에 이르지 아니한 경우에는 해당 사업자·해당 방송프로그램 또는 해당 방송광고의 책임자나 관계자에 대하여 권고를 하거나 의견을 제시할 수 있다.
    1. 시청자에 대한 사과
    2. 해당 방송프로그램의 정정·수정 또는 중지
    3. 방송편성책임자·해당방송프로그램의 관계자에 대한 징계
    4. 주의 또는 경고
④ 방송사업자·중계유선방송사업자 및 전광판방송사업자는 제1항 및 제3항에 따른 과징금처분 또는

제재조치명령을 받은 경우 지체 없이 그에 관한 방송통신위원회의 결정사항전문을 방송하고, 제재조치명령은 이를 받은 날부터 7일 이내에 이행하여야 하며, 그 이행결과를 방송통신위원회에 보고하여야 한다.

제108조(과태료) ① 다음 각 호의 어느 하나에 해당하는 자는 3천만 원 이하의 과태료에 처한다.
   27. 제100조 제4항의 규정에 위반하여 방송통신위원회의 결정사항전문을 방송하지 아니하거나 그 결과를 방송통신위원회에 보고하지 아니한 자

주문

방송법(2009. 7. 31. 법률 제9786호로 개정된 것) 제100조 제1항 제1호 중 '방송사업자가 제33조의 심의규정을 위반한 경우'에 관한 부분은 헌법에 위반된다.

1. 이 사건의 쟁점

우리 헌법은 법인 내지 단체의 기본권 향유능력에 대하여 명문의 규정을 두고 있지는 않지만 본래 자연인에게 적용되는 기본권이라도 그 성질상 법인이 누릴 수 있는 기본권은 법인에게도 적용된다. 이 사건 심판대상조항에 의한 '시청자에 대한 사과'는 사과여부 및 사과의 구체적인 내용이 방송통신위원회라는 행정기관에 의해 결정됨에도 불구하고 마치 방송사업자 스스로의 결정에 의한 사과인 것처럼 그 이름으로 대외적으로 표명되고, 이는 시청자 등 국민들로 하여금 방송사업자가 객관성이나 공정성 등을 저버린 방송을 했다는 점을 스스로 인정한 것으로 생각하게 만듦으로써 방송에 대한 신뢰가 무엇보다 중요한 방송사업자의 사회적 신용이나 명예를 저하시키고 법인격의 자유로운 발현을 저해한다.

법인도 법인의 목적과 사회적 기능에 비추어 볼 때 그 성질에 반하지 않는 범위 내에서 인격권의 한 내용인 사회적 신용이나 명예 등의 주체가 될 수 있고 법인이 이러한 사회적 신용이나 명예 유지 내지 법인격의 자유로운 발현을 위하여 의사결정이나 행동을 어떻게 할 것인지를 자율적으로 결정하는 것도 법인의 인격권의 한 내용을 이룬다고 할 것이다.

그렇다면 이 사건 심판대상조항은 방송사업자의 의사에 반한 사과행위를 강제함으로써 방송사업자의 인격권을 제한하는바, 이러한 제한이 그 목적과 방법 등에 있어서 헌법 제37조 제2항에 의한 헌법적 한계 내의 것인지 살펴본다.

2. 과잉금지원칙에 위배되는지 여부

가. 입법목적의 정당성 및 방법의 적절성

이 사건 심판대상조항은 방송의 공적 책임을 높임으로써 시청자의 권익보호와 민주적 여론 형성 및 국민문화의 향상을 도모하고 방송의 발전과 공공복리의 증진에 이바지하기 위하여, 공정하고 객관적인 보도를 할 책무를 부담하는 방송사업자가 심의규정을 위반한 경우 방송통신위원회로 하여금 전문성과 독립성을 갖춘 방송통신심의위원회의 심의를 거쳐 '시청자에 대한 사과'를 명할 수 있도록 규정한 것이므로, 입법목적의 정당성이 인정되고, 이러한 제재수단을 통해 방송

의 공적 책임을 높이는 등 입법목적에 기여하는 점을 인정할 수 있으므로 방법의 적절성도 인정된다.

나. 침해의 최소성

'시청자에 대한 사과'의 제재조치가 '주의 또는 경고' 조치에 비하여 시청자의 권익보호나 민주적 여론 형성 등에 더 기여하거나 위반행위가 재발하는 것을 방지하는 데 더 효과적이라고 할 수는 없다. 심의규정을 위반한 방송사업자에게 '주의 또는 경고'만으로도 반성을 촉구하고 언론사로서의 공적 책무에 대한 인식을 제고시킬 수 있을 뿐만 아니라, '주의 또는 경고' 조치를 받은 방송사업자는 지체 없이 방송통신위원회의 제재조치에 관한 결정사항전문을 방송할 의무를 부담하므로, 위 조치만으로도 심의규정에 위반하여 '주의 또는 경고'의 제재조치를 받은 사실을 공표하게 되어 이를 다른 방송사업자나 일반 국민에게 알리게 됨으로써 여론의 왜곡 형성 등을 방지하는 한편, 해당 방송사업자에게는 해당프로그램의 신뢰도 하락에 따른 시청률 하락 등의 불이익을 줄 수 있다. 또한, 심의규정을 위반한 방송사업자에 대한 제재수단으로, 방송사업자로 하여금 방송통신위원회로부터 심의규정을 위반하였다는 판정을 받았다는 사실을 구체적으로 공표하도록 하는 방법을 상정해 볼 수 있고, 이러한 심의규정을 위반하였다는 판정을 받은 사실의 공표에 더하여 '시청자에 대한 사과'에 대하여는 '명령'이 아닌 '권고'의 형태를 취할 수도 있다.

이와 같이 기본권을 보다 덜 제한하는 다른 수단에 의하더라도 이 사건 심판대상조항이 추구하는 목적을 달성할 수 있다. … 그렇다면 이 사건 심판대상조항은 침해의 최소성 원칙에 위배된다.

다. 법익의 균형성

이 사건 심판대상조항이 추구하는 입법목적, 즉 방송의 공적 책임을 높임으로써 시청자의 권익보호와 민주적 여론형성 및 국민문화의 향상을 도모하고 방송의 발전과 공공복리의 증진에 이바지하며 위반행위가 재발하는 것을 방지한다는 공익은 중요하다. 그러나 이 사건 심판대상조항으로 인해 초래되는 방송사업자의 기본권 제한 측면은 시청자 등 국민들로 하여금 방송사업자가 객관성이나 공정성 등을 저버린 방송을 했다는 점을 스스로 인정한 것으로 생각하게 만듦으로써 방송에 대한 신뢰가 무엇보다 중요한 방송사업자에 대하여 그 사회적 신용이나 명예를 저하시키고 법인격의 자유로운 발현을 저해하는 것인바, 방송사업자의 인격권에 대한 제한의 정도가 이 사건 심판대상조항이 추구하는 공익에 비해 결코 작다고 할 수 없다. 그렇다면 이 사건 심판대상조항은 법익의 균형성 원칙에도 위배된다.

라. 소 결

따라서 이 사건 심판대상조항은 과잉금지원칙에 위배되어 방송사업자의 인격권을 침해한다.

3. 결 론

그렇다면 이 사건 심판대상조항은 헌법에 위반되므로 주문과 같이 결정한다.

003 잔여배아를 5년간 보존하고 이후 폐기하도록 한 생명윤리법 사건 [기각, 각하]
― 2010. 5. 27. 선고 2005헌마346

판시사항 및 결정요지

1. 초기배아의 기본권 주체성 여부(소극)

헌법재판소법 제68조 제1항은 공권력의 행사 또는 불행사로 인하여 기본권을 침해받은 자가 헌법소원의 심판을 청구할 수 있다고 규정하고 있으므로, 기본권의 주체가 될 수 있는 자만이 헌법소원을 청구할 수 있고, 이때 기본권의 주체가 될 수 있는 '자'라 함은 통상 출생 후의 인간을 가리키는 것이다.

그런데 존엄한 인간 존재와 그 근원으로서의 생명 가치를 고려할 때 출생 전 형성 중의 생명에 대해서는 일정한 예외적인 경우 기본권 주체성이 긍정될 수 있다. 헌법재판소도 형성 중의 생명인 태아에 대하여 헌법상 생명권의 주체가 되며, 국가는 헌법 제10조에 따라 태아의 생명을 보호할 의무가 있음을 밝힌 바 있다(2004헌바81). 다만, 출생 전 형성 중의 생명에 대해서 헌법적 보호의 필요성이 크고 일정한 경우 그 기본권 주체성이 긍정된다고 하더라도, 어느 시점부터 기본권 주체성이 인정되는지, 또 어떤 기본권에 대해 기본권 주체성이 인정되는지는 생명의 근원에 대한 생물학적 인식을 비롯한 자연과학·기술 발전의 성과와 그에 터 잡은 헌법의 해석으로부터 도출되는 규범적 요청을 고려하여 판단하여야 할 것이다.

초기배아는 수정이 된 배아라는 점에서 형성 중인 생명의 첫걸음을 떼었다고 볼 여지가 있기는 하나 아직 모체에 착상되거나 원시선이 나타나지 않은 이상 현재의 자연과학적 인식 수준에서 독립된 인간과 배아 간의 개체적 연속성을 확정하기 어렵다고 봄이 일반적이라는 점, 배아의 경우 현재의 과학기술 수준에서 모태 속에서 수용될 때 비로소 독립적인 인간으로의 성장가능성을 기대할 수 있다는 점, 수정 후 착상 전의 배아가 인간으로 인식된다거나 그와 같이 취급하여야 할 필요성이 있다는 사회적 승인이 존재한다고 보기 어려운 점 등을 종합적으로 고려할 때, 기본권 주체성을 인정하기 어렵다.

다만, 오늘날 생명공학 등의 발전과정에 비추어 인간의 존엄과 가치가 갖는 헌법적 가치질서로서의 성격을 고려할 때 인간으로 발전할 잠재성을 갖고 있는 초기배아라는 원시생명체에 대하여도 위와 같은 헌법적 가치가 소홀히 취급되지 않도록 노력해야 할 국가의 보호의무가 있음을 인정하지 않을 수 없다 할 것이다.

2. 배아연구와 관련된 직업에 종사하는 청구인의 헌법소원 심판청구에 대해 기본권 침해가능성 또는 자기관련성을 인정할 수 있는지 여부(소극)

법학자, 윤리학자, 철학자, 의사 등의 직업인으로 이루어진 청구인들의 청구는 청구인들이 이 사건 심판대상 조항으로 인해 불편을 겪는다고 하더라도 사실적·간접적 불이익에 불과한 것이고, 청구인들에 대한 기본권침해의 가능성 및 자기관련성을 인정하기 어렵다.

3. 배아생성자가 배아의 관리 또는 처분에 대해 갖는 기본권과 그 제한의 필요성

배아생성자는 배아에 대해 자신의 유전자정보가 담긴 신체의 일부를 제공하고, 또 배아가 모체에 성공적으로 착상하여 인간으로 출생할 경우 생물학적 부모로서의 지위를 갖게 되므로, 배아의 관리 또는 처분에 대한 결정권을 가진다. 이러한 배아생성자의 배아에 대한 결정권은 헌법상 명문으로 규정되어 있지는 아니하지만, 헌법 제10조로부터 도출되는 일반적 인격권의 한 유형으로서의 헌법상 권리라 할 것이다.

다만, 배아의 경우 형성 중에 있는 생명이라는 독특한 지위로 인해 국가에 의한 적극적인 보호가 요구된다는 점, 배아의 관리·처분에는 공공복리 및 사회 윤리적 차원의 평가가 필연적으로 수반되지 않을 수 없다는 점에서도 그 제한의 필요성은 크다고 할 것이다. 그러므로 배아생성자의 배아에 대한 자기결정권은 자기결정이라는 인격권적 측면에도 불구하고 배아의 법적 보호라는 헌법적 가치에 명백히 배치될 경우에는 그 제한의 필요성이 상대적으로 큰 기본권이라 할 수 있다.

4. 잔여배아를 5년간 보존하고 이후 폐기하도록 한 생명윤리법 제16조 제1항, 제2항이 배아생성자의 배아에 대한 결정권을 침해하는지 여부(소극)

배아생성자가 체외인공수정의 방법으로 배아를 생성시키는 것은 출산의 자유와 함께 가족을 구성하여 삶을 영위할 자유의 한 측면으로 인정될 수 있는 것인데, 당사자들의 동의를 받아 생성된 배아에 대해서는 가급적 장기간 보존하여 착상을 시도하고, 국가가 마음대로 그 폐기 여부를 결정하기보다는 가급적 배아생성자의 결정권을 존중하는 것이 바람직하다.

그런데 체외수정기법은 현재의 과학기술 수준에서 임신성공률을 높이기 위해 한 번에 다수의 체외수정배아를 생성하는 방식으로 시도되는 것이 일반적이어서 잔여배아가 다수 생성되는 것은 불가피하다. 이러한 현실 하에서 냉동된 잔여배아 수의 증가로 인한 사회적 비용을 절감하고, 의료기관의 관리 소홀로 배아가 부적절한 연구목적으로 부당하게 사용되는 것을 방지해야할 필요성이 크다.

만일 보존기간 제한을 두지 않는다면 의료기관이 지나치게 많은 잔여배아를 관리하면서 인적, 물적 비용이 증가하고 그 관리에 많은 부담이 생겨 자칫하면 관리의 소홀로 이어질 수 있다. 또한 배아를 장기간 냉동 보관할 경우에는 이를 해동하더라도 임신목적에 적합하게 사용하기도 쉽지 않다. 그리고 보존기간을 두더라도 기간경과 후 폐기를 당사자의 자율에 맡길 경우 배아생성자가 잔여배아에 대한 결정권을 행사하지 않거나 할 수 없는 상황에서는 배아의 관리가 역시 부실하게 되어 그 부적절한 이용가능성 또한 높아지게 된다. 따라서 이 사건 심판대상조항이 배아에 대한 보존기간 및 폐기의무를 규정한 것은 그 입법목적의 정당성과 방법의 적절성이 인정된다.

또한 5년이라는 보존기간을 두고 보존기간 경과 후 폐기를 규정한 것에 대해 살피건대, 이와 다른 방식으로 위 입법목적을 실현하면서 기본권을 덜 침해하는 수단이 명백히 존재한다고 할 수 없는 점, 5년 동안의 보존기간이 임신을 원하는 사람들에게 배아를 이용할 기회를 부여하기에 명백히 불합리한 기간이라고 볼 수 없는 점, 이와 유사한 규율을 영국·프랑스 등 선진각국의 입법에서도 찾아볼 수 있는 점, 배아 수의 지나친 증가와 그로 인한 사회적 비용의 증가 및 부적절한 연구목적의 이용가능성을 방지하여야 할 공익적 필요성의 정도가 배아생성자의 자기결정권이 제한됨으로 인한 불이익의 정도에 비해 작다고 볼 수 없는 점 등을 고려하면 이 사건 심판대상조항이 피해의 최소성에 반하거나 법익의 균형성을 잃었다고 보기도 어렵다 할 것이다.

004 반민규명법 사건 [합헌]
― 2010. 10. 28. 선고 2007헌가23

판시사항 및 결정요지

1. 일본제국주의의 국권침탈이 시작된 러·일전쟁 개전시부터 1945년 8월 15일까지 조선총독부 중추원 참의로 활동한 행위를 친일반민족행위로 규정한 '일제강점하 반민족행위 진상규명에 관한 특별법'(2006. 4. 28. 법률 제7937호로 개정된 것, 이하 '반민규명법'이라 한다) 제2조 제9호 중 '조선총독부 중추원 참의로 활동한 행위' 부분(이하 '이 사건 법률조항'이라 한다)이 조사대상자 또는 그 유족(이하 '조사대상자 등'이라 한다)의 인격권을 제한하는지 여부(적극)

이 사건 법률조항에 근거하여 친일반민족행위반민규명위원회(이하 '반민규명위원회'라 한다)의 조사대상자 선정 및 친일반민족행위결정이 이루어지면, 조사대상자의 사회적 평가에 영향을 미치므로 헌법 제10조에서 유래하는 일반적 인격권이 제한받는다. 다만 이러한 결정에 있어서 대부분의 조사대상자는 이미 사망하였을 것이 분명하나, 조사대상자가 사자(死者)의 경우에도 인격적 가치에 대한 중대한 왜곡으로부터 보호되어야 한다. 사자(死者)에 대한 사회적 명예와 평가의 훼손은 사자(死者)와의 관계를 통하여 스스로의 인격상을 형성하고 명예를 지켜온 그들의 후손의 인격권, 즉 유족의 명예 또는 유족의 사자(死者)에 대한 경애추모의 정을 제한하는 것이다.

2. 이 사건 법률조항이 조사대상자 등의 인격권을 침해하는지 여부(소극)

이 사건 법률조항의 입법목적은 러·일 전쟁 개전시부터 1945년 8월 15일까지 일본제국주의를 위하여 행한 친일반민족행위의 진상을 규명하여 역사의 진실과 민족의 정통성을 확인하고 사회정의 구현에 이바지함에 있는바 그 정당성이 인정되고, 조선총독부 중추원이 일제의 식민지정책을 정당화, 합리화하는 기능을 수행하여 왔다고 평가되는 점에 비추어 이 사건 법률조항은 위 입법목적 달성에 기여하는 적합한 수단이 된다.

이 사건 법률조항을 포함한 반민규명법은 여러 차례 개정안이 발의되어 수회의 공청회 및 토론회 등을 거친 후 국회에서 가결된 것으로 실질적으로 우리 사회의 민주적 숙의과정 및 공론적 토대로부터 성립된 것이라고 할 수 있으므로 헌법재판소로서는 원칙적으로 그 입법적 판단을 존중함이 옳은 점, 조선총독부 중추원 참의로 활동한 행위라고 하더라도 예외 없이 친일반민족행위결정을 받는 것도 아닌 점, 조사대상자가 국내외에서 일제의 국권침탈을 반대하거나 독립운동에 참여 또는 지원한 사실이 있는 때에는 이러한 사실을 함께 조사하도록 하는 등 조사대상자 등의 불이익을 최소화하기 위한 장치를 마련하고 있는 점 등에 비추어 피해의 최소성 원칙에도 위배되지 않으며, 친일반민족행위의 진상을 규명하여 정의로운 사회가 실현될 수 있도록 공동체의 윤리를 정립하고자 하는 공익의 중대성은 막대한 반면, 이 사건 법률조항으로 인해 제한되는 조사대상자 등의 인격권은 친일반민족행위에 관한 조사보고서와 사료가 공개됨으로 인한 것에 불과하므로, 법익 균형성의 원칙에도 반하지 않는다.

005 대통령의 선거중립의무 준수요청 등 조치 취소 청구 사건 [기각]
― 2008. 1. 17. 선고 2007헌마700

판시사항 및 결정요지

1. 적법요건에 대한 판단

가. 중앙선거관리위원회 위원장(피청구인)이 청구인에게 한 2007. 6. 7.자의 '대통령의 선거중립의무 준수요청 조치'와 2007. 6. 18.자의 '대통령의 선거중립의무 준수 재촉구 조치'(이하 위 각 조치를 '이 사건 조치'라 한다)의 법적 근거

헌법 제115조와 공직선거법 제5조, 공직선거법 제272조의2 제5항의 내용을 살펴볼 때 이들 규정은 이 사건 조치의 근거조항이라고 할 수 없으며, 이 사건 조치는 선거관리위원회법 제14조의2에 근거한 것이라고 볼 수밖에 없고, 청구인의 과거 발언이 공직선거법을 위반하였다고 확인한 후 재발방지를 촉구하는 내용이 주를 이루고 있으므로 위 조항에 열거된 행위유형 중 '경고'에 해당한다고 봄이 상당하다.

나. 이 사건 조치가 기본권침해 가능성 있는 공권력의 행사인지 여부(적극)

선거관리위원회법 제14조의2의 '경고'는 선거법 위반행위에 대한 제재적 조치의 하나로서 법률에 규정된 것이므로 피경고자는 이러한 경고를 준수하여야 할 의무가 있고, 피경고자가 경고를 불이행하는 경우 선거관리위원회 위원·직원에 의하여 관할 수사기관에 수사의뢰 또는 고발될 수 있으므로(위 조항 후문), 위 '경고'가 청구인의 법적 지위에 영향을 주지 않는다고는 할 수 없다.

중앙선거관리위원회 위원장이 중앙선거관리위원회 전체회의의 심의를 거쳐 대통령의 위법사실을 확인한 후 그 재발방지를 촉구하는 내용의 이 사건 조치를 청구인인 대통령에 대하여 직접 발령한 것이 단순한 권고적·비권력적 행위라든가 대통령인 청구인의 법적 지위에 불리한 효과를 주지 않았다고 보기는 어렵다(탄핵소추사유는 근본적으로 청구인의 행위가 이 사건 법률조항에 위반되었다는 점이 되지만, 이 사건 조치에 의하여 청구인의 위법사실이 유권적으로 확인됨으로써 탄핵발의의 계기가 부여된다).

청구인이 이 사건 조치를 따르지 않음으로써 형사적으로 처벌될 가능성은 없다고 하더라도, 이 사건 조치가 그 자체로 청구인에게 그러한 위축효과를 줄 수 있음은 명백하다고 볼 것이고, 나아가 이 사건 조치에 대하여 법원에서 소송으로 구제받기는 어렵다는 점에서 헌법기관인 피청구인이 청구인의 위 발언내용이 위법이라고 판단한 이 사건 조치는 최종적·유권적인 판단으로서 기본권 제한의 효과를 발생시킬 가능성이 높다고 할 것이다.

다. 이 사건과 2002헌마106 사건과의 차별성

2002헌마106 사건에서의 서울특별시 선거관리위원회 위원장의 중지촉구는 장래에 개최될 예정인 대담·토론회에 관하여 서울특별시 선거관리위원회가 사전에 공직선거법 위반에 해당될 것이라는 법적 평가를 한 후 그러한 의견을 오마이뉴스에 표명하면서 만일 그 위반행위를 하는 경우 위 선거관리위원회가 취할 수 있는 조치를 통고한 것인 데 반하여, 이 사건 조치는 청구인의 과거의 행위가 위법임을 유권적으로 확인하고 이를 청구인에게 통지하면서 그 재발방지를 촉구한 것이다. 결국 선례상의 중지촉구는 권고적·비권력적 행위인 공명선거 협조요청에 불과하여 피통고자에 대하여 직접적인 법률효과를 발생시키지 않는 것이지만, 이 사건 조치는 위법행위에 대한 유권적인 판단 및 그에 대한 경고를 함으로써 청구인의 기본권을 실질적으로 제한하고 있으므로, 위 선례의 판시가 이 사건에 적용된다고 볼 수 없다.

라. 청구인(대통령)의 기본권 주체성 여부(적극)

원칙적으로 국가나 국가기관 또는 국가조직의 일부나 공법인은 공권력 행사의 주체이자 기본권의 '수범자'로서 기본권의 '소지자'인 국민의 기본권을 보호 내지 실현해야 할 책임과 의무를 지니고 있을 뿐이므로, 헌법소원을 제기할 수 있는 청구인적격이 없다. 심판대상조항이나 공권력 작용이 넓은 의미의 국가 조직영역 내에서 공적 과제를 수행하는 주체의 권한 내지 직무영역을 제약하는 성격이 강한 경우에는 그 기본권 주체성이 부정될 것이지만, 그것이 일반 국민으로서 국가에 대하여 가지는 헌법상의 기본권을 제약하는 성격이 강한 경우에는 기본권 주체성을 인정할 수 있다.

개인의 지위를 겸하는 국가기관이 기본권의 주체로서 헌법소원의 청구적격을 가지는지 여부는, 심판대상조항이 규율하는 기본권의 성격, 국가기관으로서의 직무와 제한되는 기본권 간의 밀접성과 관련성, 직무상 행위와 사적인 행위 간의 구별가능성 등을 종합적으로 고려하여 결정되어야 할 것이다.

그러므로 대통령도 국민의 한사람으로서 제한적으로나마 기본권의 주체가 될 수 있는바, 대통령은 소속 정당을 위하여 정당활동을 할 수 있는 사인으로서의 지위와 국민 모두에 대한 봉사자로서 공익실현의 의무가 있는 헌법기관으로서의 지위를 동시에 갖는데 최소한 전자의 지위와 관련하여는 기본권 주체성을 갖는다고 할 수 있다.

2. 본안에 대한 판단

가. 공직선거법 제9조 제1항(이하 '이 사건 법률조항'이라 한다)의 해석과 성격

국가공무원법 조항은 정무직 공무원들의 일반적 정치활동을 허용하는 데 반하여, 이 사건 법률조항은 그들로 하여금 정치활동 중 '선거에 영향을 미치는 행위'만을 금지하고 있으므로, 위 법률조항은 선거영역에서의 특별법으로서 일반법인 국가공무원법 조항에 우선하여 적용된다고 할 것이다.

이 사건 법률조항 중 수범자인 행위주체 부분을 살펴보면, 주체는 '공무원 기타 정치적 중립을 지켜야 하는 자'로 규정되어 있으므로, 이 때 '공무원'은 자유선거원칙과 선거에서의 정당의 기회균등을 수호하여야 하는 모든 공무원을 의미한다. 그런데 사실상 모든 공무원이 그 직무의 행사를 통하여 선거에 부당한 영향력을 행사할 수 있는 지위에 있으므로, 여기서의 공무원이란 원칙적으로 국가와 지방자치단체의 모든 공무원 즉 좁은 의미의 직업공무원은 물론이고, 적극적인 정치활동을 통하여 국가에 봉사하는 정치적 공무원(예컨대, 대통령, 국무총리, 국무위원, 도지사, 시장, 군수, 구청장 등 지방자치단체의 장)을 포함하며, 특히 직무의 기능이나 영향력을 이용하여 선거에서 국민의 자유로운 의사형성과정에 영향을 미치고 정당간의 경쟁관계를 왜곡할 가능성은 정부나 지방자치단체의 집행기관에 있어서 더욱 크다고 판단되므로, 대통령, 지방자치단체의 장 등에게는 다른 공무원보다도 선거에서의 정치적 중립성이 특히 요구된다. 다만 공무원 중에서 국회의원과 지방의회의원은 정치활동의 자유가 보장되고 선거에서의 중립의무 없이 선거운동이 가능하므로 국회의원과 지방의회의원은 위 공무원의 범위에 포함되지 않는다.

… 이 사건 법률조항이 구체적 법률효과를 발생시키지 않는 단순한 선언적·주의적 규정이라고 볼 수 없다.

나. 이 사건 법률조항이 명확성의 원칙에 위배되는지 여부(소극)

명확성의 원칙은 기본권을 제한하는 법규범의 내용은 명확하여야 한다는 헌법상의 원칙인바, 만일 법규범의 의미내용이 불확실하다면 법적안정성과 예측가능성을 확보할 수 없고 법집행 당국의 자의적인 법해석과 집행을 가능하게 할 것이기 때문이다. 다만 법규범의 문언은 어느 정도 일반적·규범적 개념을 사용하지 않을 수 없기 때문에 기본적으로 최대한이 아닌 최소한의 명확성을 요구하는 것으로서, 법문언이 법관의 보충적인 가치판단을 통해서 그 의미내용을 확인할 수 있고, 그러한 보충적 해석이 해석자의 개인적인 취향에 따라 좌우될 가능성이 없다면 명확성의 원칙에 반한다고 할 수 없다.

나아가 법규범이 표현의 자유를 규제하는 경우에는 명확성의 요구가 보다 강화된다. 즉 무엇이 금지되는 표현인지 불명확한 경우에 자신이 행하고자 하는 표현이 규제의 대상이 아니라는 확신이 없는 기본권 주체는 대체로 규제에 대한 우려 때문에 표현행위를 스스로 억제하게 될 가능성이 높으므로 표현의 자유를 규제하는 법률은 규제되는 표현의 개념을 세밀하고 명확하게 규정할 것이 요구된다. 청구인은 이 사건 법률조항으로 인하여 개인으로서의 정치적 표현의 자유를 침해받았다고 주장하고 있으므로, 위 법률조항이 명확성의 원칙에 위반되는지 여부는 엄격한 심사기준에 의하여야 할 것이되, 다만 형벌 등 제재규정이 없는 점과 수범자의 범위가 공무원으로 제한되어 있다는 점을 고려하여 그 심사기준을 다소 완화하기로 한다.

이 사건 법률조항은 주체나 행위에 대한 제한적인 해석이 가능하여 그 범위를 한정할 수 있고, 나아가 위 법률조항의 입법목적과 입법경위, 수범자의 범위 및 선거과정의 특징 등을 고려할 때, 그 수범자가 통상의 법감정과 합리적 상식에 기하여 그 구체적 의미를 충분히 예측하고 해석할 수 있으므로 명확성의 원칙에 반하지 않는다.

다. 대통령의 정치인으로서의 지위와 선거중립의무의 관계

오늘날의 대의민주주의하에서 선거는 국민이 통치기관을 결정·구성하는 방법이고 선출된 대표자에게 민주적 정당성을 부여함으로써 국민주권주의 원리를 실현하는 핵심적인 역할을 하고 있으므로 선거에서의 공정성 요청은 매우 중요하고 필연적인바, 공명선거의 책무는 우선적으로 국정의 책임자인 대통령에게 있다. … 결국 선거활동에 관하여 대통령의 정치활동의 자유와 선거중립의무가 충돌하는 경우에는 후자가 강조되고 우선되어야 한다.

라. 이 사건 법률조항이 청구인의 정치적 표현의 자유를 침해하는지 여부(소극)

이 사건 법률조항은 공무원에게 정치적 중립의무를 부과하여 선거의 공정이 이루어지도록 함으로써 궁극적으로 선거를 통한 국민주권원리가 구현될 수 있도록 하는 정당한 입법목적을 가지고 있다고 할 것이고, 또한 이 사건 법률조항은 그 입법목적에 적정한 수단이라고 할 것이다.

이 사건 법률조항은 대통령의 정치적 표현의 자유를 상시적으로 모든 영역에서 규제하는 것이 아니라, 선거가 임박한 시기에 부당한 영향력을 행사하는 방법으로 선거결과에 영향을 미치는 표현행위만을 규제하는 것이고, 또한 이 사건 법률조항은 대통령의 직무집행과 관련된 공적인 행위만을 규제하는 것이고 대통령의 순수한 개인적인 영역까지 규제하는 것은 아니며, 나아가 이 사건 법률조항의 위반에 대한 제재조항이 없어 위 조항을 위반한다고 하여도 형사처벌을 받을 위험성이 없으므로 피해의 최소성을 갖추었다고 할 것이다.

민주주의 국가에서 공무원 특히 대통령의 선거중립으로 인하여 얻게 될 '선거의 공정성'은 매우 크고 중요한 반면, 대통령이 감수하여야 할 '표현의 자유 제한'은 상당히 한정적이므로, 위 법률조항은 법익의 균형성도 갖추었다 할 것이고, 결국 이 사건 법률조항이 과잉금지원칙에 위배되어 청구인의 정치적 표현의 자유를 침해하는 것으로 볼 수 없다.

마. 이 사건 법률조항이 평등의 원칙에 위배되는지 여부(소극)

국회의원 및 지방의회의원도 대통령과 마찬가지로 정당의 추천을 받아 국민의 직접선거에 의해 선출되는 선출직 공무원인데, 관계 법령의 해석상 이 사건 법률조항의 적용을 받지 않음으로써, 대통령과의 사이에 차별이 발생한다.

대통령은 국정의 책임자이자 행정부의 수반이므로 공명선거에 대한 궁극적 책무를 지고 있고, 공무원들은 최종적인 인사권과 지휘감독권을 갖고 있는 대통령의 정치적 성향을 의식하지 않을 수 없으므로 대통령의 선거개입은 선거의 공정을 해칠 우려가 높다. 이에 반하여 국회의원이나 지방의회의원은 공무원의 선거관리에 영향을 미칠 가능성이 높지 않고, 국회의원은 국회의 구성원임과 동시에 정당소속원으로서 선거에 직접 참여하는 당사자가 될 수도 있고, 복수정당제나 자유선거의 원칙을 실현하기 위하여 정책홍보 등 광범위한 선거운동의 주체가 될 필요도 있으므로 선거에서의 중립성을 요구하는 것이 적절하지 않다.

결국 국회의원과 지방의회의원이 대통령과 달리 이 사건 법률조항의 적용을 받지 않는 것은 합리적인 차별이라고 할 것이므로, 위 법률조항은 평등의 원칙에 반하지 아니한다.

바. 이 사건 조치가 명확성의 원칙에 위배되는지 여부(소극)

이 사건 조치의 내용을 살펴보면 발언의 당사자인 청구인으로서는 각 조치에서 언급하는 '선거법 위반행위'가 무엇인지 알 수 있을 만큼 특정되었으므로 명확하다고 할 것이다.

사. 이 사건 조치가 적법절차원칙에 위배되는지 여부(소극)

우리 헌법 제12조 제1항은 "…… 법률과 적법한 절차에 의하지 아니하고는 처벌·보안처분 또는 강제노역을 받지 아니한다."라고 하여 적법절차원칙을 천명하고 있는데, 이 원칙은 형사소송절차에 국한되지 않고 모든 국가작용 전반에 대하여 적용된다. 이러한 적법절차원칙에서 도출할 수 있는 중요한 절차적 요청 중의 하나로, 당사자에게 적절한 고지를 행할 것 및 당사자에게 의견 및 자료제출의 기회를 부여할 것 등이 있으나, 이 원칙이 구체적으로 어떠한 절차를 어느 정도로 요구하는지 일률적으로 말하기 어렵고, 규율되는 사항의 성질, 관련 당사자의 사익(私益), 절차의 이행으로 제고될 가치, 국가작용의 효율성, 절차에 소요되는 비용, 불복의 기회 등 다양한 요소들을 형량하여 개별적으로 판단할 수밖에 없다.

각급 선거관리위원회의 의결을 거쳐 행하는 사항에 대하여는 원칙적으로 행정절차에 관한 규정이 적용되지 않는바(행정절차법 제3조 제2항 제4호), 이는 권력분립의 원리와 선거관리위원회 의결절차의 합리성을 고려한 것으로 보인다. 또한 선거운동의 특성상 선거법 위반행위인지 여부와 그에 대한 조치는 가능하면 신속하게 결정되어야 할 뿐 아니라, 선거관리위원회법 제14조의2의 조치가 위반행위자에 대하여 종국적 법률효과를 발생시키는 것도 아니므로, 위반행위자에게 의견진술의 기회를 보장하는 것이 반드시 필요하거나 적절하다고 보기는 어렵다.

이와 같이 선거관리의 특성, 이 사건 조치가 규율하는 행위의 성격, 위 조치의 제재효과 및 기본권침해의 정도 등을 종합하여 볼 때, 청구인에게 위 조치 전에 의견진술의 기회를 부여하지 않은 것이 적법절차원칙에 어긋나서 청구인의 기본권을 침해한다고 볼 수 없다.

아. 이 사건 조치가 피청구인의 이 사건 법률조항에 대한 잘못된 해석에 기인하는 것인지 여부(소극)

청구인은 대통령 선거가 다가오고 야당의 당내 경선이 이루어지고 있는 시기에 국민들이 관심을 갖는 공공의 모임들에서 주로 야당의 유력 후보자들을 비난하고 그들의 정책을 지속·반복적으로 비판하였으며 한겨레신문과의 대담에서는 자신의 출신당 후보자를 지지하겠다는 적극적인 취지의 발언을 하였다.

청구인의 이러한 발언은 공직상 부여되는 정치적 비중과 영향력을 국민 모두에 대하여 봉사하는 그의 지위와 부합하지 않는 방법으로 사용함으로써 선거의 공정에 상당한 영향을 줄 가능성이 있거나, 선거에 대한 부당한 영향력을 행사하여 선거의 득표에 영향을 미치는 행위라고 할 것이므로, 위 각 발언들이 이 사건 법률조항에 위반되었다고 본 피청구인의 이 사건 조치가 위 법률조항을 잘못 해석·적용한 결과라고 할 수 없다.

함께 보는 판례

❶ 축협중앙회의 기본권 주체성 (2000. 6. 1. 선고 99헌마553)

법인 등 결사체도 그 조직과 의사형성에 있어서, 그리고 업무수행에 있어서 자기결정권을 가지고 있어 결사의 자유의 주체가 된다고 봄이 상당하므로, 축협중앙회는 그 회원조합들과 별도로 결사의 자유의 주체가 된다.

헌법상 기본권의 주체가 될 수 있는 법인은 원칙적으로 사법인에 한하는 것이고 공법인은 헌법의 수범자이지 기본권의 주체가 될 수 없다. 축협중앙회는 지역별·업종별 축협과 비교할 때, 회원의 임의탈퇴나 임의해산이 불가능한 점 등 그 공법인성이 상대적으로 크다고 할 것이지만, 이로써 공법인이라고 단정할 수는 없을 것이고, 이 역시 그 존립목적 및 설립형식에서의 자주적 성격에 비추어 사법인적 성격을 부인할 수 없으므로, 축협중앙회는 공법인성과 사법인성을 겸유한 특수한 법인으로서 이 사건에서 기본권의 주체가 될 수 있다.

❷ 국가기관의 기본권 주체성 (1994. 12. 29. 선고 93헌마120)

헌법재판소법 제68조 제1항은 "공권력의 행사 또는 불행사로 인하여 기본권을 침해받은 자는 헌법소원의 심판을 청구할 수 있다"고 규정하고 있다. 여기서 기본권을 침해받은 자만이 헌법소원을 청구할 수 있다는 것은 곧 기본권의 주체라야만 헌법소원을 청구할 수 있고, 기본권의 주체가 아닌 자는 헌법소원을 청구할 수 없다는 것을 의미하는 것이다. 기본권 보장규정인 헌법 제2장의 제목이 "국민의 권리와 의무"이고 그 제10조 내지 제39조에서 "모든 국민은 ……권리를 가진다"고 규정하고 있으므로 국민(또는 국민과 유사한 지위에 있는 외국인과 사법인)만이 기본권의 주체라 할 것이다.

한편 국가나 국가기관 또는 국가조직의 일부나 공법인은 기본권의 '수범자(Adressat)'이지 기본권의 주체로서 그 '소지자(Träger)'가 아니고 오히려 국민의 기본권을 보호 내지 실현해야 할 '책임'과 '의무'를 지니고 있는 지위에 있을 뿐이다. 그런데 청구인은 국회의 노동위원회로 그 일부조직인 상임위원회 가운데 하나에 해당하는 것으로 국가기관인 국회의 일부조직이므로 기본권의 주체가 될 수 없고 따라서 헌법소원을 제기할 수 있는 적격이 없다고 할 것이다.

❸ 지방자치단체가 재산권 등의 주체가 될 수 있는지 여부(소극) (2006. 2. 23. 선고 2004헌바50)

기본권 보장규정인 헌법 제2장의 제목이 "국민의 권리와 의무"이고 그 제10조 내지 제39조에서

"모든 국민은 …… 권리를 가진다"고 규정하고 있으므로 이러한 기본권의 보장에 관한 각 헌법규정의 해석상 국민만이 기본권의 주체라 할 것이고, 공권력의 행사자인 국가, 지방자치단체나 그 기관 또는 국가조직의 일부나 공법인은 기본권의 "수범자"이지 기본권의 주체가 아니고 오히려 국민의 기본권을 보호 내지 실현해야 할 '책임'과 '의무'를 지니고 있을 뿐이다. 그렇다면 이 사건에서 지방자치단체인 청구인은 기본권의 주체가 될 수 없고 따라서 청구인의 재산권 침해 여부는 더 나아가 살펴볼 필요가 없다.

제5절 기본권의 효력

종립 사립고교 종교교육 사건
– 대법원 2010. 4. 22. 선고 2008다38288 전원합의체 판결 [손해배상(기)]

판시사항 및 결정요지

1. 사인(私人)에 의한 '종교의 자유' 침해가 불법행위를 구성하는 형태

헌법상의 기본권은 제1차적으로 개인의 자유로운 영역을 공권력의 침해로부터 보호하기 위한 방어적 권리이지만 다른 한편으로 헌법의 기본적인 결단인 객관적인 가치질서를 구체화한 것으로서, 사법(私法)을 포함한 모든 법 영역에 그 영향을 미치는 것이므로 사인간의 사적인 법률관계도 헌법상의 기본권 규정에 적합하게 규율되어야 한다. 다만 기본권 규정은 그 성질상 사법관계에 직접 적용될 수 있는 예외적인 것을 제외하고는 사법상의 일반원칙을 규정한 민법 제2조, 제103조, 제750조, 제751조 등의 내용을 형성하고 그 해석 기준이 되어 간접적으로 사법관계에 효력을 미치게 된다. 종교의 자유라는 기본권의 침해와 관련한 불법행위의 성립 여부도 위와 같은 일반규정을 통하여 사법상으로 보호되는 종교에 관한 인격적 법익침해 등의 형태로 구체화되어 논하여져야 한다.

2. 고등학교 평준화정책에 따른 학교 강제배정제도가 위헌인지 여부(소극)

공교육체계의 헌법적 도입과 우리의 고등학교 교육 현실 및 평준화정책이 고등학교 입시의 과열과 그로 인한 부작용을 막기 위하여 도입된 사정, 그로 인한 기본권의 제한 정도 등을 모두 고려한다면, 고등학교 평준화정책에 따른 학교 강제배정제도에 의하여 학생이나 학교법인의 기본권에 일부 제한이 가하여진다고 하더라도 그것만으로는 위 제도가 학생이나 학교법인의 기본권을 본질적으로 침해하는 위헌적인 것이라고까지 할 수는 없다.

3. 고등학교 평준화정책에 따른 학교 강제배정으로, 종립학교가 가지는 '종교교육의 자유 및 운영의 자유'와 학생들이 가지는 '소극적 종교행위의 자유 및 소극적 신앙고백의 자유'가 서로 충돌하는 경우 그 해결 방법

고등학교 평준화정책에 따른 학교 강제배정제도가 위헌이 아니라고 하더라도 여전히 종립학교(종교단체가 설립한 사립학교)가 가지는 종교교육의 자유 및 운영의 자유와 학생들이 가지는 소극적 종교행위의 자유 및 소극적 신앙고백의 자유 사이에 충돌이 생기게 되는데, 이와 같이 하나의 법률관계를 둘러싸고 두 기본권이 충돌하는 경우에는 구체적인 사안에서의 사정을 종합적으로 고려한 이익형량과 함께 양 기본권 사이의 실제적인 조화를 꾀하는 해석 등을 통하여 이를 해결하여야 하고, 그 결과에 따라 정해지는 양 기본권 행사의 한계 등을 감안하여 그 행위의 최종적인 위법성 여부를 판단하여야 한다.

4. 종립학교가 고등학교 평준화정책에 따라 강제배정된 학생들을 상대로 특정 종교의 교리를 전파하는 종파교육 형태의 종교교육을 실시하는 경우, 그 위법성의 판단 기준

[다수의견] 종립학교가 고등학교 평준화정책에 따라 학생 자신의 신앙과 무관하게 입학하게 된 학생들을 상대로 종교적 중립성이 유지된 보편적인 교양으로서의 종교교육의 범위를 넘어서서 학교의 설립이념이 된 특정의 종교교리를 전파하는 종파교육 형태의 종교교육을 실시하는 경우에는 그 종교교육의 구체적인 내용과 정도, 종교교육이 일시적인 것인지 아니면 계속적인 것인지 여부, 학생들에게 그러한 종교교육에 관하여 사전에 충분한 설명을 하고 동의를 구하였는지 여부, 종교교육에 대한 학생들의 태도나 학생들이 불이익이 있을 것을 염려하지 아니하고 자유롭게 대체과목을 선택하거나 종교교육에 참여를 거부할 수 있었는지 여부 등의 구체적인 사정을 종합적으로 고려하여 사회공동체의 건전한 상식과 법감정에 비추어 볼 때 용인될 수 있는 한계를 초과한 종교교육이라고 보이는 경우에는 위법성을 인정할 수 있다.

5. 종립학교가 고등학교 평준화정책에 따라 강제배정된 학생들을 상대로 특정 종교의 교리를 전파하는 종파적인 종교행사와 종교과목 수업을 실시하면서 참가 거부가 사실상 불가능한 분위기를 조성하고 대체과목을 개설하지 않는 등 신앙을 갖지 않거나 학교와 다른 신앙을 가진 학생의 기본권을 고려하지 않은 것은, 우리 사회의 건전한 상식과 법감정에 비추어 용인될 수 있는 한계를 벗어나 학생의 종교에 관한 인격적 법익을 침해하는 위법한 행위이고, 그로 인하여 인격적 법익을 침해받는 학생이 있을 것임이 충분히 예견가능하고 그 침해가 회피가능하므로 과실 역시 인정된다고 한 사례.

6. 서울특별시 교육감과 담당 공무원이 취한 일부 시정조치들만으로는 종립학교의 위법한 종교교육이나 퇴학처분을 막기에는 부족하여 결과적으로 학생의 인격적 법익에 대한 침해가 발생하였다고 하더라도, 교육감이 더 이상의 시정·변경명령 권한 등을 행사하지 않은 것이 객관적 정당성을 상실하였다거나 현저하게 합리성을 잃어 사회적 타당성이 없다고 볼 수 있는 정도에까지 이르렀다고 하기는 어렵다고 한 사례

함께 보는 판례

대사인적 효력 (대법원 2011. 1. 27. 선고 2009다19864)

헌법 제11조는 "모든 국민은 법 앞에 평등하다. 누구든지 성별·종교 또는 사회적 신분에 의하여 정치적·경제적·사회적·문화적 생활의 모든 영역에 있어서 차별을 받지 아니한다."라고 규정하여 평등의 원칙을 선언함과 동시에 모든 국민에게 평등권을 보장하고 있다. 따라서 사적 단체를 포함하여 사회공동체 내에서 개인이 성별에 따른 불합리한 차별을 받지 아니하고 자신의 희망과 소양에 따라 다양한 사회적·경제적 활동을 영위하는 것은 그 인격권 실현의 본질적 부분에 해당하므로 평등권이라는 기본권의 침해도 민법 제750조의 일반규정을 통하여 사법상 보호되는 인격적 법익침해의 형태로 구체화되어 논하여질 수 있고, 그 위법성 인정을 위하여 반드시 사인간의 평등권 보호에 관한 별개의 입법이 있어야만 하는 것은 아니다.

제6절 기본권의 경합과 충돌

007 금연구역 지정 사건 [기각]
― 2004. 8. 26. 선고 2003헌마457

판시사항

1. 흡연권과 혐연권의 우열
2. 상하의 위계질서가 있는 기본권끼리 충돌하는 경우 제한될 수 있는 기본권
3. 흡연권을 법률로써 제한할 수 있는지 여부(적극)
4. 국민건강증진법시행규칙 제7조가 과잉금지원칙에 위반되는지 여부(소극)
5. 국민건강증진법시행규칙 제7조가 평등원칙에 위반되는지 여부(소극)

사건의 개요

국민건강증진법 제9조 제6항, 제4항은 공중이 이용하는 시설 중 시설의 소유자·점유자 또는 관리자('시설관리자')가 당해 시설의 전체를 금연구역으로 지정하거나 당해 시설을 금연구역과 흡연구역으로 구분하여 지정하여야 하는 시설을 보건복지부령에 의하여 정하도록 규정하고 있고, 이에 기하여 보건복지부령인 국민건강증진법 시행규칙 제7조는 각 해당시설을 구체적으로 규정하고 있으며, 국민건강증진법 제9조 제5항은 시설이용자가 이와 같이 지정된 금역구역에서 흡연하는 것을 금지하고 있다.

청구인은 2003. 7. 11. 국민건강증진법시행규칙 제7조가 청구인의 기본권을 침해한다는 이유로 위 조문이 위헌임을 확인하여 달라는 이 사건 심판청구를 하였다.

심판대상조항 및 관련조항

국민건강증진법 시행규칙

제7조(금연구역의 지정기준 및 방법) ① 공중이용시설 중 청소년·환자 또는 어린이에게 흡연으로 인한 피해가 발생할 수 있는 다음 각 호의 시설 소유자 등은 당해 시설의 전체를 금연구역으로 지정하여야 한다.
  1. 제6조 제6호의 규정에 의한 학교 중 초·중등교육법 제2조의 규정에 의한 학교의 교사
  2. 제6조 제8호의 규정에 의한 의료기관, 보건소·보건의료원·보건지소
  3. 제6조 제16호의 규정에 의한 보육시설
② 제1항의 규정에 의한 시설 외의 공중이용시설의 소유자 등은 당해 시설 중 이용자에게 흡연의 피해를 줄 수 있는 다음 각 호에 해당하는 구역을 금연구역으로 지정하여야 한다. (각 호 생략)

주문

청구인의 심판청구를 기각한다.

I. 판 단

1. 흡연권의 헌법적 근거

흡연자들이 자유롭게 흡연할 권리를 흡연권이라고 한다면, 이러한 흡연권은 인간의 존엄과 행복추구권을 규정한 헌법 제10조와 사생활의 자유를 규정한 헌법 제17조에 의하여 뒷받침된다.

우선 헌법 제17조가 근거가 될 수 있다는 점에 관하여 보건대, 사생활의 자유란 사회공동체의 일반적인 생활규범의 범위 내에서 사생활을 자유롭게 형성해 나가고 그 설계 및 내용에 대해서 외부로부터의 간섭을 받지 아니할 권리를 말하는바, 흡연을 하는 행위는 이와 같은 사생활의 영역에 포함된다고 할 것이므로, 흡연권은 헌법 제17조에서 그 헌법적 근거를 찾을 수 있다.

또 인간으로서의 존엄과 가치를 실현하고 행복을 추구하기 위하여서는 누구나 자유로이 의사를 결정하고 그에 기하여 자율적인 생활을 형성할 수 있어야 하므로, 자유로운 흡연에의 결정 및 흡연행위를 포함하는 흡연권은 헌법 제10조에서도 그 근거를 찾을 수 있다.

2. 흡연권의 제한 가능성

가. 기본권의 충돌

위와 같이 흡연자들의 흡연권이 인정되듯이, 비흡연자들에게도 흡연을 하지 아니할 권리 내지 흡연으로부터 자유로울 권리가 인정된다(이하 이를 '혐연권'이라고 한다). 혐연권은 흡연권과 마찬가지로 헌법 제17조, 헌법 제10조에서 그 헌법적 근거를 찾을 수 있다. 나아가 흡연이 흡연자는 물론 간접흡연에 노출되는 비흡연자들의 건강과 생명도 위협한다는 면에서 혐연권은 헌법이 보장하는 건강권과 생명권에 기하여서도 인정된다.

흡연자가 비흡연자에게 아무런 영향을 미치지 않는 방법으로 흡연을 하는 경우에는 기본권의 충돌이 일어나지 않는다. 그러나 흡연자와 비흡연자가 함께 생활하는 공간에서의 흡연행위는 필연적으로 흡연자의 기본권과 비흡연자의 기본권이 충돌하는 상황이 초래된다.

그런데 흡연권은 위와 같이 사생활의 자유를 실질적 핵으로 하는 것이고 혐연권은 사생활의 자유뿐만 아니라 생명권에까지 연결되는 것이므로 혐연권이 흡연권보다 상위의 기본권이라 할 수 있다. 이처럼 상하의 위계질서가 있는 기본권끼리 충돌하는 경우에는 상위기본권우선의 원칙에 따라 하위기본권이 제한될 수 있으므로, 결국 흡연권은 혐연권을 침해하지 않는 한에서 인정되어야 한다.

나. 공공복리를 위한 제한

흡연은 비흡연자들 개개인의 기본권을 침해할 뿐만 아니라 흡연자 자신을 포함한 국민의 건강을 해치고 공기를 오염시켜 환경을 해친다는 점에서 개개인의 사익을 넘어서는 국민 공동의 공공복리에 관계된다. 따라서 공공복리를 위하여 개인의 자유와 권리를 제한할 수 있도록 한 헌법 제37조 제2항에 따라 흡연행위를 법률로써 제한할 수 있다.

나아가 국민은 헌법 제36조 제3항이 규정한 보건권에 기하여 국가로 하여금 흡연을 규제하도록 요구할 권리가 있으므로, 흡연에 대한 제한은 국가의 의무라고까지 할 수 있다.

3. 과잉금지원칙의 위반여부

이 사건 조문은 국민의 건강을 보호하기 위한 것으로서(국민건강증진법 제1조 및 국민건강증진법시행규칙 제1조 참조) 목적의 정당성을 인정할 수 있고, 흡연자와 비흡연자가 생활을 공유하는 곳에서 일정한 내용의 금연구역을 설정하는 것은 위 목적의 달성을 위하여 효과적이고 적절하여 방법의 적정성도 인정할 수 있다. 또한 이 사건 조문으로 달성하려고 하는 공익(국민의 건강)이 제한되는 사익(흡연권)보다 크기 때문에 법익균형성도 인정된다.

나아가 이 사건 조문이 일부 시설에 대하여는 시설 전체를 금연구역으로 지정하도록 하였지만, 이러한 시설은 세포와 신체조직이 아직 성숙하는 단계에 있는 어린이나 청소년들의 경우 담배로 인한 폐해가 심각하다는 점을 고려하여 규정한 보육시설과 초·중등교육법에 규정된 학교의 교사 및 치료를 위하여 절대적인 안정과 건강한 환경이 요구되는 의료기관, 보건소·보건의료원·보건지소에 한하고 있다는 점, 시설의 일부를 금연구역으로 지정하여야 하는 시설도 모두 여러 공중이 회합하는 장소로서 금역구역을 지정할 필요성이 큰 시설이라는 점, 이 사건 조문은 '청소년·환자 또는 어린이에게 흡연으로 인한 피해가 발생할 수 있는 다음 각 호의 시설' 또는 '이용자에게 흡연의 피해를 줄 수 있는 다음 각 호에 해당하는 구역'을 금연구역지정의 요건으로 함으로써, 형식적으로 이 사건 조문의 각 호에 규정된 시설에 해당하더라도 실제로 피해를 주지 않는 곳에서는 금연구역지정의 의무를 부과하지 않고 있는 점 등에 비추어 볼 때, 흡연자들의 흡연권을 최소한도로 침해하고 있다고 할 수 있다.

그렇다면 이 사건 조문은 과잉금지원칙에 위반되지 아니한다.

4. 평등권의 침해여부

앞서 본 바와 같이 이 사건 조문은 국민의 건강과 혐연권을 보장하기 위하여 흡연권을 제한하는 것으로서 그 제한에 합리적인 이유가 있다 할 것이므로 평등권을 침해하였다고 할 수 없다.

II 결 론

따라서 이 사건 헌법소원심판청구는 이유없어 이를 기각하기로 하여 관여재판관 전원의 일치된 의견으로 주문과 같이 결정한다.

008 유니온 샵 협정 사건 [합헌]
― 2005. 11. 24. 선고 2002헌바95,96,2003헌바9(병합)

판시사항

1. 당해 사업장에 종사하는 근로자의 3분의 2 이상을 대표하는 노동조합의 경우 단체협약을 매개로 한 조직강제[이른바 유니언 샵(Union Shop) 협정의 체결]를 용인하고 있는 노동조합및노동관계조정법 제81조 제2호 단서가 근로자의 단결권을 보장한 헌법 제33조 제1항 등에 위반되는지 여부(소극)
2. 이 사건 법률조항이 평등의 원칙에 위배되는지 여부(소극)

사건의 개요

청구인들은 부일교통 또는 금화교통에 택시운전기사로 입사한 근로자들이고, 소속 근로자들 대부분이 가입한 부산지역택시노조는 이 회사들로부터 단체교섭권을 위임받은 부산광역시 택시운송사업조합과 사이에 1998년도 단체협약을 체결하면서 이른바 유니언 샵 협정을 체결하였다.

그 후 청구인들이 부산지역택시노조를 탈퇴하여 조직대상을 같이하는 다른 지역별·업종별 단위노동조합인 부산민주택시노조에 가입하자, 부일교통 등은 유니언 샵 협정에 따라 청구인들을 해고하였다. 이에 청구인들은 이 해고가 위법하여 무효라고 주장하면서 그 확인을 구하는 소송을 제기하였고, 그 상고심 또는 항소심 계속 중 재판의 전제가 되는 노동조합및노동관계조정법 제81조 제2호 단서에 대하여 위헌제청신청을 하였으나, 소송에서 패소하고 위헌제청신청마저 기각 당하게 되자 청구인들은 2002. 11. 16. 등에 이 사건 헌법소원심판을 청구하였다.

심판대상

제81조(부당노동행위) 사용자는 다음 각 호의 1에 해당하는 행위(이하 "부당노동행위"라 한다)를 할 수 없다.
  2. 근로자가 어느 노동조합에 가입하지 아니할 것 또는 탈퇴할 것을 고용조건으로 하거나 특정한 노동조합의 조합원이 될 것을 고용조건으로 하는 행위. 다만, <u>노동조합이 당해 사업장에 종사하는 근로자의 3분의 2 이상을 대표하고 있을 때에는 근로자가 그 노동조합의 조합원이 될 것을 고용조건으로 하는 단체협약의 체결은 예외로 하며</u>, 이 경우 사용자는 근로자가 당해 노동조합에서 제명된 것을 이유로 신분상 불이익한 행위를 할 수 없다.

주문

노동조합및노동관계조정법 제81조 제2호 단서는 헌법에 위반되지 아니한다.

I. 판단

1. 이 사건 법률조항의 의미

일반적으로 근로자가 노동조합의 조합원이 될 것을 고용조건으로 하는 단체협약상의 규정을 유니언 샵(Union Shop) 협정이라고 하는데, 이 사건 법률조항은 비록 명시적으로 근로자의 단결하지 아니할 자유 또는 단결선택권을 침해·박탈하고 있지는 않지만 노동조합의 조직강제 수단인 유니언 샵 협정의 실정법적 근거조항으로서 이러한 조직강제의 유효성을 인정하고 있고, 그 내용도 특정한 지배적 노동조합으로의 단결강제를 예정하고 있어 해당 노동조합의 가입을 원하지 않는 개별근로자의 단결선택권 등 기본권을 제한하고 있다. 이러한 조직강제는 그 내용에 따라 어느 적당한 노동조합에 가입할 것을 고용조건으로 하는 일반적 조직강제의 경우 근로자의 단결하지 아니할 자유만을 제한하나, 특정한 노동조합의 조합원이 될 것을 고용조건으로 하는 제한적 조직강제의 경우 근로자의 단결하지 아니할 자유뿐만 아니라 단결선택권마저 제한한다.

2. 근로자의 단결권 등 침해 여부

가. 문제의 제기

이 사건 법률조항은 지배적 노동조합에게 일정한 형태의 조직강제를 인정함으로써 노동조합의 집단적 단결권과 개별근로자의 단결하지 않을 자유 또는 단결선택권과 충돌하는 문제가 발생하게 되므로, 이와 같이 두 기본권이 서로 충돌하는 경우 그 해결방법이 문제된다.

나. 기본권 충돌의 해결방법

기본권의 충돌이란 상이한 복수의 기본권주체가 서로의 권익을 실현하기 위해 하나의 동일한 사건에서 국가에 대하여 서로 대립되는 기본권의 적용을 주장하는 경우를 말하는데, 한 기본권주체의 기본권행사가 다른 기본권주체의 기본권행사를 제한 또는 희생시킨다는 데 그 특징이 있다.

이와 같이 두 기본권이 충돌하는 경우 그 해법으로는 기본권의 서열이론, 법익형량의 원리, 실제적 조화의 원리(=규범조화적 해석) 등을 들 수 있다. 헌법재판소는 기본권 충돌의 문제에 관하여 충돌하는 기본권의 성격과 태양에 따라 그때그때마다 적절한 해결방법을 선택, 종합하여 이를 해결하여 왔다.

다. 근로자의 단결하지 아니할 자유와 노동조합의 적극적 단결권의 충돌

노동조합의 조직강제는 그것이 일반적 조직강제이든 제한적 조직강제이든 근로자의 단결하지 아니할 자유를 제한할 여지가 있는데, 앞서 본 바와 같이 이 사건 법률조항은 지배적 노동조합의 경우 일정한 형태의 조직강제를 용인하고 있으므로 여기서 근로자의 단결하지 아니할 자유와 노동조합의 적극적 단결권(조직강제권)이 충돌하는 상황이 생긴다.

헌법 제33조 제1항은 "근로자는 근로조건의 향상을 위하여 자주적인 단결권·단체교섭권 및 단체행동권을 가진다."고 규정하고 있다. 여기서 헌법상 보장된 근로자의 단결권은 단결할 자유만을 가리킬 뿐이고, 단결하지 아니할 자유 이른바 소극적 단결권은 이에 포함되지 않는다고 보는 것이 우리 재판소의 선례라고 할 것이다.

그렇다면 근로자가 노동조합을 결성하지 아니할 자유나 노동조합에 가입을 강제당하지 아니할 자유, 그리고 가입한 노동조합을 탈퇴할 자유는 근로자에게 보장된 단결권의 내용에 포섭되는 권리로서가 아니라 헌법 제10조의 행복추구권에서 파생되는 일반적 행동의 자유 또는 제21조 제1항의 결사의 자유에서 그 근거를 찾을 수 있다. 이와 같이 근로자의 단결하지 아니할 자유와 노동조합의 적극적 단결권이 충돌하는 경우 단결권 상호간의 충돌은 아니라고 하더라도 여전히 헌법상 보장된 일반적 행동의 자유 또는 결사의 자유와 적극적 단결권 사이의 기본권 충돌의 문제가 제기될 수 있다.

살피건대, 근로자는 노동조합과 같은 근로자단체의 결성을 통하여 집단으로 사용자에 대항함으로써 사용자와 대등한 세력을 이루어 근로조건의 형성에 영향을 미칠 수 있는 기회를 갖게 된다는 의미에서 단결권은 '사회적 보호기능을 담당하는 자유권' 또는 '사회권적 성격을 띤 자유권'으로서의 성격을 가지고 있고 일반적인 시민적 자유권과는 질적으로 다른 권리로서 설정되어 헌법상 그 자체로서 이미 결사의 자유에 대한 특별법적인 지위를 승인받고 있다. 이에 비하여 일반적 행동의 자유는 헌법 제10조의 행복추구권 속에 함축된 그 구체적인 표현으로서, 이른바 보충적 자유권에 해당한다.

따라서 단결하지 아니할 자유와 적극적 단결권이 충돌하게 되더라도, 근로자에게 보장되는 적극적 단결권이 단결하지 아니할 자유보다 특별한 의미를 갖고 있다고 볼 수 있고, 노동조합의 조직강제권도 이른바 자유권을 수정하는 의미의 생존권(사회권)적 성격을 함께 가지는 만큼 근로자 개인의 자유권에 비하여 보다 특별한 가치로 보장되는 점 등을 고려하면, 노동조합의 적극적 단결권은 근로자 개인의 단결하지 않을 자유보다 중시된다고 할 것이어서 노동조합에 적극적 단결권(조직강제권)을 부여한다고 하여 이를 두고 곧바로 근로자의 단결하지 아니할 자유의 본질적인 내용을 침해하는 것으로 단정할 수는 없다.

라. 근로자의 단결선택권과 노동조합의 집단적 단결권의 충돌

1) 심사의 방법

개인적 단결권(단결선택권)과 집단적 단결권(조직강제권)이 충돌하는 경우 기본권의 서열이론이나 법익형량의 원리에 입각하여 어느 기본권이 더 상위기본권이라고 단정할 수는 없다. 왜냐하면 개인적 단결권은 헌법상 단결권의 기초이자 집단적 단결권의 전제가 되는 반면에, 집단적 단결권은 개인적 단결권을 바탕으로 조직·강화된 단결체를 통하여 사용자와 사이에 실질적으로 대등한 관계를 유지하기 위하여 필수불가결한 것이기 때문이다. 즉 개인적 단결권이든 집단적 단결권이든 기본권의 서열이나 법익의 형량을 통하여 어느 쪽을 우선시키고 다른 쪽을 후퇴시킬 수는 없다고 할 것이다.

따라서 이러한 경우 헌법의 통일성을 유지하기 위하여 상충하는 기본권 모두가 최대한으로 그 기능과 효력을 발휘할 수 있도록 조화로운 방법을 모색하되(규범조화적 해석), 법익형량의 원리, 입법에 의한 선택적 재량 등을 종합적으로 참작하여 심사하여야 한다.

2) 제한목적의 정당성

이 사건 법률조항이 예정하고 있는 조직강제는 위에서 본 바와 같이 근로자의 단결체인 노동조합의 조직유지 및 강화에 목적이 있고, 이를 통하여 궁극적으로는 근로자 전체의 지위향상에 기여하는 만큼 단결권을 보장한 헌법의 이념에도 부합하는 것이어서 그 목적의 정당성을 인정할 수 있다.

3) 제한되는 기본권 상호간에 적정한 비례의 유지

노동조합이 그 조직을 유지·강화하기 위하여 특정한 노동조합의 조합원이 될 것을 고용조건으로 하는 단체협약을 체결하는 것은 그 목적을 달성하기 위하여 효과적이고 적절한 방법이라고 할 수 있다.

이 사건 법률조항은 조직강제 또는 이에 따른 해고 등 신분상 불이익에 대한 정당성을 뒷받침할 정도로 충분한 지배적 조직, 즉 당해 사업장에 종사하는 근로자의 3분의 2 이상을 대표하고 있는 노동조합일 것을 요건으로 하고 있다.

또한 지배적 지위에 있는 노동조합의 권한남용으로부터 개별근로자를 보호하기 위하여 사용자는 근로자가 당해 노동조합에서 제명된 것을 이유로 신분상 불이익한 행위를 할 수 없도록 규정하고 있어 근로자의 단결선택권을 필요·최소한으로 제한하고 있다. 바꾸어 말하면 이 사건 법률조항은 근로자의 단결선택권이 제한되는 조직강제의 범위를 오직 근로자가 자발적으로 노동조합을 탈퇴하거나 이에 가입하지 않는 경우로 한정하고 있다.

나아가 궁극적으로 근로자들은 노동조합을 결성·강화하고, 그 단체체의 활동을 통하여 실질적으로 단결권을 보장받을 수 있으며, 또 지배적 노동조합에 가입을 원하지 않는 개별근로자들도 그러한 노동조합의 활동에 의한 과실, 즉 노동조합이 획득한 근로조건을 실질적으로 향유한다.

따라서 이 사건 법률조항이 예정하고 있는 노동조합의 조직강제는 개별근로자의 단결선택권을 일부 제약하는 면이 있으나, 이를 허용하는 노동조합의 범위를 지배적 지위에 있는 노동조합으로 제한하는 등 근로자의 단결선택권과 노동조합의 집단적 단결권(조직강제권) 사이에 균형을 도모하고 있고, 상충·제한되는 두 기본권 사이에 적정한 비례관계도 유지되고 있다고 할 것이다.

4) 입법에 의한 선택적 재량

단결권의 사회권적 측면이 보장되기 위해서는 근로자의 권리행사의 실질적인 조건을 형성하고 유지해야 할 국가의 적극적인 활동을 필요로 한다. … 어떤 범위의 노동조합에게 어떠한 형태와 방식으로 조직강제권을 인정할 것인지 여부는 입법자에게 부여된 입법형성의 선택과 재량에 속하는 사항이라 할 것이다.

살피건대, 이 사건 법률조항은 일정한 지배적 노동조합의 경우 그 조합원이 될 것을 고용조건으로 하는 단체협약의 체결을 용인한 것으로서, 노동조합이 근로자에 대한 직접적인 강제방법을 피하고 사용자와의 단체협약이라는 간접적인 수단을 매개로 하여 가입을 강제하고 있고, 실제로 이를 통하여 제한되는 단결권의 범위도 근로자의 단결선택권에 한정될 뿐 단결권 자체를 전면적으로 박탈하는 것은 아니며, 노동조합의 조직강제를 위하여 선택할 수 있는 여러 가지 수단 가운데 달리 더 유효·적절한 수단을 상정하기도 쉽지 아니한 점 등을 감안한다면, 이는 입법자에게 부여된 입법 선택적 재량의 범위를 벗어난 것이고 할 수 없다.

5) 따라서 이 사건 법률조항은 전체적으로 상충되는 두 기본권 사이에 합리적인 조화를 이루고 있고 제한에 있어서도 적정한 비례관계를 유지하고 있으며, 또 근로자의 단결선택권의 본질적인 내용을 침해하는 것으로도 볼 수 없다.

마. 따라서 이 사건 법률조항은 근로자의 단결권을 보장한 헌법 제33조 제1항 등에 위반되지 않는다.

3. 평등권의 침해 여부

가. 이 사건 법률조항은 지배적 노동조합의 경우 유니언 샵 협정 등 단체협약을 매개로 하여 그 조직의 유지·강화를 용이하게 할 수 있는 반면 그렇지 못한 노동조합(소수노조)의 경우 같은 방식에 의한 조직강제가 허용되지 않아 사실상 조직의 유지·강화에 있어 차별이 생긴다고 할 수 있다.

나. 헌법 제11조 제1항의 평등의 원칙은 일체의 차별적 대우를 부정하는 절대적 평등을 의미하는 것이 아니라 입법과 법의 적용에 있어서 합리적 근거 없는 차별을 하여서는 아니된다는 상대적 평등을 뜻하고 따라서 합리적 근거 있는 차별 내지 불평등은 평등의 원칙에 반하는 것이 아니다.

노동조합의 조직강제는 조직의 유지·강화를 통하여 단일하고 결집된 교섭능력을 증진시킴으로써 궁극적으로는 근로자 전체의 지위향상에 기여하고, 특히 이 사건 법률조항은 일정한 지배적 노동조합에게만 단체협약을 매개로 한 조직강제를 제한적으로 허용하고 있는데다가 소수노조에게까지 이를 허용할 경우 자칫 반조합의사를 가진 사용자에 의하여 다수 근로자의 단결권을 탄압하는 도구로 악용될 우려가 있는 점 등을 고려할 때, 이 사건 법률조항이 지배적 노동조합 및 그 조합원에 비하여 소수노조 및 그에 가입하였거나 가입하려고 하는 근로자에 대하여 한 차별적 취급은 합리적인 이유가 있으므로 평등권을 침해하지 않는다.

II 결 론

그렇다면, 이 사건 법률조항은 헌법에 위반되지 아니하므로 주문과 같이 결정한다.

제7절 기본권의 제한 및 한계

법률유보원칙

 **세월호피해지원법 사건** [위헌, 기각, 각하]
- 2017. 6. 29. 선고 2015헌마654

판시사항 및 결정요지

1. '4·16세월호참사 피해구제 및 지원 등을 위한 특별법'('세월호피해지원법'이라 한다) 중 위로지원금 지급에 관한 구체적인 사항은 '4·16세월호참사 배상 및 보상 심의위원회'(다음부터 '심의위원회'라 한다)에서 정하도록 규정한 제6조 제3항 후문, 심의위원회의 심의·의결사항 및 구성 등에 관하여 규정한 제8조, 배상금·위로지원금 및 보상금(다음부터 '배상금 등'이라 한다)의 지급절차 등에 필요한 사항을 대통령령으로 정하도록 규정한 제15조 제2항에 대한 헌법소원심판청구가 기본권침해의 직접성 요건을 갖추었는지 여부(소극)

　법령조항 자체가 헌법소원의 대상이 될 수 있으려면, 구체적 집행행위를 기다리지 않고 그 법령조항 자체에 의하여 자유의 제한, 의무의 부과, 권리 또는 법적 지위의 박탈이 생겨야 한다. 여기서 말하는 '구체적 집행행위'에는 입법도 포함되므로, 어떤 법령조항이 그 규정을 구체화하기 위하여 하위 규범의 시행을 예정하고 있는 경우에는 당해 법령조항으로 인한 기본권침해의 직접성은 부인된다.

　세월호피해지원법 제6조 제3항 후문과 제8조는 심의위원회의 배상금 등 지급결정이라는 집행행위를 예정하고 있고, 세월호피해지원법 제15조 제2항은 대통령령 제정이라는 집행행위를 예정하고 있으므로, 위 조항들은 그 자체로 직접 청구인들의 자유를 제한하거나 의무를 부과한다고 볼 수 없다. 따라서 위 조항들에 대한 심판청구는 기본권침해의 직접성 요건을 갖추지 못하였다.

2. 세월호피해지원법 중 신청인이 배상금 등을 지급받고자 할 때에는 지급결정에 대한 동의서를 첨부하여 신청하도록 규정한 제15조 제1항, 국가의 손해배상청구권의 대위행사를 규정한 제18조가 청구인들의 기본권을 침해할 가능성이 있는지 여부(소극)

　법령으로 인한 기본권 침해를 이유로 헌법소원을 청구하기 위해서는 당해 법령 자체에 의하여 자유의 제한, 의무의 부과, 권리 또는 법적 지위의 박탈이 생긴 경우이어야 한다. 어떤 법령조항이 헌법소원을 청구하고자 하는 자의 법적 지위에 아무런 영향을 미치지 않는다면 기본권침해의 가능성이나 위험성이 없으므로 그 법령조항을 대상으로 헌법소원을 청구하는 것은 허용되지 아니한다.

　세월호피해지원법 제15조 제1항은 피해자들이 세월호피해지원법에 따라 국가배상청구권을 정당하게 행사하는 절차의 일부를 규정한 것에 불과하므로, 청구인들의 명예에 관련한 법적 지위에 어떠한 영향도 미치지 아니한다. 세월호피해지원법 제18조는 신속한 피해구제를 위하여 국가로 하여금 피해자에게 먼저 손해배상금 지급의무를 부담시킨 다음, 국가에게 신청인의 손해배상청구권을 대위하도록 규정한 것이므로, 국가의 세월호 참사에 대한 책임을 면제하는 의미라고 볼 수 없다. 따라서 위 조항들에 대한 심판청구는 기본권침해가능성이 인정되지 아니한다.

3. 심의위원회의 배상금 등 지급결정에 신청인이 동의한 때에는 국가와 신청인 사이에 민사소송법에 따른 재판상 화해가 성립된 것으로 보는 세월호피해지원법 제16조가 과잉금지원칙을 위반하여 청구인들의 재판청구권을 침해하는지 여부(소극)

가. 쟁점 정리

심의위원회의 배상금 등 지급결정에 대하여 신청인이 동의한 때에는 세월호피해지원법 제16조(다음부터 '이 사건 법률조항'이라 한다)에 따라 국가와 신청인 사이에 민사소송법에 따른 재판상 화해가 성립된 것으로 간주된다. 재판상 화해는 확정판결과 같은 효력이 있으므로 신청인이 일단 배상금 등 지급결정에 동의한 경우에는 그 동의에 당연무효사유가 없는 한 재심의 소에 의하지 않고는 그 효력을 다툴 수 없게 된다. 따라서 이 사건 법률조항은 신청인이 동의한 심의위원회의 지급결정에 재판상 화해와 같은 효력을 부여함으로써 동의한 신청인에게는 배상금 등 지급에 관한 소송을 제기하는 데 제약을 가하고 이로써 헌법 제27조의 재판청구권을 제한한다.

나. 과잉금지원칙 위반 여부

① 이 사건 법률조항은 신청인이 배상금 등 지급결정에 동의한 경우 재판상 화해와 같은 효력을 부여함으로써 지급절차를 신속히 종결하고 배상금 등을 지급할 수 있도록 한 규정으로, 그 입법목적의 정당성과 수단의 적절성이 인정된다.

② 피해구제를 신속히 하고 분쟁을 빨리 종결시켜 피해자들이 안정된 일상생활로 복귀하도록 하기 위해서는 배상금 등을 둘러싼 법적 분쟁 상태에서 조속히 벗어나도록 해야 할 필요성이 있다.

한편, 세월호피해지원법상 심의위원회는 국무총리 소속하에 두되, 위원회를 구성하는 위원장 1인을 포함한 15인 이내의 위원은 국무총리가 법관·변호사·고위공무원 또는 검사관련분야 전문가 중에서 위촉 또는 임명하고, 위원 중에서 위원회의 위원장을 임명한다(제8조). 실제 심의위원회는 법관 3인, 변호사 3인, 고위공무원 또는 검사 6인, 전문가 3인으로 구성되어 있다. 세월호피해지원법은 심의위원회 위원이 심의 대상인 안건과 인적·물적으로 특수한 관계가 있는 경우에 제척·기피·회피 등에 의하여 그 안건의 직무집행에서 배제되도록 규정하고 있다(제8조 제5항). 국무총리의 심의위원회에 대한 지휘·감독권에 대한 규정도 두고 있지 않은데, 이런 규정 등을 종합하여 보면, 심의위원회의 제3자성과 중립성 및 독립성이 보장되고 있고, 심의의 공정성을 보장하기 위한 제도도 마련되어 있다고 인정된다.

세월호피해지원법은 소송절차에 준하여 피해에 상응하는 충분한 배상과 보상이 이루어질 수 있도록 관련 규정을 마련하고 있다. 신청인에게 지급결정 동의의 법적 효과를 안내하는 절차를 마련하고 있으며, 신청인은 배상금 등 지급에 대한 동의에 관하여 충분히 생각하고 검토할 시간이 보장되어 있고, 배상금 등 지급결정에 대한 동의 여부를 자유롭게 선택할 수 있다. 따라서 심의위원회의 배상금 등 지급결정에 동의한 때 재판상 화해가 성립한 것으로 간주하더라도 이것이 재판청구권 행사에 대한 지나친 제한이라고 보기 어렵다.

③ 세월호피해지원법 제16조가 지급결정에 재판상 화해의 효력을 인정함으로써 확보되는 배상금 등 지급을 둘러싼 분쟁의 조속한 종결과 이를 통해 확보되는 피해구제의 신속성 등의 공익은 그로 인한 신청인의 불이익에 비하여 작다고 보기는 어려우므로, 법익의 균형성도 갖추고 있다.

④ 따라서 세월호피해지원법 제16조는 청구인들의 재판청구권을 침해하지 않는다.

4. **배상금 등을 지급받으려는 신청인으로 하여금 '4·16세월호참사에 관하여 어떠한 방법으로도 일체의 이의를 제기하지 않을 것임을 서약합니다'라는 내용이 기재된 배상금 등 동의 및 청구서를 제출하도록 규정한 세월호피해지원법 시행령**(2015. 3. 27. 대통령령 제26163호로 제정된 것, 다음부터 '세월호피해지원법 시행령'이라 한다) **제15조 중 별지 제15호 서식 가운데 일체의 이의제기를 금지한 부분**(다음부터 '이의제기금지조항'이라 한다)**이 법률유보원칙을 위반하여 청구인들의 일반적 행동의 자유를 침해하는지 여부(적극)**

국민의 기본권은 헌법 제37조 제2항에 따라 국가안전보장·질서유지 또는 공공복리를 위하여 필요한 경우에 한하여 제한할 수 있으나, 그 제한의 방법은 원칙적으로 법률로써만 가능하다. 여기서 기본권 제한에 관한 법률유보원칙은 '법률에 근거한 규율'을 요청하는 것이므로, 그 형식이 반드시 법률일 필요는 없다 하더라도 법률상 근거는 있어야 한다. 따라서 모법의 위임범위를 벗어난 하위법령은 법률의 근거가 없는 것으로 법률유보원칙에 위반된다.

세월호피해지원법은 배상금 등의 지급 이후 효과나 의무에 관한 일반규정을 두거나 이에 관하여 범위를 정하여 하위 법규에 위임한 바가 전혀 없다. 따라서 세월호피해지원법 제15조 제2항의 위임에 따라 시행령으로 규정할 수 있는 사항은 지급신청이나 지급에 관한 기술이고 절차적인 사항일 뿐이다. 신청인에게 지급결정에 대한 동의의 의사표시 전에 숙고의 기회를 보장하고, 그 법적 의미와 효력에 관하여 안내해 줄 필요성이 인정된다 하더라도, 세월호피해지원법 제16조에서 규정하는 동의의 효력 범위를 초과하여 세월호 참사 전반에 관한 일체의 이의제기를 금지시킬 수 있는 권한을 부여받았다고 볼 수는 없다. 따라서 이의제기금지조항은 법률유보원칙을 위반하여 법률의 근거 없이 대통령령으로 청구인들에게 세월호 참사와 관련된 일체의 이의 제기 금지 의무를 부담시킴으로써 일반적 행동의 자유를 침해한다.

 MBC문화방송에 대한 '경고' 사건 [인용(취소), 각하]
— 2007. 11. 29. 선고 2004헌마290

심판대상조항 및 관련조항

이 사건 심판의 대상은 피청구인이 2004. 3. 9. 청구인들에게 한 위 '경고 및 관계자 경고'(이하 '이 사건 경고'라 한다)가 청구인들의 기본권을 침해하였는지 여부이다.

【관련조항】

구 방송법(2006. 10. 27. 법률 제8060호로 개정되기 전의 것)

제100조(제재조치 등) ① 방송위원회는 방송사업자·중계유선방송사업자 또는 전광판방송사업자가 제33조의 심의규정을 위반한 경우에는 다음 각 호의 제재조치를 명할 수 있다. 제27조 제8호의 시청자불만처리의 결과에 따라 제재를 할 필요가 있다고 인정되는 경우에도 또한 같다.
   1. 시청자에 대한 사과
   2. 해당 방송프로그램의 정정·중지
   3. 방송편성책임자 또는 해당 방송프로그램의 관계자에 대한 징계

방송법(2006. 10. 27. 법률 제8060호로 개정된 것)

제100조(제재조치 등) ① 방송위원회는 방송사업자·중계유선방송사업자 또는 전광판방송사업자가 제33조의 심의규정 및 제74조 제2항에 의한 협찬고지 규칙을 위반한 경우에는 다음 각 호의 제재조치를 명할 수 있다. 제27조 제8호의 시청자불만처리의 결과에 따라 제재를 할 필요가 있다고 인정되는 경우에도 또한 같다. 다만, 심의규정 등의 위반 정도가 경미하여 제재조치를 명할 정도에 이르지 아니한 경우에는 해당 사업자 또는 해당 방송프로그램의 책임자나 관계자에 대하여 권고를 하거나 의견을 제시할 수 있다. 〈개정 2006. 10. 27.〉
   1. ~ 3. (구법과 동일)
   4. 주의 또는 경고

구 선거방송심의위원회의 구성과 운영에 관한 규칙(2006. 1. 24. 방송위원회규칙 제87호로 개정되기 전의 것)

제11조(제재조치 등) ① 심의위원회는 선거방송의 내용이 심의기준에 위반된다고 판단하는 경우 방송법 제100조 제1항의 규정에 의한 제재조치를 정할 수 있다.
② 제1항의 규정에도 불구하고 심의위원회는 심의기준을 위반한 정도가 경미하다고 판단되는 경우 주의 또는 경고를 정할 수 있다.

주문

1. 피청구인이 2004. 3. 9. 청구인 주식회사 ○○방송에게 한 '경고 및 관계자 경고'는 동 청구인의 방송의 자유를 침해한 것이므로 이를 취소한다.
2. 청구인 최○용의 심판청구를 각하한다.

1 기본권론

판시사항 및 결정요지

1. 방송위원회가 2004. 3. 9. ○○방송의 ○○수첩 '친일파는 살아있다 2' 방송에 대하여 청구인 주식회사 ○○방송과 당시 ○○수첩 제작책임자인 청구인 최○용에게 한 '경고 및 관계자 경고'(이하 '이 사건 경고'라 한다)에 대하여 한 청구인 최○용의 심판청구를 부적법하다고 본 사례

청구인 최○용은 이 사건 경고로 인하여 불공정한 언론인으로 취급되어 재직하는 회사에 불이익을 주는 사람으로 낙인찍히는 결과가 된다는 취지로 주장하나, 그러한 청구인의 불이익은 단지 간접적, 사실적인 것에 불과하며, 이를 청구인의 기본권을 직접 제한하는 법적 불이익에 해당한다고 볼 수 없어 자기관련성이 인정될 수 없다.

2. 이 사건 경고가 법률유보의 원칙에 위배하여 청구인 주식회사 ○○방송의 방송의 자유를 제한하였다고 본 사례

국민의 기본권은 헌법 제37조 제2항에 의하여 국가안전보장, 질서유지 또는 공공복리를 위하여 필요한 경우에 한하여 이를 제한할 수 있으나 그 제한은 원칙적으로 법률로써만 가능하다. 다만 이러한 법률유보의 원칙은 '법률에 의한' 규율만을 뜻하는 것이 아니라 '법률에 근거한' 규율을 요청하는 것이므로 기본권 제한의 형식이 반드시 법률의 형식일 필요는 없고 법률에 근거를 두면서 헌법 제75조가 요구하는 위임의 구체성과 명확성을 구비하기만 하면 위임입법에 의하여도 기본권 제한은 가능하다.

이 사건 경고가 피청구인이 방송사업자에게 방송표현 내용에 대한 경고를 함으로써 해당 방송에 대하여 제재를 가하는 것이라고 볼 때, 그러한 제재는 방송의 자유를 제한하는 것이므로 헌법 제37조 제2항에 따라 법률적 근거를 지녀야 한다.

이 사건 규칙에 의한 그러한 '주의 또는 경고'는 2006. 10. 27. 개정되기 전 구 방송법 제100조 제1항에 나열된 제재조치에는 포함되지 아니한 것이었다. 이 사건 경고의 경우 법률(구 방송법 제100조 제1항)에서 명시적으로 규정된 제재보다 더 가벼운 것을 하위 규칙에서 규정한 경우이므로, 그러한 제재가 행정법에서 요구되는 법률유보원칙에 어긋났다고 단정하기 어려운 측면이 있다. 그러나 만일 그것이 기본권 제한적 효과를 지니게 된다면, 이는 행정법적 법률유보원칙의 위배 여부에도 불구하고 헌법 제37조 제2항에 따라 엄격한 법률적 근거를 지녀야 한다.

2006. 1. 24. 개정되기 전의 구 '선거방송심의위원회의 구성과 운영에 관한 규칙'(이하 '이 사건 규칙'이라 한다) 제11조 제2항은 "심의위원회는 심의기준을 위반한 정도가 경미하다고 판단되는 경우 주의 또는 경고를 정할 수 있다"고 하였다. 그런데 이 사건 규칙에 의한 그러한 '주의 또는 경고'는 2006. 10. 27. 개정되기 전 구 방송법 제100조 제1항에 나열된 제재조치에 포함되지 아니한 것이었으며, 법률의 위임에 따라 정할 수 있는 '제재조치'의 범위를 벗어난 것이었다. 따라서 이 사건 규칙 제11조 제2항에 근거한 이 사건 경고는 기본권 제한에서 요구되는 법률유보원칙에 위배된 것이므로 더 나아가 살펴볼 필요 없이 청구인 ○○방송의 방송의 자유를 침해하므로 이를 취소한다.

011 최루액 혼합살수행위 위헌확인 사건 [인용(위헌확인), 각하]
― 2018. 5. 31. 선고 2015헌마476

심판대상조항 및 관련조항

① 피청구인이 2015. 5. 1. 22:13경부터 23:00경까지 사이에 최루액을 물에 섞은 용액을 청구인들에게 살수한 행위(이하 '이 사건 혼합살수행위'라 한다)
② 혼합살수행위의 근거 규정인 '살수차 운용지침'(2014. 4. 3.) 제2장 중 최루액 혼합살수에 관한 부분(이하 '이 사건 지침'이라 한다)

[살수차 운용지침(2014. 4. 3.)]
제2장 살수차의 운용 ‖ 3. 집회시위현장 살수차 운용방법 ‖ 나. 살수방법 ‖ 4) 최루액 혼합살수
가) 살수요령 : 살수차의 물탱크에 최루액 등 작용제를 불법행위자 제압에 필요한 적정 농도로 혼합하여 살수하며, 주변의 제3자에게 피해가 최소화되도록 노력하여야 한다.
나) 사용요건 : 곡사 또는 직사살수로도 해산치 않는 경우, 지방경찰청장의 허가를 받아 사용한다.

주문

1. 피청구인이 2015. 5. 1. 22:13경부터 23:20경까지 사이에 최루액을 물에 혼합한 용액을 살수차를 이용하여 청구인들에게 살수한 행위는 헌법에 위반된다.
2. 청구인들의 나머지 심판청구를 모두 각하한다.

판시사항 및 결정요지

1. **이 사건 혼합살수행위의 근거 규정인 '살수차 운용지침'(2014. 4. 3.) 제2장 중 최루액 혼합살수에 관한 부분**(이하 '이 사건 지침'이라 한다)**이 청구인들의 기본권 침해의 직접성이 있는지 여부(소극)**

   청구인들에 대한 기본권 침해 상황은 이 사건 지침으로 인한 것이 아니라 행정기관의 구체적 집행행위인 '혼합살수행위'로 인하여 발생한 것이다. 따라서 이 사건 지침은 기본권 침해의 직접성을 인정할 수 없어 이에 대한 헌법소원심판은 부적법하다.

2. **피청구인이 2015. 5. 1. 22:13경부터 23:20경까지 사이에 최루액을 물에 혼합한 용액을 살수차를 이용하여 청구인들에게 살수한 행위**(이하 '이 사건 혼합살수행위'라 한다)**가 법률유보원칙에 위배되어 청구인들의 신체의 자유와 집회의 자유를 침해하는지 여부(적극)**

   집회·시위의 해산 또는 저지를 위한 최루액 혼합살수행위는 집회의 자유 뿐만 아니라 신체의 자유로부터 도출되는 신체를 훼손당하지 아니할 권리에 대한 직접적인 제한을 초래하므로, 그 제한의 본질적 사항에 관한 한 입법자가 법률로 규율하여야 한다.
   살수차는 사용방법에 따라서는 경찰장구나 무기 등 다른 위해성 경찰장비 못지않게 국민의 생명이나 신체에 중대한 위해를 가할 수 있는 장비에 해당하므로, 살수차 사용요건이나 기준은 법률에 근거를 두어야 한다.

살수차와 같은 위해성 경찰장비 사용의 위험성과 기본권 보호 필요성에 비추어 볼 때, '경찰관 직무집행법'과 '위해성 경찰장비의 사용기준 등에 관한 규정(이하 '이 사건 대통령령'이라 한다)'에 규정된 위해성 경찰장비의 사용방법은 법률유보원칙에 따라 엄격하게 제한적으로 해석하여야 하고, 위해성 경찰장비는 본래의 사용방법에 따라 지정된 용도로 사용되어야 하며 다른 용도나 방법으로 사용하기 위해서는 반드시 법령에 근거가 있어야 한다.

살수차는 물줄기의 압력을 이용하여 군중을 제압하는 장비이므로, 그 용도로만 사용되어야 하고, 살수차로 최루액을 분사하여 살상능력을 증가시키는 혼합살수방법은 '새로운 위해성 경찰장비'로서 법령에 근거가 있어야 함에도, 현행 법률 및 대통령령에 근거가 없고, 이 사건 지침에 혼합살수의 근거 규정을 둘 수 있도록 위임하고 있는 법령은 없다.

이와 같이 살수차의 구체적 사용기준을 법령에서 구체적으로 정하지 않고 경찰청 내부 지침에 맡겨둔 결과, 부적절한 살수차의 운용으로 시위 참가자가 사망하거나 다치는 사고가 계속 발생하고 있다. 다른 위해성 경찰장비와 마찬가지로 살수차의 구체적 운용방법과 절차 등에 관한 기본적 사항은 법률이나 대통령령에 규정하여 살수차 운용을 엄격하게 제한함으로써 국민의 생명과 안전을 도모하여야 한다.

따라서 '경찰관 직무집행법'이나 이 사건 대통령령 등 법령의 구체적 위임 없이 혼합살수방법을 규정하고 있는 이 사건 지침은 법률유보원칙에 위배되고, 이 사건 지침만을 근거로 한 이 사건 혼합살수행위는 청구인들의 신체의 자유와 집회의 자유를 침해한 공권력 행사로 헌법에 위반된다.

| 본질내용침해금지 |

012 사형제 사건 [합헌, 각하]
― 2010. 2. 25. 선고 2008헌가23

판시사항

1. 재판의 전제성에 관한 제청법원의 법률적 견해가 명백히 유지될 수 없어 재판의 전제성이 부인된 사례
2. 사형제도에 대한 위헌심사의 범위
3. 사형제도의 헌법적 근거
4. 헌법 제37조 제2항에 의하여 생명권을 제한할 수 있는지 여부(적극) 및 생명권의 제한이 곧 생명권의 본질적 내용에 대한 침해인지 여부(소극)
5. 사형제도가 헌법 제37조 제2항에 위반하여 생명권을 침해하는지 여부(소극)
6. 사형제도가 인간의 존엄과 가치를 규정한 헌법 제10조에 위반되는지 여부(소극)
7. 가석방이 불가능한 이른바 '절대적 종신형'이 아니라 가석방이 가능한 이른바 '상대적 종신형'만을 규정한 현행 무기징역형제도가 평등원칙이나 책임원칙에 위반되는지 여부(소극)
8. 형법 제250조 제1항 중 '사형, 무기의 징역에 처한다'는 부분이 비례의 원칙이나 평등원칙에 위반되는지 여부(소극)
9. 구 '성폭력범죄의 처벌 및 피해자보호 등에 관한 법률' 제10조 제1항 중 "사형 또는 무기징역에 처한다."는 부분이 비례의 원칙이나 평등원칙에 위반되는지 여부(소극)

사건의 개요

당해 사건의 피고인인 제청신청인 오○근은 2회에 걸쳐 4명을 살해하고 그 중 3명의 여성을 추행한 범죄사실로 구속기소되어, 1심인 광주지방법원 순천지원에서 형법 제250조 제1항, '성폭력범죄의 처벌 및 피해자보호 등에 관한 법률' 제10조 제1항 등이 적용되어 사형을 선고받은 후 광주고등법원에 항소하였다. 제청신청인은 항소심 재판 계속 중 형법 제250조 제1항, 사형제도를 규정한 형법 제41조 제1호 등에 대하여 위헌법률심판제청신청을 하였고, 광주고등법원은 2008. 9. 17. 형법 제41조 중 '1. 사형 2. 징역' 부분, 형법 제42조(무기금고, 유기징역, 유기금고 부분 제외), 형법 제72조 제1항(무기금고, 유기징역, 유기금고 부분 제외), 형법 제250조 제1항 중 '사형, 무기의 징역에 처한다.'는 부분, '성폭력범죄의 처벌 및 피해자보호 등에 관한 법률' 제10조 제1항 중 '사형 또는 무기징역에 처한다.'는 부분이 각 위헌이라고 의심할 만한 상당한 이유가 있다며 위헌법률심판제청결정을 하였다.

I 재판의 전제성에 관한 판단

1. 형법 제72조 제1항 중 '무기징역' 부분

헌법재판소는 "법원의 위헌법률심판제청에 있어서 위헌 여부가 문제되는 법률 또는 법률조항이 재판의 전제성 요건을 갖추고 있는지의 여부는 되도록 제청법원의 이에 관한 법률적 견해를 존중" 해야 하는 것을 원칙으로 삼고 있다. 그러나 헌법재판소는 재판의 전제성에 관한 제청법원의 법률적 견해가 명백히 유지될 수 없을 때에는 이를 직권으로 조사할 수 있으며, 그 결과 전제성이 없다고 판단되면 그 제청을 부적법하다 하여 각하할 수 있다.

가석방의 요건에 관한 규정은 사법부에 의하여 형이 선고·확정된 이후의 집행에 관한 문제일 뿐 이 사건 당해 재판단계에서 문제될 이유는 없고, 달리 위 규정이 당해 사건에 적용될 법률조항임을 인정할 자료를 찾아 볼 수 없으므로, 이 사건 위헌제청 중 형법 제72조 제1항 중 '무기징역' 부분은 재판의 전제성이 없어 부적법하다.

2. 나머지 부분

당해 사건에서 그 공소사실을 유죄로 인정할 경우 제청신청인에게는 형법 제250조 제1항, 구 성폭력법 제10조 제1항이 적용되고 범죄의 중대성에 비추어 사형 또는 무기징역에 처할 가능성이 상당한바, 제청신청인에게 직접 적용되는 형법 제250조 제1항, 구 성폭력법 제10조 제1항 및 이와 밀접한 관련이 있는 형의 종류에 대한 형법 제41조, 제42조의 사형 및 무기징역 부분의 위헌 여부가 당해 사건 재판의 결론과 주문에 영향을 주는 것은 명백하므로, 위 각 해당 법률조항 부분은 당해 사건 재판에 대하여 전제성이 있다.

II 본안 판단

1. 형법 제41조 제1호(사형제도)의 위헌 여부

가. 사형제도의 의의 및 현황

형법 제41조 제1호는 형의 종류의 하나로서 사형을 규정하고 있고, 사형은 인간존재의 바탕인 생명을 빼앗아 사람의 사회적 존재를 말살하는 형벌이므로 생명의 소멸을 가져온다는 의미에서 생명형이자, 성질상 모든 형벌 중에서 가장 무거운 형벌이라는 의미에서 극형인 궁극의 형벌이다. 우리나라에서 사형의 집행은 1997. 12. 30. 이후로는 이루어진 적이 없으나, 사형의 선고는 계속되고 있다.

나. 생명권의 의의 및 사형제도 자체의 위헌성 심사에 있어서의 쟁점

인간의 생명은 고귀하고, 이 세상에서 무엇과도 바꿀 수 없는 존엄한 인간존재의 근원이다. 이러한 생명에 대한 권리는 비록 헌법에 명문의 규정이 없다 하더라도 인간의 생존본능과 존재목적에 바탕을 둔 선험적이고 자연법적인 권리로서 헌법에 규정된 모든 기본권의 전제로서 기능하는 기본권 중의 기본권이라 할 것이다. 따라서 인간의 생명권은 최대한 존중되어야 하고, 국가는 헌법상 용인될 수 있는 정당한 사유 없이 생명권을 박탈하는 내용의 입법 등을 하여서는 아니될 뿐만 아니라, 한편으로는 사인의 범죄행위로 인해 일반국민의 생명권이 박탈되는 것을 방지할 수 있는 입법 등을 함으로써 일반국민의 생명권을 최대한 보호할 의무가 있다.

사형제도가 위헌인지 여부의 문제는 성문 헌법을 비롯한 헌법의 법원을 토대로 헌법규범의 내용을 밝혀 사형제도가 그러한 헌법규범에 위반하는지 여부를 판단하는 것으로서 헌법재판소에 최종적인 결정권한이 있는 반면, 사형제도를 법률상 존치시킬 것인지 또는 폐지할 것인지의 문제는 사형제도의 존치가 필요하거나 유용한지 또는 바람직한지에 관한 평가를 통하여 민주적 정당성을 가진 입법부가 결정할 입법정책적 문제이지 헌법재판소가 심사할 대상은 아니다.

따라서 위와 같은 구분을 전제로 하여, 우리 헌법이 명문으로 사형제도를 인정하고 있는지, 생명권이 헌법 제37조 제2항에 의한 일반적 법률유보의 대상이 되는지, 사형제도가 생명권 제한에 있어서의 헌법상 비례원칙에 위배되는지, 사형제도가 인간의 존엄과 가치를 규정한 헌법 제10조에 위배되는지를 차례로 살펴본다.

다. 우리 헌법이 명문으로 사형제도를 인정하고 있는지 여부

우리 헌법은 사형제도에 대하여 그 금지나 허용을 직접적으로 규정하고 있지는 않다. 그러나, 헌법 제110조 제4항은 법률에 의하여 사형이 형벌로서 규정되고 그 형벌조항의 적용으로 사형이 선고될 수 있음을 전제로 하여, 사형을 선고한 경우에는 비상계엄하의 군사재판이라도 단심으로 할 수 없고 사법절차를 통한 불복이 보장되어야 한다는 취지의 규정으로, 우리 헌법은 문언의 해석상 사형제도를 간접적으로나마 인정하고 있다.

라. 생명권이 헌법 제37조 제2항에 의한 일반적 법률유보의 대상이 되는지 여부

인간의 생명에 대하여는 함부로 사회과학적 혹은 법적인 평가가 행하여져서는 아니되고, 각 개인의 입장에서 그 생명은 절대적 가치를 가진다고 할 것이므로 생명권은 헌법 제37조 제2항에 따른 제한이 불가능한 절대적 기본권이 아닌지가 문제 될 수 있다.

그런데 우리 헌법은 절대적 기본권을 명문으로 인정하고 있지 아니하며, 헌법 제37조 제2항에서는 국민의 모든 자유와 권리는 국가안전보장·질서유지 또는 공공복리를 위하여 필요한 경우에 한하여 법률로써 제한할 수 있도록 규정하고 있는바, 어느 개인의 생명권에 대한 보호가 곧바로 다른 개인의 생명권에 대한 제한이 될 수밖에 없거나, 특정한 인간에 대한 생명권의 제한이 일반국민의 생명 보호나 이에 준하는 매우 중대한 공익을 지키기 위하여 불가피한 경우에는 비록 생명이 이념적으로 절대적 가치를 지닌 것이라 하더라도 생명에 대한 법적 평가가 예외적으로 허용될 수 있다고 할 것이므로, 생명권 역시 헌법 제37조 제2항에 의한 일반적 법률유보의 대상이 될 수밖에 없다.

나아가 생명권의 경우, 다른 일반적인 기본권 제한의 구조와는 달리, 생명의 일부 박탈이라는 것을 상정할 수 없기 때문에 생명권에 대한 제한은 필연적으로 생명권의 완전한 박탈을 의미하게 되는바, 위와 같이 생명권의 제한이 정당화될 수 있는 예외적인 경우에는 생명권의 박탈이 초래된다 하더라도 곧바로 기본권의 본질적인 내용을 침해하는 것이라 볼 수는 없다.

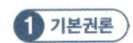

마. 사형제도가 생명권 제한에 있어서의 헌법상 비례원칙에 위배되는지 여부

앞서 본 바와 같이, 생명권 역시 헌법 제37조 제2항에 의한 일반적 법률유보의 대상이 될 수 있다 할 것이므로, 생명권의 제한을 형벌의 내용으로 하는 사형제도의 위헌성 여부를 판단하기 위하여 사형제도가 생명권 제한에 있어서의 헌법상 비례원칙에 위배되는지 여부를 살펴본다.

사형은 일반국민에 대한 심리적 위하를 통하여 범죄의 발생을 예방하며 극악한 범죄에 대한 정당한 응보를 통하여 정의를 실현하고, 당해 범죄인의 재범 가능성을 영구히 차단함으로써 사회를 방어하려는 것으로 그 입법목적은 정당하고, 가장 무거운 형벌인 사형은 입법목적의 달성을 위한 적합한 수단이다.

사형은 무기징역형이나 가석방이 불가능한 종신형보다도 범죄자에 대한 법익침해의 정도가 큰 형벌로서, 인간의 생존본능과 죽음에 대한 근원적인 공포까지 고려하면, 무기징역형 등 자유형보다 더 큰 위하력을 발휘함으로써 가장 강력한 범죄억지력을 가지고 있다고 보아야 하고, 극악한 범죄의 경우에는 무기징역형 등 자유형의 선고만으로는 범죄자의 책임에 미치지 못하게 될 뿐만 아니라 피해자들의 가족 및 일반국민의 정의관념에도 부합하지 못하며, 입법목적의 달성에 있어서 사형과 동일한 효과를 나타내면서도 사형보다 범죄자에 대한 법익침해 정도가 작은 다른 형벌이 명백히 존재한다고 보기 어려우므로 사형제도가 침해최소성원칙에 어긋난다고 할 수 없다. 한편, 오판가능성은 사법제도의 숙명적 한계이지 사형이라는 형벌제도 자체의 문제로 볼 수 없으며 심급제도, 재심제도 등의 제도적 장치 및 그에 대한 개선을 통하여 해결할 문제이지, 오판가능성을 이유로 사형이라는 형벌의 부과 자체가 위헌이라고 할 수는 없다.

사형제도에 의하여 달성되는 범죄예방을 통한 무고한 일반국민의 생명 보호 등 중대한 공익의 보호와 정의의 실현 및 사회방위라는 공익은 사형제도로 발생하는 극악한 범죄를 저지른 자의 생명권이라는 사익보다 결코 작다고 볼 수 없을 뿐만 아니라, 다수의 인명을 잔혹하게 살해하는 등의 극악한 범죄에 대하여 한정적으로 부과되는 사형이 그 범죄의 잔혹함에 비하여 과도한 형벌이라고 볼 수 없으므로, 사형제도는 법익균형성원칙에 위배되지 아니한다.

바. 사형제도가 인간의 존엄과 가치를 규정한 헌법 제10조에 위배되는지 여부

헌법 제10조는 "모든 국민은 인간으로서의 존엄과 가치를 가지며, 행복을 추구할 권리를 가진다. 국가는 개인이 가지는 불가침의 기본적 인권을 확인하고 이를 보장할 의무를 진다."라고 하여 모든 기본권의 종국적 목적이자 기본이념이라 할 수 있는 인간의 존엄과 가치를 규정하고 있다. 이러한 인간의 존엄과 가치 조항은 헌법이념의 핵심으로 국가는 헌법에 규정된 개별적 기본권을 비롯하여 헌법에 열거되지 아니한 자유와 권리까지도 이를 보장하여야 하고, 이를 통하여 개별 국민이 가지는 인간으로서의 존엄과 가치를 존중하고 확보하여야 한다는 헌법의 기본원리를 선언한 것이라 할 것이다.

사형제도는 우리 헌법이 적어도 간접적으로나마 인정하고 있는 형벌의 한 종류일 뿐만 아니라, 사형제도가 생명권 제한에 있어서 헌법 제37조 제2항에 의한 헌법적 한계를 일탈하였다고 볼 수 없는 이상, 범죄자의 생명권 박탈을 내용으로 한다는 이유만으로 곧바로 인간의 존엄과 가치를 규정한 헌법 제10조에 위배된다고 할 수 없으며, 사형제도는 형벌의 경고기능을 무시하고 극악한 범죄를 저지른 자에 대하여 그 중한 불법 정도와 책임에 상응하는 형벌을 부과하는 것으로서 범죄자가 스스로 선택한 잔악무도한 범죄행위의 결과인바, 범죄자를 오로지 사회방위라는 공익 추구를 위한 객체로만 취급함으로써 범죄자의 인간으로서의 존엄과 가치를 침해한 것으로 볼 수 없다. 한편 사형을 선고하거나 집행하는 법관 및 교도관 등이 인간적 자책감을 가질 수 있다는 이유만으로 사형제도가 법관 및 교도관 등의 인간으로서의 존엄과 가치를 침해하는 위헌적인 형벌제도라고 할 수는 없다.

2. 형법 제41조 제2호, 제42조 중 각 '무기징역' 부분(무기징역형제도)의 위헌 여부

절대적 종신형제도는 사형제도와는 또 다른 위헌성 문제를 야기할 수 있고, 현행 형사법령 하에서도 가석방제도의 운영 여하에 따라 사회로부터의 영구적 격리가 가능한 절대적 종신형과 상대적 종신형의 각 취지를 살릴 수 있다는 점 등을 고려하면, 현행 무기징역형제도가 상대적 종신형 외에 절대적 종신형을 따로 두고 있지 않은 것이 형벌체계상 정당성과 균형을 상실하여 헌법 제11조의 평등원칙에 반한다거나 형벌이 죄질과 책임에 상응하도록 비례성을 갖추어야 한다는 책임원칙에 반한다고 단정하기 어렵다.

3. 형법 제250조 제1항 중 '사형, 무기의 징역에 처한다.'는 부분의 위헌 여부

사형제도 자체가 합헌이라고 하더라도 형법 제250조 제1항이 지나치게 과도하거나 평등원칙에 반하는 법정형인지 여부를 살펴본다.

비록 형벌로서의 사형이나 무기징역형이 그 자체로서 위헌이라고는 할 수 없다고 하더라도 형법 제250조 제1항이 살인이라는 구체적인 범죄구성요건에 대한 불법효과의 하나로서 사형과 무기징역을 규정하고 있는 것이 행위의 불법과 행위자의 책임에 비하여 현저히 균형을 잃음으로써 책임원칙 등에 반한다고 평가된다면, 형법 제250조 제1항은 사형제도나 무기징역형제도 자체의 위헌 여부와는 관계없이 위헌임을 면하지 못할 것이다.

형법 제250조 제1항이 규정하고 있는 살인의 죄는 인간 생명을 부정하는 범죄행위의 전형이고, 이러한 범죄에는 행위의 태양이나 결과의 중대성으로 보아 반인륜적 범죄라고 할 수 있는 극악한 유형의 것들도 포함되어 있을 수 있으므로, 타인의 생명을 부정하는 범죄행위에 대하여 5년 이상의 징역 외에 사형이나 무기징역을 규정한 것은 하나의 혹은 다수의 생명을 보호하기 위하여 필요한 수단의 선택이라고 볼 수밖에 없으므로 비례의 원칙이나 평등의 원칙에 반한다고 할 수 없다.

4. 구 성폭력법 제10조 제1항 중 '사형 또는 무기징역에 처한다.'는 부분의 위헌 여부

구 '성폭력범죄의 처벌 및 피해자보호 등에 관한 법률'(1997. 8. 22. 법률 제5343호로 개정되고 2008. 6. 13. 법률 제9110호로 개정되기 전의 것) 제10조 제1항의 범죄구성요건은 살인과 성폭력범죄가 합쳐진 결합범인데, 성폭력범죄자가 타인의 생명까지 침해한 행위에 대하여 행위자의 사형이나 무기징역을 그 불법효과의 하나로서 규정한 것은 하나의 혹은 다수의 생명과 타인의 성적자기결정의 자유를 보호하기 위하여 필요한 수단의 선택이라고 볼 수 있고, 성폭력범죄로 인해 발생하는 개인의 성적자유침해라는 추가적 법익침해를 감안할 때 일반 살인죄의 법정형에서 5년 이상의 유기징역을 제외한 것을 가리켜 비례의 원칙이나 평등의 원칙에 반한다고 할 수 없다.

Ⅲ 결 론

이상과 같은 이유로 이 사건 심판대상 중 형법 제72조 제1항 중 '무기징역' 부분은 부적법하고, 나머지 부분은 모두 헌법에 위반되지 아니하므로 주문과 같이 결정한다.

함께 보는 판례

❶ 헌법 제37조 제2항의 의미 (1990. 9. 3. 선고 89헌가5)

일반적 법률유보조항으로 헌법 제37조 제2항에서 "국민의 모든 자유와 권리는 국가안전보장·질서유지 또는 공공복리를 위하여 필요한 경우에 한하여 법률로서 제한할 수 있으며, 제한하는 경우에도 자유와 권리의 본질적인 내용을 침해할 수 없다."고 규정하고 있다. … 헌법 제37조 제2항의 규정은 기본권 제한입법의 수권(授權) 규정이지만, 그것은 동시에 기본권 제한입법의 한계(限界) 규정이기도 하기 때문에, 입법부도 수권의 범위를 넘어 자의적인 입법을 할 수 있는 것은 아니며, 사유재산권을 제한하는 입법을 함에 있어서도 그 본질적인 내용의 침해가 있거나 과잉금지의 원칙에 위배되는 입법을 할 수 없음은 자명한 것이다.

❷ 법률유보원칙이 기본권규범과 관련 없는 영역에도 적용되는지 여부(소극) (2010. 2. 25. 선고 2008헌바160)

헌법상 법치주의의 한 내용인 법률유보의 원칙은 국민의 기본권 실현에 관련된 영역에 있어서 국가 행정권의 행사에 관하여 적용되는 것이지, 기본권규범과 관련 없는 경우에까지 준수되도록 요청되는 것은 아니라 할 것인데, 청원경찰은 근무의 공공성 때문에 일정한 경우에 공무원과 유사한 대우를 받고 있는 등으로 일반 근로자와 공무원의 복합적 성질을 가지고 있지만, 그 임면주체는 국가 행정권이 아니라 청원경찰법상의 청원주로서 그 근로관계의 창설과 존속 등이 본질적으로 사법상 고용계약의 성질을 가지는바, 청원경찰의 징계로 인하여 사적 고용계약상의 문제인 근로관계의 존속에 영향을 받을 수 있다 하더라도 이는 국가 행정주체와 관련되고 기본권의 보호가 문제되는 것이 아니어서 여기에 법률유보의 원칙이 적용될 여지가 없으므로, 그 징계에 관한 사항을 법률에 정하지 않았다고 하여 법률유보의 원칙에 위반된다 할 수 없다.

❸ 국가안전보장의 개념 (1992. 2. 25. 선고 89헌가104)

국가의 안전보장은 헌법상 중요한 국가적 법익의 하나로서 위의 규정외에도 헌법 제5조 제2항, 제39조 제1항, 제66조 제2항, 제69조 등이 국가의 안전보장과 관련이 있는 것이다. 헌법 제37조 제2항에서 기본권 제한의 근거로 제시하고 있는 국가의 안전보장의 개념은 국가의 존립·헌법의 기본질서의 유지 등을 포함하는 개념으로서 결국 국가의 독립, 영토의 보전, 헌법과 법률의 기능, 헌법에 의하여 설치된 국가기관의 유지 등의 의미로 이해될 수 있을 것이다.

❹ 수단의 적합성의 의미

1) 국가작용에 있어서 취해진 어떠한 조치나 선택된 수단은 그것이 달성하려는 사안의 목적에 적합하여야 함은 당연하지만 그 조치나 수단이 목적달성을 위하여 유일무이한 것일 필요는 없는 것이다. 국가가 어떠한 목적을 달성함에 있어서는 어떠한 조치나 수단 하나만으로서 가능하다고 판단할 경우도 있고 다른 여러가지의 조치나 수단을 병과하여야 가능하다고 판단하는 경우도 있을 수 있으므로 과잉금지의 원칙이라는 것이 목적달성에 필요한 유일의 수단선택을 요건으로 하는 것이라고

할 수는 없는 것이다. 물론 여러가지의 조치나 수단을 병행하는 경우에도 그 모두가 목적에 적합하고 필요한 정도내의 것이어야 함은 말할 필요조차 없다. (1989. 12. 22. 선고 88헌가13)

   2) 입법목적을 달성하기 위하여 가능한 여러 수단들 가운데 구체적으로 어느 것을 선택할 것인가의 문제가 기본적으로 입법재량에 속하는 것이기는 하다. 그러나 위 입법재량이라는 것도 자유재량을 말하는 것은 아니므로 입법목적을 달성하기 위한 수단으로서 반드시 가장 합리적이며 효율적인 수단을 선택하여야 하는 것은 아니라고 할지라도 적어도 현저하게 불합리하고 불공정한 수단의 선택은 피하여야 할 것인바, 이 사건의 경우 앞서 본 입법목적은 조합의 설립요건을 강화한다든가(축협법은 조합의 설립에 관하여 자유설립주의나 준칙주의를 택하지 아니하고 인가주의를 택하고 있으므로 설립요건의 강화에 의하여도 조합의 난립을 어느 정도 방지할 수 있다), 조합에 대한 국가의 지원과 감독권의 적절한 행사나 그 밖에 협동조합의 본질에 반하지 않는 수단들을 통하여서도 달성할 수 있을 것임에도, 앞서 살펴 본 바와 같이 결사의 자유 등 기본권의 본질적 내용을 해하는 복수조합설립금지라는 수단을 선택한 것은 현저하게 불합리하고 불공정한 것이므로 이는 위헌임이 명백하다. (복수축협 설립금지 위헌 사건) (1996. 4. 25. 선고 92헌바47)

❺ 피해의 최소성

   1) 입법자는 공익실현을 위하여 기본권을 제한하는 경우에도 입법목적을 실현하기에 적합한 여러 수단 중에서 되도록 국민의 기본권을 가장 존중하고 기본권을 최소로 침해하는 수단을 선택해야 한다. 기본권을 제한하는 규정은 기본권행사의 '방법'에 관한 규정과 기본권행사의 '여부'에 관한 규정으로 구분할 수 있다. 침해의 최소성의 관점에서, 입법자는 그가 의도하는 공익을 달성하기 위하여 우선 기본권을 보다 적게 제한하는 단계인 기본권행사의 '방법'에 관한 규제로써 공익을 실현할 수 있는가를 시도하고 이러한 방법으로는 공익달성이 어렵다고 판단되는 경우에 비로소 그 다음 단계인 기본권행사의 '여부'에 관한 규제를 선택해야 한다. (기부금품모집금지법 위헌 사건) (1998. 5. 28. 선고 96헌가5)

   2) 입법자가 임의적 규정으로도 법의 목적을 실현할 수 있는 경우에 구체적 사안의 개별성과 특수성을 고려할 수 있는 가능성을 일체 배제하는 필요적 규정을 둔다면, 이는 비례의 원칙의 한 요소인 '최소침해성의 원칙'에 위배된다. (1998. 5. 28. 선고 96헌가12)

❻ 본질적 내용의 침해금지 (1996. 1. 25. 선고 93헌바5)

   기본권을 국가안전보장, 질서유지와 공공복리를 위하여 필요한 경우에는 법률로써 제한할 수 있으나 그 본질적인 내용은 침해할 수 없다(헌법 제37조 제2항). 기본권의 본질적 내용은 만약 이를 제한하는 경우에는 기본권 그 자체가 무의미하여지는 경우에 그 본질적인 요소를 말하는 것으로서, 이는 개별 기본권마다 다를 수 있을 것이다. 이처럼 기본권의 본질적 내용은 만약 이를 제한하는 경우에는 기본권 그 자체가 무의미하게 되는 기본권의 근본요소를 의미하는 것이므로, 정리채권은 회사에 대한 재산상의 청구권으로서 그 내용에 따른 만족을 궁극의 목적으로 하는 것이므로 만약 심판대상조항부분에 의하여 정리채권이 유명무실해지고 형해화되어 헌법이 재산권을 보장하는 궁극적인 목적을 달성할 수 없게 되는 지경에 이른다면 기본권제한입법의 한계를 넘는 위헌입법이라고 할 수 있을 것이다.

❼ 혼인빙자간음죄 사건 (2009. 11. 26. 선고 2008헌바58,2009헌바191(병합))

   형법 제304조 중 "혼인을 빙자하여 음행의 상습없는 부녀를 기망하여 간음한 자" 부분(이하 '이 사건 법률조항'이라 한다.)의 경우 입법목적에 정당성이 인정되지 않는다. 첫째, 남성이 위력이나 폭력 등 해악적 방법을 수반하지 않고서 여성을 애정행위의 상대방으로 선택하는 문제는 그 행위의 성질상 국가의 개입이 자제되어야 할 사적인 내밀한 영역인데다 또 그 속성상 과장이 수반되게 마련이어서 우리 형법이 혼전 성관계를 처벌대상으로 하지 않고 있으므로 혼전 성관계의 과정에서 이루어지는 통상적 유도행위 또한 처벌해야 할 이유가 없다. 다음 여성이 혼전 성관계를 요구하는 상대방 남자와 성관계를 가질 것인가의 여부를 스스로 결정한 후 자신의 결정이 착오에 의한 것이라고 주장하면서 상대방 남성의 처벌을 요구하는 것은 여성 스스로가 자신의 성적자기결정권을 부인하는 행위이다. 또한 혼인빙자간음죄가 다수의 남성과 성관계를 맺는 여성 일체를 '음행의 상습 있는 부녀'로 낙인찍어 보호의 대상에서 제외시키고 보호대상을 '음행의 상습없는 부녀'로 한정함으로써 여성에 대한 남성우월적 정조관념에 기초한 가부장적·도덕주의적 성 이데올로기를 강요하는 셈이 된다. 결국 이 사건 법률조항은 남녀 평등의 사회를 지향하고 실현해야 할 국가의 헌법적 의무(헌법 제36조 제1항)에 반하는 것이자, 여성을 유아시(幼兒視)함으로써 여성을 보호한다는 미명 아래 사실상 국가 스스로가 여성의 성적자기결정권을 부인하는 것이 되므로, 이 사건 법률조항이 보호하고자 하는 여성의 성적자기결정권은 여성의 존엄과 가치에 역행하는 것이다.

결혼과 성에 관한 국민의 법의식에 많은 변화가 생겨나 여성의 착오에 의한 혼전 성관계를 형사법률이 적극적으로 보호해야 할 필요성은 이미 미미해졌고, 성인이 어떤 종류의 성행위와 사랑을 하건, 그것은 원칙적으로 개인의 자유 영역에 속하고, 다만 그것이 외부에 표출되어 명백히 사회에 해악을 끼칠 때에만 법률이 이를 규제하면 충분하며, 사생활에 대한 비범죄화 경향이 현대 형법의 추세이고, 세계적으로도 혼인빙자간음죄를 폐지해 가는 추세이며 일본, 독일, 프랑스 등에도 혼인빙자간음죄에 대한 처벌규정이 없는 점, 기타 국가 형벌로서의 처단기능의 약화, 형사처벌로 인한 부작용 대두의 점 등을 고려하면, 그 목적을 달성하기 위하여 혼인빙자간음행위를 형사처벌하는 것은 수단의 적절성과 피해의 최소성을 갖추지 못하였다.

이 사건 법률조항은 개인의 내밀한 성생활의 영역을 형사처벌의 대상으로 삼음으로써 남성의 성적자기결정권과 사생활의 비밀과 자유라는 기본권을 지나치게 제한하는 것인 반면, 이로 인하여 추구되는 공익은 오늘날 보호의 실효성이 현격히 저하된 음행의 상습없는 부녀들만의 '성행위 동기의 착오의 보호'로서 그것이 침해되는 기본권보다 중대하다고는 볼 수 없으므로, 법익의 균형성도 상실하였다.

결국 이 사건 법률조항은 목적의 정당성, 수단의 적절성 및 피해최소성을 갖추지 못하였고 법익의 균형성도 이루지 못하였으므로, 헌법 제37조 제2항의 과잉금지원칙을 위반하여 남성의 성적자기결정권 및 사생활의 비밀과 자유를 과잉제한하는 것으로 헌법에 위반된다.

❽ 동성동본금혼제 사건 (1997. 7. 16. 선고 95헌가6)

중국의 동성금혼 사상에서 유래하여 조선시대를 거치면서 법제화되고 확립된 동성동본금혼제는 그 제도 생성 당시의 국가정책, 국민의식이나 윤리관 및 경제구조와 가족제도 등이 혼인제도에 반영된 것으로서, 충효정신을 기반으로 한 농경중심의 가부장적, 신분적 계급사회에서 사회질서를 유지하기 위한 수단의 하나로서의 기능을 하였다. 그러나 자유와 평등을 근본이념으로 하고 남녀평등의 관념이 정착되었으며 경제적으로 고도로 발달한 산업사회인 현대의 자유민주주의사회에서 동성동본금혼을 규정한 민법 제809조 제1항은 이제 사회적 타당성 내지 합리성을 상실하고 있음과 아울러 "인간으로서의 존엄과 가치 및 행복추구권"을 규정한 헌법리념 및 "개인의 존엄과 양성의 평등"에 기초한 혼인과 가족생활의 성립·유지라는 헌법규정에 정면으로 배치될 뿐 아니라 남계혈족에만 한정하여 성별에 의한 차별을 함으로써 헌법상의 평등의 원칙에도 위반되며, 또한 그 입법목적이 이제는 혼인에 관한 국민의 자유와 권리를 제한할 "사회질서"나 "공공복리"에 해당될 수 없다는 점에서 헌법 제37조 제2항에도 위반된다 할 것이다.

제8절 기본권의 보호의무

 공직선거 선거운동 시 확성장치 사용에 따른 소음 규제기준 부재 사건
[헌법불합치]
- 2019. 12. 27. 선고 2018헌마730

판시사항

1. 공직선거법(2010. 1. 25. 법률 제9974호로 개정된 것) 제79조 제3항 제2호 중 '시·도지사 선거' 부분, 같은 항 제3호 및 공직선거법(2005. 8. 4. 법률 제7681호로 개정된 것) 제216조 제1항(이하 통틀어 '심판대상조항'이라 한다)이 청구인의 건강하고 쾌적한 환경에서 생활할 권리를 침해하여 위헌인지 여부(적극)
2. 헌법불합치 결정을 선고한 사례

사건의 개요

청구인은 2018. 6. 13. 실시된 제7회 전국동시지방선거의 선거운동 과정에서 후보자들이 청구인의 거주지 주변에서 확성장치 등을 사용하여 소음을 유발함으로써 정신적·육체적 고통을 받았다고 주장하면서, 공직선거법 제79조 제3항, 제102조 제1항 및 제216조 제1항이 전국동시지방선거의 선거운동 시 확성장치의 최고출력, 사용시간 등 소음에 대한 규제기준 조항을 두지 아니하는 등 그 입법의 내용·범위 등이 불충분하여 청구인의 환경권, 건강권 및 신체를 훼손당하지 않을 권리 등을 침해한다는 이유로, 2018. 7. 16. 이 사건 헌법소원심판을 청구하였다.

심판대상조항 및 관련조항

공직선거법(2010. 1. 25. 법률 제9974호로 개정된 것)

제79조(공개장소에서의 연설·대담) ③ 공개장소에서의 연설·대담을 위하여 다음 각 호의 구분에 따라 자동차와 이에 부착된 확성장치 및 휴대용 확성장치를 각각 사용할 수 있다.
  1. 대통령선거후보자와 시·도 및 구·시·군선거연락소마다 각 1대·각 1조
  2. 지역구국회의원선거 및 시·도지사선거후보자와 구·시·군선거연락소마다 각 1대·각 1조
  3. 지역구지방의회의원선거 및 자치구·시·군의 장 선거후보자마다 1대·1조

공직선거법(2005. 8. 4. 법률 제7681호로 개정된 것)

제216조(4개 이상 선거의 동시실시에 관한 특례) ① 4개 이상 동시선거에 있어 지역구자치구·시·군의원선거의 후보자는 제79조(공개장소에서의 연설·대담)의 연설·대담을 위하여 자동차 1대와 휴대용 확성장치 1조를 사용할 수 있다.

주문

공직선거법(2010. 1. 25. 법률 제9974호로 개정된 것) 제79조 제3항 제2호 중 '시·도지사 선거' 부분, 같은 항 제3호 및 공직선거법(2005. 8. 4. 법률 제7681호로 개정된 것) 제216조 제1항은 모두 헌법에 합치되지 아니한다. 위 법률조항들은 2021. 12. 31.을 시한으로 입법자가 개정할 때까지 계속 적용된다.

I 판 단

1. 이 사건의 쟁점

심판대상조항은 공직선거법상 전국동시지방선거의 선거운동 시 확성장치를 사용할 수 있도록 허용하면서도 그 사용에 따른 소음의 규제기준을 두지 아니하는 등 그 입법 내용이 불완전·불충분하여 환경권을 침해하는지 문제된다.

2. 환경권 침해 여부

가. 건강하고 쾌적한 환경에서 생활할 권리의 헌법적 보장

헌법은 "모든 국민은 건강하고 쾌적한 환경에서 생활할 권리를 가지며, 국가와 국민은 환경보전을 위하여 노력하여야 한다."고 규정하여(제35조 제1항) 국민의 환경권을 보장함과 동시에 국가에게 국민이 건강하고 쾌적하게 생활할 수 있는 양호한 환경을 유지하기 위하여 노력하여야 할 의무를 부여하고 있다. 이러한 환경권은 생명·신체의 자유를 보호하는 토대를 이루며, 궁극적으로 '삶의 질' 확보를 목표로 하는 권리이다.

환경권을 행사함에 있어 국민은 국가로부터 건강하고 쾌적한 환경을 향유할 수 있는 자유를 침해당하지 않을 권리를 행사할 수 있고, 일정한 경우 국가에 대하여 건강하고 쾌적한 환경에서 생활할 수 있도록 요구할 수 있는 권리가 인정되기도 하는바, 환경권은 그 자체 종합적 기본권으로서의 성격을 지닌다.

환경권의 내용과 행사는 법률에 의해 구체적으로 정해지는 것이기는 하나(헌법 제35조 제2항), 이 헌법조항의 취지는 특별히 명문으로 헌법에서 정한 환경권을 입법자가 그 취지에 부합하도록 법률로써 내용을 구체화하도록 한 것이지 환경권이 완전히 무의미하게 되는데도 그에 대한 입법을 전혀 하지 아니하거나, 어떠한 내용이든 법률로써 정하기만 하면 된다는 것은 아니다. 그러므로 일정한 요건이 충족될 때 환경권 보호를 위한 입법이 없거나 현저히 불충분하여 국민의 환경권을 침해하고 있다면 헌법재판소에 그 구제를 구할 수 있다고 해야 할 것이다.

또한 '건강하고 쾌적한 환경에서 생활할 권리'를 보장하는 환경권의 보호대상이 되는 환경에는 자연환경뿐만 아니라 인공적 환경과 같은 생활환경도 포함되므로(환경정책기본법 제3조), 일상생활에서 소음을 제거·방지하여 '정온한 환경에서 생활할 권리'는 환경권의 한 내용을 구성한다.

나. 건강하고 쾌적한 환경에서 생활할 권리를 보장해야 할 국가의 의무

헌법 제10조의 규정에 의하면, 국가는 개인이 가지는 불가침의 기본적 인권을 확인하고 이를 보장할 의무를 지고 기본권은 공동체의 객관적 가치질서로서의 성격을 가지므로, 적어도 생명·신체의 보호와 같은 중요한 기본권적 법익 침해에 대해서는 그것이 국가가 아닌 제3자로서의 사인에 의해서 유발된 것이라고 하더라도 국가가 적극적인 보호의 의무를 진다.

그렇다면 국가가 국민의 기본권을 적극적으로 보장하여야 할 의무가 인정된다는 점, 헌법 제35조 제1항이 국가와 국민에게 환경보전을 위하여 노력하여야 할 의무를 부여하고 있는 점, 환경침해는 사인에 의해서 빈번하게 유발되므로 입법자가 그 허용 범위에 관해 정할 필요가 있다는 점, 환경피해는 생명·신체의 보호와 같은 중요한 기본권적 법익 침해로 이어질 수 있다는 점 등을 고려할 때, 일정한 경우 국가는 사인인 제3자에 의한 국민의 환경권 침해에 대해서도 적극적으로 기본권 보호조치를 취할 의무를 진다. 더욱이 이 사건에서 소음의 유발은 공직선거법이 허용한 일정 기간의 공직선거 운동기간 중에 공적 의사를 형성하는 과정 중에 발생하는 것이므로, 비록 그 소음이 후보자 등 사인에 의해서 유발되고 있는 것이라고 하더라도 공적 활동으로서 이해되는 측면도 있는바, 공적 영역에서 발생하는 환경권 침해 가능성에 대해 국가가 규율할 의무는 좀 더 분명해진다.

다. 심사기준

국가가 국민의 건강하고 쾌적한 환경에서 생활할 권리를 보호할 의무를 진다고 하더라도, 국가의 기본권 보호의무를 입법자 또는 그로부터 위임받은 집행자가 어떻게 실현하여야 할 것인가 하는 문제는 원칙적으로 권력분립과 민주주의의 원칙에 따라 국민에 의하여 직접 민주적 정당성을 부여받고 자신의 결정에 대하여 정치적 책임을 지는 입법자의 책임범위에 속한다. 헌법재판소는 단지 제한적으로만 입법자 또는 그로부터 위임받은 집행자에 의한 보호의무의 이행을 심사할 수 있다.

따라서 국가가 국민의 건강하고 쾌적한 환경에서 생활할 권리에 대한 보호의무를 다하지 않았는지 여부를 헌법재판소가 심사할 때에는 국가가 이를 보호하기 위하여 적어도 적절하고 효율적인 최소한의 보호조치를 취하였는가 하는 이른바 '과소보호금지원칙'의 위반 여부를 기준으로 삼아야 한다.

그런데 어떠한 경우에 과소보호금지원칙에 미달하게 되는지에 대해서는 일반적·일률적으로 확정할 수 없다. 이는 개별 사례에 있어서 관련 법익의 종류 및 그 법익이 헌법질서에서 차지하는 위상, 그 법익에 대한 침해와 위험의 태양과 정도, 상충하는 법익의 의미 등을 비교 형량하여 구체적으로 확정하여야 한다.

라. 과소보호금지원칙 위반 여부

공직선거법에는 확성장치를 사용함에 있어 자동차에 부착하는 확성장치 및 휴대용 확성장치의 수는 '시·도지사선거는 후보자와 구·시·군 선거연락소마다 각 1대·각 1조, 지역구지방의회의원선거 및 자치구·시·군의 장 선거는 후보자마다 1대·1조를 넘을 수 없다'는 규정만 있을 뿐 확성장치의 최

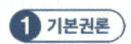

고출력 내지 소음 규제기준이 마련되어 있지 아니하다. 기본권의 과소보호금지 원칙에 부합하면서 선거운동을 위해 필요한 범위 내에서 합리적인 최고출력 내지 소음 규제기준을 정할 필요가 있다. 심판대상조항에서 확성장치 사용을 허용하되 확성장치를 통한 선거소음의 최고출력을 구체적이고 현실적으로 규율하는 조항을 둘 때 선거운동의 자유가 적극적으로 보장되는 결과를 가져올 수 있다.

공직선거법에는 야간 연설 및 대담을 제한하는 규정만 있다. 그러나 대다수의 직장과 학교는 그 근무 및 학업 시간대를 오전 9시부터 오후 6시까지로 하고 있어 그 전후 시간대의 주거지역에서는 정온한 환경이 더욱더 요구된다. 출근 또는 등교 시간대 이전인 오전 6시부터 7시까지, 퇴근 또는 하교 시간대 이후인 오후 7시부터 11시까지에도 확성장치의 사용을 제한할 필요가 있다는 점에서 위와 같은 입법의 내용이 충분한지 의문이다.

공직선거법에는 주거지역과 같이 정온한 생활환경을 유지할 필요성이 높은 지역에 대한 규제기준이 마련되어 있지 아니하다. 예컨대 소음·진동관리법, '집회 및 시위에 관한 법률' 등에서 대상지역 및 시간대별로 구체적인 소음기준을 정한 것과 같이, 공직선거법에서도 이에 준하는 규정을 둘 수 있다. 심판대상조항이 선거운동의 자유를 감안하여 선거운동을 위한 확성장치를 허용할 공익적 필요성이 인정된다고 하더라도 정온한 생활환경이 보장되어야 할 주거지역에서 출근 또는 등교 이전 및 퇴근 또는 하교 이후 시간대에 확성장치의 최고출력 내지 소음을 제한하는 등 사용시간과 사용지역에 따른 수인한도 내에서 확성장치의 최고출력 내지 소음 규제기준에 관한 규정을 두지 아니한 것은, 국민이 건강하고 쾌적하게 생활할 수 있는 양호한 주거환경을 위하여 노력하여야 할 국가의 의무를 부과한 헌법 제35조 제3항에 비추어 보면, 적절하고 효율적인 최소한의 보호조치를 취하지 아니하여 국가의 기본권 보호의무를 과소하게 이행한 것이다.

따라서, 심판대상조항은 국가의 기본권 보호의무를 과소하게 이행한 것으로서, 청구인의 건강하고 쾌적한 환경에서 생활할 권리를 침해한다.

3. 헌법불합치결정 및 잠정적용 명령

심판대상조항에 대하여 단순위헌결정을 하여 즉시 효력을 상실시킨다면 선거운동 시 확성장치의 사용에 관한 근거규정이 사라지고, 후보자 등은 확성장치를 사용하여 선거운동을 할 수 없게 되는 법적 공백상태가 발생할 우려가 있다.

II 결 론

그렇다면 심판대상조항은 헌법에 합치되지 아니하나, 2021. 12. 31.을 시한으로 입법자의 개선입법이 이루어질 때까지 잠정적으로 적용하기로 하여 주문과 같이 결정한다. 종래 이와 견해를 달리하여 심판대상조항이 헌법에 위반되지 아니한다고 판시한 우리 재판소결정(헌재 2008. 7. 31. 2006헌마711)은 이 결정 취지와 저촉되는 범위 안에서 변경하기로 한다.

014 담배 제조 및 판매 사건 [기각, 각하, 기타]
— 2015. 4. 30. 선고 2012헌마38

판시사항 및 결정요지

1. 담배의 제조 및 판매에 관하여 규율하고 있는 구 담배사업법에 대하여 간접흡연자와 의료인의 자기관련성 인정 여부(소극)

간접흡연으로 인한 폐해는 담배의 제조 및 판매와는 간접적이고 사실적인 이해관계를 형성할 뿐, 직접적 혹은 법적인 이해관계를 형성하지는 못한다.

2. 담배사업법이 국가의 보호의무를 위반하여 청구인의 생명·신체의 안전에 관한 권리를 침해하는지 여부(소극)

가. 제한되는 기본권

헌법 제10조는 모든 국민이 인간으로서의 존엄과 가치를 지닌 주체임을 천명하고, 국가권력이 국민의 기본권을 침해하는 것을 금지함은 물론 이에서 더 나아가 적극적으로 국민의 기본권을 보호하고 이를 실현할 의무가 있음을 선언하고 있다. 또한 생명·신체의 안전에 관한 권리는 인간의 존엄과 가치의 근간을 이루는 기본권일 뿐만 아니라, 헌법은 제36조 제3항에서 국민의 보건에 관한 국가의 보호의무를 특별히 강조하고 있다. 따라서 국민의 생명·신체의 안전이 질병 등으로부터 위협받거나 받게 될 우려가 있는 경우 국가는 그 위험의 원인과 정도에 따라 사회·경제적인 여건 및 재정사정 등을 감안하여 국민의 생명·신체의 안전을 보호하기에 필요한 적절하고 효율적인 입법·행정상의 조치를 취하여 그 침해의 위험을 방지하고 이를 유지할 포괄적인 의무를 진다.

이 사건에서 제한되는 기본권은 국가의 보호의무에 상응하는 생명·신체의 안전에 관한 권리이다.

나. 심사기준 (과소보호금지원칙)

다. 과소보호금지 원칙 위반 여부

담배사업법은 담배의 제조 및 판매 자체는 금지하고 있지 않지만, 현재로서는 흡연과 폐암 등의 질병 사이에 필연적인 관계가 있다거나 흡연자 스스로 흡연 여부를 결정할 수 없을 정도로 의존성이 높아서 국가가 개입하여 담배의 제조 및 판매 자체를 금지하여야만 한다고 보기는 어렵다.

더욱이 담배사업법은 담배의 유해성으로부터 국민의 생명·신체를 보호하고자 일련의 장치들(담배 제조·판매업에 대한 규제, 담배의 판매조건에 대한 규제, 담배 판매가격에 대한 규제, 담배성분의 표시, 경고문구의 표시, 담배광고의 제한 및 금품제공의 금지 등)을 두고 있다.

따라서 담배사업법이 국가의 보호의무에 관한 과소보호금지 원칙을 위반하여 청구인의 생명·신체의 안전에 관한 권리를 침해하였다고 볼 수 없다.

015 미국산 쇠고기 수입위생조건 사건 [기각, 각하]
― 2008. 12. 26. 선고 2008헌마419,423,436(병합)

판시사항 및 결정요지

1. 2008. 6. 26. 농림수산식품부 고시 제2008-15호 '미국산 쇠고기 수입위생조건'(이하 '이 사건 고시'라 한다)과 국민의 생명·신체의 안전을 보호할 국가의 기본권 보호의무

소해면상뇌증의 위험성, 미국 내에서의 발병사례, 국내에서의 섭취가능성을 감안할 때 미국산 쇠고기가 수입·유통되는 경우 소해면상뇌증에 감염된 것이 유입되어 소비자의 생명·신체의 안전이라는 중요한 기본권적인 법익이 침해될 가능성을 전적으로 부정할 수는 없으므로, 국가로서는 미국산 쇠고기의 수입과 관련하여 소해면상뇌증의 원인물질인 변형 프리온 단백질이 축적된 것이 유입되는 것을 방지하기 위하여 필요한 적절하고도 효율적인 조치를 취함으로써 소비자인 국민의 생명·신체의 안전에 관한 기본권을 보호할 구체적인 헌법적 의무가 있다 할 것이다.

2. 진보신당 및 일반소비자인 청구인이 이 사건 고시에 대하여 위헌확인을 구할 기본권 침해의 자기관련성을 갖는지 여부

① 청구인 진보신당은 국민의 정치적 의사형성에 참여하기 위한 조직으로 성격상 권리능력 없는 단체에 속하지만, 구성원과는 독립하여 그 자체로서 기본권의 주체가 될 수 있고, 그 조직 자체의 기본권이 직접 침해당한 경우 자신의 이름으로 헌법소원심판을 청구할 수 있으나, 이 사건에서 침해된다고 하여 주장되는 기본권은 생명·신체의 안전에 관한 것으로서 성질상 자연인에게만 인정되는 것이므로, 이와 관련하여 청구인 진보신당과 같은 권리능력 없는 단체는 위와 같은 기본권의 행사에 있어 그 주체가 될 수 없고, 또한 청구인 진보신당이 그 정당원이나 일반 국민의 기본권이 침해됨을 이유로 이들을 위하거나 이들을 대신하여 헌법소원심판을 청구하는 것은 원칙적으로 허용되지 아니하므로, 이 사건에 있어 청구인 진보신당은 청구인능력이 인정되지 아니한다 할 것이다.

② 이 사건 고시는 소비자의 생명·신체의 안전을 보호하기 위한 조치의 일환으로 행하여진 것이어서 실질적인 규율 목적 및 대상이 쇠고기 소비자와 관련을 맺고 있으므로 쇠고기 소비자는 이에 대한 구체적인 이해관계를 가진다 할 것인바, 일반소비자인 청구인들에 대해서는 이 사건 고시가 생명·신체의 안전에 대한 보호의무를 위반함으로 인하여 초래되는 기본권 침해와의 자기관련성을 인정할 수 있고, 또한 이 사건 고시의 위생조건에 따라 수입검역을 통과한 미국산 쇠고기는 별다른 행정조치 없이 유통·소비될 것이 예상되므로, 청구인들에게 이 사건 고시가 생명·신체의 안전에 대한 보호의무에 위반함으로 인하여 초래되는 기본권 침해와의 현재관련성 및 직접관련성도 인정할 수 있다.

3. 이 사건 고시가 청구인들의 생명·신체의 안전을 보호할 국가의 의무를 명백히 위반하였는지 여부(소극)

이 사건 고시가 개정 전 고시에 비하여 완화된 수입위생조건을 정한 측면이 있다 하더라도, 미국산 쇠고기의 수입과 관련한 위험상황 등과 관련하여 개정 전 고시 이후에 달라진 여러 요인들을 고려하고 지금까지의 관련 과학기술 지식과 OIE 국제기준 등에 근거하여 보호조치를 취한 것이라면, 이 사건 고시상의 보호조치가 체감적으로 완벽한 것은 아니라 할지라도, 위 기준과 그 내용에 비추어 쇠고기 소비자인 국민의 생명·신체의 안전을 보호하기에 전적으로 부적합하거나 매우 부족하여 그 보호의무를 명백히 위반한 것이라고 단정하기는 어렵다 할 것이다.

4. 이 사건 고시가 헌법 제6조 제1항 및 제60조 제1항 등을 위배하였는지 여부(소극)

이 사건 고시가 헌법 제60조 제1항에서 말하는 조약에 해당하지 아니함이 분명하므로 국회의 동의를 받아야 하는 것은 아니고, … 더 나아가 살펴볼 필요 없이 이유 없다.

| 특별권력관계 |

 금치 처분을 받은 수형자에 대한 운동 등 금지 사건 [위헌, 기각]
— 2004. 12. 16. 선고 2002헌마478

판시사항 및 결정요지

1. 수형자에 대한 기본권 제한의 한계

수형자의 기본권 제한에 대한 구체적인 한계는 헌법 제37조 제2항에 따라 법률에 의하여, 구체적인 자유·권리의 내용과 성질, 그 제한의 태양과 정도 등을 교량하여 설정하게 되며, 수용 시설 내의 안전과 질서를 유지하기 위하여 이들 기본권의 일부 제한이 불가피하다 하더라도 그 본질적인 내용을 침해하거나, 목적의 정당성, 방법의 적정성, 피해의 최소성 및 법익의 균형성 등을 의미하는 과잉금지의 원칙에 위배되어서는 안 된다.

2. 금치 처분을 받은 수형자에 대하여 금치 기간 중 접견, 서신수발을 금지하고 있는 행형법시행령 제145조 제2항 중 접견, 서신수발 부분이 수형자의 통신의 자유 등을 침해하는지 여부(소극)

금치 징벌의 목적 자체가 징벌실에 수용하고 엄격한 격리에 의하여 개전을 촉구하고자 하는 것이므로 접견·서신수발의 제한은 불가피하며, 행형법시행령 제145조 제2항은 금치 기간 중의 접견·서신수발을 금지하면서도, 그 단서에서 소장으로 하여금 "교화 또는 처우상 특히 필요하다고 인정되는 때"에는 금치 기간 중이라도 접견·서신수발을 허가할 수 있도록 예외를 둠으로써 과도한 규제가 되지 않도록 조치하고 있으므로, 금치 수형자에 대한 접견·서신수발의 제한은 수용시설 내의 안전과 질서 유지라는 정당한 목적을 위하여 필요·최소한의 제한이다.

3. 금치 처분을 받은 수형자에 대하여 금치 기간 중 운동을 금지하는 행형법시행령 제145조 제2항 중 운동 부분이 수형자의 인간의 존엄과 가치, 신체의 자유 등을 침해하는지 여부(적극)

실외운동은 구금되어 있는 수형자의 신체적·정신적 건강 유지를 위한 최소한의 기본적 요청이라고 할 수 있는데, 금치 처분을 받은 수형자는 일반 독거 수용자에 비하여 접견, 서신수발, 전화통화, 집필, 작업, 신문·도서열람, 라디오청취, 텔레비전 시청 등이 금지되어(행형법시행령 제145조 제2항 본문) 외부세계와의 교통이 단절된 상태에 있게 되며, 환기가 잘 안 되는 1평 남짓한 징벌실에 최장 2개월 동안 수용된다는 점을 고려할 때, 금치 수형자에 대하여 일체의 운동을 금지하는 것은 수형자의 신체적 건강뿐만 아니라 정신적 건강을 해칠 위험성이 현저히 높다.

따라서 금치 처분을 받은 수형자에 대한 절대적인 운동의 금지는 징벌의 목적을 고려하더라도 그 수단과 방법에 있어서 필요한 최소한도의 범위를 벗어난 것으로서, 수형자의 헌법 제10조의 인간의 존엄과 가치 및 신체의 안전성이 훼손당하지 아니할 자유를 포함하는 제12조의 신체의 자유를 침해하는 정도에 이르렀다고 판단된다.

017 금치처분 받은 수용자에 대한 처우제한 사건 [위헌, 기각, 각하]
— 2016. 5. 26. 선고 2014헌마45

판시사항

1. 금치기간 중 공동행사 참가를 정지하는 '형의 집행 및 수용자의 처우에 관한 법률'(이하 '형집행법'이라 한다) 제112조 제3항 본문 중 제108조 제4호에 관한 부분이 청구인의 통신의 자유, 종교의 자유를 침해하는지 여부(소극)

2. 금치기간 중 텔레비전 시청을 제한하는 형집행법 제112조 제3항 본문 중 제108조 제6호에 관한 부분이 청구인의 알 권리를 침해하는지 여부(소극)

3. 금치기간 중 신문·도서·잡지 외 자비구매물품의 사용을 제한하는 형집행법 제112조 제3항 본문 중 제108조 제7호의 신문·도서·잡지 외 자비구매물품에 관한 부분이 청구인의 일반적 행동의 자유를 침해하는지 여부(소극)

4. 금치기간 중 실외운동을 원칙적으로 제한하는 형집행법 제112조 제3항 본문 중 제108조 제13호에 관한 부분이 청구인의 신체의 자유를 침해하는지 여부(적극)

사건의 개요

청구인은 강간상해죄로 징역 3년에 처하는 형의 선고를 받아 그 형이 확정되었다. 청구인은 ○○교도소에서 2013. 11. 10.부터 2013. 11. 21.까지 지시불이행, 직무방해 혐의를 받아 징벌대상자로서 조사수용(이하 '이 사건 수용처분'이라 한다)되면서, 실외운동, 교육훈련, 공동행사 참가를 제한받았다.

청구인은 2013. 11. 22. 위 각 혐의가 인정되어 금치 25일의 처분(이하 '이 사건 금치처분'이라 한다)을 받아 이 사건 수용처분일 12일이 산입된 2013. 11. 10.부터 2013. 12. 4.까지 이 사건 금치처분이 집행되었는데, 2013. 11. 22.부터 2013. 12. 4.까지 공동행사 참가 정지, 신문열람 제한, 텔레비전 시청 제한, 자비구매물품 사용 제한, 작업 정지, 전화통화 제한, 집필 제한, 서신수수 제한, 접견 제한, 실외운동 정지 처분을 함께 부과받았다.

이에 청구인은 징벌의 종류를 규정한 '형의 집행 및 수용자의 처우에 관한 법률' 제108조가 인간의 존엄과 가치, 재판청구권, 표현의 자유 등을 침해한다고 주장하면서 2014. 1. 21. 이 사건 헌법소원심판을 청구하였다.

심판대상조항 및 관련조항

형의 집행 및 수용자의 처우에 관한 법률(2007. 12. 21. 법률 제8728호로 전부개정된 것)

제108조(징벌의 종류) 징벌의 종류는 다음 각 호와 같다.
  4. 30일 이내의 공동행사 참가 정지
  5. 30일 이내의 신문열람 제한
  6. 30일 이내의 텔레비전 시청 제한
  7. 30일 이내의 자비구매물품(의사가 치료를 위하여 처방한 의약품을 제외한다) 사용 제한

9. 30일 이내의 전화통화 제한
10. 30일 이내의 집필 제한
11. 30일 이내의 서신수수 제한
12. 30일 이내의 접견 제한
13. 30일 이내의 실외운동 정지
14. 30일 이내의 금치(禁置)

제110조 (징벌대상자의 조사) ② 소장은 징벌대상자가 제1항 각 호의 어느 하나에 해당하면 접견·서신수수·전화통화·실외운동·작업·교육훈련·공동행사참가 등 다른 사람과의 접촉이 가능한 처우의 전부 또는 일부를 제한할 수 있다.

제112조(징벌의 집행) ③ 제108조 제14호의 처분을 받은 사람에게는 그 기간 중 같은 조 제4호부터 제13호까지의 처우제한이 함께 부과된다. 다만, 소장은 수용자의 권리구제, 수형자의 교화 또는 건전한 사회복귀를 위하여 특히 필요하다고 인정하면 집필·서신수수·접견 또는 실외운동을 허가할 수 있다.

주문

1. '형의 집행 및 수용자의 처우에 관한 법률'(2007. 12. 21. 법률 제8728호로 전부개정된 것) 제112조 제3항 본문 중 제108조 제13호에 관한 부분은 헌법에 위반된다.
2. '형의 집행 및 수용자의 처우에 관한 법률'(2007. 12. 21. 법률 제8728호로 전부개정된 것) 제112조 제3항 본문 중 제108조 제4호, 제6호, 제7호의 신문·잡지·도서 외 자비구매물품에 관한 부분에 대한 심판청구를 모두 기각한다.
3. 나머지 심판청구를 모두 각하한다.

1. 형집행법상 징벌 및 처우제한

가. 형집행법상 징벌

교정시설은 수용자를 강제로 수용하는 장소이므로 시설 내의 질서유지와 안전을 확보할 필요성이 크고, 형집행법상 징벌은 수사 및 재판 등의 절차확보를 위한 미결구금 및 형벌의 집행이라는 불이익을 받고 있는 자들에 대하여 부과되는 것이라는 점에서, <u>규율 위반에 대한 제재로서의 불이익은 형벌에 포함된 통상의 구금 및 수용생활이라는 불이익보다 더욱 자유와 권리를 제한하는 것이 될 것임을 예상할 수 있다.</u>

나. 금치 및 처우제한

징벌 중에서 금치는 가장 중한 징벌로서 대상자를 징벌거실에 구금하고(형집행법 시행규칙 제231조 제2항), 일정한 생활조건에 제약을 가함으로써(형집행법 제112조 제3항), 일반적인 수용자의 구금상태보다 가중된 징벌적 구금을 의미한다. 이 사건 금치조항은 금치처분을 받은 수용자에 대하여 금치기간 중 다른 징벌, 즉 공동행사 참가, 신문열람, 텔레비전 시청, 자비구매물품 사용, 전화통화를 일률적으로 금지하고, 집필, 서신수수, 접견, 실외운동 등을 원칙적으로 금지하는 처우제한을 함께 부과하도록 규정하고 있다.

2. 이 사건 금치조항 중 제108조 제4호(공동행사 참가 정지)에 관한 부분

가. 제한되는 기본권

이 사건 금치조항 중 제108조 제4항에 관한 부분에 의하여 청구인은 금치기간 중 종교행사, 교화프로그램 등 공동행사에 참석하지 못한다. 수용자는 구금에 의하여 이미 외부와의 자유로운 교통·통신이 제한되어 있으나, 위 조항은 금치처분을 받은 사람으로 하여금 교정시설 외부와의 교통·통신뿐 아니라 내부에서의 교통·통신까지 하지 못하도록 하고, 일반 수용자들에게 허용된 종교의식 또는 행사 참석을 금지하므로, 형의 집행을 위하여 수용자에게 예정된 기본권 제한을 넘어서 부가적으로 청구인의 통신의 자유, 종교의 자유를 제한한다.

나. 통신의 자유 및 종교의 자유 침해 여부

1) 입법목적의 정당성 및 수단의 적합성

이 사건 금치조항 중 제108조 제4호에 관한 부분은 수용시설 내의 규율을 위반하고 그 위반의 정도가 중한 것으로 판단되어 금치의 징벌을 받은 사람에 대해 금치처분의 집행과 함께 금치기간 동안 공동행사 참가 정지라는 불이익을 가함으로써, 규율의 준수를 강제하여 수용시설 내의 안전과 질서를 유지하기 위한 것으로서 그 입법목적이 정당하다.

위 조항은 일반 수용자에게는 실질적으로 허용되어 있는 공동행사 참가를 규율 위반으로 금치처분을 받은 사람에 대하여 일률적으로 금지함으로써, 규율 위반자에 대해서는 반성을 촉구하고 일반 수용자에게는 규율 위반에 대한 불이익을 경고하여, 수용자들의 규율 준수를 유도하는 데에 필요하고도 효과적인 수단이 될 수 있으므로 수단의 적합성도 인정된다.

2) 침해의 최소성

교도소 내의 질서와 안전을 위해서는 규율이 준수되어야 하고 그를 위해 규율 위반자에 대해서는 일정한 제재를 가할 수밖에 없는데, 이미 기본권이 제한된 상태로 일정 기간 동안 자신의 의사와 관계없이 강제적인 구금생활을 할 수밖에 없으면서도 대부분의 경우 형기를 마치면 교도소를 벗어나도록 예정된 수용자들에 대해서 실질적으로 위하력을 가질 수 있는 제재란 그리 많지 않다.

형집행법은 그러한 제재 중 하나로서 규율을 위반한 자에 대해 가장 무거운 징벌로 금치를 규정하면서, 이 사건 금치조항을 통해 대상자를 징벌거실에 수용하는 이외에도 일반 수용자가 제한된 상태로나마 누리던 자유의 일부를 제한 또는 박탈하는 처우제한의 불이익을 부과하고 있다.

금치처분을 받은 사람은 최장 30일 이내의 기간 동안 공동행사에 참가할 수 없으나, 서신수수, 접견을 통해 외부와 통신할 수 있고, 종교상담을 통해 종교활동을 할 수 있으므로, 이 사건 금치조항 중 제108조 제4호에 관한 부분은 침해의 최소성에도 위반되지 아니한다.

3) 법익의 균형성

금치처분을 받은 사람은 금치기간 동안 공동행사에 참가하는 방식으로 교정시설 내 수용자들과 교류하거나 종교활동을 할 수 없는 불이익을 받게 되나, 이는 규율의 준수를 통해 수용질서를 유지한다는 공익에 비하여 크다고 할 수 없으므로, 위 조항은 법익의 균형성도 갖추었다.

4) 소 결

따라서 이 사건 금치조항 중 제108조 제4호에 관한 부분은 청구인의 통신의 자유, 종교의 자유를 침해하지 아니한다.

3. 이 사건 금치조항 중 제108조 제6호(텔레비전 시청 제한)에 관한 부분

가. 제한되는 기본권

헌법 제21조 등에서 도출되는 기본권인 알 권리는 모든 정보원으로부터 일반적 정보를 수집하고 이를 처리할 수 있는 권리를 말하는데, 여기서 '일반적'이란 신문, 잡지, 방송 등 불특정다수인에게 개방될 수 있는 것을, '정보'란 양심, 사상, 의견, 지식 등의 형성에 관련이 있는 일체의 자료를 말한다. 텔레비전 시청은 수용자가 제한된 범위에서나마 자유로운 의사형성의 전제가 되는 일반적 정보에 접근할 수 있는 기본적인 수단이라는 점에서, 금치기간 중 텔레비전 시청을 금지하는 이 사건 금치조항 중 제108조 제6호에 관한 부분은 청구인의 알 권리를 제한한다.

나. 알 권리 침해 여부

형집행법 제112조 제3항 본문 중 제108조 제6호에 관한 부분은 금치의 징벌을 받은 사람에 대해 금치기간 동안 텔레비전 시청 제한이라는 불이익을 가함으로써, 규율의 준수를 강제하여 수용시설 내의 안전과 질서를 유지하기 위한 것으로서 목적의 정당성 및 수단의 적합성이 인정된다. 금치처분은 금치처분을 받은 사람을 징벌거실 속에 구금하여 반성에 전념하게 하려는 목적을 가지고 있으므로 그에 대하여 일반 수용자와 같은 수준으로 텔레비전 시청이 이뤄지도록 하는 것은 교정실무상 어려움이 있고, 금치처분을 받은 사람은 텔레비전을 시청하는 대신 수용시설에 보관된 도서를 열람함으로써 다른 정보원에 접근할 수 있다. 또한, 위와 같은 불이익은 규율 준수를 통하여 수용질서를 유지한다는 공익에 비하여 크다고 할 수 없다. 따라서 위 조항은 청구인의 알 권리를 침해하지 아니한다.

4. 이 사건 금치조항 중 제108조 제7호(자비구매물품 사용 제한)의 신문·잡지·도서 외 자비구매물품에 관한 부분

가. 제한되는 기본권

청구인은 이 사건 금치조항 중 제108조 제7호의 신문·잡지·도서 외 자비구매물품에 관한 부분에 의하여 자비구매물품 중 의류, 침구, 시계, 세탁용품 등을 사용할 수 없게 되므로, 일반적 행동의 자유를 제한받는다.

나. 일반적 행동의 자유 침해 여부

형집행법 제112조 제3항 본문 중 제108조 제7호의 신문·도서·잡지 외 자비구매물품에 관한 부분은 금치의 징벌을 받은 사람에 대해 금치기간 동안 자비로 구매한 음식물, 의약품 및 의료용품 등 자비구매물품을 사용할 수 없는 불이익을 가함으로써, 규율의 준수를 강제하여 수용시설 내의 안전과 질서를 유지하기 위한 것으로서 목적의 정당성 및 수단의 적합성이 인정된다. 금치처분을 받은 사람은 소장이 지급하는 음식물, 의류·침구, 그 밖의 생활용품을 통하여 건강을 유지하기 위한 필요최소한의 생활을 영위할 수 있고, 의사가 치료를 위하여 처방한 의약품은 여전히 사용할 수 있다. 또한, 위와 같은 불이익은 규율 준수를 통하여 수용질서를 유지한다는 공익에 비하여 크다고 할 수 없다. 따라서 위 조항은 청구인의 일반적 행동의 자유를 침해하지 아니한다.

5. 이 사건 금치조항 중 제108조 제13호(실외운동 정지)에 관한 부분

형집행법 제112조 제3항 본문 중 제108조 제13호에 관한 부분은 금치의 징벌을 받은 사람에 대해 금치기간 동안 실외운동을 원칙적으로 정지하는 불이익을 가함으로써, 규율의 준수를 강제하여 수용시설 내의 안전과 질서를 유지하기 위한 것으로서 목적의 정당성 및 수단의 적합성이 인정된다.

실외운동은 구금되어 있는 수용자의 신체적·정신적 건강을 유지하기 위한 최소한의 기본적 요청이고, 수용자의 건강 유지는 교정교화와 건전한 사회복귀라는 형 집행의 근본적 목표를 달성하는 데 필수적이다. 그런데 위 조항은 금치처분을 받은 사람에 대하여 실외운동을 원칙적으로 금지하고, 다만 소장의 재량에 의하여 이를 예외적으로 허용하고 있다. 그러나 소란, 난동을 피우거나 다른 사람을 해할 위험이 있어 실외운동을 허용할 경우 금치처분의 목적 달성이 어려운 예외적인 경우에 한하여 실외운동을 제한하는 덜 침해적인 수단이 있음에도 불구하고, 위 조항은 금치처분을 받은 사람에게 원칙적으로 실외운동을 금지한다. 나아가 위 조항은 예외적으로 실외운동을 허용하는 경우에도, 실외운동의 기회가 부여되어야 하는 최저기준을 법령에서 명시하고 있지 않으므로, 침해의 최소성 원칙에 위배된다.

위 조항은 소장의 재량으로 예외적으로 실외운동을 허용함으로써 수용자의 정신적·신체적 건강에 필요 이상의 불이익을 가하고 있고, 이는 공익에 비하여 큰 것이므로 위 조항은 법익의 균형성 요건도 갖추지 못하였다.

따라서 이 사건 금치조항 중 제108조 제13호에 관한 부분은 청구인의 신체의 자유를 침해한다.

018 금치처분을 받은 미결수용자의 집필 및 서신수수 금지에 관한 사건 [기각, 각하]
— 2014. 8. 28. 선고 2012헌마623

판시사항 및 결정요지

1. 금치기간 중 집필을 금지하도록 한 '형의 집행 및 수용자의 처우에 관한 법률'(2007. 12. 21. 법률 제8728호로 전부개정된 것, 이하 '형집행법'이라 한다) 제112조 제3항 본문 중 미결수용자에게 적용되는 제108조 제10호에 관한 부분(이하 '이 사건 집필제한조항'이라 한다)이 청구인의 표현의 자유를 침해하는지 여부(소극)

가. 제한되는 기본권

이 사건 집행제한 조항이 직접적으로 제한하고 있는 것은 집필행위 자체로서 집필의 목적이나 내용은 묻지 않고 있는바, 이는 기본적으로는 인간의 정신적 활동을 문자를 통해 외부로 나타나게 하는 행위, 즉 표현행위를 금지하는 것으로 볼 수 있다. 그렇다면 이 사건 집필제한 조항에 의하여 가장 직접적으로 제한되는 것은 표현의 자유라고 볼 수 있으므로, 이 사건 집필제한 조항이 과잉금지원칙에 반하여 청구인의 표현의 자유를 침해하는지 여부를 중심으로 판단하도록 한다.

나. 표현의 자유 침해 여부

형집행법의 입법목적의 가장 기초적인 전제는 구금 또는 수용시설의 안전과 질서의 유지이다. 수용시설은 강제적인 수용에 따른 집단생활이라는 점에서 시설과 인력의 안전은 물론 수용자들의 안전을 위해서라도 일상생활에 있어 엄격한 규율이 불가피하다. 이 사건 집필제한 조항은 수용시설 내의 규율을 위반하고 그 위반의 정도가 중한 것으로 판단되어 금치의 징벌을 받은 자에 대해 금치처분의 집행과 함께 금치기간 동안 집필 제한의 불이익을 가함으로써, 규율의 준수를 강제하여 수용시설 내의 안전과 질서를 유지하기 위한 것으로서 그 입법목적은 정당하다. 또한 규율 위반자에 대해서는 반성을 촉구하고 일반 수용자에게는 규율 위반에 대한 불이익을 경고하여, 수용자들의 규율 준수를 유도하는 데에 필요하고도 효과적인 수단이 될 수 있으므로 방법의 적절성도 인정된다.

한편, 집필행위 자체가 정신활동과 관계되는 개인적인 행위라는 점, 어떤 면에서는 오히려 규율을 위반한 수용자가 스스로를 돌아볼 수 있는 기회를 제공할 수 있다는 점에서 이를 제한할 필요가 있을지 의문이 들 수도 있으나, 이미 기본권 행사가 일정 부분 제한된 미결수용자에 대하여 위하력 있는 추가제재가 그리 많지 아니하고, 금치 처분을 받은 사람에게 집필 행위를 함께 금지함으로써 징벌적 효과가 강화되는 점은 부인할 수 없다. 집필 도구는 타인에게 위해를 가하거나 자해의 도구로 사용될 위험성도 있다. 특히 금치 처분을 받고 있는 수용자에게 처우 제한을 해제해주기 위해서는 수용시설 내의 안전과 질서유지에 반하지 않을 것이 전제되어야 할 것인데, 금치 처분을 받은 수용자들은 이미 수용시설의 안전과 질서유지에 위반되는 행위, 그 중에서도 가장 중한 평가를 받은 행위를 한 자들이라는 점에서, 집필과 같은 처우 제한의 해제는 예외적인 경우로 한정될 수밖에 없다.

헌법재판소는 2005. 2. 24. 선고한 2003헌마289 결정에서 금치처분을 받은 자에 대하여 금치기간 중 집필을 전면 금지한 구 행형법 시행령(2000. 3. 28. 대통령령 제16759호로 개정되고, 2008. 10. 29. 대통령령 제21095호로 전부개정되기 전의 것) 제145조 제2항 본문 중 '집필' 부분은 헌법에 위반된다고 판단하였다. 당시 예외 없이 일체의 집필행위를 금지한 것이 문제되어, 입법자는 "소장은 수용자의 권리구제, 수형자의 교화 또는 건전한 사회복귀를 위하여 특히 필요하다고 인정하면 집필을 허가할 수 있다."는 예외를 둠으로써 기본권 제한의 정도를 완화하였다. 또한, 위 결정 당시의 구 행형법은 금치의 처분을 최장 2개월까지 가능하도록 하였던 반면(제46조 제2항 제5호), 현행 형집행법은 금치 기간을 30일 이내로 규정하여(제108조 제14호) 이 사건 집필제한 조항에 의한 집필 금지 기간을 단축하였다.

따라서 이 사건 집필제한 조항이 청구인의 표현의 자유를 지나치게 제한하여 침해의 최소성 원칙을 위반하였다고 볼 수 없다.

또한, 일정한 경우에 집필이 허용될 수 있도록 한 점 등을 고려하면, 집필 제한으로 인하여 침해되는 사익이 수용시설의 안전과 질서를 위한 공익보다 크다고 할 수 없으므로, 이 사건 집필제한 조항이 법익의 균형성을 위반하였다고도 볼 수 없다.

그렇다면 이 사건 집필제한 조항은 과잉금지원칙에 반하거나 기본권의 본질적 내용을 침해하지 아니하므로, 청구인의 표현의 자유를 침해하지 아니한다.

2. 금치기간 중 서신수수를 금지하도록 한 형집행법 제112조 제3항 본문 중 미결수용자에게 적용되는 제108조 제11호에 관한 부분(이하 '이 사건 서신수수제한조항'이라 한다)이 청구인의 통신의 자유를 침해하는지 여부(소극)

금치기간 중 서신수수를 금지하는 것은 가사 그 대상자가 미결수용자라 하더라도, 수용자의 안전한 구금을 확보하고 수용시설의 안전과 질서를 유지하기 위한 입법목적의 정당성과 수단의 적절성을 인정할 수 있다. 또한 미결수용자도 이미 신체의 자유 등 기본권이 제한되고 있어 징벌을 통하여 법질서 준수를 촉구하기 위해서는 인정되는 권리를 더 제한하는 것이 불가피한 점, 서신수수 제한의 경우 외부와의 접촉을 금지시키고 구속감과 외로움 속에 반성에 전념토록 하는 징벌의 목적에 상응하는 점, 형집행법 제112조 제3항 단서에서 소장은 '수용자의 권리구제, 수형자의 교화 또는 건전한 사회복귀를 위하여 특히 필요하다고 인정'하면 서신수수를 허가할 수 있도록 예외를 둠으로써 과도한 규제가 발생하지 않도록 한 점 등을 감안하면, 이 사건 서신수수제한 조항은 침해의 최소성 및 법익의 균형성 원칙에 위반되지 아니한다.

따라서 이 사건 서신수수제한 조항은 과잉금지원칙을 위반하여 청구인의 통신의 자유를 침해하지 아니한다.

제2장 인간의 존엄과 가치·행복추구권

| 인간의 존엄과 가치 |

 **구치소 내 과밀수용행위 위헌확인 사건** [인용(위헌확인)]
— 2016. 12. 29. 선고 2013헌마142

사건의 개요

1. 청구인은 업무방해죄 등으로 기소되어 2012. 4. 10. 벌금 70만 원 및 위 벌금을 납입하지 않는 경우 5만 원을 1일로 환산한 기간 동안 피고인을 노역장에 유치한다는 판결을 선고받았고, 그 판결은 2012. 6. 8. 상고기각 결정으로 확정되었다.

2. 청구인은 위 벌금의 납입을 거부하여 노역장 유치명령에 따라 2012. 12. 8. 16:00경부터 2012. 12. 18. 13:00경까지 ○○구치소 13동 하층 14실(면적 8.96㎡, 정원 6명, 이하 '이 사건 방실'이라 한다)에 수용되었고, 2012. 12. 18. 13:00경부터 2012. 12. 20. 00:00경까지 ○○구치소 내 사회복귀방에 수용되었다가 형기만료로 석방되었다.

3. 청구인은 2013. 3. 7. 피청구인이 청구인을 2012. 12. 8. 16:00경부터 2012. 12. 18. 13:00경까지 이 사건 방실에 수용한 행위가 청구인의 인간의 존엄과 가치 및 행복추구권, 인격권, 인간다운 생활을 할 권리 등 기본권을 침해한다고 주장하면서 그 위헌확인을 구하는 이 사건 헌법소원심판을 청구하였다.

주문

피청구인이 청구인을 2012. 12. 8. 16:00경부터 2012. 12. 18. 13:00경까지 ○○구치소 13동 하층 14실에 수용한 행위는 청구인의 인간의 존엄과 가치를 침해한 것으로 위헌임을 확인한다.

판시사항 및 결정요지

1. 적법요건에 대한 판단

① 이 사건 수용행위는 피청구인이 우월적 지위에서 청구인의 의사와 상관없이 일방적으로 행한 권력적 사실행위로서 헌법소원심판의 대상이 되는 공권력 행사에 해당한다.
② 청구인은 형기만료로 이미 석방되었으므로, 이 사건 심판청구가 인용되더라도 청구인의 권리구제는 불가능한 상태이다. 그러나 이 사건에서 문제되는 교정시설 내 과밀수용행위는 계속 반복될 우려가 있고, 수형자들에 대한 기본적 처우에 관한 중요한 문제로서 그에 대한 헌법적 해명의 필요성이 있으므로 예외적으로 심판의 이익을 인정할 수 있다.

2. 인간의 존엄과 가치에서 비롯하는 국가형벌권 행사의 한계

헌법 제10조에서 보장하는 인간의 존엄과 가치는 국가가 형벌권을 행사함에 있어 사람을 국가행위의 단순한 객체로 취급하거나 비인간적이고 잔혹한 형벌을 부과하는 것을 금지하고, 행형(行刑)에 있어 인간 생존의 기본조건이 박탈된 시설에 사람을 수용하는 것을 금지한다. 구금의 목적 달성을 위하여 필요최소한의 범위 내에서는 수형자의 기본권에 대한 제한이 불가피하다 하더라도, 국가는 어떠한 경우에도 수형자의 인간의 존엄과 가치를 훼손할 수 없다.

3. 구치소 내 과밀수용행위가 수형자인 청구인의 인간의 존엄과 가치를 침해하는지 여부(적극)

수형자가 인간 생존의 기본조건이 박탈된 교정시설에 수용되어 인간의 존엄과 가치를 침해당하였는지 여부를 판단함에 있어서는 1인당 수용면적뿐만 아니라 수형자 수와 수용거실 현황 등 수용시설 전반의 운영 실태와 수용기간, 국가 예산의 문제 등 제반 사정을 종합적으로 고려할 필요가 있다. 그러나 교정시설의 1인당 수용면적이 수형자의 인간으로서의 기본 욕구에 따른 생활조차 어렵게 할 만큼 지나치게 협소하다면, 이는 그 자체로 국가형벌권 행사의 한계를 넘어 수형자의 인간의 존엄과 가치를 침해하는 것이다.

이 사건의 경우, 성인 남성인 청구인이 이 사건 방실에 수용된 기간 동안 1인당 실제 개인사용가능면적은, 2일 16시간 동안에는 1.06㎡, 6일 5시간 동안에는 1.27㎡였다. 이러한 1인당 수용면적은 우리나라 성인 남성의 평균 신장인 사람이 팔다리를 마음껏 뻗기 어렵고, 모로 누워 '칼잠'을 자야 할 정도로 매우 협소한 것이다. 그렇다면 청구인이 이 사건 방실에 수용된 기간, 접견 및 운동으로 이 사건 방실 밖에서 보낸 시간 등 제반 사정을 참작하여 보더라도, 청구인은 이 사건 방실에서 신체적·정신적 건강이 악화되거나 인격체로서의 기본 활동에 필요한 조건을 박탈당하는 등 극심한 고통을 경험하였을 가능성이 크다. 따라서 청구인이 인간으로서 최소한의 품위를 유지할 수 없을 정도로 과밀한 공간에서 이루어진 이 사건 수용행위는 청구인의 인간으로서의 존엄과 가치를 침해한다.

| 인격권 |

020 피의자 조사과정 촬영허용행위 사건 [인용(위헌확인), 각하]
― 2014. 3. 27. 선고 2012헌마652

판시사항

1. 피청구인이 청구인에 관한 보도자료를 기자들에게 배포한 행위(이하 '보도자료 배포행위'라 한다)에 대한 헌법소원심판청구가 적법한지 여부(소극)
2. 피청구인이 보도자료 배포 직후 기자들의 취재 요청에 응하여 청구인이 경찰서 조사실에서 양손에 수갑을 찬 채 조사받는 모습을 촬영할 수 있도록 허용한 행위(이하 '촬영허용행위'라 한다)가 청구인의 인격권을 침해하는지 여부(적극)

사건의 개요

피청구인은 2012. 4. 24. 사기 혐의로 구속된 청구인을 ○○경찰서 조사실에서 조사하면서, 같은 날 경찰서 기자실에서 "교통사고 위장, 보험금 노린 형제 보험사기범 검거"라는 제목의 보도자료를 기자들에게 배포하였다. 보도자료에는 피의자인 청구인과 청구인의 형의 나이 및 직업, 실명 중 2글자가 각각 표시되어 있고, 이들의 범죄전력과 피의사실, 범행방법, 증거의 내용 등이 기재되어 있었다.

피청구인은 보도자료 배포 직후 기자들의 취재 요청에 응하여 청구인이 ○○경찰서 조사실에서 양손에 수갑을 찬 채 조사받는 모습을 촬영할 수 있도록 허용하였다. KBS, 중앙일보 등 각 언론사는 2012. 4. 25. 청구인의 범죄사실에 관한 뉴스 및 기사를 보도하였는데, 청구인을 '정모씨(36세)' 또는 'A씨' 등으로 표현하였고, 청구인이 수갑을 차고 얼굴을 드러낸 상태에서 경찰로부터 조사받는 장면이 흐릿하게 처리되어 방송되었다.

청구인은, 피청구인이 언론기관에 보도자료를 배포하여 청구인의 피의사실을 알리고 기자들로 하여금 청구인의 모습을 촬영할 수 있도록 허용한 행위가 무죄추정원칙에 반하여 청구인의 인격권 등을 침해하였다고 주장하면서, 2012. 7. 20. 그 위헌확인을 구하는 헌법소원심판을 청구하였다.

주문

1. 피청구인이 2012. 4. 24. 청구인에 대한 조사과정의 촬영을 허용한 행위는 청구인의 인격권을 침해하여 위헌임을 확인한다.
2. 청구인의 나머지 청구를 각하한다.

I 적법요건에 관한 판단

1. 공권력 행사성

수사기관이 촬영에 협조하지 않는 이상 기자들이 수사관서 내에서 피의자의 조사장면을 촬영하는 것은 불가능하고, 수사기관이 피의자 개인보다 훨씬 더 우월적 지위에 있어 취재 및 촬영과정에서 사실상 피의자의 의사가 반영되기 어렵다. 피청구인이 청구인의 의사에 관계없이 언론사의 취재 요청에 응하여 청구인의 모습을 촬영할 수 있도록 허용한 이상, 이미 청구인으로서는 수갑을 차고 얼굴을 드러낸 상태에서 조사받는 모습을 언론사에 공개당하는 불이익을 입게 된 것이다. 결국 심판대상 행위들은 권력적 사실행위로서 헌법소원심판청구의 대상이 되는 공권력의 행사에 해당한다.

2. 보충성

심판대상 행위 중 촬영허용 부분은 이미 종료된 행위로서 소의 이익이 없어 각하될 가능성이 크므로, 헌법소원심판을 청구하는 외에 다른 효과적인 구제방법이 있다고 보기 어렵다.

그러나 보도자료 배포행위는 수사기관이 공판청구 전에 피의사실을 대외적으로 알리는 것으로서 형법 제126조의 피의사실공표죄에 해당하는지가 문제된다. 만약 피청구인의 행위가 피의사실공표죄에 해당하는 범죄행위라면, 수사기관을 상대로 고소하여 행위자를 처벌받게 하거나 처리결과에 따라 검찰청법에 따른 항고를 거쳐 재정신청을 할 수 있으므로, 위와 같은 권리구제절차를 거치지 아니한 채 곧바로 제기한 이 부분 심판청구는 보충성 요건을 갖추지 못하였다.

3. 권리보호이익

촬영허용행위는 이미 종료된 행위로서, 이 사건 심판청구가 인용된다고 하더라도 청구인에 대한 권리구제는 불가능하므로 주관적 권리보호이익은 소멸하였다.

헌법소원제도는 개인의 권리구제뿐만 아니라 헌법질서를 보장하는 기능도 가지고 있으므로, 헌법소원이 주관적 권리구제에는 별 도움이 되지 않는다 하더라도 그러한 침해행위가 앞으로도 반복될 위험이 있거나 당해 분쟁의 해결이 헌법질서의 수호·유지를 위하여 긴요한 사항이어서 헌법적으로 그 해명이 중대한 의미를 지니고 있는 경우에는 심판청구이익을 인정할 수 있다.

피의자의 얼굴 및 조사받는 모습이 수사과정에서 피의자의 의사에 관계없이 언론에 노출되는 일은 현재도 일어나고 있어 앞으로도 구체적으로 반복될 위험이 있고, 피의자의 인격권 보호와 국민의 알권리 보장이라는 두 법익이 충돌하는 영역으로서 헌법질서의 수호·유지를 위하여 헌법적 해명이 긴요한 사항이다. 비록 수사기관 내부적으로 피의자의 신원을 추정할 수 있거나 신분이 노출될 우려가 있는 장면의 촬영을 금지하고 있으나(예컨대, 이 사건의 경우 구 인권보호를 위한 경찰관 직무규칙 제85조 등) 여전히 수사기관이 이와 관련하여 자의적으로 해석함으로써 기본권이 침해될 여지가 있고, 이에 대한 헌법재판소의 해명이 아직 이루어지지 않았으므로 심판청구이익을 인정함이 상당하다.

Ⅲ 본안 판단

1. 제한되는 기본권

사람은 자신의 의사에 반하여 얼굴을 비롯하여 일반적으로 특정인임을 식별할 수 있는 신체적 특징에 관하여 함부로 촬영당하지 아니할 권리를 가지고 있으므로, 촬영허용행위는 헌법 제10조로부터 도출되는 초상권을 포함한 일반적 인격권을 제한한다고 할 것이다.

2. 촬영허용행위의 위헌 여부

가. 범죄수사와 피의자의 인격권 제한의 한계

피의자의 인격권도 헌법 제37조 제2항에 따라 제한이 가능하므로, 국가안전보장·질서유지 또는 공공복리를 위하여 필요한 경우에 한하여 법률로써 제한할 수 있으나, 이 경우에도 자유와 권리의 본질적인 내용을 침해할 수 없다. 헌법 제27조 제4항은 무죄추정원칙을 천명하고 있는바, 아직 공소제기가 없는 피의자는 물론 공소가 제기된 피고인이라도 유죄의 확정판결이 있기까지는 원칙적으로 죄가 없는 자에 준하여 취급하여야 하고 불이익을 입혀서는 안 되며 가사 그 불이익을 입힌다 하여도 필요한 최소한도에 그쳐야 한다.

나. 인격권 침해 여부

원칙적으로 '범죄사실' 자체가 아닌 그 범죄를 저지른 자가 누구인지, 즉 '피의자' 개인에 관한 부분은 일반 국민에게 널리 알려야 할 공공성을 지닌다고 할 수 없다. … 특히 피의자를 특정하는 결과를 낳게 되는 수사관서 내에서 수사 장면의 촬영은 보도과정에서 사건의 사실감과 구체성을 추구하고, 범죄정보를 좀 더 실감나게 제공하려는 목적 외에는 어떠한 공익도 인정하기 어렵다. 청구인은 공인이 아니며 보험사기를 이유로 체포된 피의자에 불과해 신원공개가 허용되는 어떠한 예외사유에도 해당한다고 보기 어려우므로 촬영허용행위는 목적의 정당성 자체가 인정되지 아니한다.

피의자의 얼굴을 공개하더라도 그로 인한 피해의 심각성을 고려하여 모자, 마스크 등으로 피의자의 얼굴을 가리는 등 피의자의 신원이 노출되지 않도록 침해를 최소화하기 위한 조치를 취하여야 하는데, 피청구인은 그러한 조치를 전혀 취하지 아니하였으므로 침해의 최소성 원칙도 충족하였다고 볼 수 없다. 또한 촬영허용행위는 언론 보도를 보다 실감나게 하기 위한 목적 외에 어떠한 공익도 인정할 수 없는 반면, 청구인은 피의자로서 얼굴이 공개되어 초상권을 비롯한 인격권에 대한 중대한 제한을 받았고, 촬영한 것이 언론에 보도될 경우 범인으로서의 낙인 효과와 그 파급효는 매우 가혹하여 법익균형성도 인정되지 아니하므로, 촬영허용행위는 과잉금지원칙에 위반되어 청구인의 인격권을 침해하였다.

021 공정거래위원회의 법위반사실공표명령 사건 [위헌]
― 2002. 1. 31. 선고 2001헌바43

판시사항

1. 사업자단체의 독점규제및공정거래법 위반행위가 있을 때 공정거래위원회가 당해 사업자단체에 대하여 "법위반사실의 공표"를 명할 수 있도록 한 동법 제27조 부분이 양심의 자유를 침해하는지 여부(소극)
2. 위 조항부분이 과잉금지의 원칙에 위반하여 당해 행위자의 일반적 행동의 자유 및 명예권을 침해하는지 여부(적극)
3. 위 조항부분이 무죄추정의 원칙에 반하는지 여부(적극)

사건의 개요

청구인은 병원급 이상의 의료기관, 국공립병원 및 군병원의 병원장 또는 그 의료책임자 등을 구성사업자로 하여 설립된 결합체로서 독점규제및공정거래에관한법률 제2조 제4호의 규정에 의한 사업자단체에 해당한다.

보건복지부가 2000. 7. 1.자로 의약분업 시행을 앞두고 의약품유통구조의 투명화를 위하여 1999. 11. 15. '의약품실거래가 상환제'를 실시하자, 청구인과 청구외 사단법인 대한의사협회는 같은 달 11. 30. 서울 소재 장충체육관에서 제1차 의사대회를 개최하고, 이어서 2000. 2. 17. 서울 여의도 문화광장에서 제2차 의사대회를 개최하였다.

이에 청구외 공정거래위원회는 청구인들의 위 행위가 구성사업자들로 하여금 휴업 또는 휴진을 하게 함으로써 구성사업자의 사업내용 또는 활동을 부당하게 제한하는 행위로 보아 독점규제및공정거래에관한법률 제26조 제1항 제3호에 해당한다는 이유로 같은 달 24. 청구인에게 동 행위를 금지함과 동시에 4대 중앙일간지에 동 법위반사실을 공표하도록 함과 아울러 청구인을 고발하는 내용의 시정명령 등 처분을 하였다.

청구인은 서울고등법원에 공정거래위원회를 상대로 위 처분의 무효 또는 취소를 구하는 소송을 제기하고, 그 소송 계속중 위 처분의 근거조항인 독점규제및공정거래에관한법률 제27조의 위헌여부심판의 제청신청을 하였으나, 2001. 5. 17. 위 제청신청을 기각하자(결정문은 2001. 6. 1. 송달되었다) 2001. 6. 14. 이 사건 헌법소원심판을 청구하였다.

심판대상조항 및 관련조항

독점규제및공정거래에관한법률(1999. 2. 5. 법률 제5813호로 개정된 것, 이하 "공정거래법"이라 한다)

제26조(사업자단체의 금지행위) ① 사업자단체는 다음 각 호의 1에 해당하는 행위를 하여서는 아니된다.
   3. 구성사업자(사업자단체의 구성원인 사업자를 말한다. 이하 같다)의 사업내용 또는 활동을 부당하게 제한하는 행위

제27조(시정조치) 공정거래위원회는 제26조(사업자단체의 금지행위)의 규정에 위반하는 행위가 있을 때에는 당해 사업자단체(필요한 경우 관련 구성사업자를 포함한다)에 대하여 당해 행위의 중지, 법위반사실의 공표 기타 시정을 위한 필요한 조치를 명할 수 있다.

주문

독점규제및공정거래에관한법률(1999. 2. 5. 법률 제5183호로 개정된 것) 제27조 중 "법위반사실의 공표"부분은 헌법에 위반된다.

I 판 단

1. 양심의 자유의 침해 여부

헌법 제19조는 "모든 국민은 양심의 자유를 가진다."라고 하여 양심의 자유를 기본권의 하나로 보장하고 있다. 여기에서의 양심은 옳고 그른 것에 대한 판단을 추구하는 가치적·도덕적 마음가짐으로, 개인의 소신에 따른 다양성이 보장되어야 하고 그 형성과 변경에 외부적 개입과 억압에 의한 강요가 있어서는 아니되는 인간의 윤리적 내심영역이다. 보호되어야 할 양심에는 세계관·인생관·주의·신조 등은 물론, 이에 이르지 아니하여도 보다 널리 개인의 인격형성에 관계되는 내심에 있어서의 가치적·윤리적 판단도 포함될 수 있다. 그러나 단순한 사실관계의 확인과 같이 가치적·윤리적 판단이 개입될 여지가 없는 경우는 물론, 법률해석에 관하여 여러 견해가 갈리는 경우처럼 다소의 가치관련성을 가진다고 하더라도 개인의 인격형성과는 관계가 없는 사사로운 사유나 의견 등은 그 보호대상이 아니라고 할 것이다. 이 사건의 경우와 같이 경제규제법적 성격을 가진 공정거래법에 위반하였는지 여부에 있어서도 각 개인의 소신에 따라 어느 정도의 가치판단이 개입될 수 있는 소지가 있고 그 한도에서 다소의 윤리적 도덕적 관련성을 가질 수도 있겠으나, 이러한 법률판단의 문제는 개인의 인격형성과는 무관하며, 대화와 토론을 통하여 가장 합리적인 것으로 그 내용이 동화되거나 수렴될 수 있는 포용성을 가지는 분야에 속한다고 할 것이므로 헌법 제19조에 의하여 보장되는 양심의 영역에 포함되지 아니한다고 봄이 상당하다. '법위반사실의 공표명령'은 법규정의 문언상으로 보아도 단순히 법위반사실 자체를 공표하라는 것일 뿐, 사죄 내지 사과하라는 의미요소를 가지고 있지는 아니하다. 따라서 이 사건 법률조항의 경우 사죄 내지 사과를 강요함으로 인하여 발생하는 양심의 자유의 침해문제는 발생하지 않는다. 그렇다면 이 사건 법률조항 중 '법위반사실의 공표' 부분은 위반행위자의 양심의 자유를 침해한다고 볼 수 없다.

2. 일반적 행동의 자유 등 헌법에 열거되지 아니한 자유의 침해 여부

헌법 제37조 제1항은 "국민의 자유와 권리는 헌법에 열거되지 아니한 이유로 경시되지 아니한다."고 규정하고 있다. 이는 헌법에 명시적으로 규정되지 아니한 자유와 권리라도 헌법 제10조에서 규정한 인간의 존엄과 가치를 위하여 필요한 것일 때에는 이를 모두 보장함을 천명하는 것이다. 이러한 기본권으로서 일반적 행동자유권과 명예권 등을 들 수 있다. 그리하여 이 사건에서와 같이 만약 행위자가 자신의 법위반 여부에 관하여 사실인정 혹은 법률적용의 면에서 공정거래위원회와는 판단을 달리하고 있음에도 불구하고 불합리하게 법률에 의하여 이를 공표할 것을 강제당한다면 이는 행위자가 자신의 행복추구를 위하여 내키지 아니하는 일을 하지 아니할 일반적 행동자유권과 인격발현 혹은 사회적 신용유지를 위하여 보호되어야 할 명예권에 대한 제한에 해당한다고 할 것이다.

3. 과잉금지원칙의 위배 여부

가. 입법목적의 정당성

공정거래법 제1조는 공정하고 자유로운 경쟁을 촉진하여 창의적인 기업활동을 조장하고 소비자를 보호함과 아울러 국민경제의 균형있는 발전을 도모함을 목적으로 한다고 밝히고 있다. 그리고 이 사건 공표명령은 '계속되는 공공의 손해와 과거 위법행위의 효과를 종식시키고 위법행위가 재발하는 것을 방지'할 필요에서 규정한 것으로 판단된다. 이러한 입법목적은 입법자가 추구할 수 있는 헌법상 정당한 공익이라고 할 것이고, 또한 중요한 것으로서 이러한 공익을 실현하여야 할 현실적 필요성이 존재한다는 것도 명백하다.

나. 수단의 적합성과 침해의 최소성, 법익의 균형성

기본권제한법률은 그 합헌성과 관련, '수단의 적합성' 및 '침해의 최소성'이 요구된다. 그리고 그 여부는 입법자의 판단이 명백히 잘못되었다는 소극적 심사에 그치는 것이 아니라, 입법자로 하여금 법률이 공익의 달성이나 위험의 방지에 적합하고 최소한의 침해를 가져오는 수단이라는 것을 어느 정도 납득시킬 것이 요청된다.

공정거래법 위반행위의 내용 및 형태에 따라서는 일반공중이나 관련 사업자들이 그 위반여부에 대한 정보와 인식의 부족으로 말미암아 공정거래위원회의 시정조치에도 불구하고 위법사실의 효과가 지속되는 사례가 발생할 수 있고, 이러한 경우 조속히 법위반에 관한 중요 정보를 공개하는 등의 방법으로 일반공중이나 관련 사업자들에게 널리 경고함으로써 계속되는 공공의 손해를 종식시키고 위법행위가 재발하는 것을 방지하는 조치를 할 필요가 있다. 그러기 위해서는 일반공중이나 관련 사업자들의 의사결정에 중요하거나, 그 권리를 보호하기 위하여 실질적으로 필요하고 적절하다고 인정될 수 있는 구체적 정보내용을 알려주는 것이 보다 효과적일 것이다. 그런데 소비자보호를 위한 이러한 보호적, 경고적, 예방적 형태의 공표조치를 넘어서 형사재판이 개시되기도 전에 공정거래위원회의 행정처분에 의하여 무조건적으로 법위반을 단정, 그 피의사실을 널리 공표토록 한다면 이는 지나치게 광범위한 조치로서 앞서 본 입법목적에 반드시 부합하는 적합한 수단이라고 하기 어렵다. 나아가 '법위반으로 인한 시정명령을 받은 사실의 공표'에 의할 경우, 입법목적을 달성하면서도 행위자에 대한 기본권 침해의 정도를 현저히 감소시키고 재판 후 발생가능한 무죄로 인한 혼란과 같은 부정적 효과를 최소화할 수 있는 것이므로, 법위반사실을 인정케 하고 이를 공표시키는 이 사건과 같은 명령형태는 기본권을 과도하게 제한하는 것이 된다.

다. 소 결

결국 이 사건 조항은 헌법 제37조 제2항의 과잉입법금지원칙에 위반하여 행위자의 일반적 행동의 자유 및 명예를 지나치게 침해하는 것이라 할 것이다.

4. 무죄추정원칙의 위배 여부

헌법 제27조 제4항은 "형사피고인은 유죄의 판결이 확정될 때까지는 무죄로 추정된다."고 규정하여 이른바 무죄추정의 원칙을 선언하고 있다. 무죄추정의 원칙은 형사절차와 관련하여 아직 공소가 제기되지 아니한 피의자는 물론 비록 공소가 제기된 피고인이라 할지라도 유죄의 판결이 확정될 때까지는 원칙적으로 죄가 없는 자로 다루어져야 하고, 그 불이익은 필요최소한에 그쳐야 한다는 원칙을 말한다. 이 원칙은 언제나 불리한 처지에 놓여 인권이 유린되기 쉬운 피의자나 피고인의 지위를 옹호하여 형사절차에서 그들의 불이익을 필요한 최소한에 그치게 하자는 것으로서 인간의 존엄성 존중을 궁극의 목표로 하고 있는 헌법이념에서 나온 것이다.

공정거래위원회의 고발조치 등으로 장차 형사절차내에서 진술을 해야할 행위자에게 사전에 이와 같은 법위반사실의 공표를 하게 하는 것은 형사절차내에서 법위반사실을 부인하고자 하는 행위자의 입장을 모순에 빠뜨려 소송수행을 심리적으로 위축시키거나, 법원으로 하여금 공정거래위원회 조사결과의 신뢰성 여부에 대한 불합리한 예단을 촉발할 소지가 있고 이는 장차 진행될 형사절차에도 영향을 미칠 수 있다. 결국 법위반사실의 공표명령은 공소제기조차 되지 아니하고 단지 고발만 이루어진 수사의 초기단계에서 아직 법원의 유무죄에 대한 판단이 가려지지 아니하였는데도 관련 행위자를 유죄로 추정하는 불이익한 처분이 된다.

5. 진술거부권의 침해 여부

헌법 제12조 제2항은 "모든 국민은 형사상 자기에게 불리한 진술을 강요당하지 아니한다."라고 하여 진술거부권을 보장하였는바, 이는 피고인이나 피의자가 수사절차 또는 공판절차에서 수사기관 또는 법원의 신문에 대하여 진술을 거부할 수 있는 권리를 말한다. 이러한 진술거부권은 형사절차 뿐만 아니라 행정절차나 국회에서의 조사절차에서도 보장된다. 진술거부권은 고문 등 폭행에 의한 강요는 물론 법률로서도 진술을 강요당하지 아니함을 의미한다.

이와 같이 진술거부권은 형사절차 뿐만 아니라 행정절차나 법률에 의한 진술강요에서도 인정되는 것인바, 이 사건 공표명령은 '특정의 행위를 함으로써 공정거래법을 위반하였다'는 취지의 행위자의 진술을 일간지에 게재하여 공표하도록 하는 것으로서 그 내용상 행위자로 하여금 형사절차에 들어가기 전에 법위반행위를 일단 자백하게 하는 것이 되어 진술거부권도 침해하는 것이다.

022 태아성감별 고지금지 사건 [헌법불합치]
— 2008. 7. 31. 선고 2004헌마1010,2005헌바90(병합)

판시사항

1. 구 의료법(1987. 11. 28. 법률 제3948호로 개정되고, 2007. 4. 11. 법률 제8366호로 전부 개정되기 전의 것) 제19조의2 제2항이 태아의 성별에 대하여 이를 고지하는 것을 금지하는 것이 의료인의 직업수행의 자유와 부모의 태아성별정보에 대한 접근을 방해받지 않을 권리를 침해하는 것인지 여부(적극)
2. 의료법(2007. 4. 11. 법률 제8366호로 전부 개정된 것) 제20조 제2항에 대한 심판대상 확장과 헌법불합치결정의 필요성

심판대상조항 및 관련조항

2007. 4. 11. 국회는 위 의료법을 법률 제8366호로 전부 개정하였는바, 구 의료법 19조의2 제2항은 일부 문언의 변경에도 불구하고 그 실질적 내용에는 변함이 없이 개정 의료법 제20조 제2항으로 조문의 위치가 변경되어 현재에 이르고 있다. 따라서 현행 의료법 제20조 제2항은 그 위헌 여부에 관하여 구 의료법 제19조의2 제2항과 결론을 같이할 것이 명백하다 할 것이므로 현행 의료법 제20조 제2항도 이 사건 심판대상에 포함시키기로 한다

구 의료법(1987. 11. 28. 법률 제3948호로 개정되고, 2007. 4. 11. 법률 제8366호로 전부 개정되기 전의 것)

제19조의2(태아의 성감별행위 등의 금지) ① 의료인은 태아의 성감별을 목적으로 임부를 진찰 또는 검사하여서는 아니되며, 같은 목적을 위한 다른 사람의 행위를 도와주어서는 아니된다.
② 의료인은 태아 또는 임부에 대한 진찰이나 검사를 통하여 알게 된 태아의 성별을 임부 본인, 그 가족 기타 다른 사람이 알 수 있도록 하여서는 아니된다.

제52조(면허의 취소 및 재교부) ① 보건복지부장관은 의료인이 다음 각 호의 1에 해당할 때에는 그 면허를 취소할 수 있다. 다만, 제1호의 경우에는 면허를 취소하여야 한다.
   5. 제19조의2의 규정에 위반한 때

의료법(2007. 4. 11. 법률 제8366호로 전부 개정된 것)

제20조(태아 성 감별 행위 등 금지) ② 의료인은 태아나 임부를 진찰하거나 검사하면서 알게 된 태아의 성(性)을 임부, 임부의 가족, 그 밖의 다른 사람이 알게 하여서는 아니 된다.

1 기본권론

주문

1. 의료법 제19조의2 제2항(1987. 11. 28. 법률 제3948호로 개정되고, 2007. 4. 11. 법률 제8366호로 전부 개정되기 전의 것)은 헌법에 합치되지 아니한다.
   법원 기타 국가기관 및 지방자치단체는 위 법률조항의 적용을 중지하여야 한다.
2. 의료법 제20조 제2항(2007. 4. 11. 법률 제8366호로 전부 개정된 것)은 헌법에 합치되지 아니한다.
   위 규정은 2009. 12. 31.을 시한으로 입법자가 개정할 때까지 계속 적용된다.

I. 적법요건에 관한 판단

1. 2004헌마1010 사건

가. 직접성 인정 여부

법령에 의한 기본권침해의 직접성이란 집행행위에 의하지 아니하고 법령 그 자체에 의하여 자유의 제한, 의무의 부과, 권리 또는 법적 지위의 박탈이 생긴 경우를 뜻하므로 구체적 집행행위를 통하여 비로소 당해 법령에 의한 기본권침해의 법률효과가 발생하는 경우에는 직접성의 요건이 결여된다.

그런데 이 사건 규정은 성별고지금지 의무의 주체를 의료인으로 정하고 있으므로 태아의 부모는 이 사건 규정에 의해 직접적으로 기본권 제한을 당하지 않는다고 볼 여지가 있다. 그러나 이러한 의료인에 대한 태아의 성별 고지 금지로 인하여 출산 전에 태아의 성별을 알 수 없게 되는 것은 임부와 그 가족들이다. 즉, 이 사건 규정이 없다면 의료인은 임부나 그 가족이 태아의 성별에 대해 알고자 하는 경우 진료를 통해 알게 된 태아의 성별을 알려주는 것이 일반적이라 할 것인데, 이 사건 규정이 의료인으로 하여금 태아의 성별을 알려줄 수 없도록 강제하고 있어 임부나 그 가족은 태아의 성별을 알 수 없게 되는 것이다. 따라서 이 사건 규정은 출산 전에 임부나 그 가족이 태아의 성별을 알 수 있는 길을 직접적으로 제한하고 있다고 할 것이다.

나. 자기관련성 인정 여부

헌법재판소법 제68조 제1항에 의하면 헌법소원심판은 공권력의 행사 또는 불행사로 인하여 헌법상 보장된 기본권을 침해받은 자가 청구하여야 한다고 규정하고 있는바, 여기에서 기본권을 침해받은 자라 함은 공권력의 행사 또는 불행사로 인하여 자기의 기본권이 현재 그리고 직접적으로 침해받은 자를 의미하며 단순히 간접적, 사실적 또는 경제적인 이해관계가 있을 뿐인 제3자는 이에 해당하지 않는다.

청구인은 산모 본인은 아니나 앞으로 태어날 태아의 부로서 가족 구성원의 한사람이고, 산모와 똑같이 태아를 양육할 친권자가 될 자이므로 태아의 성별에 대해 직접 이해관계가 있는 자라고 할 것이다. 그런데 이 사건 규정은 산모뿐만 아니라 그 가족에 대해서도 태아 성별의 고지를 금지하여 태아의 부가 태아의 성별 정보에 접근하는 것을 방해하고 있는바, 이는 태아의 부의 기본권을 직접 침해하고 있다고 할 것이므로 청구인은 이 사건 규정에 대하여 자기관련성이 인정된다.

다. 권리보호이익 및 헌법적 해명의 필요성 여부

청구인은 청구인의 처가 출산을 한달 정도 앞둔 2004. 12. 28.에 이 사건 헌법소원심판을 청구하였고, 청구인의 처는 2005. 2. 4. 이미 아들을 출산하여 그 성별을 알게 되었으므로 이 사건 규정에 대하여 위헌결정을 선고하더라도 청구인의 주관적 권리구제는 불가능하게 되었으며, 따라서 권리보호의 이익이 없다고 볼 수 있다.

그런데 이 사건 규정의 위헌 여부에 관하여는 아직 그 해명이 이루어진 바가 없으므로 앞으로 출산을 하게 될 임부와 그 가족의 입장에서는 이 사건 규정에 대하여 이 사건 청구인과 동일한 헌법적 의문을 제기할 가능성이 크다. 따라서 이 사건 규정의 위헌 여부에 대한 판단은 위헌적인 법률조항에 의한 기본권침해의 위험을 사전에 제거하는 등 헌법질서의 수호·유지를 위하여 긴요한 사항으로서 헌법적으로 그 해명이 중대한 의미를 지닌다고 할 것이다. 따라서 이 사건 규정에 대해서는 심판청구의 이익을 인정함이 상당하다.

2. 2005헌바90 사건

청구인은 이 사건 규정에도 불구하고 태아의 성별을 산모에게 고지하여 의사면허자격정지처분을 받은 것인바, 이 사건 규정이 위헌으로 선언된다면 의사면허자격정지처분에 대한 취소를 구하는 당해사건에서 재판의 결과가 달라질 것이므로 재판의 전제성이 인정된다 할 것이다.

II. 본안 판단

1. 재판관 이강국, 재판관 김희옥, 재판관 민형기, 재판관 목영준, 재판관 송두환의 헌법불합치 의견

가. 문제되는 기본권

태아의 성별에 관한 정보는 의료인이 산모와 태아의 건강을 위한 의료행위 수행 과정에서 알게 되는 정보로서, 의료인이 진료결과 전반에 관하여 산모나 그 가족에게 이를 고지하는 것은 의료인의 직업수행의 내용에 당연히 포함된다 할 것이므로, 이러한 정보 제공을 금지하는 것은 의료인의 자유로운 직업수행을 제한한다고 할 것이다.

한편, 헌법 제10조로부터 도출되는 일반적 인격권에는 각 개인이 그 삶을 사적으로 형성할 수 있는 자율영역에 대한 보장이 포함되어 있음을 감안할 때, 장래 가족의 구성원이 될 태아의 성별 정보에 대한 접근을 국가로부터 방해받지 않을 부모의 권리는 이와 같은 일반적 인격권에 의하여 보호된다고 보아야 할 것인바, 이 사건 규정은 일반적 인격권으로부터 나오는 부모의 태아 성별 정보에 대한 접근을 방해받지 않을 권리를 제한하고 있다고 할 것이다.

나. 이 사건 규정의 위헌 여부

1) 입법목적의 정당성과 수단의 적합성 여부

이 사건 규정의 태아 성별 고지 금지는 낙태, 특히 성별을 이유로 한 낙태를 방지함으로써 성비의 불균형을 해소하고 태아의 생명권을 보호하기 위해 입법된 것이므로 그 목적이 정당하다 할 것이다.

한편, 남아선호사상 내지 그 경향이 완전히 근절되었다고 단언하기 어려운 오늘날의 현실에서 태아의 성별에 대한 고지를 금지하면 성별을 이유로 하는 낙태를 예방할 수 있는 가능성을 배제할 수 없다. 그러므로 이 사건 규정은 성별을 이유로 하는 낙태 방지라는 입법목적에 어느 정도 기여할 수 있을 것으로 예상되므로 수단의 적합성 또한 인정된다고 할 것이다.

2) 피해의 최소성

의료인이 임부를 진료하고 그 결과를 임부나 그 가족에게 알려주는 것은 의료인의 직업수행에 당연히 내재되어 있는 행위이고, 부모가 태아의 성별을 비롯하여 태아에 대한 모든 정보에 접근을 방해받지 않을 권리는 부모로서 당연히 누리는 천부적이고 본질적인 권리에 해당한다고 할 것이다. … 그런데, 임신 기간이 통상 40주라고 할 때, 낙태가 비교적 자유롭게 행해질 수 있는 시기가 있는 반면에, 낙태를 할 경우 태아는 물론, 산모의 생명이나 건강에 중대한 위험을 초래하여 낙태가 거의 불가능하게 되는 시기도 있다. … 임신 후반기에 접어들면 대체로 낙태 그 자체가 위험성을 동반하게 되므로 태아와 산모를 보호하기 위해 이를 절대적으로 금지하고 있는 것이다. 따라서 이와 같이 낙태 그 자체의 위험성으로 인하여 낙태가 사실상 이루어질 수 없는 임신 후반기에는 태아에 대한 성별 고지를 예외적으로 허용하더라도 성별을 이유로 한 낙태가 행해질 가능성은 거의 없다고 할 것이다. … 그럼에도 불구하고 성별을 이유로 하는 낙태가 임신 기간의 전 기간에 걸쳐 이루어질 것이라는 전제 하에, 이 사건 규정이 낙태가 사실상 불가능하게 되는 시기에 이르러서도 태아에 대한 성별 정보를 태아의 부모에게 알려 주지 못하게 하는 것은 의료인과 태아의 부모에 대한 지나친 기본권 제한으로서 피해의 최소성 원칙을 위반하는 것이다.

3) 법익 균형성

의사의 입장에서 자신의 환자에게 그 환자가 원하는 정보를 자유롭게 제공하는 것은 직업수행과 관련하여 중요한 부분이므로 보장되어야 함이 원칙이다. 또한 장래 태어날 아기가 여아인지 남아인지는 임부나 그 가족에게 중요한 태아의 인격 정보에 해당한다 할 것이고, 또한 태아의 부모가 이를 미리 알고자 하는 것은 본능적이고 자연스러운 욕구라 할 수 있다. 태아의 성별을 미리 알게 되면 태어날 아기에 대한 미래의 설계를 미리 할 수 있을 뿐만 아니라, 태아인 단계에서 태교를 함에 있어서나 출산 준비를 함에 있어서 유용하게 이용할 수 있을 것이다. 그렇다면, 개인이 태아의 성별에 아무런 방해 없이 접근할 권리도 보호할 가치 있는 기본권에 해당한다.

한편, 태아의 생명은 중요한 법익으로서 일반적으로 의사가 자유롭게 직업수행을 할 자유 및 임부나 그 가족이 가지고 있는 태아의 성별 정보에 대한 접근을 방해받지 않을 권리보다 우선적으로 보호받아야 하고, 국가는 이를 보호할 책임이 있다. 그러나 임신후반기 공익에 대한 보호의 필요성이 거의 제기되지 않는 낙태 불가능 시기 이후에도 의사가 자유롭게 직업수행을 하는 자유를 제한하고, 임부나 그 가족의 태아 성별 정보에 대한 접근을 방해하는 것은 기본권 제한의 법익 균형성 요건도 갖추지 못한 것이다.

다. 소 결

이상에서 본 바와 같이 이 사건 규정은 과잉금지원칙을 위반하여 의사의 직업수행의 자유 및 임부나 그 가족이 태아 성별 정보에 대한 접근을 방해받지 않을 권리 등을 침해하고 있으므로 헌법에 위반된다 할 것이다.

라. 헌법불합치결정의 필요성

국회는 2007. 4. 11. 법률 제8366호로 의료법을 전부 개정하여 위 제19조의2 제2항을 제20조 제2항에서 규정하고 있는데, 그 내용에는 변함이 없으므로 이 규정 역시 의료인의 직업수행의 자유와 태아 부모의 태아성별 정보에 대한 접근을 방해받지 않을 권리를 침해하므로 헌법에 위반된다. 따라서 법질서의 정합성과 소송경제의 측면에서 개정 의료법에 대하여도 이 사건 규정과 함께 위헌을 선언할 필요가 있다고 할 것이므로, 이 사건 규정과 함께 의료법 제20조 제2항에 대하여도 위헌을 선언하기로 한다.

그런데, 위와 같은 이 사건 심판대상 규정들에 대해 단순위헌결정을 할 경우 태아의 성별 고지 금지에 대한 근거 규정이 사라져 법적 공백상태가 발생하게 될 것이므로 헌법불합치결정을 한다. 그리고 의료법 제20조 제2항은 입법자가 2009. 12. 31.을 기한으로 새 입법을 마련할 때까지 잠정 적용하며, 구 의료법 제19조의2 제2항은 이미 개정되어 효력을 상실하고 있지만, 2005헌바90 당해 사건과 관련하여서는 여전히 그 효력을 유지하고 있다고 할 것이므로 당해 사건과 관련하여 그 적용을 중지하고, 국회가 의료법 규정을 개정하면 그 개정법률을 적용하여야 한다.

2. 재판관 이공현, 재판관 조대현, 재판관 김종대의 단순위헌 의견 (생략)

III 결 론

위에서 본 바와 같이, 이 사건 심판대상 규정이 헌법에 위반된다는 점에 있어서는 재판관 이동흡을 제외한 나머지 재판관 전원의 의견이 일치되었으나, 재판관 이강국, 재판관 김희옥, 재판관 민형기, 재판관 목영준, 재판관 송두환은 헌법불합치결정을 선고함이 상당하다는 의견이고, 재판관 이공현, 재판관 조대현, 재판관 김종대는 단순위헌을 선고함이 상당하다는 의견으로서, 단순위헌 의견을 헌법불합치 의견에 합산하면 헌법재판소법 제23조 제2항 제1호에 규정된 법률의 위헌 결정을 함에 필요한 심판정족수에 이르게 되므로, 이에 헌법불합치결정을 선고하기로 한다.

그러므로 구 의료법 제19조의2 제2항에 대하여는 헌법불합치결정을 함과 동시에 적용 중지를 명하고, 의료법 제20조 제2항에 대하여는 헌법불합치결정을 함과 동시에 2009. 12. 31.을 시한으로 개정될 때까지 계속적용을 명하기로 하여 주문과 같이 결정한다.

023 태아의 성별 고지 제한 사건 [위헌]
― 2024. 2. 28. 선고 2022헌마356

심판대상조항 및 관련조항

의료법(2009. 12. 31. 법률 제9906호로 개정된 것)

제20조(태아 성 감별 행위 등 금지) ② 의료인은 임신 32주 이전에 태아나 임부를 진찰하거나 검사하면서 알게 된 태아의 성(性)을 임부, 임부의 가족, 그 밖의 다른 사람이 알게 하여서는 아니 된다.

주문

의료법(2009. 12. 31. 법률 제9906호로 개정된 것) 제20조 제2항은 헌법에 위반된다.

판시사항 및 결정요지

임신 32주 이전에 태아의 성별 고지를 금지하는 의료법 제20조 제2항(이하 '심판대상조항'이라 한다)이 헌법 제10조 일반적 인격권에서 나오는 부모가 태아의 성별 정보에 대한 접근을 방해받지 않을 권리를 침해하는지 여부(적극)

가. 제한되는 기본권

장래 태어날 아기가 여아인지 남아인지는 임부나 그 가족에게 중요한 태아의 인격 정보이고, 태아의 부모가 이를 미리 알고자 하는 것은 본능적이고 자연스러운 욕구라 할 수 있다. 따라서 부모가 태아의 성별을 비롯하여 태아에 대한 모든 정보에 접근을 방해받지 않을 권리는 부모로서 당연히 누리는 천부적이고 본질적인 권리에 해당한다.

헌법 제10조로부터 도출되는 일반적 인격권에는 각 개인이 그 삶을 사적으로 형성할 수 있는 자율영역에 대한 보장이 포함되어 있음을 감안할 때, 장래 가족의 구성원이 될 태아의 성별 정보에 대한 접근을 국가로부터 방해받지 않을 부모의 권리는 이와 같은 일반적 인격권에 의하여 보호된다고 보아야 할 것이다.

따라서 심판대상조항은 일반적 인격권으로부터 나오는 부모가 태아의 성별 정보에 대한 접근을 방해받지 않을 권리를 제한하고 있다

나. 과잉금지원칙 위반여부

1) 입법목적의 정당성

심판대상조항은 의료인에게 임신 32주 이전에 태아의 성별고지를 금지하여 낙태, 특히 성별을 이유로 한 낙태를 방지함으로써 성비의 불균형을 해소하고 태아의 생명을 보호하기 위해 입법된 것이므로 그 목적의 정당성을 수긍할 수 있다.

2) 수단의 적합성 및 침해의 최소성

(가) 심판대상조항으로 개정되기 전 구 의료법의 태아성별고지금지 조항은 태아의 성별고지를 전면적으로 금지하였다. 이러한 규정이 입법된 배경은 당시 우리 사회에 존재하던 남아선호사상에 따라 태아의 성을 선별하여 출산하는 경향으로 인해 여아에 대한 낙태가 조장되고, 인구 성비에 심각한 불균형을 초래하였기 때문이다. 이후 헌법재판소의 헌법불합치 결정에 따라, 의료법이 2009. 12. 31. 법률 제9906호로 개정되면서 임신 32주 후에는 태아의 성별을 알 수 있게 되었으나 그 이전에는 여전히 의사에게 그 고지를 금지하여 지금도 임신 32주 이전에는 태아의 성별을 알 수 없다.

그렇다면 심판대상조항으로 개정된 이후 15년이 지난 오늘날에도 태아의 성별고지를 제한해야 할 만큼 남아선호사상이 계속 유지되고 있는지, 출생성비는 어떻게 변화하였는지, 태아의 성별이 낙태의 원인이 되고 있는지, 심판대상조항이 행위규제규범으로서 역할을 하고 있는지 여부에 대하여 살펴볼 필요가 있다.

(1) 남아선호사상의 존속 여부

현재 우리나라는 여성의 사회경제적 지위 향상과 함께 양성평등의식이 상당히 자리를 잡아가고 있고, 국민의 가치관 및 의식의 변화로 전통 유교사회의 영향인 남아선호사상이 확연히 쇠퇴하고 있다.

(2) 출생성비의 변화

출생성비는 여아 100명당 남아 수를 뜻하고, 의료적 개입이 없을 때 달성되는 생물학적인 정상 출생성비인 자연성비는 일반적으로 105명을 기준으로 103명-107명을 정상범위로 본다.

통계자료를 종합하면, 과거에는 특히 둘째나 셋째아의 경우 딸보다는 아들을 선호하는 분위기가 출생성비에 반영되었고, 성별과 관련하여 인위적인 개입이 있었다고 볼 수 있다. 하지만 셋째아 이상도 자연성비의 정상범위에 도달한 2014년부터는 성별과 관련하여 인위적인 개입이 있다는 뚜렷한 징표가 보이지 않는다.

(3) 태아의 성별과 낙태와의 관련성

과거에는 남아선호사상과 이에 따른 사회구조적 압력으로 여성이 자녀의 성별에 따라 낙태를 선택하는 결과가 발생하였지만, 현재에는 부모가 남아 또는 여아 등 자녀의 성별에 대한 선호가 있다고 하더라도 이것이 바로 낙태를 선택하도록 하는 강한 동기라고 보이지 않고, 태아의 성별과 낙태 사이에는 큰 관련성이 있다고 보기는 어렵다.

(4) 심판대상조항의 규범력

심판대상조항에도 불구하고 현실에서는 의료인으로부터 직·간접적으로 임신 32주 이전에 태아의 성별정보를 얻는 경우가 많다. 그러나 검찰총장의 2023. 12. 6.자 사실조회회신에 따르면, 심판대상조항을 위반하여 의료법 제88조의2 제1호에 따라 검찰 고발 또는 송치된 건수 및 기소 건수는 10년간 한 건도 없다. 이는 심판대상조항이 행위규제규범으로서 역할을 다하지 못하고 있다는 점을 보여준다.

(나) 태아의 생명은 존엄한 인간 존재의 근원이므로 태아의 생명을 보호하고자 하는 공익은 중대하다. 따라서 국가는 태아의 생명을 보호할 책임을 가지고 있고, 필요하다면 태아의 성별을 이유로 한 낙태를 규제할 필요성이 있다.

과거 성비불균형이 심각한 사회문제로 대두되었을 당시에는, 형법상 낙태죄만 가지고 성별을 이유로 한 낙태를 방지하는 것이 어렵다고 보아 태아의 성 감별 및 고지 자체에 낙태의 개연성이 내포되어 있는 것으로 간주하고 이를 금지하는 것이 타당할 수 있었다. 즉 태아성별고지금지 조항은 임부가 태아의 성별을 확인하였다고 하더라도 그것이 바로 낙태로 이어지는 것은 아니지만 성선별 낙태를 촉발할 가능성이 있음을 부정할 수 없었기에 태아의 성에 관한 정보를 임부 등에게 제공하는 것을 제한함으로써, 성선별 낙태로 나아가는 것을 원천적으로 차단하고자 하였다.

그러나 오늘날에는 전통 유교사회의 영향인 남아선호사상이 확연히 쇠퇴하고 있고, 국민의식의 변화로 출생성비는 자연성비의 정상범위에 도달하여 성별에 인위적인 개입이 있다고 보기 어려우며, 태아의 성별과 낙태 사이에 유의미한 관련성이 있다고 보이지도 않는다. 따라서 심판대상조항이, 임신 32주 이전 태아의 성별을 알려주는 행위를 태아의 생명을 직접적으로 위협하는 행위로 보고, 태아의 생명을 박탈하는 낙태 행위의 전 단계로 취급하여 이를 제한하는 것은 더 이상 타당하지 않다고 할 것이다.

앞서 보았듯이 심판대상조항에도 불구하고 현실에서는 의료인으로부터 임신 32주 이전에 태아의 성별 정보를 얻는 경우가 많지만 10년간 심판대상조항 위반에 따른 수사 및 기소가 이루어진 바 없다는 것은, 심판대상조항이 행위규제규범으로서의 기능을 잃었고 사문화되었음을 보여준다. 또한 심판대상조항의 사문화로 처벌이 이루어지지 않았음에도 불구하고 출산 순위와 상관없이 출생성비가 모두 자연성비에 도달한 것은 국민의 가치관과 의식의 변화에 기인한 것으로 볼 수 있다. 이러한 점에 비추어 보더라도 심판대상조항은 더 이상 태아의 성별을 이유로 한 낙태를 방지하기 위한 목적을 달성하는 데에 적합하고 실효성 있는 수단이라고 보기 힘들 뿐만 아니라, 그 존치의 정당성에 의문이 제기된다고 할 것이다.

국가가 어떠한 입법목적을 달성함에 있어서는 어떠한 조치나 수단 하나만으로 가능하다고 판단할 경우도 있고, 다른 여러 가지의 조치나 수단을 병과하여야 가능하다고 판단하는 경우도 있을 수 있으므로 입법수단을 선택함에는 재량이 있다고 할 것이다. 그러나 그렇다고 하더라도 기본권을 제한하는 수단은 최소한 그 목적의 달성을 위하여 효과적이고 적합하여야 하고, 적어도 현저하게 불합리하고 불공정한 수단의 선택은 피하여야 한다.

부모가 태아의 성별을 알고자 하는 것은 본능적이고 자연스러운 욕구로, 태아의 성별을 비롯하여 태아에 대한 모든 정보에 접근을 방해받지 않을 권리는 부모로서 누려야 할 마땅한 권리이다. 태아의 성별고지 행위는 그 자체로 태아를 포함하여 누구에게도 해가 되는 행위가 아니므로, 보다 풍요롭고 행복한 가족생활을 영위하도록 하기 위해 진료과정에서 알게 된 태아에 대한 성별 정보를 굳이 임신 32주 이전에는 고지하지 못하도록 금지하여야 할 이유는 없는 것이다.

그럼에도 심판대상조항은 낙태를 유발시킨다는 인과관계조차 명확치 않은 태아의 성별고지 행위를 규제함으로써, 성별을 이유로 낙태를 하려는 의도가 전혀 없이 단지 태아의 성별 정보를 알고 싶을 뿐인 부모에게 임신 32주 이전에는 태아의 성별 정보에 대한 접근을 금지하고 있다. 이는 태아의 생명 보호라는 목적을 달성하기 위하여 효과적이거나 적합하지 않을 뿐만 아니라, 입법수단으로서 현저하게 불합리하고 불공정하다고 할 것이다.

(다) 심판대상조항은 성별을 이유로 한 낙태가 있을 수 있다는 아주 예외적인 사정만으로, 태아의 성별고지 행위를 낙태의 사전 준비행위로 전제하여 임신 32주 이전에 모든 부모에게 태아의 성별 정보를 알 수 없게 하고 있다. 즉, 태아의 성별을 이유로 한 낙태 방지라는 입법목적을 내세우면서 실제로는 낙태로 나아갈 의도가 없는 부모까지도 규제하고 있는 것이다. 이는 규제의 필요성과 범위를 넘은 과도한 입법으로서, 필요최소한도를 넘어 부모의 기본권을 제한한다고 할 것이다.

(라) 따라서 심판대상조항은 태아의 생명 보호라는 입법목적을 달성하기 위한 수단으로서 적합하지 아니하고, 부모가 태아의 성별 정보에 대한 접근을 방해받지 않을 권리를 필요 이상으로 제약하여 침해의 최소성에 반한다.

4) 법익의 균형성

앞서 살펴본 바와 같이 현재 우리 사회는 성비불균형 문제가 해소되었고, 태아의 생명 보호라는 공익이 심판대상조항을 통해서는 실효적으로 달성된다고 보기 어렵다. 심판대상조항은 임신 32주 이전에는 모든 부모에게 태아의 성별 정보에 접근을 방해받지 않을 권리를 지나치게 제한하고 있으므로, 결국 심판대상조항은 법익의 균형성도 상실하였다.

5) 소결론

따라서 심판대상조항은 과잉금지원칙을 위반하여 부모가 태아의 성별 정보에 대한 접근을 방해받지 않을 권리를 침해한다.

다. 결론

그렇다면 심판대상조항은 헌법에 위반되므로, 주문과 같이 결정한다. 이 결정에는 재판관 이종석, 재판관 이은애, 재판관 김형두의 헌법불합치의견이 있는 외에는 관여 재판관들의 의견이 일치되었다.

| 행복추구권 |

표준어 규정 사건 [기각, 각하]
— 2009. 5. 28. 선고 2006헌마618

판시사항 및 결정요지

공공기관의 공문서를 표준어 규정에 맞추어 작성하도록 하는 구 국어기본법(2005. 1. 27. 법률 제7368호로 제정되고, 2008. 2. 29. 법률 제8852호로 개정되기 전의 것) 제14조 제1항 및 초·중등교육법상 교과용 도서를 편찬하거나 검정 또는 인정하는 경우 표준어 규정을 준수하도록 하고 있는 제18조 규정(이하 '이 사건 법률조항들'이라 한다)이 청구인들의 행복추구권을 침해하는 것인지 여부(소극)

이 사건 법률조항들 중 공문서의 작성에 관하여 규율하는 부분에 관하여 보면, 국민들은 공공기관이 작성하는 공문서에 사용되는 언어의 통일성에 대하여 일정한 신뢰를 가지고 있다 할 것이고, 이는 공문서에 사용되는 국어가 표준어로 통일되지 않는 경우 의사소통상 혼란을 가져올 수 있다는 점에서 필요불가결한 규율이다.

또한, 이 사건 법률조항들 중 교과용 도서에 관하여 규율하는 부분에 관하여 보면, 교과용 도서의 경우 각기 다른 지방의 교과서를 각기 다른 지역의 방언으로 제작할 경우 각 지역의 방언을 사용하는 학생들은 표준어를 체계적으로 배울 기회를 상실하게 되고, 국가 공동체 구성원의 원활한 의사소통에 적지 않은 영향을 미칠 것이라는 점에서 공익을 위하여 필요불가결한 규율이다.

이 사건 법률조항들은 이 사건 표준어 규정에 따른 표준어의 범위를 그 규율 내용으로 하고 있다. 서울의 역사성, 문화적 선도성, 사용인구의 최다성 및 지리적 중앙성 등 다양한 요인에 비추어 볼 때, 서울말을 표준어의 원칙으로 삼는 것이 기본권을 침해하는 것이라 하기 어렵고, 또한 서울말에도 다양한 형태가 존재하므로 교양 있는 사람들이 사용하는 말을 기준으로 삼는 것은 합리적인 기준이라 할 수 있다. 결국, 이 사건 심판대상인 이 사건 법률조항들이 과잉금지원칙에 위배하여 행복추구권을 침해하는 것으로 보기 어렵다.

| 일반적 행동자유권 |

 **자동차 운전자에게 좌석안전띠를 매도록 하고 이를 위반했을 때 범칙금납부통고를 하는 도로교통법 사건** [기각]

― 2003. 10. 30. 선고 2002헌마518

판시사항

1. 자동차 운전자에게 좌석안전띠를 매도록 하고, 이를 위반했을 때 범칙금을 납부하도록 통고하는 것이 일반적 행동자유권을 침해하는지 여부(소극)
2. 자동차 운전자에게 좌석안전띠를 매도록 하고, 이를 위반했을 때 범칙금을 납부하도록 통고하는 것이 사생활의 비밀과 자유를 침해하는지 여부(소극)
3. 자동차 운전자에게 좌석안전띠를 매도록 하고, 이를 위반했을 때 범칙금을 납부하도록 통고하는 것이 양심의 자유를 침해하는지 여부(소극)

사건의 개요

청구인은 2002. 7. 21. 좌석안전띠를 착용하지 않고 순천시 조곡동 장대교 앞에서 승용차를 운전하던 중 경찰관에게 적발되어 범칙금 30,000원의 납부통고를 받고 이를 납부하였다. 청구인은 좌석안전띠를 매도록 의무화하는 도로교통법 제48조의2 제1항 및 이를 어겼을 경우에 범칙금을 납부하도록 통고하는 도로교통법 제118조의 해당부분은 청구인의 사생활의 비밀과 자유, 양심의 자유, 헌법 제10조의 기본적 인권을 침해한다고 주장하면서 2002. 8. 3. 그 위헌확인을 구하는 이 사건 헌법소원심판을 청구하였다.

I. 판 단

1. 이 사건 심판대상조항들이 청구인의 일반적 행동자유권을 침해하는지의 여부

가. 일반적 행동자유권에 대한 제한의 존재

헌법 제10조 전문은 모든 국민은 인간으로서의 존엄과 가치를 지니며, 행복을 추구할 권리를 가진다고 규정하여 행복추구권을 보장하고 있고, 행복추구권은 그의 구체적인 표현으로서 일반적인 행동자유권과 개성의 자유로운 발현권을 포함한다. 일반적 행동자유권은 개인이 행위를 할 것인가의 여부에 대하여 자유롭게 결단하는 것을 전제로 하여 이성적이고 책임감 있는 사람이라면 자기에 관한 사항은 스스로 처리할 수 있을 것이라는 생각에서 인정되는 것이다. 일반적 행동자유권에는 적극적으로 자유롭게 행동을 하는 것은 물론 소극적으로 행동을 하지 않을 자유 즉, 부작위의 자유도 포함되며, 포괄적인 의미의 자유권으로서 일반조항적인 성격을 가진다.

즉 일반적 행동자유권은 모든 행위를 할 자유와 행위를 하지 않을 자유로 가치있는 행동만 그 보호영역으로 하는 것은 아닌 것으로, 그 보호영역에는 개인의 생활방식과 취미에 관한 사항도 포함되며, 여기에는 위험한 스포츠를 즐길 권리와 같은 위험한 생활방식으로 살아갈 권리도 포함된다.

따라서 좌석안전띠를 매지 않을 자유는 헌법 제10조의 행복추구권에서 나오는 일반적 행동자유권의 보호영역에 속한다. 이 사건 심판대상조항들은 운전할 때 좌석안전띠를 매야 할 의무를 지우고 이에 위반했을 때 범칙금을 부과하고 있으므로 청구인의 일반적 행동의 자유에 대한 제한이 존재한다.

나. 일반적 행동자유권의 제한이 헌법적으로 정당화되는지의 여부

1) 입법목적의 정당성 및 방법의 적절성

교통사고로부터 국민의 생명 또는 신체에 대한 위험과 장애를 방지·제거하고 사회적 부담을 줄여 교통질서를 유지하고 사회공동체의 상호이익을 보호하는 공공복리를 위한 것으로 그 입법목적이 정당하고, 교통사고사상자의 발생률을 감소시켜 국민의 생명 또는 신체에 대한 위험과 장애를 방지하고 공동체의 불이익을 줄이려는 입법목적달성 및 그 의무이행의 실효성확보를 위한 적절한 수단이다.

2) 침해의 최소성 및 법익의 균형성

헌법 제34조 제6항은 "국가는 재해를 예방하고 그 위험으로부터 국민을 보호하기 위하여 노력하여야 한다."라고 규정하고 있다. 국민의 일상생활에 필수적인 것이 된 복잡한 교통상황과 교통사고의 현황에 비추어 볼 때, 국민의 보호를 위하여 국가가 좌석안전띠착용을 의무화하여 교통사고로 인한 국민의 생명 또는 신체에 대한 위험과 장애를 방지·제거하고 사회적 부담을 줄일 필요성이 있으며, 또한 이러한 국가의 개입은 운전자로서도 예측가능하다.

이 사건 심판대상조항들로 인하여 청구인은 운전 중 좌석안전띠를 착용할 의무를 지게 되는바, 이는 운전자의 약간의 답답함이라는 경미한 부담이고 좌석안전띠미착용으로 청구인이 부담하는 범칙금이 소액인 데 비하여, 좌석안전띠착용으로 인하여 달성하려는 공익인 동승자를 비롯한 국민의 생명과 신체의 보호는 재산적인 가치로 환산할 수 없는 것일 뿐만 아니라 교통사고로 인한 사회적인 비용을 줄여 사회공동체의 이익을 증진하기 위한 것이므로, 달성하고자 하는 공익이 침해되는 청구인의 좌석안전띠를 매지 않을 자유의 제한이라는 사익보다 크다고 할 것이어서 법익의 균형성도 갖추었다고 하겠다.

다. 소 결

이 사건 심판대상조항들에 의한 청구인의 일반적 행동자유권의 제한은 정당한 공익의 실현을 위하여 필요한 정도의 제한에 해당하는 것으로서 헌법 제37조 제2항의 비례의 원칙에 위반되어 국민의 일반적 행동자유권을 과도하게 침해하는 위헌적인 규정이라 할 수 없다.

2. 운전 중 좌석안전띠착용이 사생활의 영역인지 여부

헌법 제17조가 보호하고자 하는 기본권은 '사생활영역'의 자유로운 형성과 비밀유지라고 할 것이며, 공적인 영역의 활동은 다른 기본권에 의한 보호는 별론으로 하고 사생활의 비밀과 자유가 보호하는 것은 아니라고 할 것이다.

일반교통에 사용되고 있는 도로는 국가와 지방자치단체가 그 관리책임을 맡고 있는 영역이며, 수많은 다른 운전자 및 보행자 등의 법익 또는 공동체의 이익과 관련된 영역으로, 그 위에서 자동차를 운전하는 행위는 더 이상 개인적인 내밀한 영역에서의 행위가 아니다. 또한 자동차를 도로에서 운전하는 중에 좌석안전띠를 착용할 것인가의 여부의 생활관계가 개인의 전체적 인격과 생존에 관계되는 '사생활의 기본조건'이라거나 자기결정의 핵심적 영역 또는 인격적 핵심과 관련된다고 보기 어렵다. 그렇다면 운전할 때 운전자가 좌석안전띠를 착용하는 문제는 더 이상 사생활영역의 문제가 아니어서 사생활의 비밀과 자유에 의하여 보호되는 범주를 벗어난 행위라고 볼 것이므로, 이 사건 심판대상조항들은 청구인의 사생활의 비밀과 자유를 침해하는 것이라 할 수 없다.

3. 이 사건 심판대상 조항들이 청구인의 양심의 자유를 침해하는지의 여부

자동차를 운전하며 좌석안전띠를 맬 것인지의 여부에 대하여 고민할 수는 있겠으나, 그 고민 끝에 제재를 받지 않기 위하여 어쩔 수 없이 좌석안전띠를 매었다 하여 청구인이 내면적으로 구축한 인간양심이 왜곡·굴절되고 청구인의 인격적인 존재가치가 허물어진다고 할 수는 없다. 따라서 운전 중 운전자의 좌석안전띠착용은 양심의 자유의 보호영역에 속하지 아니하므로 이 사건 심판대상 조항들은 청구인의 양심의 자유를 침해하는 것이라 할 수 없다.

4. 이 사건 통고처분조항이 청구인의 재판을 받을 권리 등을 침해하는지의 여부

통고처분만으로 범칙금을 부과하는 것은 법관이 아닌 행정기관의 처분이 바로 형사처분으로 되어 헌법상의 재판을 받을 권리와 헌법이 보장한 적법절차에 의하지 아니하고는 처벌되지 않는다는 헌법상 기본권을 침해하는 것인지가 문제된다.

우리 재판소는 관세법 제38조 제3항 제2호 위헌소원사건에서, 『통고처분은 상대방의 임의의 승복을 그 발효요건으로 하기 때문에 그 자체만으로는 통고이행을 강제하거나 상대방에게 아무런 권리의무를 형성하지 않으므로 행정심판이나 행정소송의 대상으로서의 처분성을 부여할 수 없고, 통고처분에 대하여 이의가 있으면 통고내용을 이행하지 않음으로써 고발되어 형사재판절차에서 통고처분의 위법·부당함을 얼마든지 다툴 수 있기 때문에 관세법 제38조 제3항 제2호가 법관에 의한 재판받을 권리를 침해한다든가 적법절차의 원칙에 저촉된다고 볼 수 없다(96헌바4).』라고 판시한 바 있다.

따라서 이 사건 통고처분조항은 청구인의 재판청구권 등을 침해하지 않는다.

026 기부금품 모집에 허가를 받도록 한 기부금품모집규제법 사건 [합헌]
— 2010. 2. 25. 선고 2008헌바83

판시사항 및 결정요지

1. 기부금품의 모집에 허가를 받도록 한 구 기부금품모집규제법(1999. 1. 18. 법률 제563호로 개정되고, 2006. 3. 24. 법률 제7809호로 개정되기 전의 것) **제4조 제1항, 제2항**(이하 '이 사건 허가조항'이라 한다)이 과잉금지원칙에 위반하여 기부금품을 모집할 일반적 행동의 자유를 침해하는지 여부(소극)

이 사건 허가조항은 기부금품의 과잉모집이나 적정하지 못한 사용을 방지하기 위한 것으로서 정당한 목적달성을 위한 적합한 수단이 된다. 또한 기속적인 기부금품 모집허가를 규정하고, 기부금품 모집을 허가해야 할 사업의 범위를 넓게 규정하면서 일반조항을 통하여 대부분의 공익사업에 대한 기부금품 모집이 가능하도록 하고 있는 점 등을 고려할 때 기본권의 최소침해성원칙이나 법익균형성원칙에 반한다고 보기도 어렵다. 따라서 이 사건 허가조항은 헌법 제37조 제2항의 과잉금지원칙에 위반하여 기부금품을 모집할 일반적 행동의 자유를 침해하지 않는다.

2. 허가를 받지 아니하고 기부금품을 모집한 자를 형사처벌하는 구 기부금품모집규제법(1999. 1. 18. 법률 제563호로 개정되고, 2006. 3. 24. 법률 제7809호로 개정되기 전의 것) **제15조 제1항 제1호**(이하 '이 사건 처벌조항'이라 한다)가 과잉제재를 규정하고 있는지 여부(소극)

어떤 행정법규 위반행위에 대해, 이를 단지 간접적으로 행정상의 질서에 장해를 줄 위험성이 있음에 불과한 것으로 보아 행정질서벌인 과태료를 과할 것인지, 아니면 직접적으로 행정목적과 공익을 침해한 것으로 보아 행정형벌을 과할 것인지, 또 행정형벌을 과할 경우 그 법정형의 종류와 형량을 어떻게 정할 것인지는, 당해 위반행위가 위의 어느 경우에 해당하는가에 대한 법적 판단을 그르친 것이 아닌 한 그에 대한 처벌의 내용은 기본적으로 입법자가 제반 사정을 고려하여 결정할 입법재량에 속하는 문제라고 할 것이다.

허가제의 행정목적을 직접 침해하는 무허가 기부금품 모집행위에 대하여 형사처벌로 엄정한 책임을 묻도록 한 입법자의 판단이 현저하게 자의적이라고 단정하기 어렵고, 이 사건 처벌조항은 징역형 외에 벌금형을 규정하는 한편, 법정형에 하한을 두지 않는바, 기부금품 모집 목적이나 방법 등을 고려하여 행위자의 책임에 상응하는 형벌이 부과될 수 있도록 하고 있으므로 행위와 책임간 비례원칙에 위배된다고 볼 수 없다. 나아가 재해구호법 등 관련 법률의 유사한 법위반행위에 대한 법정형과 비교할 때 형벌의 체계균형성에 반한다고 보기도 어렵다. 결국 이 사건 처벌조항은 입법재량의 범위를 넘어 과도한 제재를 과하는 것이라 볼 수 없다.

027 서울광장 차벽봉쇄 사건 [인용(위헌확인)]
— 2011. 6. 30. 선고 2009헌마406

판시사항

1. 경찰청장이 2009. 6. 3. 경찰버스들로 서울특별시 서울광장을 둘러싸 통행을 제지한 행위(이하 '이 사건 통행제지행위'라고 한다)가 청구인들의 거주·이전의 자유를 제한하는지 여부(소극)
2. 이 사건 통행제지행위가 과잉금지원칙을 위반하여 청구인들의 일반적 행동자유권을 침해한 것인지 여부(적극)

사건의 개요

피청구인(경찰청장)은 노무현 전 대통령이 서거한 2009. 5. 23.경 고인을 조문하고자 덕수궁 대한문 앞 시민분향소를 찾은 사람들이 그 건너편에 있는 서울광장에서 불법·폭력 집회나 시위를 개최하는 것을 막기 위하여 경찰버스들로 서울광장을 둘러싸 소위 차벽(車壁)을 만드는 방법으로 서울광장에 출입하는 것을 제지하였다.

서울특별시민인 청구인들은 2009. 6. 3. 서울광장을 가로질러 통행하려고 하다가 서울광장을 둘러싼 경찰버스들에 의하여 만들어진 차벽에 의하여 통행하지 못하게 되자 피청구인의 이와 같은 통행제지행위가 청구인들의 거주·이전의 자유와 공물이용권 및 일반적 행동자유권을 침해한다고 주장하면서 2009. 7. 21. 그 위헌확인을 구하는 이 사건 헌법소원심판청구를 하였다.

주문

피청구인이 2009. 6. 3. 서울특별시 서울광장을 경찰버스들로 둘러싸 청구인들의 통행을 제지한 행위는 청구인들의 일반적 행동자유권을 침해한 것으로서 위헌임을 확인한다.

I 적법요건에 관한 판단

1. 보충성

이 사건 통행제지행위는 직접 상대방의 신체 또는 재산에 실력을 가하여 행정상 필요한 상태를 실현하는 행정상의 즉시강제로서 권력적 사실행위에 해당하므로 행정쟁송의 대상이 된다. 그러나 청구인들의 통행이 제지된 다음날 피청구인이 서울광장을 둘러싸고 있던 경찰버스들을 철수시키고 통행제지행위를 중지함에 따라 청구인들이 행정쟁송을 제기하더라도 소의 이익이 부정될 가능성이 높아 그 절차에 의한 권리구제의 가능성이 거의 없다고 보여지는바, 이러한 경우에도 사전구제절차의 이행을 요구하는 것은 불필요한 우회절차를 강요하는 셈이 되는 것이므로, 청구인들이 행정쟁송 절차를 거치지 아니하고 바로 이 사건 심판청구를 제기하였다고 하더라도 이는 보충성의 예외로서 허용된다고 할 것이다.

2. 권리보호의 이익

피청구인이 2009. 6. 4. 서울광장을 에워싸고 있던 경찰버스들을 철수시켜 서울광장 통행제지 행위를 중지함에 따라 그 이후에는 청구인들이 더 이상 기본권을 침해받고 있지 아니하므로 이 사건 심판청구가 인용된다고 하더라도 청구인들의 주관적인 권리구제에는 도움이 되지 아니한다.

그러나 이 사건에 대한 피청구인의 답변 취지와 피청구인이 2009. 6. 4. 서울광장의 통행을 허용한 후인 2009. 6. 27.경에도 집회가 예상된다는 이유로 다시 서울광장을 경찰버스들로 둘러싸 통행을 제지한 바 있는 점 등을 종합하면, 앞으로도 같은 유형의 행위가 반복될 가능성이 있다고 할 수 있다. 따라서 앞서 본 바와 같은 이 사건 통행제지행위 당시 피청구인이 불법·폭력 집회를 막는다는 이유로 서울광장을 봉쇄하여 일반시민들의 통행을 제지하는 것이 헌법적으로 정당한지 여부는 헌법질서의 수호·유지를 위하여 헌법적 해명이 긴요한 사항에 해당하고, 따라서 이 사건 심판청구는 심판의 이익이 있다고 할 것이다.

II 본안 판단

1. 제한되는 기본권

가. 거주·이전의 자유

거주·이전의 자유는 국가의 간섭 없이 자유롭게 거주지와 체류지를 정할 수 있는 자유인바, 자유로운 생활형성권을 보장함으로써 정치·경제·사회·문화 등 모든 생활영역에서 개성신장을 촉진하게 하는 기능을 한다. 이러한 의미와 기능을 갖는 거주·이전의 자유는 국민이 원활하게 개성신장과 경제활동을 해 나가기 위하여는 자유로이 생활의 근거지를 선택하고 변경하는 것이 필수적이라는 고려에 기하여 생활형성의 중심지 즉, 거주지나 체류지라고 볼 만한 정도로 생활과 밀접한 연관을 갖는 장소를 선택하고 변경하는 행위를 보호하는 기본권으로서, 생활의 근거지에 이르지 못하는 일시적인 이동을 위한 장소의 선택과 변경까지 그 보호영역에 포함되는 것은 아니다.

이 사건에서 서울광장이 청구인들의 생활형성의 중심지라고 할 수 없을 뿐만 아니라 청구인들이 서울광장에 출입하고 통행하는 행위가 그 장소를 중심으로 생활을 형성해 나가는 행위에 속한다고 볼 수도 없으므로 청구인들이 서울광장을 출입하고 통행하는 자유는 헌법상의 거주·이전의 자유의 보호영역에 속한다고 할 수 없고, 따라서 이 사건 통행제지행위로 인하여 청구인들의 거주·이전의 자유가 제한된다고 할 수는 없다.

나. 공물이용권

청구인들은, 시민이 공물을 이용할 수 있는 요건을 갖추는 한 공물을 사용·이용하게 해달라고 국가에 대하여 청구할 수 있는 권리, 즉 공물이용권이 행복추구권에 포함되는 청구권적 기본권이라고 주장한다. 그러나 헌법 제10조의 행복추구권은 국민이 행복을 추구하기 위한 활동을 국가권력의 간섭 없이 자유롭게 할 수 있다는 포괄적인 의미의 자유권으로서의 성격을 갖는 것인바, 청구인들이 주장하는 공물을 사용·이용하게 해달라고 청구할 수 있는 권리는 청구인들의 주장 자체에 의하더라도 청구권의 영역에 속하는 것이므로 이러한 권리가 포괄적인 자유권인 행복추구권에 포함된다고 할 수 없다.

다. 일반적 행동자유권

헌법 제10조 전문의 행복추구권에는 그 구체적인 표현으로서 일반적인 행동자유권이 포함되는바, 이는 적극적으로 자유롭게 행동을 하는 것은 물론 소극적으로 행동을 하지 않을 자유도 포함되는 권리로서, 포괄적인 의미의 자유권이라는 성격을 갖는다.

일반 공중의 사용에 제공된 공공용물을 그 제공 목적대로 이용하는 것은 일반사용 내지 보통사용에 해당하는 것으로 따로 행정주체의 허가를 받을 필요가 없는 행위이고, 구 '서울특별시 서울광장의 사용 및 관리에 관한 조례'도 사용허가를 받아야 하는 광장의 사용은 불특정 다수 시민의 자유로운 광장 이용을 제한하는 경우로 정하여 개별적으로 서울광장을 통행하거나 서울광장에서 여가활동이나 문화활동을 하는 것은 아무런 제한 없이 허용하고 있다. 이처럼 일반 공중에게 개방된 장소인 서울광장을 개별적으로 통행하거나 서울광장에서 여가활동이나 문화활동을 하는 것은 일반적 행동자유권의 내용으로 보장됨에도 불구하고, 피청구인이 이 사건 통행제지행위에 의하여 청구인들의 이와 같은 행위를 할 수 없게 하였으므로 청구인들의 일반적 행동자유권의 침해 여부가 문제된다.

2. 일반적 행동자유권의 침해

피청구인이 처음 서울광장에서의 통행을 막은 2009. 5. 23.경 노무현 전 대통령을 추모하기 위하여 대한문 앞 시민분향소 주변에 모여 있던 많은 사람들이 서울광장에서 추모 또는 항의 목적의 집회나 시위를 개최할 가능성이 적지 않았다. 따라서 당시 피청구인이 서울광장에서 대규모의 집회나 시위가 개최되고, 그 집회나 시위가 불법·폭력적인 것으로 변질될 가능성이 다분하다고 판단하여 시민들의 생명·신체와 재산을 보호하려는 목적에서 서울광장에서의 통행을 막는 조치를 취하였다면, 그 범위 내에서는 이 사건 통행제지행위를 한 목적의 정당성을 인정할 수 있고, 이 사건 통행저지행위는 그와 같은 불법·폭력적인 집회의 방지라고 하는 목적을 달성하는 하나의 방법이 될 수 있을 것이므로 그 범위 내에서 수단의 적절성도 인정될 여지가 있을 것이다.

그러나 이 사건 통행제지행위는 서울광장에서 개최될 여지가 있는 일체의 집회를 금지하고 일반시민들의 통행조차 금지하는 전면적이고 광범위하며 극단적인 조치이므로 집회의 조건부 허용이나 개별적 집회의 금지나 해산으로는 방지할 수 없는 급박하고 명백하며 중대한 위험이 있는 경우에 한하여 비로소 취할 수 있는 거의 마지막 수단에 해당한다. 서울광장 주변에 노무현 전 대통령을 추모하는 사람들이 많이 모여 있었다거나 일부 시민들이 서울광장 인근에서 불법적인 폭력행위를 저지른 바 있다고 하더라도 그것만으로 폭력행위일로부터 4일 후까지 이러한 조치를 그대로 유지해야 할 급박하고 명백한 불법·폭력 집회나 시위의 위험성이 있었다고 할 수 없으므로 이 사건 통행제지행위는 당시 상황에 비추어 필요최소한의 조치였다고 보기 어렵고, 가사 전면적이고 광범위한 집회방지조치를 취할 필요성이 있었다고 하더라도, 서울광장에의 출입을 완전히 통제하는 경우 일반시민들의 통행이나 여가문화 활동 등의 이용까지 제한되므로 서울광장의 몇 군데라도 통로를 개설하여 통제 하에 출입하게 하거나 대규모의 불법·폭력 집회가 행해질 가능성이 적은 시간대라든지 서울광장 인근 건물에의 출근이나 왕래가 많은 오전 시간대에는 일부 통제를 푸는 등 시민들의 통행이나 여가문화활동에 과도한 제한을 초래하지 않으면서도 목적을 상당 부분 달성할 수 있는 수단이나 방법을 고려하였어야 함에도 불구하고 모든 시민의 통행을 전면적으로 제지한 것은 침해의 최소성을 충족한다고 할 수 없다.

또한 대규모의 불법·폭력 집회나 시위를 막아 시민들의 생명·신체와 재산을 보호한다는 공익은 중요한 것이지만, 당시의 상황에 비추어 볼 때 이러한 공익의 존재 여부나 그 실현 효과는 다소 가상적이고 추상적인 것이라고 볼 여지도 있고, 비교적 덜 제한적인 수단에 의하여도 상당 부분 달성될 수 있었던 것으로 보여 일반 시민들이 입은 실질적이고 현존하는 불이익에 비하여 결코 크다고 단정하기 어려우므로 법익의 균형성 요건도 충족하였다고 할 수 없다.

따라서 이 사건 통행제지행위는 과잉금지원칙을 위반하여 청구인들의 일반적 행동자유권을 침해한 것이다.

III 결 론

그렇다면 피청구인의 이 사건 통행제지행위는 청구인들의 일반적 행동자유권을 침해하는 것으로서 위헌이므로 취소하여야 하나, 이 사건 통행제지행위가 이미 종료되어 그로 인한 기본권침해 상태가 더 이상 존재하지 아니하므로 이를 취소하는 대신 위헌임을 확인하는 선언을 하기로 하여 주문과 같이 결정한다.

■ **재판관 김종대, 재판관 송두환의 보충의견**

경찰관직무집행법 제5조 제2항의 '소요사태'는 '다중이 집합하여 한 지방의 평화 또는 평온을 해할 정도에 이르는 폭행·협박 또는 손괴행위를 하는 사태'를 의미하고, 같은 법 제6조 제1항의 '급박성'은 '당해 행위를 당장 제지하지 아니하면 곧 범죄로 인한 손해가 발생할 상황이라서 그 방법 외에는 결과를 막을 수 없는 절박한 상황일 경우'를 의미하는 것으로 해석되는바, 경찰청장이 청구인들에 대한 이 사건 통행제지행위를 한 2009. 6. 3. 당시 서울광장 주변에 '소요사태'가 존재하였거나 범죄발생의 '급박성'이 있었다고 인정할 수 없으므로 위 조항들은 이 사건 통행제지행위 발동의 법률적 근거가 된다고 할 수 없다.

따라서 경찰청장의 이 사건 통행제지행위는 법률적 근거를 갖추지 못한 것이므로 법률유보원칙에도 위반하여 청구인들의 일반적 행동자유권을 침해한 것이다.

028 자동차 등을 이용하여 범죄행위를 한 때 운전면허 필요적 취소 사건 [위헌]
- 2005. 11. 24. 선고 2004헌가28

판시사항

1. '운전면허를 받은 사람이 자동차등을 이용하여 범죄행위를 한 때'라는 도로교통법 제78조 제1항 제5호의 법문이 명확성원칙을 위반하고 있는지 여부(적극)
2. 위와 같은 경우에 반드시 운전면허를 취소하도록 하는 것이 직업의 자유 등을 침해하는 것인지 여부(적극)

심판대상조항 및 관련조항

도로교통법(2001. 12. 31. 법률 제6565호로 일부 개정되고 2005. 5. 31. 법률 제7545호로 전문 개정되기 전의 것)
제78조(면허의 취소·정지) ① 지방경찰청장은 운전면허(연습운전면허를 제외한다. 이하 이 조에서 같다)를 받은 사람이 다음 각 호의 1에 해당하는 때에는 행정자치부령이 정하는 기준에 의하여 운전면허를 취소하거나 1년의 범위 안에서 그 운전면허의 효력을 정지시킬 수 있다. 다만, 제1호·제2호·제3호(정기적성검사기간이 경과된 때를 제외한다), 제5호 내지 제8호, 제10호·제11호·제13호 및 제14호에 해당하는 때에는 그 운전면허를 취소하여야 한다.
  5. 운전면허를 받은 사람이 자동차등을 이용하여 범죄행위를 한 때

주문

도로교통법 제78조 제1항 제5호(2001. 12. 31. 법률 제6565호로 일부 개정되고 2005. 5. 31. 법률 제7545호로 전문 개정되기 전의 것)는 헌법에 위반된다.

1. 이 사건 규정이 지나치게 광범위하여 명확성원칙에 위반되는지 여부

법률이란 그 구성요건을 충족시키는 모든 사람과 모든 개별적인 경우에 대하여 적용되는 일반 추상적 규범으로서 본질상 규율하고자 하는 모든 법적 상황에 대하여 구체적이고 서술적인 방식으로 그 내용을 규정하는 것이 불가능하기 때문에 어느 정도 추상적이고 개괄적인 개념 또는 변화하는 사회현상을 수용할 수 있는 개방적인 개념을 사용하는 것이 불가피하다. 다만 입법자가 개방적인 법 개념을 사용할 수 있다 하더라도 이러한 경우에는 법률이 규제하고자 하는 행위가 무엇인지에 대해 법률해석을 통해 알 수 있도록 규정하여야 한다.

법치국가원리의 한 표현인 명확성의 원칙은 기본적으로 모든 기본권제한 입법에 대하여 요구되는데, 규범의 의미 내용으로부터 무엇이 금지되는 행위이고 무엇이 허용되는 행위인지를 수범자가 알 수 없다면, 법적 안정성과 예측가능성은 확보될 수 없게 될 것이고, 법집행 당국에 의한 자의적 집행을 가능하게 할 것이다. 다만 명확성의 정도는 모든 법률에 있어서 동일한 정도로 요구되는

것은 아닌데, 어떤 규정이 부담적 성격을 가지는 경우에는 수익적 성격을 가지는 경우에 비하여 명확성의 원칙이 더욱 엄격하게 요구될 것이다.

이 사건 규정에 의하면 자동차등을 살인죄의 범행 도구나 감금죄의 범행장소 등으로 이용하는 경우는 물론이고, 주된 범죄의 전후 범죄에 해당하는 예비나 음모, 도주 등에 이용하는 경우나 과실범죄에 이용하는 경우에도 운전면허가 취소될 것이다. 그러나 오늘날 자동차는 생업의 수단 또는 대중적인 교통수단으로서 일상 생활에 없어서는 안될 필수품으로 자리잡고 있기 때문에 그 운행과 관련하여 교통관련 법규에서 여러 가지 특례제도를 두고 있는 취지를 보면, 이 사건 규정의 범죄에 사소한 과실범죄가 포함된다고 볼 수는 없다. 그럼에도 불구하고 이 사건 규정이 범죄의 중함 정도나 고의성 여부 측면을 전혀 고려하지 않고 자동차 등을 범죄행위에 이용하기만 하면 운전면허를 취소하도록 하고 있는 것은 그 포섭범위가 지나치게 광범위한 것으로서 명확성원칙에 위반된다고 할 것이다.

2. 직업의 자유 등을 침해하는지 여부

이 사건 규정은 자동차등을 이용하여 범죄행위를 한 경우에 그 운전면허를 취소하여 운전을 할 수 없도록 하고 있어 운전을 생업으로 하는 자에 대해서는 직업의 자유를 제한하게 되고, 운전을 업으로 하지 않는 자에 대해서는 일반적 행동자유권을 제한하게 되는바, 이러한 기본권 제한을 정당화하기 위해서는 헌법 제37조 제2항의 비례의 원칙을 지켜야 한다.

자동차 등을 교통이라는 그 고유의 목적에 이용하지 않고 범죄를 위한 수단으로 이용하는 경우 운전면허를 취소하도록 하는 것은 원활한 교통을 확보함과 동시에 차량을 이용한 범죄의 발생을 막기 위한 것으로 그 목적이 정당하고 수단도 적합하다고 할 것이다.

그러나 한편, 어떤 법률의 입법목적이 정당하고 그 목적을 달성하기 위해 선택한 수단이 어느 정도 적합하다고 하더라도 입법자가 임의적 규정으로 법의 목적을 실현할 수 있음에도 불구하고 구체적 사안의 개별성과 특수성을 고려할 수 있는 가능성을 일체 배제하는 필요적 규정으로 법의 목적을 실현하려 한다면 이는 비례원칙의 한 요소인 "최소침해성의 원칙"에 위배된다.

그런데 이 사건 규정은 자동차 등을 이용하여 범죄행위를 하기만 하면 그 범죄행위가 얼마나 중한 것인지, 그러한 범죄행위를 행함에 있어 자동차 등이 당해 범죄 행위에 어느 정도로 기여했는지 등에 대한 아무런 고려 없이 무조건 운전면허를 취소하도록 하고 있으므로 이는 구체적 사안의 개별성과 특수성을 고려할 수 있는 여지를 일체 배제하고 그 위법의 정도나 비난의 정도가 극히 미약한 경우까지도 운전면허를 취소할 수밖에 없도록 하는 것으로 최소침해성의 원칙에 위반된다 할 것이다. 한편, 이 사건 규정에 의해 운전면허가 취소되면 2년 동안은 운전면허를 다시 발급 받을 수 없게 되는바, 이는 지나치게 기본권을 제한하는 것으로서 법익균형성원칙에도 위반된다. 그러므로 이 사건 규정은 직업의 자유 내지 일반적 행동자유권을 침해하여 헌법에 위반된다.

자동차등을 이용한 범죄행위와 운전면허의 필요적 취소 사건 [위헌]
— 2015. 5. 28. 선고 2013헌가6

판시사항 및 결정요지

1. 운전면허를 받은 사람이 자동차등을 이용하여 살인 또는 강간 등 행정안전부령이 정하는 범죄행위를 한 때 운전면허를 취소하도록 하는 구 도로교통법(2008. 2. 29. 법률 제8852호로 개정되고, 2011. 6. 8. 법률 제10790호로 개정되기 전의 것) 제93조 제1항 제11호(이하 '심판대상조항'이라 한다)가 법률유보원칙에 위배되는지 여부(소극)

헌법은 법치주의를 그 기본원리의 하나로 하고 있고, 법치주의는 법률유보원칙, 즉 행정작용에는 국회가 제정한 형식적 법률의 근거가 요청된다는 원칙을 그 핵심적 내용으로 하고 있다. 나아가 오늘날의 법률유보원칙은 단순히 행정작용이 법률에 근거를 두기만 하면 충분한 것이 아니라, 국가공동체와 그 구성원에게 기본적이고도 중요한 의미를 갖는 영역, 특히 국민의 기본권 실현에 관련된 영역에 있어서는 행정에 맡길 것이 아니라 국민의 대표자인 입법자 스스로 그 본질적 사항에 대하여 결정하여야 한다는 요구, 즉 의회유보원칙까지 내포하는 것으로 이해되고 있다. 이때 입법자가 형식적 법률로 스스로 규율하여야 하는 사항이 어떤 것인지는 일률적으로 획정할 수 없고 구체적인 사례에서 관련된 이익 내지 가치의 중요성 등을 고려하여 개별적으로 정할 수 있다고 할 것이다.

자동차등을 이용한 범죄행위는 그 유형이 매우 다양하므로 자동차등을 이용한 범죄행위의 모든 유형이 기본권 제한의 본질적인 사항으로서 입법자가 반드시 법률로써 규율하여야 하는 사항이라고 볼 수 없고, 이를 일일이 법률에 열거하는 것이 입법기술상 바람직하지도 아니하다. 입법자는 법률에서 운전면허의 필요적 취소사유인 자동차등을 이용한 범죄행위에 대한 예측 가능한 기준을 제시하는 것으로 족하다. 이처럼 운전면허의 필요적 취소사유인 자동차등을 이용한 범죄행위의 구체적인 유형을 반드시 법률로써 정하여야만 하는 사항으로 볼 수 없고 법률에서 운전면허의 필요적 취소사유인 살인, 강간 등 자동차등을 이용한 범죄행위에 대한 예측가능한 기준을 제시한 이상, 심판대상조항은 법률유보원칙에 위배되지 아니한다.

2. 심판대상조항이 포괄위임금지원칙에 위배되는지 여부(소극)

위임입법의 위와 같은 구체성·명확성의 요구 정도는 각종 법률이 규제하고자 하는 대상의 종류와 성질에 따라 달라질 것이지만, 특히 처벌법규나 조세법규와 같이 국민의 기본권을 직접적으로 제한하거나 침해할 소지가 있는 법규에서는 구체성·명확성의 요구가 강화되어 그 위임의 요건과 범위가 일반적인 급부행정법규의 경우보다 더 엄격하게 제한적으로 규정되어야 하는 반면에, 규율대상이 지극히 다양하거나 수시로 변화하는 성질의 것일 때에는 위임의 구체성·명확성의 요건이 완화된다.

현대 생활에 있어 자동차등은 일상생활에 없어서는 안 될 필수품으로 자리잡고 있으며, 실제로 자동차등의 보급률 및 운전면허 소지자의 수는 해마다 증가하여 왔다. 이와 같이 자동차등의 이용이 일상생활에 있어 보편화되면서 자동차등에 대한 의존도가 높아지고 자동차등 운전이 차지하는 비중이 점차 커짐에 따라 자동차등을 이용한 범죄행위의 태양이 날로 다양해지고 변화의 속도도 빨라지고 있으므로, 현실의 변화에 대응하여 유연하게 규율하도록 하기 위해서는 자동차등을 이용한 범죄행위의 세부적인 유형을 탄력성이 있는 행정입법에 위임할 필요성이 인정되고, 그 위임의 구체성과 명확성의 요구는 완화된다 할 것이다.

안전하고 원활한 교통의 확보와 자동차 이용 범죄의 예방이라는 심판대상조항의 입법목적, 필요적 운전면허취소 대상범죄를 자동차등을 이용하여 살인·강간 및 이에 준하는 정도의 흉악 범죄나 법익에 중대한 침해를 야기하는 범죄로 한정하고 있는 점, 자동차 운행으로 인한 범죄에 대한 처벌의 특례를 규정한 관련 법조항 등을 유기적·체계적으로 종합하여 보면, 결국 심판대상조항에 의하여 하위법령에 규정될 자동차등을 이용한 범죄행위의 유형은 '범죄의 실행행위 수단으로 자동차등을 이용하여 살인 또는 강간 등과 같이 고의로 국민의 생명과 재산에 큰 위협을 초래할 수 있는 중대한 범죄'가 될 것임을 충분히 예측할 수 있으므로, 심판대상조항은 포괄위임금지원칙에 위배되지 아니한다.

3. 심판대상조항이 직업의 자유 및 일반적 행동의 자유를 침해하는지 여부(적극)

자동차등을 범죄를 위한 수단으로 이용하여 교통상의 위험과 장해를 유발하고 국민의 생명과 재산에 심각한 위협을 초래하는 것을 방지하여 안전하고 원활한 교통을 확보함과 동시에 차량을 이용한 범죄의 발생을 막고자 하는 심판대상조항은 그 입법목적이 정당하고, 운전면허를 필요적으로 취소하도록 하는 것은 자동차등을 이용한 범죄행위의 재발을 일정 기간 방지하는 데 기여할 수 있으므로 이는 입법목적을 달성하기 위한 적정한 수단이다.

그러나 자동차등을 이용한 범죄를 근절하기 위하여 그에 대한 행정적 제재를 강화할 필요가 있다 하더라도 이를 임의적 운전면허 취소 또는 정지사유로 규정함으로써 불법의 정도에 상응하는 제재수단을 선택할 수 있도록 하여도 충분히 그 목적을 달성하는 것이 가능함에도, 심판대상조항은 이에 그치지 아니하고 필요적으로 운전면허를 취소하도록 하여 구체적 사안의 개별성과 특수성을 고려할 수 있는 여지를 일체 배제하고 있다. 나아가 심판대상조항 중 '자동차등을 이용하여' 부분은 포섭될 수 있는 행위 태양이 지나치게 넓을 뿐만 아니라, 하위법령에서 규정될 대상범죄에 심판대상조항의 입법목적을 달성하기 위해 반드시 규제할 필요가 있는 범죄행위가 아닌 경우까지 포함될 우려가 있어 침해의 최소성 원칙에 위배된다. 심판대상조항은 운전을 생업으로 하는 자에 대하여는 생계에 지장을 초래할 만큼 중대한 직업의 자유의 제약을 초래하고, 운전을 업으로 하지 않는 자에 대하여도 일상생활에 심대한 불편을 초래하여 일반적 행동의 자유를 제약하므로 법익의 균형성 원칙에도 위배된다. 따라서 심판대상조항은 직업의 자유 및 일반적 행동의 자유를 침해한다.

운전면허 부정 취득 시 모든 운전면허 필요적 취소 사건 [위헌]
― 2020. 6. 25. 선고 2019헌가9, 10(병합)

사건의 개요

제청신청인 남○○는 운전면허 중 제1종 보통면허 및 제1종 대형면허를 보유한 상태에서, 자동차운전 전문학원에 학원생으로 등록만 하고 교육 및 기능검정을 받지 않았음에도 학원 학감을 통하여 학사관리프로그램에 허위 정보를 입력함으로써 2016. 8. 9. 전라남도지방경찰청장으로부터 제1종 특수면허(대형견인차)를 취득하였다.

전라남도지방경찰청장이 2017. 12. 5. 위 사실을 이유로 제1종 특수면허(대형견인차)뿐만 아니라 제1종 보통면허, 제1종 대형면허까지 취소하는 처분을 하자, 위 제청신청인은 위 처분의 취소를 구하는 소를 제기하고 당해 사건 계속 중 구 도로교통법 제93조 제1항 제8호 가운데 '거짓이나 그 밖의 부정한 수단으로 운전면허를 받은 경우' 부분에 대하여 위헌법률심판제청신청을 하였다. 제청법원은 2019. 3. 14. 이를 받아들여 위헌법률심판제청을 하였다.

심판대상조항 및 관련조항

구 도로교통법(2016. 1. 27. 법률 제13829호로 개정되고, 2017. 7. 26. 법률 제14839호로 개정되기 전의 것)[1]

제93조(운전면허의 취소·정지) ① 지방경찰청장은 운전면허(연습운전면허는 제외한다. 이하 이 조에서 같다)를 받은 사람이 다음 각 호의 어느 하나에 해당하면 행정자치부령으로 정하는 기준에 따라 운전면허(운전자가 받은 모든 범위의 운전면허를 포함한다. 이하 이 조에서 같다)를 취소하거나 1년 이내의 범위에서 운전면허의 효력을 정지시킬 수 있다. 다만, 제2호, 제3호, 제7호부터 제9호까지(정기 적성검사 기간이 지난 경우는 제외한다), 제12호, 제14호, 제16호부터 제18호까지, 제20호의 규정에 해당하는 경우에는 <u>운전면허를 취소하여야 한다.</u>

    8. 제82조에 따라 운전면허를 받을 수 없는 사람이 운전면허를 받거나 <u>거짓이나 그 밖의 부정한 수단으로 운전면허를 받은 경우</u> 또는 운전면허효력의 정지기간 중 운전면허증 또는 운전면허증을 갈음하는 증명서를 발급받은 사실이 드러난 경우

주문

구 도로교통법(2016. 1. 27. 법률 제13829호로 개정되고, 2017. 7. 26. 법률 제14839호로 개정되기 전의 것) 제93조 제1항 단서, 구 도로교통법(2017. 7. 26. 법률 제14839호로 개정되고, 2018. 3. 27. 법률 제15530호로 개정되기 전의 것) 제93조 제1항 단서, 도로교통법(2018. 3. 27. 법률 제15530호로 개정된 것) 제93조 제1항 단서 중 각 제8호의 '거짓이나 그 밖의 부정한 수단으로 운전면허를 받은 경우'에 관한 부분 가운데 각 '거짓이나 그 밖의 부정한 수단으로 받은 운전면허를 제외한 운전면허'를 필요적으로 취소하도록 한 부분은 모두 헌법에 위반된다.

---

[1] 이후 개정된 법들도 내용 동일

1) 심판대상조항은 운전면허를 취소함으로써 자유롭게 자동차를 운전할 수 없게 하므로, 일반적 행동의 자유를 제한한다. 또한 심판대상조항의 수범자 가운데 자동차의 운전을 필수불가결한 요소로 하는 일정한 직업군의 사람들에 대하여는 종래의 직업을 계속 유지하는 것을 불가능하게 하고, 자동차 운행으로도 수행 가능한 직업을 가진 사람들에 대하여는 직업을 수행하는 방법에 제한을 가하게 되므로, 좁은 의미의 직업선택의 자유와 직업수행의 자유를 포함하는 직업의 자유 역시 제한한다.

2) 목적의 정당성 및 수단의 적합성

심판대상조항은 운전면허제도의 근간을 유지하는 한편, 교통상의 위험과 장해를 방지하고자 하는 것이므로 그 입법목적이 정당하고, 이를 위해 모든 범위의 운전면허를 필요적으로 취소하도록 하는 것은, 수단의 적합성도 인정된다.

3) 피해의 최소성 및 법익의 균형성

가) 부정 취득한 운전면허 부분

심판대상조항이 '부정 취득한 운전면허'를 필요적으로 취소하도록 한 것은, 임의적 취소·정지의 대상으로 전환할 경우 면허제도의 근간이 흔들리게 되고 형사처벌 등 다른 제재수단만으로는 여전히 부정 취득한 운전면허로 자동차 운행이 가능하다는 점에서, 피해의 최소성 원칙에 위배되지 않는다. 또한 부정 취득한 운전면허는 그 요건이 처음부터 갖추어지지 못한 것으로서 해당 면허를 박탈하더라도 기본권이 추가적으로 제한된다고 보기 어려워, 법익의 균형성 원칙에도 위배되지 않는다.

나) 부정 취득하지 않은 운전면허 부분

반면, 심판대상조항이 '부정 취득하지 않은 운전면허'까지 필요적으로 취소하도록 한 것은, 임의적 취소·정지 사유로 함으로써 구체적 사안의 개별성과 특수성을 고려하여 불법의 정도에 상응하는 제재수단을 선택하도록 하는 등 완화된 수단에 의해서도 입법목적을 같은 정도로 달성하기에 충분하므로, 피해의 최소성 원칙에 위배된다. 나아가, 위법이나 비난의 정도가 미약한 사안을 포함한 모든 경우에 부정 취득하지 않은 운전면허까지 필요적으로 취소하고 이로 인해 2년 동안 해당 운전면허 역시 받을 수 없게 하는 것은, 공익의 중대성을 감안하더라도 지나치게 기본권을 제한하는 것이므로, 법익의 균형성 원칙에도 위배된다.

031 청탁금지법(일명 김영란법) 사건 [기각, 각하]
― 2016. 7. 28. 선고 2015헌마236·412·662·673(병합)

판시사항 및 결정요지

1. 자연인을 수범자로 하는 법률조항에 대한 민법상 비영리 사단법인의 심판청구가 기본권 침해의 자기관련성 요건을 갖추었는지 여부(소극)

심판대상조항은 언론인 등 자연인을 수범자로 하고 있을 뿐이어서 청구인 사단법인 한국기자협회는 심판대상조항으로 인하여 자신의 기본권을 직접 침해당할 가능성이 없다. 또 법인이 그 구성원을 위하여 또는 구성원을 대신하여 헌법소원심판을 청구할 수 없으므로, 청구인 사단법인 한국기자협회가 그 구성원인 기자들을 대신하여 헌법소원을 청구할 수도 없다. 따라서 위 청구인의 심판청구는 기본권 침해의 자기관련성을 인정할 수 없어 부적법하다.

2. 언론인 및 사립학교 관계자를 공직자등에 포함시켜 이들에 대한 부정청탁을 금지하고, 사회상규에 위배되지 아니하는 것으로 인정되는 행위는 '부정청탁 및 금품등 수수의 금지에 관한 법률'(2015. 3. 27. 법률 제13278호로 제정된 것, 다음부터 '청탁금지법'이라 한다)을 적용하지 아니하는 청탁금지법 제5조 제1항 및 제2항 제7호 중 사립학교 관계자와 언론인에 관한 부분(다음부터 '부정청탁금지조항'이라 한다)이 죄형법정주의의 명확성원칙에 위배되는지 여부(소극)

'부정청탁'이라는 용어는 형법 등 여러 법령에서 사용되고 있고, 대법원은 부정청탁의 의미에 관하여 많은 판례를 축적하고 있으며, 입법과정에서 부정청탁의 개념을 직접 정의하는 대신 14개 분야의 부정청탁 행위유형을 구체적으로 열거하는 등 구성요건을 상세하게 규정하고 있다. 한편, 부정청탁금지조항은 통상적 의미의 법령뿐만 아니라 조례와 규칙도 법령에 포함된다고 명시적으로 규정하고 있다. '사회상규'라는 개념도 형법 제20조에서 사용되고 있으며, 대법원이 그 의미에 관해 일관되게 판시해 오고 있으므로, 부정청탁금지조항의 사회상규도 이와 달리 해석할 아무런 이유가 없다. 이와 같이 부정청탁금지조항이 규정하고 있는 '부정청탁', '법령', '사회상규'라는 용어는 그 의미내용이 명백하므로, 죄형법정주의의 명확성원칙에 위배된다고 보기 어렵다.

3. 부정청탁금지조항 및 대가성 여부를 불문하고 직무와 관련하여 금품등을 수수하는 것을 금지할 뿐만 아니라, 직무관련성이나 대가성이 없더라도 동일인으로부터 일정 금액을 초과하는 금품등의 수수를 금지하는 청탁금지법 제8조 제1항과 제2항 중 사립학교 관계자와 언론인에 관한 부분(다음부터 '금품수수금지조항'이라 한다)이 과잉금지원칙을 위반하여 언론인과 사립학교 관계자의 일반적 행동자유권을 침해하는지 여부(소극)

① 교육과 언론이 국가나 사회 전체에 미치는 영향력이 크고, 이들 분야의 부패는 그 파급효과가 커서 피해가 광범위하고 장기적인 반면 원상회복은 불가능하거나 매우 어렵다는 점에서, 사립학교 관계자와 언론인에게는 공직자에 맞먹는 청렴성 및 업무의 불가매수성이 요청된다. 부정청탁 및 금품수수 관행을 근절하여 공적 업무에 종사하는 사립학교 관계자 및 언론인의 공정한 직무수행을 보장함으로써 국민의 신뢰를 확보하고자 하는 부정청탁금지조항과 금품수수금지

조항의 입법목적은 그 정당성이 인정되고, 사립학교 관계자와 언론인이 법령과 사회상규 등에 위배되어 금품등을 수수하지 않도록 하고 누구든지 이들에게 부정청탁하지 못하도록 하는 것은 입법목적을 달성하기 위한 적정한 수단이다.

② 부정청탁금지조항은 부패가 빈발하는 직무영역에서 금지되는 행위를 구체적으로 열거하여 부정청탁의 유형을 제한하고 있고, 부정청탁의 행위 유형에 해당하더라도 법질서 전체와의 관계에서 정당시되는 행위는 예외를 인정하여 제재대상에서 제외하고 있으며, 언론인이나 사립학교 관계자가 부정청탁을 받고 그에 따라 직무를 수행한 경우에만 처벌하고 있다. 한편, 대가관계 증명이 어려운 부정청탁행위나 금품등 수수행위는 배임수재죄로 처벌할 수 없어 형법상 배임수재죄로 처벌하는 것만으로는 충분하지 않고, 교육계와 언론계에 부정청탁이나 금품등 수수 관행이 오랫동안 만연해 왔고 크게 개선되지 않고 있다는 각종 여론조사결과와 국민 인식 등에 비추어 볼 때, 교육계와 언론계의 자정노력에만 맡길 수 없다는 입법자의 결단이 잘못된 것이라고 단정하기도 어렵다.

금품수수금지조항은 직무관련성이나 대가성이 없더라도 동일인으로부터 1회 100만 원 또는 매 회계연도 300만 원을 초과하는 금품등을 수수한 경우 처벌하도록 하고 있다. 이는 사립학교 관계자나 언론인에게 적지 않은 금품을 주는 행위가 순수한 동기에서 비롯될 수 없고 일정한 대가관계를 추정할 수 있다는 데 근거한 것으로 볼 수 있다. 우리 사회에서 경제적 약자가 아닌 사립학교 관계자와 언론인에게 아무런 이유 없이 이러한 금품을 줄 이유가 없기 때문이다. 이런 사정을 모두 종합하여 보면 부정청탁금지조항과 금품수수금지조항이 침해의 최소성 원칙에 반한다고 보기 어렵다.

③ 사립학교 관계자나 언론인은 금품수수금지조항에 따라 종래 받아오던 일정한 금액 이상의 금품이나 향응 등을 받지 못하게 되는 불이익이 발생할 수는 있으나, 이런 불이익이 법적으로 보호받아야 하는 권익의 침해라 보기 어렵다. 반면 부정청탁금지조항과 금품수수금지조항이 추구하는 공익은 매우 중대하므로 법익의 균형성도 충족한다.

④ 결국, 부정청탁금지조항과 금품수수금지조항이 과잉금지원칙을 위반하여 청구인들의 일반적 행동자유권을 침해한다고 보기 어렵다.

4. 언론인 및 사립학교 관계자가 받을 수 있는 외부강의등의 대가와 음식물·경조사비·선물 등의 가액을 대통령령에 위임하도록 하는 청탁금지법 제8조 제3항 제2호, 제10조 제1항 중 사립학교 관계자와 언론인에 관한 부분(다음부터 '위임조항'이라 한다)이 죄형법정주의에 위반되는지 여부(소극)

사립학교 관계자와 언론인이 동일인으로부터 1회 100만 원 또는 매 회계연도 300만 원을 초과하는 금품등을 수수한 경우에는 직무 관련 여부나 명목에 관계없이 처벌된다(청탁금지법 제8조 제1항). 따라서 이 경우 위임조항의 '대통령령으로 정하는 가액'이 소극적 범죄구성요건으로 작용할 여지가 없으므로, 죄형법정주의 위배 문제는 발생하지 않는다.

한편, 사립학교 관계자 및 언론인이 외부강의등의 대가로 대통령령으로 정하는 금액을 초과하는 사례금을 받고 신고 및 반환조치를 하지 않는 경우, 또는 직무와 관련하여 동일인으로부터 1회에 100만 원 또는 매 회계연도에 300만 원 이하의 금품 등을 수수하는 경우에는 과태료가 부과된다. 그런데 과태료는 행정질서벌에 해당할 뿐 형벌이 아니므로 죄형법정주의의 규율대상에 해당하지 아니한다. 따라서 위임조항이 죄형법정주의에 위반된다는 주장은 더 나아가 살펴 볼 필요 없이 이유 없다.

5. 위임조항이 명확성원칙에 위배되어 언론인과 사립학교 관계자의 일반적 행동자유권을 침해하는지 여부(소극)

'사교', '의례', '선물'은 사전적으로 그 의미가 분명할 뿐만 아니라 일상생활에서 흔히 사용되는 용어들이며, 위임조항의 입법취지, 청탁금지법 제2조 제3호의 금품등의 정의에 관한 조항 등 관련 조항들을 종합하여 보면, 위임조항이 규정하고 있는 '사교·의례 목적으로 제공되는 선물'은 다른 사람과 사귈 목적 또는 예의를 지킬 목적으로 대가없이 제공되는 물품 또는 유가증권, 숙박권, 회원권, 입장권 그 밖에 이에 준하는 것을 뜻함을 충분히 알 수 있다. 따라서 위임조항이 명확성원칙에 위배되어 청구인들의 일반적 행동자유권을 침해한다고 볼 수 없다.

6. 위임조항이 포괄위임금지원칙에 위배되어 언론인과 사립학교 관계자의 일반적 행동자유권을 침해하는지 여부(소극)

청탁금지법상 수수가 허용되는 외부강의등의 사례금이나 사교·의례 목적의 경조사비·선물·음식물 등의 가액은 일률적으로 법률에 규정하기 곤란한 측면이 있으므로, 사회통념을 반영하고 현실의 변화에 대응하여 유연하게 규율할 수 있도록 탄력성이 있는 행정입법에 위임할 필요성이 인정된다. 위임조항이 추구하는 입법목적 및 관련 법조항을 유기적·체계적으로 종합하여 보면, 결국 위임조항에 의하여 대통령령에 규정될 수수허용 금품등의 가액이나 외부강의등 사례금은, 직무관련성이 있는 경우이므로 100만 원을 초과하지 아니하는 범위 안에서 누구나 납득할 수 있는 정도, 즉 일반 사회의 경조사비 지출 관행이나 접대·선물 관행 등에 비추어 청탁금지법상 공공기관의 청렴성을 해하지 아니하는 정도의 액수가 될 것임을 충분히 예측할 수 있다. 따라서 위임조항이 포괄위임금지원칙에 위배되어 청구인들의 일반적 행동자유권을 침해한다고 볼 수 없다.

7. 배우자가 언론인 및 사립학교 관계자의 직무와 관련하여 수수 금지 금품 등을 받은 사실을 안 경우 언론인 및 사립학교 관계자에게 신고의무를 부과하는 청탁금지법 제9조 제1항 제2호 중 사립학교 관계자와 언론인에 관한 부분(다음부터 '신고조항'이라 한다)과 미신고시 형벌 또는 과태료의 제재를 하도록 하는 청탁금지법 제22조 제1항 제2호 본문, 제23조 제5항 제2호 본문 중 사립학교 관계자와 언론인에 관한 부분(다음부터 '제재조항'이라 한다)이 죄형법정주의 명확성원칙에 위배되어 언론인과 사립학교 관계자의 일반적 행동자유권을 침해하는지 여부(소극)

배우자를 통한 금품등 수수의 우회적 통로를 차단하는 한편, 신고라는 면책사유를 부여하여 사립학교 관계자나 언론인을 보호하고자 하는 신고조항과 제재조항의 입법취지, 형법 제13조 등 관련 법조항을 유기적·체계적으로 종합하여 보면, 사립학교 관계자나 언론인은 자신의 직무와 관련하여 배우자가 수수 금지 금품등을 받거나 그 제공의 약속 또는 의사표시를 받은 사실에 대한 인식이 있어야 신고조항과 제재조항에 따라 처벌될 수 있음을 충분히 알 수 있다. 따라서 신고조항과 제재조항이 죄형법정주의의 명확성원칙에 위배되어 청구인들의 일반적 행동자유권을 침해한다고 볼 수 없다.

8. 신고조항과 제재조항이 자기책임의 원리와 연좌제금지원칙에 위반되는지 여부(소극)

자기가 결정하지 않은 것이나 결정할 수 없는 것에 대하여는 책임을 지지 않는다는 자기책임 원리는 법치주의에 당연히 내재하는 원리다. 또 친족의 행위로 인하여 불이익한 처우를 받지 아니한다는 헌법 제13조 제3항은 자기책임 원리의 한 표현에 해당하는 것으로 자기책임 원리에 반하는 제재는 그 자체로 헌법에 위반된다.

사립학교 관계자나 언론인 본인과 경제적 이익 및 일상을 공유하는 긴밀한 관계에 있는 배우자가 사립학교 관계자나 언론인의 직무와 관련하여 수수 금지 금품등을 받은 행위는 사실상 사립학교 관계자나 언론인 본인이 수수한 것과 마찬가지라고 볼 수 있다. 청탁금지법은 금품등을 받은 배우자를 처벌하는 규정을 두고 있지 않으며 신고조항과 제재조항은 배우자가 위법한 행위를 한 사실을 알고도 공직자등이 신고의무를 이행하지 아니할 때 비로소 그 의무위반 행위를 처벌하는 것이므로, 헌법 제13조 제3항에서 금지하는 연좌제에 해당하지 아니하며 자기책임 원리에도 위배되지 않는다.

9. 신고조항과 제재조항이 과잉금지원칙을 위반하여 언론인과 사립학교 관계자의 일반적 행동자유권을 침해하는지 여부(소극)

① 신고조항과 제재조항은 공적 업무에 종사하는 사립학교 관계자와 언론인이 배우자를 통하여 금품등을 수수한 뒤 부정한 업무수행을 하거나 이들의 배우자를 통하여 사립학교 관계자 및 언론인에게 부정한 영향력을 끼치려는 우회적 통로를 차단함으로써 공정한 직무수행을 보장하고 이들에 대한 국민의 신뢰를 확보하고자 함에 입법목적이 있으며, 이러한 입법목적은 정당하고 수단의 적정성 또한 인정된다.

② 청탁금지법은 금품등 수수 금지의 주체를 가족 중 배우자로 한정하고 있으며, 사립학교 관계자나 언론인의 직무와의 관련성을 요구하여 수수 금지의 범위를 최소화하고 있고, 배우자에 대하여는 어떠한 제재도 가하지 않는다. 사립학교 관계자나 언론인은 배우자가 수수 금지 금품등을 받은 사실을 알고도 신고하지 않은 자신의 행위 때문에 제재를 받게 되는 것이고, 그러한 사실을 알고 소속기관장에게 신고하거나, 본인 또는 배우자가 수수 금지 금품등을 제공자에게 반환 또는 인도하거나 거부의 의사를 표시한 경우에는 면책되도록 하여 사립학교 관계자와 언론인을 보호하고 있다. 한편, 사립학교 관계자나 언론인은 배우자의 금품등 수수 사실을 알게 된 경우에만 신고의무가 생기므로, 신고조항과 제재조항이 사립학교 관계자나 언론인에게 배우자의 행동을 항상 감시하도록 하는 등의 과도한 부담을 가하고 있다고 보기도 어렵다. 청탁금지법의 적용을 피하기 위한 우회적 통로를 차단함으로써 공정한 직무수행을 보장하기 위한 다른 효과적인 수단을 상정하기도 어려우므로, 신고조항과 제재조항이 침해의 최소성 원칙에 반한다고 보기 어렵다.

③ 신고조항과 제재조항으로 달성하려는 공익이 이로 인해 제한되는 사익에 비해 더 크다.

④ 신고조항과 제재조항이 과잉금지원칙을 위반하여 청구인들의 일반적 행동자유권을 침해한다고 보기 어렵다.

10. 부정청탁금지조항과 금품수수금지조항 및 신고조항과 제재조항이 언론인과 사립학교 관계자의 평등권을 침해하는지 여부(소극)

공무원에 버금가는 정도의 공정성·청렴성 및 직무의 불가매수성이 요구되는 각종 분야에 종사하는 사람 중 어느 범위까지 청탁금지법의 적용을 받도록 할 것인지는 업무의 공공성, 청탁관행이나 접대문화의 존재 및 그 심각성의 정도, 국민의 인식, 사회에 미치는 파급효 등 여러 요소를 고려하여 입법자가 선택할 사항으로 입법재량이 인정되는 영역이다. 부정청탁금지조항과 금품수수금지조항 및 신고조항과 제재조항은 전체 민간부문을 대상으로 하지 않고 사립학교 관계자와 언론인만 '공직자등'에 포함시켜 공직자와 같은 의무를 부담시키고 있는데, 이들 조항이 청구인들의 일반적 행동

자유권 등을 침해하지 않는 이상, 민간부문 중 우선 이들만 '공직자등'에 포함시킨 입법자의 결단이 자의적 차별이라 보기는 어렵다.

민간부문 중 공공부문과 같거나 비슷한 정도의 공공성을 갖는 분야부터 이러한 제도적 장치를 단계적으로 도입하고 그 시행결과에 따라 제도를 수정하거나 확대할 수 있다. 제도의 단계적 개선과 추진과정에서 일부 차별적 상황이 초래되었다 하더라도 그런 상황이 국회의 자의적 입법에 따른 결과가 아닌 한 헌법상 평등원칙에 위배된다고 볼 수 없다.

교육과 언론은 공공성이 강한 영역으로 공공부문과 민간부문이 함께 참여하고 있고, 참여 주체의 신분에 따른 차별을 두기 어려운 분야이다. 따라서 사립학교 관계자와 언론인 못지않게 공공성이 큰 민간분야 종사자에 대해서 청탁금지법이 적용되지 않는다는 이유만으로 부정청탁금지조항과 금품수수금지조항 및 신고조항과 제재조항이 청구인들의 평등권을 침해한다고 볼 수 없다.

| 계약의 자유 |

032 특수건물에 대하여 특약부 화재보험계약을 강제하는 사건 [한정위헌]
- 1991. 6. 3. 선고 89헌마204

판시사항 및 결정요지

1. 계약자유의 원칙의 내용과 헌법상의 지위

이른바 계약자유의 원칙이란 계약을 체결할 것인가의 여부, 체결한다면 어떠한 내용의, 어떠한 상대방과의 관계에서, 어떠한 방식으로 계약을 체결하느냐 하는 것도 당사자 자신이 자기의사로 결정하는 자유뿐만 아니라, 원치 않으면 계약을 체결하지 않을 자유를 말하여, 이는 헌법상의 행복추구권속에 함축된 일반적 행동자유권으로부터 파생되는 것이라 할 것이다.

2. 화재로 인한 재해보상과 보험가입에 관한 법률에 관한 법률 제5조 제1항의 위헌여부(적극)

위 법률 제2조 제3호 가목에서는 단순히 "4층 이상의 건물"로서만 규정하고 있을 뿐 그 용도나 연면적, 입주가구수나 인원 등의 표준을 세워 그 규모를 한정하고 있지 않다. 따라서 화재가 발생하여도 대량재해의 염려가 없는 소규모의 하잘 것 없는 4층 건물이라도 보험가입이 강제된다. 한편 4층 이상의 건물이면 가입강제가 되는 것이고 다수인이 출입 또는 근무하거나 거주하는 건물일 것을 요하지 않는다. 따라서 다수인이 출입·근무·거주하지 않는 건물 예를 들면 단독주택용이나 창고용이나 차고용 등의 건물이라도 4층 이상의 건물이면 보험가입이 강제된다.

입법자의 의도가 고층건물로서 그 용도나 평수를 보아 건물화재가 발생하는 경우에 다수인의 인명피해가 예상되고 대인적 배상책임이 크게 문제될 것은 반드시 강제보험에 가입시켜 타인의 인명재해의 위험에서 보호하겠다는 것이라면 동 조항 나목의 "기타 다수인이 출입 또는 근무하거나 거주하는 건물로서 대통령령으로 정하는 건물" 부분을 활용하여 대통령령으로 포섭 규정시켜 보험가입강제의 대상으로 삼는다면 그것으로서 해결될 일이라 하겠다.

화재로 인한 재해보상과 보험가입에 관한 법률 제5조의 "특수건물"부분에 동법제2조 제3항 가목 소정의 "4층 이상의 건물"를 포함시켜 보험가입을 강제하는 것은 개인의 경제상의 자유와 창의의 존중을 기본으로 하는 경제질서와 과잉금지의 원칙에 합치되지 아니하여 헌법에 위반된다.

| 자기결정권 |

033 자도소주 구입명령제도 사건 [위헌]
― 1996. 12. 26. 선고 96헌가18

판시사항

1. 위헌법률심판절차에 적용되는 위헌심사의 기준
2. 주세법의 자도소주 구입명령제도가 헌법에 위반되는지 여부

사건의 개요

정부가 70년대초부터 전국에 400여개의 소주업체가 난립한 소주시장을 1도1사의 원칙을 최종목표로 하여 통폐합정책을 추진한 결과 소주제조업자의 수는 1981년에 현재의 10개업체로 통합·축소되었다. 한편 정부는 소주제조업체의 통폐합정책을 추진함과 아울러 소위 특정업체의 독과점방지와 지방산업의 균형발전을 위하여 1970년에는 소주용주정배정제도를 도입하였고 1976년부터는 자도소주구입제도(1976. 6.24. 국세청훈령 제534호)를 시행하였다. 주정배정제도는 정부가 주정총수요량을 소주회사별로 전년도 소주출고실적에 비례하여 배분함으로써 경쟁을 제한하려는 정책이고, 이 제도와 함께 시행된 자도소주구입제도 또한 소주도매업자로 하여금 그 영업장소소재지에서 생산되는 자도소주를 의무적으로 총구입액의 100분의 50 이상을 구입하도록 제도화함으로써 경쟁을 억제하고 소주시장의 현상태를 유지하는데 기여하였다.

한편 경제행정규제완화위원회가 1990.5. 소비자에 대한 서비스를 향상하고 자유경쟁을 통한 주류산업의 경쟁력을 제고하기 위하여 주류산업에 대한 규제를 완화하기로 결정함에 따라 일정한 경과기간을 거쳐 자도소주구입제도는 1991년말에, 주정배정제도는 1992년말에 각 폐지되었다. 그러나 자도소주구입제도는 1995.8.4. 공포되어 1995.10.1.부터 시행된 주세법 중 개정법률(법률 제4956호)에 의하여 신설된 주세법 제38조의7 규정에 따라 다시 되살아 났고, 위 법률조항은 1995.12.29. 법률 제5036호로 개정되어 1996.1.1.부터 시행되었다.

제청신청인 주식회사 천안상사는, 천안세무서장이 제청신청인의 주세법 제38조의7 위반을 이유로 주세법 제18조 제1항 제9호에 근거하여 한 주류판매업정지처분에 대하여, 그 취소를 구하는 주류판매업정지처분취소의 행정소송을 제기하였다. 대전고등법원은 이 사건을 심리하던 중 제청신청인이 주세법 제38조의7 및 제18조 제1항 제9호가 위헌법률이고, 그 위헌 여부가 이 사건의 재판의 전제가 된다며 신청한 위헌법률심판제청신청을 받아들여, 1996.7.16. 위헌법률심판제청을 하였다.

심판대상조항 및 관련조항

주세법(1950.4.28. 법률 제132호 제정, 1995.12.29. 법률 제5036호 최종 개정)

제38조의 7 (희석식소주의 자도소주 100분의 50이상 구입명령) ① 국세청장은 주류판매업자(주류중개업자를 포함한다. 이하 이 조에서 같다)에 대하여 매월 제3조의3 제2호에 규정하는 희석식소주의 총구입액의 100분의 50 이상을 당해 주류판매업자의 판매장이 소재하는 지역(서울특별시·인천광역시 및 경기도, 대구광역시및 경상북도, 광주광역시및 전라남도, 대전광역시및 충청남도는 이를 각각 1개 지역으로 보며, 부산광역시와 그 밖의 도는 이를 각각 별개의 지역으로 본다. 이하 이 조에서 같다)과 같은 지역에 소재하는 제조장(제5조 제5항의 규정에 불구하고 용기주입제조자을 제외한다. 이하 이 항에서 같다)으로부터 구입하도록 명하여야 한다. (이하 생략)

제18조 (주류판매정지 또는 면허취소) ① 주류의 판매업자가 다음 각호의 1에 해당하는 때에는 대통령령이 정하는 구분에 의하여 관할세무서장은 그 판매업을 정지처분하거나 그 면허를 취소하여야 한다.
   9. 제38조의 7의 규정에 의한 구입명령을 위반한 때. 다만, 당해 판매업자가 소재하는 지역의 제조장의 생산량이나 출고량이 현저히 감소하는 등 당해 판매업자에게 책임없는 사유로 구입하지 못하는 경우를 제외한다.

주문

주세법(1950.4.28. 법률 제132호 제정, 1995.12.29. 법률 제5036호 최종 개정) 제38조의 7 및 제18조 제1항 제9호는 헌법에 위반된다.

I 판 단

1. 직업의 자유와 소비자의 자기결정권의 침해 여부

가. 문제의 제기

1) 헌법재판소는 헌법 제107조 제1항, 제111조 제1항 제1호에 의한 위헌법률심판절차에 있어서 규범의 위헌성을 제청법원이나 제청신청인이 주장하는 법적 관점에서만이 아니라 심판대상규범의 법적 효과를 고려하여 모든 헌법적인 관점에서 심사한다. 법원의 위헌제청을 통하여 제한되는 것은 오로지 심판의 대상인 법률조항이지 위헌심사의 기준이 아니다. 따라서 이 사건에서의 헌법적 심사는 심판대상인 주세법규정이 주류판매업자에 미치는 기본권제한적 효과에 한하지 아니하고, 그 외의 관련자인 주류제조업자나 소비자에 대한 심판대상규범의 효과까지 헌법적 관점에서 심사하여야 한다.

2) 이 사건 법률조항이 규정한 구입명령제도는 소주판매업자에게 자도소주의 구입의무를 부과함으로써, 어떤 소주제조업자로부터 얼마만큼의 소주를 구입하는가를 결정하는 직업활동의 방법에 관한 자유를 제한하는 것이므로 소주판매업자의 "직업행사의 자유"를 제한하는 규정이다. 또한 구입명령제도는 비록 직접적으로는 소주판매업자에게만 구입의무를 부과하고 있으나 실질적으로는 구입명령제도가 능력경쟁을 통한 시장의 점유를 억제함으로써 소주제조업자의 "기업의

자유" 및 "경쟁의 자유"를 제한하고, 소비자가 자신의 의사에 따라 자유롭게 상품을 선택하는 것을 제약함으로써 소비자의 행복추구권에서 파생되는 "자기결정권"도 제한하고 있다.

직업의 자유는 영업의 자유와 기업의 자유를 포함하고, 이러한 영업 및 기업의 자유를 근거로 원칙적으로 누구나가 자유롭게 경쟁에 참여할 수 있다. 경쟁의 자유는 기본권의 주체가 직업의 자유를 실제로 행사하는데에서 나오는 결과이므로 당연히 직업의 자유에 의하여 보장되고, 다른 기업과의 경쟁에서 국가의 간섭이나 방해를 받지 않고 기업활동을 할 수 있는 자유를 의미한다. 소비자는 물품 및 용역의 구입·사용에 있어서 거래의 상대방, 구입장소, 가격, 거래조건 등을 자유로이 선택할 권리를 가진다. 소비자가 시장기능을 통하여 생산의 종류, 양과 방향을 결정하는 소비자주권의 사고가 바탕을 이루는 자유시장경제에서는 경쟁이 강화되면 될수록 소비자는 그의 욕구를 보다 유리하게 시장에서 충족시킬 수 있고, 자신의 구매결정을 통하여 경쟁과정에 영향을 미칠 수 있기 때문에 경쟁은 또한 소비자보호의 포기할 수 없는 중요 구성부분이다.

3) 우리 헌법은 헌법 제119조 이하의 경제에 관한 장에서 "균형있는 국민경제의 성장과 안정, 적정한 소득의 분배, 시장의 지배와 경제력남용의 방지, 경제주체간의 조화를 통한 경제의 민주화, 균형있는 지역경제의 육성, 중소기업의 보호육성, 소비자보호 등"의 경제영역에서의 국가목표를 명시적으로 규정함으로써 국가가 경제정책을 통하여 달성하여야 할 "공익"을 구체화하고, 동시에 헌법 제37조 제2항의 기본권제한을 위한 일반법률유보에서의 "공공복리"를 구체화하고 있다. 그러나 경제적 기본권의 제한을 정당화하는 공익이 헌법에 명시적으로 규정된 목표에만 제한되는 것은 아니고, 헌법은 단지 국가가 실현하려고 의도하는 전형적인 경제목표를 예시적으로 구체화하고 있을 뿐이므로 기본권의 침해를 정당화할 수 있는 모든 공익을 아울러 고려하여 법률의 합헌성 여부를 심사하여야 한다.

나. 주세법의 자도소주 구입명령제도가 헌법에 위반되는지 여부

1) 헌법 제119조 제2항은 독과점규제라는 경제정책적 목표를 개인의 경제적 자유를 제한할 수 있는 정당한 공익의 하나로 명문화하고 있다. 독과점규제의 목적이 경쟁의 회복에 있다면 이 목적을 실현하는 수단 또한 자유롭고 공정한 경쟁을 가능하게 하는 방법이어야 한다. 그러나 주세법의 구입명령제도는 전국적으로 자유경쟁을 배제한 채 지역할거주의로 자리잡게 되고 그로써 지역 독과점현상의 고착화를 초래하므로, 독과점규제란 공익을 달성하기에 적정한 조치로 보기 어렵다.

2) 헌법 제123조가 규정하는 지역경제육성의 목적은 일차적으로 지역간의 경제적 불균형의 축소에 있다. 입법자가 개인의 기본권침해를 정당화하는 입법목적으로서의 지역경제를 주장하기 위하여는 문제되는 지역의 현존하는 경제적 낙후성이라든지 아니면 특정 입법조치를 취하지 않을 경우 발생할 지역간의 심한 경제적 불균형과 같은 납득할 수 있는 구체적이고 합리적인 이유가 있어야 한다. 그러나 전국 각도에 균등하게 하나씩의 소주제조기업을 존속케 하려는 주세법에서는 수정되어야 할 구체적인 지역간의 차이를 확인할 수 없고, 따라서 1도1소주제조업체의 존속 유지와 지역경제의 육성간에 상관관계를 찾아볼 수 없으므로 "지역경제의 육성"은 기본권의 침해를 정당화할 수 있는 공익으로 고려하기 어렵다.

3) 우리 헌법은 제123조 제3항에서 중소기업이 국민경제에서 차지하는 중요성 때문에 "중소기업의 보호"를 국가경제정책적 목표로 명문화하고, 대기업과의 경쟁에서 불리한 위치에 있는 중소기업의 지원을 통하여 경쟁에서의 불리함을 조정하고, 가능하면 균등한 경쟁조건을 형성함으로써 대기업과의 경쟁을 가능하게 해야 할 국가의 과제를 담고 있다. 중소기업의 보호는 넓은 의미의 경쟁정책의 한 측면을 의미하므로 중소기업의 보호는 원칙적으로 경쟁질서의 범주내에서 경쟁질서의 확립을 통하여 이루어져야 한다. 중소기업의 보호란 공익이 자유경쟁질서안에서 발생하는 불리함을 국가의 지원으로 보완하여 경쟁을 유지하고 촉진시키려는데 그 목적이 있으므로, 구입명령제도는 이러한 공익을 실현하기에 적합한 수단으로 보기 어렵다.

4) 따라서 구입명령제도는 소주판매업자의 직업의 자유는 물론 소주제조업자의 경쟁 및 기업의 자유, 즉 직업의 자유와 소비자의 행복추구권에서 파생된 자기결정권을 지나치게 침해하는 위헌적인 규정이다.

2. 평등권의 침해 여부

구입명령제도는 "독과점규제와 중소기업의 보호"의 관점에서 시장지배적 재벌기업과 경쟁해야 하는 본질적으로 동일한 상황에 처한 다른 모든 중소기업을 제외하고 오로지 소주시장의 중소기업만을 보호하려고 하는 것이므로, 소주시장과 다른 상품시장, 소주판매업자와 다른 상품의 판매업자, 중소소주제조업자와 다른 상품의 중소제조업자 사이의 차별을 정당화할 수 있는 합리적인 이유를 찾아 볼 수 없으므로 결국 이 사건 법률조항은 평등원칙에도 위반된다.

3. 신뢰보호이익의 침해여부

이 사건의 경우 국가가 장기간에 걸쳐 추진된 주정배정제도, 1도1사원칙에 의한 통폐합정책 및 자도소주구입명령제도를 통하여 신뢰의 근거를 제공하고 국가가 의도하는 일정한 방향으로 소주제조업자의 의사결정을 유도하려고 계획하였으므로, 자도소주구입명령제도에 대한 소주제조업자의 강한 신뢰보호이익이 인정된다. 그러나 이러한 신뢰보호도 법률개정을 통한 "능력경쟁의 실현"이라는 보다 우월한 공익에 직면하여 종래의 법적 상태의 존속을 요구할 수는 없다 할 것이다. 따라서 지방소주제조업자는 신뢰보호를 근거로 하여 구입명령제도의 합헌성을 주장할 수는 없다 할 것이고, 다만 개인의 신뢰는 적절한 경과규정을 통하여 고려되기를 요구할 수 있는데 지나지 않는다.

II 결론

이러한 이유로 이 사건 법률조항 중 주세법 제38조의 7은 주류판매업자 및 소주제조업자의 직업의 자유 및 평등권과 소비자의 자기결정권을 침해하는 규정이므로 헌법에 위반되고, 같은 법 제18조 제1항 제9호는 위헌적인 법률조항을 근거로 이에 위반한 경우 주류판매업자에 대한 주류판매정지 또는 면허취소를 명하는 규정이어서 역시 헌법에 위반된다고 할 것이므로 주문과 같이 결정한다.

함께 보는 판례

탁주의 공급구역제한제도를 규정하고 있는 주세법 제5조 제3항이 헌법에 위반되는지 여부(소극, 재판관 5인의 위헌의견이 있으나 법률의 위헌결정을 위한 심판정족수에는 이르지 못하여 합헌결정된 사례) (1999. 7. 22. 선고 98헌가5)

국민보건에 직접적인 영향을 미치는 주류의 특성상 주류제조·판매와 관련되는 직업의 자유 내지 영업의 자유에 대하여는 폭넓은 국가적 규제가 가능하고, 또 입법자의 입법형성권의 범위도 광범위하게 인정되는 분야라고 할 수 있다. 탁주의 공급구역제한제도는 국민보건위생을 보호하고, 탁주제조업체간의 과당경쟁을 방지함으로써 중소기업보호·지역경제육성이라는 헌법상의 경제목표를 실현한다는 정당한 입법목적을 가진 것으로서 그 입법목적을 달성하기에 이상적인 제도라고까지는 할 수 없을지라도 전혀 부적합한 것이라고 단정할 수 없고, 탁주의 공급구역제한제도가 비록 탁주제조업자나 판매업자의 직업의 자유 내지 영업의 자유를 다소 제한한다고 하더라도 그 정도가 지나치게 과도하여 입법형성권의 범위를 현저히 일탈한 것이라고 볼 수는 없다.

탁주의 공급구역제한제도에 의한 탁주제조업자와 다른 상품 제조업자간의 차별은 탁주의 특성 및 중소기업을 보호하고 지역경제를 육성한다는 헌법상의 경제목표를 고려한 합리적 차별로서 평등원칙에 위반되지 아니하고, 탁주의 공급구역제한제도로 인하여 부득이 다소간의 소비자선택권의 제한이 발생한다고 하더라도 이를 두고 행복추구권에서 파생되는 소비자의 자기결정권을 정당한 이유없이 제한하고 있다고 볼 수 없다.

탁주의 공급구역제한제도를 규정하고 있는 주세법 제5조 제3항은 입법자가 여러 가지 사정을 입법정책적으로 고려하여 입법형성권의 범위내에서 입법한 것으로서 헌법 제37조 제2항이 정한 한계 내에서 행한 필요하고 합리적인 기본권제한이라고 할 것이므로 헌법에 위반되지 아니한다.

034 간통죄 사건 [위헌]
– 2015. 2. 26. 선고 2009헌바17 등(병합)

판시사항 및 결정요지

배우자 있는 자의 간통행위 및 그와의 상간행위를 2년 이하의 징역에 처하도록 규정한 형법(1953. 9. 18. 법률 제293호로 제정된 것) **제241조**(이하 '심판대상조항'이라 한다)가 **성적 자기결정권 및 사생활의 비밀과 자유를 침해하여 헌법에 위반되는지 여부**(적극)

사회 구조 및 결혼과 성에 관한 국민의 의식이 변화되고, 성적 자기결정권을 보다 중요시하는 인식이 확산됨에 따라 간통행위를 국가가 형벌로 다스리는 것이 적정한지에 대해서는 이제 더 이상 국민의 인식이 일치한다고 보기 어렵고, 비록 비도덕적인 행위라 할지라도 본질적으로 개인의 사생활에 속하고 사회에 끼치는 해악이 그다지 크지 않거나 구체적 법익에 대한 명백한 침해가 없는 경우에는 국가권력이 개입해서는 안 된다는 것이 현대 형법의 추세여서 전세계적으로 간통죄는 폐지되고 있다. 또한 간통죄의 보호법익인 혼인과 가정의 유지는 당사자의 자유로운 의지와 애정에 맡겨야지, 형벌을 통하여 타율적으로 강제될 수 없는 것이며, 현재 간통으로 처벌되는 비율이 매우 낮고, 간통행위에 대한 사회적 비난 역시 상당한 수준으로 낮아져 간통죄는 행위규제규범으로서 기능을 잃어가고, 형사정책상 일반예방 및 특별예방의 효과를 거두기도 어렵게 되었다. 부부 간 정조의무 및 여성 배우자의 보호는 간통한 배우자를 상대로 한 재판상 이혼 청구, 손해배상청구 등 민사상의 제도에 의해 보다 효과적으로 달성될 수 있고, 오히려 간통죄가 유책의 정도가 훨씬 큰 배우자의 이혼수단으로 이용되거나 일시 탈선한 가정주부 등을 공갈하는 수단으로 악용되고 있기도 하다.

결국 심판대상조항은 과잉금지원칙에 위배하여 국민의 성적 자기결정권 및 사생활의 비밀과 자유를 침해하는 것으로서 헌법에 위반된다.

035 낙태죄 사건 [헌법불합치]
— 2019. 4. 11. 선고 2017헌바127

판시사항

1. 임신한 여성의 자기낙태를 처벌하는 형법 제269조 제1항(이하 '자기낙태죄 조항'이라 한다)과, 의사가 임신한 여성의 촉탁 또는 승낙을 받아 낙태하게 한 경우를 처벌하는 같은 법 제270조 제1항 중 '의사'에 관한 부분(이하 '의사낙태죄 조항'이라 한다)이 각각 임신한 여성의 자기결정권을 침해하는지 여부(적극)
2. 단순위헌의견이 3인, 헌법불합치의견이 4인인 경우 주문의 표시 및 종전결정의 변경

사건의 개요

청구인은 1994. 3. 31. 산부인과 의사면허를 취득한 사람으로, 2013. 11. 1.경부터 2015. 7. 3.경까지 69회에 걸쳐 부녀의 촉탁 또는 승낙을 받아 낙태하게 하였다는 공소사실(업무상승낙낙태) 등으로 기소되었다. 청구인은 제1심 재판 계속 중, 주위적으로 형법 제269조 제1항, 제270조 제1항이 헌법에 위반되고, 예비적으로 위 조항들의 낙태 객체를 임신 3개월 이내의 태아까지 포함하여 해석하는 것은 헌법에 위반된다고 주장하면서 위헌법률심판제청신청을 하였으나 2017. 1. 25. 그 신청이 기각되었다. 이에 청구인은 2017. 2. 8. 위 조항들에 대하여 같은 취지로 이 사건 헌법소원심판을 청구하였다.

심판대상조항 및 관련조항

형법(1995. 12. 29. 법률 제5057호로 개정된 것)

제269조(낙태) ① 부녀가 약물 기타 방법으로 낙태한 때에는 1년 이하의 징역 또는 200만 원 이하의 벌금에 처한다.

제270조(의사 등의 낙태, 부동의낙태) ① 의사, 한의사, 조산사, 약제사 또는 약종상이 부녀의 촉탁 또는 승낙을 받아 낙태하게 한 때에는 2년 이하의 징역에 처한다.

주문

형법(1995. 12. 29. 법률 제5057호로 개정된 것) 제269조 제1항, 제270조 제1항 중 '의사'에 관한 부분은 모두 헌법에 합치되지 아니한다. 위 조항들은 2020. 12. 31.을 시한으로 입법자가 개정할 때까지 계속 적용된다.

I. 판 단

1. 재판관 유남석, 재판관 서기석, 재판관 이선애, 재판관 이영진의 헌법불합치의견

가. 자기낙태죄 조항에 대한 판단

1) 제한되는 기본권

헌법 제10조 제1문은 "모든 국민은 인간으로서의 존엄과 가치를 가지며, 행복을 추구할 권리를 가진다."라고 규정하고 있는데, 이 조항이 보호하는 인간의 존엄성으로부터 개인의 일반적 인격권이 보장된다. 일반적 인격권은 인간의 존엄성과 밀접한 연관관계를 보이는 자유로운 인격발현의 기본조건을 포괄적으로 보호하는데, 개인의 자기결정권은 일반적 인격권에서 파생된다. 모든 국민은 그의 존엄한 인격권을 바탕으로 하여 자율적으로 자신의 생활영역을 형성해 나갈 수 있는 권리를 가진다.

자기결정권에는 여성이 그의 존엄한 인격권을 바탕으로 하여 자율적으로 자신의 생활영역을 형성해 나갈 수 있는 권리가 포함되고, 여기에는 임신한 여성이 자신의 신체를 임신상태로 유지하여 출산할 것인지 여부에 대하여 결정할 수 있는 권리가 포함되어 있다.

자기낙태죄 조항은 모자보건법이 정한 일정한 예외를 제외하고는 태아의 발달단계 혹은 독자적 생존능력과 무관하게 임신기간 전체를 통틀어 모든 낙태를 전면적·일률적으로 금지하고, 이를 위반할 경우 형벌을 부과하도록 정함으로써, 형법적 제재 및 이에 따른 형벌의 위하력(威嚇力)으로 임신한 여성에게 임신의 유지·출산을 강제하고 있으므로, 임신한 여성의 자기결정권을 제한하고 있다.

2) 임신한 여성의 자기결정권 침해 여부

가) 태아의 생명권과 국가의 생명보호의무

모든 인간은 헌법상 생명권의 주체가 되며, 형성 중의 생명인 태아에게도 생명에 대한 권리가 인정되어야 한다. 태아가 비록 그 생명의 유지를 위하여 모(母)에게 의존해야 하지만, 그 자체로 모(母)와 별개의 생명체이고, 특별한 사정이 없는 한, 인간으로 성장할 가능성이 크기 때문이다. 따라서 태아도 헌법상 생명권의 주체가 되며, 국가는 헌법 제10조 제2문에 따라 태아의 생명을 보호할 의무가 있다.

나) 심사기준

이 사안은 국가가 태아의 생명 보호를 위해 확정적으로 만들어 놓은 자기낙태죄 조항이 임신한 여성의 자기결정권을 제한하고 있는 것이 과잉금지원칙에 위배되어 위헌인지 여부에 대한 것이다. 자기낙태죄 조항의 존재와 역할을 간과한 채 임신한 여성의 자기결정권과 태아의 생명권의 직접적인 충돌을 해결해야 하는 사안으로 보는 것은 적절하지 않다.

다) 입법목적의 정당성 및 수단의 적합성

자기낙태죄 조항은 태아의 생명을 보호하기 위한 것으로서 그 입법목적이 정당하고, 낙태를 방지하기 위하여 임신한 여성의 낙태를 형사처벌하는 것은 이러한 입법목적을 달성하는 데 적합한 수단이다.

라) 침해의 최소성 및 법익의 균형성

임신·출산·육아는 여성의 삶에 근본적이고 결정적인 영향을 미칠 수 있는 중요한 문제이므로, 임신한 여성이 임신을 유지 또는 종결할 것인지 여부를 결정하는 것은 스스로 선택한 인생관·사회관을 바탕으로 자신이 처한 신체적·심리적·사회적·경제적 상황에 대한 깊은 고민을 한 결과를 반영하는 전인적(全人的) 결정이다.

국가에게 태아의 생명을 보호할 의무가 있다고 하더라도 생명의 연속적 발전과정에 대하여 생명이라는 공통요소만을 이유로 하여 언제나 동일한 법적 효과를 부여하여야 하는 것은 아니다. 동일한 생명이라 할지라도 법질서가 생명의 발전과정을 일정한 단계들로 구분하고 그 각 단계에 상이한 법적 효과를 부여하는 것이 불가능하지 않다. … 따라서 국가가 생명을 보호하는 입법적 조치를 취함에 있어 인간생명의 발달단계에 따라 그 보호정도나 보호수단을 달리하는 것은 불가능하지 않다

현 시점에서 최선의 의료기술과 의료 인력이 뒷받침될 경우 태아는 임신 22주 내외부터 독자적인 생존이 가능하다고 한다. 한편 자기결정권이 보장되려면 임신한 여성이 임신 유지와 출산 여부에 관하여 전인적 결정을 하고 그 결정을 실행함에 있어서 충분한 시간이 확보되어야 한다. 이러한 점들을 고려하면, 태아가 모체를 떠난 상태에서 독자적으로 생존할 수 있는 시점인 임신 22주 내외에 도달하기 전이면서 동시에 임신 유지와 출산 여부에 관한 자기결정권을 행사하기에 충분한 시간이 보장되는 시기(이하 착상 시부터 이 시기까지를 '결정가능기간'이라 한다)까지의 낙태에 대해서는 국가가 생명보호의 수단 및 정도를 달리 정할 수 있다고 봄이 타당하다.

국가가 낙태를 전면적으로 금지할 경우, 태아의 생명권은 보호되는 반면 임신한 여성의 자기결정권은 완전히 박탈된다. 반대로 국가가 낙태를 전면적으로 허용할 경우, 임신한 여성의 자기결정권은 보호되는 반면 태아의 생명권은 완전히 박탈된다. 따라서, 국가의 입법조치를 매개로 하여 태아의 생명권과 임신한 여성의 자기결정권은 일응 대립관계에 있다고 볼 수 있다.

낙태갈등 상황에서 형벌의 위하가 임신종결 여부 결정에 미치는 영향이 제한적이라는 사정과 실제로 형사처벌되는 사례도 매우 드물다는 현실에 비추어 보면, 자기낙태죄 조항이 낙태갈등 상황에서 태아의 생명 보호를 실효적으로 하지 못하고 있다고 볼 수 있다.

낙태갈등 상황에 처한 여성은 형벌의 위하로 말미암아 임신의 유지 여부와 관련하여 필요한 사회적 소통을 하지 못하고, 정신적 지지와 충분한 정보를 제공받지 못한 상태에서 안전하지 않은 방법으로 낙태를 실행하게 된다.

모자보건법상의 정당화사유에는 다양하고 광범위한 사회적·경제적 사유에 의한 낙태갈등 상황이 전혀 포섭되지 않는다. 예컨대, 학업이나 직장생활 등 사회활동에 지장이 있을 것에 대한 우려, 소득이 충분하지 않거나 불안정한 경우, 자녀가 이미 있어서 더 이상의 자녀를 감당할 여력이 되지 않는 경우, 상대 남성과 교제를 지속할 생각이 없거나 결혼 계획이 없는 경우, 혼인이

사실상 파탄에 이른 상태에서 배우자의 아이를 임신했음을 알게 된 경우, 결혼하지 않은 미성년자가 원치 않은 임신을 한 경우 등이 이에 해당할 수 있다.

자기낙태죄 조항은 모자보건법에서 정한 사유에 해당하지 않는다면 결정가능기간 중에 다양하고 광범위한 사회적·경제적 사유를 이유로 낙태갈등 상황을 겪고 있는 경우까지도 예외 없이 전면적·일률적으로 임신의 유지 및 출산을 강제하고, 이를 위반한 경우 형사처벌하고 있다.

따라서, 자기낙태죄 조항은 입법목적을 달성하기 위하여 필요한 최소한의 정도를 넘어 임신한 여성의 자기결정권을 제한하고 있어 침해의 최소성을 갖추지 못하였고, 태아의 생명 보호라는 공익에 대하여만 일방적이고 절대적인 우위를 부여함으로써 법익균형성의 원칙도 위반하였다.

마) 결 론

따라서 자기낙태죄 조항은 과잉금지원칙을 위반하여 임신한 여성의 자기결정권을 침해하는 위헌적인 규정이다.

나. 의사낙태죄 조항에 대한 판단

업무상동의낙태죄와 자기낙태죄는 대향범이므로, 임신한 여성의 자기낙태를 처벌하는 것이 위헌이라고 판단되는 경우에는 동일한 목표를 실현하기 위해 부녀의 촉탁 또는 승낙을 받아 낙태하게 한 의사를 형사처벌하는 의사낙태죄 조항도 당연히 위헌이 되는 관계에 있다.

다. 헌법불합치결정의 필요성과 잠정적용의 필요성

자기낙태죄 조항과 의사낙태죄 조항에 대하여 각각 단순위헌결정을 할 경우 임신기간 전체에 걸쳐 행해진 모든 낙태를 처벌할 수 없게 됨으로써 용인하기 어려운 법적 공백이 생기게 된다. 더욱이 입법자는 위 조항들의 위헌적 상태를 제거하기 위해 낙태의 형사처벌에 대한 규율을 형성함에 있어서, 결정가능기간을 어떻게 정하고 결정가능기간의 종기를 언제까지로 할 것인지, 태아의 생명 보호와 임신한 여성의 자기결정권의 실현을 최적화할 수 있는 해법을 마련하기 위해 결정가능기간 중 일정한 시기까지는 사회적·경제적 사유에 대한 확인을 요구하지 않을 것인지 여부까지를 포함하여 결정가능기간과 사회적·경제적 사유를 구체적으로 어떻게 조합할 것인지, 상담요건이나 숙려기간 등과 같은 일정한 절차적 요건을 추가할 것인지 여부 등에 관하여 앞서 우리 재판소가 설시한 한계 내에서 입법재량을 가진다.

따라서 자기낙태죄 조항과 의사낙태죄 조항에 대하여 단순위헌결정을 하는 대신 각각 헌법불합치결정을 선고하되, 다만 입법자의 개선입법이 이루어질 때까지 계속적용을 명하는 것이 타당하다. 입법자는 가능한 한 빠른 시일 내에 개선입법을 해야 할 의무가 있으므로, 늦어도 2020. 12. 31.까지는 개선입법을 이행하여야 하고, 그때까지 개선입법이 이루어지지 않으면 위 조항들은 2021. 1. 1.부터 효력을 상실한다.

2. 재판관 이석태, 재판관 이은애, 재판관 김기영의 단순위헌의견

헌법불합치의견이 지적하는 기간과 상황에서의 낙태까지도 전면적·일률적으로 금지하고, 이를 위반한 경우 형사처벌하는 것은 임신한 여성의 자기결정권을 침해한다는 점에 대하여 헌법불합치의견과 견해를 같이한다. 다만 여기에서 더 나아가 이른바 '임신 제1삼분기(first trimester, 대략 마지막 생리기간의 첫날부터 14주 무렵까지)'에는 어떠한 사유를 요구함이 없이 임신한 여성이 자신의 숙고와 판단 아래 낙태할 수 있도록 하여야 한다는 점, 자기낙태죄 조항 및 의사낙태죄 조항(이하 '심판대상조항들'이라 한다)에 대하여 단순위헌결정을 하여야 한다는 점에서 헌법불합치의견과 견해를 달리 한다.

임신한 여성이 임신의 유지 또는 종결에 관하여 한 전인격적인 결정은 그 자체가 자기결정권의 행사로서 원칙적으로 보장되어야 한다. 다만 이러한 자기결정권도 태아의 성장 정도, 임신 제1삼분기를 경과하여 이루어지는 낙태로 인한 임신한 여성의 생명·건강의 위험성 증가 등을 이유로 제한될 수 있다. 한편, 임신한 여성의 안전성이 보장되는 기간 내의 낙태를 허용할지 여부와 특정한 사유에 따른 낙태를 허용할지 여부의 문제가 결합한다면, 결과적으로 국가가 낙태를 불가피한 경우에만 예외적으로 허용하여 주는 것이 되어 임신한 여성의 자기결정권을 사실상 박탈하게 될 수 있다.

그러므로 태아가 덜 발달하고, 안전한 낙태 수술이 가능하며, 여성이 낙태 여부를 숙고하여 결정하기에 필요한 기간인 임신 제1삼분기에는 임신한 여성의 자기결정권을 최대한 존중하여 그가 자신의 존엄성과 자율성에 터 잡아 형성한 인생관·사회관을 바탕으로 자신이 처한 상황에 대하여 숙고한 뒤 낙태 여부를 스스로 결정할 수 있도록 하여야 한다.

심판대상조항들은 임신 제1삼분기에 이루어지는 안전한 낙태조차 일률적·전면적으로 금지함으로써, 과잉금지원칙을 위반하여 임신한 여성의 자기결정권을 침해한다.

Ⅱ 결 론

자기낙태죄 조항과 의사낙태죄 조항이 헌법에 위반된다는 단순위헌의견이 3인이고, 헌법에 합치되지 아니한다는 헌법불합치의견이 4인이므로, 단순위헌의견에 헌법불합치의견을 합산하면 헌법재판소법 제23조 제2항 단서 제1호에 규정된 법률의 위헌결정을 함에 필요한 심판정족수에 이르게 된다. 따라서 위 조항들에 대하여 주문과 같이 헌법에 합치되지 아니한다고 선언하고, 입법자가 2020. 12. 31. 이전에 개선입법을 할 때까지 위 조항들을 계속 적용하되, 만일 위 일자까지 개선입법이 이루어지지 않는 경우 위 조항들은 2021. 1. 1.부터 그 효력을 상실한다.

아울러 종전에 헌법재판소가 이와 견해를 달리하여 자기낙태죄 조항과 형법(1995. 12. 29. 법률 제5057호로 개정된 것) 제270조 제1항 중 '조산사'에 관한 부분이 헌법에 위반되지 아니한다고 판시한 헌재 2012. 8. 23. 2010헌바402 결정은 이 결정과 저촉되는 범위 내에서 변경하기로 한다.

| 자기책임의 원리 |

 **036** 회계책임자가 300만원 이상의 벌금을 선고받은 경우 후보자의 당선을 무효로 하는 공직선거법 사건 [기각]
― 2010. 3. 25. 선고 2009헌마170

판시사항

1. 회계책임자가 300만 원 이상의 벌금을 선고받은 경우 후보자의 당선을 무효로 하고 있는 구 공직선거법 제265조 본문 중 "회계책임자" 부분(이하 '이 사건 법률조항'이라 한다)이 헌법 제13조 제3항에 위반되는지 여부(소극)
2. 이 사건 법률조항이 헌법상 자기책임의 원칙에 위배되는지 여부(소극)
3. 이 사건 법률조항이 적법절차원칙에 위배되는지 여부(소극)
4. 이 사건 법률조항이 후보자의 공무담임권을 침해하는지 여부(소극)

1. 헌법 제13조 제3항 위반 여부

가. 헌법 제13조 제3항의 규범적 실질내용

헌법 제13조 제3항은 "모든 국민은 자기의 행위가 아닌 친족의 행위로 인하여 불이익한 처우를 받지 아니한다."고 규정하고 있다. 혼인과 출산을 고리로 형성되는 친족관계의 속성상 필요한 때 또는 어떤 입법목적을 추구하기 위하여 필요한 때에 법은 친족 간의 신분이나 재산 그 밖의 법률관계에 관하여 일정한 자유를 제약하거나 책임을 부담시킬 수 있다. 그러나 이러한 법적 규율들이 모두 헌법 제13조 제3항에 의하여 금지되는 것이 아니다. 헌법 제13조 제3항은 '친족의 행위와 본인 간에 실질적으로 의미 있는 아무런 관련성을 인정할 수 없음에도 불구하고 오로지 친족이라는 사유 그 자체만으로' 불이익한 처우를 가하는 경우에만 적용된다. 그 밖의 경우에는 문제된 불이익을 보호하는 다른 헌법규범이나 기본권규범을 찾아 그 친족과의 관계에서 본인에게 그러한 불이익을 주는 것이 과연 합리적 근거가 있는지, 또는 입법목적 달성을 위해 필요한 한도 내의 수단인지를 살펴봄으로써 그러한 법적 규율의 정당성 여부를 충분히 판단할 수 있기 때문이다.

나. 이 사건 법률조항에 대한 판단

위와 같은 헌법 제13조 제3항의 규범적 실질내용에 의거할 때, 후보자의 회계책임자가 300만 원 이상의 벌금형을 선고 받은 경우 후보자의 당선을 무효로 하는 법적 효과를 채택하고 있는 이 사건 법률조항은 헌법 제13조 제3항의 규범적 구성요건에 해당하지 아니한다. 즉, 헌법 제13조 제3항은 '친족의 행위와 본인 간에 실질적으로 의미 있는 아무런 관련성을 인정할 수 없음에도 불구하고 오로지 친족이라는 사유 그 자체만으로' 불이익한 처우를 가하는 경우에만 적용되기 때문이다. 따라서 친족이 회계책임자의 신분을 갖고 있는 경우는 별론으로 하고, 원칙적으로 회계책임자가 친족이 아닌 이상, 이 사건 법률조항은 적어도 헌법 제13조 제3항의 규범적 실질내용에 위배될 수는 없는 것이다.

2. 헌법상 자기책임원칙의 위배 여부

가. 헌법원리로서의 자기책임의 원리

개인의 존엄과 자율성을 인정하는 바탕 위에 서 있는 우리 헌법질서하에서는 자기의 행위가 아닌 타인의 행위에 대하여 책임을 지지 않는 것이 원칙이다. 어떠한 행위를 법률로 금지하고 그 위반을 어떻게 제재할 것인가 하는 문제는 원칙적으로 위반행위의 성질, 위반이 초래하는 사회적·경제적 해악의 정도, 제재로 인한 예방효과 기타 사회적·경제적 현실과 그 행위에 대한 국민의 일반적 인식이나 법감정 등을 종합적으로 고려하여 입법자가 결정하여야 할 분야이나, 법적 제재가 위반행위에 대한 책임의 소재와 전혀 상관없이 이루어지도록 법률이 규정하고 있다면, 이는 자기책임의 범위를 벗어나는 제재로서 헌법위반의 문제를 일으킨다.

헌법 제10조가 정하고 있는 행복추구권에서 파생되는 자기결정권 내지 일반적 행동자유권은 이성적이고 책임감 있는 사람의 자기의 운명에 대한 결정·선택을 존중하되 그에 대한 책임은 스스로 부담함을 전제로 한다. 자기책임의 원리는 이와 같이 자기결정권의 한계논리로서 책임부담의 근거로 기능하는 동시에 자기가 결정하지 않은 것이나 결정할 수 없는 것에 대하여는 책임을 지지 않고, 책임부담의 범위도 스스로 결정한 결과 내지 그와 상관관계가 있는 부분에 국한됨을 의미하는 책임의 한정원리로 기능한다. 이러한 자기책임의 원리는 인간의 자유와 유책성, 그리고 인간의 존엄성을 진지하게 반영한 원리로서 그것이 비단 민사법이나 형사법에 국한된 원리라기보다는 근대법의 기본이념으로서 법치주의에 당연히 내재하는 원리로 볼 것이고, 헌법 제13조 제3항은 그 한 표현에 해당하는 것으로서 자기책임의 원리에 반하는 제재는 그 자체로서 헌법위반을 구성한다고 할 것이다.

나. 이 사건 법률조항에 대한 판단

이 사건 법률조항은 후보자에게 회계책임자의 형사책임을 연대하여 지게 하는 것이 아니라, 선거의 공정성을 해치는 객관적 사실(회계책임자의 불법행위)에 따른 선거결과를 교정하는 것에 불과하고, 또한 후보자는 공직선거법을 준수하면서 공정한 경쟁이 되도록 할 의무가 있는 자로서 후보자 자신뿐만 아니라 최소한 회계책임자 등에 대하여는 선거범죄를 범하지 않도록 지휘·감독할 책임을 지는 것이므로, 이 사건 법률조항은 후보자 '자신의 행위'에 대하여 책임을 지우고 있는 것에 불과하기 때문에, 헌법상 자기책임의 원칙에 위반되지 아니한다.

3. 적법절차 위반 여부

적법절차의 원칙은 누구든지 합리적이고 정당한 법률의 근거가 있고 적법한 절차에 의하지 아니하고는 체포·구속·압수·수색을 당하지 아니함은 물론, 형사처벌 및 행정벌과 보안처분, 강제노역 등을 받지 아니한다는 것으로 이해되는바, 이는 형사절차상의 제한된 범위 내에서만 적용되는 것이 아니라, 국가작용으로서 기본권 제한과 관련되든 아니든 모든 입법작용 및 행정작용에도 광범위하게 적용된다.

한편, 적법절차원칙에서 도출할 수 있는 가장 중요한 절차적 요청 중의 하나로, 당사자에게 적절한 고지(告知)를 행할 것, 당사자에게 의견 및 자료 제출의 기회를 부여할 것을 들 수 있겠으나, 이 원칙이 구체적으로 어떠한 절차를 어느 정도로 요구하는지는 일률적으로 말하기 어렵고, 규율되는 사항의 성질, 관련 당사자의 사익(私益), 절차의 이행으로 제고될 가치, 국가작용의 효율성, 절차에 소요되는 비용, 불복의 기회 등 다양한 요소들을 형량하여 개별적으로 판단할 수밖에 없을 것이다.

별도의 절차를 둘 경우 당선무효라는 법률효과를 받게 될 후보자에게 절차적 보장의 기회가 한 번 더 주어지는 장점이 있는 반면 선거관계의 조기 확정이 어렵고, 회계책임자에 대한 형사재판을 통하여 후보자에게 변명·방어의 기회가 주어질 가능성이 없지 않은 가운데 별도의 절차를 진행하는 것은 절차의 중복과 비효율을 초래할 수 있으며, 또한 그러한 절차는 절차 지연을 통하여 당선무효의 효과를 회피해 보려는 후보자에 의하여 남용될 우려마저 없지 않다. 이와 같이 이 사건 법률조항에 의한 후보자책임의 법적 구조의 특징, 회계책임자에게 재판절차라는 완비된 절차적 보장이 주어진다는 점, 별도 절차의 채부에 따른 장·단점이 나뉜다는 점 등을 종합하면 후보자에 대하여 변명·방어의 기회를 따로 부여하는 절차를 마련하지 않았다는 점만으로 적법절차원칙에 어긋나고 재판청구권을 침해한 것이라고 볼 수 없다.

4. 과잉금지원칙 위반되어 공무담임권을 침해하는지 여부

헌법 제25조는 "모든 국민은 법률이 정하는 바에 의하여 공무담임권을 가진다."고 규정함으로써 법률로 공무담임권의 내용을 형성하도록 하고 있으므로, 일반적으로는 공무담임권의 내용형성 및 제한에 관하여 입법자에게 형성의 여지가 넓다고 할 수도 있다.

회계책임자와 후보자는 선거에 임하여 분리하기 어려운 운명공동체라고 보아 회계책임자의 행위를 곧 후보자의 행위로 의제함으로써 선거부정 방지를 도모하고자 한 입법적 결단이 현저히 잘못되었거나 부당하다고 보기 어려운 이상, 감독상의 주의의무 이행이라는 면책사유를 인정하지 않고 후보자에게 법정 연대책임을 지우는 제도를 형성한 것이 반드시 필요 이상의 지나친 규제를 가하여 가혹한 연대책임을 부과함으로써 후보자의 공무담임권을 침해한다고 볼 수 없다

5. 소 결

이상 살펴본 바와 같이 이 사건 법률조항은 헌법 제13조 제3항에 위반되지 아니하고, 헌법상 자기책임의 원칙, 적법절차원칙 및 과잉금지원칙에 위배되지 아니하므로, 청구인의 공무담임권 및 재판청구권을 침해한다고 할 수 없다.

| 인격의 자유로운 발현권 |

 과외교습금지 사건 [위헌]
— 2000. 4. 27. 선고 98헌가16, 98헌마429(병합)

판시사항

1. 부모의 자녀교육권
2. 교육에 대한 국가의 책임
3. 부모의 자녀교육권과 국가의 교육책임과의 관계
4. 법 제3조에 의하여 제한되는 기본권
5. 기본권 제한의 한계로서의 비례의 원칙
6. 입법목적의 정당성과 수단의 적합성
7. 수단의 최소침해성
8. 법익의 균형성

심판대상조항 및 관련조항

학원의설립·운영에관한법률(각 1995. 8. 4. 법률 제4964호로 전문개정된 이후의 것)

제2조(정의) 이 법에서 사용하는 용어의 정의는 다음과 같다.
   3. "과외교습"이라 함은 초등학교·중학교·고등학교 또는 이에 준하는 학교의 학생이나 학교입학 또는 학력인정에 관한 검정을 위한 수험준비생에게 지식·기술·예능을 교습하는 행위를 말한다. 다만, 다음 각목의 1에 해당하는 행위를 제외한다.
     가. 제1호 각목의 규정에 의한 시설에서 그 설치목적에 따라 행하는 교습행위
     나. 동일호적 내의 친족이 하는 교습행위
     다. 대통령령이 정하는 봉사활동에 속하는 교습행위

제3조(과외교습) 누구든지 과외교습을 하여서는 아니된다. 다만, 다음 각호의 1에 해당하는 경우에는 그러하지 아니하다.
   1. 학원 또는 교습소에서 기술·예능 또는 대통령령이 정하는 과목에 관한 지식을 교습하는 경우
   2. 학원에서 고등학교·대학 또는 이에 준하는 학교에의 입학이나 이를 위한 학력인정에 관한 검정을 받을 목적으로 학습하는 수험준비생에게 교습하는 경우
   3. 대학·교육대학·사범대학·전문대학·방송통신대학·개방대학·기술대학 또는 개별 법률에 의하여 설립된 대학 및 이에 준하는 학교에 재적중인 학생(대학원생을 포함한다)이 교습하는 경우

제22조(벌칙) ① 다음 각호의 1에 해당하는 자는 1년 이하의 징역 또는 300만원 이하의 벌금에 처한다.
   1. 제3조의 규정에 위반하여 과외교습을 한 자

주문

학원의설립·운영에관한법률 제3조, 제22조 제1항 제1호(각 1995. 8. 4. 법률 제4964호로 전문개정된 이후의 것)는 헌법에 위반된다.

I 본안 판단

1. 헌법의 교육이념

가. 부모의 자녀교육권

헌법 제36조 제1항은 "혼인과 가족생활은 개인의 존엄과 양성의 평등을 기초로 성립되고 유지되어야 하며, 국가는 이를 보장한다"고 하여 혼인 및 그에 기초하여 성립된 부모와 자녀의 생활공동체인 가족생활이 국가의 특별한 보호를 받는다는 것을 규정하고 있다. 이 헌법규정은 소극적으로는 국가권력의 부당한 침해에 대한 개인의 주관적 방어권으로서 국가권력이 혼인과 가정이란 사적인 영역을 침해하는 것을 금지하면서, 적극적으로는 혼인과 가정을 제3자 등으로부터 보호해야 할 뿐이 아니라 개인의 존엄과 양성의 평등을 바탕으로 성립되고 유지되는 혼인·가족제도를 실현해야 할 국가의 과제를 부과하고 있다.

'부모의 자녀에 대한 교육권'은 비록 헌법에 명문으로 규정되어 있지는 아니하지만, 이는 모든 인간이 국적과 관계없이 누리는 양도할 수 없는 불가침의 인권으로서 혼인과 가족생활을 보장하는 헌법 제36조 제1항, 행복추구권을 보장하는 헌법 제10조 및 "국민의 자유와 권리는 헌법에 열거되지 아니한 이유로 경시되지 아니한다"고 규정하는 헌법 제37조 제1항에서 나오는 중요한 기본권이다. 헌법재판소는 부모의 중등학교선택권을 제한한 것과 관련하여 "부모는 아직 성숙하지 못하고 인격을 닦고 있는 초·중·고등학생인 자녀를 교육시킬 교육권을 가지고 있으며, 그 교육권의 내용 중 하나로서 자녀를 교육시킬 학교선택권이 인정된다"고 판시한 바 있고(91헌마204), 국정교과서제도와 관련된 사건에서도 학교교육에서 교사의 가르치는 권리는 "자연법적으로는 학부모에게 속하는 자녀에 대한 교육권을 신탁받은 것이고, 실정법상으로는 공교육의 책임이 있는 국가의 위임에 의한 것이다"고 밝힘으로써(89헌마88) 이미 몇 개의 결정을 통하여 부모의 자녀교육권을 인정하였다.

부모의 자녀교육권은 다른 기본권과는 달리, 기본권의 주체인 부모의 자기결정권이라는 의미에서 보장되는 자유가 아니라, 자녀의 보호와 인격발현을 위하여 부여되는 기본권이다. 다시 말하면, 부모의 자녀교육권은 자녀의 행복이란 관점에서 보장되는 것이며, 자녀의 행복이 부모의 교육에 있어서 그 방향을 결정하는 지침이 된다.

부모는 자녀의 교육에 관하여 전반적인 계획을 세우고 자신의 인생관·사회관·교육관에 따라 자녀의 교육을 자유롭게 형성할 권리를 가지며, 부모의 교육권은 다른 교육의 주체와의 관계에서 원칙적인 우위를 가진다.

나. 교육에 대한 국가의 책임

헌법은 제31조 제1항에서 '교육을 받을 권리'를 보장함으로써 국가로부터 교육에 필요한 시설의 제공을 요구할 수 있는 권리 및 각자의 능력에 따라 교육시설에 입학하여 배울 수 있는 권리를 국민의 기본권으로서 보장하면서, 한편, 국민 누구나 능력에 따라 균등한 교육을 받을 수 있게끔 노력해야 할 의무와 과제를 국가에게 부과하고 있는 것이다. '교육을 받을 권리'란, 모든 국민에게 저마다의 능력에 따른 교육이 가능하도록 그에 필요한 설비와 제도를 마련해야 할 국가의 과제와 아울러 이를 넘어 사회적·경제적 약자도 능력에 따른 실질적 평등교육을 받을 수 있도록 적극적인 정책을 실현해야 할 국가의 의무를 뜻한다. 특히 같은 조 제6항은 "학교교육 및 평생교육을 포함한 교육제도와 그 운영, 교육재정 및 교원의 지위에 관한 기본적인 사항은 법률로 정한다"고 함으로써 학교교육에 관한 국가의 권한과 책임을 규정하고 있다. 위 조항은 국가에게 학교제도를 통한 교육을 시행하도록 위임하였고, 이로써 국가는 학교제도에 관한 포괄적인 규율권한과 자녀에 대한 학교교육의 책임을 부여받았다.

학교교육의 영역에서도 부모의 교육권이 국가의 교육권한에 의하여 완전히 배제되는 것은 아니다. 학교교육을 통한 국가의 교육 권한은 부모의 교육권 및 학생의 인격의 자유로운 발현권, 자기결정권에 의하여 헌법적인 한계가 설정된다. 그러나 학교교육에 관한 한, 국가는 헌법 제31조에 의하여 부모의 교육권으로부터 원칙적으로 독립된 독자적인 교육권한을 부여받았고, 따라서 학교교육에 관한 광범위한 형성권을 가지고 있다. 그러므로 국가에 의한 의무교육의 도입이나 취학연령의 결정은 헌법적으로 하자가 없다. 학교제도에 관한 국가의 규율권한과 부모의 교육권이 서로 충돌하는 경우, 어떠한 법익이 우선하는가의 문제는 구체적인 경우마다 법익형량을 통하여 판단해야 하는데, 자녀가 의무교육을 받아야 할지의 여부와 그의 취학연령을 부모가 자유롭게 결정할 수 없다는 것은 부모의 교육권에 대한 과도한 제한이 아니다. 마찬가지로 국가는 교육목표, 학습계획, 학습방법, 학교제도의 조직 등을 통하여 학교교육의 내용과 목표를 정할 수 있는 포괄적인 규율권한을 가지고 있다.

다. 부모의 교육권과 국가의 교육책임과의 관계

자녀의 교육은 일차적으로 부모의 권리이자 의무이지만, 헌법은 부모외에도 국가에게 자녀의 교육에 대한 과제와 의무가 있다는 것을 규정하고 있다. 자녀에 대한 교육의 책임과 결과는 궁극적으로 그 부모에게 귀속된다는 점에서, 국가는 제2차적인 교육의 주체로서 교육을 위한 기본조건을 형성하고 교육시설을 제공하는 기관일 뿐이다. 따라서 자녀의 양육과 교육에 있어서 부모의 교육권은 교육의 모든 영역에서 존중되어야 하며, 다만, 학교교육의 범주내에서는 국가의 교육권한이 헌법적으로 독자적인 지위를 부여받음으로써 부모의 교육권과 함께 자녀의 교육을 담당하지만, 학교 밖의 교육영역에서는 원칙적으로 부모의 교육권이 우위를 차지한다.

2. 이 사건 법률조항의 위헌여부

가. 법 제3조에 의하여 제한되는 기본권

1) 법 제3조는 개인이 국가의 간섭을 받지 아니하고 원하는 직업을 자유롭게 선택할 수 있는 권리를 보장하는 기본권인 직업선택의 자유(헌법 제15조)를 제한하는 규정이다.

 한편, 법 제3조는 학원이나 교습소가 아닌 장소에서 교습비의 유무상 여부 또는 그 액수의 다과를 불문하고 가르치는 행위를 금지하고 있다. 직업의 자유에 의하여 헌법상 보호되는 생활영역인 '직업'은 그 개념상 '어느 정도 지속적인 소득활동'을 그 요건으로 하므로, 무상 또는 일회적·일시적으로 가르치는 행위는 헌법 제15조의 직업의 자유에 의하여 보호되는 생활영역이 아니다. 이러한 성격과 형태의 가르치는 행위는 일반적 행동의 자유에 속하는 것으로서 헌법 제10조의 행복추구권에 의하여 보호된다.

2) 법 제3조는 비록 직접적으로는 과외교습을 하려는 교습자에게만 과외교습을 금지하고 있지만, 그 결과 실질적으로는 학습자의 위치에 있는 초·중·고등학생 등이 학교교육 밖에서 자유로이 배우는 행위를 제한함으로써 배우고자 하는 아동과 청소년의 행복추구권을 제한하고 있다. 행복추구권은 일반적인 행동의 자유와 인격의 자유로운 발현권을 포함하는데, 과외교습금지에 의하여 학생의 '인격의 자유로운 발현권'이 제한된다. 학습자로서의 아동과 청소년은 되도록 국가의 방해를 받지 아니하고 자신의 인격, 특히 성향이나 능력을 자유롭게 발현할 수 있는 권리가 있다.

 아동과 청소년은 인격의 발전을 위하여 어느 정도 부모와 학교의 교사 등 타인에 의한 결정을 필요로 하는 아직 성숙하지 못한 인격체이지만, 부모와 국가에 의한 교육의 단순한 대상이 아닌 독자적인 인격체이며, 그의 인격권은 성인과 마찬가지로 인간의 존엄성 및 행복추구권을 보장하는 헌법 제10조에 의하여 보호된다. 따라서 헌법은 국가의 교육권한과 부모의 교육권의 범주내에서 아동에게도 자신의 교육에 관하여 스스로 결정할 권리, 즉 자유롭게 교육을 받을 권리를 부여한다. 이에 따라 아동은 학교교육외에 별도로 과외교습을 받아야 할지의 여부와 누구로부터 어떠한 형태로 과외교습을 받을 것인가 하는 방법에 관하여 국가의 간섭을 받지 아니하고 자유롭게 결정할 권리를 가진다.

3) 법 제3조에 의하여 제한되는 중요한 기본권은 부모의 자녀에 대한 교육권이다. 부모는 자녀의 교육과 관련하여 무엇이 자녀의 인격발전을 위하여 중요하고 필요한가를 결정할 수 있는 자율영역이 주어져야함은 앞에서 본 바와 같고, 부모의 자녀에 대한 이러한 교육권은 천부적인 권리로서 헌법 제36조 제1항, 제10조, 제37조 제1항에서 파생하는 기본권이다. 따라서 과외교습금지를 규정한 법 제3조는 자녀교육에 대한 결정권인 부모의 교육권을 제한하는 규정이다.

4) 그러므로 법 제3조에 의하여 제한되는 기본권은, 배우고자 하는 아동과 청소년의 인격의 자유로운 발현권, 자녀를 가르치고자하는 부모의 교육권, 과외교습을 하고자 하는 개인의 직업선택의 자유 및 행복추구권이다.

나. 법 제3조의 위헌성

1) 기본권제한의 한계로서의 비례의 원칙

과외교습을 금지하는 법 제3조에 의하여 제기되는 헌법적 문제는 교육의 영역에서의 자녀의 인격발현권·부모의 교육권과 국가의 교육책임의 경계설정에 관한 문제이고, 이로써 국가가 사적인 교육영역에서 자녀의 인격발현권·부모의 자녀교육권을 어느 정도로 제한할 수 있는가에 관한 것이다. 학교교육에 관한 한, 국가는 교육제도의 형성에 관한 폭넓은 권한을 가지고 있지만, 과외교습과 같은 사적으로 이루어지는 교육을 제한하는 경우에는 특히 자녀인격의 자유로운 발현권과 부모의 교육권을 존중해야 한다는 것에 국가에 의한 규율의 한계가 있으므로, 법치국가적 요청인 비례의 원칙을 준수하여야 한다.

2) 입법목적의 정당성과 수단의 적합성

입법자가 헌법적으로 허용되는 정당한 목적을 추구하는 경우에만, 법 제3조에 의한 기본권의 제한은 허용될 수 있다. 사교육의 영역에 관한 한, 우리 사회가 불행하게도 이미 자정능력이나 자기조절능력을 현저히 상실했고, 이로 말미암아 국가가 부득이 개입하지 않을 수 없는 실정이므로, 위와 같이 사회가 자율성을 상실한 예외적인 상황에서는 고액과외교습을 방지하여 사교육에서의 과열경쟁으로 인한 학부모의 경제적 부담을 덜어주고 나아가 국민이 되도록 균등한 정도의 사교육을 받도록 하려는 법 제3조의 입법목적은 입법자가 '잠정적으로' 추구할 수 있는 정당한 공익이라고 하겠다.

수단의 적합성의 관점에서 보더라도 법 제3조가 학원·교습소·대학(원)생에 의한 과외교습을 허용하면서 그밖에 고액과외교습의 가능성이 있는 개인적인 과외교습을 광범위하게 금지하는 규제수단을 택하였고, 이러한 수단이 위 입법목적의 달성에 어느정도 기여한다는 점은 의문의 여지가 없다. 따라서 수단으로서의 적합성도 인정된다 하겠다.

3) 수단의 최소침해성과 법익의 균형성

가) 입법자가 과외교습에 대한 규제를 하고자 하는 경우에는 비록 사회적으로 중대한 위험을 방지하기 위하여 과외교습을 제한하는 경우에도 입법목적을 실현하기에 적합한 여러 수단 중에서 되도록 국민의 기본권을 존중하고 최소로 침해하는 수단을 선택해야 하고, 그 규제의 형식은 '원칙적인 금지'가 아닌 '반사회성을 띤 예외적인 경우'에 한하여 이를 금지하는 것으로 하여야 할 것이다.

나) 입법자는 지나친 고액과외교습을 방지하기 위하여 모든 과외교습에 대하여 '원칙적인 금지와 예외적인 허용'이라는 방식을 채택하였고, 이로써 개인의 과외교습을 전면 금지하였다. 그 결과 '고액과외교습의 방지'라는 입법목적의 달성과 아무런 관련이 없는 교습행위, 즉 고액과외교습의 위험성이 없는 교습행위까지도 광범위하게 금지당하게 되었다.

다) 법 제3조는 과외교습이 그 성질에 비추어 반사회적인 것이 아닐 뿐만 아니라 기본권으로써 보장되는 행위이므로 이를 원칙적으로 허용하되 '반사회성을 띤 예외적인 경우'에 한하여 금지하도록 하여야 할 것임에도, 이를 '원칙적으로 금지하고 예외적으로 허용하는 방식'의 '원칙과 예외'

가 전도된 규율형식을 취하고 있다. 뿐만 아니라 그 내용에 있어서도 규제의 편의성만을 강조하여 입법목적달성의 측면에서 보더라도 금지범위에 포함시킬 불가피한 이유가 없는 행위의 유형까지 광범위하게 포함시키고 있다. 따라서 입법자가 선택한 규제수단인 법 제3조는 입법목적의 달성을 위한 최소한의 불가피한 수단이라고 볼 수 없다.

라) 법익의 균형성의 관점에서 보더라도, 법 제3조와 같은 형태의 사교육에 대한 규율은, 사적인 교육의 영역에서 부모와 자녀의 기본권에 대한 중대한 침해라는 개인적인 차원을 넘어서 국가를 문화적으로 빈곤하게 만들며, 국가간의 경쟁에서 살아남기 힘든 오늘날의 무한경쟁시대에서 문화의 빈곤은 궁극적으로는 사회적·경제적인 후진성으로 이어질 수 밖에 없다. 따라서 법 제3조가 실현하려는 입법목적의 실현효과에 대하여 의문의 여지가 있고, 반면에 법 제3조에 의하여 발생하는 기본권제한의 효과 및 문화국가실현에 대한 불리한 효과가 현저하므로, 법 제3조는 제한을 통하여 얻는 공익적 성과와 제한이 초래하는 효과가 합리적인 비례관계를 현저하게 일탈하여 법익의 균형성을 갖추지 못하고 있다.

4) 소결론

그렇다면 법 제3조는 침해의 최소성과 법익의 균형성을 갖추지 못하여 비례의 원칙에 위반되어 국민의 기본권을 과도하게 침해하는 것이므로 비례의 원칙에 반하여 국민의 자녀교육권, 인격의 자유로운 발현권, 직업선택의 자유를 침해하는 위헌적인 규정이다.

다. 법 제22조 제1항 제1호의 위헌성

법 제22조 제1항 제1호는 법 제3조를 위반한 경우 형벌에 처한다는 형벌조항이므로, 처벌의 전제가 되는 법 제3조가 헌법에 위반된다면 이에 따라 그 형벌규정인 법 제22조 제1항 제1호도 역시 위헌이 될 수밖에 없다. 따라서 법 제22조 제1항 제1호도 헌법에 반한다.

II 결 론

이 사건 법률조항은 모두 헌법에 위반된다고 할 것인 바, 이에는 재판관 정경식, 재판관 이영모, 재판관 한대현의 반대의견이 있는 외에는 관여재판관의 의견이 일치되었으며, 재판관 이영모의 반대의견에 대한 재판관 김용준, 재판관 김문희, 재판관 고중석, 재판관 신창언, 재판관 하경철의 의견이 있음을 덧붙이고, 주문과 같이 결정한다.

038 수능시험의 EBS 교재 연계출제에 관한 사건 [기각, 각하]
— 2018. 2. 22. 선고 2017헌마691

판시사항

1. '2018학년도 대학수학능력시험 시행기본계획' 중 대학수학능력시험의 문항 수 기준 70%를 한국교육방송공사(이하 'EBS'라 한다) 교재와 연계하여 출제한다는 부분(이하 '심판대상계획'이라 한다)이 고등학교 교사들에 대해 기본권 침해 가능성이 인정되는지 여부(소극)
2. 성인이 된 자녀를 둔 부모가 심판대상계획으로 인해 부모의 자녀교육권을 침해받았다고 주장하면서 헌법소원심판을 청구할 수 있는지 여부(소극)
3. 심판대상계획이 2018학년도 대학수학능력시험을 준비하는 학생인 청구인들의 교육을 통한 자유로운 인격발현권을 침해하는지 여부(소극)

사건의 개요

청구인 권○환, 허○민은 각각 2014년과 2017년에 고등학교를 졸업하였고 2018년도 대학수학능력시험(다음부터 '수능시험'이라 한다)에 응시한 뒤 대학에 입학하려고 하는 사람들이다. 청구인 최○식, 윤○희는 고등학교 교사이고, 청구인 이○경은 청구인 허○민의 어머니다.

교육부장관으로부터 수능시험 출제 등 사무를 위탁받은 한국교육과정평가원은 2017. 3. 28. '2018학년도 대학수학능력시험 시행기본계획'(다음부터 '이 사건 계획'이라 한다)을 공표하였는데, 이 사건 계획에는 2018학년도 수능시험의 문항 수 기준 70%를 한국교육방송공사(다음부터 'EBS'라고 한다) 수능교재 및 강의(다음부터 'EBS 교재'라 한다)와 연계하여 출제한다는 내용이 포함되어 있었다. 청구인들은 이 사건 계획에서 수능시험을 EBS 교재와 연계하여 출제하기로 한 것이 청구인들의 기본권을 침해한다고 주장하면서 2017. 6. 20. 이 사건 헌법소원심판을 청구하였다.

심판대상

한국교육과정평가원이 2017. 3. 28. 공표한 이 사건 계획 Ⅱ. 1. 가. 출제 원칙 (1) 중 수능시험의 문항 수 기준 70%를 EBS 교재와 연계하여 출제한다는 부분(다음부터 '심판대상계획'이라 한다)이 청구인들의 기본권을 침해하는지 여부

주문

1. 청구인 권○환, 허○민의 심판청구를 기각한다.
2. 청구인 최○식, 윤○희, 이○경의 심판청구를 각하한다.

I. 적법요건에 대한 판단

고등학교 교사들은 고등학교 교육과정의 내용과 수준에 맞는 교육을 실시하면 되고, 이 사건 계획에 따라 그 이상의 교육 또는 고등학교 교육과정에 포함되지 않는 다른 내용의 교육을 실시하여야 하는 의무를 부담하게 되는 것이 아니다. 고등학교 교사들이 이 사건 계획에 따라 EBS 교재를 참고하여 하는 부담을 질 수는 있지만, 이는 사실상의 부담에 불과할 뿐 EBS 교재를 참고하여야 하는 법적 의무를 부담하는 것도 아니다. 따라서 심판대상계획은 고등학교 교사인 청구인들에 대해 기본권 침해 가능성이 인정되지 않는다.

부모는 아직 성숙하지 못하고 인격을 닦고 있는 미성년 자녀를 교육시킬 교육권을 가지지만, 자녀가 성년에 이르면 자녀 스스로 자신의 기본권 침해를 다툴 수 있으므로 이와 별도로 부모에게 자녀교육권 침해를 다툴 수 있도록 허용할 필요가 없다. 이처럼 심판대상계획이 성년의 자녀를 둔 부모의 자녀교육권을 제한한다고 볼 수 없으므로, 성년의 자녀를 둔 청구인에 대해서는 기본권 침해 가능성이 인정되지 않는다.

II. 본안에 대한 판단

1. 쟁점 정리

청구인 권○환, 허○민은 수능시험을 준비하는 사람들로서 심판대상계획에서 정한 출제 방향과 원칙에 영향을 받을 수밖에 없다. 따라서 수능시험을 준비하면서 무엇을 어떻게 공부하여야 할지에 관하여 스스로 결정할 자유가 심판대상계획에 따라 제한된다. 이는 자신의 교육에 관하여 스스로 결정할 권리, 즉 교육을 통한 자유로운 인격발현권을 제한받는 것으로 볼 수 있다.

한편, 청구인들은 심판대상계획으로 인해 교육을 받을 권리가 침해된다고 주장하지만, 심판대상계획이 헌법 제31조 제1항의 능력에 따라 균등하게 교육을 받을 권리를 직접 제한한다고 보기는 어렵다. 청구인들은 행복추구권도 침해된다고 주장하지만, 행복추구권에서 도출되는 자유로운 인격발현권 침해 여부에 대하여 판단하는 이상 행복추구권 침해 여부에 대해서는 다시 별도로 판단하지 않는다.

2. 교육제도에 관한 입법형성권

국가는 학교에서의 교육목표, 학습계획, 학습방법, 학교조직 등 교육제도를 정하는 데 포괄적 규율권한과 폭넓은 입법형성권을 갖는다. 대학 입학전형자료의 하나인 수능시험은 대학 진학을 위해 필요한 것이지만, 고등학교 교육과정에 대한 최종적이고 종합적인 평가로서 학교교육 제도와 밀접한 관계에 있다. 따라서 국가는 수능시험의 출제 방향이나 원칙을 어떻게 정할 것인지에 대해서도 폭넓은 재량권을 갖는다.

국가의 공권력행사가 학생의 자유로운 인격발현권을 제한하는 경우에도 헌법 제37조 제2항에 따른 한계를 준수하여야 한다. 다만, 국가는 수능시험 출제 방향이나 원칙을 정할 때 폭넓은 재량권을 가지므로, 심판대상계획이 청구인들의 기본권을 침해하는지 여부를 심사할 때 이러한 국가의 입법형성권을 감안하여야 한다.

3. 목적의 정당성과 수단의 적절성

심판대상계획은 사교육비를 줄이고 학교교육을 정상화하는 것을 목적으로 하므로 목적의 정당성이 인정된다. EBS는 지상파방송국으로서 손쉽게 시청이 가능하므로, 수능시험을 EBS 교재와 높은 비율로 연계하는 경우 수능시험을 준비하는 학생들의 이에 대한 의존도가 높아져 사교육을 어느 정도 진정시킬 수 있다. 학교는 EBS 교재를 보충 교재로 사용하는 등의 방법으로 학생들의 수업 집중도를 높이고 수능시험에 대한 불안감을 줄여줄 수 있으며, 학생들로 하여금 사교육에 의존하지 않고 스스로 학습하도록 유도해 갈 수도 있다. 따라서 수단의 적절성도 인정된다.

4. 침해 최소성

심판대상계획은 수능시험을 EBS 교재와 70% 수준으로 연계하겠다는 것을 내용으로 할 뿐, 다른 학습방법이나 사교육을 금지하는 것이 아니어서, 학생들은 EBS 교재 외에 다른 교재나 강의, 스스로 원하는 학습방법을 선택하여 수능시험을 준비하거나 공부할 수 있다. 또 수능시험이 EBS 교재에 나온 문제를 그대로 출제하는 것이 아니라, 지문이나 도표 등 자료를 활용하고 핵심 제재나 논지를 활용하는 등의 방법으로 연계되므로, 고등학교 교육과정의 중요 개념이나 원리를 이해하고 있으면 EBS 교재를 공부하지 않더라도 수능시험을 치르는데 큰 지장을 초래한다고 보기 어렵다. 한편 정부는 EBS 교재 연계제도를 융통성 없이 항구적으로 시행하려는 것이 아니라 그 시행 성과를 분석하여 연계 비율을 축소하거나 연계 방법을 개선하는 방안 나아가 연계제도를 폐지하는 방안까지 다양한 개선안을 검토하고 있다. 이런 사정을 종합하여 보면, 심판대상계획은 침해 최소성 원칙에 위배된다고 볼 수 없다.

5. 법익 균형성

심판대상계획이 추구하는 학교교육 정상화와 사교육비 경감이라는 공익은 매우 중요한 반면, 심판대상계획에 따라 수능시험을 준비하는 사람들이 안게 되는 EBS 교재를 공부하여야 하는 부담은 상대적으로 가볍다. 심판대상계획은 법익 균형성도 갖추었다.

6. 결 론

심판대상계획이 과잉금지원칙에 위배하여 청구인 권○환, 허○민의 자유로운 인격발현권을 침해한다고 볼 수 없다.

III 결 론

청구인 권○환·허○민의 심판청구는 기각하고, 청구인 최○식·윤○희·이○경의 심판청구는 각하하기로 하여, 관여 재판관 전원의 일치된 의견으로 주문과 같이 결정한다.

제3장 평등권

039 제대군인 가산점 제도 사건 [위헌]
― 1999. 12. 23. 선고 98헌마363

판시사항

1. 제대군인이 공무원채용시험 등에 응시한 때에 과목별 득점에 과목별 만점의 5% 또는 3%를 가산하는 제대군인가산점제도(이하 "가산점제도")가 헌법에 근거를 둔 것인지 여부(소극)
2. 가산점제도로 인한 차별의 대상
3. 가산점제도의 평등위반여부를 심사함에 있어 적용되는 심사척도
4. 가산점제도로 여성, 신체장애자 등의 평등권이 침해되는지 여부(적극)
5. 가산점제도로 여성, 신체장애자 등의 공무담임권이 침해되는지 여부(적극)

사건의 개요

청구인 이○○은 1998. 2. E여자대학교를 졸업한 여성으로서 7급 국가공무원 공개경쟁채용시험에 응시하기 위하여 준비중에 있으며, 청구인 김□□는 Y대학교 4학년에 재학중이던 신체장애가 있는 남성으로서 역시 7급 국가공무원 공개경쟁채용시험에 응시하기 위하여 준비중에 있다. 청구인들은 제대군인이 6급 이하의 공무원 또는 공·사기업체의 채용시험에 응시한 때에 필기시험의 각 과목별 득점에 각 과목별 만점의 5퍼센트 또는 3퍼센트를 가산하도록 규정하고 있는 제대군인지원에관한법률 제8조 제1항, 제3항 및 동법시행령 제9조가 자신들의 헌법상 보장된 평등권, 공무담임권, 직업선택의 자유를 침해하고 있다고 주장하면서 1998. 10. 19. 이 사건 헌법소원심판을 청구하였다.

심판대상조항 및 관련조항

제대군인지원에관한법률(1997. 12. 31. 법률 제5482호로 제정된 것. 이하 "이 법"이라 한다)

제8조(채용시험의 가점) ① 제7조 제2항의 규정에 의한 취업보호실시기관이 그 직원을 채용하기 위한 시험을 실시할 경우에 제대군인이 그 채용시험에 응시한 때에는 필기시험의 각 과목별 득점에 각 과목별 만점의 5퍼센트의 범위안에서 대통령령이 정하는 바에 따라 가산한다. 이 경우 취업보호실시기관이 필기시험을 실시하지 아니한 때에는 그에 갈음하여 실시하는 실기시험·서류전형 또는 면접시험의 득점에 이를 가산한다.
③ 취업보호실시기관이 실시하는 채용시험의 가점대상직급은 대통령령으로 정한다.

제대군인지원에관한법률 시행령(1998. 8. 21. 대통령령 제15870호로 제정된 것. 이하 "이 시행령"이라 한다)

제9조 (채용시험의 가점비율 등) ① 법 제8조 제1항의 규정에 의하여 제대군인이 채용시험에 응시하는 경우의 시험만점에 대한 가점비율은 다음 각호의 1과 같다.
    1. 2년 이상의 복무기간을 마치고 전역한 제대군인 : 5퍼센트
    2. 2년 미만의 복무기간을 마치고 전역한 제대군인 : 3퍼센트
② 법 제8조 제3항의 규정에 의한 채용시험의 가점대상직급은 다음 각호와 같다.
    1. 국가공무원법 제2조 및 지방공무원법 제2조에 규정된 공무원중 6급이하 공무원 및 기능직공무원의 모든 직급
    2. 국가유공자등예우및지원에관한법률 제30조 제2호에 규정된 취업보호실시기관의 신규채용 사원의 모든 직급

주문

제대군인지원에관한법률(1997. 12. 31. 법률 제5482호로 제정된 것) 제8조 제1항, 제3항 및 동법시행령(1998. 8. 21. 대통령령 제15870호로 제정된 것) 제9조는 헌법에 위반된다.

I. 본안에 관한 판단

1. 가산점제도의 근거

헌법 제39조 제2항은 병역의무를 이행한 사람에게 보상조치를 취하거나 특혜를 부여할 의무를 국가에게 지우는 것이 아니라, 법문 그대로 병역의무의 이행을 이유로 불이익한 처우를 하는 것을 금지하고 있을 뿐이다. 그리고 이 조항에서 금지하는 "불이익한 처우"라 함은 단순한 사실상, 경제상의 불이익을 모두 포함하는 것이 아니라 법적인 불이익을 의미하는 것으로 보아야 한다. 그런데 가산점제도는 이러한 헌법 제39조 제2항의 범위를 넘어 제대군인에게 일종의 적극적 보상조치를 취하는 제도라고 할 것이므로 이를 헌법 제39조 제2항에 근거한 제도라고 할 수 없다.

제대군인은 헌법 제32조 제6항에 규정된 "국가유공자상이군경 및 전몰군경의 유가족"에 해당하지 아니하므로 이 헌법조항도 가산점제도의 근거가 될 수 없으며, 달리 헌법상의 근거를 찾아볼 수 없다.

2. 평등권 침해여부

가. 차별의 대상

전체여성 중의 극히 일부분만이 제대군인에 해당될 수 있는 반면, 남자의 대부분은 제대군인에 해당하므로 가산점제도는 실질적으로 성별에 의한 차별이고, 신체건장한 남자와 그렇지 못한 남자, 즉 병역면제자와 보충역복무를 하게 되는 자를 차별하는 제도이다.

나. 심사의 척도

가) 평등위반 여부를 심사함에 있어 엄격한 심사척도에 의할 것인지, 완화된 심사척도에 의할 것인지는 입법자에게 인정되는 입법형성권의 정도에 따라 달라지게 될 것이다. 먼저 헌법에서 특별히 평등을 요구하고 있는 경우 엄격한 심사척도가 적용될 수 있다. 헌법이 스스로 차별의 근거로 삼아서는 아니되는 기준을 제시하거나 차별을 특히 금지하고 있는 영역을 제시하고 있다면 그러한 기준을 근거로 한 차별이나 그러한 영역에서의 차별에 대하여 엄격하게 심사하는 것이 정당화된다. 다음으로 차별적 취급으로 인하여 관련 기본권에 대한 중대한 제한을 초래하게 된다면 입법형성권은 축소되어 보다 엄격한 심사척도가 적용되어야 할 것이다.

나) 그런데 가산점제도는 엄격한 심사척도를 적용하여야 하는 위 두 경우에 모두 해당한다. 헌법 제32조 제4항은 "여자의 근로는 특별한 보호를 받으며, 고용·임금 및 근로조건에 있어서 부당한 차별을 받지 아니한다"고 규정하여 "근로" 내지 "고용"의 영역에 있어서 특별히 남녀평등을 요구하고 있는데, 가산점제도는 바로 이 영역에서 남성과 여성을 달리 취급하는 제도이기 때문이고, 또한 가산점제도는 헌법 제25조에 의하여 보장된 공무담임권이라는 기본권의 행사에 중대한 제약을 초래하는 것이기 때문이다.

이와 같이 가산점제도에 대하여는 엄격한 심사척도가 적용되어야 하는데, 엄격한 심사를 한다는 것은 자의금지원칙에 따른 심사, 즉 합리적 이유의 유무를 심사하는 것에 그치지 아니하고 비례성원칙에 따른 심사, 즉 차별취급의 목적과 수단간에 엄격한 비례관계가 성립하는지를 기준으로 한 심사를 행함을 의미한다.

다. 가산점제도의 평등위반성

1) 가산점제도의 입법목적

공무원채용시험 응시 등 취업준비에 있어 제대군인이 아닌 사람에 비하여 상대적으로 불리한 처지에 놓이게 된 제대군인의 사회복귀를 지원한다는 것은 입법정책적으로 얼마든지 가능하고 또 매우 필요하다고 할 수 있으므로 이 입법목적은 정당하다.

2) 차별취급의 적합성 여부

제대군인에 대하여 여러 가지 사회정책적 지원을 강구하는 것이 필요하다 할지라도, 그것이 사회공동체의 다른 집단에게 동등하게 보장되어야 할 균등한 기회 자체를 박탈하는 것이어서는 아니되는데, 가산점제도는 아무런 재정적 뒷받침없이 제대군인을 지원하려 한 나머지 결과적으로 여성과 장애인 등 이른바 사회적 약자들의 희생을 초래하고 있어 정책수단으로서의 적합성과 합리성을 상실한 것이다.

가산점제도는 수많은 여성들의 공직진출에의 희망에 걸림돌이 되고 있으며, 공무원채용시험의 경쟁률이 매우 치열하고 합격선도 평균 80점을 훨씬 상회하고 있으며 그 결과 불과 영점 몇 점 차이로 당락이 좌우되고 있는 현실에서 각 과목별 득점에 각 과목별 만점의 5퍼센트 또는 3퍼센트를 가산함으로써 합격여부에 결정적 영향을 미쳐 가산점을 받지 못하는 사람들을 6급이하의 공무원 채용에 있어서 실질적으로 거의 배제하는 것과 마찬가지의 결과를 초래하고 있고, 제대군인에 대한 이러한 혜택을 몇 번이고 아무런 제한없이 부여함으로써 한 사람의 제대군인을 위하여 몇 사람의 비(非)제대군인의 기회가 박탈당할 수 있게 하는 등 차별취급을 통하여 달성하려는 입법목적의 비중에 비하여 차별로 인한 불평등의 효과가 극심하므로 가산점제도는 차별취급의 비례성을 상실하고 있다.

그렇다면 가산점제도는 제대군인에 비하여, 여성 및 제대군인이 아닌 남성을 부당한 방법으로 지나치게 차별하는 것으로서 헌법 제11조에 위배되며, 이로 인하여 청구인들의 평등권이 침해된다.

3. 공무담임권의 침해여부

가. 공무담임권과 능력주의

직업공무원으로의 공직취임권에 관하여 규율함에 있어서는 임용희망자의 능력·전문성·적성·품성을 기준으로 하는 이른바 능력주의 또는 성과주의를 바탕으로 하여야 한다. 헌법은 이 점을 명시적으로 밝히고 있지 아니하지만, 헌법 제7조에서 보장하는 직업공무원제도의 기본적 요소에 능력주의가 포함되는 점에 비추어 헌법 제25조의 공무담임권 조항은 모든 국민이 누구나 그 능력과 적성에 따라 공직에 취임할 수 있는 균등한 기회를 보장함을 내용으로 한다고 할 것이다. 따라서 공직자선발에 관하여 능력주의에 바탕한 선발기준을 마련하지 아니하고 해당 공직이 요구하는 직무수행능력과 무관한 요소, 예컨대 성별·종교·사회적 신분·출신지역 등을 기준으로 삼는 것은 국민의 공직취임권을 침해하는 것이 된다.

다만, 헌법의 기본원리나 특정조항에 비추어 능력주의원칙에 대한 예외를 인정할 수 있는 경우가 있다. 그러한 헌법원리로는 우리 헌법의 기본원리인 사회국가원리를 들 수 있고, 헌법조항으로는 여자·연소자근로의 보호, 국가유공자·상이군경 및 전몰군경의 유가족에 대한 우선적 근로기회의 보장을 규정하고 있는 헌법 제32조 제4항 내지 제6항, 여자·노인·신체장애자 등에 대한 사회보장의무를 규정하고 있는 헌법 제34조 제2항 내지 제5항 등을 들 수 있다. 이와 같은 헌법적 요청이 있는 경우에는 합리적 범위안에서 능력주의가 제한될 수 있다.

나. 가산점제도의 공무담임권 침해성

제대군인 지원이라는 입법목적은 예외적으로 능력주의를 제한할 수 있는 정당한 근거가 되지 못하는데도 불구하고 가산점제도는 능력주의에 기초하지 아니하고 성별, '현역복무를 감당할 수 있을 정도로 신체가 건강한가'와 같은 불합리한 기준으로 여성과 장애인 등의 공직취임권을 지나치게 제약하는 것으로서 헌법 제25조에 위배되고, 이로 인하여 청구인들의 공무담임권이 침해된다.

Ⅱ 결 론

그렇다면 제대군인지원에관한법률 제8조 제1항 및 제3항, 동법시행령 제9조는 청구인들의 평등권과 공무담임권을 침해하는 위헌인 법률조항이므로 주문과 같이 결정한다.

 **남자에 한하여 병역의무를 부과한 병역법 사건** [기각, 각하]
- 2010. 11. 25. 선고 2006헌마328

판시사항

1. 대한민국 국민인 남자는 18세부터 제1국민역에 편입되도록 한 구 병역법(이하 '구 병역법'이라 한다) 제8조 제1항에 대한 헌법소원 심판청구의 청구기간 도과 여부(적극)
2. 대한민국 국민인 남자에 한하여 병역의무를 부과한 구 병역법 제3조 제1항 전문(이하 '이 사건 법률조항'이라 한다)의 평등권 침해 여부(소극)

심판대상조항 및 관련조항

구 병역법(1983. 12. 31. 법률 제3696호로 개정되고, 2009. 6. 9. 법률 제9754호로 개정되기 전의 것)

제3조(병역의무) ① 대한민국 국민인 남자는 헌법과 이 법이 정하는 바에 의하여 병역의무를 성실히 수행하여야 한다. 여자는 지원에 의하여 현역에 한하여 복무할 수 있다.

제8조(제1국민역에의 편입 및 편입대상자신고) ① 대한민국 국민인 남자는 18세부터 제1국민역에 편입된다.

1. 재판관 이강국, 재판관 김희옥, 재판관 이동흡, 재판관 송두환의 기각의견

가. 이 사건 법률조항의 평등권침해 여부

1) 심사기준

가) 헌법 제11조 제1항은 "모든 국민은 법 앞에 평등하다."고 선언하면서, 이어서 "누구든지 성별·종교 또는 사회적 신분에 의하여 정치적·경제적·사회적·문화적 생활의 모든 영역에 있어서 차별을 받지 아니한다."고 규정하고 있다.

이 사건 법률조항은 '성별'을 기준으로 병역의무를 달리 부과하도록 한 규정이고, 이는 헌법 제11조 제1항 후문이 예시하는 사유에 기한 차별임은 분명하다. 그러나 헌법 제11조 제1항 후문의 위와 같은 규정은 불합리한 차별의 금지에 초점이 있고, 예시한 사유가 있는 경우에 절대적으로 차별을 금지할 것을 요구함으로써 입법자에게 인정되는 입법형성권을 제한하는 것은 아니다.

성별에 의한 차별취급이 곧바로 위헌의 강한 의심을 일으키는 사례군으로서 언제나 엄격한 심사를 요구하는 것이라고 단정짓기는 어렵다.

우리 헌법은 '근로', '혼인과 가족생활' 등 인간의 활동의 주요부분을 차지하는 영역으로서 성별에 의한 불합리한 차별적 취급을 엄격하게 통제할 필요가 있는 영역에 대하여는 양성평등 보호규정(제32조 제4항, 제36조 제1항)을 별도로 두고 있으며, 헌법재판소는 위와 같이 헌법이 특별히 양성평등을 요구하는 경우에는 엄격한 심사기준을 적용하여 왔으나, 이 사건 법률조항은 그에 해당한다고 보기 어렵다.

나) '국가의 안전보장'은 국가의 존립과 영토의 보존, 국민의 생명·안전의 수호를 위한 불가결한 전제조건이자 모든 국민이 자유를 행사하기 위한 기본적 전제조건으로서 헌법상 인정되는 중대한 법익이고, 국방의 의무는 국가의 안전보장을 실현하기 위하여 헌법이 채택한 하나의 중요한 수단이다. 즉 우리 헌법은 제39조 제1항에서 "모든 국민은 법률이 정하는 바에 의하여 국방의 의무를 진다."고 규정하는바, 모든 국민은 외부 적대세력의 직·간접적인 침략행위로부터 국가의 독립을 유지하고 영토를 보전하기 위하여 법률이 정하는 바에 의한 의무를 진다고 할 것이다. 현재 국방의 의무는 병역법과 향토예비군설치법, 민방위기본법, 비상대비 자원관리법, 징발법, 재난 및 안전관리 기본법 등 여러 법률을 통하여 구체화되어 있는바, 병역법에서 구체화된 국방의 의무를 이행함에 있어서 그 의무자의 기본권이 여러 가지 면에서 제약을 받게 되는 점은 인정되나, 이는 헌법상의 국방의 의무의 규정에 의하여 이미 예정되어 있는 것으로서, 국가나 공익목적을 위하여 개인이 특별한 희생을 하는 것이라고 할 수 없으므로 관련 기본권에 대한 중대한 제한이 인정된다고 보기는 어렵다.

다) 결국 이 사건 법률조항이 헌법이 특별히 평등을 요구하는 경우나 관련 기본권에 중대한 제한을 초래하는 경우의 차별취급을 그 내용으로 하고 있다고 보기 어려운 점, 징집대상자의 범위 결정에 관하여는 입법자의 광범위한 입법형성권이 인정되는 점에 비추어, 이 사건 법률조항이 평등권을 침해하는지 여부는 완화된 심사척도에 따라 자의금지원칙 위반 여부에 의하여 판단하기로 한다.

2) 판 단

집단으로서의 남자는 집단으로서의 여자에 비하여 보다 전투에 적합한 신체적 능력을 갖추고 있으며, 개개인의 신체적 능력에 기초한 전투적합성을 객관화하여 비교하는 검사체계를 갖추는 것이 현실적으로 어려운 점, 신체적 능력이 뛰어난 여자의 경우에도 월경이나 임신, 출산 등으로 인한 신체적 특성상 병력자원으로 투입하기에 부담이 큰 점 등에 비추어 남자만을 징병검사의 대상이 되는 병역의무자로 정한 것이 현저히 자의적인 차별취급이라 보기 어렵다. 한편 보충역이나 제2국민역 등은 국가비상사태에 즉시 전력으로 투입될 수 있는 예비적 전력으로서 병력동원이나 근로소집의 대상이 되는바, 평시에 현역으로 복무하지 않는다고 하더라도 병력자원으로서 일정한 신체적 능력이 요구된다고 할 것이므로 보충역 등 복무의무를 여자에게 부과하지 않은 것이 자의적이라 보기도 어렵다. 결국 이 사건 법률조항이 성별을 기준으로 병역의무자의 범위를 정한 것은 자의금지원칙에 위배하여 평등권을 침해하지 않는다.

041 직계비속 고소금지 규정 사건 [합헌]
― 2011. 2. 24. 선고 2008헌바56

판시사항 및 결정요지

자기 또는 배우자의 직계존속을 고소하지 못하도록 규정한 형사소송법 제224조(1954. 9. 23. 법률 제341호로 제정된 것, 이하 '이 사건 법률조항'이라 한다)가 비속을 차별 취급하여 평등권을 침해하는지 여부(소극)

가. 심사의 기준

범죄 피해자의 고소권은 그 자체로 헌법상의 기본권의 성격을 갖는 것이 아니라 형사절차상의 법적인 권리에 불과하지만, 한편으로는 국민의 재판절차진술권 행사의 전제가 되기도 하므로, 이 점에서 이 사건 법률조항이 비속인 범죄피해자의 재판절차진술권 행사에 중대한 제한을 초래하는 것인지 여부에 대한 판단이 필요하다.

범죄피해자의 헌법상 보장된 재판절차진술권의 행사 여부는 기소의 여부에 따라 결정되는데, 먼저 비친고죄에 있어서는 고소의 존부와 무관하게 기소될 가능성이 있으므로, 이 사건 법률조항은 재판절차진술권의 행사에 간접적·사실적인 제약을 초래할 뿐이라 할 것이며, 이를 두고 재판절차진술권에 중대한 제한을 초래하는 경우에 해당한다고 판단하기는 어렵다.

반면, 친고죄에 있어서는 이 사건 법률조항으로 인하여 비속인 범죄피해자는 예외적인 경우를 제외하고는 원칙적으로 재판절차진술권의 행사를 보장받지 못하게 되므로 재판절차진술권의 행사에 중대한 제한을 받게 됨을 부정할 수 없다. 그러나, 일부 범죄에 대하여는 특별법으로 직계존속의 경우에도 고소를 할 수 있도록 규정하고 있어, 이러한 점들을 고려해 볼 때 친고죄의 경우든 비친고죄의 경우든 이 사건 법률조항이 재판절차진술권의 중대한 제한을 초래한다고 보기는 어려우므로, 이 사건 법률조항이 평등원칙에 위반되는지 여부에 대한 판단은 완화된 자의심사에 따라 차별에 합리적인 이유가 있는지를 따져보는 것으로 족하다 할 것이다.

나. 차별의 합리성 여부

범죄피해자의 고소권은 형사절차상의 법적인 권리에 불과하므로 원칙적으로 입법자가 그 나라의 고유한 사법문화와 윤리관, 문화전통을 고려하여 합목적적으로 결정할 수 있는 넓은 입법형성권을 갖는다. 가정의 영역에서는 법률의 역할보다 전통적 윤리의 역할이 더 강조되고, 그 윤리에는 인류 공통의 보편적인 윤리와 더불어 그 나라와 사회가 선택하고 축적해 온 고유한 문화전통과 윤리의식이 강하게 작용할 수밖에 없다. 우리는 오랜 세월동안 유교적 전통을 받아들이고 체화시켜 오는 현재에 이르기까지 일정한 부분 엄연히 우리의 고유한 의식으로 남아 있다. 이러한 측면에서 '효'라는 우리 고유의 전통규범을 수호하기 위하여 비속이 존속을 고소하는 행위의 반윤리성을 억제하고자 이를 제한하는 것은 합리적인 근거가 있는 차별이라고 할 수 있다.

따라서, 이 사건 법률조항은 헌법 제11조 제1항의 평등원칙에 위반되지 아니한다.

042 외국인산업기술연수생에 대한 근로기준법 제외 사건 [위헌, 각하]
― 2007. 8. 30. 선고 2004헌마670

판시사항 및 결정요지

1. 근로의 권리에 관한 외국인의 기본권 주체성(한정 적극)

근로의 권리가 "일할 자리에 관한 권리"만이 아니라 "일할 환경에 관한 권리"도 함께 내포하고 있는바, 후자는 인간의 존엄성에 대한 침해를 방어하기 위한 자유권적 기본권의 성격도 갖고 있어 건강한 작업환경, 일에 대한 정당한 보수, 합리적인 근로조건의 보장 등을 요구할 수 있는 권리 등을 포함한다고 할 것이므로 외국인 근로자라고 하여 이 부분에까지 기본권 주체성을 부인할 수는 없다. 즉 근로의 권리의 구체적인 내용에 따라, 국가에 대하여 고용증진을 위한 사회적·경제적 정책을 요구할 수 있는 권리는 사회권적 기본권으로서 국민에 대하여만 인정해야 하지만, 자본주의 경제질서하에서 근로자가 기본적 생활수단을 확보하고 인간의 존엄성을 보장받기 위하여 최소한의 근로조건을 요구할 수 있는 권리는 자유권적 기본권의 성격도 아울러 가지므로 이러한 경우 외국인 근로자에게도 그 기본권 주체성을 인정함이 타당하다.

2. 외국인산업기술연수생의 보호 및 관리에 관한 지침(1998. 2. 23. 노동부 예규 제369호로 개정된 것) **제4조, 제8조 제1항 및 제17조가 헌법소원의 대상이 되는 공권력의 행사에 해당하는지 여부(적극)**

행정규칙이라도 재량권행사의 준칙으로서 그 정한 바에 따라 되풀이 시행되어 행정관행을 이루게 되면, 행정기관은 평등의 원칙이나 신뢰보호의 원칙에 따라 상대방에 대한 관계에서 그 규칙에 따라야 할 자기구속을 당하게 되는바, 이 경우에는 대외적 구속력을 가진 공권력의 행사가 된다.

지방노동관서의 장은, 사업주가 이 사건 노동부 예규 제8조 제1항의 사항을 준수하도록 행정지도를 하고, 만일 이러한 행정지도에 위반하는 경우에는 연수추천단체에 필요한 조치를 요구하며, 사업주가 계속 이를 위반한 때에는 특별감독을 실시하여 제8조 제1항의 위반사항에 대하여 관계 법령에 따라 조치하여야 하는 반면, 사업주가 근로기준법상 보호대상이지만 제8조 제1항에 규정되지 않은 사항을 위반한다 하더라도 행정지도, 연수추천단체에 대한 요구 및 관계 법령에 따른 조치 중 어느 것도 하지 않게 되는바, 지방노동관서의 장은 평등 및 신뢰의 원칙상 모든 사업주에 대하여 이러한 행정관행을 반복할 수밖에 없으므로, 결국 위 예규는 대외적 구속력을 가진 공권력의 행사가 된다.

나아가 위 예규 제4조와 제8조 제1항이 근로기준법 소정 일부 사항만을 보호대상으로 삼고 있으므로 청구인이 주장하는 평등권 등 기본권을 침해할 가능성도 있다. 그렇다면 이 사건 노동부 예규는 대외적인 구속력을 갖는 공권력행사로서 기본권침해의 가능성도 있으므로 헌법소원의 대상이 된다 할 것이다.

3. 이 사건 노동부 예규가 청구인의 평등권을 침해하는지 여부(적극)

이 사건 노동부 예규는 근로의 권리를 어느 범위까지 보호할 것인가에 관한 것인바, 이는 헌법에서 특별히 평등을 요구하는 부분이 아니고 특히 근로의 권리는 사회권적 기본권으로서의 성격이 강하여 그 보호범위를 제한하는 것이 기본권에 대한 중대한 침해가 된다고 보기도 어려우므로 평등권 심사에 있어서의 완화된 심사기준인 자의(恣意)금지원칙에 따라 판단하여야 할 것이다.

산업연수생이 연수라는 명목하에 사업주의 지시·감독을 받으면서 사실상 노무를 제공하고 수당 명목의 금품을 수령하는 등 실질적인 근로관계에 있는 경우에도, 근로기준법이 보장한 근로기준 중 주요사항을 외국인 산업연수생에 대하여만 적용되지 않도록 하는 것은 합리적인 근거를 찾기 어렵다. 특히 이 사건 중소기업청 고시에 의하여 사용자의 법 준수능력이나 국가의 근로감독능력 등 사업자의 근로기준법 준수와 관련된 제반 여건이 갖추어진 업체만이 연수업체로 선정될 수 있으므로, 이러한 사업장에서 실질적 근로자인 산업연수생에 대하여 일반 근로자와 달리 근로기준법의 일부 조항의 적용을 배제하는 것은 자의적인 차별이라 아니할 수 없다.

근로기준법 제5조와 '국제연합의 경제적·사회적 및 문화적 권리에 관한 국제규약' 제4조에 따라 '동등한 가치의 노동에 대하여 동등한 근로조건을 향유할 권리'를 제한하기 위하여는 법률에 의하여만 하는바, 이를 행정규칙에서 규정하고 있으므로 위 법률유보의 원칙에도 위배된다.

그렇다면, 이 사건 노동부 예규는 청구인의 평등권을 침해한다고 할 것이다.

043 공중보건의사의 군사교육 소집기간 보수 미지급 사건 [기각]
- 2020. 9. 24. 선고 2017헌마643

판시사항 및 결정요지

공중보건의사에 편입되어 군사교육에 소집된 사람을 군인보수법의 적용대상에서 제외하여 군사교육 소집기간 동안의 보수를 지급하지 않도록 한 군인보수법 제2조 제1항 중 '군사교육소집된 자' 가운데 '병역법 제5조 제1항 제3호 나목 4) 공중보건의사'에 관한 부분(이하 '심판대상조항'이라 한다)이 평등권을 침해하는지 여부(소극)

가. 심사기준

병역의무 이행자들에 대한 보수는 병역의무 이행과 교환적 대가관계에 있는 것이 아니라 병역의무 이행의 원활한 수행을 장려하고 병역의무 이행자들의 처우를 개선하여 병역의무 이행에 전념하게 하려는 정책적 목적으로 지급되는 수혜적인 성격의 보상이므로, 병역의무 이행자들에게 어느 정도의 보상을 지급할 것인지는 전체 병력규모와 보충역 복무인원, 복무환경과 처우, 국가의 재정부담 능력, 물가수준의 변화 등을 고려할 수밖에 없어 이를 정할 때에는 상당한 재량이 인정된다. 따라서 그 내용이 현저히 불합리하지 않은 한 헌법에 위반된다고 할 수 없다.

나. 판 단

공중보건의사는 의사 등 전문자격 보유자를 대상으로 하고, 현역병보다 자유로운 환경에서 복무하며, 임기제 공무원으로 신분이 보장되고, 자신의 전문지식과 능력을 그대로 활용할 수 있으며, 장교에 해당하는 보수를 지급받고 있어 그 복무의 내용이나 성격이 현역병이나 사회복무요원과 같다고 보기 어렵고, 공중보건의사에 대한 군사교육은 복무기간 내내 비군사적인 복무에 종사하게 될 공중보건의사에게 단 1회 30일 이내의 기간에 한하여 이루어지고, 그 기간 동안 의식주에 필요한 기본물품이 제공된다는 점 등을 고려하면 공중보건의사가 받는 불이익이 심대하다고 보기도 어렵다. 따라서 심판대상조항이 공중보건의사로 편입되어 군사교육 소집된 자에게 군사교육 소집기간 동안의 보수를 지급하지 않도록 규정하였다고 하더라도 이는 한정된 국방예산의 범위 내에서 효율적인 병역 제도의 형성을 위하여 공중보건의사의 신분, 복무 내용, 복무 환경, 전체 복무기간 동안의 보수 수준 및 처우, 군사교육의 내용 및 기간 등을 종합적으로 고려하여 결정한 것이므로, 평등권을 침해한다고 보기 어렵다.

1 기본권론

044 자사고를 후기학교로 규정하고, 자사고 지원자에게 평준화지역 후기학교 중복지원을 금지한 초·중등교육법 시행령 사건 [위헌, 기각]

– 2019. 4. 11. 선고 2018헌마221

판시사항

1. 자율형 사립고등학교(이하 '자사고'라 한다)를 후기학교로 정하여 신입생을 일반고와 동시에 선발하도록 한 초·중등교육법 시행령 제80조 제1항(이하 '이 사건 동시선발조항'이라 한다)과 자사고를 지원한 학생에게 평준화지역 후기학교에 중복지원하는 것을 금지한 시행령 제81조 제5항 중 '제91조의3에 따른 자율형 사립고등학교는 제외한다' 부분(이하 '이 사건 중복지원금지 조항'이라 하고 위 두 조항을 합하여 '심판대상조항'이라 한다)이 교육제도 법정주의에 위반하여 청구인들의 기본권을 침해하는지 여부(소극)

2. 이 사건 동시선발 조항이 기본권 제한의 한계를 일탈하여 청구인 학교법인의 사학운영의 자유를 침해하는지 여부(소극)

3. 이 사건 동시선발 조항이 신뢰보호원칙을 위반하여 청구인 학교법인의 사학운영의 자유를 침해하는지 여부(소극)

4. 이 사건 동시선발 조항이 청구인 학교법인의 평등권을 침해하는지 여부(소극)

5. 이 사건 중복지원금지 조항이 청구인 학생 및 학부모의 평등권을 침해하는지 여부(적극)

사건의 개요

청구인 1~3은 자율형 사립고등학교(이하 '자사고'라 한다)를 각 운영하는 학교법인들이다(이하 '청구인 학교법인'이라 한다). 청구인 4~6은 초·중등교육법 시행령 제77조 제2항에 따라 시·도 조례로 정하는 지역(이하 '평준화지역'이라 한다)의 중학생들로서 자사고 입학을 희망하는 자들(이하 '청구인 학생'이라 한다)이고, 청구인 7 내지 9는 그 학부모들이다(이하 '청구인 학부모'라 한다).

2018학년도까지의 고등학교 입시 일정에서는 자사고가 전기에 선발하는 고등학교 또는 학과(이하 '전기학교'라 한다)에 포함되어 학생들이 전기에 자사고를 지원하고 불합격할 경우 후기에 선발하는 고등학교 또는 학과(이하 '후기학교'라 한다)를 지원하는 것이 가능하였다(초·중등교육법 시행령 제85조 제2항). 그러나 2017. 12. 29. 초·중등교육법 시행령이 대통령령 제28516호로 개정되면서 제80조 제1항에서 제5호를 삭제하여 자사고를 후기학교로 정하고, 제81조 제5항 중 괄호 안에 '제91조의3에 따른 자율형 사립고등학교는 제외한다' 부분을 삽입하여 자사고를 지원한 학생에게는 초·중등교육법 시행령 제90조 제1항 제6호에 해당하는 특수목적고등학교(이하 '외국어고·국제고'라 한다) 및 자사고를 제외한 평준화지역의 후기학교(이하 '평준화지역 후기학교'라 한다)에 중복지원하는 것을 금지하였다(이하 '이 사건 개정'이라 한다).

이에 청구인들은 이 사건 개정으로 인해 학생과 학부모는 자사고 지원이 어려워지고 자사고는 학생 선발에 어려움을 겪게 되었으므로, 개정 시행령이 학생과 학부모의 학교선택권, 학교법인의 사립학교 운영의 자유로서의 학생선발권, 평등권을 침해하고 신뢰보호원칙 등을 위반한다고 주장하면서 2018. 2. 28. 이 사건 헌법소원심판을 청구하였다.

심판대상조항 및 관련조항

초·중등교육법 시행령(2017. 12. 29. 대통령령 제28516호로 개정된 것)

제80조(선발시기의 구분) ① 고등학교 신입생의 선발은 전기와 후기로 나누어 행하되, 전기에 선발하는 고등학교 또는 학과(이하 "전기학교"라 한다)는 다음 각 호의 고등학교 또는 학과를 말하며, 후기에 선발하는 고등학교 또는 학과(이하 "후기학교"라 한다)는 전기에 해당되지 아니하는 모든 고등학교 또는 학과로 한다.

1. 삭제
2. 일반고등학교 중 예·체능계고등학교(예술체육 등의 전문교육을 주로 하는 고등학교를 말한다. 이하 같다)
3. 제90조에 따른 특수목적고등학교. 다만, 제90조 제1항 제6호에 해당하는 특수목적고등학교는 제외한다.
4. 제91조에 따른 특성화고등학교
5. 제91조의3에 따른 자율형 사립고등학교 〈삭제, 2017.12.29.〉
6. 일반고등학교에 설치한 학과 중 교육감이 정하는 학과(예술인 및 체육인 양성을 목적으로 설치한 학과 또는 제91조에 따른 특성화고등학교에 상응하여 특정 분야의 인재양성을 목적으로 설치한 학과로 한정한다)

제81조(입학전형의 지원) ⑤ 제1항 본문에도 불구하고 제77조 제2항에 따라 시·도 조례로 정하는 지역의 후기학교(제90조 제1항 제6호에 해당하는 특수목적고등학교 및 제91조의3에 따른 자율형 사립고등학교는 제외한다) 주간부에 입학하고자 하는 자는 교육감이 정하는 방법 및 절차에 따라 2이상의 학교를 선택하여 지원할 수 있다.

주문

1. 초·중등교육법 시행령(2017. 12. 29. 대통령령 제28516호로 개정된 것) 제81조 제5항 중 '제91조의3에 따른 자율형 사립고등학교는 제외한다' 부분은 헌법에 위반된다.
2. 청구인들의 나머지 심판청구를 기각한다.

1. 교육제도 법정주의 위반 여부

심판대상조항이 자사고의 신입생 선발시기와 지원 방법을 법률로 정하지 아니하고 대통령령에 규정한 것이 교육제도 법정주의에 반하여 청구인들의 기본권을 침해하는지에 대하여 살펴본다.

가. 교육제도 법정주의 의의

헌법 제31조 제6항은 "학교교육 및 평생교육을 포함한 교육제도와 그 운영, 교육재정 및 교원의 지위에 관한 기본적인 사항은 법률로 정한다."고 하여 교육제도 법정주의를 규정하고 있다. 이 조항은, 특히 학교교육의 중요성에 비추어 교육에 관한 기본정책 또는 기본방침 등 교육에 관한 기본적 사항을 국민의 대표기관인 국회가 직접 입법절차를 거쳐 제정한 형식적 의미의 법률로 규정하게 함으로써 국민의 교육을 받을 권리가 행정기관에 의하여 자의적으로 무시되거나 침해당하지 않도록 하고, 교육의 자주성과 중립성을 유지하고자 하는 데에 그 의의가 있다. 그런데 헌법 제31조 제6항 소정의 교육제도 법정주의는 교육제도에 관한 기본방침을 제외한 나머지 세부적인 사항까지 반드시 형식적 의미의 법률만으로 정하여야 한다는 의미는 아니다. 그러므로 입법자가 정한 기본방침을 구체화하거나 이를 집행하기 위한 세부시행 사항은 하위법령에 위임이 가능하다.

나. 판 단

초·중등교육법은 고등학교 교육제도와 그 운영에 관하여 기본적인 사항을 이미 규정하고 있고, 다만 고등학교의 입학방법과 절차 등 입학전형에 관한 사항은 각 지역과 시점에 따라 달라지는 고등학교 교육에 대한 수요 및 공급의 상황과, 각종 고등학교별 특성 등을 고려하여야 할 필요성으로 인하여 행정입법에 위임하고 있다(제47조 제2항). 따라서 심판대상조항이 신입생 선발시기와 지원 방법을 대통령령으로 규정한 것 자체가 교육제도 법정주의에 위반된다고 보기는 어렵다.

심판대상조항은 우리나라가 고교평준화 제도를 원칙으로 하면서 이를 보완하기 위하여 여러 형태의 특수한 고등학교들을 인정하고 있음에 따라 학교 유형별 수요자 층이 다름을 고려하여 학교 유형별로 신입생 선발시기를 달리 정하고, 평준화지역 후기학교와 자사고 등의 특성을 고려하여 지원 방법도 달리 정한 것이다. 따라서 심판대상조항은 고등학교 교육에 대한 수요 및 공급의 상황과, 각종 고등학교별 특성 등을 고려하여 규정한 것으로서 수권법률인 초·중등교육법 제47조 제2항의 위임취지에 부합한다.

따라서 심판대상조항이 교육제도 법정주의를 위반하여 청구인들의 기본권을 침해한다고 볼 수 없다.

2. 이 사건 동시선발 조항에 대한 판단

가. 사학운영의 자유 침해 여부

1) 기본권 제한의 한계 일탈 여부

사립학교도 공교육의 일익을 담당한다는 점에서 국·공립학교와 본질적 차이가 있을 수 없기 때문에, 국가가 일정한 범위 안에서 사립학교의 운영을 감독·통제할 권한과 책임을 지고 있으며, 그 규율의 정도는 그 시대의 사정과 각급 학교의 형편에 따라 다를 수밖에 없다. 이 사건 동시선발 조항이 청구인 학교법인의 사학운영의 자유를 제한하고 있더라도 그 위헌 여부는 헌법 제37조 제2항에 의한 기본권 제한의 한계를 벗어나 자의적으로 그 본질적 내용을 침해하였는지 여부에 따라 판단되어야 한다.

이 사건 동시선발 조항은 동등하고 공정한 입학전형의 운영을 통해 '우수학생 선점 해소 및 고교서열화를 완화'하고 '고등학교 입시경쟁을 완화'하기 위한 것이다. 당초 자사고를 전기학교로 규정한 취지는 자사고가 교육과정을 자율적으로 운영할 수 있도록 하면 일반고와 차별화된 교육을 제공할 것으로 기대되므로, 개별 자사고들의 건학이념 및 교육과정에 적합한 학생들을 후기학교보다 먼저 선발할 수 있도록 한 것인데, 당초 취지와 달리 자사고는 일반고와 교육과정에서 큰 차이가 없이 운영되었고, 전기모집은 학업능력이 우수한 학생을 선점하기 위한 목적으로 이용되었다. 일반고의 입장에서 고교 유형에 따른 부당한 차별이라는 주장도 제기되고 학교 유형간 학력격차도 확대되는 등 현재에 이르러서는 자사고를 전기학교로 규정하는 것이 더 이상 정당성을 찾기 힘든 상황이 되었다. 또한 일반고 경쟁력 강화만으로 고교서열화 및 입시경쟁 완화에 충분하다고 단정할 수 없다. 따라서 이 사건 동시선발 조항은 국가가 학교 제도를 형성할 수 있는 재량 권한의 범위 내에 있다.

그렇다면 이 사건 동시선발 조항이 기본권 제한의 한계를 벗어나 자의적으로 그 본질적인 내용을 침해하였다고 볼 수 없다.

2) 신뢰보호원칙 위반 여부

가) 신뢰보호원칙

신뢰보호원칙은 헌법상 법치국가의 원칙으로부터 도출되는데, 그 내용은 법률의 제정이나 개정 시 구법질서에 대한 당사자의 신뢰가 합리적이고도 정당하며 법률의 제정이나 개정으로 야기되는 당사자의 손해가 극심하여 새로운 입법으로 달성하고자 하는 공익적 목적이 그러한 당사자의 신뢰의 파괴를 정당화할 수 없다면, 그러한 새로운 입법은 허용될 수 없다는 것이다. 그러나 사회 환경이나 경제여건의 변화에 따른 필요성에 의하여 법률은 신축적으로 변할 수밖에 없고 변경된 새로운 법질서와 기존의 법질서 사이에는 이해관계의 상충이 불가피하므로, 국민이 가지는 모든 기대 내지 신뢰가 헌법상 보호될 것은 아니다. 따라서 신뢰보호원칙 위반 여부는 한편으로는 침해받은 신뢰이익의 보호가치, 침해의 중한 정도, 신뢰가 손상된 정도, 신뢰침해의 방법 등과 다른 한편으로는 새로운 입법을 통해 실현하고자 하는 공익적 목적을 종합적으로 비교·형량하여 판단하여야 한다.

나) 판 단

① 신뢰이익의 존재 및 보호가치 : 자사고는 초·중등교육법 제61조에 따른 학교인데 위 조항은 신입생 선발시기에 관하여 자사고에 특별한 신뢰를 부여하였다고 볼 수 없다. 또한 입학전형에 관한 사항은 고등학교 교육에 대한 수요 및 공급의 상황과 각종 고등학교별 특성 등을 고려하여 정할 필요성이 있고, 전기학교로 규정할 것인지 여부는 특정 분야에 재능이나 소질을 가진 학생을 후기학교보다 먼저 선발할 필요성이 인정되는지에 따라 달라질 수 있는 가변적인 성격을 가지고 있다.

② 신뢰이익과 공익의 비교형량 : 고교서열화 및 입시경쟁 완화라는 공익은 매우 중대하고, 자사고를 전기학교로 유지할 경우 우수학생 선점 문제를 해결하기 곤란하여 고교서열화 현상을 완화시키기 어렵다는 점, 청구인 학교법인의 신뢰의 보호가치가 작다는 점을 고려하면, 청구인 학교법인의 신뢰가 공익보다 크다고 보기 힘들다.

③ 소 결 : 따라서 이 사건 동시선발 조항은 신뢰보호원칙에 위배된다고 할 수 없다.

나. 평등권 침해 여부

어떤 학교를 전기학교로 규정할 것인지 여부는 해당 학교의 특성상 특정 분야에 재능이나 소질을 가진 학생을 후기학교보다 먼저 선발할 필요성이 있는지에 따라 결정되어야 한다. 과학고는 '과학분야의 인재 양성'이라는 설립 취지나 전문적인 교육과정의 측면에서 과학 분야에 재능이나 소질을 가진 학생을 후기학교보다 먼저 선발할 필요성을 인정할 수 있으나, 자사고의 경우 교육과정 등을 고려할 때 후기학교보다 먼저 특정한 재능이나 소질을 가진 학생을 선발할 필요성은 적다. 따라서 이 사건 동시선발 조항이 자사고를 후기학교로 규정함으로써 과학고와 달리 취급하고, 일반고와 같이 취급하는 데에는 합리적인 이유가 있으므로 청구인 학교법인의 평등권을 침해하지 아니한다.

5. 이 사건 중복지원금지 조항에 대한 판단

가. 쟁점 및 심사기준

1) 시행령 제81조 제5항은 평준화지역 후기학교 주간부에 입학하고자 하는 자는 교육감이 정하는 방법 및 절차에 따라 2 이상의 학교를 선택하여 지원할 수 있도록 규정하고 있다. 그런데 이 사건 중복지원금지 조항은 후기학교 중 자사고의 경우 중복지원을 금지하고 있는바, 이 사건 중복지원금지 조항이 자사고에 진학하고자 하는 청구인 학생의 평등권을 침해하는지 여부가 문제된다. 한편 학부모는 비록 헌법에 명문으로 규정되어 있지는 않지만 혼인과 가족생활을 보장하는 헌법 제36조 제1항, 행복추구권을 보장하는 헌법 제10조 및 열거되지 않은 기본권에 관한 헌법 제37조 제1항으로부터 나오는 자녀교육권을 가지므로 마찬가지로 청구인 학부모의 평등권 침해 여부도 함께 살펴본다.

2) 일반적으로 차별이 정당한지 여부에 대해서는 자의성 여부를 심사하지만, 헌법에서 특별히 평등을 요구하고 있는 경우나 차별적 취급으로 인하여 관련 기본권에 대한 중대한 제한을 초래하게 된다면 입법형성권은 축소되어 보다 엄격한 심사척도가 적용된다.

자의심사의 경우에는 차별을 정당화하는 합리적인 이유가 있는지 여부만을 심사하기 때문에 그에 해당하는 비교대상 간의 사실상의 차이나 입법목적(차별목적)을 발견·확인하는 데 그치는 반면, 비례심사의 경우에는 단순히 합리적인 이유의 존부 문제가 아니라 차별을 정당화하는 이유와 차별 간의 상관관계에 대한 심사, 즉 비교대상 간의 사실상의 차이의 성질과 비중 또는 입법목적(차별목적)의 비중과 차별의 정도에 적정한 균형관계가 이루어져 있는가를 심사하게 된다.

3) 이 사건의 경우 뒤에서 보는 바와 같이 고등학교 진학 기회에 있어서의 평등이 문제된다. 헌법은 제31조 제1항에서 "능력에 따라 균등하게"라고 하여 교육영역에서 평등원칙을 구체화하고 있다. 헌법 제31조 제1항은 헌법 제11조의 일반적 평등조항에 대한 특별규정으로서 교육의 영역에서 평등원칙을 실현하고자 하는 것이다. 평등권으로서 교육을 받을 권리는 '취학·진학의 기회균등', 즉 각자의 능력에 상응하는 교육을 받을 수 있도록 학교 입학에 있어서 자의적 차별이 금지되어야 한다는 차별금지원칙을 의미한다. 헌법 제31조 제1항은 취학·진학의 기회에 있어서 고려될 수 있는 차별기준으로 '능력'을 제시함으로써, 능력 이외의 다른 요소에 의한 차별을 원칙적으

로 제한하고 있다. 여기서 '능력'이란 '수학능력'을 의미하고 교육제도에서 수학능력은 개인의 인격발현과 밀접한 관계에 있는 인격적 요소이며, 학교 입학에 있어서 고려될 수 있는 합리적인 차별기준을 의미한다.

비록 고등학교 교육이 의무교육은 아니지만 매우 보편화된 일반교육임을 알 수 있다. 따라서 고등학교 진학 기회의 제한은 대학 등 고등교육기관에 비하여 당사자에게 미치는 제한의 효과가 더욱 크므로 보다 더 엄격히 심사하여야 한다. 따라서 이 사건 중복지원금지 조항의 차별 목적과 차별의 정도가 비례원칙을 준수하는지 살펴본다.

나. 판 단

1) 이 사건 중복지원금지 조항은 앞서 본 이 사건 동시선발 조항과 마찬가지로 '우수학생 선점 해소 및 고교서열화를 완화'하고 '고등학교 입시경쟁을 완화'하기 위하여 신설된 것으로 그 목적 달성에 어느 정도 기여하는 수단이라 볼 수 있다.

2) 자사고를 지원하는 학생과 일반고를 지원하는 학생은 모두 전기학교에 지원하지 않았거나, 전기학교에 불합격한 학생들로서 고등학교에 진학하기 위해서는 후기 입학전형 1번의 기회만 남아있다는 점에서 같다. 시·도별로 차이는 있을 수 있으나 대체로 평준화지역 후기학교의 입학전형은 중학교 학교생활기록부를 기준으로 매긴 순위가 평준화지역 후기학교의 총 정원 내에 들면 평준화지역 후기학교 배정이 보장된다.

반면 자사고에 지원하였다가 불합격한 평준화지역 소재 학생들은 이 사건 중복지원금지 조항으로 인하여 원칙적으로 평준화지역 일반고에 지원할 기회가 없고, 지역별 해당 교육감의 재량에 따라 배정·추가배정 여부가 달라진다. 이에 따라 일부 지역의 경우 평준화지역 자사고 불합격자들에 대하여 일반고 배정절차를 마련하지 아니하여 자신의 학교군에서 일반고에 진학할 수 없고, 통학이 힘든 먼 거리의 비평준화지역의 학교에 진학하거나 학교의 장이 입학전형을 실시하는 고등학교에 정원미달이 발생할 경우 추가선발에 지원하여야 하고 그조차 곤란한 경우 고등학교 재수를 하여야 하는 등 고등학교 진학 자체가 불투명하게 되기도 한다. 고등학교 교육의 의미, 현재 우리나라의 고등학교 진학률에 비추어 자사고에 지원하였었다는 이유로 이러한 불이익을 주는 것이 적절한 조치인지 의문이 아닐 수 없다.

자사고와 평준화지역 후기학교의 입학전형 실시권자가 달라 자사고 불합격자에 대한 평준화지역 후기학교 배정에 어려움이 있다면 이를 해결할 다른 제도를 마련하였어야 함에도, 중복지원금지 원칙만을 규정하고 자사고 불합격자에 대하여 아무런 고등학교 진학 대책을 마련하지 않아 고등학교 진학 기회에 있어서 자사고 지원자들에 대한 차별을 정당화할 수 있을 정도로 차별 목적과 차별 정도 간에 비례성을 갖춘 것이라고 볼 수 없다.

다. 소 결

따라서 이 사건 중복지원금지 조항은 청구인 학생 및 학부모의 평등권을 침해하여 헌법에 위반된다.

045 국가유공자와 그 가족에 대한 가산점 규정 1차 사건 [기각]
— 2001. 2. 22. 선고 2000헌마25

판시사항 및 결정요지

1. 국가유공자와 그 유족 등 취업보호대상자가 국가기관이 실시하는 채용시험에 응시하는 경우에 10%의 가점을 주도록 한 이 사건 가산점제도가 평등권을 침해하는지 여부를 심사함에 있어 적용되는 심사의 기준

이 사건의 경우는 비교집단이 일정한 생활영역에서 경쟁관계에 있는 경우로서 국가유공자와 그 유족 등에게 가산점의 혜택을 부여하는 것은 그 이외의 자들에게는 공무담임권 또는 직업선택의 자유에 대한 중대한 침해를 의미하게 되므로, 차별적 취급으로 인하여 관련 기본권에 대한 중대한 제한을 초래하게 되는 경우에 해당하여 원칙적으로 비례심사를 하여야 할 것이나, 구체적인 비례심사의 과정에서는 헌법 제32조 제6항이 근로의 기회에 있어서 국가유공자 등을 우대할 것을 명령하고 있는 점을 고려하여 보다 완화된 기준을 적용하여야 할 것이다.

2. 이 사건 가산점제도가 평등권을 침해하는지 여부(소극)

국가유공자와 그 유족 등에게 가산점의 부여를 통해 헌법 제32조 제6항이 규정하고 있는 우선적 근로의 기회를 제공함으로써 이들의 생활안정을 도모하고, 다시 한번 국가사회에 봉사할 수 있는 기회를 부여하기 위한 것으로서 그 목적의 정당성이 인정되고, 정책수단으로서의 적합성을 가지고 있으며, 헌법 제32조 제6항에서 국가유공자 등의 근로의 기회를 우선적으로 보호한다고 규정함으로써 그 이외의 자의 근로의 기회는 그러한 범위내에서 제한될 것이 헌법적으로 예정되어 있는 이상 차별대우의 필요성의 요건을 엄격하게 볼 것은 아니므로, 차별대우의 필요성의 요건도 충족되었다고 할 것이다.

공무원 채용시험에 있어 전체 합격자 중 취업보호대상자가 차지하는 비율 등에 비추어 볼 때 전체적으로 입법목적의 비중과 차별대우의 정도가 균형을 이루고 있다고 할 것이므로, 이 사건 가산점제도는 국가유공자와 그 유족 등에 비하여 그 이외의 자를 비례의 원칙에 반하여 차별하는 것으로는 볼 수 없으므로, 청구인의 평등권을 침해하지 아니한다.

3. 이 사건 가산점제도가 공무담임권을 침해하는지 여부(소극)

이 사건 가산점제도에 의한 공직취임권의 제한은 헌법 제32조 제6항에 헌법적 근거를 두고 있는 능력주의의 예외로서, 평등권 침해 여부와 관련하여 앞에서 이미 자세히 살펴 본 바와 같이 비례의 원칙 내지 과잉금지의 원칙에 위반된 것으로도 볼 수 없으므로, 이 사건 가산점제도는 청구인의 공무담임권을 침해하지 아니한다.

046 국가유공자와 그 가족에 대한 가산점 규정 2차 사건 [헌법불합치]
- 2006. 2. 23. 선고 2004헌마675

판시사항

1. 종전 합헌결정의 변경 필요성
2. 국·공립학교의 채용시험에 국가유공자와 그 가족이 응시하는 경우 만점의 10퍼센트를 가산하도록 규정하고 있는 국가유공자등예우및지원에관한법률 제31조 제1항·제2항, 독립유공자예우에관한법률 제16조 제3항 중 국가유공자등예우및지원에관한법률 제31조 제1항·제2항 준용 부분, 5·18민주유공자예우에관한법률 제22조 제1항·제2항(이하 이들을 '이 사건 조항'이라 한다)이 기타 응시자들의 평등권과 공무담임권을 침해하는지 여부(적극)
3. 종전 결정의 변경범위를 판시한 예
4. 위헌인 법률조항에 대하여 헌법불합치결정 및 잠정적용 명령을 선고한 예

사건의 개요

청구인들은 2004년도 7급 혹은 9급 국가공무원시험 및 지방공무원시험을 준비하던자이다. 청구인들은 공무원시험 및 국·공립학교의 채용시험에 국가유공자와 그 유족 등이 응시하는 경우 필기시험을 비롯하여 최종합격자 결정시까지 치러지는 모든 단계의 시험에 있어 만점의 10퍼센트를 가산하도록 규정하고 있는 규정들이 청구인들의 평등권, 공무담임권, 직업선택의 자유를 침해하는 것이라며 헌법소원심판을 청구하였다.

심판대상조항 및 관련조항

국가유공자등예우및지원에관한법률

제29조(취업보호대상자) ① 취업보호를 받을 취업보호대상자는 다음과 같다.
1. 전상군경·공상군경·무공수훈자·보국수훈자·재일학도의용군인·4.19혁명부상자·4.19혁명공로자·공상공무원·특별공로상이자 및 특별공로자와 그 가족
2. 전몰군경·순직군경·4.19혁명사망자·순직공무원 및 특별공로순직자의 유족
3. 제1호에 해당하는 국가유공자가 사망한 경우의 그 유족

제31조(채용시험의 가점 등) ① 취업보호실시기관이 그 직원을 채용하기 위하여 채용시험을 실시하는 경우에는 당해 채용시험에 응시한 취업보호대상자의 득점에 만점의 10퍼센트를 가점하여야 한다.
② 제1항의 채용시험이 필기·실기·면접시험 등으로 구분되어 실시되는 시험의 경우에는 각 시험마다 만점의 10퍼센트를 가점하여야 하며, 2 이상의 과목으로 실시되는 시험에 있어서는 각 과목별 득점에 각 과목별 만점의 10퍼센트를 가점하여야 한다. 다만, 점수로 환산이 불가능한 시험에는 그러하지 아니하다.

> **주문**

국가유공자등예우및지원에관한법률(2004. 1. 20. 법률 제7104호로 개정된 것) 제31조 제1항·제2항, 독립유공자예우에관한법률(2004. 1. 20. 법률 제7104호로 개정된 것) 제16조 제3항 중 국가유공자등예우및지원에관한법률 제31조 제1항·제2항 준용 부분, 5·18민주유공자예우에관한법률(2004. 1. 20. 법률 제7105호로 개정된 것) 제22조 제1항·제2항은 헌법에 합치되지 아니한다.
위 법률조항들은 2007. 6. 30.을 시한으로 입법자가 개정할 때까지 계속 적용된다.

1. 종전 합헌결정 변경의 필요성

헌법재판소는 2001. 2. 22. 선고 2000헌마25 결정에서, 헌법 제32조 제6항의 "국가유공자·상이군경 및 전몰군경의 유가족은 법률이 정하는 바에 의하여 우선적으로 근로의 기회를 부여받는다."는 규정을 넓게 해석하여, 이 조항이 국가유공자 본인뿐만 아니라 가족들에 대한 취업보호제도(가산점)의 근거가 될 수 있다고 보았다. 그러나 오늘날 가산점의 대상이 되는 국가유공자와 그 가족의 수가 과거에 비하여 비약적으로 증가하고 있는 현실과, 취업보호대상자에서 가족이 차지하는 비율, 공무원시험의 경쟁이 갈수록 치열해지는 상황을 고려할 때, 위 조항의 폭넓은 해석은 필연적으로 일반 응시자의 공무담임의 기회를 제약하게 되는 결과가 될 수 있다. 그렇다면 위 조항은 엄격하게 해석할 필요가 있다. 이러한 관점에서 위 조항의 대상자는 조문의 문리해석대로 "국가유공자", "상이군경", 그리고 "전몰군경의 유가족"이라고 봄이 상당하다.

이러한 해석에 의할 때 전몰군경의 유가족을 제외한 국가유공자의 가족이 헌법적 근거를 지닌 보호대상에서 제외되지만, 입법자는 위 조항 및 헌법 전문(前文)에 나타난 대한민국의 건국이념 등을 고려하여 취업보호대상자를 국가유공자 등의 가족에까지 넓힐 수 있는 입법정책적 재량을 지니며, 이 사건 조항 역시 그러한 입법재량의 행사에 해당하는 것이다. 그러나 그러한 보호대상의 확대는 어디까지나 법률 차원의 입법정책에 해당하며 명시적 헌법적 근거를 갖는 것은 아니다.

2. 평등권의 침해 여부

가. 심사의 기준

이 사건 조항은 국가유공자 등과 그 가족 누구나에게 국가기관 등의 채용시험에서 필기·실기·면접시험마다 만점의 10%의 가산점을 주도록 하고 있다. 이는 동 가산점의 수혜대상자가 아닌 일반 응시자의 공무담임의 기회를 제약 내지 차별하는 것이고, 따라서 평등권과 공무담임권의 침해 여부가 경합적으로 문제된다.

일반적인 평등원칙 내지 평등권의 침해 여부에 대한 위헌심사기준은 합리적인 근거가 없는 자의적 차별인지 여부이지만, 만일 입법자가 설정한 차별이 기본권의 행사에 있어서의 차별을 가져온다면 그러한 차별은 목적과 수단 간의 엄격한 비례성이 준수되었는지가 심사되어야 하며, 그 경우 불평등대우가 기본권으로 보호된 자유의 행사에 불리한 영향을 미칠수록, 입법자의 형성의 여지에 대해서는 그만큼 더 좁은 한계가 설정되어 보다 엄격한 심사척도가 적용된다.

이 사건 조항은 일반 응시자들의 공직취임의 기회를 차별하는 것이며, 이러한 기본권 행사에 있어서의 차별은 차별목적과 수단 간에 비례성을 갖추어야만 헌법적으로 정당화될 수 있다. 종전 결정은 국가유공자와 그 가족에 대한 가산점제도는 모두 헌법 제32조 제6항에 근거를 두고 있으므로 평등권 침해 여부에 관하여 보다 완화된 기준을 적용한 비례심사를 하였으나, 국가유공자 본인의 경우는 별론으로 하고, 그 가족의 경우는 위에서 본 바와 같이 헌법 제32조 제6항이 가산점제도의 근거라고 볼 수 없으므로 그러한 완화된 심사는 부적절한 것이다.

나. 차별목적과 수단 간의 비례성 유무

이 사건 조항이 규정하는 가산점제도의 목적은 국가에 공헌하면서 신체적·정신적, 재정적 어려움을 겪어 통상 일반인에 비해 수험준비가 상대적으로 미흡하게 되는 국가유공자 등과 그 유·가족에게 가산점을 부여함으로써 우선적 근로기회를 제공하여 생활안정을 도모하고, 이들이 국가에 봉사할 수 있는 기회를 부여하는 데 있다. 이러한 입법목적은 헌법 제32조 제6항의 취지를 반영한 것이거나, 헌법 제37조 제2항의 공공복리의 달성을 위한 것으로서 정당하다. 또한 그러한 가산점제도는 국가유공자와 그 유족 등이 공직에 채용될 수 있도록 지원하는 역할을 함으로써 입법목적의 달성을 촉진하고 있다고 할 것이므로 정책수단으로서의 적합성도 가지고 있다.

그런데 공무원시험에서 국민들은 공무담임에 있어서 평등한 기회를 보장받아야 하므로, 특정 집단에게 가산점을 주어 공직시험에서 우대를 하기 위해서는 헌법적 근거가 있거나 특별히 중요한 공익을 위하여 필요한 경우에 한하여야 할 것이다. 이 사건에서 볼 때 헌법 제32조 제6항은 '국가유공자 본인'에 대하여 우선적 근로기회를 용인하고 있으며, 이러한 우선적 근로기회의 부여에는 공직 취업에 상대적으로 더 유리하게 가산점을 부여받는 것도 포함된다고 볼 수 있다. 그러나 '국가유공자의 가족'의 경우 그러한 가산점의 부여는 헌법이 직접 요청하고 있는 것이 아니다. 다만 보상금급여 등이 불충분한 상태에서 국가유공자의 가족에 대한 공무원시험에서의 가산점제도는 국가를 위하여 공헌한 국가유공자들에 대한 '예우와 지원'을 확대하는 차원에서 입법정책으로서 채택된 것이라 볼 것이다.

그러한 입법정책은 능력주의 또는 성과주의를 바탕으로 하여야 하는 공직취임권의 규율에 있어서 중요한 예외를 구성하며, 이는 능력과 적성에 따라 공직에 취임할 수 있는 균등한 기회를 보장받는 것을 뜻하는 일반 국민들의 공무담임권을 제약하는 것이다. 헌법적 요청이 있는 경우에는 합리적 범위 안에서 능력주의가 제한될 수 있지만, 단지 법률적 차원의 정책적 관점에서 능력주의의 예외를 인정하려면 해당 공익과 일반응시자의 공무담임권의 차별 사이에 엄밀한 법익형량이 이루어져야만 할 것이다.

이 사건 조항의 경우 명시적인 헌법적 근거 없이 국가유공자의 가족들에게 만점의 10%라는 높은 가산점을 부여하고 있는바, 그러한 가산점 부여 대상자의 광범위성과 가산점 10%의 심각한 영향력과 차별효과를 고려할 때, 그러한 입법정책만으로 헌법상의 공정경쟁의 원리와 기회균등의 원칙을 훼손하는 것은 부적절하며, 국가유공자의 가족의 공직 취업기회를 위하여 매년 수많은 젊은이들에게 불합격이라는 심각한 불이익을 받게 하는 것은 정당화될 수 없다. 이 사건 조항의 차별로 인한 불평등 효과는 입법목적과 달성수단 간의 비례성을 현저히 초과하는 것이다.

다. 소결론

이상의 이유에서 이 사건 조항은 입법목적과 수단 간에 비례성을 구비하지 못하였으므로 청구인들과 같은 일반 공직시험 응시자의 평등권을 침해한다.

4. 공무담임권의 침해 여부

이 사건 조항이 공무담임권의 행사에 있어서 일반 응시자들을 차별하는 것이 평등권을 침해하는 것이라면, 같은 이유에서 이 사건 조항은 일반 공직시험 응시자의 공무담임권을 침해하는 것이다.

5. 종전 결정의 변경

국가기관이 채용시험에서 국가유공자의 가족에게 10%의 가산점을 부여하는 규정이 기본권을 침해하지 아니한다고 판시한 종전 결정(2001. 2. 22. 선고 2000헌마25 결정)은 이 결정의 견해와 저촉되는 한도 내에서 이를 변경한다.

6. 헌법불합치 결정 및 잠정적용

법률이 헌법에 위반되는 경우 헌법의 규범성을 보장하기 위하여 원칙적으로 그 법률에 대하여 위헌결정을 하여야 하는 것이지만, 위헌결정을 통하여 법률조항을 법질서에서 제거하는 것이 법적 공백이나 혼란을 초래할 우려가 있는 경우에는 위헌조항의 잠정적 적용을 명하는 헌법불합치결정을 할 수 있다.

이 사건 조항의 위헌성은 국가유공자 등과 그 가족에 대한 가산점제도 자체가 입법정책상 전혀 허용될 수 없다는 것이 아니고, 그 차별의 효과가 지나치다는 것에 기인한다. 그렇다면 입법자는 공무원시험에서 국가유공자의 가족에게 부여되는 가산점의 수치를, 그 차별효과가 일반 응시자의 공무담임권 행사를 지나치게 제약하지 않는 범위 내로 낮추고, 동시에 가산점 수혜 대상자의 범위를 재조정 하는 등의 방법으로 그 위헌성을 치유하는 방법을 택할 수 있을 것이다. 따라서 이 사건 조항의 위헌성의 제거는 입법부가 행하여야 할 것이므로 이 사건 조항에 대하여는 헌법불합치결정을 하기로 한다. 한편 입법자가 이 사건 조항을 개정할 때까지 가산점 수혜대상자가 겪을 법적 혼란을 방지할 필요가 있으므로, 그때까지 이 사건 조항의 잠정적용을 명한다. 입법자는 되도록 빠른 시일 내에, 늦어도 2007. 6. 30.까지 대체입법을 마련함으로써 이 사건 조항의 위헌적인 상태를 제거하여야 할 것이며, 그때까지 대체입법이 마련되지 않는다면 2007. 7. 1.부터 이 사건 조항은 효력을 잃는다.

047 청년고용할당제 사건 [기각, 각하]
— 2014. 8. 28. 선고 2013헌마553

판시사항 및 결정요지

대통령령으로 정하는 공공기관 및 공기업으로 하여금 매년 정원의 100분의 3 이상씩 34세 이하의 청년 미취업자를 채용하도록 한 청년고용촉진 특별법(2013. 5. 22. 법률 제11792호로 개정된 것) **제5조 제1항 및 같은 법 시행령**(2013. 10. 30. 대통령령 제24817호로 개정된 것) **제2조 단서**(이하 '청년할당제'라고 한다)**가 35세 이상 미취업자들의 평등권, 직업선택의 자유를 침해하는지 여부(소극)**

입법자는 국가적 차원에서 청년실업문제를 우선 시급하게 해소하고, 지속적인 경제성장과 사회안정을 위하여 공공부문에서나마 청년층의 고용확대를 꾀한다는 취지에서 심판대상조항을 만들었다. 이와 같은 청년할당제의 입법목적은 정당하고, 청년할당제는 청년실업을 완화하는 데 다소나마 기여할 것이므로 입법목적 달성을 위한 적합한 수단이라고 인정할 수 있다.

청년할당제는 일정 규모 이상의 기관에만 적용되고, 전문적인 자격이나 능력을 요하는 경우에는 적용을 배제하는 등 상당한 예외를 두고 있다. 더욱이 3년 간 한시적으로만 시행하며, 청년할당제가 추구하는 청년실업해소를 통한 지속적인 경제성장과 사회 안정은 매우 중요한 공익인 반면, 청년할당제가 시행되더라도 현실적으로 35세 이상 미취업자들이 공공기관 취업기회에서 불이익을 받을 가능성은 크다고 볼 수 없다. 따라서 이 사건 청년할당제가 청구인들의 평등권, 공공기관 취업의 자유를 침해한다고 볼 수 없다.

■ 재판관 박한철, 재판관 이진성, 재판관 안창호, 재판관 서기석, 재판관 조용호의 위헌의견

청년할당제는 합리적 이유없이 능력주의 내지 성적주의를 배제한 채 단순히 생물학적인 나이를 기준으로 특정 연령층에게 특혜를 부여함으로써 다른 연령층의 공공기관 취업기회를 제한한다. 불가피하게 청년할당제를 선택할 수밖에 없는 사정이 있더라도, 채용정원의 일정 비율을 할당하는 이른바 경성(硬性)고용할당제를 강제할 것이 아니라, 채용정원은 경쟁을 통하여 공정하게 선발하되 정원 외 고용을 할당하거나 자발적인 추가 고용의 경우 재정지원 내지 조세감면 혜택을 주는 이른바 연성(軟性)고용할당제를 도입하는 것이 다른 연령층의 피해를 줄일 수 있다. 또한 청년할당제의 시행으로 얻게 되는 특정 연령층의 실업해소라는 공익보다 다른 연령층 미취업자들의 직업선택의 자유에 대한 제한이 훨씬 커서 청구인들의 직업선택의 자유를 과도하게 침해한다.
헌법 제11조는 모든 영역에서 불합리한 차별을 금지하고 있고, 이러한 헌법이념을 구현하기 위하여 입법자는 근로의 영역에 있어서 기회의 균등한 보장을 위한 법체계를 확립해 놓고 있다. 즉, 고용정책기본법, 고용상연령차별금지법, 국가인권위원회법은 고용 영역에서의 차별을 금지하고 있는바, 청년할당제는 헌법의 이념과 이를 구체화하고 있는 전체 법체계 내지 기본질서와 부합하지 아니하고 정책수단으로서의 합리성을 결여하여 헌법상 평등원칙에 위반된다.

함께 보는 판례

❶ **단계적 제도개선과 헌법상의 평등의 원칙** (1990. 6. 25. 선고 89헌마107)

헌법이 보장하는 평등의 원칙은 개인의 기본권신장이나 제도의 개혁에 있어 법적가치의 상향적 실현을 보편화하기 위한 것이지, 불균등의 제거만을 목적으로 한 나머지 하양적 균등까지 수용하고자 하는 것은 결코 아니다. 헌법이 규정한 평등의 원칙은 국가가 언제 어디에서 어떤 계층을 대상으로 하여 기본권에 관한 상황이나 제도의 개선을 시작할 것인지를 선택하는 것을 방해하지는 않는다. 말하자면 국가는 합리적인 기준에 따라 능력이 허용하는 범위내에서 법적가치의 상향적 구현을 위한 제도의 단계적 개선을 추진할 수 있는 길을 선택할 수 있어야 한다. 이러한 점은 그 제도의 개선에 과다한 재원이 소요되거나 이 사건에서와 같이 전제되는 여러 제도적 여건을 동시에 갖추는 데에는 기술적인 어려움이 따르는 경우에 더욱 두드러진다. 그것이 허용되지 않는다면, 모든 사항과 계층을 대상으로하여 동시에 제도의 개선을 추진하는 예외적 경우를 제외하고는 어떠한 개선도 평등의 원칙 때문에 그 시행이 불가능하다는 결과에 이르게 되어 불합리 할 뿐 아니라 평등의 원칙이 실현하고자 하는 가치와도 어긋나기 때문이다.

❷ **시혜적 법률에 관한 입법재량** (2015. 3. 25. 선고 2014헌바156)

시혜적인 법률은 국민의 권리를 제한하거나 새로운 의무를 부과하는 법률과는 달리 입법자에게 보다 광범위한 입법형성의 자유가 인정되므로, 입법자는 그 입법의 목적, 수혜자의 상황, 국가예산 등 제반사항을 고려하여 그에 합당하다고 스스로 판단하는 내용의 입법을 할 권한이 있고, 그렇게 하여 제정된 법률의 내용이 현저하게 합리성이 결여되었다고 보이지 아니하는 한 헌법에 위반된다 할 수는 없다.

048 국가를 상대로 한 당사자소송에서의 가집행선고 제한 사건 [위헌]
― 2022. 2. 24. 선고 2020헌가12

판시사항 및 결정요지

국가를 상대로 하는 당사자소송의 경우에는 가집행선고를 할 수 없다고 규정한 행정소송법 제43조(이하 '심판대상조항'이라 한다)**가 평등원칙에 위배되는지 여부**(적극)

심판대상조항으로 인한 가집행선고 제한은 헌법에서 특별히 평등을 요구하는 영역에 해당하지 않고, 소송 절차와 관련된 내용은 국민의 권리 구제에 있어 공정하고 신속하게 소송이 진행될 수 있도록 하는 목적에 따라 그 내용에 광범위한 입법재량이 인정되는 영역이다. 따라서 심판대상조항의 평등원칙 위반 여부는 자의금지원칙에 따라 판단하기로 한다.

심판대상조항은 재산권의 청구에 관한 당사자소송 중에서도 피고가 공공단체 그 밖의 권리주체인 경우와 국가인 경우를 다르게 취급한다. 가집행의 선고는 불필요한 상소권의 남용을 억제하고 신속한 권리실행을 하게 함으로써 국민의 재산권과 신속한 재판을 받을 권리를 보장하기 위한 제도이고, 당사자소송 중에는 사실상 같은 법률조항에 의하여 형성된 공법상 법률관계라도 당사자를 달리 하는 경우가 있다. 동일한 성격인 공법상 금전지급 청구소송임에도 피고가 누구인지에 따라 가집행선고를 할 수 있는지 여부가 달라진다면 상대방 소송 당사자인 원고로 하여금 불합리한 차별을 받도록 하는 결과가 된다. 재산권의 청구가 공법상 법률관계를 전제로 한다는 점만으로 국가를 상대로 하는 당사자소송에서 국가를 우대할 합리적인 이유가 있다고 할 수 없고, 집행가능성 여부에 있어서도 국가와 지방자치단체 등이 실질적인 차이가 있다고 보기 어렵다는 점에서, 심판대상조항은 국가가 당사자소송의 피고인 경우 가집행의 선고를 제한하여, 국가가 아닌 공공단체 그 밖의 권리주체가 피고인 경우에 비하여 합리적인 이유 없이 차별하고 있으므로 평등원칙에 반한다.

사건의 개요

당해 사건의 원고 김○○은 2000. 9. 1. ○○대학교 교원으로 임용되었고, 2011. 12. 28. 국립대학법인 ○○대학교가 설립되면서 교육부 소속 공무원으로 지위가 변경되었다. 교육부장관은 2016. 12. 26. 김○○에게 직권면직 처분을 하였고, 김○○은 교육부장관을 상대로 직권면직 처분의 취소를 구하는 소를 제기하였다. 항소심에서 직권면직 처분을 취소하는 판결이 선고되어 교육부장관이 상고하였으나, 2019. 5. 10. 상고가 기각되어 항소심 판결이 확정되었다.

김○○은 2019. 9. 23. 직권면직 처분 취소 판결에 따라 복직되었으나 교육부장관으로부터 급여를 지급받지 못하였다고 주장하며 2017. 1. 이후의 급여 및 이에 대한 이자 등의 지급을 구하는 소를 제기하고, 가집행선고를 구하고 있다.

제청법원은 직권면직 처분 취소 판결에 따라 당해 사건 원고인 김○○이 구하는 급여 청구의 허용 여부를 결정하기에 앞서, 2020. 8. 24. 국가를 상대로 한 당사자소송에는 가집행선고를 할 수 없도록 규정하고 있는 행정소송법 제43조에 대하여 직권으로 위헌법률심판을 제청하였다.

심판대상

행정소송법(1984. 12. 15. 법률 제3754호로 전부개정된 것)

제43조(가집행선고의 제한) 국가를 상대로 하는 당사자소송의 경우에는 가집행선고를 할 수 없다.

제4장 자유권적 기본권

제1절 인신에 관한 자유

제1항 생명권

049 직사살수 사건 [인용(위헌확인), 각하]
— 2020. 4. 23. 선고 2015헌마1149

사건의 개요

1. 청구인 백▽▽는 2015. 11. 14. 민중총궐기 집회(이하 '이 사건 집회'라 한다)에 참여하였다가, 종로구 청입구 사거리에서 경찰관들이 직사살수한 물줄기에 머리 등 가슴 윗부분을 맞아 넘어지면서 상해를 입고 약 10개월 동안 의식불명 상태로 치료받다가 2016. 9. 25. 사망하였다. 피청구인들은 이 사건 집회 당시 위 경찰관들을 지휘한 서울지방경찰청장 및 서울지방경찰청 기동본부 제4기동단장이다.

2. 청구인 백▽▽의 배우자와 자녀들인 청구인 박○○, 백○○, 백□□, 백△△(이하 '기존 청구인들'이라 한다)은 2015. 12. 10. '위 직사살수행위는 청구인 백▽▽ 및 기존 청구인들의 생명권, 신체의 자유, 표현의 자유, 인격권, 행복추구권, 인간으로서의 존엄과 가치, 집회의 자유 등을 침해하여 헌법에 위반되고, '경찰관 직무집행법' 제10조 제4항, 제6항, '위해성 경찰장비의 사용기준 등에 관한 규정' 제13조 제1항, 경찰장비관리규칙 제97조 제2항, '살수차 운용지침' 제2장 중 직사살수에 관한 부분은 헌법에 위반된다.'라고 주장하면서, 위 직사살수행위 및 그 근거법령의 위헌확인을 구하는 이 사건 헌법소원심판을 청구하였다.

3. 기존 청구인들은 2015. 12. 18. 청구인 백▽▽를 청구인으로 추가해 달라는 취지의 청구인추가신청서를 제출하였다. 청구인들은 2016. 1. 7. 위 청구인추가신청이 민사소송법 제70조를 준용하여 청구인 백▽▽를 주위적 청구인으로, 기존 청구인들을 예비적 청구인으로 한 공동심판추가신청임을 밝히면서, '1. 위 직사살수행위는 주위적으로 청구인 백▽▽의 생명권 등을 침해하고, 예비적으로 기존 청구인들의 인격권 등을 침해한다. 2. '경찰관 직무집행법' 제10조 제4항, 제6항, '위해성 경찰장비의 사용기준 등에 관한 규정' 제13조 제1항, 경찰장비관리규칙 제97조 제2항, '살수차 운용지침' 제2장 중 직사살수에 관한 부분은 헌법에 위반된다.'로 청구취지를 변경하는 내용의 보정서를 제출하였다. 그 후 청구인 백○○는 2016. 4. 18. 청구인 백▽▽의 성년후견인으로 선임되었고(광주가정법원 순천지원 2016느단10002 심판), 2016. 8. 2. 청구인 백▽▽의 소송행위를 추인하는 취지의 준비서면을 제출하였다.

심판대상조항 및 관련조항

피청구인들이 2015. 11. 14. 19:00경 종로구청입구 사거리에서 살수차를 이용하여 물줄기가 일직선 형태로 청구인 백남기에게 도달되도록 살수한 행위(이하 '이 사건 직사살수행위'라 한다)

【심판대상조항】

경찰관 직무집행법

제10조(경찰장비의 사용 등) ④ 위해성 경찰장비는 필요한 최소한도에서 사용하여야 한다.
⑥ 위해성 경찰장비의 종류 및 그 사용기준, 안전교육·안전검사의 기준 등은 대통령령으로 정한다.

위해성 경찰장비의 사용기준 등에 관한 규정(대통령령)

제13조(가스차·살수차·특수진압차·물포의 사용기준) ① 경찰관은 불법집회·시위 또는 소요사태로 인하여 발생할 수 있는 타인 또는 경찰관의 생명·신체의 위해와 재산·공공시설의 위험을 억제하기 위하여 부득이한 경우에는 현장책임자의 판단에 의하여 필요한 최소한의 범위안에서 가스차 또는 살수차를 사용할 수 있다.

경찰장비관리규칙(경찰청훈령)

제97조(특별관리) ② 제1항의 장비를 사용할 때에는 다음 각호의 안전수칙을 준수하여야 한다. (각호 생략)

주문

1. 피청구인들이 2015. 11. 14. 19:00경 종로구청입구 사거리에서 살수차를 이용하여 물줄기가 일직선 형태로 청구인 백▽▽에게 도달되도록 살수한 행위는 청구인 백▽▽의 생명권 및 집회의 자유를 침해한 것으로서 헌법에 위반됨을 확인한다.
2. 청구인 박○○, 백○○, 백□□, 백△△의 각 심판청구 및 청구인 백▽▽의 나머지 심판청구를 모두 각하한다.

판시사항 및 결정요지

1. 청구인 백남기의 청구인추가신청을 공동심판참가신청으로 선해한 사례

청구인들은 2016. 1. 7.자 보정서에서 청구인 백남기의 추가신청이 민사소송법 제70조에 의한 공동심판추가신청이라고 밝혔으나, 청구인 백남기의 청구가 기존 청구인들의 청구와 법률상 양립할 수 없는 경우에 해당하지 않으므로, 민사소송법 제70조에 의한 공동심판추가신청은 부적법하다.

청구인 백남기의 신청취지 중 이 사건 근거조항들에 대한 헌법소원심판청구 부분은 기존 청구인들의 청구와 동일한 법령에 대한 헌법소원심판으로서 이 사건 근거조항들이 위헌으로 결정될 경우 그 효력이 상실되어 그 위헌결정의 효력이 청구인들 모두에게 미치게 되므로, 그 목적이 기존 청구인들과 청구인 백남기에게 합일적으로 확정되어야 할 경우에 해당한다. 청구인 백남기의 신청취지 중 이 사건 직사살수행위에 대한 헌법소원심판청구 부분은, ① 헌법소원심판청구서에서 이 사건 직사살수행위가 청구인 백남기의 기본권을 침해하여 헌법에 위반된다는 결정을 청구하고 있었던 점, ② 청구인 백남기는 이 사건 직사살수행위의 직접 상대방으로서 법적 관련성이 인정되는 점, ③ 참가

신청의 적법 여부는 참가신청 당시를 기준으로 판단하는 점 등을 종합하면, 기존 청구인들의 청구와 동일한 공권력의 행사로 인하여 동일한 기본권을 침해받아 위헌임의 확인을 구하는 헌법소원심판으로서, 그 위헌확인결정은 모든 국가기관과 지방자치단체를 기속하므로 그 목적이 기존 청구인들과 청구인 백남기에게 합일적으로 확정되어야 할 경우에 해당한다. 그렇다면 청구인 백남기는 당초에 기존 청구인들이 그 침해를 주장한 기본권의 주체로서 계속 중인 심판에 공동청구인으로 참가할 것을 신청하였다고 볼 수 있고, 합일확정의 필요가 인정되므로, 청구인 백남기의 신청은 헌법재판소법 제40조 제1항 및 민사소송법 제83조 제1항에 의한 적법한 공동심판참가신청으로 선해한다.

2. 피청구인들(이 사건 집회 당시 위 경찰관들을 지휘한 서울지방경찰청장 및 서울지방경찰청 기동본부 제4기동단장)이 2015. 11. 14. 19:00경 종로구청입구 사거리에서 살수차를 이용하여 물줄기가 일직선 형태로 청구인 백남기에게 도달되도록 살수한 행위(이하 '이 사건 직사살수행위'라 한다)에 대한, 청구인 백남기의 배우자와 자녀들인 기존 청구인들의 심판청구에 관하여 기본권 침해의 자기관련성을 인정할 수 있는지 여부(소극)

청구인 백남기의 배우자와 자녀들인 기존 청구인들은 이 사건 직사살수행위의 직접 상대방이 아닌 제3자에 해당한다. 따라서 기존 청구인들의 이 사건 직사살수행위에 대한 심판청구는 기본권 침해의 자기관련성을 인정할 수 없다.

3. 청구인들의 '경찰관 직무집행법' 제10조 제4항, 제6항, 구 '위해성 경찰장비의 사용기준 등에 관한 규정' 제13조 제1항, 경찰장비관리규칙 제97조 제2항, '살수차 운용지침'(2014. 4. 3.) 제2장 중 직사살수에 관한 부분(이하 위 조항들을 합하여 '이 사건 근거조항들'이라 한다)에 대한 심판청구에 관하여 기본권 침해의 직접성을 인정할 수 있는지 여부(소극)

청구인들이 주장하는 기본권의 침해는 이 사건 근거조항들이 아니라 구체적 집행행위인 '직사살수행위'에 의하여 비로소 발생하는 것이다. 따라서 청구인들의 이 사건 근거조항들에 대한 심판청구는 기본권 침해의 직접성을 인정할 수 없다.

4. 청구인 백남기의 이 사건 직사살수행위에 대한 심판청구에 관하여 심판의 이익이 인정되고, 청구인 백남기의 사망에도 불구하고 예외적으로 심판절차가 종료된 것으로 볼 수 없다고 판단한 사례

이 사건 직사살수행위는 이미 종료되었고, 청구인 백남기는 2016. 9. 25. 사망하였으므로, 청구인 백남기의 이 사건 직사살수행위에 대한 심판청구는 주관적 권리보호이익이 소멸하였다. 그러나 직사살수행위는 사람의 생명이나 신체에 중대한 위험을 초래할 수 있는 공권력 행사에 해당하고, 헌법재판소는 직사살수행위가 헌법에 합치하는지 여부에 대한 해명을 한 바 없으므로, 심판의 이익을 인정할 수 있다.

청구인 백남기가 침해받았다고 주장하는 기본권인 생명권, 집회의 자유 등은 일신전속적인 성질을 가지므로 승계되거나 상속될 수 없어, 기본권의 주체가 사망한 경우 그 심판절차가 종료되는 것이 원칙이다. 그러나 이 부분 심판청구의 심판의 이익이 인정되고, 청구인 백남기는 이 사건 직사살수행위로 인하여 이 사건 심판절차의 계속 중 사망에 이르렀으므로, 이 부분 심판청구는 예외적으로 심판의 이익이 인정되어 종료된 것으로 볼 수 없다.

5. 이 사건 직사살수행위가 청구인 백남기의 생명권 및 집회의 자유를 침해하는지 여부(적극)

이 사건 직사살수행위는 불법 집회로 인하여 발생할 수 있는 타인 또는 경찰관의 생명·신체의 위해와 재산·공공시설의 위험을 억제하기 위하여 이루어진 것이므로 그 목적이 정당하다.

이 사건 직사살수행위 당시 청구인 백남기는 살수를 피해 뒤로 물러난 시위대와 떨어져 홀로 경찰 기동버스에 매여 있는 밧줄을 잡아당기고 있었다. 따라서 이 사건 직사살수행위 당시 억제할 필요성이 있는 생명·신체의 위해 또는 재산·공공시설의 위험 자체가 발생하였다고 보기 어려우므로, 수단의 적합성을 인정할 수 없다.

피청구인 서울지방경찰청장은 이 사건 집회 당시 경찰 인력, 장비 운용, 안전 관리 등을 총괄 지휘하였고, 피청구인 서울지방경찰청 기동본부 제4기동단장은 이 사건 집회 당시 종로구청입구 사거리의 경찰 인력, 장비 운용, 안전 관리를 총괄 지휘하였다. 살수차의 사용을 명령하는 지위에 있는 피청구인들로서는 우선 시위대의 규모, 시위 방법, 위험한 물건을 소지하고 있는지 여부, 경찰관과 물리적 충돌이 있는지 여부, 살수차의 위치 및 시위대와의 거리, 시위대에 이루어진 살수의 정도와 그로 인하여 부상자가 발생하였는지 여부 등 구체적인 현장 상황을 정확하게 파악하여야 한다. 다음으로, 위와 같은 사실관계를 기초로 하여 타인의 법익이나 공공의 안녕질서에 대한 직접적인 위험이 명백히 초래되었고, 다른 방법으로는 그 위험을 제거할 수 없는지 여부를 신중히 판단하여야 한다. 위와 같은 직사살수의 필요성이 인정된다면, 그 위험을 제거하기 위하여 필요한 최소한의 직사살수의 시기, 범위, 거리, 방향, 수압, 주의사항 등을 구체적으로 지시하여야 한다. 또한 현장 상황의 변경을 예의주시하여 직사살수의 필요성이 소멸하였거나 과잉 살수가 이루어지는 경우에는 즉시 살수의 중단, 물줄기의 방향 및 수압 변경, 안전 요원의 추가 배치 등을 지시할 의무가 있다. 앞서 본 바와 같이 청구인 백남기의 행위로 인하여 타인의 법익이나 공공의 안녕질서에 대한 직접적인 위험이 명백하게 초래되었다고 볼 수 없어 이 사건 직사살수행위의 필요성을 인정할 수 없다. 오히려 이 사건 집회 현장에서는 시위대의 가슴 윗부분을 겨냥한 직사살수가 지속적으로 이루어져 인명 피해의 발생이 우려되는 상황이었으므로, 피청구인들로서는 과잉 살수의 중단, 물줄기의 방향 및 수압 변경, 안전 요원의 추가 배치 등을 지시할 필요가 있었다. 한편 이 사건 당시 야간에 비가 오고 있었고, 이 사건 직사살수행위를 한 살수차는 추가로 긴급 투입되었기 때문에 살수요원들이 현장 상황을 제대로 파악할 겨를이 없었으며, 살수구 노즐을 조작하는 조이스틱의 고장으로 물줄기 이동을 위한 미세 조정이 어려웠고, 살수압 제한 장치의 고장으로 물살세기 조절도 쉽지 않은 상황이었다. 그럼에도 불구하고 피청구인들은 현장 상황을 제대로 확인하지 않은 채, 위 살수차를 배치한 후 단순히 시위대를 향하여 살수하도록 지시하였다. 그 결과 청구인 백남기의 머리와 가슴 윗부분을 향해 약 13초 동안 강한 물살세기로 직사살수가 계속되었다. 이로 인하여 청구인 백남기는 상해를 입고 약 10개월 동안 의식불명 상태로 치료받다가 2016. 9. 25. 사망하였다. 그러므로 이 사건 직사살수행위는 침해의 최소성에 반한다.

이 사건 직사살수행위를 통하여 청구인 백남기가 홀로 경찰 기동버스에 매여 있는 밧줄을 잡아당기는 행위를 억제함으로써 얻을 수 있는 공익은 거의 없거나 미약하였던 반면, 청구인 백남기는 이 사건 직사살수행위로 인하여 사망에 이르렀으므로, 이 사건 직사살수행위는 법익의 균형성도 충족하지 못하였다.

그러므로 이 사건 직사살수행위는 과잉금지원칙에 반하여 청구인 백남기의 생명권 및 집회의 자유를 침해하였다.

제2항 신체를 훼손당하지 않을 권리

제3항 신체의 자유

| 형벌불소급 원칙 |

050 소위 '황제노역'과 관련하여 노역장유치기간의 하한을 정하면서 개정 전 범죄행위에 대하여도 소급적용하도록 한 형법 조항 사건 [위헌]
— 2017. 10. 26. 선고 2015헌바239, 2016헌바177(병합)

판시사항

1. 1억 원 이상의 벌금형을 선고하는 경우 노역장유치기간의 하한을 정한 형법 제70조 제2항(이하 '노역장유치조항'이라 한다)이 과잉금지원칙에 반하여 청구인들의 신체의 자유를 침해하는지 여부(소극)
2. 노역장유치조항을 시행일 이후 최초로 공소제기되는 경우부터 적용하도록 한 형법 부칙 제2조 제1항(이하 '부칙조항'이라 한다)이 형벌불소급원칙에 위반되는지 여부(적극)

사건의 개요

2015헌바239 사건 ; 청구인은 '2012. 7. 25. 및 2013. 1. 25.경 부가가치세 확정신고를 함에 있어 합계 197억 원 상당의 허위의 세금계산서합계표를 제출하였다'는 범죄사실로 2014. 6. 26. 공소제기되었다. 1심 법원은 2014. 12. 19. '청구인을 징역 1년 6월 및 벌금 20억 원에 처하고, 벌금을 납입하지 아니하는 경우 400만 원을 1일로 환산한 기간 노역장에 유치한다'는 내용의 판결을 선고하였으며, 이에 대한 항소 및 상고는 모두 기각되었다. 청구인은 위 상고심 계속 중 5억 원 이상 50억 원 미만의 벌금형을 선고하는 경우 500일 이상의 노역장유치기간을 정하도록 한 형법 제70조 제2항을 위 조항의 시행일인 2014. 5. 14. 이후 최초로 공소가 제기되는 경우부터 적용하도록 한 형법 부칙 제2조 제1항이 죄형법정주의의 형벌불소급원칙 등에 반한다고 주장하며 위헌법률심판제청신청을 하였으나, 2015. 6. 11. 그 신청이 기각되자, 2015. 7. 14. 이 사건 헌법소원심판을 청구하였다. (2016헌바177 사건 생략)

심판대상조항 및 관련조항

형법(2014. 5. 14. 법률 제12575호로 개정된 것)

제69조(벌금과 과료) ① 벌금과 과료는 판결확정일로부터 30일내에 납입하여야 한다. 단, 벌금을 선고할 때에는 동시에 그 금액을 완납할 때까지 노역장에 유치할 것을 명할 수 있다.
② 벌금을 납입하지 아니한 자는 1일 이상 3년 이하, 과료를 납입하지 아니한 자는 1일 이상 30일 미만의 기간 노역장에 유치하여 작업에 복무하게 한다.

제70조(노역장유치) ① 벌금 또는 과료를 선고할 때에는 납입하지 아니하는 경우의 유치기간을 정하여 동시에 선고하여야 한다.
② 선고하는 벌금이 1억 원 이상 5억 원 미만인 경우에는 300일 이상, 5억 원 이상 50억 원 미만인 경우에는 500일 이상, 50억 원 이상인 경우에는 1,000일 이상의 유치기간을 정하여야 한다.

형법 부칙(2014. 5. 14. 법률 제12575호)
제2조(적용례 및 경과조치) ① 제70조 제2항의 개정규정은 이 법 시행 후 최초로 공소가 제기되는 경우부터 적용한다.

주문

1. 형법 부칙(2014. 5. 14. 법률 제12575호) 제2조 제1항은 헌법에 위반된다.
2. 형법(2014. 5. 14. 법률 제12575호로 개정된 것) 제70조 제2항은 헌법에 위반되지 아니한다.

I. 판단

1. 노역장유치의 의의 및 내용

노역장유치란 벌금형 및 과료형의 집행과 관련하여 벌금 등을 완납할 때까지 노역장에 유치하여 작업에 복무하게 하는 환형처분을 말한다. 노역장유치는 벌금형 등에 대한 환형처분이라는 점에서 노역형, 즉 강제노동 자체를 내용으로 하는 형벌과는 구별된다.

2. 노역장유치조항의 위헌 여부

가. 쟁 점

노역장유치조항은 벌금 액수가 1억 원 이상인 청구인들로 하여금 벌금을 납입하지 아니한 경우 반드시 일정기간 이상 노역장에 유치되도록 하고 있으므로 과잉금지원칙에 반하여 청구인들의 신체의 자유를 침해하는지 여부가 문제된다.

청구인들은 노역장유치조항이 벌금을 납입할 자력이 있는 자와 없는 자를 차별한다고 주장하나, 이 조항은 경제적 능력의 유무와 상관없이 모든 벌금미납자에게 적용되고, 벌금의 납입능력에 따른 노역장유치 가능성의 차이는 이 조항이 예정하고 있는 차별이 아니라 벌금형이라는 재산형이 가지고 있는 본질적인 성격에서 비롯된 것일 뿐이므로, 노역장유치조항이 경제적 능력이 있는 자와 없는 자를 차별한다고 볼 수 없다.

나. 과잉금지원칙 위반 여부

1) 목적의 정당성과 수단의 적합성

노역장유치조항은 노역장유치가 고액 벌금의 납입을 회피하는 수단으로 이용되는 것을 막고 1일 환형유치금액에 대한 형평성을 제고하기 위한 것으로, 이러한 입법목적은 정당하다. 1억 원

이상의 벌금을 선고하는 경우 노역장유치기간의 하한을 법률에 정해두게 되면, 벌금의 납입을 심리적으로 강제할 수 있고 1일 환형유치금액 사이의 지나친 차이를 좁혀 형평성을 도모할 수 있으므로, 노역장유치조항은 입법목적 달성에 적절한 수단이다.

2) 침해의 최소성

벌금에 비해 노역장유치기간이 지나치게 짧게 정해지면 경제적 자력이 충분함에도 고액의 벌금 납입을 회피할 목적으로 복역하는 자들이 있을 수 있으므로, 벌금 납입을 심리적으로 강제할 수 있는 최소한의 유치기간을 정할 필요가 있다. 또한 고액 벌금에 대한 유치기간의 하한을 법률로 정해두면 1일 환형유치금액 간에 발생하는 불균형을 최소화할 수 있다. 노역장유치조항은 벌금 액수에 따라 유치기간의 하한이 증가하도록 하여 범죄의 경중이나 죄질에 따른 형평성을 도모하고 있고, 노역장유치기간의 상한이 3년인 점과 선고되는 벌금 액수를 고려하면 그 하한이 지나치게 장기라고 보기 어렵다. 또한 노역장유치조항은 유치기간의 하한을 정하고 있을 뿐이므로 법관은 그 범위 내에서 다양한 양형요소들을 고려하여 1일 환형유치금액과 노역장유치기간을 정할 수 있다.

이러한 점들을 종합하면, 노역장유치조항은 침해의 최소성 요건을 충족한다.

3) 법익 균형성

노역장유치조항은 노역장유치제도의 공정성과 형평성을 제고하기 위한 것으로, 이러한 공익은 매우 중대하다. 반면, 노역장유치는 벌금을 납입하지 않는 경우를 대비한 것으로 벌금을 납입한 때에는 집행될 여지가 없고, 노역장유치로 벌금형이 대체되는 점 등을 고려하면, 청구인들이 입게 되는 불이익이 노역장유치조항으로 달성하고자 하는 공익에 비하여 크다고 할 수 없다. 따라서 노역장유치조항은 법익 균형성 요건을 충족한다.

다. 소 결

그렇다면 노역장유치조항은 과잉금지원칙에 반하여 청구인들의 신체의 자유를 침해한다고 볼 수 없다.

3. 부칙조항의 위헌 여부

가. 쟁 점

부칙조항은 노역장유치조항이 개정되어 시행되기 전에 범죄를 저지른 경우라 하더라도 공소제기가 노역장유치조항 시행 이후에 이루어졌다면 노역장유치조항을 적용하도록 하고 있다. 이는 이미 종료된 범죄행위에 대하여 사후에 개정된 법률을 적용하는 것으로서 소급입법에 해당한다. 따라서 노역장유치가 형벌적 성격을 가진다면, 그리고 그 유치기간의 하한을 설정한 것이 불이익한 변경이라면 헌법 제13조 제1항의 형벌불소급원칙에 위반될 수 있다.

나. 형벌불소급원칙의 의의 및 적용기준

헌법 제12조 제1항 후문은 "… 법률과 적법한 절차에 의하지 아니하고는 처벌·보안처분 또는 강제노역을 받지 아니한다."라고 규정하고, 헌법 제13조 제1항 전단은 "모든 국민은 행위시의 법률에 의하여 범죄를 구성하지 아니하는 행위로 소추되지 아니하며…"라고 하여 죄형법정주의와 형벌불소급원칙을 규정하고 있다. 위 조항들의 근본 취지는, 허용된 행위와 금지된 행위의 경계를 명확히 설정하여 어떠한 행위가 금지되어 있고 그에 위반한 경우 어떠한 처벌이 정해져 있는가를 미리 국민에게 알려 자신의 행위를 그에 맞출 수 있도록 하고, 사후입법에 의한 처벌이나 가중처벌을 금지함으로써 법적 안정성, 예측가능성 및 국민의 신뢰를 보호하기 위한 데 있다.

그런데 형벌불소급원칙이 적용되는 '처벌'의 범위를 형법이 정한 형벌의 종류에만 한정되는 것으로 보게 되면, 형법이 정한 형벌 외의 형태로 가해질 수 있는 형사적 제재나 불이익은 소급적용이 허용되는 결과가 되어, 법적 안정성과 예측가능성을 보장하여 자의적 처벌로부터 국민을 보호하고자 하는 형벌불소급원칙의 취지가 몰각될 수 있다. 형벌불소급원칙에서 의미하는 '처벌'은 단지 형법에 규정되어 있는 형식적 의미의 형벌 유형에 국한되지 않는다.

헌법재판소는 일찍이 보안처분인 구 사회보호법상 '보호감호'에 대하여 '상습범 등에 대한 보안처분의 하나로서 신체에 대한 자유의 박탈을 그 내용으로 하는 보호감호처분은 형벌과 같은 차원에서의 적법한 절차와 헌법 제13조 제1항에 정한 죄형법정주의의 원칙에 따라 비로소 과해질 수 있는 것이라 할 수 있고, 따라서 그 요건이 되는 범죄에 관한 한 소급입법에 의한 보호감호처분은 허용될 수 없다.'고 판시하여 '형법이 규정한 형벌' 외의 제재에 대해서도 형벌불소급원칙이 적용될 수 있음을 밝힌 바 있다(88헌가5). 그 후에도 헌법재판소는 '보안처분이라 하더라도 형벌적 성격이 강하여 신체의 자유를 박탈하거나 박탈에 준하는 정도로 신체의 자유를 제한하는 경우에는 형벌불소급원칙이 적용된다.'고 판시하고 있다(2010헌가82등).

대법원도 구 사회보호법상의 '보호감호'에 관하여 사회보호법 시행 이후에 저지른 범죄에 대하여만 보호감호 청구의 대상이 된다고 판시하였고(81도2897), '가정폭력범죄의 처벌 등에 관한 특례법'이 정한 보호처분 중 하나인 '사회봉사명령'에 대하여도, 보안처분의 성격을 가지는 것이나 실질적으로는 신체적 자유를 제한하게 되므로 형벌불소급원칙에 따라 행위시법을 적용하여야 한다는 취지로 판결하였다(2008어4).

이와 같이 헌법재판소와 대법원은 범죄행위에 따른 제재를 부과할 때 그 제재의 형식적 분류보다는 그 제재의 실질이 가져오는 형벌적 불이익의 정도에 따라 형벌불소급원칙의 적용 여부를 판단하고 있다.

이러한 점들을 종합하여 볼 때, 범죄행위에 따른 제재의 내용이나 실제적 효과가 가중되거나 부수효과가 불이익하게 변경되는 경우에는 행위시법을 적용함이 바람직하다(독일 형법 제2조 제1항 참조). 특히 범죄행위에 따른 제재의 내용이나 실제적 효과가 형벌적 성격이 강하여, 신체의 자유를 박탈하거나 이에 준하는 정도로 신체의 자유를 제한하는 경우에는 법적 안정성, 예측 가능성 및 국민의 신뢰를 보호하기 위하여 형벌불소급원칙이 적용되어야 한다.

다. 노역장유치조항과 형벌불소급원칙

1) 형법은 "벌금을 납입하지 아니한 자는 1일 이상 3년 이하의 기간 노역장에 유치하여 작업에 복무하게 한다."고 하고(제69조 제2항), "벌금을 선고할 때에는 납입하지 아니하는 경우의 유치기간을 정하여 동시에 선고하여야 한다."고 규정하고 있다(제70조 제1항). 이와 같이 노역장유치는 벌금형에 대한 집행방법으로 그 자체가 독립된 형벌이 아니지만 벌금형에 부수적으로 부과되는 환형처분이다. 그리고 노역장유치의 집행에는 형의 집행에 관한 규정이 준용되고(형사소송법 제492조), 노역장유치의 명령을 받은 자는 징역형이 선고된 수형자와 함께 교도소에 수감되어 정역에 복무하는 등(형법 제67조, 형의 집행 및 수용자의 처우에 관한 법률 제2조 제2호), 노역장유치는 집행방법이 징역형과 동일하다.

따라서 노역장유치는 벌금형에 부수적으로 부과되는 환형처분으로서, 그 실질은 신체의 자유를 박탈하여 징역형과 유사한 형벌적 성격을 가지고 있으므로, 형벌불소급원칙의 적용대상이 된다.

2) 형벌불소급원칙은 범죄행위시의 법률에 의해 범죄를 구성하지 않는 경우뿐만 아니라, 범죄행위시의 법률보다 형을 가중한 경우에도 적용된다. 형벌불소급원칙은 범죄행위시의 법률보다 형의 상한 또는 하한을 높인 경우에도 적용되며, 주형을 가중한 경우 외에도 부가형·병과형을 가중한 경우에도 적용된다.

앞서 본바와 같이, 노역장유치는 벌금형에 부수적으로 부과되는 환형처분으로서 실질은 신체의 자유를 박탈하여 징역형과 유사한 형벌적 성격을 가지고 있으므로, 노역장유치와 관련된 법률의 개정으로 동일한 벌금형을 선고받은 사람에게 그 기간이 장기화되는 등 불이익이 가중된 때에는, 범죄행위시의 법률에 따라 벌금을 납입하지 아니하는 경우의 유치기간을 정하여 선고하여야 한다. 따라서 노역장유치조항은 1억 원 이상의 벌금을 선고받은 자에 대하여는 노역장유치기간의 하한이 중하게 변경된 것이므로, 이 조항 시행 전에 행한 범죄행위에 대해서는 범죄행위 당시에 존재하였던 법률을 적용하여야 한다.

라. 소 결

부칙조항은 노역장유치조항의 시행 전에 행해진 범죄행위에 대해서도 공소제기의 시기가 노역장유치조항의 시행 이후이면 이를 적용하도록 하고 있는 바, 부칙조항은 범죄행위 당시보다 불이익한 법률을 소급하여 적용하도록 하는 것이라고 할 수 있으므로, 헌법상 형벌불소급원칙에 위반된다.

이와 같이 부칙조항이 형벌불소급원칙에 반하여 헌법에 위반된다고 판단하는 이상 청구인들의 나머지 주장에 대하여는 더 나아가 판단하지 아니한다.

II 결 론

노역장유치조항은 헌법에 위반되지 아니하고, 부칙조항은 헌법에 위반되므로 주문과 같이 결정한다.

051 5·18민주화운동 등에 관한 특별법 사건 [합헌]
— 1996. 2. 16. 선고 96헌가2, 96헌바7, 96헌바13

판시사항

1. 5·18민주화운동 등에 관한 특별법(이하 "특별법"이라 한다) 제2조가 개별사건법률로서 위헌인지 여부(소극)
2. 특별법 제2조가 소급입법에 해당하는지 여부
3. 위 법률조항이 형벌불소급의 원칙에 위반되는지 여부(소극)
4. 위 법률조항이 부진정소급효를 갖는 경우 법적 안정성과 신뢰보호의 원칙을 포함하는 법치주의 정신에 위반되는지 여부(소극)
5. 위 법률조항이 진정소급효를 갖는 경우 법적 안정성과 신뢰보호의 원칙을 포함하는 법치주의 정신에 위반되거나 평등의 원칙에 위반되는지 여부

사건의 개요

1. 서울지방검찰청 검사는 1994.10.29. 이른바 12·12 군사반란사건(이하 "12·12사건"이라 한다)과 관련된 피의자 38명에 대하여 기소유예의 불기소처분을 하고, 1995.7.18. 이른바 5·18 내란사건(이하 "5·18사건"이라 한다)과 관련된 피의자 35명에 대하여 공소권없음의 불기소처분을 하였다.

2. 그런데 5·18민주화운동등에관한특별법(이하 "특별법"이라 한다)이 1995.12.21.자로 제정·공포되자, 서울지방검찰청 검사는 1995.12.29. 위 두 사건과 관련된 피의자들 전원에 대하여 사건을 재기한 다음, 1996.1.17. 96헌가2 사건의 제청신청인들에 대하여는 12·12사건과 관련된 반란중요임무종사 등 혐의로, 96헌바7 사건의 청구인들에 대하여는 같은 반란 및 5·18사건과 관련된 내란중요임무종사 등 혐의로 서울지방법원에 각각 구속영장을 청구하는 한편, 1996.1.30. 96헌바13 사건의 청구인들에 대하여 같은 반란 및 내란중요임무종사 등의 혐의로 서울지방법원에 구속영장을 청구하였다.

3. 96헌가2 사건의 제청신청인들 및 96헌바7,13 사건의 청구인들은 위 각 영장청구일에 각 그 영장청구사건에 관한 재판의 전제가 되는 특별법 제2조(이하 "이 법률조항"이라 한다)는 공소시효가 이미 완성된 그들의 범죄혐의사실에 대하여 소급하여 그 공소시효 진행의 정지사유를 정한 것으로서 형벌불소급의 원칙을 천명하고 있는 헌법 제13조 제1항에 위반되는 규정이라고 주장하면서 서울지방법원에 이 법률조항에 대한 위헌심판의 제청신청을 하였다.

4. 그런데 위 법원은 1996.1.18. 96헌바2 사건 제청신청인들의 위헌제청신청은 이를 받아들여 헌법재판소에 위 법률조항의 위헌여부에 대한 심판을 제청하였으나(96헌가2), 96헌바7 사건의 청구인들의 신청과 96헌바13 사건의 청구인들의 신청은 그들의 5·18사건과 관련한 내란중요임무종사 등의 피의사실이 이 법률조항과 관계없이 아직 공소시효가 완성되지 아니하여 그 혐의사실만으

로 구속영장을 발부하는 이상 이 법률조항의 위헌 여부는 재판의 전제가 되지 않는다는 이유로 1996.1.18.과 1996.1.31.에 이를 각 기각하였다. 이에 96헌바7 사건의 청구인들은 1996.1.26.에, 96헌바13 사건의 청구인들은 1996.2.10.에 헌법재판소법 제68조 제2항에 따라 각각 이 사건 헌법소원심판을 청구하였다.

심판대상조항 및 관련조항

5·18민주화운동등에관한특별법(1995년 12월 21일 법률 제5029호)

제2조(공소시효의 정지) ① 1979년 12월 12일과 1980년 5월 18일을 전후하여 발생한 헌정질서파괴범죄의공소시효등에관한특별법 제2조의 헌정질서파괴범죄행위에 대하여 국가의 소추권행사에 장애사유가 존재한 기간은 공소시효의 진행이 정지된 것으로 본다.
② 제1항에서 "국가의 소추권행사에 장애사유가 존재한 기간"이라 함은 당해 범죄행위의 종료일부터 1993년 2월 24일까지의 기간을 말한다.

주문

5·18민주화운동등에관한특별법(1995년 12월 21일 법률 제5029호) 제2조는 헌법에 위반되지 아니한다.

I 판 단

1. 특별법 제2조가 개별사건법률이기 때문에 위헌인가

1) 특별법 제2조는 제1항에서 "1979년 12월 12일과 1980년 5월 18일을 전후하여 발생한······ 헌정질서파괴행위에 대하여······ 공소시효의 진행이 정지된 것으로 본다."라고 규정함으로써, 특별법이 이른바 12·12 사건과 5·18 사건에만 적용됨을 명백히 밝히고 있으므로 다른 유사한 상황의 불특정다수의 사건에 적용될 가능성을 배제하고 오로지 위 두 사건에 관련된 헌정질서파괴범만을 그 대상으로 하고 있어 특별법 제정당시 이미 적용의 인적범위가 확정되거나 확정될 수 있는 내용의 것이므로 개별사건법률임을 부인할 수는 없다.

2) 그러나 우리 헌법은 개별사건법률에 대한 정의를 하고 있지 않음은 물론 개별사건법률의 입법을 금하는 명문의 규정도 없다. 개별사건법률금지의 원칙은 "법률은 일반적으로 적용되어야지 어떤 개별사건에만 적용되어서는 아니된다"는 법원칙으로서 헌법상의 평등원칙에 근거하고 있는 것으로 풀이되고, 그 기본정신은 입법자에 대하여 기본권을 침해하는 법률은 일반적 성격을 가져야 한다는 형식을 요구함으로써 평등원칙위반의 위험성을 입법과정에서 미리 제거하려는데 있다 할 것이다. 개별사건법률은 개별사건에만 적용되는 것이므로 원칙적으로 평등원칙에 위배되는 자의적인 규정이라는 강한 의심을 불러일으킨다. 그러나 개별사건법률금지의 원칙이 법률제정에 있어서 입법자가 평등원칙을 준수할 것을 요구하는 것이기 때문에, 특정규범이 개별사건법률에 해당한다 하여 곧바로 위헌을 뜻하는 것은 아니다. 비록 특정법률 또는 법률조항이 단지 하나의 사건

만을 규율하려고 한다 하더라도 이러한 차별적 규율이 합리적인 이유로 정당화될 수 있는 경우에는 합헌적일 수 있다. 따라서 개별사건법률의 위헌 여부는, 그 형식만으로 가려지는 것이 아니라, 나아가 평등의 원칙이 추구하는 실질적 내용이 정당한지 아닌지를 따져야 비로소 가려진다.

　　3) 이른바 12·12 및 5·18 사건의 경우 그 이전에 있었던 다른 헌정질서파괴범과 비교해 보면, 공소시효의 완성 여부에 관한 논의가 아직 진행중이고, 집권과정에서의 불법적 요소나 올바른 헌정사의 정립을 위한 과거청산의 요청에 미루어 볼 때 비록 특별법이 개별사건법률이라고 하더라도 입법을 정당화할 수 있는 공익이 인정될 수 있으므로 위 법률조항은 헌법에 위반되지 않는다.

2. 특별법은 소급효를 가진 법률인가

가. 이 법률조항은 1979.12.12.과 1980.5.18.을 전후하여 발생한 헌정질서파괴범죄의공소시효등에관한특례법 제2조의 헌정질서파괴범죄행위(이 뒤에는 "이 사건 범죄행위"라고만 한다)에 대하여 당해 범죄행위의 종료일부터 1993.2.24.까지 국가의 소추권행사에 장애사유가 존재하였다고 하여 그 기간은 공소시효의 진행이 정지된 것으로 보도록 규정하고 있다.

이 법률조항이 헌법에 위반되는 여부를 판단함에 있어서는, 먼저 이 법률조항이, 공소시효제도의 본질이나 그 제도에 관한 실정법의 해석에 의하여 당연히 도출되는 사유를 확인하여 공소시효정지 사유의 하나로 규정한 것에 지나지 않는 것(확인적 법률)인지, 그런 것이 아니라 사후에 새로운 공소시효의 정지사유를 규정한 이른바 소급입법에 해당하는 것(형성적 법률)인지를 가려야 할 필요가 있다.

나. 재판관 김용준, 재판관 정경식, 재판관 고중석, 재판관 신창언의 의견

　　공소시효제도는 헌법이 마련하고 있는 제도가 아니라 법률이 규정하고 있는 제도이므로, 그 제도의 구체적인 적용은 사실의 인정과 법률의 해석에 관련된 문제로서 기본적으로 법원의 전속적인 권한에 속하는 사항이며, 헌법재판소가 관여할 사항이 아니다. 따라서 헌법재판소로서는 위 법률조항이 확인적 법률인지의 여부에 관하여는 법원의 판단에 맡기고, 만일 법원이 이 점에 관하여 소극적 견해를 취할 경우 제기될 수 있는 헌법적 문제에 대하여 판단하면 된다.

다. 재판관 김진우, 재판관 이재화, 재판관 조승형의 의견

　　특별법 제2조는 법 및 법집행의 왜곡에 따르는 소추의 장애사유가 존재하여 헌정질서파괴 행위자들에 대한 검찰의 소추권행사가 불가능하였으므로 당연히 공소시효의 진행이 정지된 것으로 보아야 한다는 법리를 확인하여 입법한 데 불과하므로 소급입법에 해당하지 않는다.

　　형사법의 집행을 담당하는 국가의 소추기관이 법제도상 군사반란 내지 내란행위자들에 의해 장악되거나 억압당함으로써 이들의 의사나 이익에 반하는 소추권행사가 더 이상 가능하지 않게 되는 등 반란행위나 내란행위를 처벌하여야 할 법률의 기능이 마비되어, 적어도 위 행위자들에 관한 한 법치국가적 원칙이 완전히 무시되고 법률의 집행이 왜곡되는 법질서상의 중대한 장애사유가 있는 경우에는, 비록 헌법이나 법률에 명문의 규정은 없다 하여도 단순한 사실상의 장애를 넘어 법규범 내지 법치국가적 제도 자체에 장애가 있다고 보아야 하고, 이러한 장애로 군사반란행위자와 내란행위자가 불처벌로 남아있을 수 밖에 없는 상태로 있는 기간 동안에는 공소시효가 정지된다고 보아야 하며, 또 이것이 공소시효제도의 본질에도 부합하는 해석으로 성공한 내란도 처벌되어야 한다는 당위성에 합치되고 정의의 관념과 형평의 원칙에도 합치한다.

라. 재판관 김문희, 재판관 황도연의 의견

공소시효는 법률로써 명문규정을 둔 경우에 한하여 정지되는 것이고, 헌법 제84조의 규정도 공소시효의 정지에 관한 명문규정으로 볼 수 없으므로, 위 법률조항에서 공소시효가 정지되는 것으로 규정한 전기간, 모든 피의자에 대하여 이 법률조항으로 말미암아 비로소 공소시효의 진행이 정지되는 것으로 보아야 한다. 따라서 이 법률조항은 소급적 효력을 가진 형성적 법률이다.

3. 공소시효와 형벌불소급의 원칙

헌법 제12조 제1항 후단은 "……법률과 적법한 절차에 의하지 아니하고는 처벌·보안처분 또는 강제노역을 받지 아니한다"라고 규정하고, 제13조 제1항 전단은 "모든 국민은 행위시의 법률에 의하여 범죄를 구성하지 않는 행위로 소추되지 아니하며……"라고 하여 죄형법정주의와 형벌불소급의 원칙을 규정하고 있다. 헌법 제12조 제1항과 제13조 제1항의 근본 뜻은 형벌법규는 허용된 행위와 금지된 행위의 경계를 명확히 설정하여 어떠한 행위가 금지되어 있고, 그에 위반한 경우 어떠한 형벌이 정해져 있는가를 미리 개인에 알려 자신의 행위를 그에 맞출 수 있도록 하자는데 있다. 이로써 위 헌법조항은 실체적 형사법 영역에서의 어떠한 소급효력도 금지하고 있고, "범죄를 구성하지 않는 행위"라고 표현함으로써 절대적 소급효금지의 대상은 "범죄구성요건"과 관련되는 것임을 밝히고 있다.

그러므로 우리 헌법이 규정한 형벌불소급의 원칙은 형사소추가 "언제부터 어떠한 조건하에서" 가능한가의 문제에 관한 것이고, "얼마동안" 가능한가의 문제에 관한 것은 아니다. 다시 말하면 헌법의 규정은 "행위의 가벌성"에 관한 것이기 때문에 소추가능성에만 연관될 뿐, 가벌성에는 영향을 미치지 않는 공소시효에 관한 규정은 원칙적으로 그 효력범위에 포함되지 않는다. 행위의 가벌성은 행위에 대한 소추가능성의 전제조건이지만 소추가능성은 가벌성의 조건이 아니므로 공소시효의 정지규정을 과거에 이미 행한 범죄에 대하여 적용하도록 하는 법률이라 하더라도 그 사유만으로 헌법 제12조 제1항 및 제13조 제1항에 규정한 죄형법정주의의 파생원칙인 형벌불소급의 원칙에 언제나 위배되는 것으로 단정할 수는 없다.

4. 특별법과 법치주의의 원칙

공소시효제도가 헌법 제12조 제1항 및 제13조 제1항에 정한 죄형법정주의의 보호범위에 바로 속하지 않는다면, 소급입법의 헌법적 한계는 법적 안정성과 신뢰보호원칙을 포함하는 법치주의의 원칙에 따른 기준으로 판단하여야 한다. 법적 안정성은 객관적 요소로서 법질서의 신뢰성·항구성·법적 투명성과 법적 평화를 의미하고, 이와 내적인 상호연관관계에 있는 법적 안정성의 주관적 측면은 한번 제정된 법규범은 원칙적으로 존속력을 갖고 자신의 행위기준으로 작용하리라는 개인의 신뢰보호원칙이다. 법적 안정성과 신뢰보호원칙에 있어서 특히 중요한 것은 시간적인 요소이다. 그렇다면 이 법률조항에 대한 위헌 여부를 판단하기 위하여는 먼저 이 법률조항이 이미 종료된 사실관계(이른바 진정소급효)에 관련된 것인지, 아니면 현재 진행중인 사실관계(이른바 부진정소급효)에 관련된 것인지를 밝혀야 할 것이고, 이는 결국 특별법 시행당시 특별법 소정 피의자들에 대한 공소시효가 이미 완성되었는지의 여부에 따라 판가름될 성질의 것이다.

가. 공소시효가 완성되지 않았다고 보는 경우

공소시효가 아직 완성되지 않은 경우 위 법률조항은 단지 진행중인 공소시효를 연장하는 법률로서 이른바 부진정소급효를 갖게 되나, 공소시효제도에 근거한 개인의 신뢰와 공시시효의 연장을 통하여 달성하려는 공익을 비교형량하여 공익이 개인의 신뢰보호이익에 우선하는 경우에는 소급효를 갖는 법률도 헌법상 정당화될 수 있다.

위 법률조항의 경우에는 왜곡된 한국 반세기 헌정사의 흐름을 바로 잡아야 하는 시대적 당위성과 아울러 집권과정에서의 헌정질서파괴범죄를 범한 자들을 응징하여 정의를 회복하여야 한다는 중대한 공익이 있는 반면, 공소시효는 행위자의 의사와 관계없이 정지될 수도 있는 것이어서 아직 공소시효가 완성되지 않은 이상 예상된 시기에 이르러 반드시 시효가 완성되리라는 것에 대한 보장이 없는 불확실한 기대일 뿐이므로 공소시효에 대하여 보호될 수 있는 신뢰보호이익은 상대적으로 미약하여 위 법률조항은 헌법에 위반되지 아니한다.

나. 공소시효가 완성되었다고 보는 경우

법원이 특별법 소정 헌정질서파괴범죄의 공소시효가 이미 완성되었다고 판단한다면, 특별법은 이미 과거에 완성된 사실 또는 법률관계를 규율대상으로 사후에 이전과 다른 법적효과를 생기게 하는 이른바 진정소급효를 갖게 되고, 이 부분에 대한 재판관들의 의견은 다음과 같다.

1) 재판관 김진우, 재판관 이재화, 재판관 조승형, 재판관 정경식의 합헌의견

기존의 법에 의하여 형성되어 이미 굳어진 개인의 법적 지위를 사후입법을 통하여 박탈하는 것 등을 내용으로 하는 진정소급입법은 개인의 신뢰보호와 법적 안정성을 내용으로 하는 법치국가원리에 의하여 헌법적으로 허용되지 않는 것이 원칙이지만, 특단의 사정이 있는 경우, 즉 기존의 법을 변경하여야 할 공익적 필요는 심히 중대한 반면에 그 법적 지위에 대한 개인의 신뢰를 보호하여야 할 필요가 상대적으로 정당화될 수 없는 경우에는 예외적으로 허용될 수 있다. 그러한 진정소급입법이 허용되는 예외적인 경우로는 일반적으로, 국민이 소급입법을 예상할 수 있었거나, 법적 상태가 불확실하고 혼란스러웠거나 하여 보호할 만한 신뢰의 이익이 적은 경우와 소급입법에 의한 당사자의 손실이 없거나 아주 경미한 경우, 그리고 신뢰보호의 요청에 우선하는 심히 중대한 공익상의 사유가 소급입법을 정당화하는 경우를 들 수 있다.

물론 그러한 "공익"적 필요가 존재하는지 여부의 문제를 심사함에 있어서는, 부진정소급입법의 경우에 있어서의 신뢰보호의 요청과 서로 비교형량되는 단순한 공익상의 사유보다도 훨씬 엄격한 조건이 적용되지 않으면 아니된다. 즉 매우 중대한 공익이 존재하는 예외적인 경우에만 그러한 진정소급입법은 정당화될 수 있다. 또한 진정소급입법을 헌법적으로 정당화할 수 있는 이러한

예외사유가 존재하는 여부는 특별법과 같이 신체의 자유에 대한 제한과 직결되는 등 중요한 기본권에 대한 침해를 유발하는 입법에 있어서는 더욱 엄격한 기준으로 판단하여야 할 것이다.

이 사건 반란행위 및 내란행위자들은 우리 헌법질서의 근간을 이루고 있는 자유민주적 기본질서를 파괴하였고, 그로 인하여 우리의 민주주의가 장기간 후퇴한 것은 말할 것도 없고, 많은 국민의 그 생명과 신체가 침해되었으며, 전국민의 자유가 장기간 억압되는 등 국민에게 끼친 고통과 해악이 너무도 심대하여 공소시효의 완성으로 인한 이익은 단순한 법률적 차원의 이익이고, 헌법상 보장된 기본권적 법익에 속하지 않는 반면, 집권과정에서 헌정질서파괴범죄를 범한 자들을 응징하여 정의를 회복하여 왜곡된 우리 헌정사의 흐름을 바로 잡아야 할 뿐만 아니라, 앞으로는 우리 헌정사에 다시는 그와 같은 불행한 사태가 반복되지 않도록 자유민주적 기본질서의 확립을 위한 헌정사적 이정표를 마련하여야 할 공익적 필요는 매우 중대한 반면, 이 사건 반란행위자들 및 내란행위자들의 군사반란죄나 내란죄의 공소시효완성으로 인한 법적 지위에 대한 신뢰이익이 보호받을 가치가 별로 크지 않다는 점에서, 이 법률조항은 위 행위자들의 신뢰이익이나 법적 안정성을 물리치고도 남을 만큼 월등히 중대한 공익을 추구하고 있다고 평가할 수 있어, 이 법률조항이 위 행위자들의 공소시효완성에 따르는 법적 지위를 소급적으로 박탈하고, 그들에 대한 형사소추를 가능하게 하는 결과를 초래하여 그 합헌성 인정에 있어서 엄격한 심사기준이 적용되어야 한다고 하더라도, 이 법률조항은 헌법적으로 정당화된다고 할 것이다.

위 법률조항은 헌정질서파괴범죄자들에 대하여 국가가 실효적으로 소추권을 행사할 수 있는 기간을 다른 일반국민들에 대한 시효기간과 동일하게 맞춤으로써, 그 범죄행위로 인하여 초래되었던 불평등을 제거하겠다는 것에 불과하여, 위 범죄행위자들을 자의적으로 차별하는 것이 아닐 뿐만 아니라, 오히려 실질적 정의와 공평의 이념에 부합시키는 조치라고 할 수 있다.

2) 재판관 김용준, 재판관 김문희, 재판관 황도연, 재판관 고중석, 재판관 신창언의 한정위헌의견 (생략)

II 결 론

이러한 이유로 이 법률조항은 특별법 시행당시, 공소시효가 아직 완성되지 않았다고 보는 경우에는 재판관 전원이 헌법에 위반되지 아니한다는 의견이고, 공소시효가 이미 완성된 것으로 보는 경우에는 재판관 김진우, 재판관 이재화, 재판관 조승형, 재판관 정경식 등 4명이 헌법에 위반되지 아니하는 의견이고, 재판관 김용준, 재판관 김문희, 재판관 황도연, 재판관 고중석, 재판관 신창언 등 5명이 한정위헌의견이나 이 경우에도 헌법재판소법 제23조 제2항 제1호에 정한 위헌결정(헌법소원의 경우도 같음)의 정족수에 이르지 못하여 합헌으로 선고할 수밖에 없으므로 이에 주문과 같이 결정한다.

명확성의 원칙

052 제한상영가 등급 사건 [헌법불합치]
— 2008. 7. 31. 선고 2007헌가4

판시사항 및 결정요지

1. '제한상영가' 등급의 영화를 '상영 및 광고·선전에 있어서 일정한 제한이 필요한 영화'라고 정의한 영화진흥법 (2002. 1. 26. 법률 제6632호로 개정되고, 2006. 4. 28. 법률 제7943호로 폐지된 것, 이하 '영진법'이라 한다)**이 명확성원칙에 위배되는지 여부(적극)**

영진법 제21조 제3항 제5호는 '제한상영가' 등급의 영화를 '상영 및 광고·선전에 있어서 일정한 제한이 필요한 영화'라고 규정하고 있는데, 이 규정은 제한상영가 등급의 영화가 어떤 영화인지를 말해주기보다는 제한상영가 등급을 받은 영화가 사후에 어떠한 법률적 제한을 받는지를 기술하고 있는바, 이것으로는 제한상영가 영화가 어떤 영화인지를 알 수가 없고, 따라서 영진법 제21조 제3항 제5호는 명확성원칙에 위배된다.

2. 영화진흥법이 제한상영가 상영등급분류의 구체적 기준을 영상물등급위원회의 규정에 위임하고 있는 것이 포괄위임금지원칙에 위배되는지 여부(적극)

한편, 영진법 제21조 제7항 후문 중 '제3항 제5호' 부분의 위임 규정은 영화상영등급분류의 구체적 기준을 영상물등급위원회의 규정에 위임하고 있는데, 이 사건 위임 규정에서 위임하고 있는 사항은 제한상영가 등급분류의 기준에 대한 것으로 그 내용이 사회현상에 따라 급변하는 내용들도 아니고, 특별히 전문성이 요구되는 것도 아니며, 그렇다고 기술적인 사항도 아닐 뿐만 아니라, 더욱이 표현의 자유의 제한과 관련되어 있다는 점에서 경미한 사항이라고도 할 수 없는데도, 이 사건 위임 규정은 영상물등급위원회 규정에 위임하고 있는바, 이는 그 자체로서 포괄위임금지원칙을 위반하고 있다고 할 것이다. 나아가 이 사건 위임 규정은 등급분류의 기준에 관하여 아무런 언급 없이 영상물등급위원회가 그 규정으로 이를 정하도록 하고 있는바, 이것만으로는 무엇이 제한상영가 등급을 정하는 기준인지에 대해 전혀 알 수 없고, 다른 관련규정들을 살펴보더라도 위임되는 내용이 구체적으로 무엇인지 알 수 없으므로 이는 포괄위임금지원칙에 위반된다 할 것이다.

3. '영화 및 비디오물 진흥에 관한 법률'(2006. 4. 28. 법률 제7943호로 개정된 것, 이하 '영비법'이라 한다) **제29조 제2항 제5호에 대한 심판대상 확장 및 헌법불합치결정의 필요성 (생략)**

형벌에 관한 책임주의

 **법인 양벌규정 사건(종업원 부분)** [위헌]
— 2011. 12. 29. 선고 2011헌가20,21(병합)

판시사항 및 결정요지

법인의 종업원 등이 법인의 업무에 관하여 범죄행위를 하면 그 법인에게도 동일한 벌금형을 과하도록 규정하고 있는 구 도로법 제86조 중 '법인의 대리인·사용인 기타의 종업원이 그 법인의 업무에 관하여 제83조 제1항 제3호의 규정에 의한 위반행위를 한 때에는 그 법인에 대하여도 해당 조의 벌금형을 과한다.'는 부분이 책임주의 원칙에 위배되는지 여부(적극)

1) 이 사건 법률조항은 법인이 고용한 종업원 등이 법인의 업무에 관하여 위반행위를 한 사실이 인정되면 곧바로 그 종업원 등을 고용한 법인에게도 종업원 등에 대한 처벌조항에 규정된 형을 과하도록 규정하고 있다.

즉, 이 사건 법률조항은 종업원 등의 범죄행위에 대한 법인의 가담 여부나 이를 감독할 주의의무의 위반 여부를 법인에 대한 처벌요건으로 규정하지 아니하고, 달리 법인이 면책될 가능성에 대해서도 규정하지 아니하고 있어, 결국 종업원 등의 일정한 행위가 있으면 법인이 그와 같은 종업원 등의 범죄에 대해 어떠한 잘못이 있는지를 전혀 묻지 않고 곧바로 영업주인 법인을 종업원 등과 같이 처벌하는 것이다.

2) 형벌은 범죄에 대한 제재로서 그 본질은 법질서에 의해 부정적으로 평가된 행위에 대한 비난이다. 만약 법질서가 부정적으로 평가한 결과가 발생하였다고 하더라도 그러한 결과의 발생이 어느 누구의 잘못에 의한 것도 아니라면, 부정적인 결과가 발생하였다는 이유만으로 누군가에게 형벌을 가할 수는 없다. 이와 같이 '책임 없는 자에게 형벌을 부과할 수 없다.'는 형벌에 관한 책임주의는 형사법의 기본원리로서, 헌법상 법치국가의 원리에 내재하는 원리인 동시에 헌법 제10조의 취지로부터 도출되는 원리이고, 법인의 경우도 자연인과 마찬가지로 책임주의원칙이 적용된다.

그런데 이 사건 법률조항에 의할 경우, 법인이 종업원 등의 위반행위와 관련하여 선임·감독상의 주의의무를 다하여 아무런 잘못이 없는 경우까지도 법인에게 형벌이 부과될 수밖에 없게 된다. 이처럼 이 사건 법률조항은 종업원 등의 범죄행위에 관하여 비난할 근거가 되는 법인의 의사결정 및 행위구조, 즉 종업원 등이 저지른 행위의 결과에 대한 법인의 독자적인 책임에 관하여 전혀 규정하지 않은 채, 단순히 법인이 고용한 종업원 등이 업무에 관하여 범죄행위를 하였다는 이유만으로 법인에 대하여 형사처벌을 과하고 있는바, 이는 다른 사람의 범죄에 대하여 그 책임 유무를 묻지 않고 형벌을 부과하는 것으로서, 헌법상 법치국가의 원리 및 죄형법정주의로부터 도출되는 책임주의원칙에 반한다.

| 책임과 형벌의 비례원칙 |

 **반국가적 범죄를 반복하여 저지른 자에 대해 사형을 선고할 수 있게 한 사건**
[위헌]
- 2002. 11. 28. 선고 2002헌가5

판시사항 및 결정요지

1. 반국가적 범죄를 반복하여 저지른 자에 대한 법정형의 최고를 사형으로 하도록 규정한 국가보안법 제13조(이하, "이 사건 법률조항"이라 한다) 중 다시 범한 죄가 찬양·고무등죄인 경우에도 법정형의 최고를 사형으로 하도록 규정한 부분이 비례의 원칙에 반하는지 여부(적극)

법정형의 종류와 범위를 정하는 것은 기본적으로 입법자의 권한에 속하는 것이지만 이러한 입법재량은 무제한한 것이 될 수는 없는바, 법정형의 종류와 범위를 정할 때는 형벌 위협으로부터 인간의 존엄과 가치를 존중하고 보호하여야 한다는 헌법 제10조의 요구에 따라야 하고 형벌개별화의 원칙이 적용될 수 있는 범위의 법정형을 설정하여 실질적 법치국가의 원리를 구현하도록 하여야 하며 형벌이 죄질과 책임에 상응하도록 적절한 비례성을 지켜야 한다. 반국가적 범죄를 저지른 자가 그로 인한 처벌을 받았음에도 불구하고 다시 반국가적 범죄를 저질렀다면 그에 대한 비난가능성이 높고 따라서 책임이 가중되어야 할 것이나, 단지 반국가적 범죄를 반복하여 저질렀다는 이유만으로 다시 범한 죄가 국가보안법 제7조 제5항, 제1항과 같이 비교적 경미한 범죄라도 사형까지 선고할 수 있도록 한 것은 그 법정형이 형벌체계상의 균형성을 현저히 상실하여 정당성을 잃은 것이고, 이러한 형의 불균형은 반국가적 범죄로부터 국가 및 국민을 보호한다는 입법목적으로도 극복할 수는 없는 것이다.

2. 위 법률조항이 명확성의 원칙에 반하는지 여부(적극)

이 사건 법률조항이 "그 죄에 대한 법정형의 최고를 사형으로 한다"고 규정한 것이, 법정형의 최고가 사형이므로 그 이하의 형벌까지 모두 선고할 수 있다는 의미인지, 아니면 국가보안법 제7조 제5항, 제1항에 규정되어 있는 법정형 외에 사형이 법정형으로 추가된다는 의미인지 불명확하므로 형벌법규의 명확성 원칙에도 반한다.

055 2회 이상 음주운전 시 가중처벌 사건(이른바 '윤창호 사건') [위헌]
— 2021. 11. 25. 선고 2019헌바446

판시사항 및 결정요지

1. 음주운전 금지규정을 2회 이상 위반한 사람을 2년 이상 5년 이하의 징역이나 1천만 원 이상 2천만 원 이하의 벌금에 처하도록 한 구 도로교통법 제148조의2 제1항 중 '제44조 제1항을 2회 이상 위반한 사람'에 관한 부분(이하 '심판대상조항'이라 한다)이 **죄형법정주의의 명확성원칙에 위반되는지 여부**(소극)

처벌법규의 구성요건이 명확하여야 한다고 하여 모든 구성요건을 단순한 서술적 개념으로 규정하여야 하는 것은 아니고, 다소 광범위하여 법관의 보충적인 해석을 필요로 하는 개념을 사용하였다고 하더라도 통상의 해석방법에 의하여 건전한 상식과 통상적인 법감정을 가진 사람이면 당해 처벌법규의 보호법익과 금지된 행위 및 처벌의 종류와 정도를 알 수 있도록 규정하였다면 헌법이 요구하는 처벌법규의 명확성에 배치되는 것이 아니다.

심판대상조항의 문언, 입법목적과 연혁, 관련 규정과의 관계 및 법원의 해석 등을 종합하여 볼 때, 심판대상조항에서 '제44조 제1항을 2회 이상 위반한 사람'이란 '2006. 6. 1. 이후 도로교통법 제44조 제1항을 위반하여 술에 취한 상태에서 운전을 하였던 사실이 인정되는 사람으로서, 다시 같은 조 제1항을 위반하여 술에 취한 상태에서 운전한 사람'을 의미함을 충분히 알 수 있으므로, 심판대상조항은 죄형법정주의의 명확성원칙에 위반된다고 할 수 없다.

2. 심판대상조항이 책임과 형벌 간의 비례원칙에 위반되는지 여부(적극)

형사법상 책임원칙은 형벌은 범행의 경중과 행위자의 책임 사이에 비례성을 갖추어야 하고, 특별한 이유로 형을 가중하는 경우에도 형벌의 양은 행위자의 책임의 정도를 초과해서는 안 된다는 것을 의미한다. 또한 형사법상 범죄행위의 유형이 다양한 경우에는 그 다양한 행위 중에서 특히 죄질이 불량한 범죄를 무겁게 처벌해야 한다는 것은 책임주의의 원칙상 당연히 요청되지만, 그 다양한 행위 유형을 하나의 구성요건으로 포섭하면서 법정형의 하한을 무겁게 책정하여 죄질이 가벼운 행위까지를 모두 엄히 처벌하는 것은 책임주의에 반한다.

심판대상조항은 음주운전 금지규정을 반복하여 위반하는 사람에 대한 처벌을 강화하기 위한 규정인데, 그 구성요건을 '제44조 제1항을 2회 이상 위반'한 경우로 정하여 가중요건이 되는 과거 음주운전 금지규정 위반행위와 처벌대상이 되는 재범 음주운전 금지규정 위반행위 사이에 아무런 시간적 제한이 없고, 과거 위반행위가 형의 선고나 유죄의 확정판결을 받은 전과일 것을 요구하지도 않는다.

그런데 과거 위반행위가 예컨대 10년 이상 전에 발생한 것이라면 처벌대상이 되는 재범 음주운전이 준법정신이 현저히 부족한 상태에서 이루어진 반규범적 행위라거나 사회구성원에 대한 생명·신체 등을 '반복적으로' 위협하는 행위라고 평가하기 어려워 이를 일반적 음주운전 금지규정 위반행위와 구별하여 가중처벌할 필요성이 있다고 보기 어렵다. 범죄 전력이 있음에도 다시 범행한 경우 재범인 후범에 대하여 가중된 행위책임을 인정할 수 있다고 하더라도, 전범을 이유로 아무런 시간적 제한 없이 무제한 후범을 가중처벌하는 예는 찾기 어렵고, 공소시효나 형의 실효를 인정하는 취지에도 부합하지 않으므로, 심판대상조항은 예컨대 10년 이상의 세월이 지난 과거 위반행위를 근거로 재범으로 분류되는 음주운전 행위자에 대해서는 책임에 비해 과도한 형벌을 규정하고 있다고 하지 않을 수 없다.

도로교통법 제44조 제1항을 2회 이상 위반한 경우라고 하더라도 죄질을 일률적으로 평가할 수 없고 과거 위반 전력, 혈중알코올농도 수준, 운전한 차량의 종류에 비추어, 교통안전 등 보호법익에 미치는 위험 정도가 비교적 낮은 유형의 재범 음주운전행위가 있다. 그런데 심판대상조항은 법정형의 하한을 징역 2년, 벌금 1천만 원으로 정하여 그와 같이 비난가능성이 상대적으로 낮고 죄질이 비교적 가벼운 행위까지 지나치게 엄히 처벌하도록 하고 있으므로, 책임과 형벌 사이의 비례성을 인정하기 어렵다.

반복적 음주운전에 대한 강한 처벌이 국민일반의 법감정에 부합할 수는 있으나, 결국에는 중벌에 대한 면역성과 무감각이 생기게 되어 법의 권위를 실추시키고 법질서의 안정을 해할 수 있으므로, 재범 음주운전을 예방하기 위한 조치로서 형벌 강화는 최후의 수단이 되어야 한다. 심판대상조항은 음주치료나 음주운전 방지장치 도입과 같은 비형벌적 수단에 대한 충분한 고려 없이 과거 위반 전력 등과 관련하여 아무런 제한도 두지 않고 죄질이 비교적 가벼운 유형의 재범 음주운전 행위에 대해서까지 일률적으로 가중처벌하도록 하고 있으므로 형벌 본래의 기능에 필요한 정도를 현저히 일탈하는 과도한 법정형을 정한 것이다.

그러므로 심판대상조항은 책임과 형벌 간의 비례원칙에 위반된다.

주문

구 도로교통법(2018. 12. 24. 법률 제16037호로 개정되고, 2020. 6. 9. 법률 제17371호로 개정되기 전의 것) 제148조의2 제1항 중 '제44조 제1항을 2회 이상 위반한 사람'에 관한 부분은 헌법에 위반된다.

심판대상조항 및 관련조항

[심판대상조항]

구 도로교통법(2018. 12. 24. 법률 제16037호로 개정되고, 2020. 6. 9. 법률 제17371호로 개정되기 전의 것)

제148조의2(벌칙) ① 제44조 제1항 또는 제2항을 2회 이상 위반한 사람(자동차등 또는 노면전차를 운전한 사람으로 한정한다)은 2년 이상 5년 이하의 징역이나 1천만 원 이상 2천만 원 이하의 벌금에 처한다.

[관련조항]

도로교통법(2018. 3. 27. 법률 제15530호로 개정된 것)

제44조(술에 취한 상태에서의 운전 금지) ① 누구든지 술에 취한 상태에서 자동차등(「건설기계관리법」 제26조 제1항 단서에 따른 건설기계 외의 건설기계를 포함한다. 이하 이 조, 제45조, 제47조, 제93조 제1항 제1호부터 제4호까지 및 제148조의2에서 같다), 노면전차 또는 자전거를 운전하여서는 아니 된다.

| 이중처벌금지 |

056 청소년 성매수자에 대한 신상공개 사건 [합헌, 각하]
― 2003. 6. 26. 선고 2002헌가14

심판대상조항 및 관련조항

청소년의성보호에관한법률(2000. 2. 3. 법률 제6261호로 제정된 것, 이하 '법'이라 한다)

제20조(범죄방지 계도) ① 청소년보호위원회는 청소년의 성을 사는 행위 등의 범죄방지를 위한 계도문을 년 2회 이상 작성하여 관보게재를 포함한 대통령령이 정하는 방법으로 전국에 걸쳐 게시 또는 배포하여야 한다.
② 제1항의 규정에 의한 계도문에는 다음 각 호의 1에 해당하는 죄를 범한 자의 성명, 연령, 직업 등의 신상과 범죄사실의 요지를 그 형이 확정된 후 이를 게재하여 공개할 수 있다. 다만 죄를 범한 자가 청소년인 경우에는 그러하지 아니하다.
   1. 제5조(청소년의 성을 사는 행위)의 규정을 위반한 자
③ 청소년보호위원회는 제2항의 규정에 의한 신상 등의 공개를 결정함에 있어서 공개대상자 및 대상 청소년의 연령, 범행동기, 범행수단과 결과, 범행전력, 죄질, 공개대상자의 가족관계 및 대상 청소년에 대한 관계, 범행후의 정황 등을 고려하여 공개대상자 및 그 가족 등에 대한 부당한 인권침해가 없도록 하여야 한다.
④ 제2항의 규정에 의한 신상공개의 경우 제5조 내지 제10조의 규정에 의한 죄의 대상청소년과 피해청소년의 신상은 공개할 수 없다.
⑤ 제1항 및 제2항의 규정에 의한 계도문 게재 등과

판시사항 및 결정요지

1. 청소년 성매수자에 대한 신상공개를 규정한 청소년의성보호에관한법률(이하, '법'이라고만 한다) 제20조 제2항 제1호가 (1) 이중처벌금지원칙에 위반되는지 여부(소극) / (2) 과잉금지원칙에 위반되는지 여부(소극) / (3) 평등원칙에 위반되는지 여부(소극) / (4) 법관에 의한 재판을 받을 권리를 침해하는지 여부(소극) / (5) 적법절차원칙에 위반되는지 여부(소극)

가. 이중처벌금지의 원칙 위배 여부

   헌법 제13조 제1항은 "모든 국민은 …… 동일한 범죄에 대하여 거듭 처벌받지 아니한다."고 하여 '이중처벌금지의 원칙'을 규정하고 있다. 이 원칙은 한번 판결이 확정되면 동일한 사건에 대해서는 다시 심판할 수 없다는 '일사부재리의 원칙'이 국가형벌권의 기속원리로 헌법상 선언된 것으로서, 동일한 범죄행위에 대하여 국가가 형벌권을 거듭 행사할 수 없도록 함으로써 국민의 기본권 특히 신체의 자유를 보장하기 위한 것이다. 그런데 헌법 제13조 제1항에서 말하는 '처벌'은 원칙적으로 범죄에 대한 국가의 형벌권 실행으로서의 과벌을 의미하는 것이고, 국가가 행하는 일체의 제재나 불이익처분을 모두 그 '처벌'에 포함시킬 수는 없는 것이다.

법 제20조 제1항은 "청소년의 성을 사는 행위 등의 범죄방지를 위한 계도"가 신상공개제도의 주된 목적임을 명시하고 있는바, 이 제도가 당사자에게 일종의 수치심과 불명예를 줄 수 있다고 하여도, 이는 어디까지나 신상공개제도가 추구하는 입법목적에 부수적인 것이지 주된 것은 아니다. 또한, 공개되는 신상과 범죄사실은 이미 공개재판에서 확정된 유죄판결의 일부로서, 개인의 신상 내지 사생활에 관한 새로운 내용이 아니고, 공익목적을 위하여 이를 공개하는 과정에서 부수적으로 수치심 등이 발생된다고 하여 이것을 기존의 형벌 외에 또 다른 형벌로서 수치형이나 명예형에 해당한다고 볼 수는 없다.

통상 어떤 행위를 범죄로 규정하고, 이에 대하여 어떠한 형벌을 과할 것인가 하는 문제는 우리의 역사와 문화, 입법당시의 시대적 상황과 국민일반의 가치관 내지 법감정, 범죄의 실태와 죄질 및 보호법익 그리고 범죄예방효과 등을 종합적으로 고려하여 입법자에게 입법재량 내지 형성의 자유가 인정되는 것으로, 입법자에게는 특정 사회적 현상에 대처하기 위해 범죄예방 조치를 택할 수 있는 입법형성의 자유가 허용된다고 볼 것이고, 신상공개제도는 후술하듯이 인권을 침해하는 위헌적인 제도로 파악되기 어려운 이상, 비록 범죄자의 수치심과 불명예를 수반한다고 하더라도 입법자가 19세 미만의 청소년의 성매수 범죄와 같은 새로운 형태의 반사회적인 범죄에 대처하기 위하여 선택할 수 있는 입법형성의 범위 내에 속하는 것이라고 보아야 할 것이다.

이상의 이유에서, 신상공개제도는 범죄에 대한 국가의 형벌권 실행으로서의 과벌에 해당한다고 단정할 수 없으므로 헌법 제13조의 이중처벌금지 원칙에 위배되지 않는다.

나. 과잉금지의 원칙 위배 여부

1) 제한되는 기본권

신상공개제도는 국가가 개인의 신상에 관한 사항 및 청소년의 성매수 등에 관한 범죄의 내용을 대중에게 공개함으로써 개인의 일반적 인격권을 제한하며, 한편 사생활의 비밀에 해당하는 사항을 국가가 일방적으로 공개하는 것이므로, 이는 일반적 인격권과 사생활의 비밀의 자유를 제한하는 것이라 할 것이다.

2) 과잉금지원칙 위반 여부

신상공개제도는 범죄자 본인을 처벌하려는 것이 아니라, 현존하는 성폭력위험으로부터 사회 공동체를 지키려는 인식을 제고함과 동시에 일반인들이 청소년 성매수 등 범죄의 충동으로부터 자신을 제어하도록 하기 위하여 도입된 것으로서, 이를 통하여 달성하고자 하는 '청소년의 성보호'라는 목적은 우리 사회에 있어서 가장 중요한 공익의 하나라고 할 것이다.

법 제20조 제2항은 "성명, 연령, 직업 등의 신상과 범죄사실의 요지"를 공개하도록 규정하고 있는바, 이는 이미 공개된 형사재판에서 유죄가 확정된 형사판결이라는 공적 기록의 내용 중 일부를 국가가 공익목적으로 공개하는 것으로 공개된 형사재판에서 밝혀진 범죄인들의 신상과 전과를 일반인이 알게 된다고 하여 그들의 인격권 내지 사생활의 비밀을 침해하는 것이라고 단정하기는 어렵다.

또한, 신상과 범죄사실이 공개되는 범죄인들은 이미 국가의 형벌권 행사로 인하여 해당 기본권의 제한 여지를 일반인보다는 더 넓게 받고 있다. 청소년 성매수 범죄자들이 자신의 신상과 범죄사실이 공개됨으로써 수치심을 느끼고 명예가 훼손된다고 하더라도 그 보장 정도에 있어서 일반인과는 차이를 둘 수밖에 없어, 그들의 인격권과 사생활의 비밀의 자유도 그것이 본질적인 부분이 아닌 한 넓게 제한될 여지가 있다.

그렇다면 청소년 성매수자의 일반적 인격권과 사생활의 비밀의 자유가 제한되는 정도가 청소년 성보호라는 공익적 요청에 비해 크다고 할 수 없으므로 결국 법 제20조 제2항 제1호의 신상공개는 해당 범죄인들의 일반적 인격권, 사생활의 비밀의 자유를 과잉금지의 원칙에 위배하여 침해한 것이라 할 수 없다.

다. 평등원칙의 위배 여부

신상공개가 되는 청소년 대상 성범죄를 규정한 법률조항의 의미와 목적은 성인이 대가관계를 이용하여 청소년의 성을 매수하는 등의 행위로 인하여 야기되는 피해로부터 청소년을 보호하려는데 있는 것이고, 이에 비추어 볼 때 청소년 대상 성범죄와 그 밖의 일반 범죄는 서로 비교집단을 이루는 '본질적으로 동일한 것'이라고 단언하기는 어려우며, 나아가 그러한 구분기준이 특별히 자의적이라고 볼 만한 사정이 없다.

또한 청소년 대상 성범죄자 가운데 공개대상에서 제외되는 경우는 그 행위의 대상이나 형태에 있어서 청소년 성매수 행위의 공범적 성격의 것들로서 행위불법성의 차이 등을 고려한 것으로 보이므로, 청소년 대상 성범죄자 중 일부 범죄자의 신상이 공개되지 않는다 하더라도 그러한 차별입법이 자의적인 것이라거나 합리성이 없는 것이라고 단정하기 어렵다. 따라서 평등권을 침해한 것이라고 볼 수 없다.

라. 법관에 의한 재판을 받을 권리의 침해 여부

헌법 제27조 제1항은 "모든 국민은 헌법과 법률이 정한 법관에 의하여 법률에 의한 재판을 받을 권리를 가진다."고 규정한다. 이 조항은 법관에 의하지 아니하고는 민사·행정·선거·가사사건에 관한 재판은 물론 어떠한 처벌도 받지 아니할 권리를 보장한 것이라 해석된다.

제청법원은 신상공개제도가 청소년보호위원회에 의하여 이루어진다는 점에서 법관에 의한 재판을 받을 권리를 침해한 것이라고 하나, 앞서 보았듯이 신상공개제도는 '처벌'에 해당한다고 할 수 없으므로 이 제도가 법관에 의한 재판을 받을 권리를 침해한 것이라 할 수 없다.

마. 적법절차 위배 여부

신상공개제도가 절차적 적법절차에 위배되는 것인지 여부에 관하여 살펴본다(실체적인 측면의 적법절차 문제는 이 사건에서는 앞에서 본 비례의 원칙 위배 여부에 대한 판시와 같이 볼 것이므로 생략한다).

법 제20조 제3항은 청소년보호위원회가 신상 등의 공개를 결정함에는 범행동기, 범행 후의 정황 등을 고려하도록 하고 있고, 제5항은 구체적인 절차 등에 관하여 필요한 사항을 대통령령으로 정하도록 하고 있으며, 하위 법규에서는 이러한 법의 취지에 따라 신상공개 대상자로 선정된 자에 대하여 10일 이상의 기간을 정하여 서면에 의한 의견진술기회를 주도록 하고, 지정된 기일까지 의견진술을 하지 않은 자에 대하여는 의견이 없는 것으로 간주하며, 의견진술을 한 자에 대하여는 재심의를 하여 신상공개 여부를 결정한다고 규정하고 있다.

한편 청소년보호위원회는 최소한의 독립성과 중립성을 갖춘 기관이고(청소년보호법 제29조, 제32조 등 참조), 신상공개결정에 대해서는 행정소송을 통해 그 적법 여부를 다툴 기회가 보장되고 있으며, 이미 법관에 의한 재판을 거쳐 형이 확정된 이후에 신상공개가 결정된다.

그렇다면 법 제20조 제2항 제1호의 신상공개제도는 법률이 정한 형식적 절차에 따라 이루어지며 그 절차의 내용도 합리성과 정당성을 갖춘 것이라고 볼 것이므로 절차적 적법절차원칙에 위반되는 것이라 할 수 없다.

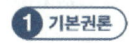

2. 신상공개의 시기·기간·절차 등에 관한 사항을 대통령령에 위임한 법 제20조 제5항이 포괄위임입법금지원칙에 위반되는지 여부(소극)

법 제20조 제5항에서 위임되는 "구체적인 시기·기간·절차 등"은 신상공개에 있어서 본질적 부분은 아니며 어디까지나 부수적인 부분이라고 볼 것이다. 그리고 대통령령에 규정될 "시기"는 법 제20조 제1항("계도문을 연 2회 이상 작성")을 고려하면 연 2회 이상으로서 각 확정판결 후 이에 가까운 때가 될 것으로 예상되고, "기간"은 입법목적을 달성하기에 합리적인 기간으로서 위 조항이 "연 2회 이상"이라고 정하고 있으므로 통상 6개월 범위 내일 것이 예측될 수 있으며, "절차"는 제3항 등 법상의 제 규정을 참조할 때 그 절차의 일반적 내용의 대강이 예측될 수 있고, "등"은, 시기, 기간, 절차와 유사하게, 신상공개시 필요한 그 밖의 사항이 대통령령으로 규정될 것임이 어느 정도 예측될 수 있으므로, 결국 대통령령에 규정될 내용의 대강이 예측가능하다 할 것이다. 따라서 법 제20조 제5항은 헌법상의 포괄위임입법금지 원칙에 위배된다고 할 수 없다.

057 위치추적 전자장치 부착명령 소급 청구 사건 [합헌]
— 2015. 9. 24. 선고 2015헌바35

판시사항

1. 성폭력범죄자에 대해 위치추적 전자장치 부착명령을 청구할 수 있도록 한 구 '특정 범죄자에 대한 위치추적 전자장치 부착 등에 관한 법률' 제5조 제1항 제3호(이하 '부착명령청구조항'이라 한다)가 명확성원칙에 위배되는지 여부(소극)
2. 부착명령청구조항이 이중처벌금지원칙에 위배되는지 여부(소극)
3. 범죄행위 당시에 없었던 위치추적 전자장치 부착명령을 출소예정자에게 소급 적용할 수 있도록 한 '특정 범죄자에 대한 위치추적 전자장치 부착 등에 관한 법률' 부칙 제2조 제1항 중 '출소예정자'에 관한 부분(이하 '부칙경과조항'이라 한다)이 소급처벌금지원칙에 위배되는지 여부(소극)
4. 부칙경과조항이 과잉금지원칙에 반하여 피부착자의 인격권 등을 침해하는지 여부(소극)

사건의 개요

청구인은 1994. 5. 13. 수원지방법원 성남지원에서 특정범죄가중처벌등에관한법률위반(특수강간)죄로 징역 3년에 집행유예 5년을 선고받고, 1995. 12. 12. 같은 법원에서 성폭력범죄의처벌및피해자보호등에관한법률위반죄 등으로 징역 15년을 선고받아 복역하다가, 2013. 7. 8. 그 형의 집행을 종료하였다.

검사는 2012. 11. 30. ○○교도소에 수형 중이던 청구인에 대하여 구 '특정 성폭력범죄자에 대한 위치추적 전자장치 부착에 관한 법률' 제5조 제1항 제3호, 같은 법 부칙 제2조 제1항에 따라 수원지방법원 성남지원에 위치추적 전자장치 부착명령을 청구하였고, 위 법원은 2014. 12. 19. 청구인에 대하여 10년간 위치추적 전자장치 부착을 명하였다.

청구인은 위 2014전초2 사건 계속 중 위 법률조항들에 대하여 위헌법률심판제청을 신청하였으나 2014. 11. 26. 기각되자, 성폭력범죄를 2회 이상 범하여 그 습벽이 인정되는 때 전자장치 부착명령을 청구할 수 있도록 한 위 법률 제5조 제1항 제3호, 전자장치 부착을 통한 위치추적제도가 처음 시행될 당시 부착명령에서 제외되었던 사람들에게도 전자장치 부착명령을 청구할 수 있도록 한 위 법률 부칙 제2조 제1항이 명확성원칙, 이중처벌금지원칙, 소급처벌금지원칙, 과잉금지원칙에 위반된다고 주장하면서, 2015. 1. 19. 이 사건 헌법소원심판을 청구하였다.

I 판 단

1. 명확성원칙 위반 여부

명확성원칙은 기본권을 제한하는 법규범의 내용은 명확하여야 한다는 헌법상의 원칙인데, 명확성원칙을 요구하는 이유는 만일 법규범의 의미내용이 불확실하다면 법적안정성과 예측가능성을 확보할 수 없고 법집행 당국의 자의적인 법해석과 집행을 가능하게 하기 때문이다. 다만 법규범의 문언은 어느 정도 일반적·규범적 개념을 사용하지 않을 수 없기 때문에 기본적으로 최대한이 아닌 최소한의 명확성을 요구하는 것이므로, 법문언이 법관의 보충적인 가치판단을 통해서 그 의미 내용을 확인할 수 있다면 명확성원칙에 반한다고 할 수 없다.

부착명령청구조항이 정한 성폭력범죄의 습벽이란 행위자의 연령·성격·직업·환경·전과, 범행의 동기·수단·방법 및 장소, 과거에 범한 범죄와의 시간적 간격, 그 범행의 내용과 유사성 등 여러 사정을 종합하여 판단된 피부착자의 성폭력범죄의 경향 및 버릇을 의미하는 것으로 법관의 보충적 해석을 통하여 충분히 해석될 수 있다. 그러므로 부착명령청구조항은 명확성원칙에 위반되지 않는다.

2. 이중처벌금지원칙 위반 여부

헌법 제13조 제1항 후단은 이중처벌금지원칙을 정하고 있는데, 이때 '처벌'이란 원칙적으로 범죄에 대한 국가의 형벌권 실행으로서의 과벌을 의미하는 것이므로, 국가가 행하는 형벌이 아닌 보안처분 등 일체의 제재나 불이익처분은 이에 해당되지 않는다.

그런데 부착명령청구조항에 의한 전자장치 부착은 책임의 한계 안에서 과거 불법에 대한 응보를 주된 목적으로 하는 형벌이 아닌 장래 재범의 위험성을 전제로 새로운 범죄를 예방하기 위한 보안처분에 해당한다. 그러므로 부착명령청구조항에 의하여 이미 형사처벌된 범죄행위에 대해 다시 전자장치 부착을 명한다고 해서 이중처벌금지원칙에 위반된다고 할 수 없다.

3. 소급처벌금지원칙 위반 여부

보안처분은 형벌과 달리 행위자의 장래 위험성에 근거하는 것으로 행위시가 아닌 재판시의 재범 위험성 여부에 대한 판단에 따라 결정되므로, 원칙적으로 재판 당시 현행법을 소급적용할 수 있다. 그러나 보안처분의 범주가 넓고 그 모습이 다양한 이상, 보안처분에 속한다는 이유만으로 일률적으로 소급처벌금지원칙이 적용된다거나 그렇지 않다고 단정해서는 안 되고, 보안처분으로 형벌불소급의 원칙이 유명무실하게 되는 것도 허용될 수 없다. 따라서 보안처분이라 하더라도 형벌적 성격이 강하여 신체의 자유를 박탈하거나 박탈에 준하는 정도로 신체의 자유를 제한하는 경우에는 소급처벌금지원칙이 적용된다.

전자장치 부착은 전통적 의미의 형벌이 아닐 뿐 아니라, 이를 통하여 피부착자의 행동 자체를 통제하는 것도 아니라는 점에서, 처벌적인 효과를 나타낸다고 보기 어렵다. 따라서 전자장치 부착은 비형벌적 보안처분에 해당되므로, 이를 소급적으로 적용할 수 있도록 한 부칙경과조항은 소급처벌금지원칙에 위반되지 않는다.

4. 인격권 등 침해 여부

전자장치 부착은 위치와 이동경로를 실시간으로 파악하여 피부착자를 24시간 감시할 수 있도록 하고 있으므로 피부착자의 사생활의 비밀과 자유를 제한하고, 피부착자의 위치 정보를 수집·보관·이용할 수 있도록 한다는 측면에서 개인정보자기결정권도 제한하며, 24시간 전자장치 부착에 의한 위치 감시로 모욕감과 수치심을 느낄 수 있게 하므로 인격권을 제한한다. 이하에서는 범죄행위 당시에 부착명령의 대상자가 아니었던 '출소예정자'에게도 소급적으로 전자장치 부착명령을 적용할 수 있도록 한 부칙경과조항이 과잉금지원칙에 반하여 피부착자의 인격권 등을 침해하는지 여부를 살핀다.

부칙경과조항은, 전자장치 부착명령의 대상자에 포함되지 아니하였던 성폭력범죄자의 재범에 효과적으로 대처하기 위하여, 대상자의 범위를 징역형 등의 집행 종료일까지 6개월 이상 남은 출소예정자에게 확대함으로써 성폭력범죄의 재범을 방지하고 성폭력범죄로부터 국민을 보호하기 위한 것이므로, 그 입법목적이 정당하다. 또한 전자장치 부착명령의 소급적용은 성폭력범죄의 재범 방지 및 사회 보호라는 입법목적 달성에 있어 적절한 수단이다.

전자장치 부착명령의 소급적용은 성폭력범죄의 재범 방지 및 사회 보호에 있어 실질적인 효과를 나타내고 있는 점, 장래의 재범 위험성으로 인한 보안처분의 판단시기는 범죄의 행위시가 아닌 재판시가 될 수밖에 없으므로 부착명령 청구 당시 형 집행 종료일까지 6개월 이상 남은 출소예정자가 자신이 부착명령 대상자가 아니라는 기대를 가졌더라도 그 신뢰의 보호가치는 크지 아니한 점, 피부착자의 기본권 제한을 최소화하기 위하여 법률은 피부착자에 대한 수신자료의 열람·조회를 엄격히 제한하고 부착명령의 탄력적 집행을 위한 가해제 제도를 운영하고 있는 점 등을 고려할 때, 부칙경과조항이 침해 최소성에 위반된다고 보기 어렵다.

또한 성폭력범죄로 인한 피해는 피해자에게 회복할 수 없는 육체적·정신적 상처를 남길 수 있고, 특히 어린 나이에 성폭력범죄를 경험할 경우 심리적인 상처와 후유증으로 인해 평생 정상적인 생활을 하지 못하고 불행한 삶을 살아야 하는 경우도 있으므로, 성폭력범죄로부터 국민, 특히 여성과 아동을 보호할 공익은 매우 크다. 그러므로 부칙경과조항으로 인하여 출소예정자의 사생활의 비밀과 자유 등이 제한된다고 하더라도, 그 제한의 정도가 부칙경과조항으로 달성하려는 공익에 비하여 결코 중하다고 볼 수 없어 법익 균형성도 인정된다.

따라서 부칙경과조항은 과잉금지원칙에 반하여 청구인의 사생활의 비밀과 자유, 인격권 등을 침해하지 않는다.

II 결 론

심판대상조항들은 헌법에 위반되지 아니하므로 관여 재판관 전원의 일치된 의견에 따라 주문과 같이 결정한다.

연좌제금지

058 배우자의 중대 선거범죄를 이유로 후보자의 당선을 무효로 하는 사건 [기각]
― 2005. 12. 22. 선고 2005헌마19

판시사항

1. 배우자의 중대 선거범죄를 이유로 후보자의 당선을 무효로 하는 공직선거및선거부정방지법 제265조 본문 중 '배우자'에 관한 부분(이하 '이 사건 법률조항'이라 한다)이 헌법 제13조 제3항에서 금지하는 연좌제에 해당하는지 여부(소극)
2. 이 사건 법률조항이 후보자의 공무담임권을 침해하는지 여부(소극)
3. 이 사건 법률조항이 적법절차원칙에 위배되는지 여부(소극)

사건의 개요

청구인은 2004. 4. 15. 실시된 제17대 국회의원 선거에서 ○○시 갑선거구에 출마하여 당선되었다. 그 후 청구인의 배우자 정○자는 공직선거및선거부정방지법(이하 '법'이라 한다) 제230조 제1항 제4호 위반으로 공소제기되어 현재 그 재판이 진행중이다.

법 제265조 본문에 의하면 선거사무장·선거사무소의 회계책임자 또는 후보자의 직계존·비속 및 배우자가 당해 선거에 있어서 제230조(매수 및 이해유도죄) 내지 제234조(당선무효유도죄), 제257조(기부행위의 금지제한등 위반죄) 제1항 중 기부행위를 한 죄 또는 정치자금에관한법률 제30조(정치자금 부정수수죄) 제1항의 정치자금 부정수수죄를 범함으로 인하여 징역형 또는 300만 원 이상의 벌금형의 선고를 받은 때에는 그 후보자의 당선은 무효로 된다.

이에 청구인은, 법 제265조 본문 중 "배우자" 부분이 헌법 제11조 제1항의 평등권, 제12조 제1항의 적법절차원칙, 제13조 제3항의 연좌제금지, 제25조의 공무담임권 규정에 위반된다고 주장하면서 2005. 1. 6. 이 사건 헌법소원심판을 청구하였다.

심판대상조항 및 관련조항

공직선거법

제265조(선거사무장등의 선거범죄로 인한 당선무효) 선거사무장·선거사무소의 회계책임자(선거사무소의 회계책임자로 선임·신고되지 아니한 자로서 후보자와 통모하여 당해 후보자의 선거비용으로 지출한 금액이 선거비용제한액의 3분의1 이상에 해당되는 자를 포함한다) 또는 후보자(후보자가 되고자 하는 자를 포함한다)의 직계존·비속 및 배우자가 당해 선거에 있어서 제230조(매수 및 이해유도죄) 내지 제234조(당선무효유도죄), 제257조(기부행위의 금지제한등 위반죄) 제1항 중 기부행위를 한 죄 또는 정치자금에관한법률 제30조(정치자금 부정수수죄) 제1항의 정치자금 부정수수죄를 범함으로 인하

여 징역형 또는 300만 원 이상의 벌금형의 선고를 받은 때(선거사무장, 선거사무소의 회계책임자에 대하여는 선임·신고되기 전의 행위로 인한 경우를 포함한다)에는 그 후보자(대통령후보자, 비례대표국회의원후보자 및 비례대표시·도의원후보자를 제외한다)의 당선은 무효로 한다. 다만, 다른 사람의 유도 또는 도발에 의하여 당해 후보자의 당선을 무효로 되게 하기 위하여 죄를 범한 때에는 그러하지 아니하다.

주문

청구인의 심판청구를 기각한다.

1. 헌법 제13조 제3항 위반 여부

헌법 제13조 제3항은 "모든 국민은 자기의 행위가 아닌 친족의 행위로 인하여 불이익한 처우를 받지 아니한다."고 규정하고 있다. 개인의 존엄과 자율성을 인정하는 바탕 위에 서 있는 우리 헌법질서 하에서는 자기의 행위가 아닌 타인의 행위에 대하여 책임을 지지 않는 것이 원칙이지만, 사람은 타인과의 연관 속에 살아가는 사회적 존재이므로 타인과의 사이에 일정한 법적 연관이 형성되는 것은 불가피하고, 이는 친족과의 관계에 있어서도 마찬가지이다. 혼인과 출산을 고리로 형성되는 친족관계의 속성상 필요한 때 또는 어떤 입법목적을 추구하기 위하여 필요한 때에 법은 친족 간의 신분이나 재산 그 밖의 법률관계에 관하여 일정한 자유를 제약하거나 책임을 부담시킬 수 있다. 그러나 이러한 법적 규율들이 모두 헌법 제13조 제3항에 의하여 금지되는 것이 아니다.

헌법 제13조 제3항은 '친족의 행위와 본인 간에 실질적으로 의미있는 아무런 관련성을 인정할 수 없음에도 불구하고 오로지 친족이라는 사유 그 자체만으로' 불이익한 처우를 가하는 경우에만 적용된다.

선거과정에서 현저히 부정한 행위가 존재하는 경우에는 선거의 공정성 확보를 위하여 선거결과를 번복시킬 수도 있을 것이고, 때로는 후보자가 선거부정행위에 직접 관여하지 아니하였더라도 당선의 효력을 부인하는 것이 필요할 수 있다. 선거에서는 후보자를 중심으로 선거사무장, 후보자의 배우자 등이 일체가 되어 후보자의 당선이라는 공동목표를 위하여 조직적·체계적으로 선거운동을 하게 되므로, 그 과정에서 이들이 중대한 선거범죄를 범한 경우에는 그 후보자를 위한 선거운동 전체가 부정한 방법으로 이루어진 것이라고 보아 그러한 불공정한 선거방법을 통하여 얻어진 당선이라는 선거결과를 부정하는 것에 바로 이 사건 법률조항의 본질이 있다.

특히 배우자는 후보자와 일상을 공유하는 자로서 선거에서는 후보자의 최측근에서 수시로 후보자와 협의할 수 있고, 후보자와 유기적으로 역할을 분담하여 당선에 유리한 여러 활동을 할 수 있으며, 선거사무장, 선거사무소의 회계책임자 등에 대하여 실질적인 지시를 할 수 있는 등 후보자의 분신과도 같은 역할을 하게 된다.

이와 같이 이 사건 법률조항은 '친족인 배우자의 행위와 본인 간에 실질적으로 의미있는 아무런 관련성을 인정할 수 없음에도 불구하고 오로지 배우자라는 사유 그 자체만으로' 불이익한 처우를 가하는 것이 아니다. 배우자가 죄를 저질렀다는 이유만으로 후보자에게 불이익을 주는 것이 아니라, 후보자와 불가분의 선거운명공동체를 형성하여 활동하게 마련인 배우자의 실질적 지위와 역할을 근거로 후보자에게 연대책임을 부여한 것이므로, 이 사건 법률조항은 헌법 제13조 제3항에서 금지하고 있는 연좌제에 해당하지 아니한다.

2. 공무담임권 침해 여부

헌법 제25조는 "모든 국민은 법률이 정하는 바에 의하여 공무담임권을 가진다."고 규정함으로써 법률로 공무담임권의 내용을 형성하도록 하고 있으므로 일반적으로는 공무담임권의 내용형성 및 제한에 관하여 입법자에게 형성의 여지가 넓다고 할 수도 있다. 그러나 이 사건 법률조항은 국민의 주권적 의사표현인 선거를 통하여 신임을 받고 이에 기초하여 국민의 대표로써 공직을 수행하려는 기회를 박탈하는 것으로서 공무담임권의 중요한 부문에 대한 제한을 동반하는 것이므로, 후보자 자신의 직접적인 귀책사유가 없는데도 당선무효라는 불이익을 주는 것이 선거공정이라는 입법목적 달성에 필요한 정도를 넘는 과잉된 것이어서는 아니될 것이다.

이 사건 법률조항은 당선무효를 초래하는 배우자의 위법행위의 범위를 그 불법성이 대단히 중대하여 금권선거의 중핵을 이루는 범죄들로 국한하고 있으며, 당선이 무효로 된 자에 대하여 동일 선거구에서 상당기간 동안 동일 선거에 입후보할 수 없도록 제한함이 없이 단지 당해 보궐선거 등에서만 후보자가 될 수 없도록 당선무효에 수반되는 불이익을 최소화하고 있다. 한편, 이 사건 법률조항이 추구하는 공익은 깨끗하고 공명한 선거라는 민주주의의 중핵을 이루는 대단히 중요한 가치인 반면 후보자의 가족 등이 선거의 이면에서 음성적으로 또한 조직적으로 역할을 분담하여 불법·부정을 자행하는 경우가 적지 않은 것이 부정할 수 없는 우리 선거의 실상이라는 판단 하에, 배우자와 후보자는 선거에 임하여 분리하기 어려운 운명공동체라고 보아 배우자의 행위를 곧 후보자의 행위로 의제함으로써 선거부정 방지를 도모하고자 한 입법적 결정의 전제와 목표 및 선택이 현저히 잘못되었거나 부당하다고 보기 어려운 이상 감독상의 주의의무 이행이라는 면책사유를 인정하지 않고 후보자에게 일종의 법정무과실책임을 지우는 제도를 형성한 것이 반드시 필요 이상의 지나친 규제를 가하는 것이라 단정하기 어렵다. 따라서 이 사건 법률조항은 후보자의 공무담임권을 침해하는 것이라 볼 수 없다.

3. 적법절차원칙 등 위반 여부

이 사건 법률조항에 의한 후보자책임의 법적 구조의 특징, 배우자에게 재판절차라는 완비된 절차적 보장이 주어진다는 점, 당선무효라는 효과를 발생시킴에 있어 후보자에게 변명·방어의 기회를 따로 부여하는 절차를 마련할 경우 나타날 수 있는 문제점 등을 종합하면 후보자에 대하여 그러한 절차를 따로 마련하지 않았다는 점만으로 적법절차원칙에 어긋난다고 볼 수 없다.

| 적법절차원칙 |

피의자에 대한 지문채취 강제 사건 [합헌]
- 2004. 9. 23. 선고 2002헌가17·18(병합)

판시사항

1. 범죄의 피의자로 입건된 사람들에게 경찰공무원이나 검사의 신문을 받으면서 자신의 신원을 밝히지 않고 지문채취에 불응하는 경우 형사처벌을 통하여 지문채취를 강제하는 구 경범죄처벌법 제1조 제42호(이하 '이 사건 법률조항'이라 한다)가 영장주의의 원칙에 위반되는지 여부(소극)
2. 범죄의 피의자로 입건된 사람들로 하여금 경찰공무원이나 검사의 신문을 받으면서 자신의 신원을 밝히지 않고 지문채취에 불응하는 경우 벌금, 과료, 구류의 형사처벌을 받도록 하고 있는 이 사건 법률조항이 적법절차의 원칙에 위반되는지 여부(소극)

심판대상조항 및 관련조항

경범죄처벌법(2002. 1. 14. 법률 제6593호로 개정되기 전의 것, 신법은 2002. 7. 1.부터 시행)

제1조(경범죄의 종류) 다음 각 호의 1에 해당하는 사람은 10만 원 이하의 벌금, 구류 또는 과료의 형으로 벌한다.

    42. (지문채취불응) 범죄의 피의자로 입건된 사람에 대하여 경찰공무원이나 검사가 지문조사 외의 다른 방법으로 그 신원을 확인할 수 없어 지문을 채취하려고 할 때 정당한 이유없이 이를 거부한 사람

주문

경범죄처벌법(2002. 1. 14. 법률 제6593호로 개정되기 전의 것) 제1조 제42호는 헌법에 위반되지 아니한다.

1. 이 사건 법률조항의 위헌여부

가. 영장주의의 위반여부

1) 헌법은 제12조 제3항에서 "체포·구속·압수 또는 수색을 할 때에는 적법한 절차에 따라 검사의 신청에 의하여 법관이 발부한 영장을 제시하여야 한다."라고 규정하여 적법절차의 원칙과 함께 영장주의를 밝히고 있다. 체포·구속 등 강제처분은 피의자나 피고인의 입장에서 보면 심각한 기본권제한에 해당한다. 특히 수사기관에 의한 강제처분의 경우에는 범인을 색출하고 증거를 확보한다는 수사의 목적상 공권력의 행사과정에서 국민의 기본권을 침해할 가능성이 크다. 이에 헌법은 형사

절차와 관련하여 체포·구속·압수 등의 강제처분을 하는 경우에 중립적인 법관이 구체적 판단을 거쳐 발부한 영장에 의하도록 하는 영장주의를 천명하고 있다. 따라서 영장주의는 사법권독립에 의하여 신분이 보장되는 법관의 사전적·사법적 억제를 통해 수사기관의 강제처분남용을 방지하고 국민의 기본권을 보장하는 것을 그 본질로 한다고 할 수 있다.

2) 이 사건 법률조항은 수사기관이 직접 물리적 강제력을 행사하여 피의자에게 강제로 지문을 찍도록 하는 것을 허용하는 규정이 아니며 형벌에 의한 불이익을 부과함으로써 심리적·간접적으로 지문채취를 강요하고 있을 뿐이다. 물론 이러한 방식 역시 자유의지에 반하여 일정한 행위가 강요된다는 점에서는 헌법에 규정되어 있는 체포·구속압수수색 등과 유사하다고 할 수 있으나, 피의자가 본인의 판단에 따라 수용여부를 결정한다는 점에서 궁극적으로 당사자의 자발적 협조가 필수적임을 전제로 하므로 물리력을 동원하여 강제로 이루어지는 위와 같은 경우와는 질적으로 차이가 있다.

물리적 강제력을 행사하는 경우 뿐 아니라, '상대방에게 의무를 부담하게 하는 경우'가 강제처분에 포함된다고 하거나 '상대방의 의사에 반하여 실질적으로 법익 또는 기본권을 침해하는 처분'이면 강제처분에 해당된다고 보기도 하며, 이에 따르면 이 사건 법률조항에 의한 지문채취의 간접적인 강요 역시 강제처분으로 볼 수도 있다. 그러나 수사절차에서 발생하는 의무부담 또는 기본권제한의 경우 그 범위가 광범위하여 명확한 기준을 제시해준다고 볼 수 없고, 모든 의무부담 또는 기본권제한을 법관이 발부한 영장에 의하도록 하는 것이 가능하지도 않다. 예를 들면, 음주운전단속을 위하여 이루어지는 호흡측정기에 의한 음주측정을 일일이 사전영장에 의하도록 요구할 수는 없다.

이러한 이유로 우리 재판소는 음주운전단속을 위하여 이루어지는 호흡측정기에 의한 음주측정에 대하여 '성질상 강제될 수 있는 것이 아니고 실무상 숨을 호흡측정기에 한두번 불어넣는 방식으로 행하여지는 것이므로 당사자의 자발적 협조가 필수적'이라며 '당사자의 협력이 궁극적으로 불가피한 측정방법을 두고 강제처분이라고 할 수 없을 것'이라고 판시하여 영장주의가 적용되는 강제처분을 물리적 강제력을 행사하는 경우로 제한하고 있다.

따라서 이 사건 법률조항에 의한 지문채취의 강요는 영장주의에 의하여야 할 강제처분이라 할 수 없다.

3) 피의자가 수사기관의 지문채취에 동의하지 않는 경우 이를 강제하는 방법에는 지문채취에 불응하는 피의자의 손을 잡아 강제로 펴서 지문을 찍도록 하는 것과 이 사건 법률조항과 같이 간접적으로 강제하는 것이 있을 수 있다. 검증영장에 의하거나 또는 체포·구속에 부수되어 이루어지는 직접강제와 이 사건 법률조항에 의한 간접강제가 현행법상 모두 가능하므로 수사기관으로서는 편의상 간접강제에 의한 지문채취를 선택할 수 있으며, 그 결과 영장에 의한 직접강제가 시행되지 않는 상황이 초래될 수는 있다.

그러나 간접적인 심리적 강제방법은 직접강제보다 기본권침해의 정도가 제한적이고, 직접강제에 의하면, 일정한 경우 피의자의 인간으로서의 존엄에 심대한 타격을 가할 수도 있으므로 물리적 강제력에 의하여 입건된 피의자의 지문을 채취하는 것이 간접강제보다 반드시 바람직하다고 볼 수는 없다. 그럼에도 불구하고 수사상 필요에 의하여 수사기관이 직접강제에 의하여 지문을 채취하려 하는 경우에는 반드시 법관이 발부한 영장에 의하여야 하므로 영장주의원칙은 여전히 유지되고 있다고 할 수 있다.

4) 따라서 이 사건 법률조항이 지문채취거부를 처벌할 수 있도록 하는 것이 비록 피의자에게 지문채취를 강요하는 측면이 있다 하더라도 수사의 편의성만을 위하여 영장주의의 본질을 훼손하고 형해화한다고 할 수는 없다.

나. 적법절차원칙의 위반여부

1) 우리 헌법 제12조 제1항 후문은 "누구든지 법률에 의하지 아니하고는 체포·구속·압수수색 또는 심문을 받지 아니하며, 법률과 적법한 절차에 의하지 아니하고는 처벌·보안처분 또는 강제노역을 받지 아니한다."고 규정하여 적법절차의 원칙을 헌법원리의 하나로 수용하고 있다. 이러한 적법절차의 원칙은 법률이 정한 형식적 절차와 실체적 내용이 모두 합리성과 정당성을 갖춘 적정한 것이어야 한다는 실질적 의미를 지니고 있으며, 형사소송절차와 관련하여서는 형사소송절차의 전반을 기본권 보장의 측면에서 규율하여야 한다는 기본원리를 천명하고 있는 것으로 이해된다.

적법절차의 원칙이 법률의 위헌여부에 관한 심사기준으로 작용하는 경우 특히 형사소송절차에서는 법률에 따른 형벌권의 행사라고 할지라도 신체의 자유의 본질적인 내용을 침해하지 않아야 할 뿐 아니라 비례의 원칙이나 과잉입법금지의 원칙에 반하지 아니하는 한도 내에서만 그 적정성과 합헌성이 인정된다는 의미를 가지므로, 결국 이 사건 법률조항의 적법절차원칙위반은 피의자로 입건되어 신문을 받는 자들에게 인적 사항에 대한 자료를 수집하는 수사기관에게 협력할 것을 처벌로서 강제하는 것과 나아가 이를 거부하는 경우 벌금, 과료, 구류의 처벌을 하는 것이 비례의 원칙이나 과잉입법금지의 원칙에 위반되는지 여부에 따라 결정되어야 할 것이다.

2) 이 사건 법률조항은 피의자의 신원확인을 원활하게 하고 수사활동에 지장이 없도록 하기 위한 것으로, 수사상 피의자의 신원확인은 피의자를 특정하고 범죄경력을 조회함으로써 타인의 인적 사항 도용과 범죄 및 전과사실의 은폐 등을 차단하고 형사사법제도를 적정하게 운영하기 위해 필수적이라는 점에서 그 목적은 정당하고, 지문채취는 신원확인을 위한 경제적이고 간편하면서도 확실성이 높은 적절한 방법이다. 또한 이 사건 법률조항은 형벌에 의한 불이익을 부과함으로써 심리적·간접적으로 지문채취를 강제하고 그것도 보충적으로만 적용하도록 하고 있어 피의자에 대한 피해를 최소화하기 위한 고려를 하고 있으며, 지문채취 그 자체가 피의자에게 주는 피해는 그리 크지 않은 반면 일단 채취된 지문은 피의자의 신원을 확인하는 효과적인 수단이 될 뿐 아니라 수사절차에서 범인을 검거하는 데에 중요한 역할을 한다. 한편, 이 사건 법률조항에 규정되어 있는 법정형은 형법상의 제재로서는 최소한에 해당되므로 지나치게 가혹하여 범죄에 대한 형벌 본래의 목적과 기능을 달성함에 필요한 정도를 일탈하였다고 볼 수도 없다.

그렇다면 이 사건 법률조항이 범죄의 피의자로 입건된 사람들로 하여금 경찰공무원이나 검사의 신문을 받으면서 자신의 신원을 밝히지 않고 지문채취에 불응하는 경우 벌금, 과료, 구류의 형사처벌을 받도록 하고 있는 것은 관련 요소들을 합리적으로 고려한 것으로서 헌법상의 적법절차원칙에 위배되지 않는다고 볼 것이다.

1 기본권론

| 영장주의 |

060 한나라당 대통령후보 이명박의 주가조작 등 범죄혐의의 진상규명을 위한 특별검사의 임명법 사건 [위헌, 기각]
— 2008. 1. 10. 선고 2007헌마1468

판시사항

1. '한나라당 대통령후보 이명박의 주가조작 등 범죄혐의의 진상규명을 위한 특별검사의 임명 등에 관한 법률'(이하 '이 사건 법률'이라 한다) 제2조, 제3조, 제6조 제6항·제7항, 제10조, 제18조 제2항(이하 '이 사건 심판대상조항'이라 한다)에 대한 헌법소원이 기본권침해의 직접성 요건을 충족하는지 여부(적극)

2. 특별검사에 의한 수사대상을 특정인에 대한 특정 사건으로 한정한 이 사건 법률 제2조가 위 사건의 피고발인 또는 참고인이었던 청구인들의 평등권, 신체의 자유(불법적인 심문을 받지 않을 권리), 공정한 재판을 받을 권리를 침해하거나 명확성원칙에 위배되는지 여부(소극)

3. 대법원장으로 하여금 특별검사 후보자 2인을 추천하고 대통령은 그 추천후보자 중에서 1인을 특별검사로 임명하도록 한 이 사건 법률 제3조가 적법절차원칙·권력분립원칙에 위배하여 청구인들의 평등권이나 신체의 자유(불법적인 심문을 받지 않을 권리)를 침해하는지 여부(소극)

4. 특별검사가 참고인에게 지정된 장소까지 동행할 것을 명령할 수 있게 하고 참고인이 정당한 이유 없이 위 동행명령을 거부한 경우 천만 원 이하의 벌금형에 처하도록 규정한 이 사건 법률 제6조 제6항·제7항, 제18조 제2항(이하 '이 사건 동행명령조항'이라 한다)이 영장주의 또는 과잉금지원칙에 위배하여 청구인들의 평등권과 신체의 자유를 침해하는지 여부(적극)

5. 특별검사가 공소제기한 사건의 재판기간과 상소절차 진행기간을 일반사건보다 단축하고 있는 이 사건 법률 제10조가 재판기간을 지나치게 단기간으로 규정함으로써 재판당사자의 방어권을 부당하게 침해할 염려가 있어 청구인들의 평등권과 공정한 재판을 받을 권리를 침해하고 무죄추정원칙에 위배되는지 여부(소극)

사건의 개요

'한나라당 대통령후보 이명박의 주가조작 등 범죄혐의의 진상규명을 위한 특별검사의 임명 등에 관한 법률'(이하 '이 사건 법률'이라 한다)은 제17대 대통령선거를 이틀 앞둔 2007. 12. 17. 국회 본회의에서 가결되어 같은 달 28. 법률 제8824호로 공포·시행되었다.

이 사건 법률은 이명박 대통령후보가 관여되었다는 의혹을 받고 있는 주식회사 엘케이 이뱅크(LK e-BANK), 비비케이(BBK) 투자자문주식회사 등을 통한 주가조작 등 증권거래법 위반 사건, 위 사건과 관련된 횡령·배임 등 재산범죄 사건, 주식회사 다스의 지분·주식과 관련된 공직자윤리법 위반 사건, 디지털미디어센터(DMC) 부지 사건 등에 대하여 독립적인 지위를 갖는 특별검사로 하여금 수사를 하도록 함으로써 진상을 규명한다는 취지에서 제정되었다.

청구인 김○준은 주식회사 엘케이 이뱅크(LK e-BANK)의 전 등기이사로서 이른바 'BBK 사건'의 참

제1절 인신에 관한 자유 **181**

고인이었고, 청구인 이○은·김○정은 주식회사 다스의 대주주로서 이른바 '주식회사 다스 관련 사건'의 참고인이었으며, 청구인 임○섭·최○호는 전 서울특별시 디지털미디어센터(DMC) 사업기획팀장 및 담당직원으로서, 청구인 윤○덕은 디지털미디어센터 부지를 분양받은 회사의 대표이사로서 각 이른바 'DMC 사건'의 피고발인들이었다.

청구인들은, 이 사건 법률에 따른 특별검사의 수사대상 사건의 참고인 또는 피고발인들로서 이 사건 법률의 적용대상이 될 것으로 예상되는바, 이 사건 법률로 인하여 평등권, 신체의 자유, 공정한 재판을 받을 권리 등을 침해받았다고 주장하면서 2007. 12. 28. 헌법소원심판을 청구하였다.

심판대상조항 및 관련조항

'한나라당 대통령후보 이명박의 주가조작 등 범죄혐의의 진상규명을 위한 특별검사의 임명 등에 관한 법률'(2007. 12. 28. 법률 제8824호로 제정된 것)

제2조(특별검사의 수사대상) 이 법에 따른 특별검사의 수사대상은 다음 각 호의 사건에 한한다.
1. 한나라당 대통령후보 이명박과 재미교포 김경준(미국명 크리스토퍼 김)이 (주)엘케이 이뱅크(LK e-BANK), 비비케이(BBK)투자자문(주), 옵셔널벤쳐스(주) 등을 통하여 행한 주가조작 등 증권거래법 위반 사건 및 역외펀드를 이용한 자금세탁 사건 (이하 생략)

제3조(특별검사의 임명) ① 국회의장은 제2조 각 호의 사건을 수사하기 위하여 이 법 시행일부터 2일 이내에 1인의 특별검사를 임명할 것을 대통령에게 서면으로 요청하여야 한다.
② 대통령은 제1항에 따른 요청서를 받은 날부터 2일 이내에 1인의 특별검사를 임명하기 위한 후보자 추천을 대법원장에게 서면으로 의뢰하여야 한다.
③ 대법원장은 제2항에 따른 특별검사후보자추천의뢰서를 받은 때에는 의뢰서를 받은 날부터 3일 이내에 10년 이상 법원조직법 제42조 제1항 제1호의 직에 있던 변호사 중에서 2인의 특별검사후보자를 대통령에게 서면으로 추천하여야 한다.
④ 대통령은 제3항에 따른 특별검사후보자추천서를 받은 때에는 추천서를 받은 날부터 3일 이내에 추천후보자 중에서 1인을 특별검사로 임명하여야 한다.

제6조(특별검사의 직무범위와 권한 등) ⑥ 특별검사는 제2조 각 호의 사건의 참고인으로 출석을 요구받은 자가 정당한 사유 없이 출석요구에 응하지 아니한 때에는 해당 참고인에 대하여 지정한 장소까지 동행할 것을 명령할 수 있다.
⑦ 제6항에 따른 동행명령의 집행 등에 관하여는 '국회에서의 증언·감정 등에 관한 법률' 제6조 제2항부터 제7항까지의 규정을 준용한다. 이 경우 "위원회의 위원장"과 "위원장"은 각각 "특별검사"로, "증인"은 "참고인"으로, "국회사무처 소속공무원"은 "특별수사관 또는 사법경찰관"으로 본다.

제10조(재판기간 등) ① 특별검사가 공소제기한 사건의 재판은 다른 재판에 우선하여 신속히 하여야 하며, 그 판결의 선고는 제1심에서는 공소제기일부터 3개월 이내에, 제2심 및 제3심에서는 전심의 판결선고일부터 각각 2개월 이내에 하여야 한다.
② 제1항의 경우 형사소송법 제361조, 제361조의3 제1항·제3항, 제377조 및 제379조 제1항·제4항의 기간은 각각 7일로 한다.

제18조(벌칙) ② 제6조 제6항에 따른 동행명령을 정당한 사유 없이 거부한 자는 1천만 원 이하의 벌금에 처한다.

> **주문**

1. '한나라당 대통령후보 이명박의 주가조작 등 범죄혐의의 진상규명을 위한 특별검사의 임명 등에 관한 법률'(2007. 12. 28. 법률 제8824호로 제정된 것) 제6조 제6항·제7항, 제18조 제2항은 헌법에 위반된다.
2. 청구인들의 나머지 심판청구를 모두 기각한다.

I 적법요건에 관한 판단

1. 기본권침해 가능성

헌법재판소법 제68조 제1항 본문은 "공권력의 행사 또는 불행사로 인하여 헌법상 보장된 기본권을 침해받은 자는 …… 헌법재판소에 헌법소원심판을 청구할 수 있다"고 규정하고 있는바, 이는 공권력의 행사 또는 불행사로 인하여 헌법상 보장된 자신의 기본권을 현재 직접적으로 침해당한 자만이 헌법소원심판을 청구할 수 있다는 뜻이고, 따라서 법령으로 인한 기본권침해를 이유로 헌법소원을 청구하려면 당해 법령 그 자체에 의하여 자유의 제한, 의무의 부과, 권리 또는 법적 지위의 박탈이 생긴 경우여야 한다.

이 사건 심판대상 조항들로 인하여 침해될 수 있는 청구인들의 기본권은 평등권, 신체의 자유 및 공정한 재판을 받을 권리라고 할 것이다(이 사건에서 청구인들이 주장하는 일반적 행동자유권은 신체의 자유의 한 내용인 불법적인 심문을 받지 아니할 권리에 포함되므로 이에 관하여는 따로 판단하지 아니한다).

청구인들은 이 사건 법률이 처분적법률금지원칙, 권력분립원칙, 적법절차원칙, 과잉금지원칙, 영장주의, 죄형법정주의 등 헌법원칙에 위배된다고 주장하나, 단순히 일반 헌법규정이나 헌법원칙에 위반된다는 주장만으로는 기본권침해에 대한 구제라는 헌법소원의 적법요건을 충족시키지 못하므로, 이러한 헌법원칙의 위반 여부는 위 기본권의 침해와 관련된 범위 내에서 판단하기로 한다.

2. 직접성

이 사건 법률 제2조, 제3조, 제6조 제6항·제7항, 제18조 제2항에 의한 기본권침해는 특별검사가 청구인들을 피의자나 참고인으로 지정하거나 동행명령장의 발부라는 구체적인 집행행위가 있어야만 구체적으로 현실화되므로 위 법률조항들에 의한 기본권침해의 직접성이 문제된다.

법령의 적용에 따른 구체적인 집행행위가 존재하는 경우라도 그 집행행위를 대상으로 하는 구제절차가 없거나, 구제절차가 있다고 하더라도 권리구제의 기대가능성이 없고 다만 기본권침해를 당한 청구인에게 불필요한 우회절차를 강요하는 것밖에 되지 않는 경우에는 예외적으로 당해 법률을 직접 헌법소원의 대상으로 삼을 수 있는바, 이 사건 법률은 특별검사의 피의자나 참고인 지정 행위 및 동행명령 자체에 대한 불복수단을 규정하고 있지 않을 뿐 아니라, 그것들이 항고소송의 대상이 되는 처분인지 여부도 불분명하다. 또한 특별검사의 동행명령의 법적 성격이 이 사건 법률 제6조 제8항에 의하여 특별검사의 수사절차에 준용될 형사소송법 제417조(준항고)에서 규정하는

'검사의 구금에 관한 처분'에 해당한다고 보기도 어렵다. 결국 특별검사의 참고인 또는 피의자 지정과 동행명령에 대하여는 구제절차가 없거나 권리구제의 기대가능성이 없어, 구체적 집행행위의 존재에도 불구하고 예외적으로 당해 법률을 직접 헌법소원의 대상으로 삼을 수 있는 경우에 해당하므로 심판대상조항에 의한 기본권침해의 직접성을 인정할 수 있다.

II 본안 판단

1. 이 사건 법률 제2조 부분

가. 청구인들은 이 사건 법률 제2조가 특별검사에 의한 수사대상을 특정인에 대한 특정 사건으로 한정한 것은 이른바 처분적 법률로서 입법권의 한계를 벗어난 것이고, 수사 대상을 규정하고 있는 방식이나 내용이 적법절차의 원칙, 명확성의 원칙, 과잉금지의 원칙 등을 위반하여 청구인들의 평등권, 신체의 자유, 공정한 재판을 받을 권리를 침해하였다고 주장한다.

나. 평등권의 침해 여부

1) 처분적 법률과 차별의 발생

우리 재판소는, 특정한 법률이 이른바 처분적 법률에 해당한다고 하더라도 그러한 이유만으로 곧바로 헌법에 위반되는 것은 아니라는 점을 수차 밝혀 왔다. 즉 우리 헌법은 처분적 법률로서의 개인대상법률 또는 개별사건법률의 정의를 따로 두고 있지 않음은 물론, 이러한 처분적 법률의 제정을 금하는 명문의 규정도 두고 있지 않으므로 특정한 규범이 개인대상 또는 개별사건법률에 해당한다고 하여 그것만으로 바로 헌법에 위반되는 것은 아니다. 다만 이러한 법률이 일반국민을 그 규율대상으로 하지 아니하고 특정 개인이나 사건만을 대상으로 함으로써 차별이 발생하는바, 그 차별적 규율이 합리적인 이유로 정당화되는 경우에는 허용된다고 할 것이다. 따라서 이 사건 법률 제2조가 처분적 법률에 해당한다는 청구인들의 주장은 결국 위 조항으로 인하여 청구인들의 평등권이 침해되었다는 주장으로 볼 것이다.

2) 합리적 이유의 존재 여부

특별검사제도의 장단점 및 우리나라 특별검사제도의 연혁에 비추어 볼 때, 검찰의 기소독점주의 및 기소편의주의에 대한 예외로서 특별검사제도를 인정할지 여부는 물론, 특정 사건에 대하여 특별검사에 의한 수사를 실시할 것인지 여부, 특별검사에 의한 수사대상을 어느 범위로 할 것인지는, 국민을 대표하는 국회가 검찰 기소독점주의의 적절성, 검찰권 행사의 통제 필요성, 특별검사제도의 장단점, 당해 사건에 대한 국민적 관심과 요구 등 제반 사정을 고려하여 결정할 문제로서, 그 판단에는 본질적으로 국회의 폭넓은 재량이 인정된다고 보아야 할 것이다.

따라서 특별검사제도에 관한 국회의 결정이 명백히 자의적이거나 현저히 부당한 것으로 인정되지 않는 한 존중되어야 할 것인바, 입법경위에 비추어 볼 때 국회가 여러 사정을 고려하여 이 사건 법률 제2조가 규정하고 있는 사안들에 대하여 특별검사에 의한 수사를 실시하도록 한 것이 명백히 자의적이거나 현저히 부당한 것이라고 단정하기 어렵다. 따라서 평등권이 침해된 것으로 볼 수 없다.

다. 신체의 자유(불법적인 심문을 받지 않을 권리) 침해 여부

처분적 법률의 성격을 가지는 이 사건 법률 제2조에 의한 차별적 규율은 앞서 본 바와 같은 이유에서 정당화되므로, 청구인들이 위 조항에 의하여 이 사건 법률에 의한 수사대상이 되어 심문을 받게 되더라도, 그러한 심문을 가리켜 적법절차의 원칙 내지 과잉금지의 원칙에 위반되는 불법적인 심문, 즉 위헌적인 혹은 위법한 심문이라 할 수 없다. 따라서 이 사건 법률 제2조에 의하여 청구인들의 신체의 자유, 즉 불법적인 심문을 받지 않을 권리가 침해되었다고 볼 수 없다.

라. 명확성원칙 위배 여부

입법부에 의한 특별검사제도의 도입이 대상 사건의 실체와 범위에 대하여 정치적으로 치열한 공방이 벌어지고 있는 상황에서 이루어지고 있는 점, 권력형 부정사건 등 정치적 성격이 강한 사건에 대하여 검찰 대신에 정치권력으로부터 독립된 특별검사에 의하여 수사 및 소추가 이루어지도록 하는 특별검사제도의 취지상 특별검사의 수사대상을 정함에 있어서 본질적으로 국회의 폭넓은 재량이 인정되어야 하는 점, 수사대상의 범위를 확정하는 특별검사가 법률전문가인 점, 이 사건 법률 제2조 제7호가 '제1호 내지 제6호 사건과 관련한 진정·고소·고발 사건 및 위 각 호 사건 수사과정에서 인지된 관련사건'이라고 규정하여 다소 모호한 부분이 있으나 제2조 제1호 내지 제6호 규정과 유기적·체계적으로 관련지어 보면 특별검사의 수사대상이 불분명하다고 보기는 어려운 점 등에 비추어 보면, 이 사건 법률 제2조 각 호는 수범자가 통상의 법감정과 합리적 상식에 기하여 그 구체적 의미를 충분히 예측하고 해석할 수 있는 규정이라 할 것이므로 명확성의 원칙에 반하지 아니한다.

마. 공정한 재판을 받을 권리 침해 여부

헌법 제27조 제1항과 제3항이 보장하고 있는 '공정한 재판'이란 헌법과 법률이 정한 자격이 있고 헌법 제104조 내지 제106조에 정한 절차에 의하여 임명되고 신분이 보장되며 독립하여 심판하는 법관으로부터 헌법과 법률에 의하여 그 양심에 따라 적법절차에 의하여 이루어지는 재판을 의미하고, 나아가 공정한 재판을 받을 권리에는 법관이 주재하는 공개된 법정에서 모든 증거자료가 조사·진술되고 이에 대하여 검사와 피고인이 서로 공격·방어할 수 있는 공평한 기회가 보장되는 재판을 받을 권리가 포함된다.

이 사건 법률 제2조는 재판절차에 이르기 전 단계인 수사에 관련하여 특별검사의 수사대상 범위를 규정하고 있는 것이므로 재판절차에 직접 영향을 주는 규정이라고 할 수 없어 위 조항이 청구인들의 공정한 재판을 받을 권리를 침해한다고 볼 수 없고, 이 사건 법률 제2조 제1호의 김경준의 주가조작 등 증권거래법 위반 사건이 이미 기소되어 재판이 진행중이라 하더라도 이미 기소된 사건에 관하여 특별검사에 의한 재수사를 받거나 재판에 관여된다는 이유만으로 청구인들의 공정한 재판을 받을 권리가 침해될 수는 없다.

2. 이 사건 법률 제3조 부분

가. 청구인들은, 이 사건 법률 제3조 제2항이 대법원장으로 하여금 특별검사 후보자 2인을 추천하도록 규정한 것은 소추기관과 심판기관의 분리라는 근대 형사법의 대원칙에 어긋나고 "누구든지 자기 자신의 심판관이 될 수 없다."는 자연적 정의를 근간으로 한 적법절차원칙에도 위반하였으며, 이 사건 법률 제3조가 국회로 하여금 특별검사제도의 도입을 일방적으로 결정하게 하고 특별검사의 임명과정에서 대법원장이 추천한 자 중 1인을 대통령이 임명할 수밖에 없도록 한 것은 권력분립의 원칙에 위반되어, 청구인들의 헌법상 공정한 재판을 받을 권리 및 불법적인 심문을 받지 않을 권리를 침해하였다고 주장한다.

나. 적법절차원칙 위반 여부

헌법 제103조는 "법관은 헌법과 법률에 의하여 그 양심에 따라 독립하여 심판한다."고 규정하고, 제106조 제1항은 "법관은 탄핵 또는 금고 이상의 형의 선고에 의하지 아니하고는 파면되지 아니하며, 징계처분에 의하지 아니하고는 정직·감봉 기타 불리한 처분을 받지 아니한다."고 규정함으로써 법관의 신분과 재판에서의 독립을 보장하고 있다. 한편 대법원장은 법관의 임명권자이지만(헌법 제104조 제3항), 대법원장이 각급 법원의 직원에 대하여 지휘·감독할 수 있는 사항은 사법행정에 관한 사무에 한정되므로(법원조직법 제13조 제2항) 구체적 사건의 재판에 대하여는 어떠한 영향도 미칠 수 없다. 나아가 이 사건 법률 제3조에 의하면 대법원장은 변호사 중에서 2인의 특별검사후보자를 대통령에게 추천하는 것에 불과하고 특별검사의 임명은 대통령이 하도록 되어 있다. 그러므로 대법원장이 추천한 특별검사후보자 2인 중 1인을 대통령이 특별검사로 임명하고, 그러한 절차를 통해 임명된 특별검사가 수사하여 공소제기한 사건을 대법원장이 임명한 법관이 재판한다고 해서, 소추기관과 심판기관이 분리되지 않았다거나, 자기 자신의 사건을 스스로 심판하는 구조라고 볼 수는 없다.

결국 이 사건 법률 제3조에 의한 특별검사의 임명절차가 소추기관과 심판기관의 분리라는 근대 형사법의 대원칙이나 적법절차의 원칙 등을 위반하였다고 볼 수 없으므로, 청구인들의 위 주장은 이유 없다.

다. 권력분립원칙 위반 여부

헌법상 권력분립의 원칙이란 국가권력의 기계적 분립과 엄격한 절연을 의미하는 것이 아니라, 권력 상호간의 견제와 균형을 통한 국가권력의 통제를 의미하는 것이다. 따라서 특정한 국가기관을 구성함에 있어 입법부, 행정부, 사법부가 그 권한을 나누어 가지거나 기능적인 분담을 하는 것은 권력분립의 원칙에 반하는 것이 아니라 권력분립의 원칙을 실현하는 것으로 볼 수 있다. 이러한 원리에 따라 우리 헌법은 대통령이 국무총리, 대법원장, 헌법재판소장을 임명할 때에 국회의 동의를 얻도록 하고 있고(헌법 제86조 제1항, 제104조 제1항, 제111조 제4항), 헌법재판소와 중앙선거관리위원회의 구성에 대통령, 국회 및 대법원장이 공동으로 관여하도록 하고 있는 것이다(헌법 제111조 제3항, 제114조 제2항).

본질적으로 권력통제의 기능을 가진 특별검사제도의 취지와 기능에 비추어 볼 때, 특별검사제도의 도입 여부를 입법부가 독자적으로 결정하고 특별검사 임명에 관한 권한을 헌법기관 간에 분산시키는 것이 권력분립원칙에 반한다고 볼 수 없다. 한편 정치적 중립성을 엄격하게 지켜야 할 대법원장의 지위에 비추어 볼 때 정치적 사건을 담당하게 될 특별검사의 임명에 대법원장을 관여시키는 것이 과연 바람직한 것인지에 대하여 논란이 있을 수 있으나, 그렇다고 국회의 이러한 정치적·정책적 판단이 헌법상 권력분립원칙에 어긋난다거나 입법재량의 범위에 속하지 않는다고는 할 수 없다.

3. 이 사건 동행명령조항 부분

가. 재판관 이강국, 재판관 김희옥, 재판관 민형기, 재판관 이동흡, 재판관 목영준의 위헌의견

1) 헌법상 영장주의 위반 여부

헌법 제12조 제1항은 "모든 국민은 신체의 자유를 가진다. 누구든지 법률에 의하지 아니하고는 체포·구속·압수·수색 또는 심문을 받지 아니하며, 법률과 적법한 절차에 의하지 아니하고는 처벌·보안처분 또는 강제노역을 받지 아니 한다."라고 규정함으로써, 국가가 신체의 자유를 침해하거나 제한하는 경우에는 적법절차의 원칙에 따라야 함을 선언하고 있다. 나아가 신체의 자유는 정신적 자유와 함께 모든 기본권의 근간이 되는 것임에도 불구하고 역사적으로 국가형벌권의 발동 형식으로 침해되어 온 예가 많으므로 헌법은 제12조 제2항 내지 제7항에서 적법절차의 원칙으로부터 도출되는 몇 가지 중요한 원칙을 명시하고 있다. 특히 헌법 제12조 제3항은 "체포·구속·압수 또는 수색을 할 때에는 적법한 절차에 따라 검사의 신청에 의하여 법관이 발부한 영장을 제시하여야 한다. ……"라고 규정함으로써 영장주의를 천명하고 있는바, 영장주의란 형사절차와 관련하여 체포·구속·압수·수색의 강제처분을 함에 있어서는 사법권 독립에 의하여 그 신분이 보장되는 법관이 발부한 영장에 의하지 않으면 아니 된다는 원칙이고, 따라서 영장주의의 본질은 신체의 자유를 침해하는 강제처분을 함에 있어서는 중립적인 법관이 구체적 판단을 거쳐 발부한 영장에 의하여야만 한다는 데에 있다.

헌법 제12조 제3항의 '체포·구속·압수·수색'에는 강제구금은 물론 강제구인, 강제동행 및 강제구류 등이 포함된다. 따라서 법률이 수사기관으로 하여금 법관에 의한 영장에 의하지 아니하고 참고인에 대하여 실질적으로 이와 동일한 행위를 하도록 허용한다면, 이는 헌법상 영장주의원칙을 위반한 것이거나 적어도 위 헌법상 원칙을 잠탈하는 것이라고 할 것이다. 그런데 이 사건 동행명령조항에 의하면, 특별검사가 참고인에 대하여 동행명령을 하는 이유, 동행할 장소, 동행명령을 거부하면 처벌된다는 취지를 기재한 동행명령장을 발부하고, 특별수사관 또는 사법경찰관이 이를 참고인에게 제시하면서 동행할 것을 요구하며, 만일 참고인이 정당한 사유 없이 동행명령을 거부하면 천만 원 이하의 벌금형이라는 형사처벌이 가해진다.

결국 이 사건 동행명령조항이 규정하는 참고인에 대한 동행명령제도는, 참고인의 신체의 자유를 사실상 억압하여 일정 장소로 인치하는 것과 실질적으로 같으므로 헌법 제12조 제3항이 정한 영장주의원칙이 적용되어야 할 것이다. 그럼에도 불구하고 법관이 아닌 특별검사가 동행명령장을 발부하도록 하고 정당한 사유 없이 이를 거부한 경우 벌금형에 처하도록 함으로써, 실질적으로는 참고인의 신체의 자유를 침해하여 지정된 장소에 인치하는 것과 마찬가지의 결과가 나타나도록 규정한 이 사건 동행명령조항은 영장주의원칙을 규정한 헌법 제12조 제3항에 위반되거나 적어도 위 헌법상 원칙을 잠탈하는 것으로서 위헌이라 할 것이다.

2) 과잉금지의 원칙 위반 여부

가) 목적의 정당성과 수단의 적절성

이 사건 동행명령조항의 입법목적은, 이 사건 법률 제9조가 정한 비교적 짧은 수사기간 내에 이 사건 법률 제2조가 정한 사건들의 진상을 규명하기 위해 필수불가결한 참고인의 진술을 확보하는 데 있는바, 이러한 입법목적 자체에는 그 정당성이 인정된다. 또한 특별검사에 의해 참고인으로서 출석을 요구받은 자가 정당한 사유 없이 출석요구에 응하지 아니한 때에 특별검사가 동행명령장을 발부하고 다시 정당한 사유 없이 동행명령을 거부한 참고인에게 천만 원 이하의 벌금에 처하도록 하는 것은 이러한 입법목적을 달성하기 위한 효과적이고 적절한 방법의 하나가 될 것임은 부인할 수 없다.

나) 피해의 최소성과 법익균형성

인간의 신체의 자유는 다른 기본권의 기초가 되는 가장 중요한 기본권의 하나이므로 원칙적으로 최대한 보장되어야 한다. 특히 참고인은 수사의 협조자이므로 참고인에 대한 출석을 강제하여 신체의 자유를 제한하는 것은 원칙적으로 허용되어서는 안 되고, 수사상 절실한 필요에 의하여 예외적으로 참고인에 대한 강제소환이 요구되는 경우에도 그 신체의 자유에 대한 제한은 필요한 최소한도에 그쳐야 한다.

그런데 참고인은 수사의 협조자에 불과하므로 원칙적으로 출석의무가 없는 점, 입법론적으로 특별검사가 참고인을 강제로 소환할 절실한 필요가 있는 경우 법관에게 그 소환을 요청하여 법관의 명령으로 참고인을 소환하도록 하더라도 수사의 목적 달성에 큰 지장이 없는 점, 특별검사는 형사소송법상 출석요구에 응하지 않는 참고인에 대하여 증거보전절차(제184조) 또는 제1회 공판기일 전 증인신문의 청구(제221조의2) 절차에 의하여 '진상을 규명하기 위해 필수불가결한 참고인의 진술을 확보'할 수 있는 점 등에 비추어 보면, 이 사건 동행명령조항에 의한 신체의 자유의 제한이 입법목적 달성을 위한 필요 최소한에 그쳤다고는 볼 수 없다. 또한 참고인 진술의 수사상 효용가치에 한계가 있기 때문에 이 사건 동행명령조항으로 달성하고자 하는 '진상을 규명하기 위해 필수불가결한 참고인의 진술 확보'라는 공익은 그 실현 여부가 분명하지 않은데 반하여, 위 조항으로 인하여 청구인들이 감수해야 할 신체의 자유에 대한 침해는 지나치게 크다. 결국 이 사건 동행명령조항은 과잉금지원칙에 위배하여 청구인들의 신체의 자유와 평등권을 침해한다.

3) 소 결

그렇다면 이 사건 동행명령조항은 헌법상 영장주의를 위반하거나 적어도 위 헌법상 원칙을 잠탈하는 것일 뿐만 아니라, 헌법 제37조 제2항을 위반하여 청구인들의 신체의 자유 및 평등권을 침해한다고 할 것이다.

나. 재판관 이공현, 재판관 김종대의 위헌의견

1) 영장주의 위반 여부

신체의 자유와 관련한 헌법상 영장주의는 '신체에 대해 직접적이고 현실적인 강제력이 행사되는 경우'에 적용되는 것으로 보아야 하는바, 이 사건 동행명령조항은 동행명령을 거부하는 참고인에 대해 직접적이고 현실적인 강제력을 행사할 수 있음을 규정한 것이 아니라 동행명령을 거부할 정당한 사유가 없는 참고인에 대하여 지정된 장소에 출석할 의무를 부과하고 벌금형이라는 제재를 수단으로 하여 그 출석의무의 이행을 심리적·간접적으로 강제하는 것이어서, 영장주의의 적용대상이 될 수 없다. 따라서 이 사건 동행명령조항은 영장주의에 위반된다고 볼 수 없다.

2) 과잉금지의 원칙 위반 여부

그러나 이 사건 동행명령조항은 정당한 사유 없이 동행명령을 거부한 자를 형사처벌하도록 규정함으로써 침해의 최소성에 반하여 청구인들의 신체의 자유를 침해하였다. 그 자세한 이유는 재판관 이강국, 재판관 김희옥, 재판관 민형기, 재판관 이동흡, 재판관 목영준의 위헌의견 중 이 사건 동행명령조항에 대한 과잉금지원칙 위반에 대한 판단 부분 및 재판관 조대현의 이 사건 법률 제18조 제2항 부분에 대한 위헌의견을 원용한다.

다. 재판관 조대현의 이 사건 법률 제18조 제2항 부분에 대한 위헌의견 (생략)

4. 이 사건 법률 제10조 부분

청구인들은 이 사건 법률 제10조는 재판기간을 지나치게 단기간으로 규정함으로써 재판당사자의 방어권을 부당하게 침해할 염려가 있으므로 공정한 재판을 받을 권리와 평등권을 침해하며 무죄추정의 원칙에 위반된다고 주장한다.

이 사건 법률 제10조가 재판기간을 단기간으로 규정한 것은 사안의 성격과 특별검사제도의 특수성을 감안하여 위 기간 내에 가능한 신속하게 재판을 종결함으로써 국민적 의혹을 조기에 해소하고 정치적 혼란을 수습하자는 것일 뿐, 피고인의 방어권이나 적정절차를 보장하지 않은 채 재판이 위 기간 내에 종결되어야 한다거나 위 기간이 도과하면 재판의 효력이 상실된다는 취지는 아니다. 그렇다면 이 사건 법률 제10조가 공정한 재판을 받을 권리를 침해한다 할 수 없고, 이 사건 법률에 의한 특별검사에 의하여 공소제기된 사람을 일반 형사재판을 받는 사람에 비하여 달리 취급하였다 하여 평등권을 침해한다 할 수 없다(나아가 이 사건 법률 제10조가 재판기간을 단기간으로 규정하였다는 이유만으로 특별검사에 의해 공소제기된 사건에서 무죄추정의 원칙이 깨진다고 볼 수도 없다).

061  보석허가결정에 대한 검사의 즉시항고 사건 [위헌]
— 1993. 12. 23. 선고 93헌가2

판시사항 및 결정요지

1. 법원이 위헌심판제청을 할 경우 위헌에 대한 확신을 요하는지 여부

헌법 제107조 제1항, 헌법재판소법 제41조, 제43조 등의 규정취지는 법원은 문제되는 법률조항이 담당법관 스스로의 법적 견해에 의하여 단순한 의심을 넘어선 합리적인 위헌의 의심이 있으면 위헌여부심판을 제청을 하라는 취지이고, 헌법재판소로서는 제청법원의 이 고유판단을 될 수 있는 대로 존중하여 제청신청을 받아들여 헌법판단을 하는 것이다.

2. 보석허가결정에 대한 검사의 즉시항고를 허용하는 것이 영장주의와 적법절차의 원칙에 반하고 과잉금지의 원칙에 위반되는지 여부

영장주의는 적법절차원리에서 나온 것으로서 체포·구속 그리고 압수·수색까지도 헌법 제103조에 의하여 헌법과 법률에 의하여 양심에 따라 재판하고 또 사법권독립의 원칙에 의하여 신분이 보장된 법관의 판단에 의하여만 결정되어야 하고, 구속개시의 시점에 있어서 이 신체의 자유에 대한 박탈의 허용만이 아니라 그 구속영장의 효력을 계속 유지할 것인지 아니면 정지 또는 실효시킬 것인지의 여부의 결정도 오직 이러한 법관의 판단에 의하여만 결정되어야 한다는 것을 의미한다. 따라서 이러한 구속여부에 관한 전권을 갖는 법관 또는 법관으로 구성된 법원이 피의자나 피고인을 구속 또는 그 유지 여부의 필요성이 있는 유무에 관하여 한 재판의 효력이 검사나 그 밖의 어느 다른 기관의 이견이나 불복이 있다 하여 좌우된다거나 제한받는다면 이는 위 영장주의에 반하고 따라서 적법절차의 원칙에도 위배된다고 할 것이다.

보석허가결정에 대하여 검사의 즉시항고를 허용하여 그 즉시항고에 대한 항고심의 재판이 확정될 때까지 그 집행이 정지되도록 한 형사소송법 제97조 제3항의 규정은 당해 피고인에 대한 보석허가결정이 부당하다는 검사의 불복을 그 피고인에 대한 구속집행을 계속할 필요가 없다는 법원의 판단보다 우선시킨 것이어서 구속의 여부와 구속을 계속시키는 여부에 대한 판단을 사법권의 독립이 보장된 법원의 결정에만 맡기려는 영장주의에 위반되고, 그 내용에 있어 합리성과 정당성이 없으면서 피고인의 신체의 자유를 제한하는 것이므로 적법절차의 원칙에 반하며, 기본권제한입법의 기본원칙인 방법의 적정성, 피해의 최소성, 법익의 균형성을 갖추지 못하여 과잉금지의 원칙에도 위반된다.

 행정상 즉시강제로서의 불법게임물 수거·폐기 사건 [합헌]
— 2002. 10. 31. 선고 2000헌가12

판시사항

1. 관계행정청이 등급분류를 받지 아니하거나 등급분류를 받은 게임물과 다른 내용의 게임물을 발견한 경우 관계공무원으로 하여금 이를 수거·폐기하게 할 수 있도록 한 구 음반·비디오물및게임물에관한법률 제24조 제3항 4호 중 게임물에 관한 규정 부분(이하 "이 사건 법률조항"이라 한다)이 재산권을 침해하는지 여부(소극)
2. 이 사건 법률조항이 재판청구권을 침해하는지 여부(소극)
3. 이 사건 법률조항이 영장주의와 적법절차의 원칙에 위배되는지 여부(소극)

사건의 개요

제청신청인은 울산 중구 성남동 255의 3에서 '코리아나 컴퓨터 게임장'을 운영하면서, '트로피'라는 게임물을 설치하여 영업하고 있는 자이다.

문화관광부장관은 서울지방검찰청 동부지청으로부터 게임물 제작업자가 1998. 4. 8. 위 게임물을 '램프식'으로 검사받은 다음 이와는 전혀 다른 형태의 '릴식'게임기로 불법 제조하여 유통하고 있다는 통보를 받고, 1999. 12. 21. 각 시·도에 게임제공업주 책임하에 '릴식 트로피' 게임물을 2000. 1. 15.까지 자진하여 폐기하도록 조치하고, 위 기한 이후부터는 구 음반·비디오물및게임물에관한법률(2001. 5. 24. 법률 제6473호로 개정되기 전의 것) 제24조 제3항 제4호의 규정에 의하여 위 게임기의 기판을 수거·폐기하도록 조치하라는 내용의 공문을 보냈다(이하 문화관광부장관의 위 행위를 "이 사건 지시"라 한다).

이에 울산광역시 중구청장은 2000. 5. 1. 그 소속 공무원으로 하여금 제청신청인 경영의 위 게임장을 단속하게 하여, 그곳에 있던 제청신청인 소유의 '릴식 트로피' 기판 7대를 '등급분류를 받지 아니하거나 등급분류를 받은 게임물과 다른 내용의 게임물'이라는 이유로, 위 법률조항에 의하여 수거하게 하였다(이하 울산광역시 중구청장의 위 행위를 "이 사건 수거처분"이라 한다).

이에 제청신청인은 2000. 5. 18. 문화관광부장관과 울산광역시 중구청장을 피고로 하여, 우선 문화관광부장관과 울산광역시 중구청장이 함께 이 사건 수거처분을 하였음을 전제로, 주위적으로는 문화관광부장관의 이 사건 지시, 문화관광부장관과 울산광역시 중구청장의 이 사건 수거처분의 각 무효확인을 구하고, 예비적으로는 울산광역시 중구청장의 이 사건 수거처분의 취소를 구하는 본안소송을 제기하는 한편, 위 법률조항 중 게임물에 관한 규정 부분에 대하여 위헌제청신청을 하였고, 같은 법원은 이를 받아들여 이 사건 위헌법률심판제청을 하였다.

1. 행정상 즉시강제의 의의 및 한계

행정상 즉시강제란 행정강제의 일종으로서 목전의 급박한 행정상 장해를 제거할 필요가 있는 경우에, 미리 의무를 명할 시간적 여유가 없을 때 또는 그 성질상 의무를 명하여 가지고는 목적달성이 곤란할 때에, 직접 국민의 신체 또는 재산에 실력을 가하여 행정상 필요한 상태를 실현하는 작용이며, 법령 또는 행정처분에 의한 선행의 구체적 의무의 존재와 그 불이행을 전제로 하는 행정상 강제집행과 구별된다.

행정강제는 행정상 강제집행을 원칙으로 하며, 법치국가적 요청인 예측가능성과 법적 안정성에 반하고, 기본권 침해의 소지가 큰 권력작용인 행정상 즉시강제는 어디까지나 예외적인 강제수단이라고 할 것이다. 이러한 행정상 즉시강제는 엄격한 실정법상의 근거를 필요로 할 뿐만 아니라, 그 발동에 있어서는 법규의 범위 안에서도 다시 행정상의 장해가 목전에 급박하고, 다른 수단으로는 행정목적을 달성할 수 없는 경우이어야 하며, 이러한 경우에도 그 행사는 필요 최소한도에 그쳐야 함을 내용으로 하는 조리상의 한계에 기속된다.

2. 재산권의 침해 여부

이 사건 법률조항은 문화관광부장관, 시·도지사, 시장·군수·구청장이 법 제18조 제5항의 규정에 의한 등급분류를 받지 아니하거나 등급분류를 받은 게임물과 다른 내용의 게임물을 발견한 때에는 관계공무원으로 하여금 이를 수거하여 폐기하게 할 수 있게 함으로써 게임제공업주 등의 재산권을 제한하는 규정이다.

이 사건 법률조항의 입법목적은 등급분류를 받지 아니하거나 등급분류를 받은 게임물과 다른 내용의 게임물(이하 "불법게임물"이라 한다)의 유통을 방지함으로써 게임물의 등급분류제를 정착시키고, 나아가 불법게임물로 인한 사행성의 조장을 억제하여 건전한 사회기풍을 조성하기 위한 것으로서 그 입법목적의 정당성이 인정되고, 적절한 수단의 하나가 될 수 있다.

불법게임물은 불법현장에서 이를 즉시 수거하지 않으면 증거인멸의 가능성이 있고, 그 사행성으로 인한 폐해를 막기 어려우며, 대량으로 복제되어 유통될 가능성이 있어, 불법게임물에 대하여 관계당사자에게 수거·폐기를 명하고 그 불이행을 기다려 직접강제 등 행정상의 강제집행으로 나아가는 원칙적인 방법으로는 목적달성이 곤란하다고 할 수 있으므로, 이 사건 법률조항의 설정은 위와 같은 급박한 상황에 대처하기 위한 것으로서 그 불가피성과 정당성이 인정된다. 또한 이 사건 법률조항은 수거에 그치지 아니하고 폐기까지 가능하도록 규정하고 있으나, 이는 수거한 불법게임물의 사후처리와 관련하여 폐기의 필요성이 인정되는 경우에 대비하여 근거규정을 둔 것으로서 실제로 폐기에 나아감에 있어서는 비례의 원칙에 의한 엄격한 제한을 받는다고 할 것이므로, 이를 두고 과도한 입법이라고 보기는 어렵다. 따라서 피해의 최소성의 요건을 위반한 것으로는 볼 수 없고, 또한 이 사건 법률조항이 불법게임물의 수거·폐기에 관한 행정상 즉시강제를 허용함으로써 게임제공업주 등이 입게 되는 불이익보다는 이를 허용함으로써 보호되는 공익이 더 크다고 볼 수 있으므로, 법익의 균형성의 원칙에 위배되는 것도 아니다.

3. 재판청구권의 침해 여부

재판청구권은 권리보호절차의 개설과 개설된 절차에의 접근의 효율성에 관한 절차법적 요청으로서, 권리구제절차 내지 소송절차를 규정하는 절차법에 의하여 구체적으로 형성·실현되며, 또한 이에 의하여 제한되는 것이다. 그런데 이 사건 법률조항은 행정상 즉시강제에 관한 근거규정으로서 권리구제절차 내지 소송절차를 규정하는 절차법적 성격을 전혀 갖고 있지 아니하기 때문에, 이 사건 법률조항에 의하여는 재판청구권이 침해될 여지가 없다.

4. 영장주의와 적법절차의 원칙에 위배되는지 여부

영장주의가 행정상 즉시강제에도 적용되는지에 관하여는 논란이 있으나, 행정상 즉시강제는 상대방의 임의이행을 기다릴 시간적 여유가 없을 때 하명 없이 바로 실력을 행사하는 것으로서, 그 본질상 급박성을 요건으로 하고 있어 법관의 영장을 기다려서는 그 목적을 달성할 수 없다고 할 것이므로, 원칙적으로 영장주의가 적용되지 않는다고 보아야 할 것이다.

만일 어떤 법률조항이 영장주의를 배제할 만한 합리적인 이유가 없을 정도로 급박성이 인정되지 아니함에도 행정상 즉시강제를 인정하고 있다면, 이러한 법률조항은 이미 그 자체로 과잉금지의 원칙에 위반되는 것으로서 위헌이라고 할 것이다.

이 사건 법률조항은 앞에서 본바와 같이 급박한 상황에 대처하기 위한 것으로서 그 불가피성과 정당성이 충분히 인정되는 경우이므로, 이 사건 법률조항이 영장 없는 수거를 인정한다고 하더라도 이를 두고 헌법상 영장주의에 위배되는 것으로는 볼 수 없다.

한편, 이 사건 법률조항은 수거에 앞서 청문이나 의견제출 등 절차보장에 관한 규정을 두고 있지 않으나, 행정상 즉시강제는 목전에 급박한 장해에 대하여 바로 실력을 가하는 작용이라는 특성에 비추어 사전적(事前的) 절차와 친하기 어렵다는 점을 고려하면, 이를 이유로 적법절차의 원칙에 위반되는 것으로는 볼 수 없다.

그러나 비록 이 사건 법률조항이 규정하고 있는 수거의 경우 영장주의의 배제가 용인되고, 그 성격상 사전적 절차와 친하지 아니함을 인정한다고 하더라도, 일체의 절차적 보장이 배제된다고 볼 것은 아니며, 국가권력의 남용을 방지하고 국민의 권리를 보호하기 위하여 적법절차의 관점에서 일정한 절차적 보장이 요청된다.

이러한 관점에서 법 제24조 제4항은 관계공무원이 당해 게임물 등을 수거한 때에는 그 소유자 또는 점유자에게 수거증을 교부하도록 하고 있고, 동조 제6항은 수거 등 처분을 하는 관계공무원이나 협회 또는 단체의 임·직원은 그 권한을 표시하는 증표를 지니고 관계인에게 이를 제시하도록 하는 등의 절차적 요건을 규정하고 있으므로, 이 사건 법률조항이 적법절차의 원칙에 위배되는 것으로 보기도 어렵다.

| 체포·구속 적부심사제도 |

 **구속적부심사를 청구한 피의자에 대한 검사의 전격기소 사건** [헌법불합치]
- 2004. 3. 25. 선고 2002헌바104

심판대상조항 및 관련조항

형사소송법(1995. 12. 29. 법률 제5054호로 개정된 것) **제214조의2(체포와 구속의 적부심사)** ① 체포영장 또는 구속영장에 의하여 체포 또는 구속된 피의자 또는 그 변호인, 법정대리인, 배우자, 직계친족, 형제자매, 호주, 가족이나 동거인 또는 고용주는 관할법원에 체포 또는 구속의 적부심사를 청구할 수 있다.

판시사항 및 결정요지

1. 체포·구속적부심사청구권을 규정한 헌법 제12조 제6항이 '체포·구속'의 방법으로 '신체의 자유'가 부당하게 침해되는 것을 사후적으로 구제하는 구체적인 절차적 기본권에 관한 입법형성의무를 부과하고 있는지(적극)

    헌법 제12조 제6항의 규정은 위와 같이 '누구든지…권리를 가진다.'라는 형식을 취하고 있는데, 이는 우리 헌법이 헌법적 차원에서 일정한 권리를 인정하는 것으로서 입법자가 법률로써 이러한 권리행사의 주체를 임의로 제한할 수는 없을 것이다. 한편, 헌법 제12조 소정의 '신체의 자유'는 대표적인 자유권적 기본권이지만, 위와 같은 신체의 자유를 보장하기 위한 방법의 하나로 같은 조 제6항에 규정된 '체포·구속적부심사청구권'의 경우 원칙적으로 국가기관 등에 대하여 특정한 행위를 요구하거나 국가의 보호를 요구하는 절차적 기본권(청구권적 기본권)이기 때문에, 본질적으로 제도적 보장의 성격을 강하게 띠고 있다.

    한편, 헌법 제12조 제6항은 '체포·구속을 당한 때'라고 하는 매우 구체적인 상황에 관련하여 헌법적 차원에서 '적부의 심사를 법원에 청구할 권리'라는 절차적 권리를 보장하고 있기 때문에, 위와 같이 구체적 적용영역에 대한 입법권의 행사는 직접적으로 헌법적 제약을 받게 된다고 봄이 상당하다.

    그런데 헌법 제12조 제6항의 경우 비록 구체적 영역에 한정적으로 적용되는 것이기는 하지만, 입법자의 형성적 법률이 존재하지 아니하는 경우 현실적으로 법원에서 당사자의 '체포·구속적부심사청구권'에 대하여 심리할 방법이 없기 때문에, 입법자가 법률로써 구체적인 내용을 형성하여야만 권리주체가 실질적으로 이를 행사할 수 있는 경우에 해당하는 것으로서, 이른바 헌법의 개별규정에 의한 헌법위임(Verfassungsauftrag)이 존재한다고 볼 수 있다. 나아가 이러한 체포·구속적부심사청구권의 경우 헌법적 차원에서 독자적인 지위를 가지고 있기 때문에 입법자가 전반적인 법체계를 통하여 관련자에게 그 구체적인 절차적 권리를 제대로 행사할 수 있는 기회를 최소한 1회 이상 제공하여야 할 의무가 있다고 보아야 한다.

    다만, 본질적으로 제도적 보장의 성격이 강한 절차적 기본권에 관하여는 상대적으로 광범위한 입법형성권이 인정되기 때문에, 관련 법률에 대한 위헌성심사를 함에 있어서는 자의금지원칙(恣意禁止原則)이 적용되고, 따라서 현저하게 불합리한 절차법규정이 아닌 이상 이를 헌법에 위반된다고 할 수 없다. 아울러 입법자는 그 입법과정에서 법률의 구체적 내용, 명칭 등에 관련하여 다양한 선택을 할 수 있고, 나아가 헌법규정의 적용영역에 관련하여 헌법적 요구사항을 상회하는 법률을 제정할 수도 있는 것이다.

2. 구속된 피의자가 적부심사청구권을 행사한 다음 검사가 전격기소를 한 경우, 법원으로부터 구속의 헌법적 정당성에 대하여 실질적 심사를 받고자 하는 청구인의 절차적 기회를 제한하는 결과를 가져오는 형사소송법 제214조의2 제1항(이하, '이 사건 법률조항'이라 한다)**이 헌법에 합치되는지 여부(소극)**

우리 형사소송법상 구속적부심사의 청구인적격을 피의자 등으로 한정하고 있어서 청구인이 구속적부심사청구권을 행사한 다음 검사가 법원의 결정이 있기 전에 기소하는 경우(이른바 전격기소), 영장에 근거한 구속의 헌법적 정당성에 대하여 법원이 실질적인 판단을 하지 못하고 그 청구를 기각할 수밖에 없다. 그러나 구속된 피의자가 적부심사청구권을 행사한 경우 검사는 그 적부심사절차에서 피구속자와 대립하는 반대 당사자의 지위만을 가지게 됨에도 불구하고 헌법상 독립된 법관으로부터 심사를 받고자 하는 청구인의 '절차적 기회'가 반대 당사자의 '전격기소'라고 하는 일방적 행위에 의하여 제한되어야 할 합리적인 이유가 없고, 검사가 전격기소를 한 이후 청구인에게 '구속취소'라는 후속절차가 보장되어 있다고 하더라도 그에 따르는 적지 않은 시간적, 정신적, 경제적인 부담을 청구인에게 지워야 할 이유도 없으며, 기소이전단계에서 이미 행사된 적부심사청구권의 당부에 대하여 법원으로부터 실질적인 심사를 받을 수 있는 청구인의 절차적 기회를 완전히 박탈하여야 하는 합리적인 근거도 없기 때문에, 입법자는 그 한도 내에서 적부심사청구권의 본질적 내용을 제대로 구현하지 아니하였다고 보아야 한다.

| 변호인의 조력을 받을 권리 |

064 미결수용자 공휴일 접견 불허 사건 [기각]
― 2011. 5. 26. 선고 2009헌마341

판시사항

1. 미결수용자의 변호인 접견권에 대한 제한가능성
2. '형의 집행 및 수용자의 처우에 관한 법률'(이하 "수용자처우법"이라 한다)이 제41조 제4항에서 "접견의 횟수·시간·장소·방법 및 접견내용의 청취·기록·녹음·녹화 등에 관하여 필요한 사항은 대통령령으로 정한다."고 하여 수용자의 접견 시간 등에 관하여 필요한 사항을 대통령령에 위임하면서도 제84조 제2항에서 "미결수용자와 변호인 간의 접견은 시간과 횟수를 제한하지 아니한다."고 규정한 것의 의미
3. 미결수용자 또는 변호인이 원하는 특정한 시점의 접견 불허가 변호인의 조력을 받을 권리를 침해하는지 여부(소극)

사건의 개요

청구인은 사기 등의 죄로 불구속 기소되어 공판을 받다가 2009. 5. 1. 선고기일에 불출석하여 구속영장이 발부되고, 5. 27. 서울구치소에 수감되었다.
이에 청구인의 국선변호인으로 선정된 변호사 정○훈은 6. 5. 서울구치소에 청구인에 대한 접견을 신청하였으나, 접견을 희망하는 6. 6.이 현충일로 공휴일이라는 이유로 불허되었다.
청구인은 6. 8. 국선변호인을 접견하였고, 6. 19. 다시 변론이 종결되어, 6. 24. 징역 10월, 집행유예 2년이 선고되자, 법무부장관과 서울구치소장을 상대로, 청구인과 국선변호인 간의 6. 6.자 접견을 불허한 처분이 청구인의 변호인의 조력을 받을 권리를 침해하였다며, 6. 25. 그 위헌확인을 구하는 이 사건 헌법소원심판을 청구하였다.

심판대상

'피청구인 서울구치소장이 청구인과 국선변호인 간의 2009. 6. 6.자 접견을 불허한 처분'(이하 "이 사건 접견불허 처분"이라 한다)이 헌법에 위반되는지 여부'

주문

청구인의 심판청구를 기각한다.

I. 적법요건에 관한 판단

1. 법적 관련성

이 사건 접견불허 처분의 직접적인 상대방은 청구인이 아니라 그 국선변호인이지만, 청구인은 이 사건 접견불허 처분으로 변호인과 접견하지 못하게 되었으므로, 이 사건 접견불허 처분은 미결수용자인 청구인의 변호인의 조력을 받을 권리를 제한하는 것이다.

2. 보충성

형사소송법 제417조의 준항고는 형사절차에서 이루어지는 검사 또는 사법경찰관의 처분에 대한 불복절차로서 구치소장의 접견불허 처분에 대해서는 적용될 수 없고, '형의 집행 및 수용자의 처우에 관한 법률'(이하 "수용자처우법"이라 한다) 제117조가 규정하고 있는 청원은 처리기관이나 절차 및 효력 면에서 권리구제절차로는 불충분하고 우회적인 제도로서 헌법소원에 앞서 반드시 거쳐야 하는 사전구제절차로 보기 어려우므로, 청구인이 이 사건 접견불허 처분에 대하여 준항고 또는 청원의 절차를 거치지 않았다 하더라도 법률이 정한 구제절차를 거치지 않았다고 볼 수 없다.

한편, 구치소장의 접견불허 처분은 행정심판이나 행정소송을 통해 다툴 수 있으나, 이 사건 접견불허 처분의 대상이 된 6. 6.자 접견은 그 시간이 경과함으로써 확정적으로 불가능하게 되었고, 이 사건 접견불허처분의 취소를 구하는 행정심판이나 행정소송은 이로써 소의 이익이 없어 부적법한 것으로 판단될 것이 예상되므로, 이 사건 심판청구에 대해서는 보충성원칙의 예외를 인정하는 것이 타당하다.

3. 권리보호이익

앞서 본 바와 같이, 이 사건 접견불허 처분의 대상이 된 6. 6.자 접견은 그 시간이 경과함으로써 확정적으로 불가능하게 되어, 이 사건 접견불허처분으로 인한 기본권 침해 상태는 헌법소원심판을 통해서도 회복될 수 없게 되었으므로, 이 사건 심판청구의 주관적 권리보호이익은 없게 되었다. 그러나, 이 사건 접견불허 처분과 같이 미결수용자와 변호인 간의 접견 제한의 문제는 앞으로도 반복하여 제기될 수 있을 뿐 아니라, 그에 대한 헌법적 해명은 헌법질서의 수호·유지를 위해 중대한 의미를 가지는 것이므로, 이 사건 접견불허 처분이 청구인의 기본권을 침해하였는지 여부에 대해 판단할 필요가 있다.

4. 변호인의 조력을 받을 권리

변호인의 조력을 받을 권리란 국가권력의 일방적인 형벌권 행사에 대항하여 자신에게 부여된 헌법상·소송법상 권리를 효율적이고 독립적으로 행사하기 위하여 변호인의 도움을 얻을 피의자 및 피고인의 권리를 말한다.

헌법은 제12조 제4항에서 "누구든지 체포 또는 구속을 당한 때에는 즉시 변호인의 조력을 받을 권리를 가진다. 다만, 형사피고인이 스스로 변호인을 구할 수 없을 때에는 법률이 정하는 바에 의하여 국가가 변호인을 붙인다."고 규정하고, 제12조 제5항 제1문에서 "누구든지 체포 또는 구속의 이유와 변호인의 조력을 받을 권리가 있음을 고지받지 아니하고는 체포 또는 구속을 당하지 아니한다."고 하여 변호인의 조력을 받을 권리를 헌법상 기본권으로 명시하고 있다. 이러한 변호인의 조력을 받을 권리에는 변호인을 선임하고, 변호인과 접견하며, 변호인의 조언과 상담을 받고, 변호인을 통해 방어권 행사에 필요한 사항들을 준비하고 행사하는 것 등이 모두 포함된다.

5. 변호인과의 접견교통권 제한

청구인은 헌법재판소가 "변호인과의 자유로운 접견은 신체구속을 당한 사람에게 보장된 변호인의 조력을 받을 권리의 가장 중요한 내용이어서 국가안전보장·질서유지 또는 공공복리 등 어떠한 명분으로도 제한될 수 있는 성질의 것이 아니다."(헌재 1992. 1. 28. 91헌마111)라고 판시한 것을 들어, 미결수용자와 변호인과의 접견에 대해서는 어떠한 제한도 할 수 없다고 주장한다.

그러나, 위 결정에서 어떠한 명분으로도 제한할 수 없다고 한 것은 구속된 자와 변호인 간의 접견이 실제로 이루어지는 경우에 있어서의 '자유로운 접견', 즉 '대화내용에 대하여 비밀이 완전히 보장되고 어떠한 제한, 영향, 압력 또는 부당한 간섭 없이 자유롭게 대화할 수 있는 접견'을 제한할 수 없다는 것이지, 변호인과의 접견 자체에 대해 아무런 제한도 가할 수 없다는 것을 의미하는 것이 아니다.

변호인의 조력을 받을 권리 역시 다른 모든 헌법상 기본권과 마찬가지로 국가안전보장·질서유지 또는 공공복리를 위하여 필요한 경우에는 법률로써 제한할 수 있는 것이다(헌법 제37조 제2항).

그렇다면 변호인의 조력을 받을 권리의 내용 중 하나인 미결수용자의 변호인 접견권 역시 국가안전보장·질서유지 또는 공공복리를 위해 필요한 경우에는 법률로써 제한될 수 있음은 당연하다.

6. 이 사건 접견불허 처분의 근거

기본권에 대한 제한은 법률로써 하여야 하고(헌법 제37조 제2항), 여기서 법률로써 제한한다는 것은 반드시 '법률에 의한' 규율까지는 아니더라도 '법률에 근거한' 것이어야 한다는 것을 의미한다.

이 사건 접견불허처분은 "수용자의 접견은 매일(공휴일 및 법무부장관이 정한 날은 제외한다) '국가공무원 복무규정' 제9조에 따른 근무시간 내에서 한다."고 규정한 '형의 집행 및 수용자의 처우에 관한 법률 시행령'(이하 "수용자처우법 시행령"이라 한다) 제58조 제1항에 따른 것이고, 이러한 수용자처우법 시행령 조항은 "접견의 횟수·시간·장소·방법 및 접견내용의 청취·기록·녹음·녹화 등에 관하여 필요한 사항은 대통령령으로 정한다."고 규정한 수용자처우법 제41조 제4항에 근거한 것이다. 그런데 수용자처우법은 제41조 제4항에서 '접견의 시간 등'에 관하여 필요한 사항을 대통령령이 규정하도록 위임하면서도, 제84조 제2항에서는 "미결수용자와 변호인 간의 접견은 시간과 횟수를 제한하지 아니한다."고 하고 있다.

수용자처우법 제84조 제2항에 의해 금지되는 접견시간 제한의 의미는 접견에 관한 일체의 시간적 제한이 금지된다는 것으로 볼 수는 없고, 수용자와 변호인의 접견이 현실적으로 실시되는 경우, 그 접견이 미결수용자와 변호인의 접견인 때에는 미결수용자의 방어권 행사로서의 중요성을 감안하여 자유롭고 충분한 변호인의 조력을 보장하기 위해 접견 시간을 양적으로 제한하지 못한다는 의미로 이해하는 것이 타당하다. 그러므로 수용자처우법 제84조 제2항에도 불구하고 같은 법 제41조 제4항의 위임에 따라 수용자의 접견이 이루어지는 일반적인 시간대를 대통령령으로 규정하는 것은 가능하다고 보아야 한다.

결국 이 사건 접견불허 처분은 수용자처우법 제41조 제4항의 위임에 따라 규정된 수용자처우법 시행령 제58조 제1항에 근거한 것으로서, 법률유보원칙에 위배되지 아니한다.

7. 이 사건 접견불허 처분의 기본권 침해

체포 또는 구속된 자와 변호인 간의 접견은 변호인의 조력을 받을 권리의 필수적인 내용이므로 미결수용자와 변호인 간의 접견은 가능한 한 충분히 보장되어야 함은 물론이다.

그러나, 변호인의 조력을 받을 권리를 보장하는 목적은 피의자 또는 피고인의 방어권 행사를 보장하기 위한 것이므로, 미결수용자 또는 변호인이 원하는 특정한 시점에 접견이 이루어지지 못하였다 하더라도 그것만으로 곧바로 변호인의 조력을 받을 권리가 침해되었다고 단정할 수는 없는 것이고, 변호인의 조력을 받을 권리가 침해되었다고 하기 위해서는 접견이 불허된 특정한 시점을 전후한 수사 또는 재판의 진행 경과에 비추어 보아, 그 시점에 접견이 불허됨으로써 피의자 또는 피고인의 방어권 행사에 어느 정도는 불이익이 초래되었다고 인정할 수 있어야만 하며, 그 시점을 전후한 변호인 접견의 상황이나 수사 또는 재판의 진행 과정에 비추어 미결수용자가 방어권을 행사하기 위해 변호인의 조력을 받을 기회가 충분히 보장되었다고 인정될 수 있는 경우에는, 비록 미결수용자 또는 그 상대방인 변호인이 원하는 특정 시점에는 접견이 이루어지지 못하였다 하더라도 변호인의 조력을 받을 권리가 침해되었다고 할 수 없는 것이다.

국선변호인은 6. 5. 청구인에 대한 접견을 신청하였는데, 접견을 희망한 6. 6.이 현충일로 공휴일이라는 이유로 접견이 거부되었고, 이로부터 이틀 후인 6. 8. 청구인과 변호인의 접견이 실시되었다.

청구인은 불구속 상태에서 재판을 받은 후 선고기일만을 남겨 놓았다가 그 기일에 출석하지 않아 비로소 구속된 것으로, 불구속 상태에서 사실상 재판은 모두 진행되었다고 볼 수 있을 뿐 아니라, 구속된 후 새로이 공판기일이 열리기는 하였으나 그 공판기일은 청구인을 위한 국선변호인이 선정된 6. 1.부터 따져도 18일 후인 6. 19. 예정되어 있었으므로, 청구인이 국선변호인을 접견하고 조력을 받을 수 있는 기간은 충분히 있었다고 할 수 있고, 무엇보다도 6. 6.자 접견은 불허되었으나 그로부터 이틀 후인 6. 8. 접견이 실시되었으며, 그 후로도 공판기일까지는 열흘 넘는 기간이 남아 있었던 점에 비추어 보면, 국선변호인이 희망한 6. 6. 청구인에 대한 접견이 이루어지지 못하였다고 해서 청구인의 방어권 행사에 어떠한 불이익이 있었다고 보기는 어렵다.

결국 이 사건 접견불허 처분을 전후한 청구인과 변호인의 접견 상황, 청구인에 대한 재판의 진행 과정 등에 비추어 볼 때, 이 사건 접견불허 처분이 청구인의 변호인의 조력을 받을 권리를 침해하였다고 볼 수 없다.

 불구속 피의자의 피의자신문에 변호인의 참여요청을 거부한 사건
[인용(위헌확인)]
― 2004. 9. 23. 선고 2000헌마138

판시사항 및 결정요지

1. 청구인이 이 사건 헌법소원심판을 청구할 당시 이미 이 사건 거부행위의 대상이 된 사실행위(피의자신문)가 종료되었다 하더라도 심판청구의 이익이 있는지 여부(적극)

청구인이 이 사건 헌법소원심판을 청구할 당시 이미 이 사건 행위의 대상이 된 피청구인(서울중앙지방검찰청 검사)의 사실행위(피의자신문)가 종료되었고 이로써 청구인이 주장하는 기본권의 침해도 종료되었기 때문에, 이 사건 심판청구가 인용된다 하더라도 청구인의 주관적 권리구제에는 도움이 되지 아니한다고 할 수 있다. 그러나 이 사건 심판청구를 통하여 청구인들이 다투고자 하는 것은, 헌법상 보장된 '변호인의 조력을 받을 권리'가 신체구속을 당하지 아니한 피의자의 신문에 변호인이 참여할 권리를 함께 포함하는지의 여부이고, 이러한 문제는 '변호인의 조력을 받을 권리'라는 기본권의 보호범위에 관한 근본적인 문제로서 위헌 여부의 해명이 헌법적으로 중요한 의미를 가지고 있는 사안이라고 할 수 있다. 따라서 비록 헌법소원의 대상이 된 이 사건 행위로 인하여 빚어진 위헌·위법상태는 이미 종료되었지만 그의 위헌 여부를 확인할 필요가 있으므로, 이 사건 헌법소원은 심판청구의 이익이 있어 적법하다.

2. 불구속피의자의 '변호인의 조력을 받을 권리'의 헌법적 근거 및 별도의 입법형성 없이 직접 도출되는 범위

우리 헌법이 변호인의 조력을 받을 권리가 불구속 피의자·피고인 모두에게 포괄적으로 인정되는지 여부에 관하여 명시적으로 규율하고 있지는 않지만, 불구속 피의자의 경우에도 변호인의 조력을 받을 권리는 우리 헌법에 나타난 법치국가원리, 적법절차원칙에서 인정되는 당연한 내용이고, 헌법 제12조 제4항도 이를 전제로 특히 신체구속을 당한 사람에 대하여 변호인의 조력을 받을 권리의 중요성을 강조하기 위하여 별도로 명시하고 있다.

변호인의 조력을 받을 권리의 출발점은 변호인선임권에 있고, 이는 변호인의 조력을 받을 권리의 가장 기초적인 구성부분으로서 법률로써도 제한할 수 없다. 그리고 피의자·피고인의 구속 여부를 불문하고 조언과 상담을 통하여 이루어지는 변호인의 조력자로서의 역할은 변호인선임권과 마찬가지로 변호인의 조력을 받을 권리의 내용 중 가장 핵심적인 것이 되고, 변호인과 상담하고 조언을 구할 권리는 변호인의 조력을 받을 권리의 내용 중 구체적인 입법형성이 필요한 다른 절차적 권리의 필수적인 전제요건으로서 변호인의 조력을 받을 권리 그 자체에서 막바로 도출되는 것이다.

3. 불구속 피의자가 피의자신문을 받을 때 변호인의 참여를 요구할 권리가 있는지 여부(적극)

불구속 피의자나 피고인의 경우 형사소송법상 특별한 명문의 규정이 없더라도 스스로 선임한 변호인의 조력을 받기 위하여 변호인을 옆에 두고 조언과 상담을 구하는 것은 수사절차의 개시에서부터 재판절차의 종료에 이르기까지 언제나 가능하다. 따라서 불구속 피의자가 피의자신문시 변호인을 대동하여 신문과정에서 조언과 상담을 구하는 것은 신문과정에서 필요할 때마다 퇴거하여 변호인으로부터 조언과 상담을 구하는 번거로움을 피하기 위한 것으로서 불구속 피의자가 피의자신문장소를 이탈하여(예컨대, 변호인 사무실에 찾아가) 변호인의 조언과 상담을 구하는 것과 본질적으로 아무런 차이가 없다.

다만, 피의자가 피의자신문시 변호인을 대동하여 조언과 상담을 받을 수 있는 권리가 변호인의 조력을 받을 권리의 핵심적 내용으로 형사절차에 직접 적용된다 하더라도, 위 조언과 상담과정이 피의자신문을 방해하거나 수사기밀을 누설하는 경우 등에까지 허용되는 것은 아니다. 왜냐하면, 조언과 상담을 통한 변호인의 조력을 받을 권리는 변호인의 '적법한' 조력을 받을 권리를 의미하는 것이지 위법한 조력을 받을 권리까지도 보장하는 것은 아니기 때문이다.

형사소송법 제243조는 피의자신문시 의무적으로 참여하여야 하는 자를 규정하고 있을 뿐 적극적으로 위 조항에서 규정한 자 이외의 자의 참여나 입회를 배제하고 있는 것은 아니다. 따라서 불구속 피의자가 피의자신문시 변호인의 조언과 상담을 원한다면, 위법한 조력의 우려가 있어 이를 제한하는 다른 규정이 있고 그가 이에 해당한다고 하지 않는 한 수사기관은 피의자의 위 요구를 거절할 수 없다.

4. 피청구인이 2000. 2. 16. 청구인들로부터 청구인들에 대한 피의자신문시 변호인들이 참여하여 조력할 수 있도록 해 달라는 요청을 받았음에도 불구하고 이를 거부한 행위(이하 '이 사건 행위'라 한다)**가 청구인들의 변호인의 조력을 받을 권리를 침해한 것으로서 위헌인지 여부(적극)**

이 사건에서 피청구인은 청구인들이 조언과 상담을 구하기 위하여 한 피의자신문시 변호인참여요구를 거부하면서 그 사유를 밝히지도 않았고, 그에 관한 자료도 제출하지도 않았다. 따라서 아무런 이유 없이 피의자신문시 청구인들의 변호인과의 조언과 상담요구를 제한한 이 사건 행위는 평등권침해 여부에 관하여 나아가 판단할 필요 없이 청구인들의 변호인의 조력을 받을 권리를 침해하였으므로 취소되어야 할 것이나, 그 행위로 인하여 초래된 위헌적 상태가 이미 종료되었으므로 이를 취소하는 대신 위 행위가 위헌임을 확인하는 것이다.

066 법원의 열람·등사 허용 결정에 따른 변호인의 열람·등사 신청에 대한 검사의 거부 사건 [인용(위헌확인)]
— 2010. 6. 24. 선고 2009헌마257

판시사항

1. 주관적인 권리보호이익이 소멸하였음에도 예외적으로 심판의 이익이 존재한다고 본 사례
2. 변호인의 수사서류 열람·등사권과 피고인의 신속·공정한 재판을 받을 권리 및 변호인의 조력을 받을 권리와의 관계
3. 수사서류 열람·등사 허용 결정의 효력과 이에 따르지 아니한 검사의 거부행위가 청구인들의 기본권을 침해하는지 여부(적극)
4. 법원의 수사서류 열람·등사 허용결정에도 불구하고 검사가 열람·등사를 거부하는 경우, 수사서류 각각에 대한 열람·등사 거부의 정당한 이유가 있는지 여부를 판단할 필요성(소극)

사건의 개요

청구인들은 특수공무집행방해치사죄 등으로 공소가 제기되었다. 청구인들의 변호인들은 피청구인에게 [별지 1] 기재 서류의 열람·등사를 신청하였으나, 피청구인은 그 전부에 대하여 이를 거부하였다. 이에 변호인들은 서울중앙지방법원에 형사소송법 제266조의4 제1항에 따라 피청구인에게 위 서류의 열람·등사를 허용하도록 할 것을 신청하였고, 법원은 위 신청이 이유 있다고 인정하여 형사소송법 제266조의4 제2항에 따라 변호인들의 위 서류에 대한 열람·등사를 허용할 것을 명하는 결정을 하였다(이하 '이 사건 허용 결정'이라 한다). 변호인들은 2009. 4. 14. 피청구인에게 이 사건 허용 결정의 사본을 첨부하여 위 서류의 열람·등사를 신청하였으나, 피청구인은 2009. 4. 16. 자신의 2009. 4. 10.자 추가 증거신청과 관련하여 위 서류 중 [별지 1]의 비고란 기재 '1차 교부본'의 등사만을 허용하고, 나머지 부분에 대해서는 여전히 이를 거부하였다(이하 '이 사건 수사서류'라 한다).

이에 청구인들은 피청구인의 이 사건 수사서류에 대한 열람·등사 거부행위가 청구인들의 신속하고 공정한 재판을 받을 권리 및 변호인의 조력을 받을 권리를 침해한다며, 2009. 5. 12. 그 취소를 구하는 이 사건 헌법소원심판을 청구하였다.

주문

서울중앙지방법원 2009고합153, 168(병합) 특수공무집행방해치사 등 사건에 관하여 2009. 4. 14. 법원이 한 열람·등사 허용 결정에 따라 청구인들의 변호인들이 [별지 1] 기재 서류에 대하여 한 열람·등사 신청 중 비고란 기재 1, 2차 교부본을 제외한 나머지 부분에 대하여 2009. 4. 16. 피청구인이 이를 거부한 것은, 청구인들의 신속하고 공정한 재판을 받을 권리와 변호인의 조력을 받을 권리를 침해한 것이므로 헌법에 위반됨을 확인한다.

I. 적법요건에 대한 판단

1. 보충성원칙

가. 헌법소원심판은 다른 법률에 구제절차가 있는 경우에는 그 절차를 모두 거친 후가 아니면 이를 청구할 수 없으므로(헌법재판소법 제68조 제1항 단서), 청구인들로서는 다른 법률에 구제절차가 있다면 이 사건 헌법소원심판 청구에 앞서 이를 거쳤어야 할 것이고, 만약 이를 거치지 않았다면 특단의 사정이 없는 한 이는 부적법한 청구라 할 것이다.

피청구인의 이 사건 거부행위는 이 사건 허용 결정상의 열람·등사 의무를 사실상 이행하지 않음으로써 수사서류에 대한 열람·등사권의 실현을 방해하는 권력적 사실행위로서의 공권력 행사에 해당할 뿐, 종전의 피청구인의 거부처분과는 별도로 어떤 권리의 설정 또는 의무의 부담을 명하거나 기타 법률상 효과를 발생하게 하는 등 국민의 구체적인 권리의무에 직접적 변동을 초래하는 행위라고 보기는 어려워 항고소송의 대상이 되는 행정처분이라고 볼 수 없다.

나. 이와 달리 피청구인의 이 사건 거부행위를 항고소송의 대상이 되는 행정처분으로 보더라도, 신설된 형사소송법 제266조의4 소정의 구제절차를 거쳐 법원으로부터 열람·등사 허용 결정을 받았음에도 피청구인이 이를 이행하지 아니한 채 다시 이 사건 거부행위를 하고 있는 상황에서, 이 사건 거부행위에 대하여 재차 행정쟁송 절차를 거치게 한들 권리구제의 실익이 없는 반복적인 절차의 이행을 요구하는 것에 지나지 않고, 권리보호이익이 소멸하여 이제는 더 이상 행정쟁송 절차에 의해서는 권리구제의 가능성이 없으므로, 청구인들에게 행정쟁송 절차를 이행할 것을 요구하는 것은 불필요한 우회절차를 강요하는 것이 된다 할 것이다.

따라서 청구인들이 행정쟁송 절차를 거치지 아니하고 바로 이 사건 헌법소원심판을 청구하였다고 하더라도 이는 보충성원칙의 예외로서 허용된다고 보아야 할 것이다.

2. 권리보호이익

청구인들의 변호인들이 이 사건 수사서류에 대하여 이미 열람·등사를 마쳤으므로, 이 사건 헌법소원이 인용된다고 하더라도 청구인들의 주관적 권리구제에는 더 이상 도움이 되지 않는다. 그러나 형사소송법이 2007. 6. 1. 법률 제8496호로 개정됨에 따라 공소제기 후 검사가 보관하고 있는 수사서류 등에 대하여 피고인의 열람·등사신청권이 인정되고, 검사의 열람·등사 거부처분에 대한 불복절차가 마련되었는바, 이 사건의 경우 이러한 불복절차에 따른 법원의 열람·등사 허용 결정에 대하여 검사가 따르지 않은 경우로서 이 사건과 유사한 사건에 대하여 헌법적 해명이 이루어진 바 없고, 이 사건과 같은 유형의 침해행위가 앞으로도 반복될 가능성이 크다고 할 것이므로, 비록 청구인들의 주관적 권리보호의 이익이 소멸하였다 하더라도 이 사건 심판청구에 있어서는 심판의 이익이 여전히 존재한다.

II 본안에 대한 판단

1. 수사서류의 열람·등사와 관련 있는 기본권

가. 신속·공정한 재판을 받을 권리

헌법 제27조 제1항은 "모든 국민은 헌법과 법률이 정한 법관에 의하여 법률에 의한 재판을 받을 권리를 가진다."고 규정하고 있는데, 여기서 '법률에 의한 재판'이라 함은 형사재판에 있어서는 적어도 그 기본원리인 죄형법정주의와 절차의 적법성뿐만 아니라 절차의 적정성까지 보장되는 적법절차주의에 위반되지 않는 실체법과 절차법에 따라 규율되는 것으로서 피고인의 방어활동이 충분히 보장되고, 실질적 당사자 대등이 이루어진 공정한 재판을 의미한다.

또한 헌법 제27조 제3항은 "모든 국민은 신속한 재판을 받을 권리를 가진다."고 하여 피고인으로 하여금 신속한 재판을 받을 권리를 기본권으로 보장하고 있다.

위 수사기록 중 피고인 이외의 공동피고인이나 참고인들의 진술을 기재한 서류는 피고인의 방어권 행사와 관련하여 중요한 의미를 갖게 되는데, 그러한 수사서류에 대하여 피고인이나 변호인의 접근이 허용되지 않는다면 피고인의 방어활동이 충분히 보장되기 어렵고, 실질적 당사자 대등이 이루어진 공정한 재판을 기대하기 곤란하게 되며, 또한 수사서류에 대한 사전 열람·등사의 거부는 증거조사절차의 지연을 가져와 신속한 재판을 저해하게 할 수도 있다. 따라서 검사가 보관하는 수사서류에 대한 변호인의 열람·등사는 실질적인 당사자 대등을 확보하고, 피고인의 신속·공정한 재판을 받을 권리를 실현하기 위하여 필요불가결하다 할 것이다.

나. 변호인의 조력을 받을 권리

변호인의 조력을 받을 권리에는 피고인이 변호인을 통하여 수사서류를 포함한 소송관계 서류를 열람·등사하고 이에 대한 검토 결과를 토대로 공격과 방어의 준비를 할 수 있는 권리도 포함된다고 보아야 한다.

변호인의 조력을 받을 권리가 보장된다는 것은 피고인을 위한 변호인의 활동이 충분히 보장됨을 의미하는 것인데, 변호인의 변론활동 중 수사서류에 대한 검토는 피고인에게 유리한 증거를 피고인의 이익으로 원용하고, 불리한 증거에 대하여는 효율적으로 방어하기 위하여 필수적인 것이므로, 이에 대한 접근이 거부된다면 실질적인 당사자 대등이 이루어졌다고 할 수 없고, 피고인에게 변호인의 조력을 받을 권리가 충분하게 보장되었다고 할 수도 없을 것이다.

따라서 피고인이 변호인을 통하여 수사서류를 열람·등사하는 것은 피고인에게 보장된 변호인의 조력을 받을 권리의 중요한 내용을 이루게 된다.

다. '수사서류 열람·등사권'과 '신속·공정한 재판을 받을 권리 및 변호인의 조력을 받을 권리'의 관계

피고인의 신속·공정한 재판을 받을 권리 및 변호인의 조력을 받을 권리는 헌법이 보장하고 있는 기본권이고, 변호인의 수사서류 열람·등사권은 피고인의 신속·공정한 재판을 받을 권리 및 변호인의 조력을 받을 권리라는 헌법상 기본권의 중요한 내용이자 구성요소이며 이를 실현하는 구체적인 수단이 된다. 따라서 변호인의 수사서류 열람·등사를 제한함으로 인하여 결과적으로 피고인의 신속·공정한 재판을 받을 권리 또는 변호인의 충분한 조력을 받을 권리가 침해된다면 이는 헌법에 위반되는 것이다.

그러나 이와 같이 변호인의 수사서류 열람·등사권이 위 헌법상 기본권의 중요한 내용이자 구성요소라고 하더라도 열람·등사의 절차 및 대상, 열람·등사의 거부 및 제한 사유, 검사의 열람·등사 거부처분에 대한 불복절차 및 제재 등 그 상세한 내용의 형성은 입법을 통하여 구체화될 수 있는 것으로서, 형사소송법 제266조의3과 제266조의4는 공소가 제기된 후 검사가 보관하고 있는 서류 등에 대한 피고인 또는 변호인의 열람·등사권을 구체화하고 있는 것이다.

2. 기본권의 침해 여부

가. 열람·등사 허용 결정 후의 검사의 거부행위와 기본권의 침해

형사소송법 제266조의4 제5항은 검사가 수사서류의 열람·등사에 관한 법원의 허용 결정을 지체 없이 이행하지 아니하는 때에는 해당 증인 및 서류 등에 대한 증거신청을 할 수 없도록 규정하고 있다. 그런데 이는 검사가 그와 같은 불이익을 감수하기만 하면 법원의 열람·등사 결정을 따르지 않을 수도 있다는 의미가 아니라, 피고인의 열람·등사권을 보장하기 위하여 검사로 하여금 법원의 열람·등사에 관한 결정을 신속히 이행하도록 강제하는 한편, 이를 이행하지 아니하는 경우에는 증거신청상의 불이익도 감수하여야 한다는 의미로 해석하여야 할 것이므로, 법원이 검사의 열람·등사 거부처분에 정당한 사유가 없다고 판단하고 그러한 거부처분이 피고인의 헌법상 기본권을 침해한다는 취지에서 수사서류의 열람·등사를 허용하도록 명한 이상, 법치국가와 권력분립의 원칙상 검사로서는 당연히 법원의 그러한 결정에 지체 없이 따라야 할 것이다.

그러므로 법원의 열람·등사 허용 결정에도 불구하고 검사가 이를 신속하게 이행하지 아니하는 경우에는 해당 증인 및 서류 등을 증거로 신청할 수 없는 불이익을 받는 것에 그치는 것이 아니라, 그러한 검사의 거부행위는 피고인의 열람·등사권을 침해하고, 나아가 피고인의 신속·공정한 재판을 받을 권리 및 변호인의 조력을 받을 권리까지 침해하게 되는 것이다.

나. 개별 수사서류에 대한 정당한 사유의 판단 필요성

신속하고 실효적인 구제절차를 형사소송절차 내에 마련하고자 열람·등사에 관한 규정을 신설한 입법취지와, 검사의 열람·등사 거부처분에 대한 정당성 여부가 법원에 의하여 심사된 마당에 헌법재판소가 다시 열람·등사 제한의 정당성 여부를 심사하게 된다면 이는 법원의 결정에 대한 당부의 통제가 되는 측면이 있는 점 등을 고려하여 볼 때, 이 사건과 같이 수사서류에 대한 법원의 열람·등사 허용 결정이 있음에도 검사가 열람·등사를 거부하는 경우 수사서류 각각에 대하여 검사가 열람·등사를 거부할 정당한 사유가 있는지를 심사할 필요 없이 그 거부행위 자체로써 청구인들의 기본권을 침해한다고 보아야 할 것이다.

**067** 변호인접견실에 CCTV를 설치하여 관찰한 행위와 미결수용자와 변호인 간에 수수한 서류 확인 및 등재행위 위헌확인 사건 [기각]
― 2016. 4. 28. 선고 2015헌마243

판시사항 및 결정요지

1. 구치소장이 변호인접견실에 CCTV를 설치하여 미결수용자와 변호인 간의 접견을 관찰한 행위(이하 '이 사건 CCTV 관찰행위'라고 한다)**가 법률유보원칙에 위배되는지 여부**(소극)

'형의 집행 및 수용자의 처우에 관한 법률'(이하 '형집행법'이라 한다) 제94조는 자살·자해·도주·폭행·손괴, 그 밖에 수용자의 생명·신체를 해하거나 시설의 안전 또는 질서를 해하는 행위를 방지하기 위하여 필요한 범위에서 교도관이 전자장비를 이용하여 수용자 또는 시설을 계호할 수 있도록 하고(제1항), 전자장비의 종류·설치장소·사용방법 및 녹화기록물의 관리 등에 관하여 필요한 사항은 법무부령으로 정하도록 하고 있다(제4항). 이에 따라 형집행법 시행규칙 제160조 제1호 및 제162조 제1항은 영상정보처리기기인 CCTV를 변호인접견실에 설치할 수 있도록 하였다. 이와 같이 이 사건 CCTV 관찰행위는 형집행법 제94조 제1항과 제4항에 근거를 두고 이루어진 것이므로 법률유보원칙에 위배되지 않는다.

2. 이 사건 CCTV 관찰행위가 변호인의 조력을 받을 권리를 침해하는지 여부(소극)

이 사건 CCTV 관찰행위는 금지물품의 수수나 교정사고를 방지하거나 이에 적절하게 대처하기 위한 것으로 교도관의 육안에 의한 시선계호를 CCTV 장비에 의한 시선계호로 대체한 것에 불과하므로 그 목적의 정당성과 수단의 적합성이 인정된다. 형집행법 및 형집행법 시행규칙은 수용자가 입게 되는 피해를 최소화하기 위하여 CCTV의 설치·운용에 관한 여러 가지 규정을 두고 있고, 이에 따라 변호인접견실에 설치된 CCTV는 교도관이 CCTV를 통해 미결수용자와 변호인 간의 접견을 관찰하더라도 접견내용의 비밀이 침해되거나 접견교통에 방해가 되지 않도록 조치를 취하고 있는 점, 금지물품의 수수를 적발하거나 교정사고를 효과적으로 방지하고 교정사고가 발생하였을 때 신속하게 대응하기 위하여는 CCTV를 통해 관찰하는 방법 외에 더 효과적인 다른 방법을 찾기 어려운 점 등에 비추어 보면, 이 사건 CCTV 관찰행위는 그 목적을 달성하기 위하여 필요한 범위 내의 제한으로 침해의 최소성을 갖추었다. CCTV 관찰행위로 침해되는 법익은 변호인접견 내용의 비밀이 폭로될 수 있다는 막연한 추측과 감시받고 있다는 심리적인 불안 내지 위축으로 법익의 침해가 현실적이고 구체화되어 있다고 보기 어려운 반면, 이를 통하여 구치소 내의 수용질서 및 규율을 유지하고 교정사고를 방지하고자 하는 것은 교정시설의 운영에 꼭 필요하고 중요한 공익이므로, 법익의 균형성도 갖추었다. 따라서 이 사건 CCTV 관찰행위가 청구인의 변호인의 조력을 받을 권리를 침해한다고 할 수 없다.

3. 교도관이 미결수용자와 변호인 간에 주고받는 서류를 확인하고, 소송관계서류처리부에 그 제목을 기재하여 등재한 행위(이하 '이 사건 서류 확인 및 등재행위'라고 한다)**가 법률유보원칙에 위배되는지 여부**(소극)

형집행법 제43조는 소장이 수용자가 주고받는 서신에 법령에 따라 금지된 물품이 들어 있는지 확인할 수 있도록 하고(제3항), 서신발송의 횟수, 서신 내용물의 확인방법 및 서신 내용의 검열절차 등에 관하여 필요한 사항은 대통령령으로 정하도록 하고 있다(제8항). 이에 따라 형집행법 시행령 제71조는 교도관이 수용자의 접견, 서신수수, 전화통화 등의 과정에서 수용자의 처우에 특히 참고할 사항을 알게 된 경우에는 그 요지를 수용기록부에 기록하도록 규정하고 있다. 이와 같이 이 사건 서류 확인 및 등재행위는 형집행법 제43조 제3항과 제8항에 근거를 두고 이루어진 것이므로 법률유보원칙에 위배되지 않는다.

4. 이 사건 서류 확인 및 등재행위가 변호인의 조력을 받을 권리와 개인정보자기결정권을 침해하는지 여부(소극)

이 사건 서류 확인 및 등재행위는 구금시설의 안전과 질서를 유지하고, 금지물품이 외부로부터 반입 또는 외부로 반출되는 것을 차단하기 위한 것으로서 그 목적이 정당하고, 변호인 접견 시 수수된 서류에 소송서류 외에 제3자 앞으로 보내는 서신과 같은 서류가 포함되어 있는지 또는 금지물품이 서류 속에 숨겨져 있는지 여부를 확인하고 이를 기록하는 것은 위 목적 달성에 적절한 수단이다. 서류 확인 및 등재는 변호인 접견이 종료된 뒤 이루어지고, 교도관은 변호인과 미결수용자가 지켜보는 가운데 서류를 확인하여 그 제목 등을 소송관계처리부에 기재하여 등재하므로 내용에 대한 검열이 이루어질 수도 없는 점에 비추어 보면 침해의 최소성 요건을 갖추었고, 달성하고자 하는 공익과 제한되는 청구인의 사익 간에 불균형이 발생한다고 볼 수 없으므로 법익의 균형성도 갖추었다. 따라서 이 사건 서류 확인 및 등재행위는 청구인의 변호인의 조력을 받을 권리를 침해한다고 할 수 없다.

구치소장은 청구인이 변호인에게 준 소송서류를 확인한 뒤 '발송일자, 서류의 제목, 수령자' 등의 정보를 수집 및 보관해 오고 있고, 이는 청구인이 어느 시점에 어떤 종류의 소송을 수행하고 있는지를 알려주는 정보들이기는 하나, 교도관은 수수한 서류의 내용을 확인하거나 검열을 하는 것이 아니라 단지 소송 서류인지 여부만을 확인하고 있고 등재하는 내용도 서류의 제목에 불과하여 내용적 정보가 아니라 소송서류와 관련된 외형적이고 형식적인 사항들로서 개인의 인격과 밀접하게 연관된 민감한 정보라고 보기도 어렵다고 할 것이므로, 이는 구금시설의 안전과 질서를 유지하기 위하여 필요한 범위 내의 제한이다. 따라서 이 사건 서류 확인 및 등재행위는 청구인의 개인정보자기결정권을 침해하지 아니한다.

068 인천국제공항 송환대기실에 수용된 난민에 대한 변호인접견거부 위헌확인 사건 [인용(위헌확인)]
- 2018. 5. 31. 선고 2014헌마346

판시사항

1. 헌법 제12조 제4항 본문에 규정된 "구속"에 행정절차상 구속도 포함되는지 여부(적극, 선례변경)
2. 인천국제공항에서 난민인정신청을 하였으나 난민인정심사불회부결정을 받은 청구인을 인천국제공항 송환대기실에 약 5개월째 수용하고 환승구역으로의 출입을 막은 것이 헌법 제12조 제4항 본문에 규정된 "구속"에 해당되는지 여부(적극)
3. 피청구인(인천공항출입국외국인청장)이 청구인의 변호인의 접견신청을 거부한 것이 청구인에게 보장되는 헌법 제12조 제4항 본문에 의한 변호인의 조력을 받을 권리를 침해한 것인지 여부(적극)

주문

피청구인이 2014. 4. 25. 청구인의 변호인의 접견신청을 거부한 행위는 난민인정심사불회부 결정을 받은 후 인천국제공항 송환대기실에 수용중인 청구인의 변호인의 조력을 받을 권리를 침해한 것이므로 헌법에 위반됨을 확인한다.

I 적법요건에 대한 판단

1. 청구인적격 및 자기관련성

청구인은 외국인이다. 헌법재판소법 제68조 제1항의 헌법소원은 기본권의 주체만 청구할 수 있는데, 단순히 '국민의 권리'가 아니라 '인간의 권리'로 볼 수 있는 기본권에 대해서는 외국인도 기본권의 주체이다. 청구인이 침해받았다고 주장하는 변호인의 조력을 받을 권리는 성질상 인간의 권리에 해당되므로 외국인도 주체이다. 따라서 청구인의 심판청구는 청구인 적격이 인정된다.

변호인이 의뢰인을 조력하는 행위와 의뢰인이 변호인의 조력을 받는 행위는 하나의 사건을 다른 방향에서 바라본 것이어서 서로 표리관계에 있다. 이러한 이유 때문에 이 사건 변호인 접견신청 거부의 직접적인 상대방은 청구인이 아니라 청구인의 변호인이었지만, 그로 인하여 청구인은 변호인의 도움을 받지 못하게 되었다. 따라서 이 사건 변호인 접견신청 거부는 청구인의 변호인의 조력을 받을 권리를 침해할 가능성이 있다.

2. 보충성원칙

송환대기실의 설치·운영에 관하여 피청구인의 권한을 정하는 법령상의 근거가 없다. 피청구인은 이와 같이 자신에게 송환대기실에 수용된 사람의 변호인 접견을 허가할 권한이나 의무가 없다는 이유를 들어 변호인 접견신청을 거부하였다. 따라서 청구인이 피청구인을 상대로 이 사건 변호인 접견신청 거부의 취소를 구하는 행정심판이나 행정소송을 제기한다 하더라도 이 사건 변호인 접견신청 거부가 구체적 사실에 관한 "법집행"이 아니어서 행정소송법상 "처분"에 해당되지 않는다는 이유로 각하될 가능성이 크다. 따라서 이 사건 심판청구는 행정심판이나 행정소송이라는 권리구제절차가 허용되는지 여부가 객관적으로 불확실하여 전심절차이행의 기대가능성이 없는 경우에 해당한다. 이 사건 심판청구는 보충성의 예외가 인정된다.

3. 심판의 이익

청구인은 2014. 5. 4. 송환대기실에서 풀려났고, 같은 달 26. 입국이 허가되어 자유로운 변호인 접견이 가능한 상태가 되었다. 따라서 이 사건 변호인 접견신청 거부를 취소하여야 할 주관적인 심판의 이익은 없다.

그러나 출입국항에서의 난민신청자에 대해 난민인정심사불회부 결정이 내려진 후 송환대기실에 수용된 상태에서 변호인의 접견이 제한되는 문제는 앞으로도 반복적으로 발생할 가능성이 있다. 또한 이 사건 변호인 접견신청 거부의 위헌 여부는 헌법 제12조 제4항 본문의 "구속"에 행정구금도 포함되는지와 같은 중요한 헌법 해석 문제를 해명해야만 판단할 수 있다. 이와 같이 이 사건 변호인 접견신청 거부의 위헌 여부 판단이 헌법질서의 수호·유지를 위해 중대한 의미를 가지므로, 그 위헌 여부를 확인하여야 할 객관적인 심판의 이익이 있다.

II 본안에 대한 판단

1. 청구인에게 헌법 제12조 제4항 본문에 규정된 변호인의 조력을 받을 권리가 인정되는지 여부

가. 쟁 점

헌법 제12조 제4항 본문은 "누구든지 체포 또는 구속을 당한 때에는 즉시 변호인의 조력을 받을 권리를 가진다"라고 규정한다. 청구인은 이 사건 변호인 접견신청 거부 당시 인천국제공항 환승구역 내에 설치된 송환대기실에 수용되어 있었으므로, 청구인이 당시에 송환대기실에 수용되어 있던 것이 위 헌법조항에 규정된 "구속을 당한 때"에 해당되는지가 문제이다.

나. 청구인을 송환대기실에 수용한 주체가 피청구인인지 여부

수용의 주체는 수용의 개시와 종료 권한과 수용자에 대한 출입 통제 권한을 가지고, 수용에 드는 비용을 부담하며, 수용으로 인한 이익 또한 향유한다. 피청구인은 수용시설인 송환대기실의 관리·운영체계의 공동결정자이고, 청구인의 수용의 개시 및 종료에 있어 결정적인 권한을 행사하였으며, 수용비용 중 일부를 부담하였고, 수용으로 인한 이익도 향유하였다. 따라서 피청구인은 인천국제공항 항공사운영협의회와 공동으로 청구인을 수용한 주체이다.

다. 헌법 제12조 제4항 본문에 규정된 "구속"에 행정절차상 구속도 포함되는지 여부

헌법 제12조 제1항은 제1문에서 "모든 국민은 신체의 자유를 가진다."고 규정한다. 신체의 자유를 보장하는 헌법 제12조 제1항 제1문은 문언상 형사절차만을 염두에 둔 것이 아님이 분명하다. 또한 신체의 자유는 그에 대한 제한이 형사절차에서 가해졌든 행정절차에서 가해졌든 간에 보장되어야 하는 자연권적 속성의 기본권이므로, 신체의 자유가 제한된 절차가 형사절차인지 아닌지는 신체의 자유의 보장 범위와 방법을 정함에 있어 부차적인 요소에 불과하다.

먼저, 헌법 제12조 제4항 본문에 규정된 "구속을 당한 때"가 그 문언상 형사절차상 구속만을 의미하는 것이 분명한지 살펴본다. 사전적 의미로 '구속'이란 행동이나 의사의 자유를 제한함을 의미할 뿐 그 주체에는 특별한 제한이 없다. 헌법 제12조 제4항 본문에 규정된 "구속"은 사전적 의미의 구속 중에서도 특히 사람을 강제로 붙잡아 끌고 가는 구인과 사람을 강제로 일정한 장소에 가두는 구금을 가리키는데, 이는 형사절차뿐 아니라 행정절차에서도 가능하다.

우리 헌법은 제헌 헌법 이래 신체의 자유를 보장하는 규정을 두었는데, 원래 "구금"이라는 용어를 사용해 오다가 현행 헌법 개정시에 이를 "구속"이라는 용어로 바꾸었다. 현행헌법 개정시에 종전의 "구금"을 "구속"으로 바꾼 이유를 정확히 확인할 수 있는 자료를 찾기는 어렵다. 다만 '국민의 신체와 생명에 대한 보호를 강화'하는 것이 현행 헌법의 주요 개정이유임을 고려하면, 현행 헌법이 종래의 "구금"을 "구속"으로 바꾼 것은 헌법 제12조에 규정된 신체의 자유의 보장 범위를 구금된 사람뿐 아니라 구인된 사람에게까지 넓히기 위한 것으로 해석하는 것이 타당하다.

위와 같은 점을 종합해 보면, 헌법 제12조 제4항 본문에 규정된 "구속"을 형사절차상 구속뿐 아니라 행정절차상 구속까지 의미하는 것으로 보아도 문언해석의 한계를 넘지 않는다.

다음으로, 변호인의 조력을 받을 권리가 그 속성상 형사절차에서 구속된 사람에게만 부여될 수밖에 없는 것인지 살펴본다. 구속된 사람에게 변호인 조력권을 즉시 보장하는 이유는 구속이라는 신체적 자유 제한의 특성상 구속된 사람의 자유와 권리를 보장하려면 변호인의 조력이 필수적이기 때문이다. 즉, 구속을 당한 사람은 자연권적 속성을 가지는 신체의 자유가 심각하게 제한된 상황에 처하고, 구속에 따른 육체적·정신적 제약이 커서 스스로의 힘만으로는 자신의 자유와 권리를 제대로 방어하기 어려울 뿐만 아니라, 구속의 당부를 다투려면 법적 절차를 거쳐야 하므로, 그에게는 법률전문가인 변호인의 조력이 즉시 제공되어야 한다. 이러한 속성들은 형사절차에서 구속된 사람이나 행정절차에서 구속된 사람이나 아무런 차이가 없다. 이와 같이 행정절차에서 구속된 사람에게 부여되어야 하는 변호인의 조력을 받을 권리는 형사절차에서 구속된 사람에게 부여되어야 하는 변호인의 조력을 받을 권리와 그 속성이 동일하다. 따라서 변호인의 조력을 받을 권리는 그 성질상 형사절차에서만 인정될 수 있는 기본권이 아니다.

결국 헌법 제12조 제4항 본문은 형사절차뿐 아니라 행정절차에도 적용된다고 해석하는 것이 헌법 제12조 제4항 본문 자체의 문리해석의 측면에서 타당하고, 변호인 조력권의 속성에도 들어맞으며, 우리 헌법이 제12조 제1항 제1문에 명문으로 신체의 자유에 관한 규정을 두어 신체의 자유를 두텁게 보호하는 취지에도 부합할 뿐 아니라, 헌법 제12조의 체계적 해석 및 목적론적 해석의 관점에서도 정당하다.

종래 이와 견해를 달리하여, 헌법 제12조 제4항 본문에 규정된 변호인의 조력을 받을 권리는 형사절차에서 피의자 또는 피고인의 방어권을 보장하기 위한 것으로서 출입국관리법상 보호 또는 강제퇴거의 절차에도 적용된다고 보기 어렵다고 판시한 우리 재판소결정(헌재 2012. 8. 23. 2008헌마430)은, 이 결정 취지와 저촉되는 범위 안에서 변경한다.

라. 청구인의 송환대기실 수용이 헌법 제12조 제4항 본문에 규정된 "구속"에 해당되는지 여부

인천국제공항 송환대기실은 출입문이 철문으로 되어 있는 폐쇄된 공간이고, 인천국제공항 항공사운영협의회에 의해 출입이 통제되기 때문에 청구인은 송환대기실 밖 환승구역으로 나갈 수 없었으며, 공중전화 외에는 외부와의 소통 수단이 없었다. 청구인은 이 사건 변호인 접견신청 거부 당시 약 5개월 째 송환대기실에 수용되어 있었고, 적어도 난민인정심사불회부 결정 취소소송이 종료될 때까지는 임의로 송환대기실 밖으로 나갈 것을 기대할 수 없었다. 청구인은 이 사건 변호인 접견신청 거부 당시 자신에 대한 송환대기실 수용을 해제해 달라는 취지의 인신보호청구의 소를 제기해 둔 상태였으므로 자신의 의사에 따라 송환대기실에 머무르고 있었다고 볼 수도 없다. 따라서 청구인은 이 사건 변호인 접견신청 거부 당시 헌법 제12조 제4항 본문에 규정된 "구속" 상태였다.

마. 중간결론

청구인은 이 사건 변호인 접견신청 거부가 있었을 당시 행정기관인 피청구인에 의해 송환대기실에 구속된 상태였으므로, 헌법 제12조 제4항 본문에 따라 변호인의 조력을 받을 권리가 있다.

2. 이 사건 변호인 접견신청 거부의 위헌 여부

헌법 제12조 제4항 본문에 규정된 기본권인 변호인의 조력을 받을 권리도 헌법 제37조 제2항에 규정된 요건에 따라 합헌적으로 제한할 수 있다. 헌법 제37조 제2항에 따르면 변호인의 조력을 받을 권리는 "법률로써" 제한할 수 있다.

이 사건 변호인 접견신청 거부는 현행법상 아무런 법률상 근거가 없이 청구인의 변호인의 조력을 받을 권리를 제한한 것이므로, 청구인의 변호인의 조력을 받을 권리를 침해한 것이다. 또한 청구인에게 변호인 접견신청을 허용한다고 하여 국가안전보장, 질서유지, 공공복리에 어떠한 장애가 생긴다고 보기는 어렵고, 필요한 최소한의 범위 내에서 접견 장소 등을 제한하는 방법을 취한다면 국가안전보장이나 환승구역의 질서유지 등에 별다른 지장을 주지 않으면서도 청구인의 변호인 접견권을 제대로 보장할 수 있다. 따라서 이 사건 변호인 접견신청 거부는 국가안전보장이나 질서유지, 공공복리를 위해 필요한 기본권 제한 조치로 볼 수도 없다.

III 결 론

이 사건 변호인 접견신청 거부는 청구인의 변호인의 조력을 받을 권리를 침해한 것이므로 헌법에 위반됨을 확인한다.

069 피의자신문에 참여한 변호인에 대한 후방착석요구행위 등 위헌확인 사건
[인용(위헌확인), 각하]
– 2017. 11. 30. 선고 2016헌마503

판시사항

1. 검찰수사관인 피청구인이 피의자신문에 참여한 변호인인 청구인에게 피의자 후방에 앉으라고 요구한 행위(이하 '이 사건 후방착석요구행위'라 한다)가 변호인인 청구인의 변호권을 침해하는지 여부(적극)
2. 피청구인이 청구인에게 변호인 참여신청서의 작성을 요구한 행위(이하 '이 사건 참여신청서요구행위'라 한다)가 헌법소원의 대상이 되는 공권력의 행사에 해당하는지 여부(소극)
3. '변호인의 피의자신문 참여 운영 지침'(2005. 6. 20. 시행 대검찰청 지침) 제5조 제1항(이하 '이 사건 지침'이라 한다)이 헌법소원의 대상이 되는 공권력의 행사에 해당하는지 여부(소극)

사건의 개요

청구인(법무법인○○ 담당변호사)은 2016. 4. 21. 16:30경 피청구인(부산지방검찰청 동부지청 수사관)으로부터 구속된 피의자가 변호인 참여 없이 조사를 받지 않겠다고 하니 즉시 와달라는 연락을 받고 17:15경 부산지방검찰청 동부지청 수사과 2호실에 도착하여 피의자 옆에 앉으려고 하자, 피청구인은 피의자 후방에 앉으라고 요구하는 한편(이하 '이 사건 후방착석요구행위'라 한다), 변호인 참여신청서의 작성을 요구하였다(이하 '이 사건 참여신청서요구행위'라 한다).

청구인은 피의자의 오른쪽 뒤에 앉아 피의자신문에 참여하였고, 피청구인과 함께 있던 수사관이 '변호인의 피의자신문 참여 운영 지침' 별지 1호 서식인 변호인 참여신청서를 출력해 주어 인적사항을 기재하여 제출하였다.

청구인은 피의자신문이 끝난 뒤 피청구인에게 피의자와 이야기를 해도 되냐고 묻자, 변호인 접견신청서를 제출해야 한다는 말을 듣고, 당시 저녁 6시가 넘은 상태였으므로 피의자가 구치소에서 저녁식사를 할 수 있도록 하자는 생각에 피의자에게 다음 날 오전 구치소로 찾아가겠다고 말하고 피의자와 접견하지 않았다(이하 '이 사건 접견불허행위'라 한다).

청구인은 이 사건 후방착석요구행위, 이 사건 참여신청서요구행위, 이 사건 접견불허행위, '변호인의 피의자신문 참여 운영 지침' 제5조 제1항이 변호인인 청구인의 피의자에 대한 접견교통권을 침해하였다고 주장하며 이 사건 헌법소원심판을 청구하였다.

심판대상

이 사건 심판대상은 이 사건 후방착석요구행위, 이 사건 참여신청서요구행위, 이 사건 접견불허행위, '변호인의 피의자신문 참여 운영 지침'(2005. 6. 20. 시행 대검찰청 지침, 이하 '변호인참여지침'이라 한다) 제5조 제1항(이하 '이 사건 지침'이라 한다)이 청구인의 기본권을 침해하는지 여부이다. 이 사건 지침과 관련조항은 다음과 같다.

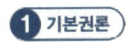

[심판대상조항]

변호인의 피의자신문 참여 운영 지침(2005. 6. 20. 시행 대검찰청 지침)

제5조(변호인의 좌석) ① 검사는 피의자 후방의 적절한 위치에 신문에 참여하는 변호인의 좌석을 마련하여야 한다.

주문

1. 피청구인이 2016. 4. 21. 17:15경 부산지방검찰청 동부지청 수사과 2호실에서 피의자신문에 참여한 청구인에게 피의자 후방에 앉으라고 요구한 행위는 변호인인 청구인의 변호권을 침해한 것으로서 위헌임을 확인한다.
2. 청구인의 나머지 심판청구를 모두 각하한다.

I 적법요건에 관한 판단

1. 이 사건 후방착석요구행위

가. 공권력행사성

헌법소원은 공권력 행사 또는 불행사로 인하여 헌법상 보장된 기본권을 침해받은 자가 제기하는 권리구제수단이다. 행정청의 사실행위는 경고·권고·시사와 같은 정보제공 행위나 단순한 행정지도와 같이 대외적 구속력이 없는 '비권력적 사실행위'와 행정청이 우월적 지위에서 일방적으로 강제하는 '권력적 사실행위'로 나눌 수 있고, 이 중에서 권력적 사실행위만 헌법소원의 대상이 되는 공권력 행사에 해당하고 비권력적 사실행위는 공권력 행사에 해당하지 아니한다.

그런데 일반적으로 어떤 행정청의 사실행위가 권력적 사실행위인지 또는 비권력적 사실행위인지 여부는, 당해 행정주체와 상대방과의 관계, 그 사실행위에 대한 상대방의 의사관여정도·태도, 그 사실행위의 목적·경위, 법령에 의한 명령·강제수단의 발동가부 등 그 행위가 행하여질 당시의 구체적 사정을 종합적으로 고려하여 개별적으로 판단하여야 한다.

피청구인이 청구인을 잠재적으로 피의자신문을 방해할 수 있는 존재로 파악하여 피의자신문이 본격적으로 시작되기 전부터 이 사건 후방착석요구행위를 한 것으로 보이는 점, 이 사건 후방착석요구행위는 수사기관의 신문실이라는 밀폐된 공간에서 이루어진 만큼, 변호인의 역할을 통제하려는 의도가 있었다고 보이는 점, 청구인이 이 사건 후방착석요구행위에 대하여 시정을 요구할 경우 신문을 방해하였다는 구실로 청구인의 퇴실을 명할 가능성도 배제할 수 없는 점 등을 고려하여 보면, 이 사건 후방착석요구행위는 피청구인이 자신의 우월한 지위를 이용하여 청구인에게 일방적으로 강제한 것으로서 권력적 사실행위에 해당한다. 따라서 이 사건 후방착석요구행위는 헌법소원의 대상이 되는 공권력의 행사에 해당한다.

나. 보충성

헌법소원심판청구는 다른 법률에 구제절차가 있는 경우에는 그 절차를 모두 거친 후가 아니면 청구할 수 없다(헌법재판소법 제68조 제1항 단서).

형사소송법 제417조는 제243조의2에 따른 변호인의 참여 등에 관한 처분에 대하여 불복이 있으면 준항고를 제기할 수 있다고 규정하고 있지만, 이 사건 후방착석요구행위와 같은 행위에 대하여 준항고가 제기된 사례가 발견되지 아니하는데다가, 실제로 형사소송법 제417조의 준항고로 다툴 수 있는지 여부도 불명확하므로, 보충성의 예외가 인정된다.

다. 권리보호이익

이 사건 후방착석요구행위는 2016. 4. 21. 종료되었으므로, 이에 대한 심판청구가 인용된다고 하더라도 청구인의 권리구제에는 도움이 되지 아니한다. 그러나 기본권 침해행위가 장차 반복될 위험이 있거나 당해 분쟁의 해결이 헌법질서의 유지·수호를 위하여 긴요한 사항이어서 헌법적으로 그 해명이 중대한 의미를 지니고 있는 때에는 예외적으로 심판이익을 인정할 수 있다.

형사소송법 제243조의2 제1항은 검사 또는 사법경찰관은 피의자 또는 변호인등의 신청에 따라 변호인을 정당한 사유가 없는 한 피의자에 대한 신문에 참여하게 하여야 한다고 규정하고 있다. 즉 검사 또는 사법경찰관은 정당한 사유가 있는 경우 변호인에 대해 피의자신문참여를 제한할 수 있다.

이 사건 지침은 "검사는 피의자 후방의 적절한 위치에 신문에 참여하는 변호인의 좌석을 마련하여야 한다."고 규정하고 있고, 피청구인은 이 사건 지침에 따라 이 사건 후방착석요구행위를 하였다고 주장하고 있다. 이 사건 지침은 행정조직 내부에서 업무처리지침으로서의 효력만을 갖는 행정규칙에 불과하고, 피의자신문에 참여한 변호인에게 피의자의 후방에 착석할 의무를 부과하는 내용이라고 보기도 어렵다. 그러나 수사기관은 이 사건 지침에 근거하여 피의자 옆에 앉으려는 변호인에게 이를 허용하지 아니하고 피의자의 후방에 착석하여야 한다는 요구를 할 가능성을 배제할 수 없으므로, 이러한 후방착석요구행위는 앞으로 반복될 위험성이 있다.

수사기관이 변호인에 대하여 행한 '피의자신문 시 후방착석요구행위'의 헌법적 한계를 확정짓고 그에 대한 합헌적 기준을 제시하는 문제는, 단순히 개별행위에 대한 위법 여부의 문제를 넘어 변호인의 피의자신문참여에 관한 권리에 대한 헌법적 성격과 그 범위를 확인하고 이를 제한하는 행위의 헌법적 한계를 확정짓는 것이므로 헌법적 해명이 필요한 문제이다.

그렇다면 이 사건 후방착석요구행위에 대한 권리보호이익은 소멸하였으나, 심판이익은 인정될 수 있다.

2. 이 사건 참여신청서요구행위

청구인이 이 사건 참여신청서요구행위에 따라 수사관이 출력해 준 신청서에 인적사항을 기재하여 제출한 사실은 앞서 본 바와 같은바, 이는 청구인이 피의자의 변호인임을 밝혀 피의자신문에 참여할 수 있도록 하기 위한 검찰 내부 절차를 수행하는 과정에서 이루어진 단순한 비권력적 사실행위에 불과하므로, 헌법소원의 대상이 되는 공권력의 행사에 해당한다고 보기 어렵다.

3. 이 사건 접견불허행위

청구인은 변호인 접견신청서를 제출하라는 말에 그날 접견은 하지 않은 채 피의자에게 다음 날 구치소로 찾아가겠다고 말한 사실은 앞서 본 바와 같은바, 사정이 그러하다면, 청구인이 스스로 접견을 하지 않기로 결정한 것이지 피청구인의 접견 불허행위가 있었다고 보기는 어려우므로, 이 사건 접견불허행위에 대하여 공권력의 행사가 존재한다고 할 수 없어, 이 부분 헌법소원심판청구는 부적법하다.

4. 이 사건 지침

이 사건 지침은 피의자신문 시 변호인 참여와 관련된 제반 절차를 규정한 검찰청 내부의 업무처리지침 내지 사무처리준칙으로서 청구인에게도 효력이 미치는 규정이라고 보기 어려울 뿐만 아니라, 실무상으로도 변호인이 피의자신문에 참여할 때 피의자 옆에 앉기도 하고 뒤에 앉기도 하는 등 각양각색으로 신문참여가 이루어지고 있는 만큼 이 사건 지침을 가리켜 공권력의 행사라고 볼 수 있는 대외적인 구속력을 가지고 있다고 볼 수 없으므로 헌법소원심판의 대상이 될 수 없다. 따라서 이 부분 심판청구는 부적법하다.

5. 소 결

이 사건 참여신청서요구행위, 이 사건 접견불허행위, 이 사건 지침에 대한 심판청구는 부적법하다. 이하에서는 이 사건 후방착석요구행위가 청구인의 기본권을 침해하였는지 여부에 관하여 살펴본다.

II 본안 판단

1. 피의자신문과 변호인참여권

헌법 제12조 제4항 및 제12조 제5항 제1문은 형사절차에서 체포·구속된 사람이 가지는 변호인의 조력을 받을 권리를 헌법상 기본권으로 명시하고 있다. 나아가 헌법재판소는 체포·구속된 사람뿐만 아니라 불구속 피의자 및 피고인의 경우에도 헌법상 법치국가원리, 적법절차원칙에 의하여 변호인의 조력을 받을 권리가 당연히 인정된다고 판시하였다. 이처럼 헌법에서 형사절차상 변호인의 조력을 특별히 중요하게 다루는 것은 피의자 및 피고인이 국가권력의 일방적인 형벌권 행사의 단순한 객체로 머무는 것이 아니라, 형사절차의 한 당사자로서 자신의 권리를 적극적으로 행사함으로써 국가권력으로부터 자신을 정당하게 방어하기 위해서는 변호인의 존재가 필수적이기 때문이다. 개인이 독자적인 권리를 가진 독립적인 주체로서 국가권력에 대립하여 자신의 권리를 방어하고 주장하는 절차를 마련하는 것은 법치국가원리에 해당한다. 이에 비추어 보면, 변호인의 조력을 받을 권리의 보장은 피의자·피고인과 국가권력 사이의 실질적 대등을 이루고 이로써 공정한 형사절차를 실현하기 위한 헌법적 요청이라고 할 수 있다.

피의자 및 피고인이 가지는 변호인의 조력을 받을 권리는 그들과 변호인 사이의 상호관계에서 구체적으로 실현될 수 있다. 피의자 및 피고인이 가지는 변호인의 조력을 받을 권리는 그들을 조력할 변호인의 권리가 보장됨으로써 공고해질 수 있으며, 반면에 변호인의 권리가 보장되지 않으면 유명무실하게 될 수 있다. 피의자 및 피고인을 조력할 변호인의 권리 중 그것이 보장되지 않으면 그들이 변호인의 조력을 받는다는 것이 유명무실하게 되는 핵심적인 부분은 헌법상 기본권인 피의자 및 피고인이 가지는 변호인의 조력을 받을 권리와 표리의 관계에 있다 할 수 있다. 따라서 피의자 및 피고인이 가지는 변호인의 조력을 받을 권리가 실질적으로 확보되기 위해서는, 피의자 및 피고인에 대한 변호인의 조력할 권리의 핵심적인 부분(이하 '변호인의 변호권'이라 한다)은 헌법상 기본권으로서 보호되어야 한다(2000헌마474).

헌법상 기본권으로 인정되는 피의자 및 피고인이 가지는 변호인의 조력을 받을 권리에서 '변호인의 조력'이란 변호인의 충분한 조력을 의미한다. 앞서 본 바와 같이 피의자신문의 결과는 수사의 방향을 결정하고, 피의자의 기소 및 유죄 입증에 중요한 증거자료로 사용될 수 있으므로, 형사절차에서 매우 중요한 의미를 가진다. 변호인이 피의자신문에 자유롭게 참여할 수 없다면, 변호인은 피의자가 조언과 상담을 요청할 때 이를 시의적절하게 제공할 수 없고, 나아가 스스로의 판단에 따라 의견을 진술하거나 수사기관의 부당한 신문방법 등에 대하여 이의를 제기할 수 없게 된다. 그 결과 피의자는 형사절차에서 매우 중요한 의미를 가지는 피의자신문의 시기에 변호인으로부터 충분한 조력을 받을 수 없게 되어 피의자가 가지는 변호인의 조력을 받을 권리가 형해화될 수 있다.

따라서 변호인이 피의자신문에 자유롭게 참여할 수 있는 권리는 피의자가 가지는 변호인의 조력을 받을 권리를 실현하는 수단이라고 할 수 있으므로 헌법상 기본권인 변호인의 변호권으로서 보호되어야 한다.

이러한 변호인의 피의자신문참여에 대한 권리는 헌법상 기본권인 변호인의 변호권에 해당한다고 하더라도 무제한적인 것이 아니라, 다른 법치국가적 법익과의 비교형량을 통하여 보호된다.

뒤에서 보는 바와 같이 피의자가 수사기관에서 조사받을 때에 변호인이 피의자의 옆에서 조력하는 것은 피의자에 대한 변호인의 충분한 조력을 위해서 보장되어야 하므로 변호인의 피의자신문참여에 관한 권리의 주요부분이 된다. 따라서 수사기관이 변호인에 대하여 피의자신문 시 후방착석을 요구하는 행위는 변호인의 피의자신문참여를 제한함으로써 헌법상 기본권인 변호인의 변호권을 제한할 수 있다. 이러한 후방착석요구행위는 기본권 제한의 일반적 법률유보조항인 헌법 제37조 제2항에 따라 국가안전보장·질서유지 또는 공공복리를 위하여 필요한 경우, 즉 수사방해나 수사기밀의 유출 등 관련 사건의 수사에 현저한 지장 등과 같은 폐해가 초래될 우려가 있는 때에 한하여 허용될 수 있다.

2. 이 사건 후방착석요구행위의 기본권 침해 여부

피의자신문에 참여한 변호인이 피의자 옆에 앉는다고 하여 피의자 뒤에 앉는 경우보다 수사를 방해할 가능성이 높아진다거나 수사기밀을 유출할 가능성이 높아진다고 볼 수 없으므로, 이 사건 후방착석요구행위의 목적의 정당성과 수단의 적절성을 인정할 수 없다.

이 사건 후방착석요구행위로 인하여 위축된 피의자가 변호인에게 적극적으로 조언과 상담을 요청할 것을 기대하기 어렵고, 변호인이 피의자의 뒤에 앉게 되면 피의자의 상태를 즉각적으로 파악하거나 수사기관이 피의자에게 제시한 서류 등의 내용을 정확하게 파악하기 어려우므로, 이 사건 후방착석요구행위는 변호인인 청구인의 피의자신문참여권을 과도하게 제한한다.

수사기관이 피의자신문 시 변호인에 대한 후방착석요구행위는 단순히 변호인의 직업수행방법을 제한하는 것이 아니라 변호인의 자유로운 피의자신문참여를 제한함으로써 피의자의 변호인으로부터 조력을 받을 권리와 표리의 관계에 있는 변호인의 변호권을 제한하는 것이다. 이러한 행위를 정당화하는 사유는 막연하게 변호인의 수사방해나 수사기밀의 유출에 대한 우려가 있다는 추상적인 가능성만으로는 부족하고 그러한 우려가 현실화될 구체적 가능성이 있어야 한다.

이 사건에서 청구인이 변호인으로서 과거에 수사를 방해하거나 수사기밀을 유출하는 등의 행위를 한 적이 없는 등 이러한 우려가 현실화될 구체적 가능성을 인정할 자료는 발견되지 아니한다. 그 밖에 다수의 피의자 및 참고인에 대한 수사나 조사실의 장소적 제약 등과 같이 이 사건 후방착석요구행위를 정당화할 그 외의 특별한 사정도 발견되지 아니한다.

따라서 이 사건 후방착석요구행위는 변호인의 변호권에 대한 제한을 정당화할 사유가 있다고 할 수 없다. 이러한 사정을 종합하여 보면, 이 사건 후방착석요구행위는 피의자에 대한 변호인의 피의자신문참여에 관한 권리를 제한하는 행위로서 침해의 최소성 요건을 충족한다고 할 수 없다.

이 사건 후방착석요구행위로 얻어질 공익보다는 변호인의 피의자신문참여권 제한에 따른 불이익의 정도가 크므로, 법익의 균형성 요건도 충족하지 못한다.

3. 소 결

그렇다면 이 사건 후방착석요구행위는 그 목적의 정당성과 수단의 적절성이 인정될 수 있는지 의문이며, 침해의 최소성 및 법익의 균형성 요건을 충족하지 못한다.

III. 결 론

이 사건 후방착석요구행위는 변호인인 청구인의 자유로운 피의자신문참여를 제한함으로써 헌법상 기본권인 변호인의 변호권을 침해하므로 취소되어야 할 것이나, 이 사건 후방착석요구행위는 이미 종료되었으므로 동일 또는 유사한 기본권 침해의 반복을 방지하기 위하여 선언적 의미에서 그에 대한 위헌확인을 하기로 하고, 청구인의 나머지 심판청구는 모두 부적법하므로 각하하기로 하여 주문과 같이 결정한다.

이 결정에는 이 사건 후방착석요구행위에 대한 심판청구에 관한 재판관 강일원, 재판관 조용호의 별개의견, 재판관 안창호의 법정의견에 대한 보충의견, 재판관 김창종의 반대의견이 있는 외에는 관여 재판관들의 의견이 일치되었다.

변호인이 되려는 자의 피의자 접견신청을 불허한 사건 [인용(위헌확인),각하]
— 2019. 2. 28. 선고 2015헌마1204

판시사항 및 결정요지

1. '변호인이 되려는 자'의 피의자 접견교통권이 헌법상 기본권인지 여부(적극)

헌법 제12조 제4항 본문은 체포 또는 구속을 당한 때에 "즉시" 변호인의 조력을 받을 권리를 가진다고 규정함으로써 변호인이 선임되기 이전에도 피의자 등에게 변호인의 조력을 받을 권리가 있음을 분명히 하고 있다. 이와 같이 아직 변호인을 선임하지 않은 피의자 등의 변호인 조력을 받을 권리는 변호인 선임을 통하여 구체화되는데, 피의자 등의 변호인선임권은 변호인의 조력을 받을 권리의 출발점이자 가장 기초적인 구성부분으로서 법률로써도 제한할 수 없는 권리이다. 따라서 변호인 선임을 위하여 피의자 등이 가지는 '변호인이 되려는 자'와의 접견교통권 역시 헌법상 기본권으로 보호되어야 한다.

피의자 등이 변호인을 선임하기 위해서는 피의자 등과 '변호인이 되려는 자' 사이에 신뢰관계가 형성되어야 하고, 이를 위해서는 '변호인이 되려는 자'와의 접견교통을 통하여 충분한 상담이 이루어져야 한다. 이와 같이 '변호인이 되려는 자'의 접견교통권은 피의자 등이 변호인을 선임하여 그로부터 조력을 받을 권리를 공고히 하기 위한 것으로서, 그것이 보장되지 않으면 피의자 등이 변호인 선임을 통하여 변호인으로부터 충분한 조력을 받는다는 것이 유명무실하게 될 수밖에 없다. 따라서 '변호인이 되려는 자'의 접견교통권은 피의자 등을 조력하기 위한 핵심적인 부분으로서, 피의자 등이 가지는 헌법상의 기본권인 '변호인이 되려는 자'와의 접견교통권과 표리의 관계에 있다고 할 것이다.

따라서 '변호인이 되려는 자'의 접견교통권은 피의자 등을 조력하기 위한 핵심적인 권리로서, 피의자 등이 가지는 '변호인이 되려는 자'의 조력을 받을 권리가 실질적으로 확보되기 위하여 이 역시 헌법상 기본권으로서 보장되어야 한다. 그러므로 이 사건 검사의 접견불허행위로 인하여 청구인의 헌법상 기본권인 '변호인이 되려는 자'의 접견교통권이 침해되었다고 주장하면서 그 위헌확인을 구하는 이 부분 심판청구는 기본권 침해 가능성도 인정된다.

2. '변호인이 되려는 자'의 피의자 접견신청을 허용하기 위한 조치를 취하지 않은 검사의 행위에 대하여 형사소송법 제417조에 따른 준항고 절차를 거치지 아니하고 헌법소원심판을 청구한 경우 보충성원칙의 예외 인정 여부(적극)

헌법소원은 다른 법률에 구제절차가 있는 경우에는 그 절차를 모두 거친 후에 심판청구를 하여야 하는데(헌법재판소법 제68조 제1항 단서), 다만 청구인이 그 불이익으로 돌릴 수 없는 정당한 이유가 있는 착오로 전심절차를 밟지 않은 경우 또는 전심절차로 권리가 구제될 가능성이 거의 없거나 권리구제절차가 허용되는지 여부가 객관적으로 불확실하여 전심절차 이행의 기대가능성이 없는 경우에는 보충성의 예외로서 적법한 청구로 인정된다.

그런데 청구인의 피의자 윤○현에 대한 접견신청을 최종적으로 결정할 주체는 피청구인 검사이므로, 이 사건 검사의 접견불허행위는 형사소송법 제417조에서 준항고의 대상으로 삼고 있는 '검사의 구금에 관한 처분과 제243조의2에 따른 변호인의 참여 등에 관한 처분'에 해당한다. 그럼에도 불구하고 청구인은 형사소송법 제417조에 따라 이 사건 검사의 접견불허행위 취소를 구하는 준항고를 제기하지 아니한 채 이 사건 헌법소원심판을 청구하였다.

그러나 대법원은 수사기관의 접견불허처분의 취소를 구하는 준항고에도 법률상 이익이 있어야 하고, 소송계속 중 준항고로써 달성하고자 하는 목적이 이미 이루어졌거나 시일의 경과 또는 그 밖의 사정으로 인하여 그 이익이 상실된 경우에는 준항고는 그 이익이 없어 부적법하게 된다고 보면서도, 그에 관한 구체적 기준을 제시하지 않고 있다. 따라서 사건 당일 종료된 이 사건 검사의 접견불허행위에 대하여 청구인이 그 취소를 구하는 준항고를 제기할 경우 법원이 법률상 이익이 결여되었다고 볼 것인지 아니면 실체 판단에 나아갈 것인지가 객관적으로 불확실하여 청구인으로 하여금 전심절차를 이행할 것을 기대하기 어려운 경우에 해당한다.

따라서 이 부분 심판청구는 보충성의 예외로서 적법한 청구로 인정되어야 한다.

3. 피의자신문 중에 교도관이 '변호인이 되려는 자'의 접견 신청을 허용할 수 없다고 통보하면서 그 근거로 '형의 집행 및 수용자의 처우에 관한 법률 시행령'(2008. 10. 29. 대통령령 제21095호로 전부개정된 것) 제58조 제1항(이하 '이 사건 접견시간 조항'이라 한다)을 제시한 경우, 동 조항에 대하여 기본권 침해의 자기관련성을 인정할 수 있는지 여부(소극)

이 사건 접견시간 조항은 수용자의 접견을 '국가공무원 복무규정'에 따른 근무시간 내로 한정함으로써 피의자와 변호인 등의 접견교통을 제한하고 있는데, 위 조항은 교도소장·구치소장이 그 허가 여부를 결정하는 변호인 등의 접견신청의 경우에 적용되는 조항으로서, 형사소송법 제243조의2 제1항에 따라 검사 또는 사법경찰관이 그 허가 여부를 결정하는 피의자신문 중 변호인 등의 접견신청의 경우에는 적용된다고 볼 수 없으므로, 위 조항을 근거로 피의자신문 중 변호인 등의 접견신청을 불허하거나 제한할 수도 없다. 따라서 피의자신문 중에 교도관이 '변호인이 되려는 자'의 접견 신청을 허용할 수 없다고 통보하면서 그 근거로 이 사건 접견시간 조항을 제시한 경우, 동 조항에 대하여 기본권 침해의 자기관련성을 인정할 수 없다.

4. 청구인이 '변호인이 되려는 자'의 자격으로 피의자 접견 신청을 하였음에도 이를 허용하기 위한 조치를 취하지 않은 검사의 행위(이하 '이 사건 검사의 접견불허행위'라 한다)가 헌법상 기본권인 청구인의 접견교통권을 침해하였다고 보아 청구인의 헌법소원심판청구를 인용한 사례

1) 피의자가 '변호인이 되려는 자'와 접견교통하겠다는 의사를 표시하지 않았다고 하더라도 변호인이 되려는 의사를 표시한 자가 객관적으로 변호인이 될 가능성이 있다고 인정된다면 피의자와의 접견은 허용되어야 한다.(2013도16162)

2) 변호인 등의 접견교통권은 신체구속제도 본래의 목적을 침해하지 아니하는 한도 내에서 행사되어야 하므로, 변호인 등이 구체적인 시간적·장소적 상황에 비추어 현실적으로 보장할 수 있는 한계를 벗어나 피의자 등을 접견하려고 하는 것은 정당한 접견교통권의 행사에 해당하지 아니하여 허용될 수 없다.

그런데 이 사건에 있어서 피의자 윤○현이 당일 야간에 계속하여 피의자신문을 받을 예정이었으므로 피의자신문에 앞서 검사실 또는 별도로 마련된 변호인 접견실에서 청구인과 위 피의자의 접견교통을 허용하는 조치를 취할 수 있었다고 보이는 등 접견신청 당시 구체적인 시간적·장소적 상황에 비추어 볼 때, 변호인이 되려는 청구인이 현실적으로 보장할 수 있는 한계를 벗어나거나 신체구속제도 본래의 취지에서 벗어나 피의자와의 접견교통권 행사를 남용하려고 했다는 구체적인 사정은 엿보이지 않는다. 따라서 청구인의 접견신청은 '변호인이 되려는 자'에게 보장된 접견교통권의 범위 내에서 행사되었다고 할 것이다.

3) 변호인 등의 접견교통권 역시 헌법으로써는 물론 법률로써도 제한할 수 있음에도 헌법이나 형사소송법 등 법률에서 피의자신문 중 변호인 등의 접견신청이 있는 경우 이를 제한하거나 거부할 수 있는 규정을 두고 있지 않다. 이는 피의자 등이 가지는 접견교통권의 중요성을 감안하여 변호인 등이 가지는 접견교통권도 최대한으로 보장하기 위한 것이다.

형집행법 제41조 제4항의 위임을 받은 이 사건 접견시간 조항은 수용자의 접견을 '국가공무원 복무규정'에 따른 근무시간 내로 한정함으로써 피의자와 변호인 등의 접견교통을 제한하고 있으나, 앞서 본 바와 같이 위 조항은 교도소장·구치소장이 그 허가 여부를 결정하는 변호인 등의 접견신청의 경우에 적용되는 것으로서, 검사 또는 사법경찰관이 그 허가 여부를 결정하는 피의자신문 중 변호인 등의 접견신청의 경우에는 적용되지 않으므로, 위 조항을 근거로 변호인 등의 접견신청을 불허하거나 제한할 수는 없다고 할 것이다.

따라서 이 사건 검사의 접견불허행위는 헌법이나 법률의 근거 없이 이루어졌다고 할 것이다.

4) 결국 청구인의 피의자 윤○현에 대한 접견신청은 '변호인이 되려는 자'에게 보장된 접견교통권의 범위 내에서 행사된 것이고, 또한 이 사건 검사의 접견불허행위는 헌법이나 법률의 근거 없이 이루어진 것이므로, 청구인의 접견교통권을 침해하였다고 할 것이다.

무죄추정의 원칙

071 형사사건으로 기소된 공무원에 대한 필요적 직위해제 사건 [위헌]
― 1998. 5. 28. 선고 96헌가12

판시사항 및 결정요지

형사사건으로 기소되면 필요적으로 직위해제처분을 하도록 한 국가공무원법규정의 위헌 여부(적극)

형사사건으로 기소되기만 하면 그가 국가공무원법 제33조 제1항 제3호 내지 제6호에 해당하는 유죄판결을 받을 고도의 개연성이 있는가의 여부에 무관하게 경우에 따라서는 벌금형이나 무죄가 선고될 가능성이 큰 사건인 경우에 대해서까지도 당해 공무원에게 일률적으로 직위해제처분을 하지 않을 수 없도록 한 이 사건 규정은 헌법 제37조 제2항의 비례의 원칙에 위반되어 직업의 자유를 과도하게 침해하고 헌법 제27조 제4항의 무죄추정의 원칙에도 위반된다.

072 형사사건으로 기소된 공무원에 대한 임의적 직위해제 사건 [합헌]
― 2006. 5. 25. 선고 2004헌바12

판시사항 및 결정요지

1. 형사사건으로 기소된 국가공무원을 직위해제할 수 있도록 규정한 구 국가공무원법 제73조의2 제1항 제4호 부분(이하 '이 사건 법률조항'이라 한다)이 공무담임권을 침해하는지 여부(소극)

이 사건 법률조항의 입법목적은 형사소추를 받은 공무원이 계속 직무를 집행함으로써 발생할 수 있는 공직 및 공무집행의 공정성과 그에 대한 국민의 신뢰를 해할 위험을 예방하기 위한 것으로 정당하고, 직위해제는 이러한 입법목적을 달성하기에 적합한 수단이다. 이 사건 법률조항이 임용권자로 하여금 구체적인 경우에 따라 개별성과 특수성을 판단하여 직위해제 여부를 결정하도록 한 것이지 직무와 전혀 관련이 없는 범죄나 지극히 경미한 범죄로 기소된 경우까지 임용권자의 자의적인 판단에 따라 직위해제를 할 수 있도록 허용하는 것은 아니고, 기소된 범죄의 법정형이나 범죄의 성질에 따라 그 요건을 보다 한정적, 제한적으로 규정하는 방법을 찾기 어렵다는 점에서 이 사건 법률조항이 필요최소한도를 넘어 공무담임권을 제한하였다고 보기 어렵다. 그리고 이 사건 법률조항에 의한 공무담임권의 제한은 잠정적이고 그 경우에도 공무원의 신분은 유지되고 있다는 점에서 공무원에게 가해지는 신분상 불이익과 보호하려는 공익을 비교할 때 공무집행의 공정성과 그에 대한 국민의 신뢰를 유지하고자 하는 공익이 더욱 크다. 따라서 이 사건 법률조항은 공무담임권을 침해하지 않는다.

2. 이 사건 법률조항이 적법절차원칙에 위배되는지 여부(소극)

구 국가공무원법은 이 사건 법률조항의 직위해제처분을 행함에 있어서 구체적이고도 명확한 사실의 적시가 요구되는 처분사유고지서를 반드시 교부하도록 하여 해당 공무원에게 방어의 준비 및 불복의 기회를 보장하고 임용권자의 판단에 신중함과 합리성을 담보하게 하고 있고, 직위해제처분을 받은 공무원은 사후적으로 소청이나 행정소송을 통하여 충분한 의견진술 및 자료제출의 기회를 보장받고 있으므로, 이 사건 법률조항이 적법절차원칙에 위배된다고 볼 수 없다.

3. 이 사건 법률조항이 무죄추정의 원칙에 위배되는지 여부(소극)

헌법 제27조 제4항은 "형사피고인은 유죄의 판결이 확정될 때까지는 무죄로 추정된다."고 규정하여 무죄추정의 원칙을 천명하고 있다. 무죄추정이란 유죄의 판결이 확정되기 전에 죄 있는 자에 준하여 취급함으로써 법률적, 사실적 측면에서 유형, 무형의 불이익을 주는 것을 말하고, 여기서 불이익이란 유죄를 근거로 그에 대하여 사회적 비난 내지 기타 응보적 의미의 차별 취급을 가하는 유죄 인정의 효과로서의 불이익을 뜻한다고 할 것이다. 흔히 무죄추정의 원칙은 형사절차 내에서 원칙으로 인식되고 있으나 형사절차뿐만 아니라 기타 일반 법생활 영역에서의 기본권 제한과 같은 경우에도 적용된다고 할 것이다.

이 사건 법률조항의 직위해제는 형사사건으로 기소된 공무원이 계속 직위를 보유하고 직무를 수행하게 되는 경우 야기할 수 있는 공직 및 공무집행 공정성과 그에 대한 국민의 신뢰를 저해할 구체적인 위험을 사전에 방지하고자 하는 잠정적이고 가처분적 성격을 가진 제도일 뿐 직위해제처분을 받은 공무원에 대한 범죄사실 인정이나 유죄판결을 전제로 하여 불이익을 과하는 것은 아니므로 무죄추정의 원칙에 위배된다고 볼 수 없다.

진술거부권

 ## 073 음주측정 사건 [합헌]
― 1997. 3. 27. 선고 96헌가11

판시사항 및 결정요지

1. 도로교통법 제41조 제2항에 규정된 주취여부의 "측정"의 의미

도로교통법 제41조 제2항에서 규정하고 있는 주취여부의 "측정"이라 함은 혈중알콜농도를 수치로 나타낼 수 있는 과학적 측정방법, 그 중에서도 호흡을 채취하여 그로부터 주취의 정도를 객관적으로 환산하는 측정방법, 즉 호흡측정기에 의한 음주측정을 뜻한다.

2. 도로교통법 제41조 제2항, 제107조의2 제2호 중 주취운전의 혐의자에게 주취여부의 측정에 응할 의무를 지우고 이에 불응한 사람을 처벌하는 부분(이하 "이 사건 법률조항"이라 한다)**이 헌법 제12조 제2항에서 보장하는 진술거부권을 침해하는 위헌조항인지 여부**

가. 진술거부권의 헌법적 보장

헌법 제12조 제2항은 "모든 국민은 고문을 받지 아니하며, 형사상 자기에게 불리한 진술을 강요당하지 아니한다."고 규정하여 형사책임에 관하여 자신에게 불이익한 진술을 강요당하지 아니할 것을 국민의 기본권으로 보장하고 있다.

우리 헌법이 이와 같이 진술거부권을 국민의 기본적 권리로 보장하는 것은 첫째, 피고인 또는 피의자의 인권을 실체적 진실발견이나 사회정의의 실현이라는 국가이익보다 우선적으로 보호함으로써 인간의 존엄성과 가치를 보장하고, 나아가 비인간적인 자백의 강요와 고문을 근절하려는데 있고, 둘째, 피고인 또는 피의자와 검사 사이에 무기평등(무기평등)을 도모하여 공정한 재판의 이념을 실현하려는 데 있다. 이와 같은 의미를 지닌 진술거부권은 현재 피의자나 피고인으로서 수사 또는 공판절차에 계속중인 자 뿐만 아니라 장차 피의자나 피고인이 될 자에게도 보장되며, 형사절차뿐 아니라 행정절차나 국회에서의 조사절차 등에서도 보장된다. 또한 진술거부권은 고문 등 폭행에 의한 강요는 물론 법률로써도 진술을 강요당하지 아니함을 의미한다. 따라서 이 사건 법률조항이 법률로써 형사상 불리한 내용의 진술을 하도록 강요하는 것이라고 인정된다면 국민의 기본권인 진술거부권을 침해하는 위헌조항이 될 수도 있는 것이다.

나. 진술거부권의 침해 여부

먼저 호흡측정기에 의한 측정에 응하는 것이 "형사상 불리한"것이 되는 것은 의문의 여지가 없다. 호흡측정의 결과는 곧바로 주취운전죄라는 범죄의 직접적 증거로 활용되기 때문이다.

다음 호흡측정에 응하도록, 구체적으로는 호흡측정기에 입을 대고 호흡을 불어 넣도록 요구하고 이를 거부할 때 처벌하는 것이 "진술강요"에 해당하는 것인가가 문제이다. "진술"이라 함은 생각이나 지식, 경험사실을 정신작용의 일환인 언어를 통하여 표출하는 것을 의미하는데 반해, 도로교통법 제41조 제2항에 규정된 음주측정은 호흡측정기에 입을 대고 호흡을 불어 넣음으로써 신체의 물리적, 사실적 상태를 그대로 드러내는 행위에 불과하므로 이를 두고 "진술"이라 할 수 없고, 따라서 주취운전의 혐의자에게 호흡측정기에 의한 주취여부의 측정에 응할 것을 요구하고 이에 불응할 경우 처벌한다고 하여도 이는 형사상 불리한 "진술"을 강요하는 것에 해당한다고 할 수 없으므로 헌법 제12조 제2항의 진술거부권조항에 위배되지 아니한다.

3. 이 사건 법률조항이 헌법 제12조 제3항의 영장주의에 위배되는지 여부

도로교통법 제41조 제2항에 규정된 음주측정은 성질상 강제될 수 있는 것이 아니며 궁극적으로 당사자의 자발적 협조가 필수적인 것이므로 이를 두고 법관의 영장을 필요로 하는 강제처분이라 할 수 없다. 따라서 이 사건 법률조항이 주취운전의 혐의자에게 영장없는 음주측정에 응할 의무를 지우고 이에 불응한 사람을 처벌한다고 하더라도 헌법 제12조 제3항에 규정된 영장주의에 위배되지 아니한다.

4. 이 사건 법률조항이 헌법 제12조 제1항의 적법절차원칙에 위배되는지 여부

이 사건 법률조항은 위 여러 요소들을 고려한 것으로서 추구하는 목적의 중대성(음주운전 규제의 절실성), 음주측정의 불가피성(주취운전에 대한 증거확보의 유일한 방법), 국민에게 부과되는 부담의 정도(경미한 부담, 간편한 실시), 음주측정의 정확성문제에 대한 제도적 보완(혈액채취 등의 방법에 의한 재측정 보장), 처벌의 요건과 처벌의 정도(측정불응죄의 행위주체를 엄격히 제한) 등에 비추어 합리성과 정당성을 갖추고 있으므로 헌법 제12조 제1항의 적법절차원칙에 위배된다고 할 수 없다.

5. 이 사건 법률조항이 양심의 자유, 인간의 존엄과 가치, 일반적 행동의 자유를 침해하는 것인지 여부

가. 양심의 자유에 대한 침해 여부

헌법 제19조는 모든 국민은 양심의 자유를 가진다고 하고 있다. 여기서 말하는 양심에 대하여 우리 재판소는 양심이란 세계관·인생관·주의·신조 등은 물론 이에 이르지 아니하여도 보다 널리 개인의 인격형성에 관계되는 내심에 있어서의 가치적·윤리적 판단도 포함된다고 하면서, 양심의 자유에는 널리 사물의 시시비비나 선악과 같은 윤리적 판단에 국가가 개입해서는 아니되는 내심적 자유는 물론 이와 같은 윤리적 판단을 국가권력에 의하여 외부에 표명하도록 강제받지 아니할 자유까지 포괄한다고 밝히고 있다. 요컨대 양심이란 인간의 윤리적·도덕적 내심영역의 문제이고, 헌법이 보호하려는 양심은 어떤 일의 옳고 그름을 판단함에 있어서 그렇게 행동하지 아니하고는 자신의 인격적인 존재가치가 허물어지고 말 것이라는 강력하고 진지한 마음의 소리이지, 막연하고 추상적인 개념으로서의 양심이 아니다. 음주측정에 응해야 할 것인지, 거부해야 할 것인지 그 상황에서 고민에 빠질 수는 있겠으나 그러한 고민은 선과 악의 범주에 관한 진지한 윤리적 결정을 위한 고민이라 할 수 없으므로 그 고민 끝에 어쩔 수 없이 음주측정에 응하였다 하여 내면적으로 구축된 인간양심이 왜곡 굴절된다고 할 수도 없다.

따라서 음주측정요구와 그 거부는 양심의 자유의 보호영역에 포괄되지 아니하므로 이 사건 법률조항을 두고 헌법 제19조에서 보장하는 양심의 자유를 침해하는 것이라고 할 수 없다.

나. 인간의 존엄과 가치에 대한 침해 여부

음주운전으로 야기될 생명·신체·재산에 대한 위험과 손해의 방지라는 절실한 공익목적을 위하여 더욱이 주취운전의 상당한 개연성이 있는 사람에게 부과되는 제약이라는 점을 생각하면 그 정도의 부담을 두고 인간으로서의 인격적 주체성을 박탈한다거나 인간의 존귀성을 짓밟는 것이라고는 할 수 없으므로, 이 사건 법률조항은 헌법 제10조에 규정된 인간의 존엄과 가치를 침해하는 것이 아니다.

다. 하기 싫은 일을 강요당하지 아니할 권리, 즉 행복추구권에 포함되어 있는 일반적 행동의 자유에 대한 침해 여부

이 사건 법률조항에 의하여 일반적 행동이 자유가 제한될 수 있으나, 그 입법목적의 중대성, 음주측정의 불가피성, 국민에게 부과되는 부담의 정도, 처벌의 요건과 정도에 비추어 헌법 제37조 제2항의 과잉금지의 원칙에 어긋나는 것이라고 할 수 없으므로, 이 사건 법률조항은 헌법 제10조의 규정된 행복추구권에서 도출되는 일반적 행동의 자유를 침해하는 것이라고도 할 수 없다.

074 정치자금의 수입·지출에 관한 회계장부 사건 [합헌]
― 2005. 12. 22. 선고 2004헌바25

판시사항 및 결정요지

1. 정치자금의 수입·지출에 관한 내역을 회계장부에 허위 기재하거나 관할 선거관리위원회에 허위 보고한 정당의 회계책임자를 형사처벌하는 구 정치자금에관한법률 제31조 제1호 중 제22조 제1항의 허위 기재 부분과 같은 호 중 제24조 제1항 부분이 헌법 제12조 제2항이 보장하는 진술거부권을 침해하는지 여부(소극)

헌법상 진술거부권의 보호대상이 되는 "진술"이라 함은 언어적 표출, 즉 개인의 생각이나 지식, 경험사실을 정신작용의 일환인 언어를 통하여 표출하는 것을 의미하는바, 정치자금을 받고 지출하는 행위는 당사자가 직접 경험한 사실로서 이를 문자로 기재하도록 하는 것은 당사자가 자신의 경험을 말로 표출한 것의 등가물(等價物)로 평가할 수 있으므로, 위 조항들이 정하고 있는 기재행위 역시 "진술"의 범위에 포함된다고 할 것이다.

정치자금법 제31조 제1호 중 제22조 제1항의 허위기재 부분과 제24조 제1항의 허위보고 부분은 궁극적으로 정치자금의 투명성을 확보하여 민주정치의 건전한 발전을 도모하려는 것으로서 그 입법목적이 정당하고, 위 조항들이 규정하고 있는 정치자금에 대한 정확한 수입과 지출의 기재·신고에 의하여 정당의 수입과 지출에 관하여 정확한 정보를 얻고 이를 검증할 수 있게 되므로, 이는 위 입법목적과 밀접한 관련을 갖는 적절한 수단이다. 또한, 정치자금에 관한 사무를 처리하는 선거관리위원회가 모든 정당·후원회·국회의원 등의 모든 정치자금 내역을 파악한다는 것은 거의 불가능에 가까우므로 만일 불법 정치자금의 수수 내역을 기재하고 이를 신고하는 조항이 없다면 '정치자금의 투명성 확보'라는 정치자금법 본연의 목적을 달성할 수 없게 된다는 점에서 위 조항들의 시행은 정치자금법의 입법목적을 달성하기 위한 필수불가결한 조치라고 할 것이고, 달리 이보다 진술거부권을 덜 침해하는 방안을 현실적으로 찾을 수 없다. 마지막으로, 위 조항들을 통하여 달성하고자 하는 정치자금의 투명한 공개라는 공익은 불법 정치자금을 수수한 사실을 회계장부에 기재하고 신고해야 할 의무를 지키지 않은 채 진술거부권을 주장하는 사익보다 우월하다. 결국, 정당의 회계책임자가 불법 정치자금이라도 그 수수 내역을 회계장부에 기재하고 이를 신고할 의무가 있다고 규정하고 있는 위 조항들은 헌법 제12조 제2항이 보장하는 진술거부권을 침해한다고 할 수 없다.

2. 정치자금의 수입·지출에 관한 명세서, 영수증 및 회계장부를 보존하지 않은 정당의 회계책임자를 형사처벌하는 정치자금법 제31조 제6호가 진술거부권을 침해하는지 여부(소극)

정치자금법 제31조 제6호에 의하면, 정당의 회계책임자는 정치자금의 수입·지출에 관한 명세서 및 영수증을 정치자금법이 정하는 회계보고를 마친 후 3년간 보존하여야 하는데, 이 조항이 규정하고 있는 회계장부·명세서·영수증을 보존하는 행위는 진술거부권의 보호대상이 되는 "진술" 즉 언어적 표출의 등가물로 볼 수 없으므로, 위 조항은 헌법 제12조 제2항의 진술거부권을 침해하지 않는다.

❶ 기본권론

| 인신보호제도 |

 **정신질환자 보호입원 사건** [헌법불합치]
— 2016. 9. 29. 선고 2014헌가9

판시사항 및 결정요지

보호의무자 2인의 동의와 정신건강의학과 전문의 1인의 진단으로 정신질환자에 대한 보호입원이 가능하도록 한 정신보건법(2011. 8. 4. 법률 제11005호로 개정된 것) 제24조 제1항 및 제2항이 신체의 자유를 침해하는지 여부(적극)

    심판대상조항은 정신질환자를 신속·적정하게 치료하고, 정신질환자 본인과 사회의 안전을 지키기 위한 것으로서 그 목적이 정당하다. 보호의무자 2인의 동의 및 정신건강의학과전문의(이하 '정신과전문의'라 한다) 1인의 진단을 요건으로 정신질환자를 정신의료기관에 보호입원시켜 치료를 받도록 하는 것은 입법목적을 달성하는 데 어느 정도 기여할 수 있으므로 수단의 적절성도 인정된다.
    보호입원은 정신질환자의 신체의 자유를 인신구속에 버금가는 수준으로 제한하므로 그 과정에서 신체의 자유 침해를 최소화하고 악용·남용가능성을 방지하며, 정신질환자를 사회로부터 일방적으로 격리하거나 배제하는 수단으로 이용되지 않도록 해야 한다. 그러나 현행 보호입원 제도가 입원치료·요양을 받을 정도의 정신질환이 어떤 것인지에 대해서는 구체적인 기준을 제시하지 않고 있는 점, 보호의무자 2인의 동의를 보호입원의 요건으로 하면서 보호의무자와 정신질환자 사이의 이해충돌을 적절히 예방하지 못하고 있는 점, 입원의 필요성이 인정되는지 여부에 대한 판단권한을 정신과 전문의 1인에게 전적으로 부여함으로써 그의 자의적 판단 또는 권한의 남용 가능성을 배제하지 못하고 있는 점, 보호의무자 2인이 정신과전문의와 공모하거나, 그로부터 방조·용인을 받는 경우 보호입원 제도가 남용될 위험성은 더욱 커지는 점, 보호입원 제도로 말미암아 사설 응급이송단에 의한 정신질환자의 불법적 이송, 감금 또는 폭행과 같은 문제도 빈번하게 발생하고 있는 점, 보호입원 기간도 최초부터 6개월이라는 장기로 정해져 있고, 이 또한 계속적인 연장이 가능하여 보호입원이 치료의 목적보다는 격리의 목적으로 이용될 우려도 큰 점, 보호입원 절차에서 정신질환자의 권리를 보호할 수 있는 절차들을 마련하고 있지 않은 점, 기초정신보건심의회의 심사나 인신보호법상 구제청구만으로는 위법·부당한 보호입원에 대한 충분한 보호가 이루어지고 있다고 보기 어려운 점 등을 종합하면, 심판대상조항은 침해의 최소성 원칙에 위배된다.
    심판대상조항이 정신질환자를 신속·적정하게 치료하고, 정신질환자 본인과 사회의 안전을 도모한다는 공익을 위한 것임은 인정되나, 정신질환자의 신체의 자유 침해를 최소화할 수 있는 적절한 방안을 마련하지 아니함으로써 지나치게 기본권을 제한하고 있다. 따라서 심판대상조항은 법익의 균형성 요건도 충족하지 못한다.
    그렇다면 심판대상조항은 과잉금지원칙을 위반하여 신체의 자유를 침해한다.

076 인신보호법상 즉시항고 제기기간 사건 [위헌]
— 2015. 9. 24. 선고 2013헌가21

판시사항 및 결정요지

인신보호법(2007. 12. 21. 법률 제8724호로 제정된 것) 제15조 중 '피수용자인 구제청구자'의 즉시항고 제기기간을 '3일'로 정한 부분(이하 '이 사건 법률조항'이라 한다)이 피수용자의 재판청구권을 침해하는지 여부(적극)

인신보호법상 피수용자인 구제청구자는 자기 의사에 반하여 수용시설에 수용되어 인신의 자유가 제한된 상태에 있으므로 그 자신이 직접 법원에 가서 즉시항고장을 접수할 수 없고, 외부인의 도움을 받아서 즉시항고장을 접수하는 방법은 외부인의 호의와 협조가 필수적이어서 이를 기대하기 어려운 때에는 그리 효과적이지 않으며, 우편으로 즉시항고장을 접수하는 방법도 즉시항고장을 작성하는 시간과 우편물을 발송하고 도달하는 데 소요되는 시간을 고려하면 3일의 기간이 충분하다고 보기 어렵다.

인신보호법상으로는 국선변호인이 선임될 수 있지만, 변호인의 대리권에 상소권까지 포함되어 있다고 단정하기 어렵고, 그의 대리권에 상소권이 포함되어 있다고 하더라도 법정기간의 연장 등 형사소송법 제345조 등과 같은 특칙이 적용될 여지가 없으므로 3일의 즉시항고기간은 여전히 과도하게 짧은 기간이다. 즉시항고 대신 재청구를 할 수도 있으나, 즉시항고와 재청구는 개념적으로 구분되는 것이므로 재청구가 가능하다는 사실만으로 즉시항고 기간의 과도한 제약을 정당화할 수는 없다.

나아가 즉시항고 제기기간을 3일보다 조금 더 긴 기간으로 정한다고 해도 피수용자의 신병에 관한 법률관계를 조속히 확정하려는 이 사건 법률조항의 입법목적이 달성되는 데 큰 장애가 생긴다고 볼 수 없으므로, 이 사건 법률조항은 피수용자의 재판청구권을 침해한다.

| 신체의 자유 |

 **077** 성충동 약물치료(속칭 화학적 거세)의 위헌 여부 [헌법불합치, 합헌]
— 2015. 12. 23. 선고 2013헌가9

판시사항

1. 성폭력범죄를 저지른 성도착증 환자로서 재범의 위험성이 인정되는 19세 이상의 사람에 대해 법원이 15년의 범위에서 치료명령을 선고할 수 있도록 한 '성폭력범죄자의 성충동 약물치료에 관한 법률' 제4조 제1항(이하 '이 사건 청구조항'이라 한다) 및 제8조 제1항(이하 '이 사건 명령조항'이라 하며, 이 사건 청구조항과 합하여 '심판대상조항들'이라 한다)이 치료명령 피청구인의 신체의 자유 등 기본권을 침해하는지 여부(일부 적극)
2. 합헌 부분과 위헌 부분의 경계가 불확실하고 이를 시정할 입법자의 형성권을 존중하여 헌법불합치 결정을 하면서 계속적용을 명한 사례

심판대상조항 및 관련조항

성폭력범죄자의 성충동 약물치료에 관한 법률(2012. 12. 18. 법률 제11557호로 개정된 것)

제4조(치료명령의 청구) ① 검사는 사람에 대하여 성폭력범죄를 저지른 성도착증 환자로서 성폭력범죄를 다시 범할 위험성이 있다고 인정되는 19세 이상의 사람에 대하여 약물치료명령(이하 "치료명령"이라고 한다)을 법원에 청구할 수 있다.

성폭력범죄자의 성충동 약물치료에 관한 법률(2010. 7. 23. 법률 제10371호로 제정된 것)

제8조(치료명령의 판결 등) ① 법원은 치료명령 청구가 이유 있다고 인정하는 때에는 15년의 범위에서 치료기간을 정하여 판결로 치료명령을 선고하여야 한다.

주문

1. '성폭력범죄자의 성충동 약물치료에 관한 법률' (2012. 12. 18. 법률 제11557호로 개정된 것) 제4조 제1항은 헌법에 위반되지 아니한다.
2. '성폭력범죄자의 성충동 약물치료에 관한 법률' (2010. 7. 23. 법률 제10371호로 제정된 것) 제8조 제1항은 헌법에 합치되지 아니한다. 이 법률조항은 2017. 12. 31.을 시한으로 입법자가 개정할 때까지 계속 적용된다.

1. 성충동 약물치료의 법적 성격

가. 형벌과 보안처분

형사제재에 관한 종래의 일반론에 따르면, 형벌은 본질적으로 행위자가 저지른 과거의 불법에 대한 책임을 전제로 부과되는 제재를 뜻함에 반하여, 보안처분은 행위자의 장래 위험성에 근거하여 범죄자의 개선을 통해 범죄를 예방하고 장래의 위험을 방지하여 사회를 보호하기 위해서 형벌에 대신하여 또는 형벌을 보충하여 부과되는 자유의 박탈과 제한 등의 처분을 뜻하는 것으로서, 양자는 그 근거와 목적을 달리하는 형사제재이다. 즉 형벌과 보안처분은 다 같이 형사제재에 해당하지만, 형벌은 책임의 한계 안에서 과거 불법에 대한 응보를 주된 목적으로 하는 제재이고, 보안처분은 장래 재범 위험성을 전제로 범죄를 예방하기 위한 제재이다.

나. 성충동 약물치료의 법적 성격

성충동약물치료법은 사람에 대하여 성폭력범죄를 저지른 성도착증 환자로서 성폭력범죄를 다시 범할 위험성이 있다고 인정되는 사람에 대하여 성충동 약물치료를 실시하여 성폭력범죄의 재범을 방지하고 사회복귀를 촉진하는 것을 목적으로 한다(제1조). 즉 성충동 약물치료의 근본적인 목적은 재범의 방지 및 이를 통한 사회 방위에 있다. 또한 이 사건 청구조항인 성충동약물치료법 제4조 제1항은 치료명령 피청구자의 요건으로서 '사람에 대하여 성폭력범죄를 저지른 성도착증 환자'일 것을 규정하는 외에 '성폭력범죄를 다시 범할 위험성'(동종 재범의 위험성)이 있어야 함을 명확히 하고 있다. 나아가 입법자는 치료명령의 선고가 피고사건의 양형에 유리하게 참작되어서는 아니된다는 점을 명문으로 규정함으로써(제8조 제6항), 성충동 약물치료가 행위자의 불법에 대한 책임과 무관하게 이루어지도록 하고 있다.

즉 범죄자의 책임이 아니라 행위에서 제시된 위험성이 치료명령 여부, 기간 등을 결정하고, 치료명령은 장래를 향한 조치로서 기능하는바, 성충동 약물치료는 본질적으로 '보안처분'에 해당한다고 할 것이다.

2. 심판대상조항들의 신체의 자유 등 기본권 침해 여부

가. 심판대상조항들에 의하여 제한되는 기본권

심판대상조항들에 의한 성충동 약물치료명령에 의하여 약물투여가 되면 치료대상자의 성적 충동·욕구가 억제되고, 성기능이 제한될 수 있으며, 이에 따라 범죄행위에 해당하지 아니하는 성적 욕구나 행위까지도 억제될 수 있다.

따라서 심판대상조항들은 피치료자의 정신적 욕구와 신체기능에 대한 통제를 그 내용으로 하는 것으로서, 신체의 완전성이 훼손당하지 아니할 자유를 포함하는 헌법 제12조의 신체의 자유를 제한하고, 사회공동체의 일반적인 생활규범의 범위 내에서 사생활을 자유롭게 형성해 나가고 그 설계 및 내용에 대해서 외부로부터의 간섭을 받지 아니할 권리인 헌법 제17조의 사생활의 자유를 제한한다.

또한 심판대상조항들은 피치료자의 동의를 요건으로 하지 않으므로, 환자가 질병의 치료 여부 및 방법 등을 결정할 수 있는 신체에 관한 자기결정권 내지 성행위 여부 등에 관한 성적자기결정권 등 헌법 제10조에서 유래하는 개인의 자기운명결정권을 제한한다.

그 밖에 강제적인 성적 욕구·기능의 통제 자체로 대상자로 하여금 물적(物的) 취급을 받는 느낌, 모욕감과 수치심을 가지게 할 수 있으므로 헌법 제10조로부터 유래하는 인격권 역시 제한한다.

나. 과잉금지원칙 위반 여부

심판대상조항들은 성폭력범죄를 저지른 성도착증 환자의 동종 재범을 방지하기 위한 것으로서 그 입법목적이 정당하고, 성충동 약물치료는 성도착증 환자의 성적 환상이 충동 또는 실행으로 옮겨지는 과정의 핵심에 있는 남성호르몬의 생성 및 작용을 억제하는 것으로서 수단의 적절성이 인정된다.

또한 성충동 약물치료는 전문의의 감정을 거쳐 성도착증 환자로 인정되는 사람을 대상으로 청구되고, 한정된 기간 동안 의사의 진단과 처방에 의하여 이루어지며, 부작용 검사 및 치료가 함께 이루어지고, 치료가 불필요한 경우의 가해제제도가 있으며, 치료 중단시 남성호르몬의 생성과 작용의 회복이 가능하다는 점을 고려할 때, 심판대상조항들은 원칙적으로 침해의 최소성 및 법익균형성이 충족된다.

그런데 성충동약물치료법 제8조 제4항에 의하여 치료명령은 피고사건 선고와 동시에 이루어지고, 치료명령의 실제 집행은 성충동약물치료법 제14조 제3항에 의하여 형의 집행이 종료되거나 면제·가석방 또는 치료감호의 집행이 종료·가종료 또는 치료위탁으로 석방되기 전 2개월 이내에 이루어지게 되는바, 피치료자에게 장기형이 선고된 경우에는 치료명령의 선고 시점과 집행 시점 사이에 상당한 시간적 간극이 존재할 수 있다. 그에 따라 치료명령 선고 시점에는 치료명령의 요건이 충족되었다고 하더라도 그 집행 시점에는 사정변경이 발생할 수 있다. 치료감호 중에 이루어진 치료 등을 통하여 성충동을 조절할 수 있게 되거나 장기의 수감생활을 거치며 노령화 등으로 성도착증이 자연스럽게 완화되거나 치유될 가능성도 배제하기 어려우므로, 치료명령의 집행 시점에는 치료의 필요성이 인정되지 않을 수 있는 것이다. 따라서 심판대상조항들 중 이 사건 명령조항은, 피치료자가 치료명령의 집행 시점에서 치료감호에 의한 치료 등으로 치료의 필요성이 달라졌다고 주장하며 그 치료에 이의를 제기하는 경우 치료의 필요성에 관하여 다시 법원의 판단을 거치게 하는 등 불필요한 치료가 이루어지는 것을 막을 수 있는 절차가 마련되어 있지 않음에도, 그 선고 시점에서 치료명령의 요건이 충족된다고 판단하는 때에는 성충동 약물치료를 명하도록 하는 것으로서, 위와 같은 범위에서 침해의 최소성과 법익균형성을 인정하기 어렵다.

따라서 이 사건 청구조항은 과잉금지원칙에 위배되지 아니하나, 이 사건 명령조항은 집행 시점에서 불필요한 치료를 막을 수 있는 절차가 마련되어 있지 않은 점으로 인하여 과잉금지원칙에 위배되어 치료명령 피청구인의 신체의 자유 등 기본권을 침해한다.

3. 헌법불합치결정의 필요성 (생략)

078 병에 대한 징계영창사건 [위헌]
— 2020. 9. 24. 선고 2017헌바157, 2018헌가10(병합)

판시사항

병(兵)에 대한 징계처분으로 일정기간 부대나 함정(艦艇) 내의 영창, 그 밖의 구금장소에 감금하는 영창처분이 가능하도록 규정한 구 군인사법 제57조 제2항 중 '영창'에 관한 부분(이하 '심판대상조항'이라 한다)이 헌법에 위반되는지 여부(적극)

1. 쟁점의 정리

헌법 제12조 제1항 전문은 "모든 국민은 신체의 자유를 가진다."라고 규정하여 신체의 자유를 헌법상 기본권의 하나로 보장하고 있다. 신체의 자유는 신체의 안정성이 외부의 물리적인 힘이나 정신적인 위험으로부터 침해당하지 아니할 자유와 신체활동을 임의적이고 자율적으로 할 수 있는 자유이다. 심판대상조항은 병(兵)을 대상으로 한 영창처분을 "부대나 함정 내의 영창, 그 밖의 구금장소에 감금하는 것을 말하며, 그 기간은 15일 이내로 한다."고 규정하고 있으므로, 심판대상조항에 의한 영창처분은 신체의 자유를 제한하는 구금에 해당하고, 이로 인해 헌법 제12조가 보호하려는 신체의 자유가 제한된다.

2. 과잉금지원칙 위배 여부

가. 목적의 정당성과 수단의 적합성

심판대상조항은 병의 복무규율 준수를 강화하고, 복무기강을 엄정히 하기 위하여 제정된 것으로서, 군의 지휘명령체계의 확립과 전투력 제고를 목적으로 하는바, 그 입법목적은 정당하다. 또한, 심판대상조항은 복무규율 위반자의 신체를 일정한 장소에 구금함으로써 병에 대하여 강력한 위하력을 발휘하고 있는바, 수단의 적합성도 인정된다.

나. 침해의 최소성

우리 헌법은 제12조 제1항 전문에서 모든 국민이 신체의 자유를 가짐을 천명하고 있다. 이는 신체의 안전이 보장되지 아니한 상황에서는 어떠한 자유와 권리도 무의미해질 수 있기 때문에 인간의 존엄과 가치를 구현하기 위한 가장 기본적인 최소한의 자유로서 모든 기본권 보장의 전제가 되기 때문이다. 이러한 이유로 신체의 자유는 최대한 보장되어야 한다. 그런데 징계란 공무원의 의무위반 또는 비행이 있는 경우에 공무원조직의 질서유지를 위해 임용권자에 의해 부과되는 제재로서 기본적으로 공무원의 신분적 이익의 전부 또는 일부를 박탈함을 그 내용으로 한다. 따라서 징계로서 신체의 자유를 직접적이고 전면적으로 박탈하는 구금을 행하는 것은 원칙적으로 허용되어서는 아니된다. 그럼에도 불구하고 심판대상조항에 의한 영창처분은 병에 대한 징계의 일종으로 부과되는 것으로 영창처분이 집행되는 경우 복무기간 불산입이라는 신분상의 불이익 외에 외부로부터 고립된 장소에 감금하는 것을 통한 신체의 자유 박탈까지 그 내용으로 삼고 있다. 이는 본래 징계로서 예정하고 있는 불이익을 넘는 제재로서 징계의 한계를 초과한 것이다.

특히, 구 군인사법은 영창의 시설기준이나 영창처분을 받은 병에 대한 처우 등의 사항을 정하고 있지 않아 영창처분의 집행에 관하여는 행정기관의 재량에 좌우되고 있는데, 실상 영창처분에 의한 징계입창자는 미결수와 동일한 시설에 구금되는 것이 대부분의 현실이며, 외부와 차폐된 구금시설에서 제한된 범위 내에서만 운동, 목욕, 면회, 전화통화 등이 허용되고 있는바 그 실질은 구류형의 집행과 유사하게 운영되고 있다. 그렇다면 심판대상조항에 의한 영창처분을 할 때는 극히 제한된 범위에서 형사상 절차에 준하는 방식으로 이루어져야 할 것이다.

그러나 구 군인사법은 영창처분을 발할 수 있는 징계사유에 관하여 군인사법 또는 이 법에 따른 명령을 위반한 경우, 품위를 손상하는 행위를 한 경우, 직무상의 의무를 위반하거나 직무를 게을리 한 경우로 규정하고 있는바(제56조), 이와 같은 사유들은 형사절차상 인신구금이 허용되는 경우와 비교하여 볼 때 지나치게 포괄적이고 그 비위의 정도나 정상의 폭이 매우 넓어서, 비난가능성이 그다지 크지 아니한 경미한 행위들에 대해서까지도 영창처분이 가능하도록 하고 있다. 물론 구 군인사법이 영창은 휴가 제한이나 근신 등으로 직무 수행의 의무를 이행하게 하는 것이 불가능하고, 복무규율을 유지하기 위하여 인신 구금이 필요한 경우에만 처분하도록 규정하고 있으나(제59조의2 제1항), 어떤 경우가 이에 해당하는지에 관한 기준을 마련해놓고 있지 않아 영창처분의 보충성이 담보되고 있지 아니하다.

그 외에도 심판대상조항은 징계위원회의 심의·의결과 인권담당 군법무관의 적법성 심사를 거치지만, 모두 징계권자의 부대 또는 기관에 설치되거나 소속된 것으로 형사절차에 견줄만한 중립적이고 객관적인 절차라고 보기 어려운 점, 심판대상조항으로 달성하고자 하는 목적은 인신구금과 같이 징계를 중하게 하는 것으로 달성되는 데 한계가 있고, 병의 비위행위를 개선하고 행동을 교정할 수 있도록 적절한 교육과 훈련을 제공하는 것 등으로 가능한 점, 이와 같은 점은 일본, 독일, 미국 등 외국의 입법례를 살펴보더라도 그러한 점 등에 비추어 심판대상조항은 침해의 최소성 원칙에 어긋난다.

다. 법익의 균형성

병의 복무기강을 엄정히 함으로써 군대 내 지휘명령체계를 확립하고 전투력을 제고한다는 공익은 국토방위와 직결된 것으로 매우 중요한 공익이다. 그러나 앞서 살펴본 바와 같이 심판대상조항은 병의 신체의 자유를 필요 이상으로 과도하게 제한할 수 있도록 규정되어 있으므로, 그로 인하여 제한되는 사익이 병의 복무기강을 엄정히 한다는 공익에 비하여 결코 가볍다고 볼 수 없다. 따라서 심판대상조항은 법익의 균형성 요건도 충족하지 못한다.

라. 이와 같은 점을 종합할 때, 심판대상조항은 과잉금지원칙에 위배된다.

079 군사법경찰관의 구속기간의 연장을 허용하는 군사법원법 사건 [위헌]
— 2003. 11. 27. 선고 2002헌마193

판시사항 및 결정요지

1. 군사법경찰관의 구속기간의 연장을 허용하는 군사법원법 제242조 제1항 중 제239조 부분(이하 '이 사건 법률규정'이라 한다)**이 과잉금지의 원칙에 위배되는지 여부를 심사함에 있어서의 심사기준**

군사법원법 제239조가 규정하고 있는 군사법경찰관의 10일간의 구속기간은 그 허용 자체가 헌법상 무죄추정의 원칙에서 파생되는 불구속수사원칙에 대한 예외이다. 그런데 이 사건 법률규정은 경찰단계에서는 구속기간의 연장을 허용하지 아니하는 형사소송법의 규정과는 달리 군사법경찰관의 구속기간의 연장을 허용하여 예외에 대하여 다시 특례를 설정함으로써 기본권 중에서도 가장 기본적인 것인 신체의 자유에 대한 제한을 가중하고 있으므로, 이 사건 법률규정이 과잉금지의 원칙에 위배되는지 여부를 심사함에 있어서는 그 제한되는 기본권의 중요성이나 기본권제한 방식의 중첩적·가중적 성격에 비추어 엄격한 기준에 의할 것이 요구된다.

2. 군사법경찰관의 구속기간의 연장을 허용해야 할 사정이 인정되는지 여부(소극)

군사법경찰관이 피의자에 대한 구속영장을 신청하는 단계에서는 범죄의 객관적 혐의를 인정할 수 있는 소명자료가 수집되어 있어야 하므로, 피의자를 구속할 즈음에는 이미 범죄의 객관적 혐의에 대한 수사가 대부분 완료된 상태라고 보아야 하고, 군사법경찰관이 구속피의자를 검찰관에게 인치한 후에도 증거수집을 위한 조사를 계속하여 수집된 증거를 추송할 수 있는 점 등은 일반 사법경찰관의 경우와 다를 것이 없으며, 그밖에도 수사상의 특별한 필요성을 이유로 군사법경찰관의 구속기간을 일반 사건에 비하여 특히 장기간으로 하여야 할 사정은 이를 찾아보기가 쉽지 않은 반면, 군사법경찰관에 의한 수사의 경우에는 군대사회의 특성상 방어권의 행사가 위축되기 쉽고, 군검찰관의 군사법경찰관에 대한 지휘감독이나 견제가 미흡한 현실에 비추어 장기간의 구속이 허용될 경우의 폐단은 일반 사건에 비하여 오히려 크다고 할 수 있다.

3. 이 사건 법률규정이 과잉금지의 원칙을 위반하여 신체의 자유 및 신속한 재판을 받을 권리를 침해하는지 여부(적극)

군사법원법의 적용대상 중에 특히 수사를 위하여 구속기간의 연장이 필요한 경우가 있음을 인정한다고 하더라도, 이 사건 법률규정과 같이 군사법원법의 적용대상이 되는 모든 범죄에 대하여 수사기관의 구속기간의 연장을 허용하는 것은 그 과도한 광범성으로 인하여 과잉금지의 원칙에 어긋난다고 할 수 있을 뿐만 아니라, 국가안보와 직결되는 사건과 같이 수사를 위하여 구속기간의 연장이 정당화될 정도의 중요사건이라면 더 높은 법률적 소양이 제도적으로 보장된 군검찰관이 이를 수사하고 필요한 경우 그 구속기간의 연장을 허용하는 것이 더 적절하기 때문에, 군사법경찰관의 구속기간을 연장까지 하면서 이러한 목적을 달성하려는 것은 부적절한 방식에 의한 과도한 기본권의

4. 미결수용자의 변호인 아닌 자와의 접견교통권이 헌법상의 기본권인지 여부(적극)

구속된 피의자 또는 피고인이 갖는 변호인 아닌 자와의 접견교통권은, 피구속자가 가족 등 외부와 연결될 수 있는 통로를 적절히 개방하고 유지함으로써 한편으로는 가족 등 타인과 교류하는 인간으로서의 기본적인 생활관계가 인신의 구속으로 인하여 완전히 단절되어 파멸에 이르는 것을 방지하고 다른 한편으로는 피의자 또는 피고인의 방어를 준비하기 위하여, 반드시 보장되지 않으면 안되는 인간으로서의 기본적인 권리에 해당하므로 이는 성질상 헌법상의 기본권에 속한다고 보아야 할 것이다.

헌법재판소는, 비록 헌법에 열거되지는 아니하였지만, 헌법 제10조의 행복추구권에 포함되는 기본권의 하나로서 일반적 행동자유권을 인정하고 있는데 미결수용자의 접견교통권은 이러한 일반적 행동자유권으로부터 나온다고 보아야 할 것이고 다른 한편으로는 무죄추정의 원칙을 규정한 헌법 제27조 제4항도 미결수용자의 접견교통권 보장의 한 근거가 될 것이다.

5. 군행형법시행령 제43조 제2항 본문 중 전단 부분(이하 '이 사건 시행령규정'이라 한다)에 의한 기본권제한이 헌법 제37조 제2항의 법률유보규정에 위반되는지 여부(적극)

헌법 제37조 제2항에 의하면 기본권은 원칙적으로 법률로써만 이를 제한할 수 있다고 할 것이지만, 헌법 제75조에 의하여 법률의 위임이 있고 그 위임이 구체적으로 범위를 정하여 하는 것이라면 대통령령에 의한 기본권의 제한도 가능하다.

그런데 군행형법 제15조는 제2항에서 수용자의 면회는 교화 또는 처우상 특히 부적당하다고 인정되는 사유가 없는 한 이를 허가하여야 한다고 규정하여 면회의 횟수를 제한하지 않는 자유로운 면회를 전제로 하면서, 제6항에서 "면회에의 참여……에 관하여 필요한 사항은 대통령령으로 정한다."라고 규정함으로써, 면회에의 참여에 관한 사항만을 대통령령으로 정하도록 위임하고 있고 면회의 횟수에 관하여는 전혀 위임한 바가 없다. 따라서 이 사건 시행령규정이 미결수용자의 면회횟수를 매주 2회로 제한하고 있는 것은 법률의 위임 없이 접견교통권을 제한하는 것으로서, 헌법 제37조 제2항 및 제75조에 위반된다.

6. 이 사건 시행령규정이 과잉금지의 원칙을 위반하여 접견교통권을 침해하는지 여부(적극)

무죄추정의 원칙은 미결수용자에게 구금의 목적에 반하지 않는 한 일반 시민과 동등한 처우를 하고 구속 이외의 불필요한 고통을 과하지 않을 것을 요구한다. 따라서 미결수용자에 대하여 정당한 구금이 행해진 경우라도 미결구금의 목적인 도주나 증거인멸의 우려를 방지하기 위한 제한 또는 구금시설의 질서유지를 위한 제한을 제외하고는 미결수용자의 자유와 권리를 함부로 제한하여서는 안 된다고 할 것이다.

이 사건 시행령규정은, 행형법시행령이 미결수용자의 접견횟수를 매일 1회로 하고 있는 것과는 달리, 미결수용자의 면회횟수를 매주 2회로 제한하고 있는바, 수용기관은 면회에 교도관을 참여시켜 감시를 철저히 한다거나, 필요한 경우에는 면회를 일시 불허하는 것과 같이 청구인들의 기본권을 보다 적게 침해하면서도 '도주나 증거인멸 우려의 방지 및 수용시설 내의 질서유지'라는 입법목적을 달성할 수 있는 똑같이 효과적인 다른 방법이 존재하므로, 이것은 기본권제한이 헌법상 정당화되기 위하여 필요한 피해의 최소성 요건을 충족시키지 못한다. 따라서 이 사건 시행령규정은 청구인들의 접견교통권을 과도하게 제한하는 위헌적인 규정이다.

7. 이 사건 시행령규정이 평등권을 침해하는지 여부(적극)

이 사건 시행령규정은 위와 같은 입법목적의 관점에서 볼 때 동일한 처지에 있다고 할 수 있는 미결수용자 중 군행형법의 적용을 받는 자의 면회횟수를 행형법의 적용을 받는 자에 비하여 감축하고 있는바, 전자의 경우라고 하여 후자의 경우에 비하여, 특히 도주나 증거인멸을 막아야 할 필요성이 크다거나 그 수용시설 내의 질서유지가 더욱 절실히 요청된다고 보기는 어렵기 때문에 양자를 달리 취급함에 있어서 객관적으로 납득할 만한 합리적 이유를 찾아 볼 수 없다. 따라서 이 사건 시행령규정은 군행형법시행령의 적용을 받는 미결수용자를 행형법시행령의 적용을 받는 미결수용자에 비하여 자의적으로 다르게 취급하는 것으로서 평등권을 침해하는 것이다.

080 외국에서 형의 집행을 받은 자에 대한 임의적 감면조항 사건 [헌법불합치]
― 2015. 5. 28. 선고 2013헌바129

판시사항 및 결정요지

1. 외국에서 형의 전부 또는 일부의 집행을 받은 자에 대하여 형을 감경 또는 면제할 수 있도록 규정한 형법(1953. 9. 18. 법률 제293호로 제정된 것) **제7조**(이하 '이 사건 법률조항'이라 한다)**가 이중처벌금지원칙에 위배되는지 여부(소극)**

헌법 제13조 제1항은 "모든 국민은 …… 동일한 범죄에 대하여 거듭 처벌받지 아니한다."고 하여 '이중처벌금지원칙'을 규정하고 있다. 이는 한 번 판결이 확정되면 동일한 사건에 대해서는 다시 심판할 수 없다는 '일사부재리원칙'이 국가형벌권의 기속원리로 헌법상 선언된 것으로서, 동일한 범죄행위에 대하여 국가가 형벌권을 거듭 행사할 수 없도록 함으로써 국민의 기본권, 특히 신체의 자유를 보장하기 위한 것이다. 이러한 점에서 헌법 제13조 제1항에서 말하는 '처벌'은 원칙적으로 범죄에 대한 국가의 형벌권 실행으로서의 과벌을 의미하는 것이고, 국가가 행하는 일체의 제재나 불이익처분을 모두 그 '처벌'에 포함시킬 수는 없다.

형사판결은 국가주권의 일부분인 형벌권 행사에 기초한 것으로서, 외국의 형사판결은 원칙적으로 우리 법원을 기속하지 않으므로 동일한 범죄행위에 관하여 다수의 국가에서 재판 또는 처벌을 받는 것이 배제되지 않는다. 따라서 이중처벌금지원칙은 동일한 범죄에 대하여 대한민국 내에서 거듭 형벌권이 행사되어서는 안 된다는 뜻으로 새겨야 할 것이다. 대법원도 이와 같은 전제에서 "피고인이 동일한 행위에 관하여 외국에서 형사처벌을 과하는 확정판결을 받았다 하더라도 이런 외국판결은 우리나라에서는 기판력이 없으므로 여기에 일사부재리원칙이 적용될 수 없다"고 판시한 바 있다(83도2366).

따라서 헌법상 일사부재리원칙은 외국의 형사판결에 대하여는 적용되지 아니한다고 할 것이므로, 이 사건 법률조항은 헌법 제13조 제1항의 이중처벌금지원칙에 위반되지 아니한다.

2. 이 사건 법률조항이 신체의 자유를 침해하는지 여부(적극)

형법은 속지주의를 원칙으로 하면서 속인주의와 보호주의를 가미하고 있다. 이에 따라 범죄행위자에 대하여 우리 형법뿐 아니라 외국의 형법이 함께 적용될 수 있어, 이미 외국에서 재판을 받아 형이 집행되었더라도 우리 형법을 적용하여 다시 재판할 수 있다. 이 사건 법률조항은 이러한 사정을 반영하여 국가형벌권을 적정하게 행사하면서도 피고인의 실질적인 불이익을 완화하기 위한 것으로서 입법목적의 정당성이 인정된다. 또한, 외국 판결의 집행을 형의 임의적 감경 또는 면제의 사유로 정한 것은 위와 같은 입법목적을 달성하기 위한 적합한 수단에 해당한다.

입법자는 외국에서 형의 집행을 받은 자에게 어떠한 요건 아래, 어느 정도의 혜택을 줄 것인지에 대하여 일정 부분 재량권을 가지고 있으나, 신체의 자유는 정신적 자유와 더불어 헌법이념의 핵심인 인간의 존엄과 가치를 구현하기 위한 가장 기본적인 자유로서 모든 기본권 보장의 전제조건이므로 최대한 보장되어야 하는바, 외국에서 실제로 형의 집행을 받았음에도 불구하고 우리 형법에 의한 처벌 시 이를 전혀 고려하지 않는다면 신체의 자유에 대한 과도한 제한이 될 수 있으므로 그와 같은 사정은 어느 범위에서든 반드시 반영되어야 하고, 이러한 점에서 입법형성권의 범위는 다소 축소될 수 있다.

입법자는 국가형벌권의 실현과 국민의 기본권 보장의 요구를 조화시키기 위하여 형을 필요적으로 감면하거나 외국에서 집행된 형의 전부 또는 일부를 필요적으로 산입하는 등의 방법을 선택하여 청구인의 신체의 자유를 덜 침해할 수 있음에도, 이 사건 법률조항과 같이 우리 형법에 의한 처벌 시 외국에서 받은 형의 집행을 전혀 반영하지 아니할 수도 있도록 한 것은 과잉금지원칙에 위배되어 신체의 자유를 침해한다.

3. 헌법불합치결정을 하면서 계속 적용을 명한 사례

만약 이 사건 법률조항이 위헌결정으로 즉시 효력을 상실할 경우, 임의적으로나마 형을 감면할 근거규정이 없어지게 되어 감면 적용을 받아야 할 사람에 대하여도 감면을 할 수 없게 되므로, 법적 안정성의 관점에서 용인하기 어려운 법적 공백이 생기게 된다. 따라서 이 사건 법률조항에 대하여 헌법불합치결정을 선고하되, 2016. 12. 31.을 시한으로 입법자의 개선입법이 있을 때까지 계속적용을 명하기로 한다.

심판대상조항 및 관련조항

형법(1953. 9. 18. 법률 제293호로 제정된 것) **제7조 (외국에서 받은 형의 집행)** 범죄에 의하여 외국에서 형의 전부 또는 일부의 집행을 받은 자에 대하여는 형을 감경 또는 면제할 수 있다.

주문

1. 형법(1953. 9. 18. 법률 제293호로 제정된 것) 제7조는 헌법에 합치되지 아니한다.
2. 위 법률조항은 2016. 12. 31.을 시한으로 입법자가 개정할 때까지 계속 적용된다.

081 상소제기기간 등을 미결구금일수에 산입하지 않는 형소법 규정 사건
[헌법불합치]
— 2000. 7. 20. 선고 99헌가7

판시사항 및 결정요지

1. 위헌제청당시에는 재판의 전제성을 갖춘 사건으로서 심리중 소의 이익이 소멸되었으나 예외적으로 위헌여부 판단을 한 예

심리기간 중 사태진행으로 소의 이익이 소멸되었더라도 헌법재판소로서는 제청당시 전제성이 인정되는 한 예외적으로 객관적인 헌법질서의 수호·유지를 위하여 그 위헌 여부에 대한 판단을 할 수 있다. 이 사건 법률조항은 형집행에 관한 것으로서 국민의 신체의 자유에 관련된 문제이고, 이에 대하여 아직 헌법재판소에서 해명이 이루어진 바 없으며, 많은 피고인들의 형집행에 있어서 기본권침해가 반복될 것이 명백하므로 이에 대한 위헌여부심판을 하기로 한다.

2. 상소제기기간 등을 법정산입 대상에 포함하지 않고 있는 형사소송법 제482조 제1항이 신체의 자유를 침해하는지 여부(적극)

미결구금은 신체의 자유라는 중요한 기본권을 제한하는 것인데, 기본권의 제한은 부득이한 범위에 한하여야 하고, 원칙적으로 미결구금기간 전부는 재정통산 또는 법정통산의 방법으로 본형에 산입될 수 있도록 하고 있는 것에 비추어, 상소제기기간에 한하여 특별히 통산대상에서 제외할 이유가 없다. 오히려 형사소송절차에서의 상소제도의 중요성이나 상소제기기간을 둔 본래의 취지에 비추어 그 기간동안은 아무런 불이익의 염려가 없이 상소에 대하여 숙고할 여유를 가질 수 있게 하여야 할 것이다. 특히, 피고인이 판결선고일에 상소를 포기하고, 검사가 상소를 포기하지 아니하고, 상소도 하지 아니하는 경우 검사도 즉시 상소를 포기한 경우와 비교하면 법원이 선고한 형의 집행기간이 7일이나 연장되게 된다. 이러한 결과는 소송의 한 당사자인 검사의 의사에 따라 실질적으로 법원이 선고한 형에 변경을 가져오게 되고, 피고인의 신체의 자유를 침해하게 된다.

3. 위 법률조항이 평등원칙에 위배되는지 여부(적극)

상소제기기간을 둔 취지에 비추어, 상소제기기간중의 시간의 소비에 대해 차별적으로 불이익을 주는 것은 불합리하며, 이 기간은 이 사건 법률조항에 의하여 법정통산되는 다른 경우와 비교할 때 피고인의 책임으로 돌릴 수 없는 기간이라는 점에서 본질적으로 차이가 없으므로, 상소제기기간을 법정통산의 대상에서 제외하고 있는 이 사건 법률조항은 평등원칙에도 위배된다.

4. 헌법불합치결정을 하고 잠정적으로 그 효력을 지속시키는 이유

위헌결정으로 이 사건 법률조항의 효력을 상실시키거나 그 적용을 중지할 경우에는 이 사건 법률조항에서 규정하고 있는 사유가 있는 형사사건에 적용할 법정통산의 근거조항이 없어지게 되어 법치국가적으로 용인하기 어려운 법적 공백이 생기게 된다. 그러므로 헌법불합치를 선언하고, 입법자가 합헌적인 방향으로 법률을 개선할 때까지 이 사건 법률조항을 존속하게 하여 이를 적용하게 할 필요가 있다.

082  강제퇴거대상자에 대한 보호기간의 상한 없는 보호 사건 [헌법불합치]
― 2023. 3. 23. 선고 2020헌가1

심판대상조항 및 관련조항

출입국관리법(2014. 3. 18. 법률 제12421호로 개정된 것)

제63조(강제퇴거명령을 받은 사람의 보호 및 보호해제) ① 지방출입국·외국인관서의 장은 강제퇴거명령을 받은 사람을 여권 미소지 또는 교통편 미확보 등의 사유로 즉시 대한민국 밖으로 송환할 수 없으면 송환할 수 있을 때까지 그를 보호시설에 보호할 수 있다.

주문

출입국관리법(2014. 3. 18. 법률 제12421호로 개정된 것) 제63조 제1항은 헌법에 합치되지 아니한다. 위 법률조항은 2025. 5. 31.을 시한으로 입법자가 개정할 때까지 계속 적용된다.

판시사항 및 결정요지

1. 강제퇴거명령을 받은 사람을 보호할 수 있도록 하면서 보호기간의 상한을 마련하지 아니한 출입국관리법 제63조 제1항(심판대상조항)의 쟁점 및 심사기준

출입국관리행정은 내·외국인의 출입국과 외국인의 체류를 적절하게 통제·조정하여 국가의 이익과 안전을 도모하는 국가행정이다. 출입국관리에 관한 사항 중 외국인의 입국과 국내 체류에 관한 사항은 주권국가로서의 기능을 수행하는 데 필요한 것으로서 광범위한 정책재량의 영역에 있고, 강제퇴거명령의 집행을 확보하기 위하여 이루어지는 심판대상조항에 의한 보호는 출입국관리행정의 일환으로 볼 수 있다.

그러나 헌법 제12조 제1항의 신체의 자유는 인간의 존엄과 가치를 구현하기 위한 가장 기본적인 최소한의 자유이자 모든 기본권 보장의 전제가 되는 것으로서 그 성질상 인간의 권리에 해당하고, 국내 체류자격 유무에 따라 그 인정 여부가 달라지는 것이 아니다. 따라서 심판대상조항이 신체의 자유를 침해하는지 여부에 대해서는 엄격한 심사기준이 적용되어야 한다.

2. 과잉금지원칙 위반 여부(적극)

심판대상조항은 강제퇴거대상자를 대한민국 밖으로 송환할 수 있을 때까지 보호시설에 인치·수용하여 강제퇴거명령을 효율적으로 집행할 수 있도록 함으로써 외국인의 출입국과 체류를 적절하게 통제하고 조정하여 국가의 안전과 질서를 도모하고자 하는 것으로, 입법목적의 정당성과 수단의 적합성은 인정된다.

그러나 보호기간의 상한을 두지 아니함으로써 강제퇴거대상자를 무기한 보호하는 것을 가능하게 하는 것은 보호의 일시적·잠정적 강제조치로서의 한계를 벗어나는 것이라는 점, 보호기간의 상한을 법에 명시함으로써 보호기간의 비합리적인 장기화 내지 불확실성에서 야기되는 피해를 방지할 수 있어야 하는데, 단지 강제퇴거명령의 효율적 집행이라는 행정목적 때문에 기간의 제한이 없는 보호를 가능하게 하는 것은 행정의 편의성과 획일성만을 강조한 것으로 피보호자의 신체의 자유를 과도하게 제한하는 것인 점, 강제퇴거명령을 받은 사람을 보호함에 있어 그 기간의 상한을 두고 있는 국제적 기준이나 외국의 입법례에 비추어 볼 때 보호기간의 상한을 정하는 것이 불가능하다고 볼 수 없는 점, 강제퇴거명령의 집행 확보는 심판대상조항에 의한 보호 외에 주거지 제한이나 보고, 신원보증인의 지정, 적정한 보증금의 납부, 감독관 등을 통한 지속적인 관찰 등 다양한 수단으로도 가능한 점, 현행 보호일시해제제도나 보호명령에 대한 이의신청, 보호기간 연장에 대한 법무부장관의 승인제도만으로는 보호기간의 상한을 두지 않은 문제가 보완된다고 보기 어려운 점 등을 고려하면, 심판대상조항은 침해의 최소성과 법익균형성을 충족하지 못한다. 따라서 심판대상조항은 과잉금지원칙을 위반하여 피보호자의 신체의 자유를 침해한다.

3. 심판대상조항이 적법절차원칙에 위반되는지 여부(적극)

행정절차상 강제처분에 의해 신체의 자유가 제한되는 경우, 강제처분의 집행기관으로부터 독립된 중립적인 기관이 이를 통제하도록 하는 것은 적법절차원칙의 중요한 내용에 해당하는바, 구체적인 통제의 모습이나 수준은 강제처분의 목적과 이로써 달성하고자 하는 공익, 강제처분으로 인해 신체의 자유가 제한되는 정도 등 모든 요소를 고려하여 결정되어야 할 것이다. 심판대상조항에 의한 보호는 강제퇴거명령의 집행 확보를 목적으로 하면서도 신체의 자유를 제한하는 정도가 박탈에 이르러 형사절차상 '체포 또는 구속'에 준하는 것으로 볼 수 있는 점을 고려하면, 적법절차원칙상 보호의 개시 또는 연장 단계에서 그 집행기관인 출입국관리공무원으로부터 독립되고 중립적인 지위에 있는 기관이 보호의 타당성을 심사하여 이를 통제할 수 있어야 한다.

그러나 현재 출입국관리법상 보호의 개시 또는 연장 단계에서 집행기관으로부터 독립된 중립적 기관에 의한 통제절차가 마련되어 있지 아니하다.

당사자에게 의견 및 자료 제출의 기회를 부여하는 것은 적법절차원칙에서 도출되는 중요한 절차적 요청이므로, 심판대상조항에 따라 보호를 하는 경우에도 피보호자에게 위와 같은 기회가 보장되어야 하나, 심판대상조항에 따른 보호명령을 발령하기 전에 당사자에게 의견을 제출할 수 있는 절차적 기회가 마련되어 있지 아니하다.

따라서 심판대상조항은 적법절차원칙에 위배되어 피보호자의 신체의 자유를 침해한다.

4. 헌법불합치결정과 잠정적용 명령

심판대상조항에 대하여 단순위헌결정을 선고하게 되면 용인하기 어려운 법적 공백이 발생할 우려가 있고, 심판대상조항의 위헌성을 해소하기 위한 구체적 내용을 정하는 것은 입법자의 재량에 속하므로 입법자가 여러 정책적 대안을 숙고하여 위헌성을 제거할 수 있도록 하기 위하여 심판대상조항에 대하여 헌법불합치결정을 선고하되, 2025. 5. 31.을 시한으로 개선입법이 있을 때까지 계속 적용을 명한다.

> 함께 보는 판례

> **❶ 재범의 위험성 유무를 불문하고 필요적 감호 선고를 하도록 규정한 사회보호법 사건 [위헌, 합헌]**
> (1989. 07. 14. 88헌가5, 8, 89헌가44(병합))
>
> 가. 구 사회보호법(1989.3.25. 법률 제4089호로 개정되기 전의 것) 제5조의 위헌심판제청의 적법여부
>
> 　보호감호처분에 대하여는 소급입법이 금지되므로 비록 구법이 개정되어 신법이 소급 적용되도록 규정되었다고 하더라도 실체적인 규정에 관한 한 오로지 구법이 합헌적이어서 유효하였고 다시 신법이 보다 더 유리하게 변경되었을 때에만 신법이 소급적용될 것이므로 폐지된 구법에 대한 위헌여부의 문제는 신법이 소급적용될 수 있기 위한 전제문제로서 판단의 이익이 있어 위헌제청은 적법하다.
>
> 나. 같은 법 제5조 제1항의 위헌여부(적극)
>
> 　법 제5조 제1항은 "보호대상자가 다음 각호의 1에 해당하는 때에는 10년의 보호감호에 처한다. 다만, 보호대상자가 50세이상인 때에는 7년의 보호감호에 처한다"라고 규정하고 있고, 법 제20조 제1항 다만 이하 부분에서는 "다만, 피감호청구인이 제5조 제1항 또는 제8조 제1항 제1호에 규정한 요건에 해당하는 때에는 감호의 선고를 하여야 한다"라고 규정하고 있다. 따라서 법원은 법 제5조 제1항 각호의 1에 해당하는 소정의 법정요건이 충족될 경우에는 반드시 보호감호를 선고하여야만 된다는 것이 입법자의 의지임을 알 수 있다.
>
> 　법 제5조 제1항은 전과나 감호처분을 선고받은 사실 등 법정의 요건에 해당되면 재범의 위험성 유무에도 불구하고 반드시 그에 정한 보호감호를 선고하여야 할 의무를 법관에게 부과하고 있으니 헌법 제12조 제1항 후문, 제37조 제2항 및 제27조 제1항에 위반된다.
>
> 　한편 법무부장관은 위 규정에 대해 합헌적 해석이 가능하다고 주장하나, 법 제5조 제1항의 요건에 해당되는 경우에는 법원으로 하여금 감호청구의 이유 유무 즉, 재범의 위험성의 유무를 불문하고 반드시 감호의 선고를 하도록 강제한 것이 위 법률의 조항의 문의임은 물론 입법권자의 의지임을 알 수 있으므로 위 조항에 대한 합헌적 해석은 문의의 한계를 벗어난 것이라 할 것이다.
>
> 다. 같은 법 제5조 제2항의 위헌여부(소극)
>
> 　법 제5조 제2항은 "보호대상자가 다음 각호의 1에 해당하는 때에는 7년의 보호감호에 처한다."라고 규정하고, 나아가 각항에는 "……죄를 범하고 재범의 위험성이 있다고 인정되는 때"라고 규정하고 있다. 즉, 법 제5조 제2항의 규정내용은 법 제5조 제1항의 경우와는 달리 재범의 위험성이 있다고 인정되는 때에만 보호감호에 처하도록 하는 한편, 법 제20조 제1항 다만 이하 부분과 같이 그 요건에 해당되는 때에는 반드시 보호감호를 선고하여야 하는 강제적 규정도 두고 있지 않다.
>
> 　같은 법 제5조 제2항의 보호감호처분은 재범의 위험성을 보호감호의 요건으로 하고 있고, 감호기간에 관한 7년의 기한은 단순히 집행상의 상한으로 보아야 하므로 헌법 제12조 제1항 후문에 정한 적법절차에 위반되지 아니한다.
>
> **❷ 무죄 등 판결 선고 후 석방대상 피고인을 의사에 반하여 교도소로 연행할 수 있는지 여부(소극)**
> (1997. 12. 24. 선고 95헌마247)
>
> 　무죄 등 판결 선고 후 석방대상 피고인이 교도소에서 지급한 각종 지급품의 회수, 수용시의 휴대금품 또는 수용 중 영치된 금품의 반환 내지 환급문제 때문에 임의로 교도관과 교도소에 동행하는 것은 무방하나 피고인의 동의를 얻지 않고 의사에 반하여 교도소로 연행하는 것은 헌법 제12조의 규정에 비추어 도저히 허용될 수 없다.

제2절 사생활영역의 자유

제1항 사생활의 비밀과 자유

 **4급 이상 공무원들의 병역면제사유인 질병명 공개 사건** [헌법불합치, 각하]
― 2007. 5. 31. 선고 2005헌마1139

판시사항 및 결정요지

1. 사생활의 비밀과 자유의 제한과 그 한계

헌법 제17조는 "모든 국민은 사생활의 비밀과 자유를 침해받지 아니한다."고 규정하여 사생활의 비밀과 자유를 국민의 기본권의 하나로 보장하고 있다. 사생활의 비밀은 국가가 사생활영역을 들여다보는 것에 대한 보호를 제공하는 기본권이며, 사생활의 자유는 국가가 사생활의 자유로운 형성을 방해하거나 금지하는 것에 대한 보호를 의미한다. 구체적으로 사생활의 비밀과 자유가 보호하는 것은 개인의 내밀한 내용의 비밀을 유지할 권리, 개인이 자신의 사생활의 불가침을 보장받을 수 있는 권리, 개인의 양심영역이나 성적 영역과 같은 내밀한 영역에 대한 보호, 인격적인 감정세계의 존중의 권리와 정신적인 내면생활이 침해받지 아니할 권리 등이다. 요컨대 헌법 제17조가 보호하고자 하는 기본권은 사생활영역의 자유로운 형성과 비밀유지라고 할 것이다.

2. 4급 이상 공무원들의 병역 면제사유인 질병명을 관보와 인터넷을 통해 공개하도록 하는 것의 위헌 여부(적극)

병무행정에 관한 부정과 비리가 근절되지 않고 있으며, 그 척결 및 병역부담평등에 대한 사회적 요구가 대단히 강한 우리 사회에서, '부정한 병역면탈의 방지'와 '병역의무의 자진이행에 기여'라는 입법목적을 달성하기 위해서는 병역사항을 신고하게 하고 적정한 방법으로 이를 공개하는 것이 필요하다고 할 수 있다. 한편, 질병은 병역처분에 있어 고려되는 본질적 요소이므로 병역공개제도의 실현을 위해 질병명에 대한 신고와 그 적정한 공개 자체는 필요하다 할 수 있다.

그런데 이 사건 법률조항은 사생활 보호의 헌법적 요청을 거의 고려하지 않은 채 인격 또는 사생활의 핵심에 관련되는 질병명과 그렇지 않은 것을 가리지 않고 무차별적으로 공개토록 하고 있으며, 일정한 질병에 대한 비공개요구권도 인정하고 있지 않다. 그리하여 그 공개 시 인격이나 사생활의 심각한 침해를 초래할 수 있는 질병이나 심신장애내용까지도 예외 없이 공개함으로써 신고의무자인 공무원의 사생활의 비밀을 심각하게 침해하고 있다.

우리 현실에 비추어 질병명 공개와 같은 처방을 통한 병역풍토의 쇄신이 필요하다 하더라도 특별한 책임과 희생을 추궁할 수 있는 소수 사회지도층에 국한하여야 할 것이다. 4급 공무원이면 주로 과장급 또는 계장급 공무원에 해당하여 주요 정책이나 기획의 직접적·최종적 결정권을 가진다고는 할 수 없고, 사회의 일반적 관념에 비추어 보면 평범한 직업인의 하나에 불과한 경우도 많을 것이다. 이런 점에서 이들의 병역정보가 설사 공적 관심의 대상이 된다 할지라도 그 정도는 비교적 약하다고 하지 않을 수 없고, 그렇다면 공무원 개인을 위한 정보 보호의 요청을 쉽사리 낮추어서는 아니되며 그 정보가 질병명과 같이 인격 또는 사생활의 핵심에 관련되는 것일 때는 더욱 그러하다.

결론적으로, 이 사건 법률조항이 공적 관심의 정도가 약한 4급 이상의 공무원들까지 대상으로 삼아 모든 질병명을 아무런 예외 없이 공개토록 한 것은 입법목적 실현에 치중한 나머지 사생활 보호의 헌법적 요청을 현저히 무시한 것이고, 이로 인하여 청구인들을 비롯한 해당 공무원들의 헌법 제17조가 보장하는 기본권인 사생활의 비밀과 자유를 침해하는 것이다.

084 금융감독원의 4급 이상 직원에 대하여 공직자윤리법상 재산등록의무를 부과하고 퇴직일로부터 2년간 사기업체 취직을 제한하는 공직자윤리법 사건
[기각]

판시사항 및 결정요지

1. 금융감독원의 4급 이상 직원에 대하여 공직자윤리법상 재산등록의무를 부과하는 공직자윤리법 제3조 제1항 제13호 중 공직자윤리법 시행령 제3조 제4항 제15호에 관한 부분(이하 '이 사건 재산등록 조항'이라 한다)이 금융감독원의 4급 직원인 청구인들의 사생활의 비밀의 자유 및 평등권을 침해하는지 여부(소극)

본인이나 배우자 등이 소유하고 있는 부동산이나 동산, 유가증권 등 재산의 종류와 그 가액 또는 그 재산의 변동사항 등에 관한 정보는 스스로의 뜻에 따라 삶을 영위해 나가면서 개성을 신장시키기 위한 전제가 되는 사유재산에 관한 정보로서 사적 영역에 관한 것이므로, 이 사건 재산등록 조항이 금융감독원의 4급 이상 직원에 대하여 사유재산에 관한 정보인 재산사항을 등록하도록 하는 것은 헌법 제17조가 보장하는 사생활의 비밀과 자유를 제한한다.

이 사건 재산등록 조항은 금융감독원 직원의 비리유혹을 억제하고 업무 집행의 투명성 및 청렴성을 확보하기 위한 것으로 입법목적이 정당하고, 금융기관의 업무 및 재산상황에 대한 검사 및 감독과 그에 따른 제재를 업무로 하는 금융감독원의 특성상 소속 직원의 금융기관에 대한 실질적인 영향력 및 비리 개연성이 클 수 있다는 점을 고려할 때 일정 직급 이상의 금융감독원 직원에게 재산등록의무를 부과하는 것은 적절한 수단이다. 재산등록제도는 재산공개제도와 구별되는 것이고, 재산등록사항의 누설 및 목적 외 사용 금지 등 재산등록사항이 외부에 알려지지 않도록 보호하는 조치가 마련되어 있다. 재산등록대상에 본인 외에 배우자와 직계존비속도 포함되나 이는 등록의무자의 재산은닉을 방지하기 위하여 불가피한 것이며, 고지거부제도 운용 및 혼인한 직계비속인 여자, 외조부모 등을 대상에서 제외함으로써 피해를 최소화하고 있다. 또한 이 사건 재산등록 조항에 의하여 제한되는 사생활 영역은 재산관계에 한정됨에 비하여 이를 통해 달성할 수 있는 공익은 금융감독원 업무의 투명성 및 책임성 확보 등으로 중대하므로 법익균형성도 충족하고 있다. 따라서 이 사건 재산등록 조항은 청구인들의 사생활의 비밀과 자유를 침해하지 아니한다.

금융위원회도 금융기관에 대한 감독 및 제재 업무를 담당한다는 점에서 금융감독원과 다를 바 없으므로 금융위원회와 같이 이 사건 재산등록 조항에서 금융감독원의 재산등록 대상을 4급 이상 직원으로 정한 데에는 합리적 이유가 있다. 한편, 한국은행과 예금보험공사의 직원에 비하여 금융감독원 직원의 금융기관에 대한 실질적인 영향력 및 그로 인한 비리 개연성은 훨씬 높다고 보여지므로 금융감독원의 재산등록 대상 직원을 한국은행 및 예금보험공사 직원보다 넓게 4급 이상으로 정한 데에도 합리적 이유가 있다. 따라서 이 사건 재산등록 조항은 청구인들의 평등권을 침해하지 아니한다.

2. 금융감독원의 4급 이상 직원에 대하여 퇴직일로부터 2년간 사기업체등에의 취업을 제한하는 구 공직자윤리법 제17조 제1항 중 공직자윤리법 시행령 제31조에 의하여 적용되는 제3조 제4항 제15호에 관한 부분(이하 '이 사건 취업제한 조항'이라 한다)이 청구인들의 직업의 자유 및 평등권을 침해하는지 여부(소극)

이 사건 취업제한 조항은 금융감독원 직원이 퇴직 이후 특정업체로의 취업을 목적으로 재직 중

특정업체에 특혜를 부여하거나, 퇴직 이후 재취업한 특정 업체를 위해 재직 중에 취득한 기밀이나 정보를 이용하거나, 재직했던 부서에 대하여 부당한 영향력을 행사할 가능성을 사전에 방지함으로써 궁극적으로 금융감독원 직무의 공정성을 확보하고 건전한 금융질서를 확보하려는 것이다. 이 사건 취업제한 조항은 일정한 규모 이상에 해당하면서 취업제한대상자가 퇴직 전 소속하였던 부서의 업무와 밀접한 관련성이 인정되는 사기업체등에의 취업만 제한하고, 조사, 검사 및 감독과 각종 인·허가 업무를 담당하는 부서에서 근무하였던 금융감독원의 직원만을 취업심사대상자에 포함시키고 있으며, 4급 이상 직원만을 포함시키고 있다. 또한 퇴직 후 2년이 경과하면 제한 없이 재취업이 허용된다. 나아가 사전에 취업제한 여부의 확인을 할 수 있는 제도가 마련되어 있고, 일정한 경우 우선취업도 가능하며, 예외적으로 공직자윤리위원회의 승인을 얻어 취업할 수도 있다. 따라서 이 사건 취업제한 조항은 청구인들의 직업선택의 자유를 침해하지 아니한다.

금융위원회와 금융감독원의 업무가 유사하여 피감기관인 금융기관과의 유착 및 영향력 행사 가능성 측면에서 양자는 다를 바 없으므로 금융감독원 직원의 경우에도 취업제한 대상을 4급 이상 직원으로 정한 데에 합리적 이유가 인정되고, 한국은행 및 예금보험공사의 업무와 금융감독원의 업무는 기본적으로 차이가 있어 금융기관과의 유착 및 영향력 행사 가능성에도 차이가 있으므로, 금융감독원의 취업제한 대상 직급을 한국은행 및 예금보험공사의 경우보다 더 넓은 범위인 4급 이상으로 정한 데에는 합리적 이유가 인정된다. 따라서 이 사건 취업제한 조항은 청구인들의 평등권을 침해하지 아니한다.

085 어린이집 CCTV 설치 의무 조항 등 위헌확인 사건 [기각, 각하]
- 2017. 12. 28.자 2015헌마994

판시사항 및 결정요지

1. 아동학대행위가 발생한 어린이집에 대한 폐쇄명령 등 조치 전에 행정관청으로 하여금 아동보호전문기관과 협의절차를 거치도록 한 영유아보육법(이하 '법'이라 한다) 제45조 제4항, 각종 의무위반에 대한 제재조항들, 아동학대관련범죄를 저지른 사람에 대한 어린이집 근무 결격기간 및 자격취소에 관한 조항들에 대한 심판청구가 헌법소원의 적법요건을 충족하지 않았다고 인정한 사례

   1) 행정관청이 아동학대행위가 발생한 어린이집에 대해 폐쇄명령을 하기에 앞서 아동보호전문기관과 협의절차를 거치도록 한 것은 행정관청 독단으로 이루어지는 위법·부당한 조치를 방지하기 위한 것으로 이로써 청구인들의 기본권이 침해되거나 침해 위험이 있다고 볼 수 없으므로 법 제45조 제4항에 대해서는 기본권 침해가능성이 인정되지 않는다

   2) 청구인들은 의무위반에 대한 제재조항에서 정한 과태료나 형사처벌이 과다하다는 등 제재조항 자체의 고유한 위헌성을 다투지 않고 그 전제가 되는 금지조항이나 의무부과 조항이 위헌이어서 제재조항도 당연히 위헌이라는 취지의 주장을 하는바, 이러한 경우 금지 또는 의무부과조항과 별도로 규정된 제재조항에 대해서는 기본권 침해의 직접성이 인정되지 아니한다.

   3) 기본권침해가 장래에 발생하더라도 그 침해가 틀림없을 것으로 현재 확실히 예측된다면 기본권구제의 실효성을 위하여 침해의 자기관련성 및 현재성을 인정할 수 있으나, 헌법소원의 심판대상 조항으로 인해 장차 언젠가 기본권 침해를 받을 우려가 있고 그러한 우려가 단순히 장래 잠재적으로 나타날 수 있는 것에 불과할 경우에는 기본권 침해의 현재성을 구비하였다고 볼 수 없다.
   결격기간 및 자격취소 조항은 기본적으로 관련자가 아동학대관련범죄로 금고 이상의 실형이나 집행유예, 또는 벌금형이 확정되는 것을 전제하고 있다. 그런데 어린이집 설치·운영자, 원장, 보육교사인 청구인들은 아동학대관련범죄로 조사 내지 수사받고 있거나 형사 소추되었거나 재판 중에 있다고 보이지 않는바, 그렇다면 위 청구인들이 어린이집에 근무하고 있다는 사실만으로 위 조항들로 인한 침해가 확실히 예상되거나 그 위헌 여부에 대해 관련되어 있다고 보기 어렵다.

2. 어린이집에 폐쇄회로 텔레비전(Closed Circuit Television, 이하 'CCTV'라 한다)을 원칙적으로 설치하도록 정한 법 제15조의4 제1항 제1호 등이 어린이집 보육교사의 사생활의 비밀과 자유 등을 침해하는지 여부(소극)

   1) CCTV 설치 조항으로 인해 보호자 전원이 반대하지 않는 한 어린이집 설치·운영자는 어린이집에 CCTV를 설치할 의무를 지게 되고 CCTV 설치 시 녹음기능 사용을 할 수 없으므로, 위 조항은 어린이집 설치·운영자인 청구인들의 직업수행의 자유를 제한한다. 그리고 어린이집에 CCTV 설치로 어린이집 원장을 포함하여 보육교사 및 영유아의 신체나 행동이 그대로 CCTV에 촬영·녹화되므로 CCTV 설치 조항은 이들의 사생활의 비밀과 자유를 제한하며, 어린이집에 CCTV 설치를 원하지 않는 부모의 자녀교육권도 제한한다.

2) CCTV 설치조항은 어린이집 안전사고와 보육교사등에 의한 아동학대를 방지하기 위한 것으로, CCTV 설치 그 자체만으로도 안전사고 예방이나 아동학대 방지 효과가 있으므로 입법목적이 정당하고 수단의 적합성이 인정된다.

어린이집 보육대상은 0세부터 6세 미만의 영유아로 어린이집에서의 아동학대 방지 및 적발을 위해서 CCTV 설치를 대체할 만한 수단은 상정하기 어렵다. 법은 CCTV 외에 네트워크 카메라 설치는 원칙적으로 금지하고, 녹음기능 사용금지(법 제15조의5 제2항 제2호 중 "녹음기능을 사용하거나" 부분) 등으로 관련 기본권 침해를 최소화하기 위한 조치를 마련하고 있으며, 보호자 전원이 CCTV 설치에 반대하는 경우에는 CCTV를 설치하지 않을 수 있는 가능성을 열어두고 있으므로 이 조항은 침해의 최소성에 반하지 아니한다.

영유아 보육을 위탁받아 행하는 어린이집에서의 아동학대근절과 보육환경의 안전성 확보는 단순히 보호자의 불안을 해소하는 차원을 넘어 사회적·국가적 차원에서도 보호할 필요가 있는 중대한 공익이다. 이 조항으로 보육교사 등의 기본권에 가해지는 제약이 위와 같은 공익에 비하여 크다고 보기 어려우므로 법익의 균형성도 인정된다.

따라서 법 제15조의4 제1항 제1호 및 제15조의5 제2항 제2호 중 "녹음기능을 사용하거나" 부분은 과잉금지원칙을 위반하여 청구인들의 기본권을 침해하지 않는다.

3. 보호자가 자녀 또는 보호아동의 안전을 확인할 목적으로 CCTV 영상정보 열람을 할 수 있도록 정한 법 제15조의5 제1항 제1호가 어린이집 보육교사의 개인정보자기결정권 등을 침해하는지 여부(소극)

1) 인간의 존엄과 가치, 행복추구권을 규정한 헌법 제10조 제1문에서 도출되는 일반적 인격권 및 헌법 제17조의 사생활의 비밀과 자유에 의하여 보장되는 개인정보자기결정권은 자신에 관한 정보가 언제 누구에게 어느 범위까지 알려지고 또 이용되도록 할 것인지를 그 정보주체가 스스로 결정할 수 있는 권리이다. 개인정보자기결정권의 보호대상이 되는 개인정보는 개인의 신체, 신념, 사회적 지위, 신분 등과 같이 개인의 인격주체성을 특징짓는 사항으로서 그 개인의 동일성을 식별할 수 있게 하는 일체의 정보라고 할 수 있고, 반드시 개인의 내밀한 영역이나 사사(私事)의 영역에 속하는 정보에 국한되지 않으며, 공적 생활에서 형성되었거나 이미 공개된 개인정보까지 포함한다. 또한 그러한 개인정보를 대상으로 한 조사·수집·보관·처리·이용 등의 행위는 모두 원칙적으로 개인정보자기결정권에 대한 제한에 해당한다.

'개인정보 보호법'에 의하면, 성명, 주민등록번호 등뿐만 아니라 개인을 알아볼 수 있는 '영상' 정보도 '개인정보'의 범위에 포함되고('개인정보 보호법' 제1조 제1호), 정보주체는 이러한 개인정보의 공개 등 처리에 관하여 정보를 제공받거나 그 처리에 관한 동의 여부 등을 선택하고 결정할 권리를 가진다(동법 제4조). CCTV에 녹화·저장된 보육교사와 영유아의 신체 및 생활 영상은 보육교사 및 영유아의 개인정보로, 이 조항에 의해 열람 요청을 한 보호자의 영유아를 제외한 보육교사나 다른 영유아들은 자신들의 영상이 담긴 개인정보의 공개 여부나 그 범위에 대하여 아무런 결정권한을 행사할 수 없다. 따라서 어린이집 내 보육일상이 담긴 영상의 수집·보관·이용 측면에서 피촬영자인 보육교사 등의 개인정보자기결정권이 제한된다.

그리고 CCTV 설치·관리자인 어린이집 원장은 원칙적으로 보호자의 CCTV 영상정보 열람 요청에 응하여야 하므로 이 조항은 어린이집 원장의 직업수행의 자유도 제한한다.

2) 법 제15조의5 제1항 제1호는 어린이집 안전사고 내지 아동학대 적발 및 방지를 위한 것으로, 아동학대 등이 의심되는 경우 보호자가 영상정보 열람을 통해 이를 확인할 수 있도록 하는 것은 어린이집에 CCTV 설치를 의무화하는 이유이다. 법은 CCTV 열람의 활용 목적을 제한하고 있고, 어린이집 원장은 열람시간 지정 등을 통해 보육활동에 지장이 없도록 보호자의 열람 요청에 적절히 대응할 수 있으므로 이 조항으로 어린이집 원장이나 보육교사 등의 기본권이 필요 이상으로 과도하게 제한된다고 볼 수 없다. 또한 이를 통해 달성할 수 있는 보호자와 어린이집 사이의 신뢰회복 및 어린이집 아동학대 근절이라는 공익의 중대함에 반하여, 제한되는 사익이 크다고 보기 어렵다. 따라서 법 제15조의5 제1항 제1호는 과잉금지원칙을 위반하여 어린이집 보육교사 등의 개인정보자기결정권 및 어린이집 원장의 직업수행의 자유를 침해하지 아니한다.

4. 보호자가 어린이집의 운영실태를 확인하기 위하여 어린이집 참관을 요구하는 경우 어린이집 원장은 특별한 사유가 없으면 이에 따라야 한다고 규정한 법 제25조의3이 어린이집 원장의 직업수행의 자유를 침해하는지 여부(소극)

1) 어린이집 원장은 특별한 사유가 없는 한 어린이집에 재원 중인 영유아의 보호자가 참관 요구를 하면 이를 허용하여야 하므로, 보호자 참관 규정은 자신의 결정에 따라 어린이집을 운영하고자 하는 어린이집 원장의 직업수행의 자유를 제한한다.

2) 어린이집 보호자 참관은 안전사고나 아동학대 등으로 어린이집 이용에 불안이 가중되고 있는 상황에서 어린이집 운영의 투명성을 제고하고 보호자와 어린이집 사이의 신뢰를 회복하기 위한 것으로, 어린이집에 보육을 위탁한 보호자가 어린이집의 환경이나 보육실태를 직접 참관하여 확인할 수 있으면 위와 같은 입법목적에 기여할 수 있으므로, 보호자 참관 조항은 입법목적의 정당성 및 수단의 적합성이 인정된다.

어린이집 원장은 보호자의 참관을 원칙적으로 허용하되 구체적인 참관 방법이나 참관 시간 등에 대해서 보호자와 개별적으로 협의하여 정함으로써 보육활동에 대한 실질적인 제약을 피할 수 있고, 일부 보호자들이 과도하게 어린이집 참관을 요구하여 어린이집 운영에 차질이 발생할 정도에 이르는 경우에는 참관 요구를 거부할 수도 있다. 따라서 보호자 참관 요구에 응하는 것이 어린이집 운영에 심각한 차질을 빚거나 어린이집에서의 영유아 보육활동을 방해하는 상황으로 이어질 것이라 보기 어렵다.

한편, 어린이집 내 아동학대를 예방하고 보호자의 신뢰를 회복하며 어린이집 운영의 투명성 제고라는 공익의 중대성을 고려할 때, 보호자 참관 요구로 인한 어린이집 운영상의 제약은 크지 아니하므로 법익의 균형성도 인정된다.

그러므로 보호자 참관 조항은 과잉금지원칙을 위반하여 어린이집 원장인 청구인의 직업수행의 자유를 침해하지 아니한다.

함께 보는 판례

구치소장이 수용자의 거실에 폐쇄회로 텔레비전(이하 'CCTV'라 한다)을 설치하여 계호한 행위(이하 '이 사건 CCTV 계호행위'라 한다)가 과잉금지원칙에 위배하여 수용자의 사생활의 비밀 및 자유를 침해하는지 여부(소극) (2011. 9. 29. 선고 2010헌마413)

이 사건과 같은 CCTV 계호행위는, 자살·자해 등 교정사고의 위험성이 높은 수형자를 효율적으로 감시하여 교정사고를 방지하고 수용질서를 유지하기 위하여 필요한 것이라고 하더라도, 수형자의 일거수·일투족을 24시간 지속적으로 감시하고 녹화함으로써 수형자 개인의 사생활 비밀 및 자유를 제한하는 것이므로, 헌법 제37조 제2항에 따라 필요한 경우에 한하여 최소한도로 실시되어야 한다.

이 사건 CCTV 계호행위는 청구인의 생명·신체의 안전을 보호하기 위한 것으로서 그 목적이 정당하고, 교도관의 시선에 의한 감시만으로는 자살·자해 등의 교정사고 발생을 막는 데 시간적·공간적 공백이 있으므로 이를 메우기 위하여 CCTV를 설치하여 수형자를 상시적으로 관찰하는 것은 위 목적 달성에 적합한 수단이라 할 것이며, '형의 집행 및 수용자의 처우에 관한 법률'(2007. 12. 21. 법률 제8728호로 개정되어 2008. 12. 22. 시행된 것) 및 동법 시행규칙은 CCTV 계호행위로 인하여 수용자가 입게 되는 피해를 최소화하기 위하여 CCTV의 설치·운용에 관한 여러 가지 규정을 하고 있고, 이에 따라 피청구인은 청구인의 사생활의 비밀 및 자유에 대한 제한을 최소화하기 위한 조치를 취하고 있는 점, 상시적으로 청구인을 시선계호할 인력을 확보하는 것이 불가능한 현실에서 자살이 시도되는 경우 신속하게 이를 파악하여 응급조치를 실행하기 위하여는 CCTV를 설치하여 청구인의 행동을 지속적으로 관찰하는 방법 외에 더 효과적인 다른 방법을 찾기 어려운 점 등에 비추어 보면, 이 사건 CCTV 계호행위는 피해의 최소성 요건을 갖추었다 할 것이고, 이로 인하여 청구인의 사생활에 상당한 제약이 가하여진다고 하더라도, 청구인의 행동을 상시적으로 관찰함으로써 그의 생명·신체를 보호하고 교정시설 내의 안전과 질서를 보호하려는 공익 또한 그보다 결코 작다고 할 수 없으므로, 법익의 균형성도 갖추었다. 따라서 이 사건 CCTV 계호행위가 과잉금지원칙을 위배하여 청구인의 사생활의 비밀 및 자유를 침해하였다고는 볼 수 없다.

086 변호사의 수임사건 건수 및 수임액 보고 사건 [기각]
― 2009. 10. 29. 선고 2007헌마667

판시사항 및 결정요지

1. 변호사에게 전년도에 처리한 수임사건의 건수 및 수임액을 소속 지방변호사회에 보고하도록 규정하고 있는 구 변호사법(2007. 3. 29. 법률 제8321호로 개정되고, 2008. 3. 28. 법률 제8991호로 개정되기 전의 것) **제28조의2**(이하 '이 사건 법률조항'이라 한다)**가 청구인들의 영업의 자유를 침해하는지 여부**(소극)

이 사건 법률조항은 지방변호사회로 하여금 소속 변호사들의 사건 수임에 관하여 감독이 가능하도록 함으로써 변호사 스스로가 구성원으로 된 자체 조직을 통하여 납세와 관련된 변호사의 자기 통제를 할 수 있도록 하여 변호사에 의한 탈세의 우려를 줄이고 이를 통해 조세행정 전반에 대한 국민적 신뢰를 공고히 하는데 주요한 입법취지가 있는바 이는 정당성이 인정되고, 소속지방변호사회에 수임사건의 건수 및 수임액을 보고하도록 함으로써 변호사들의 사건 수임 관련 정보를 한층 더 투명하게 하는 것은 위와 같은 목적을 달성할 수 있는 적절한 수단이 될 수 있다.

이 사건 법률조항은 수임관련 자료를 1년에 한번 제출할 것을 요구할 뿐인바 이는 영업의 자유가 예정하는 핵심적인 결정권을 간섭하지 않는 점 … 등을 종합하여 볼 때, 청구인들의 영업의 자유를 필요 이상으로 제한하고 있다고 보기 어렵다.

2. 이 사건 법률조항이 청구인들의 평등권을 침해하는지 여부(소극)

우리 사회는 변호사들에게 법률가로서의 능력뿐만 아니라 공공성을 지닌 법률전문가로서 가져야 할 사회적 책임성과 직업적 윤리성 또한 강하게 요청하고 있는 점, 이 사건 법률조항 위반으로 부과되는 벌칙은 형사벌이 아닌 과태료에 그친다는 점 등을 감안한다면, 이 사건 법률조항이 평등권을 침해하였다고 하기 어렵다.

3. 이 사건 법률조항이 청구인들의 사생활의 비밀을 침해하는지 여부(소극)

사생활의 비밀과 자유가 보호하는 것은 개인의 내밀한 내용의 비밀을 유지할 권리, 개인이 자신의 사생활의 불가침을 보장받을 수 있는 권리, 개인의 양심영역이나 성적 영역과 같은 내밀한 영역에 대한 보호, 인격적인 감정세계의 존중을 받을 권리와 정신적인 내면생활이 침해받지 아니할 권리 등이다. 한편, 공적인 영역의 활동은 다른 기본권에 의한 보호는 별론으로 하고 사생활의 비밀과 자유가 보호하는 것은 아니라고 할 것이다.

일반적으로 경제적 내지 직업적 활동은 복합적인 사회적 관계를 전제로 하여 다수 주체간의 상호작용을 통하여 이루어지는 것이고, 특히 변호사의 업무는 앞서 본 바와 같이 다른 어느 직업적 활동보다도 강한 공공성을 내포한다는 점 등을 감안하여 볼 때, 변호사의 업무와 관련된 수임사건의 건수 및 수임액이 변호사의 내밀한 개인적 영역에 속하는 것이라고 보기 어렵고, 따라서 이 사건 법률조항이 청구인들의 사생활의 비밀과 자유를 침해하는 것이라 할 수 없다.

| 개인정보자기결정권 |

 접견녹음파일 제공 사건 [기각]
— 2012. 12. 27. 선고 2010헌마153

판시사항

1. 구치소장이 청구인과 배우자의 접견을 녹음한 행위(이하 '이 사건 녹음행위'라 한다)가 청구인의 사생활의 비밀과 자유를 침해하는지 여부(소극)
2. 구치소장이 검사의 요청에 따라 청구인과 배우자의 접견녹음파일을 제공한 행위(이하 '이 사건 제공행위'라 한다)가 청구인의 개인정보자기결정권을 침해하는지 여부(소극)

사건의 개요

1. 청구인은 2009. 4. 28. 마약류관리에 관한 법률위반(향정) 혐의로 구속되어 2009. 5. 7. 부산구치소에 수용되고, 이후 기소되었다.
2. 피청구인은 청구인이 2009. 5. 7. 부산구치소에 수용된 이후 청구인과 배우자 사이에 이루어진 접견 내용을 녹음하고, 2009. 6. 9. 부산지방검찰청 검사장의 요구에 따라 청구인에 대한 접견녹음파일을 제공하였는바, 이는 공소 제기된 사건에서 범죄사실 인정의 증거로 사용되었다.
3. 이에 청구인은 피청구인이 위와 같이 청구인과 배우자 사이의 접견을 녹음하여 제공한 행위로 인해 청구인의 사생활의 자유 등 헌법상 보장된 기본권이 침해되었다고 주장하며, 2010. 3. 11. 이 사건 헌법소원심판을 청구하였다.

1. 미결수용자의 법적 지위와 그 기본권 제한

미결수용자들은 격리된 시설에서 강제적 공동생활을 하므로 구금목적의 달성 즉 도주·증거인멸의 방지와 규율 및 안전유지를 위한 통제의 결과 헌법이 보장하는 신체의 자유, 사생활의 비밀 및 자유 등 기본권에 대한 제한을 받는 것이 불가피하다. 물론 미결수용자의 경우에도, 국가가 개인의 불가침의 기본적인 인권을 확인하고 보장할 의무(헌법 제10조)로부터 자유로워질 수는 없다 할 것이고 이러한 기본권의 제한은 헌법 제37조 제2항에서 규정한 국가안전보장·질서유지 또는 공공복리를 위하여 필요한 경우에 한하여 법률로써 할 수 있으며, 제한하는 경우에도 자유와 권리의 본질적인 내용을 침해할 수 없다.

2. 이 사건 녹음행위에 대한 판단

가. 법적 근거

　미결수용자는 교정시설 외부에 있는 사람과 접견할 수 있는데, 이 때 형집행법 제41조 제2항은 "교정시설의 장(이하 '소장'이라 한다)은 범죄의 증거를 인멸하거나 형사 법령에 저촉되는 행위를 할 우려가 있는 때(제1호), 수형자의 교화 또는 건전한 사회복귀를 위하여 필요한 때(제2호), 시설의 안전과 질서유지를 위하여 필요한 때(제3호) 중 어느 하나에 해당하는 사유가 있으면 교도관으로 하여금 수용자의 접견내용을 청취·기록·녹음 또는 녹화하게 할 수 있다."고 규정하고 있는바, 이 규정 중 제1호 및 제3호는 미결수용자인 청구인의 접견내용을 녹음할 수 있는 법률상 근거가 된다.

나. 제한되는 기본권

　헌법 제17조는 모든 국민이 사생활의 비밀과 자유를 침해받지 아니할 권리를 규정하고 있는바, 사생활의 비밀은 국가가 사생활영역을 들여다보는 것에 대한 보호를 제공하는 기본권이며, 사생활의 자유는 국가가 사생활의 자유로운 형성을 방해하거나 금지하는 것에 대한 보호를 의미한다.
　이 사건 녹음행위는 미결수용자인 청구인이 배우자와 접견시 그 대화내용을 녹음한 것으로서 청구인의 내밀한 대화내용의 비밀유지를 어렵게 하고, 대화의 자유로운 형성 등을 위축시킬 수 있다. 따라서 이 사건 녹음행위가 헌법 제17조에서 보장하는 사생활의 비밀과 자유를 침해하는지 여부가 문제된다.

다. 과잉금지원칙 위반 여부

　1) 미결수용자이면서 마약류수용자인 청구인의 접견내용을 녹음한 것은 증거인멸의 가능성과 추가범죄의 발생 가능성을 차단하고, 교정시설 내의 안전과 질서유지에 기여하는 측면이 높다는 점에서 그 목적이 정당할 뿐만 아니라 수단 역시 적합하다 할 것이다.

　2) 소장은 접견내용을 녹음·녹화하는 경우 수용자 및 그 상대방이 접견실에 들어가기 전에 미리 그들에게 접견내용의 녹음·녹화사실을 말이나 서면 등으로 알려주어야 한다고 규정하고 있고), 녹음녹화접견실 및 접견대기실 등에는 "녹음녹화접견 시 유의사항"을 게시하고, 수시로 안내방송을 실시하고 있다. 나아가 이렇게 취득된 접견기록물은 그 보호·관리를 위하여 접견정보 취급자를 지정하여야 하고, 접견정보 취급자는 직무상 알게 된 접견정보를 누설하거나 권한 없이 처리하거나 다른 사람이 이용하도록 제공하는 등 부당한 목적을 위하여 사용할 수 없게끔 규정하고 있는바, 접견기록물의 엄격한 관리를 위한 제도적 장치도 마련되어 있다. 이러한 점을 종합하면, 이 사건 녹음행위는 침해의 최소성 요건도 갖추었다고 할 것이다.

　3) 이 사건 녹음행위는 접견내용이 녹음·녹화 등의 방법으로 기록된다는 사실이 미리 고지되고 있으므로, 청구인이 나눈 접견내용에 대한 사생활의 비밀로서의 보호가치 역시 그리 크지 않다고 할 것이다. 결국 청구인의 접견내용을 녹음함으로써 증거인멸이나 형사법령 저촉행위의 위험을 방지하고, 교정시설 내의 안전과 질서유지에 기여하려는 공익은 청구인의 사익의 제한보다 훨씬 크고 중요한 것이라고 할 것이므로, 법익의 불균형을 인정하기도 어렵다.

4) 따라서 이 사건 녹음행위는 과잉금지원칙에 위반하여 청구인의 사생활의 비밀과 자유를 침해하였다고 볼 수 없다.

3. 이 사건 제공행위에 대한 판단

가. 법적 근거

형사소송법 제199조 제2항 및 구 '공공기관의 개인정보 보호에 관한 법률' 제10조 제3항 제6호는 검사 등 관계기관이 범죄의 수사와 공소의 제기 및 유지에 필요한 경우 소장에게 접견기록물의 제출을 요청하여 그 접견기록물을 제공받을 수 있도록 규정하고 있고, 형집행법 시행령 제62조 제4항 제2호는 소장이 관계기관으로부터 '범죄의 수사와 공소의 제기 및 유지에 필요한 때'에 해당한다는 사유로 접견기록물의 제출을 요청받은 경우에 기록물을 제공할 수 있도록 규정하고 있는 바, 위 규정들은 이 사건 제공행위의 법령상 근거가 된다.

나. 제한되는 기본권

개인정보자기결정권은 자신에 관한 정보가 언제 누구에게 어느 범위까지 알려지고 또 이용되도록 할 것인지를 그 정보주체가 스스로 결정할 수 있는 권리로서, 헌법 제10조 제1문에서 도출되는 일반적 인격권 및 헌법 제17조의 사생활의 비밀과 자유에 의하여 보장된다. 이와 같이 개인정보의 공개와 이용에 관하여 정보주체 스스로가 결정할 권리인 개인정보자기결정권의 보호대상이 되는 개인정보는 개인의 신체, 신념, 사회적 지위, 신분 등과 같이 개인의 인격주체성을 특징짓는 사항으로서 그 개인의 동일성을 식별할 수 있게 하는 일체의 정보라고 할 수 있다. 또한, 그러한 개인정보를 대상으로 한 조사·수집·보관·처리·이용 등의 행위는 모두 원칙적으로 개인정보자기결정권에 대한 제한에 해당한다.

구 공공기관의 개인정보보호에 관한 법률 제2조 제2호는 '당해 개인을 식별할 수 있는 정보' 뿐 아니라 '당해 정보만으로는 특정 개인을 식별할 수 없더라도 다른 정보와 용이하게 결합하여 식별할 수 있는 것을 포함한다'고 규정하고 있다. 그런데 이 사건 접견녹음파일은 접견자의 성명, 녹음일시 등을 기록함으로써 특정 개인을 식별할 수 있고, 접견시 이루어지는 대화의 방식과 내용은 개인의 신분, 사회적 지위 등 인격주체성을 특징짓는 사항으로서 그 개인의 동일성을 식별할 수 있게 하는 정보이므로 이 사건 접견녹음파일은 위 규정상 '개인정보'에 해당한다. 이처럼 이 사건 제공행위는 정보주체인 청구인의 동의 없이 이 사건 접견녹음파일을 관계기관에 제공한 것으로 청구인의 개인정보자기결정권을 제한하는 것이므로 그 침해 여부가 문제된다.

다. 과잉금지원칙 위반 여부

1) 이 사건 제공행위는 앞서 본 바와 같이 관계 법령에서 수사기관이 범죄의 수사와 공소의 제기 및 유지에 필요한 경우 소장으로부터 접견기록물을 제공받을 수 있도록 규정하고 있고, 수사기관이 피의사실과 관련된 증거를 수집하여 형사사법의 실체적 진실을 발견하고 이를 통해 형사사법의 적정한 수행을 도모하기 위한 것으로서 그 목적이 정당할 뿐만 아니라 수단 역시 적합하다고 할 것이다.

2) 앞서 본 바와 같이 합리적으로 인정되는 미결수용자의 사생활의 비밀과 자유에 대한 기대는 일반 개인의 그것보다 제한적이므로, 위 권리를 한 축으로 하고 있는 개인정보자기결정권과 관련하여 합리적으로 인정되는 미결수용자의 기대는 일반 개인의 기대와 같다고 할 수 없다. 특히, 청구인과 같은 마약사범 미결수용자의 경우에는 마약범죄의 중독성, 상습성, 조직범죄성으로 인해 다른 범죄와 연계될 가능성이 큰 점에 비추어, 그 기대는 더욱 제한적이라고 할 것이다.

접견내용의 녹음은 앞서 살펴본 바와 같이 사전에 녹음된다는 사실을 고지하도록 하고 있고, 접견기록물의 제공은 수사기관과 법원 등에 국한되며, 범죄의 수사와 공소제기 및 유지, 법원의 재판업무 수행 등을 위하여 필요한 경우에만 이루어진다.

한편, 피청구인이 청구인의 접견녹음파일을 제공하면서 수사나 공소의 제기 등과 관련이 없거나 범죄혐의와 관련 없을 것으로 보이는 접견자와의 접견녹음파일은 제외하여 제공하여야 한다는 주장이 있을 수 있으나, <u>수사기관이나 법원이 아닌 피청구인이 청구인의 대화내용 중 어떠한 부분이 수사, 공소제기 등에 필요한 부분인지 구분하는 것은 실질적으로 불가능한 점</u>, 수사기관이나 법원은 청구인의 대화내용을 전체적으로 살펴보아야 수사 및 공소제기 등에 필요한 부분인지 여부를 판단할 수 있는 점, 당사자간의 대화에는 은어나 약어 등에 의해 일반적, 사적인 내용으로 보이는 것도 범죄와 관련된 경우도 있을 수 있어 범죄와의 관련성을 쉽게 파악하기 어려운 점 등을 고려할 때, 위 주장은 타당하지 아니하다.

이러한 점을 종합하면, 이 사건 제공행위는 침해의 최소성 요건도 갖추었다고 할 것이다.

3) 접견내용이 녹음, 녹화 등의 방법으로 기록된다는 사실이 미리 고지되고 있다는 점에서 그에 대한 보호가치가 그리 크다고 볼 수는 없다. 결국 마약류사범으로서 미결수용자인 청구인의 접견내용을 수사기관 등에 제공하여 형사사법의 실체적 진실을 발견함으로써 형사적 정의를 구현하려는 공익은 청구인의 사익의 제한보다 훨씬 크고 중요한 것이라고 할 것이므로 법익의 균형성도 갖추었다.

4) 따라서 이 사건 제공행위는 과잉금지원칙에 위반하여 청구인의 개인정보자기결정권을 침해하였다고 볼 수 없다.

라. 영장주의원칙 위반 여부

헌법 제12조 제3항 영장주의는 법관이 발부한 영장에 의하지 아니하고는 수사에 필요한 강제처분을 하지 못한다는 원칙을 말한다.

<u>이 사건 제공행위는 수사기관이 범죄의 수사와 공소의 제기 및 유지에 필요한 경우 소장에게 접견기록물을 제공할 수 있도록 규정한 관계 법령에 근거한 것으로, 직접적으로 물리적 강제력을 행사하는 등 강제처분을 수반하는 것이 아니기 때문에 영장주의가 적용되지 않는다.</u>

따라서 이 사건 제공행위는 관계 법령에서 정해진 적법한 절차에 따라 이루어진 것으로서 법관의 영장을 필요로 하는 강제처분이라고 할 수 없으므로 헌법 제12조 제3항의 영장주의에 위배하였다고 할 수 없다.

088 통신매체이용음란죄 신상정보 등록 사건 [위헌]
― 2016. 3. 31. 선고 2015헌마688

판시사항 및 결정요지

통신매체이용음란죄로 유죄판결이 확정된 자는 신상정보 등록대상자가 된다고 규정한 '성폭력범죄의 처벌 등에 관한 특례법'(2012. 12. 18. 법률 제11556호로 전부개정된 것, 이하 '성폭력특례법'이라 한다) 제42조 제1항 중 "제13조의 범죄로 유죄판결이 확정된 자는 신상정보 등록대상자가 된다."는 부분이 청구인의 개인정보 자기결정권을 침해하는지 여부(적극)

성범죄자의 재범을 억제하고 재범 발생시 수사의 효율성을 제고하기 위하여, 일정한 성범죄를 저지른 자로부터 신상정보를 제출받아 보존·관리하는 것은 정당한 목적을 위한 적합한 수단이다. 그러나, 모든 성범죄자가 신상정보 등록대상이 되어서는 안되고, 신상정보 등록제도의 입법목적에 필요한 범위 내로 제한되어야 한다. 통신매체이용음란죄의 구성요건에 해당하는 행위 태양은 행위자의 범의·범행 동기·행위 상대방·행위 횟수 및 방법 등에 따라 매우 다양한 유형이 존재하고, 개별 행위유형에 따라 재범의 위험성 및 신상정보 등록 필요성은 현저히 다르다. 그런데 심판대상조항은 통신매체이용음란죄로 유죄판결이 확정된 사람은 누구나 법관의 판단 등 별도의 절차 없이 필요적으로 신상정보 등록대상자가 되도록 하고 있고, 등록된 이후에는 그 결과를 다툴 방법도 없다. 그렇다면 심판대상조항은 통신매체이용음란죄의 죄질 및 재범의 위험성에 따라 등록대상을 축소하거나, 유죄판결 확정과 별도로 신상정보 등록 여부에 관하여 법관의 판단을 받도록 하는 절차를 두는 등 기본권 침해를 줄일 수 있는 다른 수단을 채택하지 않았다는 점에서 침해의 최소성 원칙에 위배된다. 또한, 심판대상조항으로 인하여 비교적 불법성이 경미한 통신매체이용음란죄를 저지르고 재범의 위험성이 인정되지 않는 이들에 대하여는 달성되는 공익과 침해되는 사익 사이에 불균형이 발생할 수 있다는 점에서 법익의 균형성도 인정하기 어렵다.

089 카메라등이용촬영범죄자 신상정보 등록 사건 [헌법불합치, 기각]
— 2015. 7. 30. 선고 2014헌마340·672, 2015헌마99(병합)

판시사항

1. 성폭력범죄의처벌등에관한특례법위반(카메라등이용촬영, 카메라등이용촬영미수)죄로 유죄판결이 확정된 자는 신상정보 등록대상자가 되도록 규정한 '성폭력범죄의 처벌 등에 관한 특례법'(이하 '성폭력특례법'이라 한다) 제42조 제1항 중 "제14조 제1항, 제15조('성폭력범죄의 처벌 등에 관한 특례법' 제14조 제1항의 미수범으로 한정한다)의 범죄로 유죄판결이 확정된 자는 신상정보 등록대상자가 된다." 부분(이하 '이 사건 등록조항'이라 한다)이 개인정보자기결정권을 침해하는지 여부(소극)
2. 법무부장관은 등록정보를 최초 등록일부터 20년간 보존·관리하여야 한다고 규정한 성폭력특례법 제45조 제1항(이하 '이 사건 관리조항'이라 한다)이 개인정보자기결정권을 침해하는지 여부(적극)
3. 헌법불합치결정을 하면서 잠정적용을 명한 사례

사건의 개요

청구인은 성폭력범죄의처벌등에관한특례법위반(카메라등이용촬영)죄로 유죄확정판결을 받아, '성폭력범죄의 처벌 등에 관한 특례법' 제42조 제1항, 제45조 제1항에 의하여 20년간 신상정보 등록대상자가 되었다. 이에 청구인은 위 법 제42조 제1항 및 제45조 제1항이 자신의 인간의 존엄과 가치 등 기본권을 침해한다고 주장하면서 2014. 8. 14. 이 사건 헌법소원심판을 청구하였다.

심판대상조항 및 관련조항

성폭력범죄의 처벌 등에 관한 특례법(2012. 12. 18. 법률 제11556호로 전부개정된 것)

제42조(신상정보 등록대상자) ① 제2조 제1항 제3호·제4호, 같은 조 제2항(제1항 제3호·제4호에 한정한다), 제3조부터 제15조까지의 범죄 및 「아동·청소년의 성보호에 관한 법률」 제2조 제2호의 범죄(이하 "등록대상 성범죄"라 한다)로 유죄판결이 확정된 자 또는 같은 법 제49조 제1항 제4호에 따라 공개명령이 확정된 자는 신상정보 등록대상자(이하 "등록대상자"라 한다)가 된다. 다만, 「아동·청소년의 성보호에 관한 법률」 제11조 제5항의 범죄로 벌금형을 선고받은 자는 제외한다.

제45조(등록정보의 관리) ① 법무부장관은 등록정보를 최초 등록일(등록대상자에게 통지한 등록일을 말한다)부터 20년간 보존·관리하여야 한다.

주문

1. '성폭력범죄의 처벌 등에 관한 특례법'(2012. 12. 18. 법률 제11556호로 전부개정된 것) 제45조 제1항은 헌법에 합치되지 아니한다. 위 조항은 2016. 12. 31.을 시한으로 입법자가 개정할 때까지 계속 적용된다.
2. 청구인들의 나머지 심판청구를 기각한다.

I 판 단

1. 이 사건 등록조항에 대한 판단

가. 제한되는 기본권

인간의 존엄과 가치, 행복추구권을 규정한 헌법 제10조 제1문에서 도출되는 일반적 인격권 및 헌법 제17조의 사생활의 비밀과 자유에 의하여 보장되는 개인정보자기결정권은 자신에 관한 정보가 언제 누구에게 어느 범위까지 알려지고 또 이용되도록 할 것인지를 그 정보주체가 스스로 결정할 수 있는 권리이다. 즉 정보주체가 개인정보의 공개와 이용에 관하여 스스로 결정할 권리를 말한다. 개인정보자기결정권의 보호대상이 되는 개인정보는 개인의 신체, 신념, 사회적 지위, 신분 등과 같이 개인의 인격주체성을 특징짓는 사항으로서 그 개인의 동일성을 식별할 수 있게 하는 일체의 정보라고 할 수 있고, 반드시 개인의 내밀한 영역이나 사사(私事)의 영역에 속하는 정보에 국한되지 않으며, 공적 생활에서 형성되었거나 이미 공개된 개인정보까지 포함한다. 또한, 그러한 개인정보를 대상으로 한 조사·수집·보관·처리·이용 등의 행위는 모두 원칙적으로 개인정보자기결정권에 대한 제한에 해당한다.

이 사건 등록조항은 성폭력특례법 제14조 제1항, 제15조('성폭력범죄의 처벌 등에 관한 특례법' 제14조 제1항의 미수범으로 한정한다)의 범죄로 유죄판결이 확정된 자를 신상정보 등록대상자로 규정하는 바, 일정한 성범죄자의 개인정보 수집·보관·처리·이용에 관한 근거규정으로서 개인정보자기결정권을 제한한다.

나. 개인정보자기결정권 침해 여부

1) 목적의 정당성과 수단의 적합성

성범죄자의 재범을 억제하고 수사의 효율성을 제고하기 위하여, 일정한 성범죄를 저지른 자로부터 신상정보를 제출받아 보존·관리하는 것은 정당한 목적을 위한 적합한 수단이다.

2) 침해의 최소성, 법익의 균형성

처벌범위 확대, 법정형 강화만으로 카메라등이용촬영범죄를 억제하기에 한계가 있으므로 위 범죄로 처벌받은 사람에 대한 정보를 국가가 관리하는 것은 재범을 방지하는 유효하고 현실적인 방법이 될 수 있다. 카메라등이용촬영죄의 행위 태양, 불법성의 경중은 다양할 수 있으나, 결국 인격체인 피해자의 성적 자유 및 함부로 촬영당하지 않을 자유를 침해하는 성범죄로서의 본질은 같으므로 입법자가 개별 카메라등이용촬영죄의 행위 태양, 불법성을 구별하지 않은 것이 지나친 제한이라고 볼 수 없고, 신상정보 등록대상자가 된다고 하여 그 자체로 사회복귀가 저해되거나 전과자라는 사회적 낙인이 찍히는 것은 아니므로 침해되는 사익은 크지 않은 반면 이 사건 등록조항을 통해 달성되는 공익은 매우 중요하다. 따라서 이 사건 등록조항은 개인정보자기결정권을 침해하지 않는다.

다. 평등권 침해 여부

청구인은 일반 범죄와 달리 성범죄의 경우에만 신상정보 등록대상이 되도록 한 것이 평등권을 침해한다고 주장한다. 그러나 이 사건 관리조항이 정한 성범죄와 보호법익이 다른 그 밖의 범죄를 저지른 자들이 본질적으로 동일한 비교집단이라고 볼 수 없다.

라. 재판청구권 침해 여부

청구인들은 이 사건 등록조항이 법관의 판단을 거치지 아니하고 신상정보를 등록하게 하는 것으로서 재판청구권을 침해한다고 주장한다.

그런데 이 사건 등록조항은 신상정보 등록에 관한 실체법적 근거규정으로서 권리보호절차 내지 소송절차를 규정하는 절차법적 성격을 갖고 있지 아니하기 때문에, 이 사건 등록조항에 의하여 재판청구권이 침해될 여지가 없다. 즉 이 사건 등록조항으로 인하여 일정한 성범죄의 유죄판결이 확정되면 곧 신상정보 등록대상자가 된다고 하더라도 이로 인하여 앞에서 살핀 것처럼 개인정보자기결정권의 침해 여부가 문제 될지언정, 재판청구권이 침해된다고 할 수 없다. 나아가 신상정보 등록제도는 범죄에 대한 국가의 형벌권 실행으로서의 처벌에 해당하지 아니하므로, 법관이 신상정보 등록 여부를 별도로 정하도록 하지 아니하였다고 하더라도 법관에 의하여 재판받을 권리를 침해하는 것이라 할 수 없다.

2. 이 사건 관리조항에 대한 판단

가. 제한되는 기본권

이 사건 관리조항은 법무부장관으로 하여금 신상정보 등록대상자의 등록정보를 최초 등록일부터 20년간 보존·관리하게 하는바, 일정한 성범죄자의 개인정보 수집·보관·처리·이용에 관한 근거규정으로서 개인정보자기결정권을 제한한다.

나. 개인정보자기결정권 침해 여부

1) 목적의 정당성과 수단의 적합성

이 사건 관리조항은 성범죄의 재범을 억제하고 재범이 현실적으로 이루어진 경우 수사의 효율성과 신속성을 높이기 위하여, 법무부장관이 등록대상자의 재범 위험성이 상존하는 20년 동안 그의 신상정보를 보존·관리하게 하는바, 이는 정당한 입법목적을 달성하기 위한 적합한 수단에 해당한다.

2) 침해의 최소성

그런데 이 사건 관리조항은 형사책임의 경중, 재범의 위험성을 전혀 고려하지 않고 모든 등록대상 성범죄에 일률적으로 20년의 등록기간을 적용하고 있다. 같은 성범죄를 저지른 경우에도 재범의 위험성은 대상자의 직업과 환경, 당해 범행 이전의 행적, 그 범행의 동기, 수단, 범행 후의 정황, 개전의 정 등 여러 사정에 따라 달리 판단될 수 있으며, 이는 등록대상자에 따라 개별적으로 판단되어야 할 문제이다. 그럼에도 이 사건 관리조항은 모든 등록대상 성범죄에 일괄적인 등록기간을 강제함으로써, 위와 같은 사정을 참작하여 등록기간을 설정할 여지를 박탈하고 있다.

따라서 모든 등록대상 성범죄가 일률적으로 20년 동안 높은 재범의 위험성을 보이는 것이 아니라 등록대상 성범죄와 등록대상자에 따라 재범의 위험성에 차이가 존재하므로, 입법자는 등록대상자의 재범의 위험성에 따른 등록기간을 조정함으로써 등록대상자의 개인정보자기결정권에 대한 침해를 최소화하는 것이 바람직하다.

이상에서 살펴본 바와 같이 이 사건 관리조항은 모든 등록대상자에 대해 획일적으로 20년의 등록기간을 부과한 점, 위 기간 동안 재범의 위험성이 낮아진 경우 등록을 면하거나 등록기간을 단축하기 위한 수단도 마련되어 있지 않다는 점에서 침해의 최소성 원칙에 반한다.

3) 법익의 균형성

모든 등록대상자에게 20년 동안 신상정보를 등록하게 하고, 위 기간 동안 변경정보를 제출하고 1년마다 사진 촬영을 위해 관할 경찰관서를 출석해야 할 의무를 부여하며 위 의무들을 위반할 경우 형사처벌하는 것은 비교적 경미한 등록대상 성범죄를 저지르고 재범의 위험성도 인정되지 않는 자들에 대해서는 달성되는 공익과 침해되는 사익 사이의 불균형이 발생할 수 있다. 따라서 이 사건 관리조항은 법익의 균형성이 인정되지 않는다.

4) 소 결

이 사건 관리조항은 과잉금지원칙을 위반하여 청구인들의 개인정보자기결정권을 침해하므로 헌법에 위반된다.

다. 헌법불합치결정과 잠정적용명령

이 사건 관리조항의 위헌성을 제거하기 위하여 등록기간의 범위를 차등적으로 규정하고 재범의 위험성이 없어지는 등 사정 변경이 있는 경우 등록의무를 면하거나 등록기간을 단축하기 위한 수단을 마련하는 것은 입법자의 형성재량의 영역에 속하므로 헌법불합치결정을 선고하고, 다만 2016. 12. 31.을 시한으로 입법자가 개선입법을 할 때까지 이 사건 관리조항의 계속적용을 명한다.

II 결 론

이 사건 등록조항에 대한 심판청구는 이유 없으므로 기각하고, 이 사건 관리조항은 헌법에 합치되지 아니하나, 2016. 12. 31.을 시한으로 입법자의 개선입법이 이루어질 때까지 잠정적으로 적용을 명하기로 한다. 이 결정은 이 사건 등록조항에 대한 재판관 김이수, 재판관 이진성의 반대의견, 이 사건 등록조항에 대한 재판관 강일원, 재판관 조용호의 반대의견, 이 사건 관리조항에 대한 재판관 김이수, 재판관 이진성의 별개의견이 있는 외에는 나머지 관여 재판관의 일치된 의견에 따른 것이다.

주민등록법 상 지문날인제도 사건 [기각]
― 2005. 5. 26. 선고 99헌마513,2004헌마190(병합)

판시사항

1. 이 사건 심판대상과 개인정보자기결정권의 관련 여부(적극)
2. 위 심판대상조항과 행위가 법률유보의 원칙에 위배되는지 여부(소극)
3. 위 심판대상조항과 행위가 개인정보자기결정권을 과잉제한하는 것인지 여부(소극)

사건의 개요

청구인들은 모두 17세가 되어 주민등록법 제17조의8 제1항에 의하여 주민등록증 발급대상자가 된 사람들로서, 주민등록증 발급신청을 하라는 통지를 받고 각 관할 동사무소를 방문하였으나 담당공무원들로부터 주민등록법시행령 제33조 제2항에 의한 별지 제30호서식을 근거로 주민등록증발급신청서에 열 손가락 지문을 날인할 것을 요구받게 되자 이를 거부하였다. 주민등록법 제17조의8 제3항, 제21조의4 제2항·제3항에 의하면, 위 청구인들은 발급신청기간 내에 주민등록증의 발급을 신청하여야 하고, 정당한 사유 없이 그 기간 내에 신청을 하지 아니한 경우에는 5만 원 이하 또는 10만 원 이하의 과태료에 처하도록 되어 있다.

위 청구인들은 주민등록법시행령 제33조 제2항에 의한 별지 제30호서식 중 열 손가락의 회전지문과 평면지문을 날인하도록 한 부분과 주민등록법시행규칙 제9조 중 주민등록증발급신청서를 송부하도록 한 부분이 자신들의 인간의 존엄과 가치, 행복추구권, 인격권, 신체의 자유, 사생활의 비밀과 자유, 개인정보자기결정권, 양심의 자유 등을 침해한다고 주장하면서, 2004. 3. 11. 그 위헌확인을 구하는 이 사건 헌법소원심판을 청구하였다.

심판대상

① 주민등록법시행령 제33조 제2항에 의한 별지 제30호서식 중 열 손가락의 회전지문과 평면지문을 날인하도록 한 부분(이하 '이 사건 시행령조항'이라 한다)
② 주민등록법시행규칙 제9조(시장·군수 또는 구청장은 주민등록증발급신청서와 별지 제5호서식의 주민등록증발급신청서집계표를 다음달 5일까지 해당자의 주민등록지를 관할하는 경찰서의 파출소장에게 송부하여야 한다) 중 주민등록증발급신청서를 송부하도록 한 부분(이하 '이 사건 시행규칙조항'이라 한다)
③ 경찰청장이 청구인의 주민등록증발급신청서에 날인되어 있는 지문정보를 보관·전산화하고 이를 범죄수사목적에 이용하는 행위(이하 '경찰청장의 보관 등 행위'라 한다)

> **주문**

1. 주민등록법시행규칙 제9조 중 주민등록증발급신청서를 송부하도록 한 부분에 대한 청구인 이○빈, 같은 최○아, 같은 정○호의 심판청구를 각하한다.
2. 위 청구인들의 나머지 심판청구와 청구인 오○익, 같은 홍○만의 심판청구를 모두 기각한다.

I 적법요건에 대한 판단

1. 이 사건 시행규칙조항에 관한 부분

이 사건 시행규칙조항은 지문날인이 된 주민등록증발급신청서의 작성을 전제로 시장·군수 또는 구청장으로 하여금 이를 해당자의 주민등록지를 관할하는 경찰서의 파출소장에게 송부하도록 하는 규정이다. 그렇다면 지문날인을 거부한 청구인 이○빈 등으로서는 이 사건 시행규칙조항에 의하여 자신들의 기본권을 현재 침해받고 있다고 볼 여지가 없음은 명백하다.

한편, 기본권의 침해가 장래에 발생하더라도 그 침해가 틀림없을 것으로 현재 확실히 예측된다면 기본권구제의 실효성을 위하여 침해의 현재성이 인정된다고 할 것이나, 이 사건의 경우 지문날인제도를 다투고 있는 청구인 이○빈 등이 장래 지문날인을 할 것이 확실히 예측된다고 보기도 어려우므로, 이 사건 시행규칙조항에 의한 기본권침해 역시 확실히 예측된다고 할 수 없다.

따라서 이 사건 시행규칙조항에 대한 이 부분 심판청구는 기본권침해의 자기관련성 및 현재성 요건을 결여한 것으로서 부적법하다.

2. 이 사건 시행령조항에 관한 부분

청구인 이○빈 등은 17세에 달한 주민등록증 발급대상자로서 이 사건 시행령조항에 따라 주민등록증발급신청서에 열 손가락 지문을 날인하여 주민등록증의 발급을 신청해야 할 의무를 부담하게 되었고, 정당한 사유 없이 발급신청기간 내에 신청을 하지 아니한 경우에는 5만 원 이하 또는 10만 원 이하의 과태료에 처해지게 되었으므로(주민등록법 제17조의8 제3항, 제21조의4 제2항·제3항), 집행행위에 의하지 아니하고 법령 그 자체에 의하여 의무가 부과된 경우로서 이 사건 시행령조항에 대한 이 부분 심판청구는 자기관련성, 직접성 및 현재성의 요건을 모두 갖춘 것으로 볼 수 있다.

3. 경찰청장의 보관 등 행위에 관한 부분

가. 헌법소원의 대상성 여부

경찰청장이 지문정보를 보관·전산화하여 이를 경찰행정목적에 사용하는 것은 개인정보의 하나인 지문정보의 보관·처리·이용을 의미하고, 이는 후술하는 바와 같이 헌법상 기본권의 하나로 인정되는 이른바 개인정보자기결정권을 제한하는 공권력의 행사로 보아야 할 것이다.

나. 청구기간의 준수 여부

경찰청장의 보관 등 행위는 위와 같이 각 보관 또는 전산화한 날 이후 청구인 오○익 등의 헌법소원심판 청구시점까지 계속되고 있었다고 할 것이므로, 이와 같이 계속되는 권력적 사실행위를 대상으로 하는 이 부분 심판청구의 경우 청구기간 도과의 문제는 발생하지 아니한다고 할 것이다.

II 본안에 대한 판단

1. 이 사건 심판대상(시행령조항과 경찰청장의 보관 등 행위)과 관련기본권

가. 개인정보자기결정권은 자신에 관한 정보가 언제 누구에게 어느 범위까지 알려지고 또 이용되도록 할 것인지를 그 정보주체가 스스로 결정할 수 있는 권리이다. 즉 정보주체가 개인정보의 공개와 이용에 관하여 스스로 결정할 권리를 말한다. 개인정보자기결정권의 보호대상이 되는 개인정보는 개인의 신체, 신념, 사회적 지위, 신분 등과 같이 개인의 인격주체성을 특징짓는 사항으로서 그 개인의 동일성을 식별할 수 있게 하는 일체의 정보라고 할 수 있고, 반드시 개인의 내밀한 영역이나 사사(私事)의 영역에 속하는 정보에 국한되지 않고 공적 생활에서 형성되었거나 이미 공개된 개인정보까지 포함한다. 또한 그러한 개인정보를 대상으로 한 조사·수집·보관·처리·이용 등의 행위는 모두 원칙적으로 개인정보자기결정권에 대한 제한에 해당한다.

개인정보자기결정권의 헌법상 근거로는 헌법 제17조의 사생활의 비밀과 자유, 헌법 제10조 제1문의 인간의 존엄과 가치 및 행복추구권에 근거를 둔 일반적 인격권 또는 위 조문들과 동시에 우리 헌법의 자유민주적 기본질서 규정 또는 국민주권원리와 민주주의원리 등을 고려할 수 있으나, 개인정보자기결정권으로 보호하려는 내용을 위 각 기본권들 및 헌법원리들 중 일부에 완전히 포섭시키는 것은 불가능하다고 할 것이므로, 그 헌법적 근거를 굳이 어느 한 두개에 국한시키는 것은 바람직하지 않은 것으로 보이고, 오히려 개인정보자기결정권은 이들을 이념적 기초로 하는 독자적 기본권으로서 헌법에 명시되지 아니한 기본권이라고 보아야 할 것이다.

개인의 고유성, 동일성을 나타내는 지문은 그 정보주체를 타인으로부터 식별가능하게 하는 개인정보이므로, 시장·군수 또는 구청장이 개인의 지문정보를 수집하고, 경찰청장이 이를 보관·전산화하여 범죄수사목적에 이용하는 것은 모두 개인정보자기결정권을 제한하는 것이라고 할 수 있다.

나. 청구인들은 심판대상인 이 사건 시행령조항 및 경찰청장의 보관 등 행위에 의하여 침해되는 기본권으로서 인간의 존엄과 가치, 행복추구권, 인격권, 사생활의 비밀과 자유 등을 들고 있으나, 위 기본권들은 모두 개인정보자기결정권의 헌법적 근거로 거론되는 것들로서 청구인들의 개인정보에 대한 수집·보관·전산화·이용이 문제되는 이 사건에서 그 보호영역이 개인정보자기결정권의 보호영역과 중첩되는 범위에서만 관련되어 있다고 할 수 있으므로, 특별한 사정이 없는 이상 개인정보자기결정권에 대한 침해 여부를 판단함으로써 위 기본권들의 침해 여부에 대한 판단이 함께 이루어지는 것으로 볼 수 있어 그 침해 여부를 별도로 다룰 필요는 없다고 보인다.

다. 그 밖에 청구인 이○빈 등은 이 사건 시행령조항에 의하여 신체의 자유와 양심의 자유가 침해된다고 주장하고 있다.

우리 헌법 제12조 제1항 전문에서 보장하는 신체의 자유는 신체의 안정성이 외부로부터의 물리적인 힘이나 정신적인 위험으로부터 침해당하지 아니할 자유와 신체활동을 임의적이고 자율적으로 할 수 있는 자유를 말하는 것이다. 그렇다면 이 사건 시행령조항이 주민등록증 발급대상자에 대하여 열 손가락의 지문을 날인할 의무를 부과하는 것만으로는 신체의 안정성을 저해한다거나 신체활동의 자유를 제약한다고 볼 수 없으므로, 이 사건 시행령조항에 의한 신체의 자유의 침해가능성은 없다고 할 것이다.

한편, 헌법 제19조가 보장하는 양심의 자유에 있어서의 양심에는 세계관·인생관·주의·신조 등은 물론이고 나아가 널리 개인의 인격형성에 관계되는 내심에 있어서의 가치적·윤리적 판단도 포함된다. 그러므로 양심의 자유는 널리 사물의 시시비비나 선악과 같은 윤리적 판단에 국가의 간섭을 받지 않을 내심의 자유는 물론, 이와 같은 윤리적 판단을 국가권력에 의하여 외부에 표명하도록 강제되지 않을 자유까지 포괄한다. 그런데 지문을 날인할 것인지 여부의 결정이 선악의 기준에 따른 개인의 진지한 윤리적 결정에 해당한다고 보기는 어려워, 열 손가락 지문날인의 의무를 부과하는 이 사건 시행령조항에 대하여 국가가 개인의 윤리적 판단에 개입한다거나 그 윤리적 판단을 표명하도록 강제하는 것으로 볼 여지는 없다고 할 것이므로, 이 사건 시행령조항에 의한 양심의 자유의 침해가능성 또한 없는 것으로 보인다.

그리고 청구인 오○익 등은 경찰청장의 보관 등 행위가 자신들의 신체의 자유를 침해하고 무죄추정의 원칙은 물론 영장주의 내지 강제수사법정주의에 위배된다고 주장하고 있으나, 이미 수집되어 있는 지문정보를 보관·전산화하여 범죄수사목적에 이용하는 것만으로 신체의 안정성을 저해한다거나 신체활동의 자유를 제약하는 것으로 볼 수 없으므로 신체의 자유를 침해하거나 영장주의 내지 강제수사법정주의에 위배된다고 볼 여지가 없고, 경찰청장의 보관 등 행위가 범죄현장에서 지문이 채취된 자 또는 지문정보가 보관되어 있는 모든 국민의 유죄추정을 전제로 하는 것이라고 할 수도 없다.

라. 따라서 이 사건 심판청구에 있어 문제되는 기본권을 개인정보자기결정권에 국한하여 보기로 하고, 이하에서는 심판대상인 이 사건 시행령조항 및 경찰청장의 보관 등 행위에 의한 개인정보자기결정권의 제한이 헌법상 허용되는 것인지 여부를 살펴본다.

3. 법률유보의 원칙 위배 여부

가. 주민등록법 제17조의8 제1항 및 제3항은 주민등록이 된 자 중 17세 이상의 자에 대하여 주민등록증을 발급하도록 하면서 그 발급은 발급대상자의 신청에 의하도록 하고 있고, 같은 조 제2항 본문은 "주민등록증에는 성명·사진·주민등록번호·주소·지문·발행일·주민등록기관을 수록한다."라고 하여 주민등록증의 수록사항의 하나로 지문을 규정하고 있으며, 같은 조 제5항은 "주민등록증 및 그 발급신청서의 서식과 그 발급절차는 대통령령으로 정한다."라고 규정하고 있다.

이에 따라 주민등록법시행령 제33조 제2항은 주민등록증 발급대상자는 관계공무원 앞에서 별지 제

30호서식에 의한 주민등록증발급신청서에 지문을 날인하여 주민등록증 발급을 신청하도록 규정하고 있고, 별지 제30호서식은 열 손가락의 회전지문과 평면지문을 날인하도록 규정하고 있다.

주민등록법 제17조의8 제2항 본문은 주민등록증의 수록사항의 하나로 지문을 규정하고 있을 뿐 '오른손 엄지손가락 지문'이라고 특정한 바가 없으며, 이 사건 시행령조항에서는 주민등록법 제17조의8 제5항의 위임규정에 근거하여 주민등록증발급신청서의 서식을 정하면서 보다 정확한 신원확인이 가능하도록 하기 위하여 열 손가락의 지문을 날인하도록 하고 있는 것이므로, 이를 두고 법률에 근거가 없는 것으로서 법률유보의 원칙에 위배되는 것으로 볼 수는 없다.

나. 다음으로 경찰청장이 본래 시장·군수 또는 구청장이 관장하는 주민등록에 관한 사무와 관련하여 수집된 지문정보를 송부받아 이를 보관하는 것은 개인정보자기결정권을 제한하는 것이므로 그 법률적 근거가 필요하다.

개인정보자기결정권은 정보주체로 하여금 개인정보의 공개와 이용을 스스로 통제하도록 함으로써 타인에게 형성될 정보주체의 사회적 인격상에 대한 결정권을 정보주체에게 유보시킨다는 의미를 갖고 있는바, 지문정보는 그러한 결정권을 제약하는 요소로 작용할 여지가 매우 작다.

특히 주민등록증발급신청서에 날인되어있는 지문정보는 정보주체가 지문날인시 지문정보의 수집 및 처리가 이루어지리라는 것을 쉽사리 예상할 수 있는 특징을 갖고 있다. 따라서 경찰청장이 지문정보를 보관하는 행위와 관련하여 요청되는 법률에 의한 규율의 밀도 내지 수권법률의 명확성의 정도는 그다지 강하다고 할 수 없을 것이다.

공공기관의개인정보보호에관한법률 제10조 제2항 제6호는 컴퓨터에 의하여 이미 처리된 개인정보뿐만 아니라 컴퓨터에 의하여 처리되기 이전의 원 정보자료 자체도 경찰청장이 범죄수사목적을 위하여 다른 기관에서 제공받는 것을 허용하는 것으로 해석되어야 하고, 경찰청장은 같은 법 제5조에 의하여 소관업무를 수행하기 위하여 필요한 범위 안에서 이를 보유할 권한도 갖고 있으며, 여기에는 물론 지문정보를 보유하는 것도 포함된다. 따라서 경찰청장이 지문정보를 보관하는 행위는 공공기관의개인정보보호에관한법률 제5조, 제10조 제2항 제6호에 근거한 것으로 볼 수 있고, 그 밖에 주민등록법 제17조의8 제2항 본문, 제17조의10 제1항, 경찰법 제3조 및 경찰관직무집행법 제2조에도 근거하고 있다.

따라서 경찰청장이 청구인 오○익 등의 지문정보를 보관하는 행위가 법률유보의 원칙에 위배되는 것이라고 볼 수는 없다.

라. 경찰청장이 보관하고 있는 지문정보를 전산화하고 이를 범죄수사목적에 이용하는 행위가 법률의 근거가 있는 것인지 여부에 관하여 보건대, 경찰청장은 개인정보화일의 보유를 허용하고 있는 공공기관의개인정보보호에관한법률 제5조에 의하여 자신이 업무수행상의 필요에 의하여 적법하게 보유하고 있는 지문정보를 전산화할 수 있고, 지문정보의 보관은 범죄수사 등의 경우에 신원확인을 위하여 이용하기 위한 것이므로, 경찰청장이 지문정보를 보관하는 행위의 법률적 근거로서 거론되는 법률조항들은 모두 경찰청장이 지문정보를 범죄수사목적에 이용하는 행위의 법률적 근거로서 원용될 수 있다.

마. 따라서 이 사건 시행령조항 및 경찰청장의 보관 등 행위는 모두 그 법률의 근거가 있다.

4. 개인정보자기결정권의 과잉제한 여부

이 사건 지문날인제도가 범죄자 등 특정인만이 아닌 17세 이상 모든 국민의 열 손가락 지문정보를 수집하여 보관하도록 한 것은 신원확인기능의 효율적인 수행을 도모하고, 신원확인의 정확성 내지 완벽성을 제고하기 위한 것으로서, 그 목적의 정당성이 인정되고, 또한 이 사건 지문날인제도가 위와 같은 목적을 달성하기 위한 효과적이고 적절한 방법의 하나가 될 수 있다.

범죄자 등 특정인의 지문정보만 보관해서는 17세 이상 모든 국민의 지문정보를 보관하는 경우와 같은 수준의 신원확인기능을 도저히 수행할 수 없는 점, 개인별로 한 손가락만의 지문정보를 수집하는 경우 그 손가락 자체 또는 지문의 손상 등으로 인하여 신원확인이 불가능하게 되는 경우가 발생할 수 있고, 그 정확성 면에 있어서도 열 손가락 모두의 지문을 대조하는 것과 비교하기 어려운 점, 다른 여러 신원확인수단 중에서 정확성·간편성·효율성 등의 종합적인 측면에서 현재까지 지문정보와 비견할만한 것은 찾아보기 어려운 점 등을 고려해 볼 때, 이 사건 지문날인제도는 피해 최소성의 원칙에 어긋나지 않는다.

이 사건 지문날인제도로 인하여 정보주체가 현실적으로 입게 되는 불이익에 비하여 경찰청장이 보관·전산화하고 있는 지문정보를 범죄수사활동, 대형사건사고나 변사자가 발생한 경우의 신원확인, 타인의 인적사항 도용 방지 등 각종 신원확인의 목적을 위하여 이용함으로써 달성할 수 있게 되는 공익이 더 크다고 보아야 할 것이므로, 이 사건 지문날인제도는 법익의 균형성의 원칙에 위배되지 아니한다.

결국 이 사건 지문날인제도가 과잉금지의 원칙에 위배하여 청구인들의 개인정보자기결정권을 침해하였다고 볼 수 없다.

III 결 론

따라서 이 사건 시행규칙조항에 대한 청구인 이○빈 등의 심판청구는 부적법하므로 각하하기로 하고, 청구인 이○빈 등의 나머지 심판청구와 청구인 오○익 등의 심판청구는 이유 없으므로 모두 기각하기로 하여 주문과 같이 결정한다. 이 결정은 재판관 송인준, 재판관 주선회, 재판관 전효숙의 반대의견이 있는 외에는 나머지 재판관 전원의 의견일치에 의한 것이다.

091 주민등록번호 변경 사건 [헌법불합치]
― 2015. 12. 23. 선고 2013헌바68, 2014헌마449(병합)

판시사항

1. 개인별로 주민등록번호를 부여하면서 주민등록번호 변경에 관한 규정을 두고 있지 않은 주민등록법 제7조가 개인정보자기결정권을 침해하는지 여부(적극)
2. 법적 공백이나 혼란을 막기 위해 헌법불합치결정을 하면서 계속적용을 명한 사례

사건의 개요

1. 2013헌바68 사건

청구인들은 "인터넷 포털사이트 또는 온라인 장터의 개인정보 유출 또는 침해 사고로 인하여 주민등록번호가 불법 유출되었다."는 이유로 각 관할 지방자치단체장에게 주민등록번호를 변경해 줄 것을 신청하였으나, 현행 주민등록법령상 주민등록번호 불법 유출을 원인으로 한 주민등록번호 변경은 허용되지 않는다는 이유로 주민등록번호 변경을 거부하는 취지의 통지를 받았다.

청구인들은 주민등록번호 변경신청 거부처분 취소의 소를 제기하였으나(서울행정법원 2012구합1204), 주민등록번호 변경에 대한 신청권이 인정되지 않는다는 이유로 각하되자, 이에 불복하여 항소를 제기하고(서울고등법원 2012누16727), 그 소송 계속 중 주민등록법 제7조 제3항, 제4항 등이 헌법에 위반된다고 주장하며 위헌법률심판제청을 신청하였으나(서울고등법원 2012아506), 항소가 기각됨과 동시에 위 위헌법률심판제청신청이 각하되자, 2013. 2. 27. 위 법률조항들에 대하여 이 사건 헌법소원심판을 청구하였다.

2. 2014헌마449 사건

청구인들은 "2014. 1.경 발생한 신용카드 회사의 개인정보 유출사고로 인하여 주민등록번호가 불법 유출되었다."는 이유로 각 관할 지방자치단체장에게 주민등록번호를 변경해 줄 것을 신청하였으나, 현행 주민등록법령상 주민등록번호 불법 유출을 원인으로 한 주민등록번호 변경은 허용되지 않는다는 이유로 주민등록번호 변경을 거부하는 취지의 통지를 받았다.

청구인들은 주민등록법 제7조 제3항, 제4항, 주민등록법 시행령 제7조 제4항, 제8조 제1항 및 주민등록법 시행규칙 제2조에서 불법 유출된 주민등록번호에 대한 주민등록번호 변경절차를 두고 있지 않은 것이 청구인들의 기본권을 침해한다고 주장하며, 2014. 6. 9. 이 사건 헌법소원심판을 청구하였다.

심판대상조항 및 관련조항

2013헌바68 사건 청구인들은 '주민등록법 제7조 제3항, 제4항'을, 2014헌마449 사건 청구인들은 '주민등록법 제7조 제3항, 제4항, 주민등록법 시행령 제7조 제4항, 제8조 제1항, 주민등록법 시행규칙 제

2조'를 각 심판대상조항으로 삼고 있다. 그런데 청구인들이 주장하는 것은 위 조항들의 내용이 위헌이라는 것이 아니라, 주민등록번호의 잘못된 이용에 대비한 '주민등록번호 변경'에 대하여 아무런 규정을 두고 있지 않은 것이 헌법에 위반된다는 것이므로, 이는 주민등록번호 부여제도에 대하여 입법을 하였으나 주민등록번호의 변경에 대하여는 아무런 규정을 두지 아니한 부진정 입법부작위가 위헌이라는 것이다. 따라서 청구인들의 이러한 주장과 가장 밀접하게 관련되는 조항인 주민등록법 제7조 전체를 심판대상으로 삼고, 나머지 조항들은 심판대상에서 제외하기로 한다.

주민등록법(2007. 5. 11. 법률 제8422호로 전부개정된 것)

제7조(주민등록표 등의 작성) ① 시장·군수 또는 구청장은 주민등록사항을 기록하기 위하여 전산정보처리조직(이하 "전산조직"이라 한다)으로 개인별 및 세대별 주민등록표(이하 "주민등록표"라 한다)와 세대별 주민등록표 색인부를 작성하고 기록·관리·보존하여야 한다.
② 개인별 주민등록표는 개인에 관한 기록을 종합적으로 기록·관리하며 세대별(세대별) 주민등록표는 그 세대에 관한 기록을 통합하여 기록·관리한다.
③ 시장·군수 또는 구청장은 주민에게 개인별로 고유한 등록번호(이하 "주민등록번호"라 한다)를 부여하여야 한다.
④ 주민등록표와 세대별 주민등록표 색인부의 서식 및 기록·관리·보존방법 등에 필요한 사항과 주민등록번호를 부여하는 방법은 대통령령으로 정한다.

주문

1. 주민등록법(2007. 5. 11. 법률 제8422호로 전부개정된 것) 제7조는 헌법에 합치되지 아니한다.
2. 위 조항은 2017. 12. 31.을 시한으로 입법자가 개정할 때까지 계속 적용된다.

1. 제한되는 기본권

주민등록번호는 모든 국민에게 일련의 숫자 형태로 부여되는 고유한 번호로서 당해 개인을 식별할 수 있는 정보에 해당하는 개인정보이다. 그런데 심판대상조항은 국가가 주민등록번호를 부여·관리·이용하면서 그 변경에 관한 규정을 두지 않음으로써 주민등록번호 불법 유출 등을 원인으로 자신의 주민등록번호를 변경하고자 하는 청구인들의 개인정보자기결정권을 제한하고 있다.

따라서 주민등록번호 변경에 관한 규정을 두지 않은 심판대상조항이 과잉금지원칙을 위반하여 청구인들의 개인정보자기결정권을 침해하는지 여부에 관하여 살펴보기로 한다.

2. 개인정보자기결정권 침해 여부

심판대상조항이 모든 주민에게 고유한 주민등록번호를 부여하면서 이를 변경할 수 없도록 한 것은 주민생활의 편익을 증진시키고 행정사무를 신속하고 효율적으로 처리하기 위한 것으로서, 그 입법목적의 정당성과 수단의 적합성을 인정할 수 있다.

그러나 현재의 주민등록번호는 목적별로 식별번호를 구분하여 사용하지 않고 모든 영역에 걸쳐 통합 사용되고 있는바, 공공부문에서 행정사무처리의 효율성을 높이는 기능을 하는 이외에 민간부문에서도 각종 상거래 등에 광범위하게 사용되는 등 국민의 사회경제생활에 필수적인 도구가 되었기 때문에, 이를 관리하는 국가는 주민등록번호가 유출되거나 악용되는 사례가 발생하지 않도록 철저히 관리하여야 하며, 그럼에도 불구하고 문제가 발생하는 경우 그로 인한 피해가 최소화되도록 제도를 정비하고 보완하여야 할 의무가 있다. … 개인정보를 통합하는 연결자(key data) 기능을 하는 주민등록번호가 불법 유출 또는 오·남용되는 경우 개인의 사생활뿐만 아니라 생명·신체·재산까지 침해될 소지가 크고, 실제 유출된 주민등록번호가 다른 개인정보와 연계되어 각종 광고 마케팅에 이용되고 사기, 보이스피싱 등의 범죄에 악용되는 등 해악이 현실화되고 있음은 신문이나 방송을 통하여 쉽게 목도할 수 있다. 이러한 현실에서 주민등록번호 유출 또는 오·남용으로 인하여 발생할 수 있는 피해 등에 대한 아무런 고려 없이 주민등록번호 변경을 일률적으로 허용하지 않는 것은 그 자체로 개인정보자기결정권에 대한 과도한 침해가 될 수 있다. 비록 국가가 개인정보보호법이나 정보통신망법 등의 입법을 통하여 주민등록번호 처리와 수집·이용을 제한하고, 주민등록번호의 유출이나 오·남용을 예방하는 조치를 취하고 있다고는 하나, 여전히 관련 법령 등에 의하여 주민등록번호를 처리하거나 수집·이용할 수 있는 경우가 적지 아니할 뿐만 아니라, 이미 주민등록번호가 유출되어 발생되었거나 발생될 수 있는 피해 등에 대해서는 뚜렷한 해결책을 제시하지 못하고 있으며, 위와 같은 입법조치 이전에 이미 주민등록번호가 유출된 경우도 상당수 존재하므로, 위와 같은 조치만으로는 국민의 개인정보자기결정권에 대한 충분한 보호가 된다고 보기 어렵다. 이러한 사정들을 종합하여 보면, 침해의 최소성 원칙에 위반된다.

심판대상조항에서 주민등록번호 변경을 허용하지 않음으로써 얻어지는 행정사무의 신속하고 효율적인 처리를 통한 공익이 중요하다고 하더라도, 앞서 본 바와 같이 주민등록번호의 유출이나 오·남용으로 인하여 발생할 수 있는 피해 등에 대한 아무런 고려 없이 일률적으로 주민등록번호를 변경할 수 없도록 함으로써 침해되는 주민등록번호 소지자의 개인정보자기결정권에 관한 사익은 심판대상조항에 의하여 달성되는 구체적 공익에 비하여 결코 적지 않다고 할 것이므로, 심판대상조항은 법익의 균형성도 충족하지 못하였다.

따라서 주민등록번호 변경에 관한 규정을 두고 있지 않은 심판대상조항은 과잉금지원칙을 위반하여 청구인들의 개인정보자기결정권을 침해한다.

3. 헌법불합치결정과 잠정적용명령

심판대상조항의 위헌성은 주민등록번호 변경에 관하여 규정하지 아니한 부작위에 있는바, 이를 이유로 심판대상조항에 대하여 단순위헌결정을 할 경우 주민등록번호제도 자체에 관한 근거규정이 사라지게 되어 용인하기 어려운 법적 공백이 생기게 되고, 주민등록번호 변경제도를 형성함에 있어서는 입법자가 광범위한 입법재량을 가지므로, 심판대상조항에 대하여는 헌법불합치결정을 선고하되, 2017. 12. 31.을 시한으로 입법자가 개선입법을 할 때까지 계속 적용하기로 한다.

092 교원의 노동조합 가입정보 공개금지 사건 [기각, 각하]
― 2011. 12. 29. 선고 2010헌마293

판시사항

1. 단체가 그 구성원을 위하여 또는 그 구성원을 대신하여 헌법소원심판을 청구하는 경우 자기관련성을 인정할 수 있는지 여부(소극)
2. 학부모들의 알 권리와 교원의 개인정보 자기결정권이라는 두 기본권이 충돌하는 경우에 대해 심판한 사례
3. 교원의 개인정보 공개를 금지하고 있는 '교육관련기관의 정보공개에 관한 특례법' 제3조 제2항(이하 '이 사건 법률조항'이라 한다)이 과잉금지원칙에 반하여 학부모들의 알 권리를 침해하는지 여부(소극)
4. 공시대상정보로서 교원의 교원단체 및 노동조합 가입현황(인원 수)만을 규정할 뿐 개별 교원의 명단은 규정하고 있지 아니한 구 '교육관련기관의 정보공개에 관한 특례법 시행령' 제3조 제1항 별표 1 제15호 아목 중 "교원" 부분(이하 '이 사건 시행령조항'이라 한다)이 과잉금지원칙에 반하여 학부모들의 알 권리를 침해하는지 여부(소극)

사건의 개요

1. 청구인들은 건전한 청소년의 육성과 청소년단체 상호간의 교류와 지원을 위해 설립된 사단법인 부산광역시청소년단체협의회(청구인 1.)와 부산지역의 초·중등학교에 자녀들을 취학시키고 있는 학부모들(청구인 2.~16.)이다. 청구인들은 2010. 5. 6. 위 학부모들의 자녀가 취학 중인 학교에 근무하고 있는 교원들이 노동조합에 가입하였는지 여부 및 어떤 노동조합에 가입하였는지를 알아보기 위해 부산광역시교육청에 행정정보공개청구를 하였으나, 부산광역시교육청은 같은 달 7. 위 공개청구가 '교육관련기관의 정보공개에 관한 특례법'(이하 '교육관련기관정보공개법'이라 한다) 제3조 제2항 및 동법 시행령 제3조 제1항 등에 위반된다고 하여 정보공개를 거부하였다.
2. 이에 청구인들은 교원의 개인정보 공개를 금지하고 있는 교육관련기관정보공개법 제3조 제2항(이하 '이 사건 법률조항'이라 한다) 및 교직원의 교원단체 및 노동조합 가입 현황(인원 수)만을 공시하도록 한 동법 시행령 제3조 제1항 별표 1 제15호 아목 중 "교원" 부분(이하 '이 사건 시행령조항'이라 한다)이 청구인들의 알 권리 등을 침해하여 헌법에 위반된다고 주장하며 2010. 5. 10. 이 사건 헌법소원심판을 청구하였다.

심판대상조항 및 관련조항

교육관련기관의 정보공개에 관한 특례법(2007. 5. 25. 법률 제8492호로 제정된 것)

제3조(정보공개의 원칙) ② 이 법에 따라 공시 또는 제공되는 정보는 학생 및 교원의 개인정보를 포함하여서는 아니 된다.

교육관련기관의 정보공개에 관한 특례법 시행령(2008. 11. 17. 대통령령 제21119호로 제정되고 2011. 4. 8. 대통령령 제22899호로 개정되기 전의 것)
제3조(초·중등학교 공시정보의 범위·횟수 및 시기 등) ① 법 제5조 제1항 각 호의 공시정보의 범위·공시 횟수 및 그 시기는 별표 1과 같다.

[별표 1] 초·중등교육기관의 공시정보 범위, 공시횟수 및 그 시기(제3조 제1항 관련)

공시정보 항목	공시정보 범위	공시기관	공시횟수	공시 시기
15. 그 밖에 교육 여건 및 학교 운영 상태 등에 관한 사항	아. 교직원의 교원단체 및 노동조합 가입 현황(인원 수)	전체	연 1회	5월

주문
1. 청구인 사단법인 부산광역시청소년단체협의회의 심판청구를 각하한다.
2. 나머지 청구인들의 심판청구를 기각한다.

I 적법요건에 관한 판단

1. 청구인 사단법인 부산광역시청소년단체협의회의 자기관련성

원칙적으로 단체는 단체 자신의 기본권을 직접 침해당한 경우에만 그의 이름으로 헌법소원심판을 청구할 수 있을 뿐이고, 그 구성원을 위하여 또는 구성원을 대신하여 헌법소원심판을 청구할 수는 없다.

청구인 사단법인 부산광역시청소년단체협의회의 정관상 목적과 활동내용에 비추어 볼 때, 위 협의회는 학부모들을 위하여 이 사건 헌법소원심판을 대신 청구하는 것에 지나지 아니하므로 자기관련성이 인정되지 아니한다.

2. 이 사건 법률조항 및 이 사건 시행령조항의 직접성

법률 또는 법률조항 자체가 헌법소원의 대상이 될 수 있으려면 그 법률 또는 법률조항이 직접 청구인의 기본권을 침해하여야 하는바, 기본권침해의 직접성이란 집행행위에 의하지 아니하고 법률 그 자체에 의하여 자유의 제한, 의무의 부과, 권리 또는 법적 지위의 박탈이 생긴 경우를 뜻하므로, 당해 법령에 근거한 구체적인 집행행위를 통하여 비로소 기본권 침해의 법률효과가 발생하는 경우에는 직접성의 요건이 결여된다. 그런데, 법규범이 집행행위를 예정하고 있다 하더라도 법규범의 내용이 집행행위 이전에 이미 국민의 권리관계를 직접 변동시키거나 국민의 법적 지위를 결정적으로 정하는 것이어서 국민의 권리관계가 집행행위의 유무나 내용에 의하여 좌우될 수 없을 정도로 확정된 상태라면 그 법규범의 직접성 요건은 인정된다.

살피건대, 이 사건 법률조항의 경우, 위 조항은 "이 법에 따라 공시 또는 제공되는 정보는 학생 및 교원의 개인정보를 포함하여서는 아니 된다."라고 규정하여 교원의 개인정보에 대한 공시 또는 제공(이하 '공개'라 한다)을 금지하고 있으므로, 그 자체에 의해 직접 알 권리가 제한된다고 할 수 있다.

한편, 교원의 교원단체 및 노동조합 가입 정보에 대한 정보공개청구가 있을 경우 공개 혹은 비공개처분이라는 집행행위가 예정되어 있기는 하지만, 이 사건 시행령조항은 초·중등교육을 실시하는 학교의 장이 매년 1회 이상 공시하여야 할 정보의 하나로 "교직원의 교원단체 및 노동조합 가입 현황(인원 수)"만을 규정하고 있어 여기에 해당하지 않는 정보인 개별 교원의 교원단체 및 노동조합 가입에 관한 정보는 공시의 대상의 되지 아니함이 명백하고, 실제로 처분청 역시 이 사건 시행령조항을 공개거부처분의 근거로 삼고 있는바, 그렇다면, 이 사건 시행령조항 역시 기본권침해의 직접성이 인정된다 할 것이다.

3. 소 결

따라서 청구인 사단법인 부산광역시청소년단체협의회의 심판청구는 자기관련성이 없어 부적법하며, 나머지 청구인들의 심판청구는 직접성 등을 모두 갖추어 적법하다.

Ⅱ 본안에 관한 판단

1. 제한되는 기본권 및 심사의 방법

가. 부모는 자녀의 교육에 관하여 전반적인 계획을 세우고 자신의 인생관·사회관·교육관에 따라 자녀의 교육을 자유롭게 형성할 권리, 즉 자녀교육권을 가진다. 그리고 자녀교육권을 실질적으로 보장하기 위해서는 자녀의 교육에 필요한 정보가 제공되어야 하는바 학부모는 교육정보에 대한 알 권리를 가진다. 이러한 정보 속에는 자신의 자녀를 가르치는 교원이 어떠한 자격과 경력을 가진 사람인지는 물론 어떠한 정치성향과 가치관을 가지고 있는 사람인지에 대한 정보도 포함되는 것이므로, 교원의 교원단체 및 노동조합 가입에 관한 정보도 알 권리의 한 내용이 될 수 있다.

그러므로 개별 교원이 어떤 교원단체나 노동조합에 가입해 있는지에 대한 정보 공개를 제한하고 있는 이 사건 법률조항 및 이 사건 시행령조항은 학부모인 청구인들의 알 권리를 제한하는 것이며, 학부모는 그런 알 권리를 통해 자녀교육을 행하게 되므로 위 조항들은 동시에 교육권에 대한 제약도 발생시킨다고 할 수 있다.

그런데, 하나의 규제로 인해 여러 기본권이 동시에 제약을 받는 경우에는 사안과 가장 밀접한 관계에 있고 또 침해의 정도가 큰 주된 기본권을 중심으로 해서 그 제한의 한계를 따져 보아야 하는바, 학부모의 교육권은 위 정보에 대한 알 권리의 충족 여부에 따라 간접적으로 영향받는 것이라 할 수 있으므로, 사안과 가장 밀접한 관계에 있고 또 침해의 정도가 큰 알 권리를 중심으로 살펴보기로 한다.

나. 한편, 여기서 알 권리를 보장한다는 것은 곧 알 권리의 대상이 되는 정보를 공개한다는 것인바, 이는 당해 정보의 정보주체에 대해 사생활의 비밀과 자유를 제한하는 결과를 초래한다.

나아가 정보의 주체는 자신에 관한 정보가 언제 누구에게 어느 범위까지 알려지고 또 이용되도록 할 것인지를 그 정보주체가 스스로 결정할 수 있는 권리, 즉 개인정보 자기결정권을 가지는바,

교원의 교원단체 및 노동조합 가입 정보에 대한 공개는 당해 교원의 개인정보 자기결정권에 대해서도 제한을 가하는 것이라 할 수 있다.

다. 결국, 이 사건은 교원의 교원단체 및 노동조합 가입에 관한 정보의 공개를 요구하는 청구인들의 알 권리 및 그것을 통한 교육권과 그 정보의 비공개를 요청하는 정보주체인 교원의 사생활의 비밀과 자유 및 이를 구체화한 개인정보 자기결정권이 충돌하는 문제상황이다.

이와 같이 두 기본권이 충돌하는 경우에는 헌법의 통일성을 유지하기 위하여 상충하는 기본권 모두 최대한으로 그 기능과 효력을 발휘할 수 있도록 조화로운 방법이 모색되어야 한다. 따라서 이 사건 법률조항 및 이 사건 시행령조항이 알 권리를 제한하는 목적이 정당한 것인가, 그러한 목적을 달성하기 위하여 마련된 수단이 알 권리를 제한하는 정도와 개인정보 자기결정권을 보호하는 정도 사이에 적정한 비례를 유지하고 있는가의 관점에서 이 사건을 심사하기로 한다.

2. 판 단

가. 제한목적의 정당성

알 권리란 정보원으로부터 자유롭게 정보를 수령·수집하거나 국가기관 등에 대하여 정보의 공개를 청구할 수 있는 권리이다. 그런데, 정보의 공개를 통해 일방의 알 권리를 충족한다는 것은 정보를 공개당하는 타방 정보주체의 사생활의 비밀과 자유 및 개인정보 자기결정권이 제한된다는 것을 의미하므로 알 권리를 무제한적으로 보장할 수는 없다.

그런 점에서 이 사건 법률조항은 알 권리를 일정 부분 보장함과 동시에 그 범위를 제한하고 있다. 즉, 위 조항들은 교원의 개인정보 보호를 위하여 학부모 등 국민의 알 권리를 제한하고 있으므로 그 목적의 정당성을 인정할 수 있다.

나. 기본권 제한의 비례성

1) 이 사건 법률조항의 경우

개인정보의 성격과 내용은 매우 다양하고 폭넓은 것인바, 이 사건 법률조항은 그러한 개인정보의 성격과 내용을 가리지 아니하고 일률적으로 그 공개를 금지하고 있는 듯이 보이므로 알 권리를 지나치게 제한하는 것이 아닌지 문제된다.

살피건대, 교육관련기관정보공개법 제4조에 의해 준용되는 '공공기관의 정보공개에 관한 법률'은 '개인정보'라 할 수 있는 "당해 정보에 포함되어 있는 이름·주민등록번호 등 개인에 관한 사항으로서 공개될 경우 개인의 사생활의 비밀 또는 자유를 침해할 우려가 있다고 인정되는 정보"를 비공개대상정보로 규정하면서도, 일정한 사유가 있는 경우에는 비공개대상정보에서 제외하도록 함으로써 개인정보 보호와 정보 공개 사이의 균형을 도모하고 있으며('공공기관의 정보공개에 관한 법률' 제9조 제1항 제6호 참조), 비공개결정에 대해서는 그에 불복할 수 있는 이의신청, 행정심판, 행정소송 등을 인정하여('공공기관의 정보공개에 관한 법률' 제18조, 제19조, 제20조 참조) 이 사건 법률조항에 따른 비공개로 인하여 알 권리를 제한받은 사람을 위한 구제절차 역시 마련하고 있다.

그렇다면, 이 사건 법률조항은 알 권리와 개인정보 자기결정권이라는 상충되는 두 기본권 사이에 적정한 비례관계를 유지하고 있다 할 것이다.

2) 이 사건 시행령조항의 경우

개인정보 보호의 정도는 개인정보의 성격, 정보수집의 목적, 정보의 이용형태, 정보처리방식 등을 감안하여 당해 정보처리의 위험성에 따라 구체적으로 결정되어야 한다. 예컨대, 사상이나 신조에 관한 정보, 범죄나 전과사실, 병력 등과 같이 그 자체로 개인의 내밀한 영역을 드러내는 민감한 개인정보의 경우에는 그 수집 내지 보유만으로 기본권 침해의 가능성이 크기 때문에 공개·활용에 있어서도 특별히 강화된 보호를 필요로 한다.

살피건대, 개별 교원의 교원단체 및 노동조합 가입 정보는 '개인정보 보호법' 제23조상의 노동조합의 가입·탈퇴에 관한 정보로서 '민감정보'에 해당하므로, 그 공개에는 최대한의 신중과 자제가 요청된다. 또한, 교육관계는 학교와 교사, 학부모 그리고 학생이라는 주체들 사이의 단순한 계약관계에 그치는 것이 아니라 고도의 신뢰를 바탕으로 하는 관계이므로, 그러한 교육관계에서 비롯되는 교육정보의 공개에는 일반 정보의 공개와는 다른 세심한 배려와 보호가 필요하다.

그렇다면, 이 사건 시행령조항이 교원의 교원단체 및 노동조합 가입 현황(인원 수)은 공시대상으로 삼으면서도 개별 교원의 가입 정보는 공시대상으로 삼지 않는 것은 알 권리와 개인정보 보호 모두를 충족시키는 것이라 할 것이다.

다. 소 결

교원의 교원단체 및 노동조합 가입에 관한 정보는 '개인정보 보호법'상의 민감정보로서 특별히 보호되어야 하며 그것이 공개됨으로써 발생할 교원의 개인정보 자기결정권에 대한 중대한 침해 가능성을 고려할 때, 이 사건 법률조항이 교원의 개인정보 공개를 금지하는 한편 이 사건 시행령조항이 가입 현황(인원 수)만을 공시의 대상으로 규정한 것은 학부모 등 국민의 알 권리와 교원의 개인정보 자기결정권이라는 두 기본권을 합리적으로 조화시킨 것이며 양 기본권의 제한에 있어 적정한 비례관계를 유지한 것이라고 할 수 있다.

따라서 이 사건 법률조항과 이 사건 시행령조항은 청구인들의 알 권리를 침해하여 헌법에 위반된다고 할 수 없다.

III 결 론

그렇다면 청구인 사단법인 부산광역시청소년단체협의회의 심판청구는 부적법하여 이를 각하하고, 나머지 청구인들의 심판청구는 이유 없으므로 이를 기각하기로 하여, 관여 재판관 전원의 일치된 의견으로 주문과 같이 결정한다.

093 디엔에이감식시료의 채취 및 디엔에이신원확인정보 수집·이용 관련조항 사건 [기각, 각하]

— 2014. 8. 28. 선고 2011헌마28,106,141,156,326,2013헌마215,360(병합)

판시사항 및 결정요지

1. 가. 디엔에이감식시료 채취 대상범죄에 대하여 형의 선고를 받아 확정된 사람으로부터 디엔에이감식시료를 채취할 수 있도록 규정한 이 사건 법률 제5조 제1항 제1호, 제4호, 제6호 및 디엔에이신원확인정보의 이용 및 보호에 관한 법률(2010. 4. 15. 법률 제10258호로 개정된 것) 제5조 제1항 제8호 중 청구인들과 관련된 부분(이하 '이 사건 채취조항들'이라 한다)이 신체의 자유를 침해하는지 여부(소극)

　디엔에이감식시료 채취의 구체적인 방법은 구강점막 또는 모근을 포함한 모발을 채취하는 방법으로 하고, 위 방법들에 의한 채취가 불가능하거나 현저히 곤란한 경우에는 분비물, 체액을 채취하는 방법으로 한다. 그렇다면 디엔에이감식시료의 채취행위는 신체의 안정성을 해한다고 볼 수 있으므로 이 사건 채취조항들은 신체의 자유를 제한한다.

　이 사건 채취조항들은 범죄 수사 및 예방을 위하여 특정범죄의 수형자로부터 디엔에이감식시료를 채취할 수 있도록 하는 것이다. 디엔에이감식시료 채취 대상범죄는 재범의 위험성이 높아 디엔에이신원확인정보를 수록·관리할 필요성이 높으며, 이 사건 법률은 시료를 서면 동의 또는 영장에 의하여 채취하되, 채취 이유, 채취할 시료의 종류 및 방법을 고지하도록 하고 있고, 우선적으로 구강점막, 모발에서 채취하되 부득이한 경우만 그 외의 신체부분, 분비물, 체액을 채취하게 하는 등 채취대상자의 신체나 명예에 대한 침해를 최소화하도록 규정하고 있으므로 침해최소성 요건도 갖추었다. 제한되는 신체의 자유의 정도는 일상생활에서 경험할 수 있는 정도의 미약한 것으로서 범죄 수사 및 예방의 공익에 비하여 크다고 할 수 없어 법익의 균형성도 인정된다. 따라서 이 사건 채취조항들이 과도하게 신체의 자유를 침해한다고 볼 수 없다.

나. 디엔에이감식시료 채취 대상범죄를 범한 범죄자에 대하여만 디엔에이감식시료를 채취할 수 있도록 규정한 이 사건 채취조항들이 평등권을 침해하는지 여부(소극)

　디엔에이감식시료 채취대상 범죄는 범행의 방법 및 수단의 위험성으로 인하여 가중처벌되거나, 통계적으로 향후 재범할 가능성이 높은 범죄로서 디엔에이감식시료 채취 대상자군으로 삼은 것에 합리적 이유가 있으므로 평등권을 침해하지 아니한다.

2. 채취대상자가 동의하는 경우에 영장 없이 디엔에이감식시료를 채취할 수 있도록 규정한 이 사건 법률 제8조 제3항(이하 '이 사건 채취동의조항'이라 한다)이 영장주의와 적법절차원칙에 위배되어 신체의 자유를 침해하는지 여부(소극)

　이 사건 채취동의조항은 미리 채취대상자에게 채취를 거부할 수 있음을 고지하고 서면으로 동의를 받도록 규정하고 있고, 동의가 없으면 반드시 법관이 발부한 영장에 의하여 채취하여야 한다. 따라서 동의에 의한 디엔에이감식시료 채취를 규정한 이 사건 채취동의조항 자체가 영장주의와 적법절차원칙에 위배되어 신체의 자유를 침해하는 것은 아니다.

3. 디엔에이감식시료 채취 대상자가 사망할 때까지 디엔에이신원확인정보를 데이터베이스에 수록, 관리할 수 있도록 규정한 이 사건 법률 제13조 제3항 중 수형인등에 관한 부분(이하 '이 사건 삭제조항'이라 한다)이 개인정보자기결정권을 침해하는지 여부(소극)

디엔에이신원확인정보는 개인 식별을 목적으로 디엔에이감식을 통하여 취득한 정보로서 일련의 숫자 또는 부호의 조합으로 표기된 것인데, 이는 '개인정보 보호법' 제2조 제1호에서 말하는 생존하는 개인에 관한 정보로서 당해정보만으로는 특정개인을 식별할 수 없더라도 다른 정보와 쉽게 결합하여 당해 개인을 식별할 수 있는 정보에 해당하는 개인정보이다. 이 사건 삭제조항은 특별한 사유가 없는 한 사망할 때까지 개인정보인 디엔에이신원확인정보를 데이터베이스에 수록, 관리할 수 있도록 규정하여 개인정보자기결정권을 제한한다.

일반적으로 볼 때, 종교적 신조, 육체적·정신적 결함, 성생활에 대한 정보와 같이 인간의 존엄성이나 인격의 내적 핵심, 내밀한 사적 영역에 근접하는 민감한 개인정보들에 대하여는 그 제한의 허용성이 엄격히 검증되어야 할 것이다. 반면, 성명, 직명(職名)과 같이 인간이 공동체에서 어울려 살아가는 한 다른 사람들과의 사이에서 식별되고 전달되는 것이 필요한 기초정보들은 사회생활 영역에서 노출되는 것이 자연스러운 정보이고, 국가가 그 기능을 제대로 수행하기 위해서 일정 부분 축적·이용하지 않을 수 없는 정보이다. 이러한 정보들은 다른 위험스런 정보에 접근하기 위한 식별자(識別子) 역할을 하거나, 다른 개인정보들과 결합함으로써 개인의 전체적·부분적 인격상을 추출해 내는 데 사용되지 않는 한 그 자체로 언제나 엄격한 보호의 대상이 된다고 하기 어렵다.

한편, 자동화된 전산시스템으로 정보를 보유·관리하는 경우, 정보에의 무단 접근, 정보결합, 정보전달, 공조에 의한 정보공유 등이 시공(時空)의 제한 없이 매우 손쉽게 일어날 위험성이 크다. 이러한 위험에 노출된다면 정보 보유 자체의 정당성마저 취약해질 수 있다. 따라서 이러한 방식으로 처리되는 정보의 범위는 가급적 최소한으로 축소되어야 하고, 또한 보유기관은 그러한 위험으로부터 개인정보를 보호하는 일정한 조치를 취할 의무가 있다.

재범의 위험성이 높은 범죄를 범한 수형인 등은 생존하는 동안 재범의 가능성이 있으므로, 디엔에이신원확인정보를 수형인등이 사망할 때까지 관리하여 범죄 수사 및 예방에 이바지하고자 하는 이 사건 삭제조항은 입법목적의 정당성과 수단의 적절성이 인정된다. 디엔에이신원확인정보는 개인 식별을 위한 최소한의 정보인 단순한 숫자에 불과하여 이로부터 개인의 유전정보를 확인할 수 없는 것이어서 개인의 존엄과 인격권에 심대한 영향을 미칠 수 있는 민감한 정보라고 보기 어렵고, 디엔에이신원확인정보의 수록 후 디엔에이감식시료와 디엔에이의 즉시 폐기, 무죄 등의 판결이 확정된 경우 디엔에이신원확인정보의 삭제, 디엔에이인적관리자와 디엔에이신원확인정보담당자의 분리, 디엔에이신원확인정보데이터베이스관리위원회의 설치, 업무목적 외 디엔에이신원확인정보의 사용·제공·누설 금지 및 위반시 처벌, 데이터베이스 보안장치 등 개인정보보호에 관한 규정을 두고 있으므로 이 사건 삭제조항은 침해최소성 원칙에 위배되지 않는다. 디엔에이신원확인정보를 범죄수사 등에 이용함으로써 달성할 수 있는 공익의 중요성에 비하여 청구인의 불이익이 크다고 보기 어려워 법익균형성도 갖추었다. 따라서 이 사건 삭제조항이 과도하게 개인정보자기결정권을 침해한다고 볼 수 없다.

4. 디엔에이신원확인정보담당자가 디엔에이신원확인정보를 검색하거나 그 결과를 회보할 수 있도록 규정한 이 사건 법률 제11조 제1항(이하 '이 사건 검색·회보조항'이라 한다)**이 개인정보자기결정권을 침해하는지 여부**(소극)

이 사건 검색·회보조항에서 정한 검색·회보 사유의 필요성이 있고, 검색·회보 사유가 한정되어 있으며, 개인정보보호를 위한 조치들을 규정하고 있고, 범죄수사 등을 위한 공익이 청구인들의 불이익보다 크다. 따라서 이 사건 검색·회보조항이 과도하게 개인정보자기결정권을 침해한다고 볼 수 없다.

5. 가. 이 사건 법률 시행 당시 디엔에이감식시료 채취 대상범죄로 이미 징역이나 금고 이상의 실형을 선고받아 그 형이 확정되어 수용 중인 사람에게 디엔에이감식시료 채취 및 디엔에이확인정보의 수집·이용 등 이 사건 법률을 적용할 수 있도록 규정한 이 사건 법률 부칙 제2조 제1항 중 제5조 제1항 각 호의 어느 하나에 해당하는 죄와 경합된 죄로 징역이나 금고 이상의 실형을 선고받아 그 형이 확정되어 수용 중인 사람에 관한 부분(이하 '이 사건 부칙조항'이라 한다)**이 소급입법금지원칙에 위배되는지 여부**(소극)

디엔에이신원확인정보의 수집·이용은 수형인 등에게 심리적 압박으로 인한 범죄예방효과를 가진다는 점에서 보안처분의 성격을 지니지만, 처벌적인 효과가 없는 비형벌적 보안처분으로서 소급입법금지원칙이 적용되지 않는다. 이 사건 법률의 소급적용으로 인한 공익적 목적이 당사자의 손실보다 더 크므로, 이 사건 부칙조항이 법률 시행 당시 디엔에이감식시료 채취 대상범죄로 실형이 확정되어 수용 중인 사람들까지 이 사건 법률을 적용한다고 하여 소급입법금지원칙에 위배되는 것은 아니다.

나. 이 사건 부칙조항이 과도하게 신체의 자유 및 개인정보자기결정권을 침해하는지 여부(소극)

전과자 중 수용 중인 사람에 대하여만 이 사건 법률을 소급 적용하는 것은 입법형성권의 범위 내에 있으며, 법률 시행 전 이미 형이 확정되어 수용 중인 사람의 신뢰가치는 낮은 반면 재범의 가능성, 데이터베이스 제도의 실효성 추구라는 공익은 상대적으로 더 크다. 따라서 이 사건 부칙조항이 이 사건 법률 시행 전 형이 확정되어 수용 중인 사람의 신체의 자유 및 개인정보자기결정권을 과도하게 침해한다고 볼 수 없다.

다. 징역이나 금고 이상의 실형을 선고받아 그 형이 확정된 전과자 중에서 이 사건 법률 시행 당시에 수용 중인 사람에 대하여만 이 사건 법률을 소급 적용하도록 하는 이 사건 부칙조항이 평등권을 침해하는지 여부(소극)

이 사건 법률 시행 당시 이미 출소한 사람은 재범의 위험성이 현재 수용 중인 사람보다 낮다고 볼 수 있고, 평온한 사회생활을 영위하고 있는 사람에게까지 소급적용하는 것은 지나치므로, 이 사건 부칙조항이 수용 중인 사람에 대하여만 소급적용하는 것은 평등권을 침해한다고 볼 수 없다.

 인터넷게임 관련 본인인증제 위헌확인 사건 [기각]
- 2015. 3. 26. 선고 2013헌마517

판시사항

1. 제한되는 기본권

본인인증 조항은 인터넷게임을 이용하고자 하는 사람들에게 본인인증 이라는 사전적 절차를 거칠 것을 강제함으로써, 개개인이 생활방식과 취미활동을 자유롭게 선택하고 이를 원하는 방식대로 영위하고자 하는 일반적 행동의 자유를 제한하고, 동의확보 조항은 청소년이 친권자 등 법정대리인의 동의를 얻어야만 인터넷게임을 즐길 수 있도록 함으로써 청소년 스스로가 게임물의 이용 여부를 자유롭게 결정할 수 있는 권리를 제한하는바, 위 조항들은 자기결정권을 포함한 청구인들의 일반적 행동자유권을 제한한다.

또한, 본인인증 조항과 동의확보 조항에 따라 인터넷게임 이용자 및 그 법정대리인이 본인인증 절차를 거치면 본인확인기관으로부터 게임물 관련사업자에게 본인확인 요청일시 또는 인증일시, 식별코드 등의 정보가 제공되고, 이러한 개인정보는 본인확인기관이 보유하고 있는 개인의 실명 등의 자료와 결합하여 이용자 개인의 동일성을 식별할 수 있게 하므로, 개인정보자기결정권의 보호대상이 되는 개인정보에 해당한다. 그리고 인터넷게임을 이용하고자 하는 사람들은 본인인증 절차를 거치기 위한 전제로서 공인인증기관이나 본인확인기관에 실명이나 주민등록번호 등의 정보를 제공할 것이 강제되고, 이러한 기관들은 개인정보의 보유 및 이용기간 동안 이러한 정보들을 보유할 수 있으므로, 본인인증 및 동의확보 조항은 인터넷게임 이용자가 자기의 개인정보에 대한 제공, 이용 및 보관에 관하여 스스로 결정할 권리인 개인정보자기결정권을 제한한다.

이외에도 청구인들은 표현의 자유 및 사생활의 비밀과 자유 침해를 주장하나 청구인들은 여가와 오락의 수단으로 게임물에 접근하여 이를 이용하고자 하는 것이므로 위 조항들에 의하여 표현의 자유가 직접 제한된다고 보기는 어렵다. 그리고 본인인증 조항 및 동의확보 조항은 청구인들의 게임물 이용 여부나 이용시간 등과 같은 사생활의 공개를 내용으로 하지 아니하므로 위 조항들에 의하여 사생활의 비밀과 자유가 직접 제한된다고 보기 어렵고, 본인인증이나 법정대리인의 동의 과정에서 개인정보가 제공됨으로써 사생활의 비밀과 자유가 제한되는 측면이 있더라도 이는 개인정보자기결정권의 보호영역과 중첩되는 범위에서 관련되어 있으므로, 위 조항들에 의하여 사생활의 비밀과 자유가 구체화된 것이라고 할 수 있는 개인정보자기결정권이 제한된다고 보아 그 침해 여부를 판단하는 이상, 사생활의 비밀과 자유 침해 문제에 관하여는 따로 판단하지 않기로 한다.

2. 게임물 관련사업자에게 게임물 이용자의 회원가입 시 본인인증을 할 수 있는 절차를 마련하도록 하고 있는 게임산업진흥에 관한 법률 제12조의3 제1항 제1호 및 게임산업법 시행령 제8조의3 제3항(이하 위 두 조항을 합하여 '본인인증 조항'이라 한다)**이 청구인들의 일반적 행동의 자유 및 개인정보자기결정권을 침해하는지 여부(소극)**

본인인증 조항은 인터넷게임에 대한 연령 차별적 규제수단들을 실효적으로 보장하고, 인터넷게임 이용자들이 게임물 이용시간을 자발적으로 제한하도록 유도하여 인터넷게임 과몰입 내지 중독을 예방하고자 하는 것으로 그 입법목적에 정당성이 인정되며, 본인인증절차를 거치도록 하는 것은 이러한 목적 달성을 위한 적절한 수단이다.

게임물 관련사업자와 같은 정보통신서비스 제공자가 인터넷 상에서 본인인증 절차 없이 이용자의 실명이나 연령만을 정확하게 확인하는 것은 사실상 불가능하고, 게임산업법 시행령 제8조의3 제3항이 정하고 있는 방법은 신뢰할 수 있는 제3자를 통해서만 본인인증 절차를 거치도록 하고 정보수집의 범위를 최소화하고 있는 것으로 달리 실명과 연령을 정확하게 확인할 수 있으면서 덜 침익적인 수단을 발견하기 어렵다. 또한, 게임물 관련사업자가 본인인증 결과 이외의 정보를 수집하기 위해서는 인터넷게임을 이용하는 사람의 별도의 동의를 받아야 하고, '정보통신망 이용촉진 및 정보보호 등에 관한 법률'에서 동의를 얻어 수집된 정보를 보호하기 위한 장치들을 충분히 마련하고 있으며, 회원가입 시 1회 본인인증 절차를 거치도록 하는 것이 이용자들에게 게임의 이용 여부 자체를 진지하게 고려하게 할 정도로 중대한 장벽이나 제한으로 기능한다거나 게임시장의 성장을 방해한다고 보기도 어려우므로 침해의 최소성에도 위배되지 아니하고, 본인인증 조항을 통하여 달성하고자 하는 게임과몰입 및 중독 방지라는 공익은 매우 중대하므로 법익의 균형성도 갖추었다. 따라서 본인인증 조항은 청구인들의 일반적 행동의 자유 및 개인정보자기결정권을 침해하지 아니한다.

3. 게임물 관련사업자에게 청소년의 회원가입 시 법정대리인의 동의를 확보하도록 하고 있는 게임산업법 제12조의3 제1항 제2호 및 게임산업법 시행령 제8조의3 제4항(이하 위 두 조항을 합하여 '동의확보 조항'이라 한다)이 청소년인 청구인의 일반적 행동의 자유를 침해하는지 여부(소극)

동의확보 조항은 청소년이 인터넷게임 이용 여부를 결정하는 단계에서 법정대리인이 개입할 수 있도록 함으로써 청소년의 인터넷게임 과몰입이나 중독을 예방하고자 하는 것으로 이러한 입법목적에는 정당성이 인정되며, 회원가입 시 법정대리인의 동의를 얻도록 하는 것은 이러한 목적을 달성함에 있어 적절한 수단이다.

또한, 동의확보 조항은 가정에서 대화를 통해 청소년의 인터넷게임 이용 여부 및 이용시간을 결정할 수 있는 기회를 부여하는 것으로서 청소년의 게임이용에 대한 다른 법적 강제수단들이 이러한 자율적 노력을 완전히 대체할 수도 없다. 그리고 만 18세 미만의 청소년들의 대부분이 독립적인 경제적인 능력이 없어 유료아이템 구매 등과 관련하여 범죄에 노출될 우려가 높은 점을 고려할 때, 만 18세라는 기준 역시 과하다고 볼 수 없으며, 법정대리인이 동의를 위하여 제공하여야 하는 정보를 최소화하고, 동의의 방법을 다양화하는 등 이로 인한 기본권 제한을 최소화하기 위한 방안들이 충분히 마련되어 있으므로 침해의 최소성을 갖추었다. 또한 청소년들이 인터넷게임에 과몰입되거나 중독되는 것을 방지함으로써 얻어지는 사회적 비용의 절감, 청소년이 건전한 인격체로 성장함으로써 얻어지는 사회적 이익과 같은 공익이 매우 중대함을 고려할 때, 법익의 균형성에도 위배되지 아니하므로, 동의확보 조항은 청소년인 청구인의 일반적 행동의 자유를 침해하지 아니한다.

095 변호사시험 합격자 명단 공고 사건 [기각]
— 2020. 3. 26. 선고 2018헌마77·283·1024(병합)

판시사항

법무부장관은 변호사시험 합격자가 결정되면 즉시 명단을 공고하여야 한다고 규정한 변호사시험법 제11조 중 '명단 공고' 부분(이하 '심판대상조항'이라 한다)**이 청구인들의 개인정보자기결정권을 침해하는지 여부**(소극)

심판대상조항의 입법목적은 공공성을 지닌 전문직인 변호사에 관한 정보를 널리 공개하여 법률서비스 수요자가 필요한 정보를 얻는 데 도움을 주고, 변호사시험 관리 업무의 공정성과 투명성을 간접적으로 담보하는 데 있다.

심판대상조항은 법무부장관이 시험 관리 업무를 위하여 수집한 응시자의 개인정보 중 합격자의 성명을 공개하도록 하는 데 그치므로, 청구인들의 개인정보자기결정권이 제한되는 범위와 정도는 매우 제한적이다. 합격자 명단이 공고되면 누구나, 언제든지 이를 검색할 수 있으므로, 심판대상조항은 공공성을 지닌 전문직인 변호사의 자격 소지에 대한 일반 국민의 신뢰를 형성하는 데 기여하며, 변호사에 대한 정보를 얻는 수단이 확보되어 법률서비스 수요자의 편의가 증진된다. 합격자 명단을 공고하는 경우, 시험 관리 당국이 더 엄정한 기준과 절차를 통해 합격자를 선정할 것이 기대되므로 시험 관리 업무의 공정성과 투명성이 강화될 수 있다. 따라서 심판대상조항이 과잉금지원칙에 위배되어 청구인들의 개인정보자기결정권을 침해한다고 볼 수 없다.

(한편, 청구인들은 심판대상조항이 당사자가 아닌 타인으로 하여금 응시자의 불합격 사실을 확인할 수 있도록 함으로써 그의 인격권 또는 명예권도 침해한다고 주장한다. 그러나 이는 개인정보가 공개되는 데 따라 초래되는 문제에 불과하므로, 이에 대해서는 나아가 살펴보지 않는다.

청구인들은 주요 공무원채용 시험이나 전문자격 시험은 합격자 명단을 공고하지 않는데, 심판대상조항이 변호사시험에 대해서만 합격자 명단을 공개하도록 하는 것이 불합리한 차별 취급이라고 주장한다. 그러나 공무원채용 시험, 변리사·세무사 등 전문자격 시험과 변호사시험은 응시 자격이 다를 뿐만 아니라, 시험에 합격하여 수행하는 업무의 성격도 다르다. 따라서 이들은 합리적 차별 여부를 판단할 수 있는 비교집단이 된다고 보기 어려워 이 주장에 대해서는 별도로 살펴보지 않는다.)

국민건강보험공단의 서울용산경찰서장에 대한 요양급여내역 제공행위 위헌확인 사건 [인용(위헌확인), 각하]

— 2018. 8. 30. 선고 2014헌마368

판시사항

1. 피청구인 서울용산경찰서장(이하 '서울용산경찰서장'이라 한다)이 2013. 12. 18. 및 2013. 12. 20. 피청구인 국민건강보험공단(이하 '국민건강보험공단'이라 한다)에게 청구인들의 요양급여내역의 제공을 요청한 행위(이하 '이 사건 사실조회행위'라 한다)의 공권력 행사성이 인정되는지 여부(소극)
2. 형사소송법 제199조 제2항, 구 '경찰관 직무집행법' 제8조 제1항(이하 위 두 조항을 합하여 '이 사건 사실조회조항'이라 한다)의 기본권침해의 가능성이 인정되는지 여부(소극)
3. 구 '개인정보 보호법' 제18조 제2항 제7호(이하 '이 사건 정보제공조항'이라 한다)의 기본권침해의 직접성이 인정되는지 여부(소극)
4. 국민건강보험공단이 2013. 12. 20. 서울용산경찰서장에게 청구인들의 요양급여내역을 제공한 행위(이하 '이 사건 정보제공행위'라 한다)가 영장주의에 위배되어 청구인들의 개인정보자기결정권을 침해하는지 여부(소극)
5. 이 사건 정보제공행위가 과잉금지원칙에 위배되어 청구인들의 개인정보자기결정권을 침해하는지 여부(적극)

사건의 개요

1. 청구인 김○환은 전국철도노동조합(이하 '철도노조'라 한다)의 위원장, 청구인 박○만은 철도노조 수석부위원장으로서 철도노조 조합원 8,639명과 공모하여 국토교통부의 '철도산업 발전방안'에 반대하거나 이를 저지할 목적으로 2013. 12. 9.부터 2013. 12. 31.까지 집단적으로 노무제공을 거부하여 위력으로써 한국철도공사의 여객·화물 수송 업무를 방해하였다는 업무방해 혐의로 2014. 3. 11. 기소되었다가 무죄판결을 받았다.

2. 피청구인 서울용산경찰서장(이하 '서울용산경찰서장'이라 한다)은 위 사건의 수사과정에서 형사소송법 제199조 제2항, '경찰관 직무집행법' 제8조 제1항에 근거하여 피청구인 국민건강보험공단 이사장(이하 '국민건강보험공단'이라 한다)에게 업무방해 사건의 피의자인 청구인들을 검거하고자 한다는 사유를 밝히고 2013. 12. 18. 청구인 박○만의 2010. 12. 18.부터 2013. 12. 18.까지의 상병명, 요양기관명, 요양기관주소, 전화번호의 제공을, 2013. 12. 20. 청구인 김○환의 2012. 1. 1.부터 2013. 12. 20.까지의 병원 내방 기록의 제공을 각 요청하였다. 이에 국민건강보험공단은 '개인정보 보호법' 제18조 제2항 제7호에 근거하여 2013. 12. 20. 청구인 김○환의 2012. 1. 1.부터 2013. 12. 20.까지의 급여일자, 요양기관명 등을 포함한 총 44회의 요양급여내역 및 청구인 박○만의 2010. 12. 1.부터 2013. 12. 19.까지의 급여일자, 요양기관명, 전화번호를 포함한 총 38회의 요양급여내역을 서울용산경찰서장에게 제공하였다.

3. 청구인들은 위와 같은 서울용산경찰서장의 사실조회행위와 국민건강보험공단의 정보제공행위 및

그 근거조항들인 형사소송법 제199조 제2항, '경찰관 직무집행법' 제8조 제1항, '개인정보 보호법' 제18조 제2항 제7호가 청구인들의 개인정보자기결정권 등을 침해한다고 주장하면서 2014. 5. 8. 이 사건 헌법소원심판을 청구하였다.

심판대상

① 서울용산경찰서장이 2013. 12. 18. 국민건강보험공단에게 청구인 박○만의 2010. 12. 18.부터 2013. 12. 18.까지의 상병명, 요양기관명의 제공을 요청한 행위 및 서울용산경찰서장이 2013. 12. 20. 국민건강보험공단에게 청구인 김○환의 2012. 1. 1.부터 2013. 12. 20.까지의 병원 내방 기록의 제공을 요청한 행위(이하 위 두 행위를 합하여 '이 사건 사실조회행위'라 한다),
② 국민건강보험공단이 2013. 12. 20. 서울용산경찰서장에게 청구인 김○환의 2012. 1. 1.부터 2013. 12. 20.까지의 급여일자, 요양기관명을 포함한 총 44회의 요양급여내역 및 청구인 박○만의 2010. 12. 1.부터 2013. 12. 19.까지의 급여일자, 요양기관명을 포함한 총 38회의 요양급여내역을 제공한 행위(이하 위 두 행위를 합하여 '이 사건 정보제공행위'라 한다),
③ 형사소송법(1954. 9. 23. 법률 제341호로 제정된 것) 제199조 제2항, 구 '경찰관 직무집행법'(1981. 4. 13. 법률 제3427호로 전부개정되고, 2014. 5. 20. 법률 제12600호로 개정되기 전의 것) 제8조 제1항(이하 위 두 조항을 합하여 '이 사건 사실조회조항'이라 한다),
④ 구 '개인정보 보호법'(2011. 3. 29. 법률 제10465호로 제정되고, 2013. 8. 6. 법률 제11990호로 개정되기 전의 것) 제18조 제2항 제7호(이하 '이 사건 정보제공조항'이라 한다)가 청구인들의 기본권을 침해하는지 여부

주문

1. 피청구인 국민건강보험공단이 2013. 12. 20. 피청구인 서울용산경찰서장에게 청구인들의 요양급여내역을 제공한 행위는 청구인들의 개인정보자기결정권을 침해한 것으로 위헌임을 확인한다.
2. 청구인들의 나머지 심판청구를 모두 각하한다.

I 적법요건에 관한 판단

1. 이 사건 사실조회행위

헌법재판소법 제68조 제1항은 '공권력의 행사 또는 불행사로 인하여 기본권을 침해받은 자'가 헌법소원을 제기할 수 있다고 규정하고 있는바, 여기에서 '공권력'이란 입법권·행정권·사법권을 행사하는 모든 국가기관·공공단체 등의 고권적 작용을 말하고, 그 행사 또는 불행사로 국민의 권리와 의무에 대하여 직접적인 법률효과를 발생시켜 청구인의 법률관계 내지 법적 지위를 불리하게 변화시키는 것이어야 한다.

이 사건 사실조회행위의 근거조항인 이 사건 사실조회조항은 수사기관에 공사단체 등에 대한 사실조회의 권한을 부여하고 있을 뿐이고, 국민건강보험공단은 서울용산경찰서장의 사실조회에 응하거나 협조하여야 할 의무를 부담하지 않는다.

따라서 이 사건 사실조회행위만으로는 청구인들의 법률관계 내지 법적 지위를 불리하게 변화시킨다고 볼 수 없고 국민건강보험공단의 자발적인 협조가 있어야만 비로소 청구인들의 개인정보자기결정권이 제한되는 것이므로, 공권력의 행사에 해당하지 않는다.

2. 이 사건 사실조회조항

이 사건 사실조회조항은 수사기관이 공사단체 등에 대하여 범죄수사에 관련된 사실을 조회할 수 있다고 규정하여 수사기관에 사실조회의 권한을 부여하는 것에 불과하고, 공사단체 등이 수사기관의 사실조회에 응하거나 협조하여야 할 의무를 부담하는 것도 아니므로, 이 사건 사실조회조항만으로는 청구인들의 법적 지위에 어떠한 영향을 미친다고 보기 어렵다. 따라서 이 사건 사실조회조항은 기본권침해의 가능성이 인정되지 않는다.

3. 이 사건 정보제공조항

이 사건 정보제공조항은 범죄의 수사 등을 위하여 필요한 경우 정보주체 또는 제3자의 이익을 부당하게 침해할 우려가 있을 때를 제외하고는 개인정보처리자가 개인정보를 목적 외의 용도로 수사기관에게 제공할 수 있다고 규정하여 개인정보처리자에게 개인정보의 수사기관 제공 여부를 결정할 수 있는 재량을 부여하고 있다. 따라서 '개인정보처리자의 개인정보 제공'이라는 구체적인 집행행위가 있어야 비로소 개인정보와 관련된 정보주체의 기본권이 제한되는 것이므로, 이 사건 정보제공조항만으로는 청구인들의 기본권이 직접 침해된다고 볼 수 없다. 그러므로 기본권침해의 직접성이 인정되지 않는다.

4. 소 결

이 사건 사실조회행위, 이 사건 사실조회조항 및 이 사건 정보제공조항에 대한 심판청구는 부적법하다. 이하에서는 이 사건 정보제공행위에 대하여만 본안 판단에 나아간다.

II 본안에 관한 판단

1. 민감정보의 수사기관 제공 요건

'개인정보 보호법' 제23조 제1항은 사상·신념, 노동조합·정당의 가입·탈퇴, 정치적 견해, 건강, 성생활 등에 관한 정보, 그 밖에 정보주체의 사생활을 현저히 침해할 우려가 있는 개인정보로서 대통령령으로 정하는 정보(이하 '민감정보'라 한다)의 처리를 원칙적으로 금지하면서, 예외적으로 정보주체에게 다른 개인정보의 처리에 대한 동의와 별도로 동의를 받은 경우(제1호) 및 법령에서 민감정보의 처리를 요구하거나 허용하는 경우(제2호)에만 민감정보를 처리할 수 있도록 규정하고 있다. … 결국 위 규정들을 종합하면, '개인정보 보호법' 제23조 제1항 제2호 및 시행령 8조 규정등에 따라 경찰관의 범죄의 수사 등을 위하여 '불가피한 경우' 민감정보를 처리를 하는 것이 허용되므로,

이에 해당하는 경우 공공기관은 '개인정보 보호법' 제18조 제2항 제7호에 따라 정보주체 또는 제3자의 이익을 부당하게 침해할 우려가 있을 때를 제외하고 민감정보를 경찰관에게 제공할 수 있다.

2. 요양급여정보의 법적 성격

요양급여정보는 가입자와 피부양자의 질병, 부상, 출산 등에 대하여 국민건강보험공단이 실시한 진찰·검사, 약제·치료재료의 지급, 처치·수술 및 그 밖의 치료 등의 요양급여와 관련된 정보로서, 이 중 상병명은 그 자체로 개인의 정신이나 신체에 관한 단점을 나타내기 때문에 인격의 내적 핵심에 근접하는 민감한 정보에 해당한다.

따라서 요양급여정보는 개인정보자기결정권에 의하여 보호되는 개인정보에 해당하고, 이 사건 정보제공행위에 의하여 제공된 청구인 김○환의 2012. 1. 1.부터 2013. 12. 20.까지의 급여일자, 요양기관명을 포함한 총 44회의 요양급여내역 및 청구인 박○만의 2010. 12. 1.부터 2013. 12. 19.까지의 급여일자, 요양기관명을 포함한 총 38회의 요양급여내역은 건강에 관한 정보로서 '개인정보 보호법' 제23조 제1항이 규정한 민감정보에 해당한다.

3. 이 사건 정보제공행위의 개인정보자기결정권 침해 여부

가. 영장주의 위배 여부

이 사건 사실조회조항은 수사기관이 공사단체 등에 대하여 범죄수사에 관련된 사실을 조회할 수 있다고 규정하여 수사기관에 사실조회의 권한을 부여하고 있을 뿐이고, 이에 근거한 이 사건 사실조회행위에 대하여 국민건강보험공단이 응하거나 협조하여야 할 의무를 부담하는 것이 아니다. 따라서 이 사건 사실조회행위는 강제력이 개입되지 아니한 임의수사에 해당하므로, 이에 응하여 이루어진 이 사건 정보제공행위에도 영장주의가 적용되지 않는다.

나. 과잉금지원칙 위배 여부

1) 목적의 정당성 및 수단의 적합성

이 사건 정보제공행위는 서울용산경찰서장이 체포영장이 발부된 피의자인 청구인들의 소재를 신속하게 파악하여 적시에 청구인들을 검거할 수 있도록 하고 이를 통하여 국가형벌권의 적정한 수행에 기여하기 위한 것이므로 목적의 정당성이 인정된다. 또한 청구인들이 언제 어느 요양기관을 방문하였는지에 관한 정보를 제공하면 청구인들의 소재 파악에 도움이 될 수 있으므로, 이 사건 정보제공행위는 위와 같은 목적을 달성하기 위한 적합한 수단이다.

2) 침해의 최소성

개인정보를 정보주체의 동의 없이 목적 외의 용도로 제3자에게 제공할 경우 처리주체의 변경과 당초 수집 목적을 벗어난 개인정보의 처리를 초래하게 되므로, 위와 같은 개인정보의 제공은 정보주체 스스로 개인정보의 공개와 이용에 관하여 결정할 권리를 핵심내용으로 하는 개인정보자기결정권에 대한 중대한 제한에 해당한다. 특히 개인의 인격 및 사생활의 핵심에 해당하는 민감정보에 대하여는 다른 일반적인 개인정보보다 더 높은 수준의 보호가 필요하다. 따라서 국민건강보험공단은 민감정보를 서울용산경찰서장에게 제공함에 있어서 위와 같은 요건에 해당하는지 여부를 엄격하게 판단하여 정보주체의 개인정보자기결정권에 대한 침해를 최소화하여야 한다.

먼저 이 사건 정보제공행위가 '청구인들의 민감정보를 제공받는 것이 범죄의 수사를 위하여 불가피할 것'이라는 요건을 갖추었는지 여부를 살펴본다. 서울용산경찰서장은 청구인들을 검거하기 위해서 국민건강보험공단에게 청구인들의 요양급여내역을 요청한 것인데, 서울용산경찰서장은 그와 같은 요청을 할 당시 전기통신사업자로부터 위치추적자료를 제공받는 등으로 청구인들의 위치를 확인하였거나 확인할 수 있는 상태였다. 따라서 서울용산경찰서장이 청구인들을 검거하기 위하여 청구인들의 약 2년 또는 3년이라는 장기간의 요양급여내역을 제공받는 것이 불가피하였다고 보기 어렵다.

다음으로 이 사건 정보제공행위가 '정보주체 또는 제3자의 이익을 부당하게 침해할 우려가 없을 것'이라는 요건을 갖추었는지 살펴본다. 급여일자와 요양기관명은 피의자의 현재 위치를 곧바로 파악할 수 있는 정보는 아니므로, 이 사건 정보제공행위로 얻을 수 있는 수사상의 이익은 없었거나 미약한 정도였다. 반면 서울용산경찰서장에게 제공된 요양기관명에는 전문의의 병원도 포함되어 있어 청구인들의 질병의 종류를 예측할 수 있는 점, 2년 내지 3년 동안의 요양급여정보는 청구인들의 건강 상태에 대한 총체적인 정보를 구성할 수 있는 점 등에 비추어 볼 때, 이 사건 정보제공행위로 인한 청구인들의 개인정보자기결정권에 대한 침해는 매우 중대하다. 그러므로 이 사건 정보제공행위가 정보주체인 청구인들의 이익을 부당하게 침해할 우려가 없을 것이라는 요건을 충족하였다고 볼 수도 없다.

그렇다면 이 사건 정보제공행위는 침해의 최소성에 위배된다.

3) 법익의 균형성

앞서 본 바와 같이 서울용산경찰서장은 청구인들의 소재를 파악한 상태였거나 다른 수단으로 충분히 파악할 수 있었으므로 이 사건 정보제공행위로 얻을 수 있는 수사상의 이익은 거의 없거나 미약하였던 반면, 청구인들은 자신도 모르는 사이에 민감정보인 요양급여정보가 수사기관에 제공되어 개인정보자기결정권에 대한 중대한 불이익을 받게 되었으므로, 이 사건 정보제공행위는 법익의 균형성도 갖추지 못하였다.

4) 소 결

이 사건 정보제공행위는 과잉금지원칙에 위배되어 청구인들의 개인정보자기결정권을 침해하였다.

097 형제자매의 증명서 교부청구 사건 [위헌]
― 2016. 6. 30. 선고 2015헌마924

판시사항 및 결정요지

형제자매에게 가족관계등록부 등의 기록사항에 관한 증명서 교부청구권을 부여하는 '가족관계의 등록 등에 관한 법률'(2007. 5. 17. 법률 제8435호로 제정된 것, 이하 '가족관계등록법'이라 한다) 제14조 제1항 본문 중 '형제자매' 부분(이하, '이 사건 법률조항'이라 한다)이 과잉금지원칙을 위반하여 청구인의 개인정보자기결정권을 침해하는지 여부(적극)

이 사건 법률조항은 본인이 스스로 증명서를 발급받기 어려운 경우 형제자매를 통해 증명서를 간편하게 발급받게 하고, 친족·상속 등과 관련된 자료를 수집하려는 형제자매가 본인에 대한 증명서를 편리하게 발급받을 수 있도록 하기 위한 것으로, 목적의 정당성 및 수단의 적합성이 인정된다. 그러나 가족관계등록법상 각종 증명서에 기재된 개인정보가 유출되거나 오남용될 경우 정보의 주체에게 가해지는 타격은 크므로 증명서 교부청구권자의 범위는 가능한 한 축소하여야 하는데, 형제자매는 언제나 이해관계를 같이 하는 것은 아니므로 형제자매가 본인에 대한 개인정보를 오남용 또는 유출할 가능성은 얼마든지 있다. 그런데 이 사건 법률조항은 증명서 발급에 있어 형제자매에게 정보주체인 본인과 거의 같은 지위를 부여하고 있으므로, 이는 증명서 교부청구권자의 범위를 필요한 최소한도로 한정한 것이라고 볼 수 없다. 본인은 인터넷을 이용하거나 위임을 통해 각종 증명서를 발급받을 수 있으며, 가족관계등록법 제14조 제1항 단서 각 호에서 일정한 경우에는 제3자도 각종 증명서의 교부를 청구할 수 있으므로 형제자매는 이를 통해 각종 증명서를 발급받을 수 있다. 따라서 이 사건 법률조항은 침해의 최소성에 위배된다. 또한, 이 사건 법률조항을 통해 달성하려는 공익에 비해 초래되는 기본권 제한의 정도가 중대하므로 법익의 균형성도 인정하기 어려워, 이 사건 법률조항은 청구인의 개인정보자기결정권을 침해한다.

심판대상조항 및 관련조항

가족관계의 등록 등에 관한 법률(2007. 5. 17. 법률 제8435호로 제정된 것)

제14조 (증명서의 교부 등) ① 본인 또는 배우자, 직계혈족, 형제자매(이하 이 조에서는 "본인 등"이라 한다)는 제15조에 규정된 등록부 등의 기록사항에 관하여 발급할 수 있는 증명서의 교부를 청구할 수 있고, 본인 등의 대리인이 청구하는 경우에는 본인 등의 위임을 받아야 한다. (단서 생략)

주문

'가족관계의 등록 등에 관한 법률'(2007. 5. 17. 법률 제8435호로 제정된 것) 제14조 제1항 본문 중 '형제자매' 부분은 헌법에 위반된다.

 가족관계의 등록 등에 관한 법률 제14조 제1항 본문 부진정입법부작위 위헌확인 사건 [헌법불합치]
— 2020. 8. 28. 선고 2018헌마927

판시사항

1. '가족관계의 등록 등에 관한 법률' 제14조 제1항 본문 중 '직계혈족이 제15조에 규정된 증명서 가운데 가족관계증명서 및 기본증명서의 교부를 청구'하는 부분(이하 '이 사건 법률조항'이라 한다)이 불완전·불충분하게 규정되어 있어 가정폭력 피해자의 개인정보를 보호하기 위한 구체적 방안을 마련하지 아니한 것이 청구인의 개인정보자기결정권을 침해하는지 여부(적극)
2. 위헌결정이 초래하는 법적 공백을 이유로 헌법불합치결정을 선고한 사례

사건의 개요

1. 청구인은 (연월일 생략) 배우자 □□□의 가정폭력 때문에 이혼하고, 아들 △△△의 친권자 및 양육자로 지정되어 현재 △△△을 양육하고 있는 사람이다.

2. □□□은 (연월일 생략) 청구인의 아버지를 찾아가 폭행과 상해를 가하고, ○○법원으로부터 (연월일 생략) 청구인에 대한 접근금지 및 전기통신을 이용한 접근금지처분을 (연월일 생략)까지 연장하는 결정을 받았으며(사건번호 생략), (연월일 생략)부터 (연월일 생략)까지 청구인에 대한 100미터 이내의 접근금지 및 통신수단을 이용한 일체의 접근을 금지하는 피해자보호명령을 받았다(사건번호 생략). 그럼에도 □□□은 계속해서 청구인의 휴대전화로 전화를 걸거나, 청구인을 협박하는 내용의 문자메시지를 수차례 보내는 등 법원의 피해자보호명령을 위반하였고, 이로 인하여 (연월일 생략) 가정폭력범죄의처벌등에관한특례법위반 등으로 징역 (기간 생략) 및 벌금 (금액 생략)에 처하는 판결을 받았다(사건번호 생략).

3. 청구인은, 가정폭력 가해자인 전 남편이 이혼 후에도 가정폭력 피해자인 청구인을 찾아가 추가 가해를 행사하려는 데 필요한 청구인의 개인정보를 무단으로 취득할 목적으로 그 자녀의 가족관계증명서 및 기본증명서의 교부를 청구하는 것이 분명한 경우에도 이를 제한하는 규정을 제정하지 아니한 '가족관계의 등록 등에 관한 법률'의 입법부작위가 청구인의 개인정보자기결정권을 침해한다는 취지의 주장을 하면서, 2018. 9. 11. 입법부작위의 위헌확인을 구하는 이 사건 헌법소원심판을 청구하였다.

심판대상

헌법재판소법 제68조 제1항에 의한 헌법소원의 경우 헌법재판소는 청구인의 주장요지를 종합적으로 판단하여 그 심판대상을 확정한다(헌재 2010. 12. 28. 2008헌마527 참조).
이 사건에서 청구인이 실질적으로 다투고자 하는 것은 '가족관계의 등록 등에 관한 법률' 제14조 제1항 본문이 불완전·불충분하게 규정되어 있어 가정폭력 피해자의 개인정보를 보호하기 위한 구체적 방안을 마련하지 아니한 부진정입법부작위를 다투는 취지로 볼 수 있다.

【심판대상조항】

가족관계의 등록 등에 관한 법률(2017. 10. 31. 법률 제14963호로 개정된 것)

제14조(증명서의 교부 등) ① 본인 또는 배우자, 직계혈족(이하 이 조에서는 "본인 등"이라 한다)은 제15조에 규정된 등록부 등의 기록사항에 관하여 발급할 수 있는 증명서의 교부를 청구할 수 있고, 본인 등의 대리인이 청구하는 경우에는 본인 등의 위임을 받아야 한다. (단서 생략)

주문

가족관계의 등록 등에 관한 법률(2017. 10. 31. 법률 제14963호로 개정된 것) 제14조 제1항 본문 중 '직계혈족이 제15조에 규정된 증명서 가운데 가족관계증명서 및 기본증명서의 교부를 청구'하는 부분은 헌법에 합치되지 아니한다. 위 조항은 2021. 12. 31.을 시한으로 입법자가 개정할 때까지 계속 적용된다.

I 판 단

1. 제한되는 기본권

이 사건 법률조항은 가족관계등록법 제15조에 규정된 증명서 중 가족관계증명서 및 기본증명서에 대한 교부청구권을 직계혈족에게 부여하는 규정으로, 이러한 증명서에는 본인의 등록기준지·성명·성별·본·출생연월일 및 주민등록번호와 함께, 부모의 성명·성별·본·출생연월일 및 주민등록번호, 그리고 배우자, 생존한 현재의 혼인 중의 자녀의 성명·성별·본·출생연월일 및 주민등록번호, 모든 자녀의 성명·성별·본·출생연월일 및 주민등록번호, 본인의 출생·사망·국적상실에 관한 사항, 국적취득 및 회복 등에 관한 사항 등이 기록된다.

그러므로 이 사건 법률조항이 불완전·불충분하게 규정되어, 가정폭력 가해자인 직계혈족도 그 자녀의 가족관계증명서 및 기본증명서의 발급을 청구하고, 이를 통하여 전 배우자로서 가정폭력 피해자인 청구인의 개인정보를 본인의 동의 없이도 알아낼 수 있도록 하는 것은 청구인의 개인정보자기결정권을 제한하는 것이다.

2. 과잉금지원칙 위반 여부

가. 목적의 정당성 및 수단의 적합성

가족관계증명서 및 기본증명서를 쉽고 편리하게 발급받을 수 있도록 직계혈족과 자녀 등의 편의 증진을 위해 직계혈족에게 가족관계증명서 및 기본증명서의 교부청구권을 부여하고 있는 이 사건 법률조항의 입법목적은 정당하다. 또한, 이 사건 법률조항이 특별한 제한 없이 직계혈족에게 가족관계등록법상 가족관계증명서 및 기본증명서의 교부청구권을 부여하는 것은 그 목적 달성을 위하여 적합한 수단이 된다.

나. 침해의 최소성

오늘날 가족관계에 있어서는 구성원 간의 신뢰와 유대감에 기초한 공동체로서의 가족에 대한 존중도 중요하지만, 가족원 모두가 독립적 인격체인 개인으로서 존중되어야 한다는 점도 중요하다. 가족이라는 이유만으로 가족 개인의 정보를 알게 하거나 이용할 수 있도록 해서는 안 되고, 이들 사이에도 오남용이나 유출의 가능성을 차단할 수 있는 제도를 형성하여야 할 필요성이 있다. 즉, 개인정보를 정보주체의 동의 없이 제공할 수 있도록 하는 법률은 독립적 인격체인 개인에 대한 보호를 우선적으로 고려하여 엄격한 기준과 방법에 따라 섬세하게 재단되어야 하며, 해당 정보에 관한 제공이 필요한 경우라 하더라도 그 허용은 필요한 최소한도에 그쳐야 한다.

가족관계증명서 및 기본증명서에서는 민감한 정보도 포함되어 있는데, 이러한 정보가 유출될 경우 의사에 반하여 타인에게 알려지는 것 자체가 개인의 인격에 대한 침해가 될 수 있다.

이 사건 법률조항은 주민등록법과는 달리 가정폭력 피해자의 개인정보보호를 위한 별도의 조치를 마련하고 있지 않아서, 가정폭력 가해자는 언제든지 그 자녀 명의의 가족관계증명서 및 기본증명서를 교부받아서 이를 통하여 가정폭력 피해자의 개인정보를 획득할 수 있다. 가정폭력 가해자라고 하더라도 자녀의 이익이나 정당한 알권리의 충족 등을 이유로 그 자녀 명의의 가족관계증명서와 기본증명서를 청구하는 경우, 자녀 본인의 사전 동의를 얻도록 하거나, 가정폭력 가해자인 직계혈족이 가정폭력 피해자에 대하여 추가가해를 행사하려는 등의 부당한 목적이 없음을 구체적으로 소명한 경우에만 발급하도록 하고 그러한 경우에도 가정폭력 피해자의 개인정보를 삭제하도록 하는 등의 대안적 조치를 마련함으로써 그 해결이 충분히 가능하다.

다. 법익의 균형성

이 사건 법률조항으로 말미암아 가정폭력 가해자인 직계혈족이 그 자녀의 가족관계증명서 및 기본증명서를 청구하여 발급받음으로써 거기에 기재되어 있는 가정폭력 피해자인 (전) 배우자의 개인정보가 유출됨으로써 (전) 배우자가 입는 피해는 실로 중대하다고 볼 수 있으므로 이 사건 법률조항에 대해서는 법익의 균형성을 인정하기 어렵다.

라. 소 결

따라서 이 사건 법률조항이 불완전·불충분하게 규정되어, 직계혈족이 가정폭력의 가해자로 판명된 경우 주민등록법 제29조 제6항 및 제7항과 같이 가정폭력 피해자가 가정폭력 가해자를 지정하여 가족관계증명서 및 기본증명서의 교부를 제한하는 등의 가정폭력 피해자의 개인정보를 보호하기 위한 구체적 방안을 마련하지 아니한 부진정입법부작위가 과잉금지원칙을 위반하여 청구인의 개인정보자기결정권을 침해한다.

3. 헌법불합치결정 및 잠정적용 명령

이 사건 법률조항을 위헌으로 선언할 경우 가정폭력 가해자가 아닌 일반 직계혈족까지도 그 자녀의 가족관계증명서와 기본증명서를 발급받을 수 없게 되는 법적 공백이 발생하므로, 이 사건 법률조항에 대하여 단순위헌결정을 하는 대신 헌법불합치결정을 선고하되, 2021년 12월 31일을 시한으로 입법자가 이 사건 법률조항의 위헌성을 제거하고 합리적인 내용으로 법률을 개정할 때까지 이를 계속 적용하도록 할 필요가 있다

II 결론

그렇다면 이 사건 법률조항은 헌법에 합치되지 아니하므로 헌법불합치결정을 함과 동시에 2021. 12. 31.을 시한으로 입법자의 개선입법이 이루어질 때까지 잠정적으로 이를 적용하기로 하여, 관여 재판관들의 일치된 의견으로 주문과 같이 결정한다.

함께 보는 판례

교육정보시스템(NEIS)을 통한 개인정보수집 사건 (2005. 7. 21. 선고 2003헌마282,425(병합))

가. 서울특별시 교육감 등이 졸업생의 성명, 생년월일 및 졸업일자 정보를 교육정보시스템(NEIS)에 보유하는 행위의 법률유보원칙 위배 여부(소극)

개인정보자기결정권을 제한함에 있어서는 개인정보의 수집·보관·이용 등의 주체, 목적, 대상 및 범위 등을 법률에 구체적으로 규정함으로써 그 법률적 근거를 보다 명확히 하는 것이 바람직하나, 개인정보의 종류와 성격, 정보처리의 방식과 내용 등에 따라 수권법률의 명확성 요구의 정도는 달라진다 할 것인바, 피청구인 서울특별시 교육감과 교육인적자원부장관이 졸업생 관련 제 증명의 발급이라는 소관 민원업무를 효율적으로 수행함에 필요하다고 보아 개인의 인격에 밀접히 연관된 민감한 정보라고 보기 어려운 졸업생의 성명, 생년월일 및 졸업일자만을 교육정보시스템(NEIS)에 보유하는 행위에 대하여는 그 보유정보의 성격과 양(量), 정보보유 목적의 비침해성 등을 종합할 때 수권법률의 명확성이 특별히 강하게 요구된다고는 할 수 없으며, 따라서 "공공기관은 소관업무를 수행하기 위하여 필요한 범위 안에서 개인정보화일을 보유할 수 있다."고 규정하고 있는 공공기관의개인정보보호에관한법률 제5조와 같은 일반적 수권조항에 근거하여 피청구인들의 보유행위가 이루어졌다하더라도 법률유보원칙에 위배된다고 단정하기 어렵다.

나. 위 행위가 그 정보주체의 개인정보자기결정권을 침해하는지 여부(소극)

개인정보의 종류 및 성격, 수집목적, 이용형태, 정보처리방식 등에 따라 개인정보자기결정권의 제한이 인격권 또는 사생활의 자유에 미치는 영향이나 침해의 정도는 달라지므로 개인정보자기결정권의 제한이 정당한지 여부를 판단함에 있어서는 위와 같은 요소들과 추구하는 공익의 중요성을 헤아려야 하는바, 피청구인들이 졸업증명서 발급업무에 관한 민원인의 편의 도모, 행정효율성의 제고를 위하여 개인의 존엄과 인격권에 심대한 영향을 미칠 수 있는 민감한 정보라고 보기 어려운 성명, 생년월일, 졸업일자 정보만을 NEIS에 보유하고 있는 것은 목적의 달성에 필요한 최소한의 정보만을 보유하는 것이라 할 수 있고, 공공기관의개인정보보호에관한법률에 규정된 개인정보 보호를 위한 법규정들의 적용을 받을 뿐만 아니라 피청구인들이 보유목적을 벗어나 개인정보를 무단 사용하였다는 점을 인정할 만한 자료가 없는 한 NEIS라는 자동화된 전산시스템으로 그 정보를 보유하고 있다는 점만으로 피청구인들의 적법한 보유행위 자체의 정당성마저 부인하기는 어렵다.

보안관찰처분대상자에 대한 신고의무 부과 사건 [헌법불합치, 합헌]
— 2021. 6. 24. 선고 2017헌바479

판시사항 및 결정요지

1. 보안관찰처분대상자가 교도소 등에서 출소한 후 7일 이내에 출소사실을 신고하도록 정한 구 보안관찰법 제6조 제1항 전문 중 출소 후 신고의무에 관한 부분 및 이를 위반할 경우 처벌하도록 정한 보안관찰법 제27조 제2항 중 구 보안관찰법 제6조 제1항 전문 가운데 출소 후 신고의무에 관한 부분(이하 위 두 조항을 합하여 '출소후신고조항 및 위반 시 처벌조항'이라 한다)이 과잉금지원칙을 위반하여 청구인의 사생활의 비밀과 자유 및 개인정보자기결정권을 침해하는지 여부(소극)

　　출소 후 출소사실을 신고하여야 하는 신고의무 내용에 비추어 보안관찰처분대상자(이하 '대상자'라 한다)의 불편이 크다거나 7일의 신고기간이 지나치게 짧다고 할 수 없다. 보안관찰해당범죄는 민주주의체제의 수호와 사회질서의 유지, 국민의 생존 및 자유에 중대한 영향을 미치는 범죄인 점, 보안관찰법은 대상자를 파악하고 재범의 위험성 등 보안관찰처분의 필요성 유무의 판단 자료를 확보하기 위하여 위와 같은 신고의무를 규정하고 있다는 점 등에 비추어 출소 후 신고의무 위반에 대한 제재수단으로 형벌을 택한 것이 과도하다거나 법정형이 다른 법률들에 비하여 각별히 과중하다고 볼 수도 없다.

　　따라서 출소후신고조항 및 위반 시 처벌조항은 과잉금지원칙을 위반하여 청구인의 사생활의 비밀과 자유 및 개인정보자기결정권을 침해하지 아니한다.

2. 출소후신고조항 및 위반 시 처벌조항이 평등원칙에 위반되는지 여부(소극)

　　1) 피보안관찰자와의 차별 - 보안관찰법은 대상자와 피보안관찰자에 맞게 각각에 대하여 신고의무를 부과하고 있다는 점에서 이러한 신고의무 부과 자체가 불합리하다고 볼 수 없는 점, 대상자의 신고의무와 피보안관찰자의 신고의무 모두 행정청이 신고를 통해 관련 자료를 확보할 필요성이 있다는 측면에서는 유사한 점 등에 비추어 대상자와 피보안관찰자 모두에게 '신고의무'를 부과하고 그 위반 시 동일한 법정형에 처하도록 한 것 자체가 평등원칙에 위반된다고 보기는 어렵다.
　　2) 치료감호, 보호관찰과의 차별 - 보안관찰과 치료감호·보호관찰 사이의 신고의무 부과 대상자의 범위와 요건, 위반 시 제재가 각기 다른 이유는, 각 제도의 목적과 취지, 법적 성질, 대상자의 지위와 처분의 내용이 다르기 때문이다.
　　3) 따라서 출소후신고조항 및 위반 시 처벌조항은 평등원칙에 위반되지 않는다.

3. 보안관찰처분대상자가 교도소 등에서 출소한 후 기존에 보안관찰법 제6조 제1항에 따라 신고한 거주예정지 등 정보에 변동이 생길 때마다 7일 이내에 이를 신고하도록 정한 보안관찰법 제6조 제2항 전문(이하 '변동신고조항'이라 한다)이 포괄위임금지원칙에 위배되는지 여부(소극)

　　사회적 변화에 대응하기 위해 대상자가 신고해야 할 구체적 사항을 하위법령에 위임할 필요성이 인정된다. 변동신고조항 및 보안관찰법 제6조 제1항에서 정한 신고의무사항은 재범의 위험성이 있는지 판단하기 위한 정보일 것이므로, 위 제6조 제1항에서 위임한 신고사항에는 대상자의 생활환경, 성행 등을 파악하는 데 필요한 직업, 재산, 가족 및 교우관계 등에 관한 정보도 포함될 것임을 충분히 예측할 수 있다. 따라서 위 제6조 제1항에 의한 신고사항에 변동이 있을 경우 신고하도록 정한 변동신고조항은 포괄위임금지원칙에 위배되지 아니한다.

4. 변동신고조항 및 이를 위반할 경우 처벌하도록 정한 보안관찰법 제27조 제2항 중 제6조 제2항 전문에 관한 부분(이하 변동신고조항과 합하여 '변동신고조항 및 위반 시 처벌조항'이라 한다)이 과잉금지원칙을 위반하여 청구인의 사생활의 비밀과 자유 및 개인정보자기결정권을 침해하는지 여부(적극)

1) 재판관 이석태, 재판관 김기영, 재판관 문형배, 재판관 이미선의 위헌의견

변동신고조항 및 위반 시 처벌조항은 아직 재범의 위험성 판단이 이루어지지 아니한 대상자에게, 재범의 위험성이 인정되어 보안관찰처분을 받은 사람과 유사한 신고의무 및 그 위반 시 동일한 형사처벌을 규정하고 있다. 이는 재범의 위험성이 없으면 보안처분을 부과할 수 없다는 보안처분에 대한 죄형법정주의적 요청에 위배되고, 입법목적 달성에 필요하지 않은 제한까지 부과하는 것이다.

피보안관찰자의 경우 2년 마다 그 시점을 기준으로 재범의 위험성을 심사하여 갱신 여부를 결정하도록 하고 있는데, 대상자의 경우에는 정기적 심사도 없이 무기한의 신고의무를 부담하게 된다. 이 때문에 종국결정이라 할 수 있는 보안관찰처분이 없음에도 보안관찰처분이 있는 것과 유사한 효과를 선취하는 불합리한 결과를 초래하고 있다.

변동신고조항 및 위반 시 처벌조항은 과잉금지원칙에 위배되어 사생활의 비밀과 자유, 개인정보자기결정권을 침해한다.

2) 재판관 유남석, 재판관 이은애의 헌법불합치의견

변동신고조항은 출소 후 기존에 신고한 거주예정지 등 정보에 변동이 생기기만 하면 신고의무를 부과하는데, 의무기간의 상한이 정해져 있지 아니하여, 대상자로서는 보안관찰처분을 받은 자가 아님에도 무기한의 신고의무를 부담한다.

대상자로서는 행정청이 어느 시점에 보안관찰처분을 할지 모르는 불안정한 상태에 항상 놓여 있게 되는바, 이는 행정청이 대상자의 재범 위험성에 대하여 판단을 하지 아니함에 따른 부담을 대상자에게 전가한다는 문제도 있다.

대상자가 면제결정을 받으면 신고의무에서 벗어날 수 있으나, 그 절차가 까다롭고, '면제결정요건에 해당하지 아니하게 된 때'로 판단되면 면제결정이 취소될 수도 있으므로, 이는 기간의 상한 없는 변동신고의무의 위헌성을 치유하기에는 부족하다. 나아가 이와 같은 구제수단은 어디까지나 현행 신고제도하에서는 '예외'에 해당할 뿐이므로, 근본적 문제점을 해결할 수 있는 것이 아니다.

그렇다면, 변동신고조항 및 위반 시 처벌조항은 대상자에게 보안관찰처분의 개시 여부를 결정하기 위함이라는 공익을 위하여 지나치게 장기간 형사처벌의 부담이 있는 신고의무를 지도록 하므로 과잉금지원칙에 위배되어 청구인의 사생활의 비밀과 자유 및 개인정보자기결정권을 침해한다.

5. 변동신고조항 및 위반 시 처벌조항에 대하여 위헌의견이 4인, 헌법불합치의견이 2인인 경우 주문의 표시 및 헌법불합치결정을 선고하면서 계속 적용을 명한 사례

헌법재판소가 변동신고조항 및 위반 시 처벌조항에 대해 단순위헌결정을 하여 그 효력이 즉시 상실되면 대상자에 대하여 변동사항 신고의무를 부과함이 정당한 경우에도 그러한 의무가 즉시 사라지게 되므로, 헌법불합치결정을 선고하고, 입법자의 개선입법이 있을 때까지 잠정적용을 명하는 것이 타당하다. 입법자는 늦어도 2023. 6. 30.까지 개선입법을 하여야 하며, 그때까지 개선입법이 이루어지지 않으면 이는 2023. 7. 1.부터 그 효력을 잃는다.

제2항 주거의 자유

 **'체포영장 집행시 별도 영장 없이 타인의 주거 등을 수색할 수 있도록 한 형사소송법 조항 위헌소원 및 위헌제청 사건'** [헌법불합치]
― 2018. 4. 26. 선고 2015헌바370, 2016헌가7(병합)

판시사항

1. 체포영장을 집행하는 경우 필요한 때에는 타인의 주거 등에서 피의자 수사를 할 수 있도록 한 형사소송법 제216조 제1항 제1호 중 제200조의2에 관한 부분(이하 '심판대상조항'이라 한다)이 명확성원칙에 위반되는지 여부(소극)
2. 심판대상조항이 헌법 제16조의 영장주의에 위반되는지 여부(적극)
3. 심판대상조항에 대하여 단순위헌결정을 하여 그 효력을 즉시 상실시킬 경우 발생할 법적 공백상태를 우려하여 입법시한을 정하여 잠정 적용을 명하는 헌법불합치 결정을 하고, 헌법 및 형사소송법 관련 조항의 개정 필요성을 지적한 사례

심판대상조항 및 관련조항

형사소송법(1995. 12. 29. 법률 제5054호로 개정된 것)

제216조(영장에 의하지 아니한 강제처분) ① 검사 또는 사법경찰관은 제200조의2·제200조의3·제201조 또는 제212조의 규정에 의하여 피의자를 체포 또는 구속하는 경우에 필요한 때에는 영장없이 다음 처분을 할 수 있다.
  1. 타인의 주거나 타인이 간수하는 가옥, 건조물, 항공기, 선차 내에서의 피의자 수사

주문

1. 형사소송법(1995. 12. 29. 법률 제5054호로 개정된 것) 제216조 제1항 제1호 중 제200조의2에 관한 부분은 헌법에 합치되지 아니한다.
2. 위 법률조항은 2020. 3. 31.을 시한으로 입법자가 개정할 때까지 계속 적용된다.

I. 판 단

1. 명확성원칙 위반 여부

헌법 제16조는 모든 국민이 주거의 자유를 침해받지 아니한다고 규정하면서 주거에 대한 압수나 수색을 할 때에는 영장을 제시하여야 한다고 특별히 강조하고 있으므로, 주거공간에 대한 압수·수색은 그 장소에 혐의사실 입증에 기여할 자료 등이 존재할 개연성이 충분히 소명되어야 그 필요

성을 인정할 수 있다. 심판대상조항은 영장의 발부를 전제로 하고 있지는 않으나 위와 같은 해석은 심판대상조항에 따른 수사를 하는 경우에도 동일하게 적용되어야 한다. 따라서 심판대상조항의 피의자를 체포하는 경우에 "필요한 때"는 '피의자가 소재할 개연성'을 의미하는 것으로 어렵지 않게 해석할 수 있다. 심판대상조항은 수사기관이 피의자를 체포하기 위하여 필요한 때에는 영장 없이 타인의 주거 등에 들어가 피의자를 찾는 행위를 할 수 있다는 의미로서, 심판대상조항의 "피의자 수사"는 '피의자 수색'을 의미함을 어렵지 않게 해석할 수 있다.

이상을 종합하여 보면, 심판대상조항은 피의자가 소재할 개연성이 소명되면 타인의 주거 등 내에서 수사기관이 피의자를 수색할 수 있음을 의미하는 것으로 누구든지 충분히 알 수 있으므로, 명확성원칙에 위반되지 아니한다.

2. 영장주의 위반 여부

가. 헌법 제16조의 영장주의

영장주의의 본질은 강제처분을 함에 있어서는 중립적인 법관이 구체적 판단을 거쳐 발부한 영장에 의하여야만 한다는 데에 있다. 이러한 영장주의는 사법권독립에 의하여 신분이 보장되는 법관의 사전적·사법적 억제를 통하여 수사기관의 강제적인 압수·수색을 방지하고 국민의 기본권을 보장하기 위한 것이다. 헌법 제12조 제3항의 영장주의에 관한 헌법재판소결정의 취지는 헌법 제16조의 영장주의를 해석하는 경우에도 마찬가지로 고려되어야 한다.

나. 영장주의의 예외

헌법 제12조 제3항은 "체포·구속·압수 또는 수색을 할 때에는 적법한 절차에 따라 검사의 신청에 의하여 법관이 발부한 영장을 제시하여야 한다. 다만, 현행범인인 경우와 장기 3년 이상의 형에 해당하는 죄를 범하고 도피 또는 증거인멸의 염려가 있을 때에는 사후에 영장을 청구할 수 있다."라고 규정함으로써, 사전영장주의에 대한 예외를 명문으로 인정하고 있다. 이와 달리 헌법 제16조 후문은 "주거에 대한 압수나 수색을 할 때에는 검사의 신청에 의하여 법관이 발부한 영장을 제시하여야 한다."라고 규정하고 있을 뿐 영장주의에 대한 예외를 명문화하고 있지 않다.

그러나 헌법 제12조 제3항과 헌법 제16조의 관계, 주거 공간에 대한 긴급한 압수·수색의 필요성, 헌법 제16조가 주거의 자유와 관련하여 영장주의를 선언하고 있는 이상, 그 예외는 매우 엄격한 요건 하에서만 인정되어야 하는 점 등을 종합하면, 헌법 제16조의 영장주의에 대해서도 그 예외를 인정하되, 이는 ① 그 장소에 범죄혐의 등을 입증할 자료나 피의자가 존재할 개연성이 소명되고, ② 사전에 영장을 발부받기 어려운 긴급한 사정이 있는 경우에만 제한적으로 허용될 수 있다고 보는 것이 타당하다.

다. 심판대상조항의 영장주의 위반

심판대상조항은 체포영장을 발부받아 피의자를 체포하는 경우에 필요한 때에는 영장 없이 타인의 주거 등 내에서 피의자 수사를 할 수 있다고 규정함으로써, 앞서 본 바와 같이 별도로 영장을 발부받기 어려운 긴급한 사정이 있는지 여부를 구별하지 아니하고 피의자가 소재할 개연성만 소명되면 영장 없이 타인의 주거 등을 수색할 수 있도록 허용하고 있다.

　이는 체포영장이 발부된 피의자가 타인의 주거 등에 소재할 개연성은 소명되나, 수색에 앞서 영장을 발부받기 어려운 긴급한 사정이 인정되지 않는 경우에도 영장 없이 피의자 수색을 할 수 있다는 것이므로, 위에서 본 헌법 제16조의 영장주의 예외 요건을 벗어나는 것으로서 영장주의에 위반된다.

II 헌법불합치 결정

　심판대상조항의 위헌성은 체포영장이 발부된 피의자를 체포하기 위하여 타인의 주거 등을 수색하는 경우에 피의자가 그 장소에 소재할 개연성만 소명되면 수색영장을 발부받기 어려운 긴급한 사정이 있는지 여부와 무관하게 영장주의의 예외를 인정하고 있다는 점에 있다. 따라서 심판대상조항에 대하여 단순위헌결정을 하여 그 효력을 즉시 상실시킨다면, 수색영장 없이 타인의 주거 등을 수색하여 피의자를 체포할 긴급한 필요가 있는 경우에도 이를 허용할 법률적 근거가 사라지게 되는 법적 공백상태가 발생하게 된다.

　위와 같은 이유로 심판대상조항에 대하여 단순위헌결정을 하는 대신 헌법불합치결정을 선고하되, 2020. 3. 31.을 시한으로 입법자가 심판대상조항의 위헌성을 제거하고 합헌적인 내용으로 법률을 개정할 때까지 심판대상조항이 계속 적용되도록 한다. 다만 향후 심판대상조항은 체포영장이 발부된 피의자가 타인의 주거 등에 소재할 개연성이 소명되고, 그 장소를 수색하기에 앞서 별도로 수색영장을 발부받기 어려운 긴급한 사정이 있는 경우에 한하여 적용되어야 할 것이다.

　심판대상조항의 위헌성은 근본적으로 헌법 제16조에서 영장주의를 규정하면서 그 예외를 명시적으로 규정하지 아니한 잘못에서 비롯된 것이다. 늦어도 2020. 3. 31.까지는 현행범인 체포, 긴급체포, 일정 요건 하에서의 체포영장에 의한 체포의 경우에 영장주의의 예외를 명시하는 것으로 위 헌법조항이 개정되고, 그에 따라 심판대상조항(심판대상조항과 동일한 내용의 규정이 형사소송법 제137조에도 존재한다)이 개정되는 것이 바람직하며, 위 헌법조항이 개정되지 않는 경우에는 심판대상조항만이라도 이 결정의 취지에 맞게 개정되어야 함을 지적하여 둔다.

III 결 론

　그렇다면 심판대상조항은 헌법에 합치되지 아니하나, 2020. 3. 31.을 시한으로 입법자가 개선입법을 할 때까지 잠정적으로 적용되도록 하여, 관여 재판관 전원의 일치된 의견으로 주문과 같이 결정한다.

101 불법체류 외국인 강제출국 사건 [기각]
― 2012. 8. 23. 선고 2008헌마430

판시사항

1. 피청구인 서울출입국관리사무소장이 불법체류 외국인인 청구인들을 긴급보호한 행위가 출입국관리법상 긴급보호의 요건을 갖추지 못하였는지 여부(소극)
2. 청구인을 긴급보호하는 과정에서 서울출입국관리사무소 소속 직원들이 청구인의 주거에 침입하여 주거의 자유를 침해하였는지 여부(소극)
3. 청구인들이 강제퇴거명령에 대하여 취소소송과 집행정지신청을 제기하였음에도 피청구인이 강제퇴거명령을 집행한 것이 청구인들의 재판청구권을 침해하였는지 여부(소극)

사건의 개요

청구인 L. T. 바하두르(L. T. Bahadur, 이하 '림○○'라 한다)는 네팔인으로 1991. 11. 18. 체류기간 15일의 관광통과 체류자격으로 대한민국에 입국하였고, 청구인 S. M. 압두스(S. M. Abdus, 이하 '소○○'라 한다)는 방글라데시인으로 1998. 11. 19. 체류기간 90일의 사증면제 체류자격으로 대한민국에 입국하였는데, 청구인들은 각 체류기간 만료 후에도 출국하지 않고 계속해서 대한민국에 체류하다가, 2008. 1.경부터는 청구인 림○○는 "서울경기인천 이주노동자 노동조합"(이하 "이주노동자조합"이라 한다)의 위원장으로, 청구인 소○○는 부위원장으로 각 활동하여 왔다.

서울출입국관리사무소 소속 직원들은 청구인들이 출입국관리법상 강제퇴거 대상자라는 이유로, 2008. 5. 2. 20:20경 서울 중구 예관동 소재 이주노동자조합 사무실 앞에서 청구인 림○○를, 같은 날 21:00경 서울 성동구 행당동에 있는 청구인 소○○의 주거지에서 청구인 소○○를 각 긴급보호한 후 청주외국인보호소로 인치하였다. 그 직후 서울출입국관리사무소장은 청구인들에 대한 2008. 5. 2.자 보호명령서를 각 발부하였고, 2008. 5. 4. 청구인들에 대한 각 강제퇴거명령서를 발부하였다.

청구인들은 2008. 5. 5. 법무부장관에게 위 각 보호명령 및 강제퇴거명령에 대한 이의신청을 제기하고, 2008. 5. 9. 서울출입국관리사무소장을 피고로 하여 위 명령들의 취소를 구하는 행정소송을 제기하면서 그 소송의 본안판결 확정시까지 강제퇴거명령의 효력정지를 구하는 집행정지신청을 하였다. 또한 청구인들은 2008. 5. 8. 위와 같은 긴급보호 과정에서 발생한 인권침해에 대하여 국가인권위원회에 진정을 제기하였는데, 국가인권위원회는 2008. 5. 15. 위 진정사건의 조사가 완료될 때까지 청구인들에 대한 강제퇴거명령의 집행을 유예할 것을 권고하는 내용의 긴급구제조치 결정을 하였다.

서울출입국관리사무소장은 2008. 5. 15. 14:00경 청구인들에 대한 강제퇴거명령의 집행을 개시하여 청구인들을 인천국제공항으로 이송하였는데, 청구인들의 변호인은 서울출입국관리사무소 직원에게 위와 같은 국가인권위원회의 권고 결정이 있는 사실 및 청구인들이 제기한 행정소송 및 집행정지신청 사건이 계속 중인 사실을 들어 강제퇴거의 집행을 정지해 줄 것을 요구하였으나, 서울출입국관리사무소장은 21:30경 방콕행 비행기편을 이용하여 청구인들을 강제출국시킴으로써 강제퇴거의 집행을 완료하였다.

이에 청구인들은 그 변호인을 통하여 2008. 6. 2. '청구인들에 대한 2008. 5. 2.자 긴급보호 및 보호명령의 집행행위가 헌법상 영장주의원칙과 적법절차원칙에 위배되어 신체의 자유, 주거의 자유, 노동3권을 침해하였고, 2008. 5. 15.자 강제퇴거명령의 집행행위는 재판청구권, 노동3권, 평등권 등을 침해하였다.'고 주장하며 이 사건 헌법소원심판을 청구하였다.

I 적법요건에 관한 판단

1. 외국인의 기본권주체성

헌법재판소법 제68조 제1항 소정의 헌법소원은 기본권의 주체이어야만 청구할 수 있는데, 단순히 '국민의 권리'가 아니라 '인간의 권리'로 볼 수 있는 기본권에 대해서는 외국인도 기본권의 주체가 될 수 있다. 나아가 청구인들이 불법체류 중인 외국인들이라 하더라도, 불법체류라는 것은 관련 법령에 의하여 체류자격이 인정되지 않는다는 것일 뿐이므로, '인간의 권리'로서 외국인에게도 주체성이 인정되는 일정한 기본권에 관하여 불법체류 여부에 따라 그 인정 여부가 달라지는 것은 아니다.

청구인들이 침해받았다고 주장하고 있는 신체의 자유, 주거의 자유, 변호인의 조력을 받을 권리, 재판청구권 등은 성질상 인간의 권리에 해당한다고 볼 수 있으므로, 위 기본권들에 관하여는 청구인들의 기본권 주체성이 인정된다. 그러나 '국가인권위원회의 공정한 조사를 받을 권리'는 헌법상 인정되는 기본권이라고 하기 어렵고, 이 사건 보호 및 강제퇴거가 청구인들의 노동3권을 직접 제한하거나 침해한 바 없음이 명백하므로, 위 기본권들에 대하여는 본안판단에 나아가지 아니한다.

2. 보충성 및 권리보호이익

이 사건 보호 및 강제퇴거는 이미 종료한 권력적 사실행위로서 행정소송을 통해 구제될 가능성이 거의 없고 헌법소원심판 이외에 달리 효과적인 구제방법을 찾기 어려우므로 이 사건 심판청구가 보충성 원칙에 위반된다고 할 수 없다. 또한 이 사건 보호 및 강제퇴거는 이미 집행이 모두 종료하였으므로 이 사건 심판청구가 인용되더라도 청구인들의 주관적 권리구제에는 도움이 되지 못하지만, 불법체류 외국인에 대한 보호 및 강제퇴거는 앞으로도 반복될 것이 예상되어 이에 대한 헌법적 해명이 필요하므로, 권리보호이익이 인정된다.

II 본안에 관한 판단

1. 이 사건 보호가 적법절차의 원칙에 위반하여 청구인들의 기본권을 침해하였는지 여부

헌법 제12조 제1항이 규정하고 있는 적법절차원칙은 형사소송절차에 국한되지 않고 모든 국가작용에 적용되며 행정작용에 있어서도 적법절차원칙은 준수되어야 하는바, 불법체류 외국인에 대한 보호 또는 긴급보호의 경우에도 출입국관리법이 정한 요건에 해당하지 않거나 법률이 정한 절차를 위반하는 때에는 적법절차원칙에 반하여 신체의 자유 등 기본권을 침해하게 된다.

외국인등록을 하지 아니한 채 오랜 기간 불법적으로 체류하면서 스스로 출국할 의사가 없는 것으로 판단되는 청구인들에 대한 긴급보호는 출입국관리법상 긴급보호의 요건을 갖추지 못하였다고 볼 수 없다.

2. 이 사건 보호가 청구인 소○○의 주거의 자유를 침해하였는지 여부

수사절차에서 피의자를 영장에 의해 체포·구속하거나 영장없이 긴급체포 또는 현행범인으로 체포하는 경우, 필요한 범위 내에서 타인의 주거 내에서 피의자를 수사할 수 있으므로(형사소송법 제216조 제1항 참조), 출입국관리법에 의한 보호에 있어서도 용의자에 대한 긴급보호를 위해 그의 주거에 들어간 것이라면, 그 긴급보호가 적법한 이상 주거의 자유를 침해한 것으로 볼 수 없다고 할 것이다.

따라서 청구인 소○○의 주장대로, 서울출입국관리사무소 소속 직원들이 위 청구인을 긴급보호하는 과정에서 위 청구인의 주거지에 들어갔다고 하더라도, 이는 위 청구인에 대한 긴급보호를 위해 필요한 행위로서, 그 긴급보호가 적법한 이상 청구인 소○○의 주거의 자유를 침해하였다고 볼 수 없다.

3. 이 사건 강제퇴거가 청구인들의 평등권을 침해하였는지 여부

국가인권위원회의 조사 절차가 진행중이라는 이유로 피청구인이 불법체류 외국인에 대한 강제퇴거의 집행을 정지하여야 할 의무는 없을 뿐 아니라, 청구인들의 경우를 제외한 모든 경우에 국가인권위원회의 조사 절차가 진행중임을 이유로 강제퇴거의 집행을 유예하였다고 인정할 자료도 없으므로, 피청구인이 청구인들을 부당하게 차별하였다고 볼 수도 없다.

4. 이 사건 강제퇴거가 청구인들의 재판청구권을 침해하였는지 여부

청구인들은, 강제퇴거명령에 대한 취소소송과 강제퇴거명령의 효력정지를 구하는 집행정지신청이 법원에 계속중이었는데도, 피청구인이 강제퇴거의 집행을 종료함으로써 결과적으로 위 취소소송과 집행정지신청에 있어서 소의 이익 또는 신청의 이익이 소멸하게 되어 청구인들의 재판청구권이 침해되었다고 주장한다.

살피건대, 취소소송의 제기는 처분 등의 효력이나 그 집행 또는 절차의 속행에 영향을 주지 아니하므로(행정소송법 제23조 제1항), 청구인들의 취소소송이나 집행정지신청에 관한 법원의 판단이 있기 전에 피청구인이 이 사건 강제퇴거명령을 집행하였다고 하여 이를 위법하다고 할 수 없다.

그러므로 이 사건 강제퇴거가 청구인들의 재판청구권을 침해하였다고 볼 수 없다.

5. 소 결

결국 이 사건 보호 및 강제퇴거가 헌법상 보장된 청구인들의 기본권을 침해하였다고 볼 수 없다.

제3항 거주·이전의 자유

 **102** 여권의 사용제한 등에 관한 고시 위헌확인 [기각]
— 2008. 6. 26. 선고 2007헌마1366

판시사항

1. 아프가니스탄 등 전쟁 또는 테러위험이 있는 해외 위난지역에서 여권사용을 제한하거나 방문 또는 체류를 금지한 외교통상부 고시(이하 '이 사건 고시'라고 한다)가 청구인들의 거주·이전의 자유를 침해하는 것인지의 여부(소극)
2. 이 사건 고시가 청구인들의 종교의 자유를 제한하는 것인지의 여부(소극)
3. 이 사건 고시가 청구인들의 평등권을 침해하는 것인지의 여부(소극)

사건의 개요

청구인 김○성은 한의사로서 2003년경부터 아프가니스탄 북동부 및 중부에서 의료봉사 및 교육활동을 하다가 2007. 8. 3. 한국대사관으로부터 교민철수명령을 받고 2007. 8. 29. 귀국하였고, 청구인 조○현은 성형외과 전문의로서 2003년경부터 아프가니스탄 북부에서 의료봉사 및 교육활동을 하다가 2007. 6. 일시 귀국하였는데, 각자 2007. 9.경 다시 아프가니스탄으로 출국하려 하였으나 외교통상부 장관의 '여권의 사용제한 등에 관한 고시'에 의하여 그 뜻을 이루지 못하였다. 청구인들은, 자신들이 오직 인도주의적 목적으로 봉사활동을 위하여 아프가니스탄으로 가려고 하였음에도 위 지역의 테러위험을 이유로 출국을 금지하는 것은 거주·이전의 자유, 종교의 자유 및 평등권을 침해하는 것이라고 주장하면서 2007. 11. 30. 이 사건 헌법소원심판을 청구하였다.

I 적법요건에 관한 판단

1. 직접성

이 사건 고시는 여권의 사용을 제한하거나 방문 및 체류를 금지(이하 "여권의 사용제한 등"이라고 한다)함에 있어 해당 국가(지역), 제한 기간, 예외적 허가 신청 대상자 및 그 절차 등을 규정하면서, 예외적 허가 신청 사유로서 해당 국가(지역)의 영주권자, 공공이익을 위한 취재·보도를 위한 경우, 긴급한 인도적 활동, 외교안보임무의 수행 및 소관 중앙행정기관의 장의 추천을 받은 기업활동 수행을 위한 경우만을 규정하고 있다.

따라서 질병의 치료, 언청이 수술 등의 일반적인 의료봉사 및 선교·교육활동이 목적인 청구인들은 위 예외사유에 해당하지 않아 허가신청조차 할 수 없고, 신청한다고 하더라도 불허될 것이 명백하므로, 이 사건 고시는 청구인들에 대하여 기본권 제한의 직접적인 효력을 갖는 규정으로서 직접성이 인정된다.

2. 보충성

이 사건 고시는 구체적 집행행위를 기다리지 않고 일정한 경우 국민의 거주·이전의 자유를 직접 제한하는 규정을 둠으로써 법규명령 또는 행정규칙의 성격을 가지게 되었으므로, 그 효력을 직접 다투기 위한 헌법소원이 가능하다.

Ⅲ 본안에 대한 판단

1. 거주·이전의 자유 침해 여부

우리 헌법 제14조 제1항은 "모든 국민은 거주·이전의 자유를 가진다."고 규정하고 있고, 이러한 거주·이전의 자유에는 국내에서의 거주·이전의 자유뿐 아니라 국외 이주의 자유, 해외여행의 자유 및 귀국의 자유가 포함되는바, 아프가니스탄 등 일정한 국가로의 이주, 해외여행 등을 제한하는 이 사건 고시로 인하여 청구인들의 거주·이전의 자유가 일부 제한된 점은 인정된다.

그러나 이 사건 고시는 국가의 국민에 대한 기본권 보장의무(헌법 제10조) 및 재외국민 보호의무(헌법 제2조 제2항)를 이행하며 국민의 생명·신체 및 재산을 보호하기 위한 것으로서 그 목적의 정당성이 인정되고, 천재지변·내란·폭동·테러 등 해외 위난상황이 발생한 지역에 대하여 여권의 사용제한 등의 조치를 함으로써 해당 지역으로 출국하는 것을 사전에 방지하는 것은 위와 같은 목적을 달성하기 위한 적절한 수단이라고 할 수 있다. 또한 이 사건 고시는 대상지역을 당시 전쟁이 계속 중이던 이라크와 소말리아, 그리고 실제로 한국인에 대한 테러 가능성이 높았던 아프가니스탄 등 3곳으로 한정하고, 여권의 사용제한 등 기간도 1년으로 하여 그다지 장기간으로 정하고 있지 않을 뿐 아니라, 부득이한 경우 예외적으로 외교통상부장관의 허가를 받아 여권의 사용 및 방문·체류가 가능하도록 함으로써 국민의 거주·이전의 자유에 대한 제한을 최소화하고 있다. 그 밖에 청구인들이 이 사건 고시로 인하여 일정한 기간 동안 특정 국가로 자유로이 출국할 수 없게 됨에 따른 사익의 제한보다는 해외 위난상황이 발생한 지역에서의 국민의 생명·신체 및 재산의 보호라는 공익이 훨씬 더 크다고 할 것이므로 법익의 균형성도 갖추었다고 할 것이다. 결국 이 사건 고시가 과잉금지원칙에 위배하여 청구인들의 거주·이전의 자유를 침해하였다고 볼 수 없다.

2. 종교(선교활동)의 자유

종교의 자유에는 신앙의 자유, 종교적 행위의 자유가 포함되며, 종교적 행위의 자유에는 신앙고백의 자유, 종교적 의식 및 집회·결사의 자유, 종교전파·교육의 자유 등이 있다. 이 사건에서 문제되는 종교의 자유는 종교전파의 자유로서 누구에게나 자신의 종교 또는 종교적 확신을 알리고 선전하는 자유를 말하며, 포교행위 또는 선교행위가 이에 해당한다.

그러나 이러한 종교전파의 자유는 국민에게 그가 선택한 임의의 장소에서 자유롭게 행사할 수 있는 권리까지 보장한다고 할 수 없으며, 그 임의의 장소가 대한민국의 주권이 미치지 아니하는 지역 나아가 국가에 의한 국민의 생명·신체 및 재산의 보호가 강력히 요구되는 해외 위난지역인 경우에는 더욱 그러하다.

또한 청구인들의 아프가니스탄에서의 선교행위가 제한된 것은, 이 사건 여권의 사용제한 등 조치를 통하여 국민의 국외 이전의 자유를 일시적으로 제한함으로써 부수적으로 나타난 결과일 뿐, 청구인들이 국내·국외를 포함한 다른 지역에서의 기독교를 전파할 자유를 일반적으로 제한하는 것은 아니라 할 것이므로 이 사건 고시가 직접적으로 청구인들의 선교의 자유를 침해하였다고 보기도 어렵다.

3. 평등권 침해 여부

이 사건 고시는 여권사용제한 등 조치의 예외 사유로서 해당국가의 영주권자 또는 공무활동을 위한 경우 이외에 언론보도, 기업활동 및 긴급한 인도적 활동을 규정하고 있다.

언론인이 위난 지역에 들어가 취재 또는 보도를 하는 것은 세계 각 지역의 천재지변 또는 전쟁 등 위난상황을 국민에게 정확하고도 상세히 알리고 교육함으로써 국민의 알권리를 충족시키는 중대한 책무를 이행하는데 필수적인 활동이고, 기업인의 기업활동은 국민의 재산권과 국가의 경제적 이익에 관련된 것으로 일시에 중단할 수 없거나 중단할 경우에는 막대한 경제적 손실을 가져올 수 있다.

또한 해외 위난지역 주민에 대한 구호가 필요한 긴급한 상황이 발생하여 그 지역에 들어가 인도적 활동을 하거나 지원하는 것은 세계평화와 인류공영이라는 헌법전문의 정신을 실현하고 우리나라가 국제사회의 일원으로서 역할을 다하며 국위를 선양하는 일이 아닐 수 없다.

이에 반하여, 청구인들이 목적하는 바인 지역 주민을 위한 질병 진료나 언청이 수술, 생필품 구호물자 전달 등 일반 의료·봉사활동 및 컴퓨터 교육·기독교 선교활동은 위 여권사용제한 등 조치의 예외 사유에서와 같이 국민의 생명·신체 및 재산의 위험을 담보하면서까지 보호되어야 할 중대한 국가적 이익에 관련되어 있는 것이라고는 할 수 없으므로, 위 일반 의료·봉사활동 및 교육선교활동을 여권사용제한 등 조치의 예외사유에 포함시키지 않은 것을 합리적 이유 없이 차별대우하는 것으로 볼 수 없다.

III 결 론

그렇다면 이 사건 고시는 청구인들의 거주·이전의 자유 및 종교의 자유 및 평등권을 침해하였다고 할 수 없으므로 청구인들의 심판청구는 이유 없어 이를 기각하기로 하여 관여 재판관 전원의 일치된 의견으로 주문과 같이 결정한다.

103 형사재판 계속 중인 사람에 대한 출국금지 사건 [합헌]
― 2015. 9. 24. 선고 2012헌바302

판시사항 및 결정요지

1. 헌법재판소 심리기간 중 재판의 전제성이 소멸하였으나 예외적으로 심판이익을 인정한 사례

이 사건 헌법소원심판이 청구된 뒤 청구인에 대한 출국금지기간이 지나 헌법재판소가 심판대상조항에 대하여 위헌결정을 하더라도 청구인은 당해사건에서 권리를 구제받을 수 없게 되었다. 그러나 이 사건에서 심판대상조항의 위헌 여부는 거주이전의 자유 중 출국의 자유와 관계되는 중요한 헌법문제이고, 이에 대하여는 아직 헌법재판소에서 해명이 이루어진 바 없다. 나아가 심판대상조항에 근거한 출국금지처분이 계속 이루어지고 있어 장래 같은 유형의 문제가 반복되어 발생할 가능성도 있다. 따라서 그 헌법적 해명이 헌법질서의 수호와 유지를 위해 중대한 의미를 가지므로 예외적으로 심판이익이 인정된다.

2. 형사재판에 계속 중인 사람에 대하여 출국을 금지할 수 있다고 규정한 출입국관리법(2011. 7. 18. 법률 제10863호로 개정된 것) 제4조 제1항 제1호(이하 '심판대상조항'이라 한다)가 영장주의에 위배되는지 여부(소극)

심판대상조항에 따른 법무부장관의 출국금지결정은 형사재판에 계속 중인 국민의 출국의 자유를 제한하는 행정처분일 뿐이고, 영장주의가 적용되는 신체에 대하여 직접적으로 물리적 강제력을 수반하는 강제처분이라고 할 수는 없다. 따라서 심판대상조항이 헌법 제12조 제3항의 영장주의에 위배된다고 볼 수 없다.

3. 심판대상조항이 적법절차원칙에 위배되는지 여부(소극)

심판대상조항에 따른 출국금지결정은 성질상 신속성과 밀행성을 요하므로, 출국금지 대상자에게 사전통지를 하거나 청문을 실시하도록 한다면 국가 형벌권 확보라는 출국금지제도의 목적을 달성하는 데 지장을 초래할 우려가 있다. 나아가 출국금지 후 즉시 서면으로 통지하도록 하고 있고, 이의신청이나 행정소송을 통하여 출국금지결정에 대해 사후적으로 다툴 수 있는 기회를 제공하여 절차적 참여를 보장해 주고 있으므로 적법절차원칙에 위배된다고 보기 어렵다.

4. 심판대상조항이 무죄추정의 원칙에 위배되는지 여부(소극)

심판대상조항은 형사재판에 계속 중인 사람이 국가의 형벌권을 피하기 위하여 해외로 도피할 우려가 있는 경우 법무부장관으로 하여금 출국을 금지할 수 있도록 하는 것일 뿐으로, 무죄추정의 원칙에서 금지하는 유죄 인정의 효과로서의 불이익 즉, 유죄를 근거로 형사재판에 계속 중인 사람에게 사회적 비난 내지 응보적 의미의 제재를 가하려는 것이라고 보기 어렵다. 따라서 심판대상조항은 무죄추정의 원칙에 위배된다고 볼 수 없다.

5. 심판대상조항이 출국의 자유를 침해하는지 여부(소극)

　형사재판에 계속 중인 사람의 해외도피를 막아 국가 형벌권을 확보함으로써 실체적 진실발견과 사법정의를 실현하고자 하는 심판대상조항은 그 입법목적이 정당하고, 형사재판에 계속 중인 사람의 출국을 일정 기간 동안 금지할 수 있도록 하는 것은 이러한 입법목적을 달성하는 데 기여할 수 있으므로 수단의 적정성도 인정된다. 법무부장관은 출국금지 여부를 결정함에 있어 출국금지의 기본원칙, 출국금지 대상자의 범죄사실, 연령 및 가족관계, 해외도피 가능성 등 피고인의 구체적 사정을 반드시 고려하여야 하며, 실무에서도 심판대상조항에 따른 출국금지는 매우 제한적으로 운용되고 있다. 그 밖에 출국금지 해제제도, 사후통지제도, 이의신청, 행정소송 등 형사재판에 계속 중인 사람의 기본권 제한을 최소화하기 위한 여러 방안이 마련되어 있으므로 침해의 최소성 원칙에 위배되지 아니한다. 심판대상조항으로 인하여 형사재판에 계속 중인 사람이 입게 되는 불이익은 일정 기간 출국이 금지되는 것인 반면, 심판대상조항을 통하여 얻는 공익은 국가 형벌권을 확보함으로써 실체적 진실발견과 사법정의를 실현하고자 하는 것으로서 중대하므로 법익의 균형성도 충족된다. 따라서 심판대상조항은 과잉금지원칙에 위배되어 출국의 자유를 침해하지 아니한다.

6. 심판대상조항이 공정한 재판을 받을 권리를 침해하는지 여부(소극)

　심판대상조항은 법무부장관으로 하여금 피고인의 출국을 금지할 수 있도록 하는 것일 뿐 피고인의 공격·방어권 행사와 직접 관련이 있다고 할 수 없고, 공정한 재판을 받을 권리에 외국에 나가 증거를 수집할 권리가 포함된다고 보기도 어렵다. 따라서 심판대상조항은 공정한 재판을 받을 권리를 침해한다고 볼 수 없다.

제4항 통신의 자유

104 수용자 발송 서신 무봉함 제출 사건 [위헌, 각하]
— 2012. 2. 23. 선고 2009헌마333

판시사항

1. 교도소장으로 하여금 수용자가 주고받는 서신에 금지 물품이 들어 있는지를 확인할 수 있도록 규정하고 있는 '형의 집행 및 수용자의 처우에 관한 법률' 제43조 제3항(이하 '이 사건 법률조항'이라 한다)이 청구인의 기본권을 직접 침해하는지 여부(소극)

2. 수용자가 밖으로 내보내는 모든 서신을 봉함하지 않은 상태로 교정시설에 제출하도록 규정하고 있는 '형의 집행 및 수용자의 처우에 관한 법률 시행령' 제65조 제1항(이하 '이 사건 시행령조항'이라 한다)이 청구인의 통신 비밀의 자유를 침해하는지 여부(적극)

사건의 개요

1. 청구인은 2007. 4. 23.경 구속되어 징역 3년을 선고받고 교도소에 수용 중 다시 사기죄로 징역 8월을 선고받아 마산교도소에서 형집행 중에 있다가, 허리디스크 치료를 위해서 자비 부담으로 외부의사의 진료를 받을 수 있게 해 달라고 마산교도소장에게 수차례 요청하였으나 거부당하였다.

2. 이에 청구인은 국민권익위원회 등의 국가기관에 청구인으로 하여금 외부의사의 진료를 받지 못하도록 하는 마산교도소장의 처분이 위법·부당함을 다투고자 청원서를 작성·봉함하여 제출하려고 하였으나, 마산교도소장은 법무부장관에 대한 청원서를 제외한 다른 서신은 봉함하여 제출할 수 없다고 하였다.

3. 그러자 청구인은 2009. 6. 초순경 법제처에 '형의 집행 및 수용자의 처우에 관한 법률' 제43조 제3항과 같은 법 시행령 제65조 제1항에 의하여 국가기관에 대한 청원서를 봉함하지 않은 상태로 교정시설에 제출해야 하는지 여부와 관련한 법령해석 질의를 하였고, 2009. 6. 8. 법제처에서 위 질의서를 이송받은 법무부장관으로부터 법무부장관에 대한 청원서 이외의 서신은 위 법령조항들에 의거하여 봉함하지 않은 상태로 제출하여야 한다는 회신을 수령하였다. 이에 청구인은 2009. 6. 22. 위 법령조항들이 헌법상 기본권을 침해한다고 주장하며 이 사건 헌법소원심판을 청구하였다.

심판대상조항 및 관련조항

형의 집행 및 수용자의 처우에 관한 법률(2007. 12. 21. 법률 제8728호로 개정된 것)

제43조(서신수수) ③ 소장은 수용자가 주고받는 서신에 법령에 따라 금지된 물품이 들어 있는지 확인할 수 있다.

형의 집행 및 수용자의 처우에 관한 법률 시행령(2008. 10. 29. 대통령령 제21095호로 개정된 것)

제65조(서신내용물의 확인) ① 수용자는 보내려는 서신을 봉함하지 않은 상태로 교정시설에 제출하여야 한다.

주문

1. '형의 집행 및 수용자의 처우에 관한 법률'(2007. 12. 21. 법률 제8728호로 개정된 것) 제43조 제3항에 대한 심판청구를 각하한다.
2. '형의 집행 및 수용자의 처우에 관한 법률 시행령'(2008. 10. 29. 대통령령 제21095호로 개정된 것) 제65조 제1항은 헌법에 위반된다.

I 적법 요건에 대한 판단

1. 이 사건 법률조항에 대한 심판청구

법률 또는 법률조항 자체가 헌법소원의 대상이 되기 위해서는 구체적인 집행행위를 기다리지 아니하고 당해 법률 또는 법률조항에 의하여 직접 기본권을 침해받아야 한다. 여기서 말하는 기본권침해의 직접성이란 구체적인 집행행위에 의하지 아니하고 법률 그 자체에 의해 직접 자유의 제한, 의무의 부과, 권리 또는 법적 지위의 박탈이 생긴 경우를 뜻한다.

이 사건 법률조항에 의하면 수용자의 서신에 금지물품이 들어 있는지 확인할 것인지 여부는 교도소장의 재량에 좌우되는 것이므로, 교도소장의 금지물품 확인이라는 구체적인 집행행위가 있을 때 비로소 수용자인 청구인의 권리에 영향을 미치게 된다. 그리고 이 사건 법률조항은 교도소장이 수용자의 서신에 금지물품이 들어 있는지 여부를 확인하는 구체적인 방법으로 수용자가 주고받는 서신을 봉함하지 않은 상태로 제출하도록 규정하고 있지도 아니하다.

따라서 이 사건 법률조항은 청구인의 기본권을 직접 침해한다고 할 수 없으므로 이에 대한 심판청구는 부적법하다.

2. 이 사건 시행령조항에 대한 심판청구

이 사건 시행령조항에 의해서 수용자는 교도소장 등의 다른 집행행위가 없더라도 서신을 봉함하지 않은 상태로 제출할 의무를 부과받게 되므로 이 사건 시행령조항은 수용자의 기본권을 직접적으로 제한한다.

다만 이 사건에서 청구인에 대한 형집행은 이미 종료되었으므로 청구인의 침해된 기본권 구제와 관련하여 권리보호이익이 문제될 수 있는데, 헌법소원제도는 주관적인 권리구제 뿐만 아니라 객관적인 헌법질서 보장의 기능도 겸하고 있으므로, 설사 주관적인 권리보호의 이익이 없는 경우라고 하더라도 동종의 기본권 침해가 반복될 위험이 있거나 헌법질서의 유지·수호를 위하여 헌법적 해명이 중대한 의미를 지니고 있을 때에는 예외적으로 심판청구의 이익이 인정되는 것으로 보는 것이 우리 재판소의 확립된 판례이다.

그런데 청구인의 경우 이미 형집행이 종료되어 더 이상 이 사건 시행령조항에 의한 기본권 제한을 받지는 아니하나, 이 사건 시행령조항이 존재하는 한 청구인의 경우와 같은 유형의 기본권 제한이 앞으로도 반복될 위험이 있고, 수용자의 서신 무봉함 제출 제도의 헌법적 타당성 여부는 헌법질서의 수호·유지를 위해 그 헌법적 해명이 필요한 중요한 사안이라고 할 것이므로, 심판청구의 이익을 인정하여야 할 것이다.

한편, 그 밖에 청구기간을 비롯한 다른 적법 요건의 흠결은 발견되지 않으므로 이 사건 시행령조항에 대한 심판청구는 적법하다.

II 본안에 대한 판단

1. 문제되는 기본권

이 사건 시행령조항은 수용자로 하여금 보내려는 서신을 봉함하지 않은 상태로 교정시설에 제출하도록 하고 있는데, 이 경우 그 서신이 교도관들에 의해서 검열을 당하거나 읽혀질 위험에 놓이게 되므로, 수용자는 청원권 행사를 위한 서신을 포함한 각종 서신의 발송을 주저하게 되는바, 이는 결국 수용자의 통신비밀의 자유에 대한 제한을 가져오게 된다.

2. 통신비밀의 자유 침해 여부

헌법 제18조는 "모든 국민은 통신의 비밀을 침해받지 아니한다."고 규정하여 통신의 비밀을 침해받지 아니할 권리 즉, 통신비밀의 자유를 국민의 기본권으로 보장하고 있다. 따라서 통신의 중요한 수단인 서신의 당사자나 내용은 본인의 의사에 반하여 공개되어서는 안된다. 그러나 이러한 기본권도 절대적인 것은 아니므로 헌법 제37조 제2항에 따라 국가안전보장·질서유지 또는 공공복리를 위하여 필요한 경우에는 법률로써 제한할 수 있고, 다만 제한하는 경우에도 그 본질적인 내용은 침해할 수 없다.

한편, 교정시설에 수용중인 수용자의 경우도 통신비밀의 자유의 주체가 될 수 있다고 할 것인데, 교정시설의 질서를 유지하고 수용자의 교정·교화를 위하여 이를 제한하는 것이 가능하다고 하더라도 그러한 제한은 필요 이상의 과잉제한이 되어서는 안 될 것이므로 이하에서는 이 사건 시행령조항이 과잉금지원칙을 위반하여 청구인의 통신비밀의 자유를 침해하는지 여부를 본다.

가. 목적의 정당성 및 수단의 적절성

이 사건 시행령조항은 마약·독극물·흉기 등 범죄에 이용될 우려가 있는 물건, 담배·현금·수표 등 교정시설의 안전 또는 질서를 해칠 우려가 있는 물건 및 음란물 등 수용자의 교화 또는 건전한 사회복귀를 해칠 우려가 있는 물건 등을 수용자가 주고받는 것을 금지하여 교정시설의 안전과 질서유지, 수용자의 교화 및 사회복귀를 원활하게 하기 위한 것으로서 그 입법목적이 정당하고, 수용자가 보내려는 서신을 봉함하지 않은 상태로 제출하게 하는 것은 위와 같은 목적을 달성할 수 있는 적절한 수단이 될 수 있다. 따라서 이 사건 시행령조항의 기본권 제한에 대한 목적의 정당성 및 수단의 적절성은 인정된다.

나. 침해의 최소성

이 사건 시행령조항은 수용자가 보내려는 서신을 봉함하지 않은 상태로 교정시설에 제출하도록 강제하고 있다. 그런데 서신에 대해 봉함하지 않은 상태로 제출하도록 하는 경우 교정당국은 서신에 대해 편리하게 보안검색을 할 수 있지만, 그 과정에서 교도소의 직원은 쉽사리 서신의 내용을 파악할 수 있게 되는바, 누구든지 자신의 서신이 원하지 않는 사람에게 읽힐 수 있다면 자신의 생각이나 의견, 감정을 자유롭게 표현하거나 거리낌 없이 정보를 교환할 수 없게 될 것이고, 결국 수용자로서는 서신에 자신의 생각이나 의견, 감정을 표현하기를 자제하거나 서신교환 자체를 포기할 것이며, 이는 사실상 서신 내용을 검열하는 것과 마찬가지의 효과를 가져올 가능성이 있다.

이 사건 시행령조항에 따른 방법이 아니라 보다 덜 기본권 침해적인 방법으로도 이 사건 시행령조항이 달성하고자 하는 목적은 충분히 달성될 수 있다. 예컨대, 교도관이 수용자의 면전에서 서신에 금지물품이 들어 있는지를 확인하고 수용자로 하여금 서신을 봉함하게 할 수도 있으며, 봉함된 상태로 제출된 서신을 X-ray 검색기 등으로 확인한 후 의심이 있는 경우에만 개봉하여 확인할 수도 있고, 조직폭력수용자·마약류수용자·관심대상수용자 등과 같이 교정시설의 안전과 질서유지를 위하여 다른 수용자와의 접촉을 차단하거나 계호를 엄중히 하여야 하는 수용자(이상 엄중관리대상자)에 한정하여 무봉함 서신 제출 대상자를 정할 수도 있으며, 서신의 내용에 대한 검열이 허용되는 경우 등 일정한 경우에만 무봉함 상태로 서신을 제출하도록 할 수도 있을 것이다. 한편, 이 사건 시행령조항은, 법 제84조 제3항이 미결수용자와 변호인 간의 서신 검열을 원칙적으로 금지하고 있음에도 불구하고 미결수용자가 변호인에게 보내려는 서신조차도 봉함하지 않은 상태로 제출하도록 하는 여지를 줌으로써 수용자가 보내려는 모든 서신을 사실상 검열 가능한 상태에 놓이도록 하고 있다.

따라서 이 사건 시행령조항은 기본권 제한 규범이 지켜야 할 침해의 최소성 요건을 위반하고 있다.

다. 법익 균형성

위에서 본 바와 같이 이 사건 무봉함 서신 제출 제도를 통해 달성하고자 하는 교정시설의 안전과 질서유지라는 목적은 보다 덜 침해적인 수단으로도 얼마든지 달성이 가능하다 할 것인바, 이 사건 시행령조항으로 인해 밖으로 보내려는 서신을 봉함 상태로 제출하도록 하는 경우 그 내용물을 확인하는데 소요되는 인력과 재정을 감안하더라도 수용자가 보내려는 서신을 봉함하지 않은 상태로 제출하도록 함으로 인하여 수용자가 입게 되는 통신비밀의 자유에 대한 침해는 매우 중대하다 할 것이므로 이 사건 시행령조항은 법익 균형성 요건도 충족하지 못하고 있다.

라. 소 결

위에서 본 바와 같이 이 사건 시행령조항은 기본권 제한 규범이 갖추어야 할 과잉금지의 원칙에 위배되어 헌법이 보장하는 수용자의 통신비밀의 자유를 침해한다.

105 통신비밀보호법 '위치정보 추적자료' 사건 [헌법불합치, 기각, 각하]
— 2018. 6. 28. 선고 2012헌마191, 550(병합), 2014헌마357(병합)

판시사항

1. 통신비밀보호법 제2조 제11호 바목, 사목(이하 '이 사건 정의조항'이라 하고, 위 두 조문에서 규정한 통신사실 확인자료를 '위치정보 추적자료'라 한다)에 대한 심판청구가 기본권 침해의 직접성이 인정되는지 여부(소극)

2. 통신비밀보호법 제13조 제1항 중 '검사 또는 사법경찰관은 수사를 위하여 필요한 경우 전기통신사업법에 의한 전기통신사업자에게 제2조 제11호 바목, 사목의 통신사실 확인자료의 열람이나 제출을 요청할 수 있다' 부분(이하 '이 사건 요청조항'이라 한다)이 명확성원칙에 위반되는지 여부(소극)

3. 이 사건 요청조항이 과잉금지원칙에 위반되어 청구인들의 개인정보자기결정권과 통신의 자유를 침해하는지 여부(적극)

4. 통신비밀보호법 제13조 제2항 본문 중 제2조 제11호 바목, 사목의 통신사실 확인자료에 관한 부분(이하 '이 사건 허가조항'이라 한다)이 헌법상 영장주의에 위반되어 청구인들의 개인정보자기결정권과 통신의 자유를 침해하는지 여부(소극)

5. 통신비밀보호법(2005. 5. 26. 법률 제7503호로 개정된 것) 제13조의3 제1항 중 제2조 제11호 바목, 사목의 통신사실 확인자료에 관한 부분(이하 '이 사건 통지조항'이라 한다)이 적법절차원칙에 위반되어 청구인들의 개인정보자기결정권을 침해하는지 여부(적극)

사건의 개요

이 사건 청구인들은 국토교통부에서 발표한 '철도산업 발전방안'이 한국철도공사를 민영화하는 방안이라고 주장하면서 이를 막겠다는 명목으로 2013. 12. 9.부터 2013. 12. 30.까지 파업을 벌여 한국철도공사의 여객·화물 수송업무를 방해하였다는 취지의 업무방해혐의로 기소되거나, 동일한 이유로 고소되었으나 기소에는 이르지 않은 사람 등이다. 해당 수사기관은 위 사건의 수사 또는 체포영장의 집행을 위하여 법원의 허가를 얻어 전기통신사업자에게 위 청구인들에 대한 통신비밀보호법 제2조 제11호 바목 및 사목에 해당하는 통신사실 확인자료의 제출을 요청하여 이를 제공받았고, 위 청구인들은 2014. 2. 10.경부터 해당 수사기관으로부터 위와 같은 통신사실 확인자료 제공사실을 통지받았다. 이에 위 청구인들은 2014. 5. 2. 통신비밀보호법 제2조 제11호 바목, 사목, 제13조 제1항, 제2항, 제13조의3이 청구인들의 통신의 자유, 사생활의 비밀과 자유, 개인정보자기결정권 등 기본권을 침해한다고 주장하면서 이 사건 헌법소원심판을 청구하였다.

1 기본권론

심판대상조항 및 관련조항

통신비밀보호법(2005. 1. 27. 법률 제7371호로 개정된 것)

제2조(정의) 이 법에서 사용하는 용어의 정의는 다음과 같다.
11. "통신사실확인자료"라 함은 다음 각 목의 어느 하나에 해당하는 전기통신사실에 관한 자료를 말한다.
   바. 정보통신망에 접속된 정보통신기기의 위치를 확인할 수 있는 발신기지국의 위치추적자
   사. 컴퓨터통신 또는 인터넷의 사용자가 정보통신망에 접속하기 위하여 사용하는 정보통신기기의 위치를 확인할 수 있는 접속지의 추적자료 통신비밀보호법(2005. 5. 26. 법률 제7503호로 개정된 것)

제13조(범죄수사를 위한 통신사실 확인자료제공의 절차) ① 검사 또는 사법경찰관은 수사 또는 형의 집행을 위하여 필요한 경우 전기통신사업법에 의한 전기통신사업자(이하 "전기통신사업자"라 한다)에게 통신사실 확인자료의 열람이나 제출(이하 "통신사실 확인자료제공"이라 한다)을 요청할 수 있다.
② 제1항의 규정에 의한 통신사실 확인자료제공을 요청하는 경우에는 요청사유, 해당 가입자와의 연관성 및 필요한 자료의 범위를 기록한 서면으로 관할 지방법원(보통군사법원을 포함한다. 이하 같다) 또는 지원의 허가를 받아야 한다. 다만, 관할 지방법원 또는 지원의 허가를 받을 수 없는 긴급한 사유가 있는 때에는 통신사실 확인자료제공을 요청한 후 지체 없이 그 허가를 받아 전기통신사업자에게 송부하여야 한다.

제13조의3(범죄수사를 위한 통신사실 확인자료제공의 통지) ① 제13조의 규정에 의하여 통신사실 확인자료제공을 받은 사건에 관하여 공소를 제기하거나, 공소의 제기 또는 입건을 하지 아니하는 처분(기소중지결정을 제외한다)을 한 때에는 그 처분을 한 날부터 30일 이내에 통신사실 확인자료제공을 받은 사실과 제공요청기관 및 그 기간 등을 서면으로 통지하여야 한다.

주문

1. 통신비밀보호법(2005. 5. 26. 법률 제7503호로 개정된 것) 제13조 제1항 중 '검사 또는 사법경찰관은 수사를 위하여 필요한 경우 전기통신사업법에 의한 전기통신사업자에게 제2조 제11호 바목, 사목의 통신사실 확인자료의 열람이나 제출을 요청할 수 있다' 부분, 제13조의3 제1항 중 제2조 제11호 바목, 사목의 통신사실 확인자료에 관한 부분은 헌법에 합치되지 아니한다. 위 법률조항들은 2020. 3. 31.을 시한으로 개정될 때까지 계속 적용한다.
2. 통신비밀보호법(2005. 5. 26. 법률 제7503호로 개정된 것) 제13조 제2항 본문중 제2조 제11호 바목, 사목의 통신사실 확인자료에 관한 부분에 대한 심판청구를 기각한다.
3. 나머지 심판청구를 각하한다.

I 적법요건에 관한 판단

기본권 침해의 직접성은 집행행위에 의하지 아니하고 법령 그 자체에 의하여 자유의 제한, 의무의 부과, 권리 또는 법적 지위의 박탈이 생긴 경우를 의미한다. 정의규정·선언규정과 같이 그 법령조항 자체에 의하여는 기본권 침해가 발생할 수 없는 경우 또는 법령이 구체적인 집행행위를 예정하고 있는 경우에는 직접성 요건이 결여된다.

이 사건 정의조항은 위치정보 추적자료가 통신사실 확인자료에 해당한다고 정의한 규정에 불과하여, 그 자체로는 청구인들의 자유의 제한, 의무의 부과, 권리 또는 법적 지위의 박탈이 발생하지 아니한다.

따라서 이 사건 정의조항에 대한 심판청구는 기본권 침해의 직접성이 인정되지 아니하여 부적법하다.

II 본안에 관한 판단

1. 이 사건 요청조항

가. 쟁점의 정리

1) 청구인들은 이 사건 요청조항 중 '수사를 위하여 필요한 경우'의 의미가 불분명하여 명확성원칙에 위배된다고 주장하므로 이에 대하여 판단한다.

2) 이 사건 요청조항은 수사기관이 수사를 위하여 필요한 경우 법원의 허가를 얻어 전기통신사업자에게 정보주체의 위치정보 추적자료의 제공을 요청할 수 있도록 하고 있다. 이 사건에서 문제되고 있는 위치정보 추적자료는 청구인들의 인적정보와 결합하여 특정인의 위치를 파악할 수 있는 개인정보이고, 수사기관은 정보주체의 동의 없이 제공받은 위치정보 추적자료를 통해 그의 활동반경·이동경로·현재위치 등을 확인할 수 있으므로, 이 사건 요청조항은 개인정보자기결정권을 제한하고 있다. 따라서 이 사건 요청조항이 정보주체인 전기통신가입자의 개인정보자기결정권을 침해하는지 여부에 대하여 판단한다.

3) 헌법 제18조는 '모든 국민은 통신의 비밀을 침해받지 아니한다.'라고 규정하여 통신의 비밀보호를 그 핵심내용으로 하는 통신의 자유를 기본권으로 보장하고 있다. 사생활의 비밀과 자유에 포섭될 수 있는 사적 영역에 속하는 통신의 자유를 헌법이 별개의 조항을 통해 기본권으로 보장하는 이유는 우편이나 전기통신의 운영이 전통적으로 국가독점에서 출발하였기 때문에 개인 간의 의사소통을 전제로 하는 통신은 국가에 의한 침해가능성이 여타의 사적 영역보다 크기 때문이다. 자유로운 의사소통은 통신내용의 비밀을 보장하는 것만으로는 충분하지 아니하고 구체적인 통신으로 발생하는 외형적인 사실관계, 특히 통신관여자의 인적 동일성·통신시간·통신장소·통신횟수 등 통신의 외형을 구성하는 통신이용의 전반적 상황의 비밀까지도 보장해야 한다. 따라서 이 사건 요청조항은 수사기관이 전기통신사업자에게 위치정보 추적자료의 제공을 요청하여 이를 제공받도록 함으로써 정보주체인 전기통신가입자의 통신의 자유를 제한하므로 이에 대하여 판단한다.

4) 청구인들은 수사기관의 위치정보 추적자료 제공요청은 통신의 자유를 제한함과 동시에 사생

활의 비밀과 자유도 제한한다는 취지로 주장한다. 사생활의 비밀과 자유에 포섭될 수 있는 사적 영역에 속하는 통신의 자유를 헌법이 제18조에서 별도의 기본권으로 보장하고 있는 취지에 비추어 볼 때, 이 사건 요청조항이 청구인들의 통신의 자유를 침해하는지를 판단하는 이상 사생활의 비밀과 자유 침해 여부에 관하여는 별도로 판단하지 아니한다.

나. 명확성원칙 위반 여부

1) 법치국가원리의 한 표현인 명확성원칙은 기본적으로 모든 기본권제한 입법에 요구된다. 법규범이 명확한지 여부는 그 법규범이 수범자에게 법규의 의미내용을 알 수 있도록 공정한 고지를 하여 예측가능성을 주고 있는지 여부와 그 법규범이 법을 해석·집행하는 기관에게 충분한 의미내용을 규율하여 자의적인 법해석이나 법집행이 배제되는지 여부, 다시 말하면 예측가능성 및 자의적 법집행 배제가 확보되는지 여부에 따라 판단할 수 있다. 법규범의 의미내용은 그 문언뿐만 아니라 입법목적이나 입법취지, 입법연혁, 그리고 법규범의 체계적 구조 등을 종합적으로 고려하는 해석방법에 의하여 구체화하게 되므로, 결국 법규범이 명확성원칙에 위반되는지 여부는 위와 같은 해석방법에 의하여 그 의미내용을 합리적으로 파악할 수 있는 해석기준을 얻을 수 있는지 여부에 달려 있다.

2) 이 사건 요청조항의 '수사를 위하여 필요한 경우'란 위치정보 추적자료가 범인의 발견이나 범죄사실의 입증에 기여할 개연성이 충분히 소명된다는 전제 하에, 범인을 발견·확보하며 증거를 수집·보전하는 수사기관의 활동을 위하여 그 목적을 달성할 수 있는 범위 안에서 관련 있는 자에 대한 위치정보 추적자료 제공요청이 필요한 경우를 의미한다고 해석된다.

3) 그렇다면 이 사건 요청조항은 건전한 상식과 통상적인 법감정을 가진 사람이라면 그 취지를 예측할 수 있을 정도의 내용으로 확정되어 있어 불명확하다고 할 수 없으므로, 명확성원칙에 위배되지 아니한다.

다. 과잉금지원칙 위반 여부

이 사건 요청조항은 수사활동을 보장하기 위한 목적에서, 범죄수사를 위해 필요한 경우 수사기관이 법원의 허가를 얻어 전기통신사업자에게 정보주체인 전기통신가입자의 위치정보 추적자료의 제공을 요청할 수 있도록 하고 있으므로, 입법목적의 정당성과 수단의 적정성이 인정된다.

그러나 ① 수사기관은 위치정보 추적자료를 통해 특정 시간대 정보주체의 위치 및 이동상황에 대한 정보를 취득할 수 있으므로, 위치정보 추적자료는 충분한 보호가 필요한 민감한 정보에 해당되는 점, ② 그럼에도 이 사건 요청조항은 수사기관의 광범위한 위치정보 추적자료 제공요청을 허용하여 정보주체의 기본권을 과도하게 제한하고 있는 점, ③ 위치정보 추적자료의 제공요청과 관련하여서는 실시간 위치추적 또는 불특정 다수에 대한 위치추적의 경우 보충성 요건을 추가하거나, 대상범죄의 경중에 따라 보충성 요건을 차등적으로 적용함으로써 수사에 지장을 초래하지 않으면서도 정보주체의 기본권을 덜 침해하는 수단이 존재하는 점, ④ 수사기관의 위치정보 추적자료 제공요청에 대해 법원의 허가를 거치도록 규정하고 있으나 '수사의 필요성'만을 그 요건으로 하고 있어 절차적 통제마저도 제대로 이루어지기 어려운 현실인 점 등을 고려할 때, 이 사건 요청조항은 침해의 최소성과 법익의 균형성이 인정되지 아니한다.

따라서 이 사건 요청조항은 과잉금지원칙을 위반하여 청구인들의 개인정보자기결정권 및 통신의 자유를 침해한다.

2. 이 사건 허가조항이 헌법상 영장주의에 위반되는지 여부

1) 헌법 제12조 제3항은 '체포·구속·압수 또는 수색을 할 때에는 적법한 절차에 따라 검사의 신청에 의하여 법관이 발부한 영장을 제시하여야 한다.'라고 규정하고, 헌법 제16조는 '주거에 대한 압수나 수색을 할 때에는 검사의 신청에 의하여 법관이 발부한 영장을 제시하여야 한다.'라고 규정함으로써 영장주의를 헌법적 차원에서 보장하고 있다. 우리 헌법이 채택하여 온 영장주의는 형사절차와 관련하여 체포·구속·압수·수색의 강제처분을 함에 있어서는 사법권 독립에 의하여 신분이 보장되는 법관이 발부한 영장에 의하지 않으면 아니 된다는 원칙이다. 따라서 헌법상 영장주의의 본질은 체포·구속·압수·수색 등 기본권을 제한하는 강제처분을 함에 있어서는 중립적인 법관의 구체적 판단을 거쳐야 한다는 데에 있다.

한편, 입법자는 수사기관의 강제처분에 관한 법률을 제정함에 있어, 헌법 제12조 제3항을 준수하는 범위 내에서 해당 강제처분의 특수성, 그 강제처분과 관련된 우리 사회의 법 현실, 국민의 법감정 등을 종합적으로 고려해 정책적인 선택을 할 수 있다.

2) 통신사실 확인자료 제공요청은 수사 또는 내사의 대상이 된 가입자 등의 동의나 승낙을 얻지 아니하고도 공공기관이 아닌 전기통신사업자를 상대로 이루어지는 것으로 통신비밀보호법이 정한 수사기관의 강제처분이다. 이러한 통신사실 확인자료 제공요청과 관련된 수사기관의 권한남용 및 그로 인한 정보주체의 기본권 침해를 방지하기 위해서는 법원의 통제를 받을 필요가 있으므로, 통신사실 확인자료 제공요청에는 헌법상 영장주의가 적용된다. 이 사건 허가조항은 수사기관이 전기통신사업자에게 위치정보 추적자료 제공을 요청함에 있어 관할 지방법원 또는 지원의 허가를 받도록 규정하고 있다. 따라서 이 사건 허가조항은 헌법상 영장주의에 위배되지 아니한다.

3. 이 사건 통지조항

가. 쟁점의 정리

이 사건 통지조항은 수사기관이 전기통신사업자로부터 위치정보 추적자료를 제공받은 사건에 관하여 공소를 제기하거나, 공소의 제기 또는 입건을 하지 아니하는 처분(기소중지결정을 제외한다)을 한 때에는, 그 처분을 한 날부터 30일 이내에 위치정보 추적자료를 제공받은 사실과 제공요청 기관 및 그 기간 등을 서면으로 통지하도록 하고 있다. 이와 관련하여, 청구인들은 이 사건 통지조항이 기소중지결정이나 수사 중에는 수사기관에게 위치정보 추적자료를 제공받은 사실 등에 관하여 통지할 의무를 부과하지 아니하고, 수사기관이 그 사실을 통지할 때에도 위치정보 추적자료 제공요청 사유를 통지사항으로 규정하지 아니한 것이 적법절차원칙에 위배되어 개인정보자기결정권을 침해한다고 주장하므로, 이에 대하여 판단한다.

나. 적법절차원칙 위반 여부

1) 헌법 제12조에 규정된 적법절차원칙은 형사절차뿐만 아니라 모든 국가작용 전반에 적용된

다. 적법절차원칙에서 도출되는 중요한 절차적 요청으로, 당사자에게 적절한 고지를 행할 것, 당사자에게 의견 및 자료 제출의 기회를 부여할 것 등을 들 수 있다. 그러나 이 원칙이 구체적으로 어떠한 절차를 어느 정도로 요구하는지는 규율되는 사항의 성질, 관련 당사자의 권리와 이익, 절차의 이행으로 제고될 가치, 국가작용의 효율성, 절차에 소요되는 비용, 불복의 기회 등 다양한 요소를 비교하여 개별적으로 판단할 수밖에 없다.

2) 수사의 밀행성 확보는 필요하지만, 헌법상 적법절차원칙을 통하여 수사기관의 권한남용을 방지하고 정보주체의 기본권을 보호하기 위해서는, 위치정보 추적자료 제공과 관련하여 정보주체에게 적절한 고지와 실질적인 의견진술의 기회를 부여해야 한다. 그런데 이 사건 통지조항은 수사가 장기간 진행되거나 기소중지결정이 있는 경우에는 정보주체에게 위치정보 추적자료 제공사실을 통지할 의무를 규정하지 아니하고, 그 밖의 경우에 제공사실을 통지받더라도 그 제공사유가 통지되지 아니하며, 수사목적을 달성한 이후 해당 자료가 파기되었는지 여부도 확인할 수 없게 되어 있어, 정보주체로서는 위치정보 추적자료와 관련된 수사기관의 권한남용에 대해 적절한 대응을 할 수 없게 되었다. 이에 대해서는, 수사가 장기간 계속되거나 기소중지된 경우라도 일정 기간이 경과하면 원칙적으로 정보주체에게 그 제공사실을 통지하도록 하되 수사에 지장을 초래하는 경우에는 중립적 기관의 허가를 얻어 통지를 유예하는 방법, 일정한 조건 하에서 정보주체가 그 제공요청 사유의 통지를 신청할 수 있도록 하는 방법, 통지의무를 위반한 수사기관을 제재하는 방법 등의 수단이 있다.

이러한 점들을 종합할 때, 이 사건 통지조항은 헌법상 적법절차원칙에 위배되어 청구인들의 개인정보자기결정권을 침해한다.

4. 헌법불합치결정 및 잠정적용명령

이 사건 요청조항 및 이 사건 통지조항은 청구인의 기본권을 침해하여 위헌이지만, 이를 단순위헌으로 선언하면 수사기관이 위치정보 추적자료의 제공을 요청하거나 그 자료의 제공사실을 통지할 법률적 근거가 사라져 법적 공백이 발생하게 된다. 또한 위 조항들의 위헌성을 어떤 기준과 요건에 따라 해소할 것인지는 원칙적으로 입법자의 재량에 속한다. 그러므로 이 사건 요청조항 및 이 사건 통지조항에 대해서는 헌법불합치결정을 선고하되, 2020. 3. 31.을 시한으로 개선입법이 있을 때까지 계속 적용되도록 할 필요가 있다.

Ⅲ 결 론

이 사건 정의조항에 대한 심판청구는 부적법하여 각하하고, 이 사건 허가조항에 대한 심판청구는 이유 없어 기각하며, 이 사건 요청조항 및 이 사건 통지조항은 헌법에 합치되지 아니하나 2020. 3. 31.을 시한으로 입법자의 개선입법이 이루어질 때까지 계속 적용하기로 하여 주문과 같이 결정한다.

이 결정은 재판관 김창종, 재판관 서기석, 재판관 조용호의 반대의견이 있는 외에는 관여 재판관들의 일치된 의견에 의한 것이다.

106 통신비밀보호법 '기지국수사' 사건 [헌법불합치, 기각, 각하]
— 2018. 6. 28. 선고 2012헌마538

판시사항 및 결정요지

1. 이 사건 기지국수사에 대한 판단(각하)

피청구인의 이 사건 기지국수사는 2012. 1. 25.경 종료되었으므로, 이 사건 심판청구 당시에 이미 주관적 권리보호이익은 소멸하였다. 한편, 기지국수사로 인한 기본권 제한의 반복가능성은 이를 허용하는 이 사건 요청조항 및 허가조항이 현존하기 때문이고, 청구인은 이 조항들에 대해서도 헌법소원심판을 청구하고 있으며, 헌법재판소도 이 조항들의 적법요건을 인정하여 본안 판단에 나아가는 이상, 이 사건 기지국수사에 대한 심판청구이익은 인정하지 아니한다. 따라서 이 사건 기지국수사에 대한 심판청구는 부적법하다.

2. 이 사건 요청조항이 과잉금지원칙에 위반하여 청구인의 개인정보자기결정권 및 통신의 자유를 침해하는지 여부(적극)

이 사건 요청조항은 수사를 위하여 필요한 경우 수사기관으로 하여금 법원의 허가를 얻어 전기통신사업자에게 특정 시간대 특정 기지국에서 발신된 모든 전화번호의 제공을 요청할 수 있도록 하고 있어 정보주체인 청구인의 개인정보자기결정권과 통신의 자유를 제한하므로, 과잉금지원칙 위반 여부가 문제된다.

이 사건 요청조항은 수사활동을 보장하기 위한 목적에서, 범죄수사를 위해 필요한 경우 수사기관이 법원의 허가를 얻어 전기통신사업자에게 해당 가입자에 관한 통신사실 확인자료의 제공을 요청할 수 있도록 하고 있으므로, 입법목적의 정당성과 수단의 적정성이 인정된다.

① 이동전화의 이용과 관련하여 필연적으로 발생하는 통신사실 확인자료는 비록 비내용적 정보이지만, 여러 정보의 결합과 분석을 통해 정보주체에 관한 정보를 유추해낼 수 있는 민감한 정보인 점, ② 수사기관의 통신사실 확인자료 제공요청에 대해 법원의 허가를 거치도록 규정하고 있으나 '수사의 필요성'만을 그 요건으로 하고 있어 제대로 된 통제가 이루어지기 어려운 현실인 점, ③ 기지국수사의 허용과 관련하여서는 유괴·납치·성폭력범죄 등 강력범죄나 국가안보를 위협하는 각종 범죄와 같이 피의자나 피해자의 통신사실 확인자료가 반드시 필요한 범죄로 그 대상을 한정하는 방안, 위 요건에 더하여 다른 방법으로는 범죄수사가 어려운 경우(보충성)를 요건으로 추가하는 방안 등을 검토함으로써 수사에 지장을 초래하지 않으면서도 불특정 다수의 기본권을 덜 침해하는 수단이 존재하는 점을 고려할 때, 이 사건 요청조항은 침해의 최소성과 법익의 균형성이 인정되지 아니한다.

따라서 이 사건 요청조항은 과잉금지원칙에 반하여 청구인의 개인정보자기결정권과 통신의 자유를 침해한다.

3. 이 사건 허가조항이 헌법상 영장주의에 위배되어 청구인의 개인정보자기결정권 및 통신의 자유를 침해하는지 여부(소극)

통신비밀보호법이 정한 기지국수사는 강제처분에 해당되므로 헌법상 영장주의가 적용된다. 헌법상 영장주의의 본질은 강제처분을 함에 있어 중립적인 법관이 구체적 판단을 거쳐야 한다는 점에 있다. 이 사건 허가조항은 수사기관이 전기통신사업자에게 통신사실 확인자료 제공을 요청함에 있어 관할 지방법원 또는 지원의 허가를 받도록 규정하고 있다. 따라서 이 사건 허가조항은 헌법상 영장주의에 위배되지 아니한다.

4. 잠정적용 헌법불합치의 필요성

이 사건 요청조항은 청구인의 기본권을 침해하여 위헌이지만, 이를 단순위헌으로 선언하면 수사기관이 피의자·피해자 등의 통신사실 확인자료를 제공요청할 방법이 없어지게 됨으로써 범죄 수사와 피해자 구조에 법적 공백이 발생할 우려가 있다. 또한 이 사건 요청조항의 위헌성을 어떤 기준과 요건에 따라 해소할 것인지는 원칙적으로 입법자의 재량에 속한다. 그러므로 이 사건 요청조항에 대해 헌법불합치결정을 선고하되, 2020. 3. 31.을 시한으로 개선입법이 있을 때까지 계속 적용하기로 한다.

심판대상

① 피청구인이 2012. 1. 25. 18:10경 법원의 허가를 얻어 전기통신사업자들에게 2011. 12. 26. 17:00부터 17:10 사이 ○○○○○○○○을 관할하는 기지국을 이용하여 착·발신한 전화번호, 착·발신 시간, 통화시간, 수발신 번호 등의 통신사실 확인자료 제공을 요청하고, 위 전기통신사업자들로부터 청구인을 포함한 총 659명의 통신사실 확인자료를 제공받은 행위(이하 '이 사건 기지국수사'라 한다)
② 통신비밀보호법(2005. 5. 26. 법률 제7503호로 개정된 것) 제13조 제1항 중 '검사 또는 사법경찰관은 수사를 위하여 필요한 경우 전기통신사업법에 의한 전기통신사업자에게 제2조 제11호 가목 내지 라목의 통신사실 확인자료의 열람이나 제출을 요청할 수 있다' 부분(이하 '이 사건 요청조항'이라 한다)
③ 통신비밀보호법(2005. 5. 26. 법률 제7503호로 개정된 것) 제13조 제2항 본문 중 제2조 제11호 가목 내지 라목의 통신사실 확인자료에 관한 부분(이하 '이 사건 허가조항'이라 한다)

주문

1. 통신비밀보호법(2005. 5. 26. 법률 제7503호로 개정된 것) 제13조 제1항 중 '검사 또는 사법경찰관은 수사를 위하여 필요한 경우 전기통신사업법에 의한 전기통신사업자에게 제2조 제11호 가목 내지 라목의 통신사실 확인자료의 열람이나 제출을 요청할 수 있다' 부분은 헌법에 합치되지 아니한다. 위 법률조항은 2020. 3. 31.을 시한으로 개정될 때까지 계속 적용한다.
2. 통신비밀보호법(2005. 5. 26. 법률 제7503호로 개정된 것) 제13조 제2항 본문 중 제2조 제11호 가목 내지 라목의 통신사실 확인자료에 관한 부분에 대한 심판청구를 기각한다.
3. 나머지 심판청구를 각하한다.

107 인터넷회선 감청 위헌확인 사건 [헌법불합치, 각하]
— 2018. 8. 30. 선고 2016헌마263

판시사항

1. 인터넷회선을 통하여 송수신하는 전기통신의 감청(이하 '인터넷회선 감청'이라 한다)을 대상으로 하는 법원의 통신제한조치 허가에 대한 헌법소원 심판청구의 적법 여부(소극)
2. 국가정보원장의 인터넷회선 감청 집행행위(이하 '이 사건 감청집행'이라 한다)에 대한 헌법소원 심판청구의 적법 여부(소극)
3. 통신비밀보호법(1993. 12. 27. 법률 제4650호로 제정된 것, 이하 '법'이라 한다) 제5조 제2항 중 '인터넷회선을 통하여 송수신하는 전기통신'에 관한 부분(이하 '이 사건 법률조항'이라 한다)이 과잉금지원칙을 위반하여 청구인의 기본권을 침해하는지 여부(적극)
4. 헌법불합치 결정을 하면서 잠정적용을 명한 사례

사건의 개요

피청구인 국가정보원장은 청구외 김○윤의 국가보안법위반 범죄수사를 위하여 위 김○윤이 사용하는 휴대폰, 인터넷회선 등 전기통신의 감청 등을 목적으로, 2008년경부터 2015년경까지 법원으로부터 총 35차례의 통신제한조치를 허가받아 집행하였다. 위 통신제한조치 중에는 '○○연구소'에서 청구인 명의로 가입된 주식회사 에스케이브로드밴드 인터넷회선(서비스번호: ○○○○, ID : ○○○)에 대한 2013. 10. 9.부터 2015. 4. 28.까지 사이에 6차례에 걸쳐 행해진 통신제한조치가 포함되어 있었다. 이는 인터넷 통신망에서 정보 전송을 위해 쪼개어진 단위인 전기신호 형태의 '패킷'(packet)을 수사기관이 중간에 확보하여 그 내용을 지득하는 이른바 '패킷감청'이었다.

이에 청구인은 청구인 명의로 가입된 위 인터넷회선의 감청을 목적으로 하는 6차례의 통신제한조치에 대한 법원의 허가, 이에 따른 피청구인 국가정보원장의 감청행위, 통신비밀보호법 제2조 제7호, 제5조 제2항, 제6조가 청구인의 통신의 비밀과 자유, 사생활의 비밀과 자유 등 기본권을 침해하고, 헌법상 영장주의, 적법절차원칙 등에 위반된다고 주장하면서, 2016. 3. 29. 이 사건 헌법소원심판을 청구하였다.

심판대상

① '○○연구소'에서 청구인 명의로 가입된 주식회사 에스케이브로드밴드 인터넷회선(ID : ○○○, 이하 '이 사건 인터넷회선'이라 한다)을 통하여 송수신하는 전기통신의 감청을 허가한 2013. 10. 8.자 수원지방법원 안산지원의 통신제한조치 허가(허가번호 2013-8526)를 포함하여 별지 기재와 같은 이 사건 인터넷회선에 대한 총 6회의 법원의 통신제한조치 허가(이하 '이 사건 법원의 허가'라 한다),
② 이 사건 법원의 허가를 얻어, 피청구인 국가정보원장이 2013. 10. 9.부터 2015. 4. 28.까지 사이에

1 기본권론

별지 기재와 같이 총 6차례에 걸쳐, 이 사건 인터넷회선을 통하여 송·수신하는 전기통신을 감청한 행위(이하 '이 사건 감청집행'이라 한다) 및
③ 통신비밀보호법(1993. 12. 27. 법률 제4650호로 제정된 것) 제5조 제2항 중 '인터넷회선을 통하여 송·수신하는 전기통신'에 관한 부분(이하 '이 사건 법률조항'이라 한다)

【심판대상조항】

통신비밀보호법(1993. 12. 27. 법률 제4650호로 제정된 것)

제5조(범죄수사를 위한 통신제한조치의 허가요건) ① 통신제한조치는 다음 각호의 범죄를 계획 또는 실행하고 있거나 실행하였다고 의심할만한 충분한 이유가 있고 다른 방법으로는 그 범죄의 실행을 저지하거나 범인의 체포 또는 증거의 수집이 어려운 경우에 한하여 허가할 수 있다.
② 통신제한조치는 제1항의 요건에 해당하는 자가 발송·수취하거나 송·수신하는 특정한 우편물이나 전기통신 또는 그 해당자가 일정한 기간에 걸쳐 발송·수취하거나 송·수신하는 우편물이나 전기통신을 대상으로 허가될 수 있다.

주문

1. 통신비밀보호법(1993. 12. 27. 법률 제4650호로 제정된 것) 제5조 제2항 중 '인터넷회선을 통하여 송·수신하는 전기통신'에 관한 부분은 헌법에 합치되지 아니한다. 위 법률조항은 2020. 3. 31.을 시한으로 개정될 때까지 계속 적용한다.
2. 나머지 심판청구를 각하한다.

I 적법요건에 관한 판단

1. 이 사건 법원의 허가에 대한 판단

헌법재판소법 제68조 제1항 본문은 법원의 재판을 헌법소원심판 청구의 대상에서 제외하고 있다. 여기에서 "법원의 재판"은 법원이 행하는 공권적 법률판단 또는 의사의 표현을 지칭하는 것으로, 사건을 종국적으로 해결하기 위한 종국판결 외에 본안전 소송판결 및 중간판결, 기타 소송절차의 파생적·부수적인 사항에 대한 공권적 판단도 포함된다.

통신제한조치에 대한 법원의 허가는 통신비밀보호법에 근거한 소송절차 이외의 파생적 사항에 관한 법원의 공권적 법률판단으로 헌법재판소법 제68조 제1항에서 헌법소원의 대상에서 제외하고 있는 법원의 재판에 해당하므로, 이에 대한 심판청구는 부적법하다.

2. 이 사건 감청집행에 대한 판단

피청구인 국가정보원장은 이 사건 법원의 허가를 얻어 2013. 10. 9.부터 2015. 4. 28.까지 사이에 별지 기재와 같이 총 6회에 걸쳐 이 사건 감청집행을 완료하였으므로, 이 사건 심판청구 당시에 이 사건 감청집행에 관한 주관적 권리보호이익은 소멸하였다.

이 사건 감청집행과 유사한 기본권 침해의 반복 가능성은 결국 인터넷회선 감청 또한 통신제한

제2절 사생활영역의 자유

조치 허가 대상으로 정하고 있는 이 사건 법률조항이 현존하기 때문이며, 이에 청구인도 법 제5조 제2항에 대하여 헌법소원심판을 청구하고 있다. 이와 같은 청구인의 주장 취지 및 권리구제의 실효성 등을 종합적으로 고려할 때, 이 사건 법률조항의 적법요건을 인정하여 본안 판단에 나아가는 이상, 이 사건 감청집행에 대하여는 별도로 심판청구의 이익을 인정하지 아니한다.

따라서 이 사건 감청집행에 대한 심판청구는 부적법하다.

II 이 사건 법률조항에 대한 판단

1. 범죄수사를 위한 통신제한조치 중 인터넷회선 감청 제도

인터넷회선 감청은 검사가 법원의 허가를 받으면, 피의자 및 피내사자에 해당하는 감청대상자나 해당 인터넷회선의 가입자의 동의나 승낙을 얻지 아니하고도, 전기통신사업자의 협조를 통해 해당 인터넷회선을 통해 송수신되는 전기통신에 대해 감청을 집행함으로써 정보주체의 기본권을 제한할 수 있으므로, 법이 정한 강제처분에 해당한다. 또한 인터넷회선 감청은 서버에 저장된 정보가 아니라, 인터넷상에서 발신되어 수신되기까지의 과정 중에 수집되는 정보, 즉 전송 중인 정보의 수집을 위한 수사이므로, 압수·수색과 구별된다.

2. 제한되는 기본권 및 쟁점

가. 헌법 제18조는 '모든 국민은 통신의 비밀을 침해받지 아니한다.'라고 규정하여 통신의 비밀 보호를 그 핵심내용으로 하는 통신의 자유를 기본권으로 보장하고 있다. 이 사건 법률조항은 현대사회에 가장 널리 이용되는 의사소통 수단인 인터넷 통신망을 통해 송수신하는 전기통신에 대한 감청을 범죄수사를 위한 통신제한조치의 하나로 정하고 있으므로, 일차적으로 헌법 제18조가 보장하는 통신의 비밀과 자유를 제한한다.

헌법 제17조에서 보장하는 사생활의 비밀이란 사생활에 관한 사항으로 일반인에게 아직 알려지지 아니하고 일반인의 감수성을 기준으로 할 때 공개를 원하지 않을 사항을 말한다. 감시, 도청, 비밀녹음, 비밀촬영 등에 의해 다른 사람의 사생활의 비밀을 탐지하거나 사생활의 평온을 침입하는 행위, 사적 사항의 무단 공개 등은 타인의 사생활의 비밀과 자유의 불가침을 해하는 것이다. 인터넷회선 감청은 해당 인터넷회선을 통하여 흐르는 모든 정보가 감청 대상이 되므로, 이를 통해 드러나게 되는 개인의 사생활 영역은 전화나 우편물 등을 통하여 교환되는 통신의 범위를 넘는다. 더욱이 오늘날 이메일, 메신저, 전화 등 통신뿐 아니라, 각종 구매, 게시물 등록, 금융서비스 이용 등 생활의 전 영역이 인터넷을 기반으로 이루어지기 때문에, 인터넷회선 감청은 타인과의 관계를 전제로 하는 개인의 사적 영역을 보호하려는 헌법 제18조의 통신의 비밀과 자유 외에 헌법 제17조의 사생활의 비밀과 자유도 제한하게 된다.

따라서 인터넷회선 감청도 범죄수사를 위한 통신제한조치 허가 대상으로 정한 이 사건 법률조항이 과잉금지원칙에 반하여 피의자 또는 피내사자와 같은 대상자뿐만 아니라 이용자들의 통신 및 사생활의 비밀과 자유를 침해하는지 여부에 대하여 본다.

나. 범죄수사를 위한 인터넷회선 감청은 수사기관이 범죄수사 목적으로 전송 중인 정보의 수집을 위해 당사자 동의 없이 집행하는 강제처분으로 법은 수사기관이 일정한 요건을 갖추어 법원의 허가를 얻어 집행하도록 정하고 있다(제5조, 제6조). 이와 관련하여, 청구인은 인터넷회선 감청을 위해 법원의 허가를 얻도록 정하고 있으나, 패킷감청의 기술적 특성으로 해당 인터넷회선을 통하여 흐르는 모든 정보가 감청 대상이 되므로 개별성, 특정성을 전제로 하는 영장주의가 유명무실하게 되고 나아가 집행 단계나 그 종료 후에 법원이나 기타 객관성을 담보할 수 있는 기관에 의한 감독과 통제 수단이 전혀 마련되어 있지 않으므로, 이 사건 법률조항은 헌법상 영장주의 내지 적법절차원칙에 위반된다고 한다. 그러나 헌법 제12조 제3항이 정한 영장주의가 수사기관이 강제처분을 함에 있어 중립적 기관인 법원의 허가를 얻어야 함을 의미하는 것 외에 법원에 의한 사후 통제까지 마련되어야 함을 의미한다고 보기 어렵고, 청구인의 주장은 결국 인터넷회선 감청의 특성상 집행 단계에서 수사기관의 권한 남용을 방지할 만한 별도의 통제 장치를 마련하지 않는 한 통신 및 사생활의 비밀과 자유를 과도하게 침해하게 된다는 주장과 같은 맥락이므로, 이 사건 법률조항이 과잉금지원칙에 반하여 청구인의 기본권을 침해하는지 여부에 대하여 판단하는 이상, 영장주의 위반 여부에 대해서는 별도로 판단하지 아니한다.

3. 과잉금지원칙 위반 여부

오늘날 인터넷 사용이 일상화됨에 따라 국가 및 공공의 안전, 국민의 재산이나 생명·신체의 안전을 위협하는 범행의 저지나 이미 저질러진 범죄수사에 필요한 경우 인터넷 통신망을 이용하는 전기통신에 대한 감청을 허용할 필요가 있으므로 이 사건 법률조항은 입법목적의 정당성과 수단의 적합성이 인정된다.

인터넷회선 감청으로 수사기관은 타인 간 통신 및 개인의 내밀한 사생활의 영역에 해당하는 통신자료까지 취득할 수 있게 된다. 따라서 통신제한조치에 대한 법원의 허가 단계에서는 물론이고, 집행이나 집행 이후 단계에서도 수사기관의 권한 남용을 방지하고 관련 기본권 제한이 최소화될 수 있도록 입법적 조치가 제대로 마련되어 있어야 한다.

법은 "범죄를 계획 또는 실행하고 있거나 실행하였다고 의심할만한 충분한 이유가 있는 경우" 보충적 수사 방법으로 통신제한조치가 활용하도록 요건을 정하고 있고, 법원의 허가 단계에서 특정 피의자 내지 피내사자의 범죄수사를 위해 그 대상자가 사용하는 특정 인터넷회선에 한하여 필요한 범위 내에서만 감청이 이루어지도록 제한이 되어 있다(법 제5조, 제6조).

그러나 '패킷감청'의 방식으로 이루어지는 인터넷회선 감청은 수사기관이 실제 감청 집행을 하는 단계에서는 해당 인터넷회선을 통하여 흐르는 불특정 다수인의 모든 정보가 패킷 형태로 수집되어 일단 수사기관에 그대로 전송되므로, 다른 통신제한조치에 비하여 감청 집행을 통해 수사기관이 취득하는 자료가 비교할 수 없을 정도로 매우 방대하다는 점에 주목할 필요가 있다.

불특정 다수가 하나의 인터넷회선을 공유하여 사용하는 경우가 대부분이므로, 실제 집행 단계에서는 법원이 허가한 범위를 넘어 피의자 내지 피내사자의 통신자료뿐만 아니라 동일한 인터넷회선을 이용하는 불특정 다수인의 통신자료까지 수사기관에 모두 수집·저장된다. 따라서 인터넷회선 감청을 통해 수사기관이 취득하는 개인의 통신자료의 양을 전화감청 등 다른 통신제한조치와 비교할 바는 아니다. 따라서 인터넷회선 감청은 집행 및 그 이후에 제3자의 정보나 범죄수사와 무관한 정보까지 수사기관에 의해 수집·보관되고 있지는 않는지, 수사기관이 원래 허가받은 목적, 범위 내에서 자료를 이용·처리하고 있는지 등을 감독 내지 통제할 법적 장치가 강하게 요구된다. 그런데 현행법은 관련 공무원 등에게 비밀준수의무를 부과하고(법 제11조), 통신제한조치로 취득한 자료의 사용제한(법 제12조)을 규정하고 있는 것 외에 수사기관이 감청 집행으로 취득하는 막대한 양의 자료의 처리 절차에 대해서 아무런 규정을 두고 있지 않다.

현행법상 전기통신 가입자에게 집행 통지는 하게 되어 있으나 집행 사유는 알려주지 않아야 되고, 수사가 장기화되거나 기소중지 처리되는 경우에는 감청이 집행된 사실조차 알 수 있는 길이 없도록 되어 있어(법 제9조의2), 더욱 객관적이고 사후적인 통제가 어렵다. 또한 현행법상 감청 집행으로 인하여 취득된 전기통신의 내용은 법원으로부터 허가를 받은 범죄와 관련되는 범죄를 수사소추하거나 그 범죄를 예방하기 위하여도 사용이 가능하므로(법 제12조 제1호) 특정인의 동향 파악이나 정보수집을 위한 목적으로 수사기관에 의해 남용될 가능성도 배제하기 어렵다.

인터넷회선 감청과 동일하거나 유사한 감청을 수사상 필요에 의해 허용하면서도, 관련 기본권 침해를 최소화하기 위하여 집행 이후에도 주기적으로 경과보고서를 법원에 제출하도록 하거나, 감청을 허가한 판사에게 감청 자료를 봉인하여 제출하도록 하거나, 감청자료의 보관 내지 파기 여부를 판사가 결정하도록 하는 등 수사기관이 감청 집행으로 취득한 자료에 대한 처리 등을 객관적으로 통제할 수 있는 절차를 마련하고 있는 입법례가 상당수 있다.

이상을 종합하면, 이 사건 법률조항은 인터넷회선 감청의 특성을 고려하여 그 집행 단계나 집행 이후에 수사기관의 권한 남용을 통제하고 관련 기본권의 침해를 최소화하기 위한 제도적 조치가 제대로 마련되어 있지 않은 상태에서, 범죄수사 목적을 이유로 인터넷회선 감청을 통신제한조치 허가 대상 중 하나로 정하고 있으므로 침해의 최소성 요건을 충족한다고 할 수 없다.

이러한 여건 하에서 인터넷회선의 감청을 허용하는 것은 개인의 통신 및 사생활의 비밀과 자유에 심각한 위협을 초래하게 되므로 이 사건 법률조항으로 인하여 달성하려는 공익과 제한되는 사익 사이의 법익 균형성도 인정되지 아니한다.

4. 소 결

그렇다면 이 사건 법률조항은 과잉금지원칙에 반하여 청구인의 통신 및 사생활의 비밀과 자유를 침해한다.

5. 헌법불합치결정 및 잠정적용명령

이 사건 법률조항은 청구인의 기본권을 침해하여 헌법에 위반되지만, 단순위헌결정을 하면 수사기관이 인터넷회선 감청을 통한 수사를 행할 수 있는 법률적 근거가 사라져 범행의 실행 저지가 긴급히 요구되거나 국민의 생명·신체·재산의 안전을 위협하는 중대 범죄의 수사에 있어 법적 공백이 발생할 우려가 있다. (이하 생략)

108. 통신비밀보호법상 불법취득된 타인간의 대화내용 공개 사건 [합헌]
― 2011. 8. 30. 선고 2009헌바42

판시사항

1. 공개되지 아니한 타인간의 대화를 녹음 또는 청취하여 지득한 대화의 내용을 공개하거나 누설한 자를 처벌하는 통신비밀보호법 제16조 제1항 제2호 중 '대화의 내용'에 관한 부분(이하 ' 이 사건 법률조항'이라 한다)이 과잉금지원칙에 반하여 대화의 내용을 공개한 자의 표현의 자유를 침해하는 지 여부(소극)
2. 이 사건 법률조항이 형벌과 책임의 비례원칙에 위배되는지 여부(소극)
3. 이 사건 법률조항이 평등원칙에 위배되는지 여부(소극)

사건의 개요

청구인(노회찬)은 전 국가안전기획부 직원들이 1997. 9. 경 당시 ○○그룹 회장 비서실장 이○수와 전 ○○일보 사장 홍○현의 대화를 도청한 녹취록 등 소위 '안기부X파일'을 불상의 방법으로 입수한 후, 국회의원으로 재직중이던 2005. 8. 18. 국회의원회관에서 그 내용을 포함한 보도자료를 기자들에게 배포하고, 청구인의 인터넷 홈페이지에 게재함으로써 통신비밀보호법에 규정된 절차에 의하지 아니하고 지득한, 공개되지 아니한 타인간의 대화의 내용을 공개하였다는 범죄사실 등으로 기소되었다.

청구인은 위 공소사실로 서울중앙지방법원에서 재판을 받던 중 통신비밀보호법 제16조 제1항 제2호에 대하여 위헌법률심판제청신청을 하였으나, 위 법원이 2009. 2. 9. 당해 사건에 관하여 청구인에게 유죄판결을 선고하면서 위헌법률심판제청신청을 기각하였다. 이에 청구인은 2009. 3. 10. 이 사건 헌법소원심판을 청구하였다.

심판대상조항 및 관련조항

통신비밀보호법(2001. 12. 29. 법률 제6546호로 개정된 것)

제16조(벌칙) ① 다음 각 호의 1에 해당하는 자는 10년 이하의 징역과 5년 이하의 자격정지에 처한다.
1. 제3조의 규정에 위반하여 우편물의 검열 또는 전기통신의 감청을 하거나 공개되지 아니한 타인간의 대화를 녹음 또는 청취한 자
2. 제1호의 규정에 의하여 지득한 통신 또는 대화의 내용을 공개하거나 누설한 자

1. 이 사건 법률조항이 표현의 자유를 침해하는지 여부

가. 이 사건의 심사 기준

청구인은 위법하게 지득한 타인간의 대화내용을 공개하였다고 하더라도 중대한 공익의 실현을 위해 이를 공개한 경우에는 처벌하여서는 아니됨에도 불구하고 이 사건 법률조항에서 이에 관한 면책규정을 두지 아니한 것이 청구인의 표현의 자유를 침해한다고 주장한다.

헌법 제18조에서는 "모든 국민은 통신의 비밀을 침해받지 아니한다."라고 규정하여 통신의 비밀보호를 그 핵심내용으로 하는 통신의 자유를 기본권으로 보장하고 있다. 통신의 자유를 기본권으로서 보장하는 것은 사적 영역에 속하는 개인간의 의사소통을 사생활의 일부로서 보장하겠다는 취지에서 비롯된 것이다. 이 사건 법률조항이 불법 감청·녹음 등을 통하여 취득한 타인간의 대화내용을 공개·누설하는 경우 그러한 취득행위에는 관여하지 않고 다른 경로를 통하여 그 대화내용을 알게 된 사람이라 하더라도 처벌하는 것은 위와 같이 헌법 제18조에 의하여 보장되는 통신의 비밀을 보호하기 위함이다.

그러나 이 사건 법률조항은 다른 한편으로는 위법하게 취득한 타인간의 대화내용을 공개하는 자를 처벌함으로써 그 대화내용을 공개하는 자의 표현의 자유를 제한하게 된다. 즉, 위법하게 취득한 타인간의 대화내용이 민주국가에서 여론의 형성 등 공익을 위해 일반에게 공개할 필요가 있는 것이라 하더라도 이 사건 법률조항이 그 대화내용의 공개를 금지함으로써, 이를 공개하려고 하거나 공개한 자는 표현의 자유를 제한받게 되는 것이다. 따라서 이 사건 법률조항에 의하여 대화자의 통신의 비밀과 공개자의 표현의 자유라는 두 기본권이 충돌하게 된다.

이와 같이 두 기본권이 충돌하는 경우 헌법의 통일성을 유지하기 위하여 상충하는 기본권 모두 최대한으로 그 기능과 효력을 발휘할 수 있도록 조화로운 방법이 모색되어야 하므로, 과잉금지원칙에 따라서 이 사건 법률조항의 목적이 정당한 것인가, 그러한 목적을 달성하기 위하여 마련된 수단이 표현의 자유를 제한하는 정도와 대화의 비밀을 보호하는 정도 사이에 적정한 비례를 유지하고 있는가의 관점에서 심사하기로 한다.

나. 입법목적의 정당성 및 수단의 적합성

이 사건 법률조항이 불법 감청·녹음 등에 의하여 취득한 타인간의 대화내용을 알게 된 사람이 그 대화내용을 공개하는 행위를 처벌하는 것은 헌법 제18조에 의해 보장되는 개인간의 대화의 비밀을 확고히 보호하기 위한 것인 만큼 그 목적의 정당성이 인정되고, 공개되지 아니한 타인간의 대화내용을 공개하거나 누설한 자를 처벌하는 이 사건 법률조항은 이와 같은 목적을 달성하기 위한 적합한 수단이라고 할 수 있다.

다. 기본권 제한의 비례성

1) 이 사건 법률조항은 불법 감청·녹음 등을 통해 취득한 대화내용을 알게 된 자가 그 대화내용을 공개하는 행위를 처벌하면서 중대한 공익을 위해 공개한 경우에 위법성을 조각하는 특별규정을 따로 두고 있지 않다. 그러나 위와 같은 경우에는 형사범죄 처벌에 관한 일반법인 형법의 일반적 위법성조각사유에 관한 규정이 적용된다. 즉, 어떠한 행위가 형법 제20조(정당행위) 소정의

'사회상규에 위배되지 아니하는 행위'에 해당하면 위법성이 조각되는바, 이와 같은 정당행위로 인정되려면, 첫째, 행위의 동기나 목적의 정당성, 둘째, 행위의 수단이나 방법의 상당성, 셋째, 보호이익과 침해이익과의 법익 균형성, 넷째, 긴급성, 다섯째, 그 행위 외에 다른 수단이나 방법이 없다는 보충성 등의 요건을 갖추어야 한다.

따라서, 불법 감청·녹음 등에 의하여 취득한 타인간의 대화내용을 공개한 행위라 하더라도 위 정당행위의 요건을 충족하는 경우, 즉 대화내용의 공개가 중대한 공익을 위한 것으로서 그 목적의 정당성이 인정되고, 대화내용의 공개자가 불법 감청·녹음 등에 직접 관여하거나 그 밖의 위법한 방법에 의하여 대화내용을 취득한 경우에 해당하지 아니하며, 대화내용의 공개에 의하여 보호되는 공익이 그로 인해 침해되는 사익보다 월등히 우월하다는 등의 요건을 갖춘 경우에는 형법 제20조의 '사회상규에 위배되지 아니하는 행위'에 해당하여 위법성이 조각되고, 따라서 처벌되지 아니한다. 그리고, 개별 사안에서 이 사건 법률조항을 해석·적용하는 법원은 표현의 자유로 획득되는 이익 및 가치와 통신의 비밀 보호에 의하여 달성되는 이익 및 가치를 형량하여 그 규제의 폭과 방법을 정하고 통신비밀의 취득과정, 공개의 목적과 경위, 공개된 통신비밀의 내용, 공개방법 등을 종합적으로 고려하여, 최종적으로 그 공개행위가 사회상규에 위배되지 아니하는 행위에 해당하는지 여부를 판단하게 될 것이다.

이와 같이 이 사건 법률조항이 불법 취득한 타인간의 대화내용을 공개한 자를 처벌함에 있어 형법 제20조(정당행위)의 일반적 위법성조각사유에 관한 규정을 적정하게 해석·적용함으로써 공개자의 표현의 자유도 적절히 보장될 수 있는 이상, 이 사건 법률조항에 형법상의 명예훼손죄와 같은 위법성조각사유에 관한 특별규정을 두지 아니하였다는 점만으로 기본권 제한의 비례성을 상실하였다고는 볼 수 없다.

2) 최근 정보통신기술의 발달에 따른 감청장비 및 기술의 개발로 말미암아 국가기관과 사인에 의한 불법 감청·녹음 등으로 개인간의 통신의 비밀이 침해될 가능성은 점점 더 커지고 있다. 사사로운 영역으로 타인에게 알려지지 않아야 할 개인간의 대화내용이 불법으로 감청되거나 녹음되고, 더 나아가 불법 감청 또는 녹음된 대화내용이 제3자에 의하여 공개된다면 개인의 통신비밀이 침해당할 우려가 크다. 반면, 이 사건 법률조항이 개인간의 대화의 비밀을 보호하기 위하여 위법하게 취득한 대화내용을 누설·공개한 자를 처벌함으로써 대화내용을 누설·공개하는 자의 표현의 자유를 다소 제한한다고 하더라도, 중대한 공익을 위한 공개의 경우에는 형법상의 일반적 위법성조각사유가 적용되어 처벌되지 않을 수 있다는 점 등을 감안하면, 이 사건 법률조항에 의한 표현의 자유의 제한 정도가 이 사건 법률조항에 의하여 보호되는 개인의 대화의 비밀에 비하여 월등하게 크다고 단정하기 어렵다.

그렇다면, 이 사건 법률조항이 상충되는 개인간의 대화의 비밀과 공개자의 표현의 자유 사이에 법익균형을 상실하고 있다고는 보기 어렵다.

라. 소 결

이 사건 법률조항은 표현의 자유를 보장한 헌법 제21조 제1항에 위반되지 아니한다.

2. 이 사건 법률조항이 형벌과 책임의 비례원칙에 위배되는지 여부

이 사건 법률조항은 법정형으로 자유형만을 규정하여 벌금형을 배제하고, 나아가 자격정지형을 병과하도록 하고 있는바, 이것이 형벌과 책임의 비례원칙에 위배되는지 여부가 문제된다.

가. 어떤 범죄를 어떻게 처벌할 것인가 하는 문제, 즉 법정형의 종류와 범위의 선택은 그 범죄의 죄질과 보호법익에 대한 고려뿐만이 아니라, 우리의 역사와 문화, 입법 당시의 시대적 상황, 국민일반의 가치관 내지 법감정 그리고 범죄예방을 위한 형사정책적 측면 등 여러 가지 요소를 종합적으로 고려하여 입법자가 결정할 사항으로서 광범위한 입법재량 내지 형성의 자유가 인정되어야 할 분야이다. 따라서 어느 범죄에 대한 법정형이 그 범죄의 죄질 및 이에 따른 행위자의 책임에 비하여 지나치게 가혹한 것이어서 현저히 형벌체계상의 균형을 잃고 있다거나 그 범죄에 대한 형벌 본래의 목적과 기능을 달성함에 있어 필요한 정도를 일탈하는 등 헌법상의 평등의 원칙 및 비례의 원칙 등에 명백히 위배되는 경우가 아닌 한, 쉽사리 헌법에 위반된다고 단정하여서는 아니 된다.

나. 대화내용을 위법하게 취득한 행위 못지않게 위법하게 취득된 대화내용을 전파하는 행위도 그 수단 및 시기, 공개대상의 범위 등에 따라서 대화의 비밀을 침해하는 정도가 상당할 수 있기 때문에 이 사건 법률조항이 타인간의 대화내용을 위법하게 취득한 자와 위법하게 취득된 타인간의 대화내용을 공개·누설한 자를 동일한 법정형으로 규정하였다고 하더라도, 그리고 벌금형을 선택적으로 규정하지 않았다고 하더라도 그것이 형벌 본래의 목적과 기능을 달성함에 있어 필요한 정도를 일탈하여 지나치게 과중한 형벌이라고는 보기 어렵다.

3. 평등원칙 위반 여부

청구인은, 형법상 명예훼손죄에 있어서는 공공의 이익을 위한 경우에 형법 제310조의 위법성조각사유에 해당하여 처벌받지 않는 반면, 이 사건과 같은 경우에는 이 사건 법률조항이 위와 같은 위법성조각사유에 관한 특별규정을 두지 않음으로 인해 중대한 공익을 위하여 공개한 자도 처벌될 수 있는바, 이는 합리적인 이유 없는 차별로서 평등원칙에 위반된다고 주장한다.

그러나 이 사건 법률조항은 사람의 명예가 훼손되었는지 여부와는 무관하게 사적 대화의 비밀 그 자체를 보호함으로써 사생활의 비밀을 보호하는 데 본질이 있다 할 것이므로 형법상 명예훼손 행위와 이 사건 법률조항이 금지하는 대화내용의 공개 행위 사이에 비교대상으로 삼을 만한 본질적인 동일성이 있다고 보기 어렵고, 가사 위 두 죄를 비교대상으로 삼을 수 있다고 하더라도, 이 사건 법률조항에 의해 처벌되는 행위는 사적인 공간에서 당사자 쌍방이 소통하는 사적인 대화의 비밀을 침해하여 위법하게 취득된 대화내용을 공개한다는 점에서 형법상의 명예훼손죄에 비하여 처벌필요성의 정도가 다르다고 볼 수 있으므로 합리적 이유 없는 차별이라 볼 수 없다.

제3절 정신생활영역의 자유

제1항 양심의 자유

109 준법서약제도 사건 [기각]
— 2002. 4. 25. 선고 98헌마425, 99헌마170·498(병합)

판시사항

1. 국가보안법위반 및 집회및시위에관한법률위반 수형자의 가석방 결정시 준법서약서를 제출하도록 한 가석방심사등에관한규칙 제14조가 준법서약의 내용상 서약자의 양심의 영역을 침범하는 것인지 여부(소극)
2. 이 사건 규칙조항이 준법서약의 강제방법상 서약자의 양심의 자유를 침해하는 것인지 여부(소극)
3. 이 사건 규칙조항이 국가보안법위반 및 집회및시위에관한법률위반 수형자의 가석방 결정시에만 준법서약서를 제출하도록 한 것은 동 법위반자들에 대한 불합리한 차별로서 평등권의 침해가 아닌지 여부(소극)

사건의 개요

청구인은 1978. 2. 2. 국가보안법위반으로 구속되어 같은 해 12. 26. 무기징역형이 확정된 후 안동교도소에서 복역하던 중, 당국의 준법서약서 제출요구를 거절하여 1998. 8. 15. 단행된 가석방에서 제외되었다. 이에 청구인은 국가보안법위반 등의 수형자에 대한 가석방심사시 준법서약서를 요구하는 '가석방심사등에관한규칙 제14조 제2항'은 청구인의 양심의 자유, 행복추구권, 평등권 등을 침해한다는 이유로 1998. 11. 26. 이 사건 헌법소원심판을 청구하였다.

심판대상조항 및 관련조항

가석방심사등에관한규칙(1998. 10. 10. 법무부령 제467호로 개정된 것, 이하 "심사규칙"이라 한다)

제14조(심사상의 주의) ② 국가보안법위반, 집회및시위에관한법률위반 등의 수형자에 대하여는 가석방 결정 전에 출소 후 대한민국의 국법질서를 준수하겠다는 준법서약서를 제출하게 하여 준법의지가 있는지 여부를 확인하여야 한다.

I. 적법요건에 관한 판단

1. 권리침해의 직접성

　법령조항 자체가 헌법소원의 대상이 될 수 있으려면 그 조항에 의하여 구체적 집행행위를 기다리지 아니하고 직접, 현재, 자기의 기본권을 침해받아야 하는 것을 요건으로 하고, 여기서 말하는 기본권침해의 직접성이란 집행행위에 의하지 아니하고 법령 그 자체에 의하여 자유의 제한, 의무의 부과, 권리 또는 법적 지위의 박탈이 생긴 경우를 뜻한다. 그러나 구체적 집행행위가 존재한 경우라고 하더라도 언제나 반드시 법령 자체에 대한 헌법소원 심판청구의 적법성이 부인되는 것은 아니다. 즉, 집행행위가 존재하는 경우라고 하더라도 그 집행행위를 대상으로 하는 구제절차가 없거나 구제절차가 있다고 하더라도 권리구제의 가능성이 없고 다만 기본권침해를 당한 청구인에게 불필요한 우회절차를 강요하는 것밖에 되지 않는 경우로서 당해 법령에 대한 전제관련성이 확실하다고 인정되는 때에는 당해 법령을 직접 헌법소원의 대상으로 할 수 있다.

　이 사건의 경우 가석방심사위원회는 먼저 형법 제72조 제1항의 기간을 경과한 국가보안법위반, 집회및시위에관한법률위반 등의 수형자중에서 행형성적 등을 심사한 결과 가석방 적격판정이 가능하다고 판단하는 수형자를 선정하여 준법서약서의 제출을 요구하게 될 것이므로 이 사건 규칙조항은 가석방심사위원회의 준법서약서 제출요구가 있어야만 비로소 당해 수형자에게 적용된다고 할 수 있다. 그러나 가석방심사위원회의 준법서약서 제출요구는 단지 가석방 적격여부를 판정하기 전에 그 정상자료를 수집하는 중간적 조치일 뿐, 그 대상자가 반드시 이에 응하도록 강제되고 있는 것도 아니고, 또한 준법서약서를 제출하였다고 하여 그 사유만으로 가석방이 당연히 되는 것도 아니다. 즉 당해 수형자는 준법서약서의 제출요구조치가 아니라 가석방여부에 대한 법무부장관의 종국적 판정처분에 의하여 비로소 그 이익에 영향을 받게 된다. 결국 가석방심사위원회의 준법서약서 제출요구는 당해 수형자에게 준법서약서의 제출을 권유 내지 유도하는 권고적 성격의 중간적 조치에 불과하여 행정소송의 대상이 되는 독립한 행정처분으로서의 외형을 갖춘 행위라고 보기 어렵다. 그렇다면 청구인들이 이 사건 심판청구 전에 가석방심사위원회의 준법서약서 제출요구행위를 대상으로 한 행정소송 등 사전구제절차를 통하여 권리구제를 받을 것을 기대할 수는 없다 할 것이어서 동 구제절차를 이행하지 아니하였다는 이유로 기본권침해의 직접성이 없다고 할 수 없으며, 따라서 이 사건 심판청구들은 권리침해의 직접성의 측면에서는 모두 적법하다.

2. 권리보호의 이익

　청구인은 1999. 2. 25. 형집행정지로 석방되었다. 그러나 이 사건 헌법소원에 있어서 준법서약서 제출요구는 앞으로도 계속 반복될 것으로 보여지고, 그에 대한 헌법적 정당성 여부의 해명은 헌법질서의 수호를 위하여 매우 긴요한 사항으로서 중요한 의미를 지니고 있는 것이므로 이 사건 심판청구의 이익은 여전히 존재한다 할 것이다.

Ⅱ 본안에 관한 판단

1. 양심의 자유의 침해 여부

우리 헌법 제19조는 모든 국민은 양심의 자유를 가진다고 하여 명문으로 양심의 자유를 보장하고 있다. 여기서 헌법이 보호하고자 하는 양심은 어떤 일의 옳고 그름을 판단함에 있어서 그렇게 행동하지 않고는 자신의 인격적 존재가치가 파멸되고 말 것이라는 강력하고 진지한 마음의 소리로서의 절박하고 구체적인 양심을 말한다. 따라서 막연하고 추상적인 개념으로서의 양심이 아니다.

가. 준법서약의 내용과 양심의 영역과의 관련 여부

국법질서의 준수에 대한 국민의 일반적 의무가 헌법적으로 명백함을 감안할 때, 내용상 단순히 국법질서나 헌법체제를 준수하겠다는 취지의 서약을 할 것을 요구하는 이 사건 준법서약은 국민이 부담하는 일반적 의무를 장래를 향하여 확인하는 것에 불과하며, 어떠한 가정적 혹은 실제적 상황하에서 특정의 사유(思惟)를 하거나 특별한 행동을 할 것을 새로이 요구하는 것이 아니다. 따라서 이 사건 준법서약은 어떤 구체적이거나 적극적인 내용을 담지 않은 채 단순한 헌법적 의무의 확인·서약에 불과하다 할 것이어서 양심의 영역을 건드리는 것이 아니다.

이 사건 청구인들 중에 이른바 비전향 장기수들이 있고, 그들이 내심으로 가령 국가보안법 등이 자신들의 정치적 신조에 반한다거나, 자유민주주의 체제가 자신들의 이데올로기에 어긋난다고 확신하며 나아가 그들의 이러한 신조가 외부적으로 알려져 있다하더라도, 그들에 대한 가석방 심사시 심사자료에 쓰일 준법서약의 내용이 단지 위와 같은 정도에 그치는 이상, 마찬가지로 양심의 영역을 건드리는 것으로 볼 수 없다. 왜냐하면 기본적으로 어느 누구도 헌법과 법률을 무시하고 국법질서 혹은 자유민주적 기본질서를 무력, 폭력 등 비헌법적 수단으로 전복할 권리를 헌법적으로 보장받을 수는 없는 것이고, 따라서 단순히 국법질서나 헌법체제를 준수하겠다는 서약을 하는 것에 의하여는 그 질서나 체제 속에 담겨있는 양심의 자유를 포함하여 어떠한 헌법적 자유나 권리도 침해될 수 없기 때문이다.

나. 준법서약의 법적 강제와 양심의 자유의 침해 여부

뿐만 아니라 양심의 자유는 내심에서 우러나오는 윤리적 확신과 이에 반하는 외부적 법질서의 요구가 서로 회피할 수 없는 상태로 충돌할 때에만 침해될 수 있다. 그러므로 당해 실정법이 특정의 행위를 금지하거나 명령하는 것이 아니라 단지 특별한 혜택을 부여하거나 권고 내지 허용하고 있는 데에 불과하다면, 수범자는 수혜를 스스로 포기하거나 권고를 거부함으로써 법질서와 충돌하지 아니한 채 자신의 양심을 유지, 보존할 수 있으므로 양심의 자유에 대한 침해가 된다할 수 없다. 따라서 양심의 자유를 침해하는 정도의 외부적 법질서의 요구가 있다고 할 수 있기 위해서는 법적 의무의 부과와 위반시 이행강제, 처벌 또는 법적 불이익의 부과 등 방법에 의하여 강제력이 있을 것임을 요한다. 여기서 법적 불이익의 부과라고 함은 권리침해의 정도에는 이르지 아니하더라도 기존의 법적 지위를 박탈하거나 법적 상태를 악화시키는 등 적어도 현재의 법적 지위나 상태를 장래에 있어 불안하게 변모시키는 것을 의미한다.

이 사건의 경우, 이 사건 규칙조항에 의하여 준법서약서의 제출이 반드시 법적으로 강제되어 있는 것이 아니다. 당해 수형자는 가석방심사위원회의 판단에 따라 준법서약서의 제출을 요구받았다고 하더라도 자신의 의사에 의하여 준법서약서의 제출을 거부할 수 있다. 또 이를 거부하더라도 가석방심사위원회는 당해 수형자에게 준법서약서의 제출을 강제할 아무런 법적 권한이 없다. 또한 가석방이 그 법적 성격상 수형자의 개별적 요청이나 희망에 따라 행하여지는 것이 아니라 행형기관의 교정정책 혹은 형사정책적 판단에 따라 수형자에게 주는 은혜적 조치일 뿐이고 수형자에게 주어지는 권리가 아니어서, 다시 말해 가석방은 행형당국의 판단에 따라 수형자가 받는 사실상의 이익이며 은전일 뿐이어서, 준법서약서의 제출을 거부하는 당해 수형자는 결국 이 사건 규칙조항에 의하여 가석방의 혜택을 받을 수 없게 될 것이지만, 단지 그것뿐이며 더 이상 법적 지위가 불안해지거나 법적 상태가 악화되지 아니한다. 즉, 원래의 형기대로 복역하는 수형생활에 아무런 변화가 없는 것이다. 이와 같이 이 사건 규칙조항은 내용상 당해 수형자에게 하등의 법적 의무를 부과하는 것이 아니며 이행강제나 처벌 또는 법적 불이익의 부과 등 방법에 의하여 준법서약을 강제하고 있는 것이 아니므로 당해 수형자의 양심의 자유를 침해하는 것이 아니다.

3. 평등권의 침해 여부

가. 심사의 척도

이 사건 규칙조항은 가석방심사에 있어서 심사방법에 관한 내용을 정한 것으로 이는 행형당국의 광범위한 재량이 인정되는 분야에 속하고, 이 문제에 관하여 헌법이 특별히 차별금지를 규정하고 있지도 아니하다. 또한 앞서 살펴본 바와 같이 준법서약제에 관한 이 사건 규칙조항은 당해 수형자의 양심의 자유 등 기본권을 침해하고 있지 아니하므로 차별적 취급으로 관련 기본권에 대한 중대한 제한을 초래하는 것도 아니다. 따라서 이 사건 규칙조항에 대한 평등위반 여부를 심사함에 있어서는 특별히 엄격한 심사척도가 적용되어야 하는 것이 아니며 완화된 합리성 심사에 의하는 것으로 족하다고 할 것이다.

나. 차별취급의 비례성 여부

이 사건 규칙조항은 죄명에 관계없이 모든 수형자의 준법서약을 요구하는 것이 아니고 국가보안법위반죄와 집회및시위에관한법률위반죄의 수형자의 경우에만 요구하고 있다.

우리 모두가 인식하는 바와 같이, 남북한의 대결상황에서 북한은 여전히 대남혁명전략을 추구하며 대한민국의 존립을 위협하고 있으므로 대한민국으로서는 국가의 존립 보장을 위하여 북한의 대남혁명전략에 방어적으로 대처하지 아니할 수 없다. 또한 북한에 연계하거나 혹은 자발적 의사에 의하여 대한민국의 자유민주적 기본질서를 침해하거나 붕괴시키려는 세력의 위법행위는 그 행위의 성격상 주로 위와 같은 죄를 통하여 처단하여온 것이 현재 우리의 법적 현실이라고 할 것이다. 이와 같은 상황에서 당해 수형자들에게 그 가석방 여부를 심사함에 있어서 다른 범죄의 수형자들에게 일반적으로 적용되는 심사방법을 공히 적용하는 외에, 국민의 일반적 의무인 '국법질서 준수의 확인절차'를 더 거치도록 하는 것은 당해 수형자들이 지니는 차별적 상황을 합리적으로 감안한 것으로서 그 정책수단으로서의 적합성이 인정된다고 할 것이다. 결국 이 사건 규칙조항은 헌법상 평등의 원칙에 위배되지 아니한다고 할 것이다.

110 명예회복에 적당한 처분에 사죄광고를 포함시킨 사건 [한정위헌]
— 1991. 4. 1. 선고 89헌마160

판시사항 및 결정요지

1. 타인의 명예를 훼손한 자에 대하여는 법원은 피해자의 청구에 의하여 손해배상에 갈음하거나 손해배상과 함께 명예회복에 적당한 처분을 명할 수 있다고 규정한 민법 제764조와 양심의 자유 및 인격권의 침해여부

헌법 제19조는 "모든 국민은 양심의 자유를 가진다."라고 하여 양심의 자유를 기본권의 하나로 보장하고 있는바, 여기의 양심이란 세계관·인생관·주의·신조 등은 물론, 이에 이르지 아니하여도 보다 널리 개인의 인격형성에 관계되는 내심에 있어서의 가치적·윤리적 판단도 포함된다고 볼 것이다. 그러므로 양심의 자유에는 널리 사물의 시시비비나 선악과 같은 윤리적 판단에 국가가 개입해서는 안 되는 내심적 자유는 물론, 이와 같은 윤리적 판단을 국가권력에 의하여 외부에 표명하도록 강제받지 않는 자유 즉 윤리적 판단사항에 관한 침묵의 자유까지 포괄한다고 할 것이다. 이와 같이 해석하는 것이 다른 나라의 헌법과 달리 양심의 자유를 신앙의 자유와도 구별하고 사상의 자유에 포함시키지 않은 채 별개의 조항으로 독립시킨 우리헌법의 취지에 부합할 것이며, 이는 개인의 내심의 자유, 가치판단에는 간섭하지 않겠다는 원리의 명확한 확인인 동시에 민주주의의 정신적 기초가 되고 인간의 내심의 영역에 국가권력의 불가침으로 인류의 진보와 발전에 불가결한 것이 되어 왔던 정신활동의 자유를 보다 완전히 보장하려는 취의라고 할 것이다.

그런데 사죄광고제도란 타인의 명예를 훼손하여 비행을 저질렀다고 믿지 않는 자에게 본심에 반하여 깊이 "사과한다."하면서 죄악을 자인하는 의미의 사죄의 의사표시를 강요하는 것이므로, 국가가 재판이라는 권력작용을 통해 자기의 신념에 반하여 자기의 행위가 비행이며 죄가 된다는 윤리적 판단을 형성강요하여 외부에 표시하기를 명하는 한편 의사감정과 맞지 않는 사과라는 도의적 의사까지 광포시키는 것이다. 따라서 사죄광고의 강제는 양심도 아닌 것이 양심인 것처럼 표현할 것의 강제로 인간양심의 왜곡·굴절이고 겉과 속이 다른 이중인격형성의 강요인 것으로서 침묵의 자유의 파생인 양심에 반하는 행위의 강제금지에 저촉되는 것이며 따라서 우리 헌법이 보호하고자 하는 정신적 기본권의 하나인 양심의 자유의 제약(법인의 경우라면 그 대표자에게 양심표명의 강제를 요구하는 결과가 된다.)이라고 보지 않을 수 없다.

따라서 민법 제764조가 사죄광고를 포함하는 취지라면 그에 의한 기본권제한에 있어서 그 선택된 수단이 목적에 적합하지 않을 뿐만 아니라 그 정도 또한 과잉하여 비례의 원칙이 정한 한계를 벗어난 것으로 헌법 제37조 제2항에 의하여 정당화될 수 없는 것으로서 헌법 제19조에 위반되는 동시에 헌법상 보장되는 인격권의 침해에 이르게 된다.

2. 민법 제764조의 해석과 "질적 일부위헌"의 주문이 채택된 사례

민법 제764조 "명예회복에 적당한 처분"에 사죄광고를 포함시키는 것은 헌법에 위반된다는 것은 의미는, 동조 소정의 처분에 사죄광고가 포함되지 않는다고 하여야 헌법에 위반되지 아니한다는 것으로서, 이는 동조와 같이 불확정개념으로 되어 있거나 다의적인 해석가능성이 있는 조문에 대하여 한정축소해석을 통하여 얻어진 일정한 합의적 의미를 천명한 것이며, 그 의미를 넘어선 확대는 바로 헌법에 위반되어 채택할 수 없다는 뜻이다.

양심적 병역거부 사건(2004년) [합헌]
– 2004. 8. 26. 선고 2002헌가1

판시사항 및 결정요지

1. 헌법상 보장되는 양심의 내용

가. 헌법은 제19조에서 "모든 국민은 양심의 자유를 가진다."라고 하여 양심의 자유를 국민의 기본권으로 보장하고 있다. 이로써 국가의 법질서와 개인의 내적·윤리적 결정인 양심이 서로 충돌하는 경우 헌법은 국가로 하여금 개인의 양심을 보호할 것을 규정하고 있다. 소수의 국민이 양심의 자유를 주장하여 다수에 의하여 결정된 법질서에 대하여 복종을 거부한다면, 국가의 법질서와 개인의 양심 사이의 충돌은 항상 발생할 수 있다.

헌법상 보호되는 양심은 어떤 일의 옳고 그름을 판단함에 있어서 그렇게 행동하지 아니하고는 자신의 인격적인 존재가치가 허물어지고 말 것이라는 강력하고 진지한 마음의 소리로서 절박하고 구체적인 양심을 말한다. 즉, '양심상의 결정'이란 선과 악의 기준에 따른 모든 진지한 윤리적 결정으로서 구체적인 상황에서 개인이 이러한 결정을 자신을 구속하고 무조건적으로 따라야 하는 것으로 받아들이기 때문에 양심상의 심각한 갈등이 없이는 그에 반하여 행동할 수 없는 것을 말한다.

인간의 존엄성 유지와 개인의 자유로운 인격발현을 최고의 가치로 삼는 우리 헌법상의 기본권체계 내에서 양심의 자유의 기능은 개인적 인격의 정체성과 동질성을 유지하는 데 있다.

나. '양심의 자유'가 보장하고자 하는 '양심'은 민주적 다수의 사고나 가치관과 일치하는 것이 아니라, 개인적 현상으로서 지극히 주관적인 것이다. 양심은 그 대상이나 내용 또는 동기에 의하여 판단될 수 없으며, 특히 양심상의 결정이 이성적·합리적인가, 타당한가 또는 법질서나 사회규범, 도덕률과 일치하는가 하는 관점은 양심의 존재를 판단하는 기준이 될 수 없다.

일반적으로 민주적 다수는 법질서와 사회질서를 그의 정치적 의사와 도덕적 기준에 따라 형성하기 때문에, 그들이 국가의 법질서나 사회의 도덕률과 양심상의 갈등을 일으키는 것은 예외에 속한다. 양심의 자유에서 현실적으로 문제가 되는 것은 사회적 다수의 양심이 아니라, 국가의 법질서나 사회의 도덕률에서 벗어나려는 소수의 양심이다. 따라서 양심상의 결정이 어떠한 종교관·세계관 또는 그 외의 가치체계에 기초하고 있는가와 관계없이, 모든 내용의 양심상의 결정이 양심의 자유에 의하여 보장된다.

다. 헌법 제19조의 양심의 자유는 크게 양심형성의 내부영역과 형성된 양심을 실현하는 외부영역으로 나누어 볼 수 있으므로, 그 구체적인 보장내용에 있어서도 내심의 자유인 '양심형성의 자유'와 양심적 결정을 외부로 표현하고 실현하는 '양심실현의 자유'로 구분된다. 양심형성의 자유란 외부로부터의 부당한 간섭이나 강제를 받지 않고 개인의 내심영역에서 양심을 형성하고 양심상의 결정을 내리는 자유를 말하고, 양심실현의 자유란 형성된 양심을 외부로 표명하고 양심에 따라 삶을 형성할 자유, 구체적으로는 양심을 표명하거나 또는 양심을 표명하도록 강요받지 아니할 자유(양심표명의 자유), 양심에 반하는 행동을 강요받지 아니할 자유(부작위에 의한 양심실현의 자유), 양심에 따른 행동을 할 자유(작위에 의한 양심실현의 자유)를 모두 포함한다.

양심의 자유 중 양심형성의 자유는 내심에 머무르는 한, 절대적으로 보호되는 기본권이라 할 수 있는 반면, 양심적 결정을 외부로 표현하고 실현할 수 있는 권리인 양심실현의 자유는 법질서에 위배되거나 타인의 권리를 침해할 수 있기 때문에 법률에 의하여 제한될 수 있는 상대적 자유라 할 것이다

2. 양심의 자유로부터 대체복무를 요구할 권리가 도출되는지 여부(소극)

양심의 자유는 단지 국가에 대하여 가능하면 개인의 양심을 고려하고 보호할 것을 요구하는 권리일 뿐, 양심상의 이유로 법적 의무의 이행을 거부하거나 법적 의무를 대신하는 대체의무의 제공을 요구할 수 있는 권리가 아니다. 따라서 양심의 자유로부터 대체복무를 요구할 권리도 도출되지 않는다. 우리 헌법은 병역의무와 관련하여 양심의 자유의 일방적인 우위를 인정하는 어떠한 규범적 표현도 하고 있지 않다. 양심상의 이유로 병역의무의 이행을 거부할 권리는 단지 헌법 스스로 이에 관하여 명문으로 규정하는 경우에 한하여 인정될 수 있다.

3. 양심실현의 자유에 대한 침해여부의 심사에 일반적인 비례의 원칙이 적용되는지 여부(소극)

양심의 자유의 경우 비례의 원칙을 통하여 양심의 자유를 공익과 교량하고 공익을 실현하기 위하여 양심을 상대화하는 것은 양심의 자유의 본질과 부합될 수 없다. 양심상의 결정이 법익교량과정에서 공익에 부합하는 상태로 축소되거나 그 내용에 있어서 왜곡굴절된다면, 이는 이미 '양심'이 아니다. 따라서 양심의 자유의 경우에는 법익교량을 통하여 양심의 자유와 공익을 조화와 균형의 상태로 이루어 양 법익을 함께 실현하는 것이 아니라, 단지 '양심의 자유'와 '공익' 중 양자택일 즉, 양심에 반하는 작위나 부작위를 법질서에 의하여 '강요받는가 아니면 강요받지 않는가'의 문제가 있을 뿐이다.

4. 대체복무제도의 도입을 통하여 병역의무에 대한 예외를 허용하더라도 국가안보란 공익을 효율적으로 달성할 수 없다고 본 입법자의 판단이 현저히 불합리하거나 명백히 잘못된 것인지 여부(소극)

현 단계에서 대체복무제를 도입하기는 어렵다고 본 입법자의 판단이 현저히 불합리하다거나 명백히 잘못되었다고 볼 수 없다.

112 양심적 병역거부 사건 [헌법불합치, 합헌]
― 2018. 6. 28. 선고 2011헌바379, 2012헌가17

판시사항

1. 병역의 종류를 규정한, 2006. 3. 24. 법률 제7897호로 개정되기 전의 구 병역법부터 현행 병역법까지의 병역법 제5조 제1항이 양심적 병역거부자에 대한 대체복무제를 규정하고 있지 않음을 이유로 그 위헌확인을 구하는 헌법소원심판청구가 진정입법부작위를 다투는 청구인지 여부(소극)
2. 병역종류조항의 위헌여부가 양심적 병역거부자에 대한 형사 재판의 전제가 되는지 여부(적극)
3. 병역의 종류를 현역, 예비역, 보충역, 병역준비역, 전시근로역의 다섯 가지로 한정하여 규정하고 양심적 병역거부자에 대한 대체복무제를 규정하지 아니한 병역종류조항이 과잉금지원칙을 위반하여 양심적 병역거부자의 양심의 자유를 침해하는지 여부(적극)
4. 현역입영 또는 소집 통지서를 받은 사람이 정당한 사유 없이 입영일이나 소집일부터 3일이 지나도 입영하지 아니하거나 소집에 응하지 아니한 경우를 처벌하는, 2009. 6. 9. 법률 제9754호로 개정되기 전의 구 병역법부터 현행 병역법까지의 병역법 제88조 제1항 본문 제1호, 2009. 6. 9. 법률 제9754호로 개정되기 전의 구 병역법 및 2013. 6. 4. 법률 제11849호로 개정되기 전의 구 병역법의 각 제88조 제1항 본문 제2호(이하 모두 합하여 '처벌조항'이라 한다)가 과잉금지원칙을 위반하여 양심적 병역거부자의 양심의 자유를 침해하는지 여부(소극)
5. 병역종류조항에 대하여 헌법불합치 결정을 하되 계속 적용을 명한 사례

사건의 개요

제청신청인 김○인은 2010. 10. 7. '현역병입영대상' 처분을 받은 사람으로, 2011. 8. 17. 경남지방병무청장으로부터 2011. 9. 20.까지 입영하라는 현역입영통지서를 받고도 정당한 사유 없이 입영일부터 3일이 지나도록 입영하지 아니하였다는 범죄사실(병역법위반죄)로 기소되었다. 위 제청신청인은 재판계속 중 병역법 제3조, 제5조, 제88조 제1항에 대하여 위헌법률심판제청 신청을 하였고, 제청법원은 2012. 8. 9. 위 신청을 받아들여 병역법 제88조 제1항 제1호가 위헌이라고 인정할 상당한 이유가 있다며 이 사건 위헌법률심판을 제청하였다.

심판대상조항 및 관련조항

병역법(2016. 5. 29. 법률 제14183호로 개정된 것)

제5조(병역의 종류) ① 병역은 다음 각 호와 같이 구분한다.
  1. 현역: 다음 각 목의 어느 하나에 해당하는 사람 (이하 생략)
  2. 예비역: 다음 각 목의 어느 하나에 해당하는 사람 (이하 생략)
  3. 보충역: 다음 각 목의 어느 하나에 해당하는 사람

　　가. 병역판정검사 결과 현역 복무를 할 수 있다고 판정된 사람 중에서 병력수급(兵力需給) 사정에 의하여 현역병입영 대상자로 결정되지 아니한 사람
　　나. 다음의 어느 하나에 해당하는 사람으로 복무하고 있거나 그 복무를 마친 사람
　　　1) 사회복무요원
　　　2) 삭제
　　　3) 예술체육요원
　　　4) 공중보건의사
　　　5) 병역판정검사전담의사
　　　6) 삭제
　　　7) 공익법무관
　　　8) 공중방역수의사
　　　9) 전문연구요원
　　　10) 산업기능요원
　　다. 그 밖에 이 법에 따라 보충역에 편입된 사람
4. 병역준비역: 병역의무자로서 현역, 예비역, 보충역 및 전시근로역이 아닌 사람
5. 전시근로역: 다음 각 목의 어느 하나에 해당하는 사람 (이하 생략)

제88조(입영의 기피 등) ① 현역입영 또는 소집 통지서(모집에 의한 입영 통지서를 포함한다)를 받은 사람이 정당한 사유 없이 입영일이나 소집일부터 다음 각 호의 기간이 지나도 입영하지 아니하거나 소집에 응하지 아니한 경우에는 3년 이하의 징역에 처한다. (단서 생략)
　1. 현역입영은 3일
　2. 공익근무요원소집은 3일

주문

1. 2006. 3. 24. 개정되기 전의 구 병역법부터 현행 병역법까지의 병역법 제5조 제1항은 모두 헌법에 합치되지 아니한다. 위 조항들은 2019. 12. 31.을 시한으로 입법자가 개정할 때까지 계속 적용된다.
2. 2009. 6. 9. 개정되기 전의 구 병역법부터 현행 병역법까지의 병역법 제88조 제1항 본문 제1호, 2009. 6. 9. 개정되기 전의 구 병역법과, 2013. 6. 4. 개정되기 전의 구 병역법 제88조 제1항 본문 제2호는 모두 헌법에 위반되지 아니한다.

I. 적법요건에 대한 판단

1. 병역의 종류에 양심적 병역거부자에 대한 대체복무제를 규정하지 아니한 병역법 제5조 제1항(이하 '병역종류조항')에 대한 판단

가. 진정입법부작위를 다투는 것인지 여부

청구인들은 병역종류조항의 병역의무가 제한적으로 규정되어 양심적 병역거부자에게 집총 등 군사훈련이 수반되지 않는 대체복무의 선택 기회가 제공되지 아니하기 때문에 기본권이 침해된다고 주장하고 있다. 비군사적 성격을 갖는 복무 역시 입법자의 형성에 따라 병역의무의 내용에 포함될 수 있다. 나아가 대체복무제는 병역의무의 부과를 전제로 그에 대한 대체적 이행을 허용하는 제도이므로, 그 개념상 병역의무의 내용에 포함된다고 봄이 타당하고, 이는 결국 병역의 종류를 규정한 병역종류조항과 밀접한 관련을 갖는다.

따라서 청구인들의 위 주장은 입법자가 아무런 입법을 하지 않은 진정입법부작위를 다투는 것이 아니라, 입법자가 병역의 종류에 관하여 입법은 하였으나 그 내용이 양심적 병역거부자를 위한 비군사적 내용의 대체복무제를 포함하지 아니하여 불완전·불충분하다는 부진정입법부작위를 다투는 것이라고 봄이 상당하다.

나. 재판의 전제성이 인정되는지 여부

당해사건은 형사사건으로서 공소장에 적용법조로 기재되지 않은 병역종류조항은 당해사건에 직접 적용되는 조항이 아니지만, 심판청구된 법률조항의 위헌 여부에 따라 당해사건 재판에 직접 적용되는 법률조항의 위헌 여부가 결정되거나 당해사건 재판의 결과가 좌우되는 경우 또는 당해사건의 재판에 직접 적용되는 규범의 의미가 달라짐으로써 재판에 영향을 미치는 경우 등에는 간접 적용되는 법률조항에 대하여도 재판의 전제성을 인정할 수 있다.

병역종류조항이 양심적 병역거부자에 대한 대체복무제를 포함하고 있지 않다는 이유로 위헌으로 결정된다면, 양심적 병역거부자가 현역입영 또는 소집 통지서를 받은 후 3일 내에 입영하지 아니하거나 소집에 불응하더라도 대체복무의 기회를 부여받지 않는 한 당해 형사사건을 담당하는 법원이 무죄를 선고할 가능성이 있으므로, 병역종류조항의 위헌 여부에 따라 당해사건 재판의 결과가 달라질 수 있다. 따라서 병역종류조항은 재판의 전제성이 인정된다.

2. 처벌조항에 대한 판단

이 사건 청구인 등은 현역입영통지서, 공익근무요원 소집통지서를 받고도 정당한 사유 없이 입영일이나 소집일부터 3일이 지나도록 입영을 하지 아니하거나 소집에 응하지 아니하였다는 이유로 처벌조항에 따라 기소되었다. 따라서 처벌조항은 당해사건 재판에 적용되고, 처벌조항이 위헌으로 결정될 경우 당해사건의 피고인들은 무죄판결을 선고받는 등 주문이 달라질 수 있으므로 처벌조항은 재판의 전제성이 인정된다.

3. 소 결

그 밖에 다른 적법요건의 흠결이 없으므로 이 사건 심판청구는 적법하다.

II 본안 판단

1. 양심과 양심의 자유의 의미

헌법상 보호되는 양심은 어떤 일의 옳고 그름을 판단함에 있어서 그렇게 행동하지 아니하고는 자신의 인격적인 존재가치가 허물어지고 말 것이라는 강력하고 진지한 마음의 소리로서 절박하고 구체적인 양심을 말한다. 즉, '양심상의 결정'이란 선과 악의 기준에 따른 모든 진지한 윤리적 결정으로서 구체적인 상황에서 개인이 이러한 결정을 자신을 구속하고 무조건적으로 따라야 하는 것으로 받아들이기 때문에 양심상의 심각한 갈등이 없이는 그에 반하여 행동할 수 없는 것을 말한다.

이때 '양심'은 민주적 다수의 사고나 가치관과 일치하는 것이 아니라, 개인적 현상으로서 지극히 주관적인 것이다. 양심은 그 대상이나 내용 또는 동기에 의하여 판단될 수 없으며, 특히 양심상의 결정이 이성적·합리적인가, 타당한가 또는 법질서나 사회규범·도덕률과 일치하는가 하는 관점은 양심의 존재를 판단하는 기준이 될 수 없다.

이처럼 개인의 양심은 사회 다수의 정의관·도덕관과 일치하지 않을 수 있으며, 오히려 헌법상 양심의 자유가 문제되는 상황은 개인의 양심이 국가의 법질서나 사회의 도덕률에 부합하지 않는 경우이므로, 헌법에 의해 보호받는 양심은 법질서와 도덕에 부합하는 사고를 가진 다수가 아니라 이른바 '소수자'의 양심이 되기 마련이다.

특정한 내적인 확신 또는 신념이 양심으로 형성된 이상 그 내용 여하를 떠나 양심의 자유에 의해 보호되는 양심이 될 수 있으므로, 헌법상 양심의 자유에 의해 보호받는 '양심'으로 인정할 것인지의 판단은 그것이 깊고, 확고하며, 진실된 것인지 여부에 따르게 된다. 그리하여 양심적 병역거부를 주장하는 사람은 자신의 '양심'을 외부로 표명하여 증명할 최소한의 의무를 진다.

물론 그렇게 형성된 양심에 대한 사회적·도덕적 판단이나 평가는 당연히 가능하며, '양심'이기 때문에 무조건 그 자체로 정당하다거나 도덕적이라는 의미는 아니다. 양심의 자유 중 양심형성의 자유는 내심에 머무르는 한, 절대적으로 보호되는 기본권이라 할 수 있는 반면, 양심적 결정을 외부로 표현하고 실현할 수 있는 권리인 양심실현의 자유는 법질서에 위배되거나 타인의 권리를 침해할 수 있기 때문에 법률에 의하여 제한될 수 있다.

2. 양심적 병역거부의 의미와 대체복무제

일반적으로 양심적 병역거부는 병역의무가 인정되는 징병제 국가에서 종교적·윤리적·철학적 또는 이와 유사한 동기로부터 형성된 양심상의 결정을 이유로 병역의무의 이행을 거부하는 행위를 가리킨다.

그런데 일상생활에서 '양심적' 병역거부라는 말은 병역거부가 '양심적', 즉 도덕적이고 정당하다는 것을 가리킴으로써, 그 반면으로 병역의무를 이행하는 사람은 '비양심적'이거나 '비도덕적'인 사람으로 치부하게 될 여지가 있다. 하지만 앞에서 살펴 본 양심의 의미에 따를 때, '양심적' 병역거부는 실상 당사자의 '양심에 따른' 혹은 '양심을 이유로 한' 병역거부를 가리키는 것일 뿐이지 병역거부가 '도덕적이고 정당하다'는 의미는 아닌 것이다. 따라서 '양심적' 병역거부라는 용어를 사용한다고 하여 병역의무이행은 '비양심적'이 된다거나, 병역을 이행하는 거의 대부분의 병역의무자들과 병역의무이행이 국민의 숭고한 의무라고 생각하는 대다수 국민들이 '비양심적'인 사람들이 되는 것은 결코 아니다.

양심적 병역거부자들은 현재의 대법원 판례에 따를 때 이 사건 법률조항에 의해 형사처벌을 받게 되고 이후에도 공무원이 될 기회를 가질 수 없게 되는 등 여러 부가적 불이익마저 받게 된다. 그럼에도 불구하고 국가는 양심적 병역거부자들의 절박한 상황과 대안의 가능성을 외면하고 양심을 지키려는 국민에 대해 그 양심의 포기 아니면 교도소에의 수용이라는 양자택일을 강요하여 왔을 뿐이다. 국가에게 병역의무의 면제라는 특혜와 형사처벌이라는 두 개의 선택지밖에 없다면 모르되, 국방의 의무와 양심의 자유를 조화시킬 수 있는 제3의 길이 있다면 국가는 그 길을 진지하게 모색하여야 할 것이다.

3. 제한되는 기본권 및 심사기준

가. 제한되는 기본권

이 사건 청구인 등이 자신의 종교관·가치관·세계관 등에 따라 일체의 전쟁과 그에 따른 인간의 살상에 반대하는 진지한 내적 확신을 형성하였다면, 그들이 집총 등 군사훈련을 수반하는 병역의무의 이행을 거부하는 결정은 양심에 반하여 행동할 수 없다는 강력하고 진지한 윤리적 결정이며, 병역의무를 이행해야 하는 상황은 개인의 윤리적 정체성에 대한 중대한 위기상황에 해당한다. 이와 같이 병역종류조항에 대체복무제가 마련되지 아니한 상황에서, 양심상의 결정에 따라 입영을 거부하거나 소집에 불응하는 이 사건 청구인 등이 현재의 대법원 판례에 따라 처벌조항에 의하여 형벌을 부과받음으로써 양심에 반하는 행동을 강요받고 있으므로, 이 사건 법률조항은 '양심에 반하는 행동을 강요당하지 아니할 자유', 즉, '부작위에 의한 양심실현의 자유'를 제한하고 있다.

한편, 헌법 제20조 제1항은 양심의 자유와 별개로 종교의 자유를 따로 보장하고 있고, 이 사건 청구인 등의 대부분은 여호와의 증인 또는 카톨릭 신도로서 자신들의 종교적 신앙에 따라 병역의무를 거부하고 있으므로, 이 사건 법률조항에 의하여 이들의 종교의 자유도 함께 제한된다. 그러나 종교적 신앙에 의한 행위라도 개인의 주관적·윤리적 판단을 동반하는 것인 한 양심의 자유에 포함시켜 고찰할 수 있고, 앞서 보았듯이 양심적 병역거부의 바탕이 되는 양심상의 결정은 종교적 동기뿐만 아니라 윤리적·철학적 또는 이와 유사한 동기로부터도 형성될 수 있는 것이므로, 이 사건에서는 양심의 자유를 중심으로 기본권 침해 여부를 판단하기로 한다.

나. 심사기준

이 사건 법률조항은 헌법상 기본의무인 국방의 의무를 구체적으로 형성하는 것이면서 또한 동시에 양심적 병역거부자들의 양심의 자유를 제한하는 것이기도 하다. 이 사건 법률조항으로 인해서 국가의 존립과 안전을 위한 불가결한 헌법적 가치를 담고 있는 국방의 의무와 개인의 인격과 존엄의 기초가 되는 양심의 자유가 상충하게 된다. 이처럼 헌법적 가치가 서로 충돌하는 경우, 입법자는 두 가치를 양립시킬 수 있는 조화점을 최대한 모색해야 하고, 그것이 불가능해 부득이 어느 하나의 헌법적 가치를 후퇴시킬 수밖에 없는 경우에도 그 목적에 비례하는 범위 내에 그쳐야 한다. 헌법 제37조 제2항의 비례원칙은, 단순히 기본권제한의 일반원칙에 그치지 않고, 모든 국가작용은 정당한 목적을 달성하기 위하여 필요한 범위 내에서만 행사되어야 한다는 국가작용의 한계를 선언한 것이므로, 비록 이 사건 법률조항이 헌법 제39조에 규정된 국방의 의무를 형성하는 입법이라 할지라도 그에 대한 심사는 헌법상 비례원칙에 의하여야 한다.

4. 병역종류조항의 위헌 여부

가. 목적의 정당성 및 수단의 적합성

병역종류조항은, 병역부담의 형평을 기하고 병역자원을 효과적으로 확보하여 효율적으로 배분함으로써 국가안보를 실현하고자 하는 것이므로 정당한 입법목적을 달성하기 위한 적합한 수단이다.

나. 침해의 최소성

양심적 병역거부자의 수는 병역자원의 감소를 논할 정도가 아니고, 이들을 처벌한다고 하더라도 교도소에 수감할 수 있을 뿐 병역자원으로 활용할 수는 없으므로, 대체복무제 도입으로 병역자원의 손실이 발생한다고 할 수 없다. 전체 국방력에서 병역자원이 차지하는 중요성이 낮아지고 있는 점을 고려하면, 대체복무제를 도입하더라도 우리나라의 국방력에 의미 있는 수준의 영향을 미친다고 보기는 어렵다.

국가가 관리하는 객관적이고 공정한 사전심사절차와 엄격한 사후관리절차를 갖추고, 현역복무와 대체복무 사이에 복무의 난이도나 기간과 관련하여 형평성을 확보해 현역복무를 회피할 요인을 제거한다면, 심사의 곤란성과 양심을 빙자한 병역기피자의 증가 문제를 해결할 수 있다. 따라서 대체복무제를 도입하면서도 병역의무의 형평을 유지하는 것은 충분히 가능하다.

위와 같이 대체복무제의 도입이 우리나라의 국방력에 유의미한 영향을 미친다거나 병역제도의 실효성을 떨어뜨린다고 보기 어려운 이상, 우리나라의 특수한 안보상황을 이유로 대체복무제를 도입하지 않거나 그 도입을 미루는 것이 정당화된다고 할 수는 없다.

따라서 대체복무제라는 대안이 있음에도 불구하고 군사훈련을 수반하는 병역의무만을 규정한 병역종류조항은, 침해의 최소성 원칙에 어긋난다.

다. 법익의 균형성

병역종류조항이 추구하는 '국가안보' 및 '병역의무의 공평한 부담'이라는 공익은 대단히 중요하나, 앞서 보았듯이 병역종류조항에 대체복무제를 도입한다고 하더라도 위와 같은 공익은 충분히 달성할 수 있다고 판단된다.

반면, 병역종류조항이 대체복무제를 규정하지 아니함으로 인하여 양심적 병역거부자들은 최소 1년 6월 이상의 징역형과 그에 따른 공무원 임용 제한 및 해직, 각종 관허업의 특허·허가·인가·면허 등 상실, 인적사항 공개, 전과자에 대한 유무형의 냉대와 취업곤란 등 막대한 불이익을 감수하여야 한다.

양심적 병역거부자들에게 공익 관련 업무에 종사하도록 한다면, 이들을 처벌하여 교도소에 수용하고 있는 것보다는 넓은 의미의 안보와 공익실현에 더 유익한 효과를 거둘 수 있을 것이고, 국가와 사회의 통합과 다양성의 수준도 높아지게 될 것이다. 양심적 병역거부자에 대한 관용은 결코 병역의무의 면제와 특혜의 부여에 대한 관용이 아니다. 대체복무제는 병역의무의 일환으로 도입되는 것이고 현역복무와의 형평을 고려하여 최대한 등가성을 가지도록 설계되어야 하는 것이기 때문이다.

따라서 병역종류조항은 법익의 균형성 요건을 충족하지 못한 것으로 판단된다.

라. 소 결

양심적 병역거부자에 대한 대체복무제를 규정하지 아니한 병역종류조항은 과잉금지원칙에 위배하여 양심적 병역거부자의 양심의 자유를 침해한다.

헌법재판소는 2004년 입법자에 대하여 국가안보라는 공익의 실현을 확보하면서도 병역거부자의 양심을 보호할 수 있는 대안이 있는지 검토할 것을 권고하였는데, 그로부터 14년이 경과하도록 이에 관한 입법적 진전이 이루어지지 못하였다. 그사이 국가인권위원회, 국방부, 법무부, 국회 등 국가기관에서 대체복무제 도입을 검토하거나 그 도입을 권고하였으며, 법원에서도 최근 하급심에서 양심적 병역거부에 대해 무죄판결을 선고하는 사례가 증가하고 있다. 이러한 모든 사정을 감안해 볼 때 국가는 이 문제의 해결을 더 이상 미룰 수 없으며, 대체복무제를 도입함으로써 병역종류조항으로 인한 기본권 침해 상황을 제거할 의무가 있다.

다수결을 기본으로 하는 민주주의 의사결정구조에서 다수와 달리 생각하는 이른바 '소수자'들의 소리에 귀를 기울이고 이를 반영하는 것은 관용과 다원성을 핵심으로 하는 민주주의의 참된 정신을 실현하는 길이 될 것이다.

5. 처벌조항의 위헌 여부

가. 재판관 강일원, 재판관 서기석의 합헌의견

처벌조항은 병역자원의 확보와 병역부담의 형평을 기하고자 하는 것으로 그 입법목적이 정당하고, 형벌로써 병역의무 이행을 강제하는 것은 위 입법목적 달성을 위한 적합한 수단이다.

앞서 본 바와 같이 병역종류조항에 대체복무제가 규정되지 아니한 상황에서 현재의 대법원 판례에 따라 양심적 병역거부자를 처벌한다면, 이는 과잉금지원칙을 위반하여 양심적 병역거부자의 양심의 자유를 침해하는 것이다. 따라서 지금처럼 병역종류조항에 대체복무제가 규정되지 아니한 상황에서는 양심적 병역거부를 처벌하는 것은 헌법에 위반되므로, 처벌조항의 '정당한 사유'에 해당한다고 보아야 한다.

결국 양심적 병역거부자에 대한 처벌은 대체복무제를 규정하지 아니한 병역종류조항의 입법상 불비와 양심적 병역거부는 처벌조항의 '정당한 사유'에 해당하지 않는다는 법원의 해석이 결합되어 발생한 문제일 뿐, 처벌조항 자체에서 비롯된 문제가 아니다. 이는 병역종류조항에 대한 헌법불합치 결정과 그에 따른 입법부의 개선입법 및 법원의 후속 조치를 통하여 해결될 수 있는 문제이다.

이상을 종합하여 보면, 처벌조항은 정당한 사유 없이 병역의무를 거부하는 병역기피자를 처벌하는 조항으로서, 과잉금지원칙을 위반하여 양심적 병역거부자의 양심의 자유를 침해한다고 볼 수는 없다.

나. 재판관 안창호, 재판관 조용호의 합헌의견 (생략)

다. 재판관 이진성, 재판관 김이수, 재판관 이선애, 재판관 유남석의 일부위헌의견 (생략)

라. 재판관 김창종의 각하의견 (생략)

6. 병역종류조항에 대한 헌법불합치 결정과 잠정적용명령

병역종류조항에 대해 단순위헌 결정을 할 경우 병역의 종류와 각 병역의 구체적인 범위에 관한 근거규정이 사라지게 되어 일체의 병역의무를 부과할 수 없게 되므로, 용인하기 어려운 법적 공백이 생기게 된다. 더욱이 입법자는 대체복무제를 형성함에 있어 그 신청절차, 심사주체 및 심사방법, 복무분야, 복무기간 등을 어떻게 설정할지 등에 관하여 광범위한 입법재량을 가진다. 따라서 병역종류조항에 대하여 헌법불합치 결정을 선고하되, 다만 입법자의 개선입법이 이루어질 때까지 계속적용을 명하기로 한다. 입법자는 늦어도 2019. 12. 31.까지는 대체복무제를 도입하는 내용의 개선입법을 이행하여야 하고, 그때까지 개선입법이 이루어지지 않으면 병역종류조항은 2020. 1. 1.부터 효력을 상실한다.

III 결 론

그렇다면 병역종류조항은 헌법에 합치되지 아니하나 2019. 12. 31.을 시한으로 입법자의 개선입법이 이루어질 때까지 잠정적으로 적용되도록 하고, 처벌조항은 헌법에 위반되지 아니하므로 주문과 같이 결정한다.

이 결정은 재판관 안창호, 재판관 조용호의 병역종류조항에 대한 반대의견 및 처벌조항에 대한 합헌의견, 재판관 김창종의 병역종류조항에 대한 반대의견, 재판관 이진성, 재판관 김이수, 재판관 이선애, 재판관 유남석의 병역종류조항 법정의견에 대한 보충의견, 재판관 서기석의 병역종류조항 법정의견에 대한 보충의견, 재판관 조용호의 병역종류조항 반대의견에 대한 보충의견, 재판관 안창호의 병역종류조항 반대의견 및 처벌조항 합헌의견에 대한 보충의견이 있는 외에는 나머지 관여 재판관들의 일치된 의견에 의한 것이다.

113. 연말정산 간소화를 위한 의료비 내역 정보 제출 의무 사건 [기각]
― 2008. 10. 30. 선고 2006헌마1401,1409(병합)

판시사항

1. 연말정산 간소화를 위하여 의료기관에게 환자들의 의료비 내역에 관한 정보를 국세청에 제출하는 의무를 부과하고 있는 소득세법 제165조 제1항 중 「조세특례제한법」을 제외한 부분, 소득세법 제165조 제4항, 소득세법 시행령 제216조의3 제1항 제3호 본문, 제2항(이하 '이 사건 법령조항'이라 한다)이 의사인 청구인들의 양심의 자유를 침해하는지 여부(소극)
2. 이 사건 법령조항이 의사인 청구인들의 직업수행의 자유를 침해하는지 여부(소극)
3. 이 사건 법령조항이 의사인 청구인들의 평등권을 침해하는지 여부(소극)
4. 이 사건 법령조항이 환자인 청구인들의 개인정보자기결정권을 침해하였는지 여부(소극)

사건의 개요

청구인 이○은은 미혼여성으로서, 2006.경 방광염으로 서울 마포구 소재 임○영 산부인과에서 진료를 받은 외에 같은 해 신경성 우울증으로 마포구 소재 ○○정신과의원에서 치료를 받은 자이고, 청구인 구○일은 신경정신과 전문의, 청구인 주○은 산부인과 전문의로서 현재 의료업에 종사하고 있다. 청구인들은 소득공제제도와 관련하여 환자의 진료비 내역에 관한 정보를 국세청에 제출하도록 의무를 부과하고 있는 소득세법 제165조 제1항, 제4항 및 소득세법 시행령 제216조의3 제2항이 자신들의 개인정보자기결정권, 양심의 자유 등을 침해하여 헌법에 위반된다는 이유로 2006. 12. 11. 이 사건 심판을 청구하였다.

심판대상조항 및 관련조항

소득세법(2005. 12. 31. 법률 제7837호로 개정된 것)

제165조(소득공제증빙서류의 제출 및 행정지도) ① 이 법 또는 「조세특례제한법」의 규정에 따른 소득공제 중 대통령령이 정하는 소득공제를 받기 위하여 필요한 증빙서류(이하 "소득공제증빙서류"라 한다)를 발급하는 자는 정보통신망의 활용 등 대통령령이 정하는 바에 따라 국세청장에게 소득공제증빙서류를 제출하여야 한다. 다만, 소득공제증빙서류를 발급받는 자가 서류의 제출을 거부하는 등 대통령령이 정하는 경우에는 그러하지 아니하다.
④ 국세청장은 소득공제증빙서류를 발급하는 자에 대하여 소득공제증빙서류를 국세청장에게 제출하도록 지도할 수 있다.

소득세법 시행령(2006. 2. 9. 대통령령 제19327호로 개정된 것)

제216조의3(소득공제 증빙서류의 제출 및 행정지도) ① 법 제165조 제1항에서 "대통령령이 정하는 소득공제"라 함은 다음 각 호의 어느 하나에 해당하는 지급액에 대한 소득공제를 말한다.

3. 법 제52조 제1항 제3호의 규정에 따른 의료비. 다만, 제110조 제1항 제3호 내지 제5호의 의료비를 제외한다.

② 법 제165조 제1항의 규정에 따른 소득공제증빙서류를 발급하는 자는 국세청장이 정하는 바에 따라 [별표 4]에서 규정하는 기관(이하 이 조에서 "자료집중기관"이라 한다)에 소득공제증빙자료를 제출하여야 한다.

주문

청구인들의 이 사건 심판청구를 모두 기각한다.

I 적법요건에 대한 판단

1. 기본권 침해 가능성

이 사건 법령조항으로 청구인들의 기본권이 침해되었다고 하기 위해서는, 이로 말미암아 청구인들에게 자유의 제한, 의무의 부과, 권리 또는 법적 지위의 박탈이 생겨야만 한다. 그런데 이 사건 법령조항은 의료기관등에게 소득공제증빙서류 제출의무를 부과하면서도 그 불이행에 대하여 아무런 형사상 또는 행정상 제재(制裁)수단을 두고 있지 않으므로, 위 법령조항으로 인한 기본권침해가능성이 있는지 문제된다. 그러나 형벌, 행정처분 등 금지위반 또는 의무불이행에 대한 제재는 금지 또는 의무규범의 실효성을 확보하기 위한 수단일 뿐이므로, 이러한 제재수단이 없다고 하여 그 법규범을 선언적이거나 권고적인 규정이라고 단정할 것은 아니다. 즉, 법규범의 성격이 행위의 금지 또는 의무이행을 요구하는 것이고, 그 금지 또는 이행을 강제할 간접적이고 사실적인 수단이 존재하는 경우에는 위 법규범은 구속력있는 규범으로서 국민의 기본권을 제한하거나 침해할 가능성이 있다고 볼 것이다.

우선 청구인들은 국세기본법 제85조 제1항 상 소득공제증빙서류의 제출의무를 부담하고 있다. 또한 소득세법 제165조 제4항은, "국세청장은 소득공제증빙서류를 발급하는 자에 대하여 소득공제서류를 국세청장에게 제출하도록 지도할 수 있다."고 규정하고 있고, 같은 조 제5항은 "위 지도에 필요한 사항은 대통령령으로 정한다."라고 규정하고 있으며, 이에 따라 소득세법 시행령 제216조의3 제5항은 "국세청장은 …… 소득공제증빙서류를 발급하는 자에 대하여 제출안내 등 지도에 관하여 필요한 사항을 정할 수 있다."고 규정하고 있다. 이러한 행정지도는 일반적으로 '행정주체가 소관사무에 관하여 행정객체의 임의적 의사에 따른 협력을 기대하고 행정목적달성을 위해 행하는 비권력적인 사실행위'를 말하지만, 실제로는 행정지도의 주체인 국세청장이 세무조사등 행정권을 행사할 수 있는 지위에 있다 보니, 행정객체인 청구인들로서는 사실상 그러한 행정지도에 따르지 않을 수 없게 된다.

결국 이 사건 법령조항에 따른 소득공제증빙서류 제출의무의 불이행에 대하여 명시적이고 직접적인 형사상 또는 행정상 제재수단은 없지만, 그 불이행에 대하여 앞서 본 바와 같은 간접적이고 사실적인 강제수단이 존재하는 점에 비추어 볼 때, 이 사건 법령조항은 청구인들의 기본권을 제한 또는 침해할 가능성이 있다고 할 것이다.

Ⅱ 본안에 대한 판단

1. 양심의 자유 침해 여부

가. 양심의 자유의 보호영역에 포함되는지 여부

헌법 제19조는 "모든 국민은 양심의 자유를 가진다."라고 규정하여 양심의 자유를 기본권의 하나로 보장하고 있다. 여기에서의 양심은 옳고 그른 것에 대한 판단을 추구하는 가치적·도덕적 마음가짐으로, 개인의 소신에 따른 다양성이 보장되어야 하고 그 형성과 변경에 외부적 개입과 억압에 의한 강요가 있어서는 아니 되는 인간의 윤리적 내심영역이다. 보호되어야 할 양심에는 세계관·인생관·주의·신조 등은 물론, 이에 이르지 아니하여도 보다 널리 개인의 인격형성에 관계되는 내심에 있어서의 가치적·윤리적 판단도 포함될 수 있다. 나아가 '양심상의 결정'이란 선과 악의 기준에 따른 모든 진지한 윤리적 결정으로서 구체적인 상황에서 개인이 이러한 결정을 자신을 구속하고 무조건적으로 따라야 하는 것으로 받아들이기 때문에 양심상의 심각한 갈등 없이는 그에 반하여 행동할 수 없는 것을 말한다.

의사윤리강령 제5조는, "의사는 진단 및 치료와 관련하여 알게 된 환자에 대한 비밀과 사생활을 보호하며, 환자의 이익에 반하는 제도의 개선과 환자에 대한 책임을 다하도록 노력한다."라고 규정하고 있고, 의사윤리지침 제5조(비밀유지의무 등) 제1항은, "의사는 그 직무상 알게 된 환자에 대한 비밀을 누설하거나 발표하여서는 아니 된다."고 규정하고 있으며, 히포크라테스선서에도 "나는 환자가 알려준 모든 비밀을 지키겠노라."라고 되어 있다.

그러므로 의사가 자신이 진찰하고 치료한 환자에 관한 사생활과 정신적·신체적 비밀을 유지하고 보존하는 것은 의사의 근원적이고 보편적인 윤리이자 도덕이고, 환자와의 묵시적 약속이라고 할 것이다. 만일 의사가 환자의 신병(身病)에 관한 사실을 자신의 의사에 반하여 외부에 알려야 한다면, 이는 의사로서의 윤리적·도덕적 가치에 반하는 것으로서 심한 양심적 갈등을 겪을 수밖에 없을 것이다.

따라서 이 사건 법령조항에 기한 증빙서류 제출의무는, 환자와 특별한 관계에 있는 의사의 진지한 윤리적 결정에 반하는 행동을 강제하는 것으로서 헌법 제19조가 보장하는 양심의 자유의 보호범위에 포함된다고 할 것이다.

나. 법적 강제수단의 존부와 양심의 자유 침해 여부

이 사건 법령조항에 기한 소득공제증빙서류 제출의무를 이행하지 않더라도 이행강제나 형사처벌과 같은 명시적이고 직접적인 법적 강제수단이 존재하지 않음은 앞에서 본 바와 같다.

만일 법령의 내용이 단지 선언적이고 권고적인 것에 불과하여 내부적인 양심의 형성과 실현에 아무런 장애가 되지 않는다면 법질서와의 충돌 없이 자신의 양심을 유지·보존할 수 있다고 할 것이므로 양심의 자유를 침해하지 않을 수 있다. 그러나 양심의 자유는 인간으로서의 존엄성 유지와 개인의 자유로운 인격발현을 위해 개인의 윤리적 정체성을 보장하는 기능을 담당하기 때문에, 비록 법적 강제수단이 없더라도 사실상 내지 간접적인 강제 수단에 의하여 인간 내심과 다른 내용의 실현을 강요하고 인간의 정신활동의 자유를 제한하며 인격의 자유로운 형성과 발현을 방해한다면, 이 또한 양심의 자유를 제한하는 것이라고 보아야 한다.

앞에서 본 바와 같이 소득공제증빙서류 제출의무자들인 의료기관 등으로서는 과세자료를 제출하지 않을 경우 국세청으로부터 행정지도와 함께 세무조사와 같은 불이익을 받을 수 있다는 심리적 강박감을 가지게 되는바, 결국 이 사건 법령조항에 대하여는 의무불이행에 대하여 간접적이고 사실적인 강제수단이 존재하므로 법적 강제수단의 존부와 관계없이 청구인들의 양심의 자유를 제한한다.

다. 양심의 자유에 대한 제한 여부 양심은 내심에 머무르는 한 절대적이라고 할 것이지만, 그런 양심을 외부적으로 실현하는 영역에 대해서는 헌법 제37조 제2항에 의하여 국가안전보장, 질서유지, 공공복리를 위하여 필요한 경우에 한하여 법률로 제한될 수 있다.

이 사건 법령조항이 의사들로 하여금 환자의 비밀인 의료비내역에 관한 서류를 국세청에 제출하도록 함으로써 의사로서의 소극적 양심실현의 자유를 제한하고 있는바, 이러한 제한이 헌법상 비례의 원칙에 반하는 과도한 제한인지 여부를 살핀다.

이 사건 법령조항은 근로소득자들의 연말정산 간소화라는 공익을 달성하기 위하여 그에 필요한 의료비내역을 국세청장에게 제출하도록 하는 것으로서, 그 목적의 정당성과 수단의 적절성이 인정된다.

또 이 사건 법령조항에 의하여 국세청장에게 제출되는 내용은, 환자의 민감한 정보가 아니고, 과세관청이 소득세 공제액을 산정하기 위한 필요최소한의 내용이며, 이 사건 법령조항으로 얻게 되는 납세자의 편의와 사회적 제비용의 절감을 위한 연말정산 간소화라는 공익이 이로 인하여 제한되는 의사들의 양심실현의 자유에 비하여 결코 적다고 할 수 없으므로, 이 사건 법령조항은 피해의 최소성 원칙과 법익의 균형성도 충족하고 있다. 따라서 이 사건 법령조항은 헌법에 위반되지 아니한다.

2. 직업수행의 자유 침해 여부

환자의 의료비지급내역인 성명, 주민등록번호, 지급금액 및 지급일자는 독립된 경제적 가치를 가진다거나 상당한 노력에 의하여 비밀로 취급되는 영업활동에 유용한 기술상 또는 경영상의 정보라고 보기 어렵고, 의료비 내역 제출의무가 의료영업을 수행하는 청구인들에게 업무상 부담을 주는 것도 아니어서 이 사건 법령조항이 의사 내지 의료기관의 직업수행의 자유를 제한하는 것이라고 볼 수 없다.

3. 평등원칙 위배 여부

이 사건 법령조항이 연말정산 간소화 제도의 대상을 의료비 등 8개 항목으로 한정한 후, 의료비 내역의 발급의무자인 청구인들을 제출의무자에서 제외된 사회복지시설 운영자 등과 합리적 이유 없이 차별하고 있다고 주장하므로 살핀다.

근로소득자에게 소득공제를 할 것인지, 한다면 어떤 지출항목을 공제대상으로 할 것인지, 소득공제를 위한 증빙의 방법을 어떻게 할 것인지 등은 입법자의 재량범위에 속하고, 타당하고 합리적인 이유로 청구인들과 같은 의료기관인 의사에게 의료비 관련 소득공제자료제출의무를 부과한 것이므로 이 사건 법령조항이 의사인 청구인들을 합리적 근거 없이 차별함으로써 헌법상 평등원칙을 위반하였다고 할 수 없다.

4. 개인정보자기결정권의 침해 여부

가. 개인정보자기결정권의 제한

개인의 의료에 관한 정보는 개인의 인격 및 사생활의 핵심에 해당하는 민감한 정보 가운데 하나이다. 물론 이 사건 소득공제증빙서류에 기재될 내용은 누가, 언제, 어디서 진료를 받고 얼마를 지불했는가라는 의료비의 지급 및 영수(領收)에 관한 것으로 병명이나 구체적인 진료내역과 같은 인격의 내적 핵심에 근접하는 의료정보는 아니다. 그러나 누가, 언제, 어디서 진료를 받고 얼마를 지불했는가라는 사실은 그 자체만으로도 보호되어야 할 사생활의 비밀일 뿐 아니라, 이러한 정보를 통합하면 구체적인 신체적·정신적 결함이나 진료의 내용까지도 유추할 수 있게 되므로, 개인정보자기결정권에 의하여 보호되어야 할 의료정보라고 아니할 수 없다. 따라서 근로소득자인 청구인들의 진료정보가 본인들의 동의 없이 국세청 등으로 제출·전송·보관되는 것은 위 청구인들의 개인정보자기결정권을 제한하는 것으로서, 그 제한에 있어서는 헌법 제37조 제2항의 과잉금지 원칙이 준수되어야 한다.

나. 비례원칙 위반 여부

이 사건 법령조항은 의료비 특별공제를 받고자 하는 근로소득자의 연말정산을 위한 소득공제증빙자료 제출의 불편을 해소하는 동시에 이에 따른 근로자와 사업자의 시간적·경제적 비용을 절감하고 부당한 소득공제를 방지하려는데 그 목적이 있고, 위 목적을 달성하기 위하여, 연말정산에 필요한 항목 등을 제출대상으로 삼고 있으므로, 그 방법의 적절성 또한 인정된다. 또 소득공제증빙서류를 발급받는 자는 본인의 의료비내역과 관련된 자료의 제출을 자료집중기관이 국세청장에게 소득공제증빙서류를 제출하기 전까지 거부할 수 있도록 하고, 근로소득자 내지 부양가족 본인만이 자료를 조회하고 출력할 수 있도록 하는 등 이 사건 자료제출제도가 개인의 자기정보결정권에 대한 제한이 최소화되도록 제반 장치를 갖추어 개인의 자기정보결정권이 필요최소한 범위 내에서 제한되도록 피해최소성의 원칙을 충족하고 있으며, 이 사건 법령조항에 의하여 얻게 되는 공익이 이로 인하여 제한되는 개인정보자기결정권인 사익보다 커서 법익의 균형성을 갖추었다고 할 것이므로 이 사건 법령조항이 헌법상 과잉금지 원칙에 위배하여 청구인들의 개인정보자기결정권을 침해하였다고 볼 수 없다.

제2항 종교의 자유

 **미결수용자의 종교행사 등에의 참석 금지 사건** [인용(위헌확인)]
— 2011. 12. 29. 선고 2009헌마527

판시사항

1. 미결수용자가 구치소 내에서 실시하는 종교행사 등에의 참석을 금지당한 것에 대하여 바로 헌법소원을 제기한 경우 보충성원칙의 예외를 인정할 것인지 여부(적극)
2. 기본권 침해상황은 이미 종료되었지만, 헌법적 해명의 필요성을 이유로 권리보호 이익을 인정한 사례
3. 피청구인인 대구구치소장이 2009. 6. 1.부터 2009. 10. 8.까지 대구구치소 내에서 실시하는 종교의식 또는 행사에 미결수용자인 청구인의 참석을 금지한 행위(이하 '이 사건 종교행사 등 참석불허 처우'라 한다)가 청구인의 종교의 자유를 침해하였는지 여부(적극)

사건의 개요

1. 청구인은 2009. 6. 1. 사기 등 혐의로 대구구치소에 미결수용되었다가 사기 등 범죄사실로 2009. 7. 22. 대구지방법원에서 징역 2년을 선고받고 항소하였으나, 2009. 10. 1. 항소기각되어 위 판결은 2009. 10. 9. 확정되었다. 청구인은 2009. 11. 30. 대구교도소로 이감되었으며, 2011. 5. 25. 형의 집행을 종료하여 출소하였다.
2. 청구인은, 피청구인이 2009. 6. 1.부터 2009. 10. 8.까지 대구구치소 내에서 실시하는 종교의식 또는 행사에 미결수용자인 청구인의 참석을 금지한 행위가 청구인의 종교의 자유 등 기본권을 침해하였다고 주장하면서, 2009. 9. 14. 이 사건 헌법소원심판을 청구하였다.
3. 한편 피청구인은 미결수용자로서 사건에 서로 관련이 있는 사람은 분리수용하고 서로 간의 접촉을 금지하여 공모를 통한 범죄의 증거인멸을 방지할 필요가 있고, 대구구치소의 종교행사 장소가 매우 협소하다는 등의 이유로 수형자 및 노역장유치자에 대하여만 종교행사 등에의 참석을 허용하고 미결수용자에 대하여는 일괄적으로 종교행사 등에의 참석을 금지하여 왔다.

심판대상

피청구인이 2009. 6. 1.부터 2009. 10. 8.까지 대구구치소 내에서 실시하는 종교의식 또는 행사에 미결수용자인 청구인의 참석을 금지한 행위(이하 '이 사건 종교행사 등 참석불허 처우'라 한다)가 청구인의 기본권을 침해하였는지 여부

> **주문**

피청구인이 2009. 6. 1.부터 2009. 10. 8.까지 대구구치소 내에서 실시하는 종교의식 또는 행사에 미결수용자인 청구인의 참석을 금지한 행위는 청구인의 종교의 자유를 침해한 것으로서 위헌임을 확인한다.

I 적법요건에 관한 판단

1. 보충성

헌법소원은 다른 법률에 구제절차가 있는 경우에는 그 절차를 모두 거친 후에 심판청구를 하여야 하는바(헌법재판소법 제68조 제1항 단서), 이 사건 종교행사 등 참석불허 처우는 이른바 권력적 사실행위에 해당하므로 행정소송의 대상이 된다고 단정하기 어렵고, 가사 행정소송의 대상이 된다고 하더라도 이미 종료된 행위로서 소의 이익이 부정되어 각하될 가능성이 많은바, 청구인에게 그에 의한 권리구제절차를 밟을 것을 기대하기는 곤란하므로 보충성 원칙의 예외로서 헌법소원의 제기가 가능하다.

'형의 집행 및 수용자의 처우에 관한 법률' 제116조의 소장면담이나 같은 법률 제117조의 청원제도는 처리기관이나 절차 및 효력 면에서 권리구제절차로서는 불충분하고 우회적인 제도여서 헌법소원에 앞서 반드시 거쳐야 하는 사전구제절차라고 보기 어려우므로, 청구인으로서는 헌법소원청구를 하는 외에 달리 효과적인 구제방법이 있다고 할 수 없다.

2. 권리보호이익과 헌법적 해명의 필요성

가. 헌법소원은 청구인의 침해된 기본권의 구제를 목적으로 하는 제도이므로 이 제도의 목적상 침해된 권리의 보호이익이 없는 경우에는 그 헌법소원은 원칙적으로 부적법하다.

청구인은 2009. 6. 1.부터 2009. 10. 8.까지는 미결수용자의 신분으로, 2009. 10. 9.부터 2009. 11. 29.까지는 수형자의 신분으로 대구구치소에 수감되어 있다가, 2009. 11. 30. 대구교도소로 이감된 후 2011. 5. 25. 형의 집행을 종료하여 출소하였다. 그리고 피청구인은 청구인이 수형자의 신분이 된 2009. 10. 9. 이후에는 종교행사 등에의 참석을 허용하였으므로, 청구인에 대한 이 사건 종교행사 등 참석불허 처우로 인한 기본권 침해상황은 청구인의 신분이 미결수용자에서 수형자로 변동된 2009. 10. 9. 이미 소멸하였다. 따라서 이 사건 종교행사 등 참석불허 처우에 관하여 심판을 구할 청구인의 주관적인 권리보호이익은 더 이상 존재하지 않는다.

나. 그러나 헌법소원제도는 개인의 주관적 권리구제뿐만 아니라 헌법질서를 보장하는 기능도 가지고 있으므로, 헌법소원심판청구가 청구인의 주관적 권리구제에는 도움이 되지 않는다 하더라도 그러한 침해행위가 앞으로도 반복될 위험이 있거나, 당해 분쟁의 해결이 헌법질서의 수호·유지를 위하여 긴요한 사항이어서 헌법적으로 그 해명이 중대한 의미를 지니고 있는 경우에는 심판청구의 이익을 인정할 수 있다.

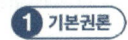

비록 이 사건 종교행사 등 참석불허 처우 자체는 종료되었고 청구인은 형의 집행을 종료하여 출소하였지만, 현재에도 피청구인은 과실범을 제외한 대다수 미결수용자에 대하여 종교행사 등에의 참석을 금지하고 있어 이 사건 종교행사 등 참석불허 처우와 동종 또는 유사한 처우로 인한 기본권 침해행위가 상당기간 반복적으로 행하여질 것이 예상되고, 이에 대한 헌법적 해명이 이루어진 바도 없어 그 헌법적 해명이 헌법질서의 수호·유지를 위해 중대한 의미를 가지므로 심판의 이익을 인정할 수 있다.

Ⅱ 본안에 관한 판단

1. 미결수용자의 법적 지위와 그 기본권 제한

'형의 집행 및 수용자의 처우에 관한 법률' 제2조 제2호에 따르면 '미결수용자'란 형사피의자 또는 형사피고인으로서 체포되거나 구속영장의 집행을 받은 사람을 의미한다.

미결수용자들은 격리된 시설에서 강제적 공동생활을 하므로 구금목적의 달성 즉 도주·증거인멸의 방지와 규율 및 안전유지를 위한 통제의 결과 헌법이 보장하는 신체의 자유 등 기본권에 대한 제한을 받는 것이 불가피하다. 그러나 이러한 기본권의 제한은 헌법 제37조 제2항에서 규정한 국가안전보장·질서유지 또는 공공복리를 위하여 필요한 경우에 한하여 법률로써 할 수 있으며, 제한하는 경우에도 자유와 권리의 본질적인 내용을 침해할 수 없다. 무죄가 추정되는 미결수용자의 자유와 권리에 대한 제한은 구금의 목적인 도망·증거인멸의 방지와 시설 내의 규율 및 안전 유지를 위한 필요최소한의 합리적인 범위를 벗어나서는 아니 된다.

나아가 무죄추정의 원칙이 적용되는 미결수용자들에 대한 기본권 제한은 징역형 등의 선고를 받아 그 형이 확정된 수형자의 경우와는 달리 더 완화되어야 할 것이며, 이들의 권리는 가능한 한 더욱 보호됨이 바람직하다.

2. 이 사건 종교행사 등 참석불허 처우의 법적 근거

'형의 집행 및 수용자의 처우에 관한 법률' 제45조 제1항은 "수용자는 교정시설의 안에서 실시하는 종교의식 또는 행사에 참석할 수 있으며, 개별적인 종교상담을 받을 수 있다."고 규정하고 있고, 동조 제3항은 '소장은 수형자의 교화 또는 건전한 사회복귀를 위하여 필요한 때(1호) 또는 시설의 안전과 질서유지를 위하여 필요한 때(2호)의 어느 하나에 해당하는 사유가 있으면 제1항에서 규정하고 있는 사항을 제한할 수 있다.', 동조 제4항은 '종교행사의 종류·참석대상·방법, 종교상담의 대상·방법 및 종교서적·물품의 소지범위 등에 관하여 필요한 사항은 법무부령으로 정한다.'고 규정하고 있는바, 동법 시행규칙 제32조에서는 종교행사의 참석대상과 관련하여 '수용자는 자신이 신봉하는 종교행사에 참석할 수 있다. 다만, 소장은 종교행사용 시설의 부족 등 여건이 충분하지 아니할 때(1호), 수용자가 종교행사 장소를 허가 없이 벗어나거나 다른 사람과 연락을 할 때(2호), 수용자가 계속 큰 소리를 내거나 시끄럽게 하여 종교행사를 방해할 때(3호), 수용자가 전도를 핑계삼아 다른 수용자의 평온한 신앙생활을 방해할 때(4호), 그 밖에 다른 법령에 따라 공동행사의 참석이 제한될 때(5호)의 어느 하나에 해당할 때에는 수용자의 종교행사 참석을 제한할 수 있다.'고 규정하고 있다.

이 사건의 경우 피청구인은 '형의 집행 및 수용자의 처우에 관한 법률' 제45조 제3항 제2호, 제4항, 동법 시행규칙 제32조 제1호, 제2호에 근거하여 대구구치소 내 종교행사용 시설이 부족하고, 미결수용자의 경우 다른 사람 특히 공범자와 연락할 우려가 크다는 이유로 미결수용자 전원에 대하여 종교행사 등 참석을 불허하여 왔다.

3. 이 사건 종교행사 등 참석불허 처우의 위헌 여부에 관한 판단

가. 제한되는 기본권

청구인은 이 사건 종교행사 등 참석불허 처우가 무죄추정의 원칙에 반하여 청구인의 인간의 존엄과 가치, 양심의 자유, 인간다운 생활을 할 권리, 종교의 자유 등 기본권을 침해한다고 주장하나, 미결수용자에게 종교의식 또는 행사에의 참석을 불허하는 피청구인의 행위는 종교의 자유, 특히 종교적 집회·결사의 자유와 밀접한 관련이 있으므로 아래와 같이 종교의 자유에 대한 침해 여부를 판단하는 이상 나머지 기본권의 침해 여부에 관하여는 따로 판단하지 아니하기로 한다.

나. 종교의 자유 침해 여부에 관한 판단

1) 종교의 자유는 일반적으로 신앙의 자유, 종교적 행위의 자유 및 종교적 집회·결사의 자유의 3요소로 구성된다. 신앙의 자유는 신과 피안 또는 내세에 대한 인간의 내적 확신에 대한 자유를 말하는 것으로서 이러한 신앙의 자유는 그 자체가 내심의 자유의 핵심이기 때문에 법률로써도 이를 침해할 수 없다. 종교적 행위의 자유는 종교상의 의식·예배 등 종교적 행위를 각 개인이 임의로 할 수 있는 등 종교적인 확신에 따라 행동하고 교리에 따라 생활할 수 있는 자유와 소극적으로는 자신의 종교적인 확신에 반하는 행위를 강요당하지 않을 자유 그리고 선교의 자유, 종교교육의 자유 등이 포함된다. 종교적 집회·결사의 자유는 종교적 목적으로 같은 신자들이 집회하거나 종교단체를 결성할 자유를 말한다. 이러한 종교적 행위의 자유와 종교적 집회·결사의 자유는 신앙의 자유와는 달리 절대적 자유가 아니므로 헌법 제37조 제2항에 의거하여 질서유지, 공공복리 등을 위해서 제한할 수 있는데, 그러한 제한은 비례의 원칙이나 종교의 자유의 본질적 내용을 침해해서는 안 된다.

2) 교도소 등의 구금시설은 형벌의 집행을 위하여 또는 피고인 등의 신병확보를 위하여 일정기간 수용자를 강제로 구금하는 시설로서 교도소의 시설과 인력의 안전 및 수용자들의 안전을 위해서는 일상생활에 있어 엄격한 규율과 질서유지가 중요하다. 이 사건 종교행사 등 참석불허 처우는 엄숙을 요하는 종교행사 등을 원활하게 진행함으로써 시설의 안전과 질서를 유지하기 위한 것으로서 그 목적이 정당하고, 그 목적을 달성하기 위한 적합한 수단이다.

3) 종교는 구속된 자들에게 심적 위안뿐만 아니라 자신과 타인에 대한 증오를 극복할 수 있는 정신적 해결책을 제시해 주는 등 수용자의 안정된 정신건강을 지원하는 순기능이 있는바, 갑자기 사회와 격리되어 심리적으로 불안정하고 위축되어 있는 미결수용자에게 종교행사 등에의 참석을

보장해 주는 것이 오히려 자살 등과 같은 교정사고를 미연에 방지할 수 있어 교정시설의 안전과 질서유지에 기여하는 바가 크다. 구치소장은 '형의 집행 및 수용자의 처우에 관한 법률' 제45조 제3항, 제4항 및 동법 시행규칙 제32조에 해당하는 사유가 있는 경우에는 수용자의 종교행사 등에의 참석을 제한할 수 있다.

그러나 '형의 집행 및 수용자의 처우에 관한 법률' 제45조는 종교행사 등에의 참석 대상을 "수용자"로 규정하고 있어 수형자와 미결수용자를 구분하고 있지도 아니하고, 앞서 본 바와 같이 무죄추정의 원칙이 적용되는 미결수용자들에 대한 기본권 제한은 징역형 등의 선고를 받아 그 형이 확정된 수형자의 경우보다는 더 완화되어야 할 것임에도, 피청구인이 수용자 중 미결수용자에 대하여만 일률적으로 종교행사 등에의 참석을 불허한 것은 미결수용자의 종교의 자유를 나머지 수용자의 종교의 자유보다 거꾸로 더욱 엄격하게 제한한 것이다.

또한 피청구인은 공범이나 동일사건 관련자가 있는지 여부를 불문하고 미결수용자에 대하여 일률적으로 종교행사 등에의 참석을 불허하였는바, 공범 등이 없는 경우 내지 공범 등이 있는 경우라도 공범이나 동일사건 관련자를 분리하여 종교행사 등에의 참석을 허용하거나 수형자용 종교집회실을 시간을 달리하여 운영하는 등의 방법으로 미결수용자의 기본권을 덜 침해하는 수단이 존재함에도 불구하고 이를 전혀 고려하지 아니하였다. 따라서 이 사건 종교행사 등 참석불허 처우는 침해의 최소성 요건을 충족하였다고 보기 어렵다.

4) 나아가 종교행사의 순기능이 미결수용자에게 미치는 영향이 상당한 점, 무죄추정의 원칙상 미결수용자의 종교의 자유에 대한 제한은 수형자보다 완화되어야 한다는 점 등에 비추어 보면, 이 사건 종교행사 등 참석불허 처우로 얻어질 공익의 정도가 무죄추정의 원칙이 적용되는 미결수용자들이 종교행사 등에 참석을 하지 못함으로써 입게 되는 종교의 자유의 제한이라는 불이익에 비하여 결코 크다고 단정하기 어려우므로 이 사건 종교행사 등 참석불허 처우는 법익의 균형성 요건 또한 충족하였다고 할 수 없다.

5) 결국 이 사건 종교행사 등 참석불허 처우는 과잉금지원칙을 위반하여 청구인의 종교의 자유를 침해하였다.

III 결 론

그렇다면 이 사건 종교행사 등 참석불허 처우는 청구인의 종교의 자유를 침해하였으므로 취소되어야 할 것이나, 이미 피청구인의 행위가 종료되었으므로 동일 또는 유사한 기본권 침해의 반복을 방지하기 위해 선언적 의미에서 그에 대한 위헌확인을 하기로 하여 관여 재판관 전원의 일치된 의견으로 주문과 같이 결정한다.

육군훈련소 내 종교행사 참석 강제 사건 [인용(위헌확인)]
― 2022. 11. 24. 선고 2019헌마941

판시사항 및 결정요지

☐ 육군훈련소장이 2019. 6. 2. 청구인들에 대하여 육군훈련소 내 종교 시설에서 개최되는 개신교, 불교, 천주교, 원불교 종교행사 중 하나에 참석하도록 한 행위가 청구인들의 종교의 자유를 침해하는지 여부(적극)

1. 적법요건에 대한 판단

가. 헌법소원 대상성

행정청의 사실행위는 경고·권고·시사와 같은 정보제공 행위나 임의적 협력을 통하여 사실상의 효과를 발생시키고자 하는 단순한 행정지도와 같이 대외적 구속력이 없는 '비권력적 사실행위'와 행정청이 우월적 지위에서 일방적으로 강제하는 '권력적 사실행위'로 나뉘고, 그 중 권력적 사실행위는 헌법소원의 대상이 되는 공권력의 행사에 해당한다. 일반적으로 어떤 행위가 헌법소원의 대상이 되는 권력적 사실행위에 해당하는지 여부는 당해 행정주체와 상대방과의 관계, 그 사실행위에 대한 상대방의 의사·관여 정도·태도, 그 사실행위의 목적·경위, 법령에 의한 명령·강제수단의 발동 가부 등 그 행위가 행하여질 당시의 구체적 사정을 종합적으로 고려하여 개별적으로 판단해야 한다.

피청구인은 청구인들이 기초군사훈련을 받는 육군훈련소 내의 최고 관리자로서 청구인들의 훈련소 내 생활에 관하여 우월적인 지위에 있다. 피청구인이 제출한 통계자료에 따르면 입소주차 오전 종교행사에는 전원이 참석하여 불참 잔류 인원이 전혀 없었던 반면, 오후에는 일부 불참하고, 2주차부터는 오전, 오후 모두 상당수의 불참인원이 있었던 사실이 확인된다. 그렇다면 적어도 입소주차 오전 종교행사에는 불참이 사실상 허용되지 않았다고 볼 수 있다.

이상을 종합하여 보면, 이 사건 종교행사 참석조치는 피청구인이 청구인들의 임의적 협력을 기대하여 행한 비권력적 권고, 조언 따위의 단순한 행정지도로서의 한계를 넘어 우월적 지위에서 청구인들에게 일방적으로 강제된 것이라고 할 수 있고, 이는 헌법소원심판의 대상이 되는 권력적 사실행위에 해당한다.

나. 권리보호이익

청구인들은 이미 육군훈련소에서 기초군사훈련을 마치고 퇴소하여 더 이상 기본권을 제한받고 있지 아니하므로 이 사건 심판청구가 인용된다고 하더라도 청구인들의 주관적인 권리구제에는 도움이 되지 아니한다.

피청구인은 종교행사 실시를 통하여 훈련병들의 종교의 자유를 보장하는 것에서 나아가 신앙전력화를 위해 '1인 1종교를 권장'하고 있음을 인정할 수 있는데 이 사안과 같이 종교행사 참석 권고를 넘어 실질적으로 참석을 강제하는 행위가 앞으로도 반복될 가능성은 얼마든지 있다. 또한 소극적 자유를 포함한 종교의 자유 보호와 정교분리원칙의 중요성을 고려할 때 이 사건 종교행사 참석조치가 헌법적으로 정당한지 여부는 헌법질서의 수호·유지를 위하여 헌법적 해명이 긴요한 사항에 해당하므로 이 사건 심판청구는 심판의 이익이 있다고 할 것이다.

2. 본안에 대한 판단

가. 제한되는 기본권

우리 헌법 제20조는 제1항에서 모든 국민은 종교의 자유를 가진다고 규정하고 제2항에서 국교는 인정되지 아니하며 종교와 정치는 분리된다고 규정하여 종교의 자유와 정교분리원칙을 선언하고 있다. 종교의 자유는 일반적으로 신앙의 자유, 종교적 행위의 자유 및 종교적 집회·결사의 자유의 3요소를 내용으로 한다. 종교의 자유는 무종교의 자유도 포함하는 것으로, 신앙을 가지지 않고 종교적 행위 및 종교적 집회에 참석하지 아니할 소극적 자유도 함께 보호한다.

타인에 대한 종교나 신앙의 강제는 결국 종교적 행위, 즉 신앙고백, 기도, 예배 참석 등 외적 행위를 통하여만 가능하다. 따라서 이 사건 종교행사 참석조치로 인하여 청구인들의 내심이나 신앙에 실제 변화가 있었는지 여부와는 무관하게, 종교시설에서 개최되는 종교행사에의 참석을 강제한 것만으로 청구인들이 신앙을 가지지 않을 자유와 종교적 집회에 참석하지 않을 자유를 제한하는 것이다.

나. 종교의 자유 침해여부

1) 정교분리원칙 위배 여부(적극)

헌법 제20조 제2항에서 정하고 있는 정교분리원칙은 종교와 정치가 분리되어 상호간의 간섭이나 영향력을 행사하지 않는 것으로 국가의 종교에 대한 중립을 의미한다. 정교분리원칙에 따라 국가는 특정 종교의 특권을 인정하지 않고 종교에 대한 중립을 유지하여야 한다. 국가의 종교적 중립성은 종교의 자유를 온전히 실현하기 위하여도 필요한데, 국가가 특정한 종교를 장려하는 것은 다른 종교 또는 무종교의 자유에 대한 침해가 될 수 있다

이 사건 종교행사 참석조치는 피청구인 육군훈련소장이 위 4개 종교를 승인하고 장려한 것이자, 여타 종교 또는 무종교보다 이러한 4개 종교 중 하나를 가지는 것을 선호한다는 점을 표현한 것이라고 보여질 수 있으므로 국가의 종교에 대한 중립성을 위반하여 특정 종교를 우대하는 것이다.

또한, 이 사건 종교행사 참석조치는 국가가 종교를, 군사력 강화라는 목적을 달성하기 위한 수단으로 전락시키거나, 반대로 종교단체가 군대라는 국가권력에 개입하여 선교행위를 하는 등 영향력을 행사할 수 있는 기회를 제공하므로, 국가와 종교의 밀접한 결합을 초래한다는 점에서 정교분리원칙에 위배된다.

2) 과잉금지원칙 위배 여부(적극)

피청구인이 이 사건 종교행사 참석조치를 통하여 궁극적으로는 군인의 정신적 전력을 강화하고자 하였다고 볼 수 있는바, 일응 그 목적의 정당성을 인정할 여지가 있다. 그러나 개인이 자율적으로 형성한 종교적 신념이나 자발적인 종교행사 참석의 긍정적인 측면을 인정하고 적극적으로 수용한 것에 그치지 않고 더 나아가 종교를 가지지 않은 자로 하여금 종교행사에 참석하도록 강제하는 것은, 군에서 필요한 정신전력을 강화하는 데 기여하기보다 오히려 해당 종교와 군 생활에 대한 반감이나 불쾌감을 유발하여 역효과를 일으킬 소지가 크다. 따라서 청구인들의 의사에 반하여 개신교, 불교, 천주교, 원불교 종교행사에 참석하도록 하는 방법으로 군인의 정신전력을 제고하려는 이 사건 종교행사 참석조치는 그 수단의 적합성을 인정할 수 없다.

훈련병들의 정신전력을 강화할 수 있는 방법으로 종교적 수단 이외에 일반적인 윤리교육 등 다른 대안도 택할 수 있으며, 종교는 개인의 인격을 형성하는 가장 핵심적인 신념일 수 있는 만큼 종교에 대한 국가의 강제는 심각한 기본권 침해에 해당하는 점을 고려할 때, 이 사건 종교행사 참석조치는 과잉금지원칙을 위반하여 청구인들의 종교의 자유를 침해한다.

116 사법시험 제1차시험의 시행일자를 일요일로 정하여 공고한 사건 [기각]
– 2001. 9. 27. 선고 2000헌마159

판시사항 및 결정요지

1. 행정자치부장관이 제42회 사법시험 제1차시험의 시행일자를 일요일로 정하여 공고한 2000년도 공무원임용시험시행계획 공고가 헌법소원의 대상이 되는 공권력의 행사에 해당하는지 여부(적극)

이 사건 공고는 사법시험 등의 시험실시계획을 일반에게 알리는 것을 내용으로 하는 통지행위로서 일반적으로는 행정심판이나 행정쟁송의 대상이 될 수 있는 행정처분이나 공권력의 행사는 될 수 없지만 사전안내의 성격을 갖는 통지행위라도 그 내용이 국민의 기본권에 직접 영향을 끼치는 내용이고 앞으로 법령의 뒷받침에 의하여 그대로 실시될 것이 틀림없을 것으로 예상될 수 있는 것일 때에는 그로 인하여 직접적으로 기본권침해를 받게되는 사람에게는 사실상의 규범작용으로 인한 위험성이 이미 발생하였다고 보아야 할 것이므로 이러한 것도 헌법소원의 대상이 될 수 있다. 사법시험 응시자격은 구 사법시험령 제4조에, 시험방법과 과목은 구 사법시험령 제5조와 제7조에 이미 규정되어 있으므로 그에 대한 공고는 이미 확정되어 있는 것을 단순히 알리는 데에 지나지 않는다 할 것이나 구체적인 시험일정과 장소는 위 공고에 따라 비로소 확정되는 것이다. 따라서 이 사건 공고는 헌법소원의 대상이 되는 공권력의 행사에 해당한다고 보아야 할 것이다.

2. 위 시험일정이 모두 종료하여 이 사건에서 인용결정을 받더라도 시험에 응시하는 것이 불가능하지만 기본권침해가 반복될 위험이 있어 예외적으로 권리보호의 이익이 있는 것으로 인정된 사례

제42회 사법시험은 2000. 12. 31.경 최종 합격자 발표를 마치고 그 시험일정이 모두 종료하였으므로 청구인이 이 사건 심판청구에서 인용결정을 받더라도 위 시험에 다시 응시하는 것은 불가능하여 권리보호의 이익이 없다고 보아야 할 것이나, 동종의 침해행위가 앞으로도 반복될 위험이 있거나 헌법질서의 수호·유지를 위하여 긴요한 사항이어서 그 해명이 중대한 의미를 지니고 있는 때에는 예외적으로 권리보호의 이익이 인정되는 것인바, 사법시험은 매년 반복하여 시행되고 피청구인의 의견서에 의하면 그 1차 시험은 응시자가 대폭 줄어드는 등의 특별한 사정이 없는 한 매년 일요일에 시행될 예정이므로 사법시험을 준비하고 있는 청구인으로서는 매년 사법시험 제1차 시험에 응시하기 위하여는 예배행사에 빠질 수밖에 없어 이 사건 역시 청구인의 기본권 침해가 반복될 위험이 있는 경우에 해당하여 권리보호의 이익을 인정하여야 할 것이다.

3. 위 공고가 기독교를 신봉하는 청구인의 종교의 자유를 침해하고 평등의 원칙에 위배되는지 여부(소극)

우리 헌법 제20조는 제1항에서 모든 국민은 종교의 자유를 가진다고 규정하고 제2항에서 국교는 인정되지 아니하며 종교와 정치는 분리된다라고 규정하여 종교의 자유와 정교의 분리를 선언하고 있다. 이러한 종교의 자유의 구체적 내용에 관하여는 일반적으로 신앙의 자유, 종교적 행위의 자유 및 종교적 집회·결사의 자유의 3요소를 내용으로 한다고 설명되고 있다.

이 사건에서 청구인은 자신의 신앙적 의무를 지키기 위하여 사법시험 응시를 포기하고 예배행사에 참여하였다는 것이므로 사법시험 시행일을 일요일로 정한 피청구인의 처분이 직접적으로 청구인의 종교의 자유를 침해하였다고 보기는 어렵다. 다만 매년 반복하여 시행되는 사법시험의 시행일을 일요일로 정하는 것이 청구인의 일요일에 예배행사에 참석할 종교적 행위의 자유를 제한하는 것으로 볼 수 있는지가 문제이나, 종교적 행위의 자유는 신앙의 자유와는 달리 절대적 자유가 아니라 질서유지, 공공복리 등을 위하여 제한할 수 있는 것으로서 사법시험 제1차시험과 같은 대규모 응시생들이 응시하는 시험의 경우 그 시험장소는 중고등학교 건물을 임차하는 것 이외에 특별한 방법이 없고 또한 시험관리를 위한 2,000여 명의 공무원이 동원되어야 하며 일요일 아닌 평일에 시험이 있을 경우 직장인 또는 학생 신분인 사람들은 결근, 결석을 하여야 하고 그밖에 시험당일의 원활한 시험관리에도 상당한 지장이 있는 사정이 있는바, 이러한 사정을 참작한다면 피청구인이 사법시험 제1차 시험 시행일을 일요일로 정하여 공고한 것은 국가공무원법 제35조에 의하여 다수 국민의 편의를 위한 것이므로 이로 인하여 청구인의 종교의 자유가 어느 정도 제한된다 하더라도 이는 공공복리를 위한 부득이한 제한으로 보아야 할 것이고 그 정도를 보더라도 비례의 원칙에 벗어난 것으로 볼 수 없고 청구인의 종교의 자유의 본질적 내용을 침해한 것으로 볼 수도 없다.

또한 기독교 문화를 사회적 배경으로 하고 있는 구미 제국과 달리 우리나라에서는 일요일은 특별한 종교의 종교의식일이 아니라 일반적인 공휴일로 보아야 할 것이고 앞서 본 여러 사정을 참작한다면 사법시험 제1차 시험 시행일을 일요일로 정한 피청구인의 이 사건 공고가 청구인이 신봉하는 종교를 다른 종교에 비하여 불합리하게 차별대우하는 것으로 볼 수도 없다.

4. 위 공고가 공무담임권을 침해하는지 여부(소극)

사법시험은 원칙적으로 자격시험의 성격이 있고 그 시험에 합격하여 사법연수원의 소정 과정을 마친 사람 중에서 판사나 검사를 임용하고 있으므로 그 한도에서 공무원임용시험의 성격을 가지고 있는바, 피청구인이 사법시험 제1차 시험의 시행일을 일요일로 정하였다고 하여 청구인의 공무담임권이 침해되었다고 볼 수는 없다. 즉 청구인이 자신이 신봉하는 종교의 특별한 교리를 이유로 일요일에는 예배행사 참여와 기도와 선행 이외의 다른 행위를 할 수 없다는 것일 뿐이므로 다수 국민의 편의를 위하여 시험 시행일을 일요일로 정한 피청구인의 이 사건 공고가 특별히 청구인의 사법시험 응시 기회를 차단한다고 볼 수 없다.

5. 위 공고가 휴식권을 침해하는지 여부(소극)

휴식권은 헌법상 명문의 규정은 없으나 포괄적 기본권인 행복추구권의 한 내용으로 볼 수 있을 것이다. 사법시험 시행일을 일요일로 정한 피청구인의 이 사건 공고는 청구인 등에게 공무담임의 기회를 제공하는 것이어서 행복추구의 한 방편이 될지언정 거꾸로 이를 침해한다고 볼 수는 없다.

117 군종장교의 종교적 표현의 자유 및 종교적 비판
― 대법원 2007. 4. 26. 선고 2006다87903

판시사항 및 결정요지

1. 군종장교가 가지는 종교의 자유의 내용 및 군종장교가 종교활동을 수행하면서 소속 종단의 종교를 선전하거나 다른 종교를 비판한 것만으로 종교적 중립 준수 의무를 위반한 직무상의 위법이 있는지 여부(소극)

군대 내에서 군종장교는 국가공무원인 참모장교로서의 신분뿐 아니라 성직자로서의 신분을 함께 가지고 소속 종단으로부터 부여된 권한에 따라 설교·강론 또는 설법을 행하거나 종교의식 및 성례를 할 수 있는 종교의 자유를 가지는 것이므로, 군종장교가 최소한 성직자의 신분에서 주재하는 종교활동을 수행함에 있어 소속종단의 종교를 선전하거나 다른 종교를 비판하였다고 할지라도 그것만으로 종교적 중립을 준수할 의무를 위반한 직무상의 위법이 있다고 할 수 없다.

2. 종교적 표현의 자유의 내용 및 종교적 비판에 의한 명예훼손행위의 위법성 판단 기준

우리 헌법 제20조 제1항은 "모든 국민은 종교의 자유를 가진다."고 규정하고 있는데, 종교의 자유에는 자기가 신봉하는 종교를 선전하고 새로운 신자를 규합하기 위한 선교의 자유가 포함되고, 선교의 자유에는 다른 종교를 비판하거나 다른 종교의 신자에 대하여 개종을 권고하는 자유도 포함되는바, 종교적 선전과 타 종교에 대한 비판 등은 동시에 표현의 자유의 보호대상이 되는 것이나, 그 경우 종교의 자유에 관한 헌법 제20조 제1항은 표현의 자유에 관한 헌법 제21조 제1항에 대하여 특별규정의 성격을 갖는다 할 것이므로 종교적 목적을 위한 언론·출판의 경우에는 그 밖의 일반적인 언론·출판에 비하여 고도의 보장을 받게 되고, 특히 그 언론·출판의 목적이 다른 종교나 종교집단에 대한 신앙교리 논쟁으로서 같은 종파에 속하는 신자들에게 비판하고자 하는 내용을 알리고 아울러 다른 종파에 속하는 사람들에게도 자신의 신앙교리 내용과 반대종파에 대한 비판의 내용을 알리기 위한 것이라면 그와 같은 비판할 권리는 최대한 보장받아야 할 것인바, 그로 인하여 타인의 명예 등 인격권을 침해하는 경우에 종교의 자유 보장과 개인의 명예 보호라는 두 법익을 어떻게 조정할 것인지는 그 비판행위로 얻어지는 이익, 가치와 공표가 이루어진 범위의 광협, 그 표현방법 등 그 비판행위 자체에 관한 제반 사정을 감안함과 동시에 그 비판에 의하여 훼손되거나 훼손될 수 있는 타인의 명예 침해의 정도를 비교 고려하여 결정하여야 한다.

3. 공군참모총장이 군종장교로 하여금 교계에 널리 알려진 특정 종교에 대한 비판적 정보를 담은 책자를 발행·배포하게 한 행위가 정교분리의 원칙에 위반하는 위법한 직무집행에 해당하지 않는다고 한 사례

공군참모총장이 전 공군을 지휘·감독할 지위에서 수하의 장병들을 상대로 단결심의 함양과 조직의 유지·관리를 위하여 계몽적인 차원에서 군종장교로 하여금 교계에 널리 알려진 특정 종교에 대한 비판적 정보를 담은 책자를 발행·배포하게 한 행위가 특별한 사정이 없는 한 정교분리의 원칙에 위반하는 위법한 직무집행에 해당하지 않는다고 한 사례.

제3항 언론·출판의 자유

118. 의료광고 금지규정 사건 [위헌]
– 2005. 10. 27. 선고 2003헌가3

판시사항 및 결정요지

1. 상업광고의 규제에 관한 위헌심사의 기준

헌법은 제21조 제1항에서 "모든 국민은 언론·출판의 자유 … 를 가진다."라고 규정하여 현대 자유민주주의의 존립과 발전에 필수불가결한 기본권으로 언론·출판의 자유를 강력하게 보장하고 있는바, 광고물도 사상·지식·정보 등을 불특정다수인에게 전파하는 것으로서 언론·출판의 자유에 의한 보호를 받는 대상이 된다. 한편 헌법 제15조는 직업수행의 자유 내지 영업의 자유도 보장하고 있는바, 상업광고를 제한하는 입법은 직업수행의 자유도 동시에 제한하게 된다.

헌법 제37조 제2항에 의하면 국민의 자유와 권리는 국가안전보장, 질서유지 또는 공공복리를 위하여 필요한 경우에 한하여 법률로써 제한할 수 있으므로 기본권을 제한하는 입법은 비례의 원칙에 따라 입법목적의 정당성과 그 목적달성을 위한 방법의 적정성, 피해의 최소성, 그리고 그 입법에 의해 보호하려는 공공의 필요와 제한되는 기본권 사이의 균형성을 모두 갖추어야 한다.

그런데 상업광고는 표현의 자유의 보호영역에 속하지만 사상이나 지식에 관한 정치적, 시민적 표현행위와는 차이가 있고, 한편 직업수행의 자유의 보호영역에 속하지만 인격발현과 개성신장에 미치는 효과가 중대한 것은 아니다. 그러므로 상업광고 규제에 관한 비례의 원칙 심사에 있어서 '피해의 최소성' 원칙은 같은 목적을 달성하기 위하여 달리 덜 제약적인 수단이 없을 것인지 혹은 입법목적을 달성하기 위하여 필요한 최소한의 제한인지를 심사하기 보다는 '입법목적을 달성하기 위하여 필요한 범위 내의 것인지'를 심사하는 정도로 완화되는 것이 상당하다.

2. "특정의료기관이나 특정의료인의 기능·진료방법"에 관한 광고를 금지하는 의료법 제46조 제3항 및 그 위반시 300만 원 이하의 벌금에 처하도록 하는 동법 제69조가 표현의 자유 내지 직업수행의 자유를 침해하는지 여부(적극)

의료인의 기능이나 진료방법에 대한 광고가 소비자들을 기만하는 것이거나, 소비자들에게 정당화되지 않은 의학적 기대를 초래 또는 오인하게 할 우려가 있거나, 공정한 경쟁을 저해하는 것이라면, 국민의 보건과 건전한 의료경쟁 질서를 위하여 규제가 필요하다. 그러나 객관적인 사실에 기인한 것으로서 소비자에게 해당 의료인의 의료기술이나 진료방법을 과장함이 없이 알려주는 의료광고라면 이는 의료행위에 관한 중요한 정보에 관한 것으로서 소비자의 합리적 선택에 도움을 주고 의료인들 간에 공정한 경쟁을 촉진하므로 오히려 공익을 증진시킬 수 있다.

비록 의료광고가 전문적이고 기술적인 영역에 관한 것이고, 일반 국민들이 그 가치를 판단하기 어려운 측면이 있다 하더라도, 소비자로 하여금 과연 특정의료인이 어떤 기술이나 기량을 지니고 있는지, 어떻게 진단하고 치료하는지를 알 수 없게 한다면, 이는 소비자를 중요한 특정 의료정보로부터 차단시킴으로써 정보의 효율적 유통을 방해하는 것이며, 표현의 자유와 영업의 자유의 대상이 된 상업광고에 대한 규제가 입법목적의 달성에 필요한 한도 내에서 섬세하게 재단(裁斷)된 것이라 할 수 없다.

또한 의료법 제46조 제3항 중 "특정의료기관이나 특정의료인의 기능·진료방법"에 관한 광고금지 및 제69조 중 동 광고금지 위반 부분(이하 이들을 '이 사건 조항'이라 한다)이 아니더라도 의료법 제46조 제1항, 표시·광고의공정화에관한법률, 소비자보호법, 독점규제및공정거래에관한법률, 옥외광고물등관리법 등에 의하여 "의료인의 기능이나 진료방법"에 관한 허위·기만과장광고를 통제할 수 있다.

그러므로 이 사건 조항이 의료인의 기능과 진료방법에 대한 광고를 금지하고 이에 대하여 벌금형에 처하도록 한 것은 입법목적을 달성하기 위하여 필요한 범위를 넘어선 것이므로, '피해의 최소성' 원칙에 위반된다.

한편 이 사건 조항이 보호하고자 하는 공익의 달성 여부는 불분명한 것인 반면, 이 사건 조항은 의료인에게 자신의 기능과 진료방법에 관한 광고와 선전을 할 기회를 박탈함으로써 표현의 자유를 제한하고, 다른 의료인과의 영업상 경쟁을 효율적으로 수행하는 것을 방해함으로써 직업수행의 자유를 제한하고 있고, 소비자의 의료정보에 대한 알 권리를 제약하게 된다. 따라서 보호하고자 하는 공익보다 제한되는 사익이 더 중하다고 볼 것이므로 이 사건 조항은 '법익의 균형성' 원칙에도 위배된다.

결국 이 사건 조항은 헌법 제37조 제2항의 비례의 원칙에 위배하여 표현의 자유와 직업수행의 자유를 침해하는 것이다.

119 청소년유해매체물의 표시방법 사건 [기각, 각하]
― 2004. 1. 29. 선고 2001헌마894

판시사항 및 결정요지

1. '청소년유해매체물의 표시방법'에 관한 정보통신부고시가 헌법소원의 대상이 된다고 본 사례

고시 또는 공고의 법적 성질은 일률적으로 판단될 것이 아니라 고시에 담겨진 내용에 따라 구체적인 경우마다 달리 결정된다. 즉, 고시가 일반·추상적 성격을 가질 때에는 법규명령 또는 행정규칙에 해당하지만, 고시가 구체적인 규율의 성격을 갖는다면 행정처분에 해당한다

'청소년유해매체물의 표시방법'에 관한 정보통신부고시는 청소년유해매체물을 제공하려는 자가 하여야 할 전자적 표시의 내용을 정하고 있는데, 이는 정보통신망이용촉진및정보보호등에관한법률 제42조 및 동법시행령 제21조 제2항, 제3항의 위임규정에 의하여 제정된 것으로서 국민의 기본권을 제한하는 것인바 상위법령과 결합하여 대외적 구속력을 갖는 법규명령으로 기능하고 있는 것이므로 헌법소원의 대상이 된다.

2. 전기통신사업자의 전기통신역무를 이용하여 일반에게 공개를 목적으로 정보를 제공하는 자 중 청소년보호법상의 청소년유해매체물 제공자는 대통령령이 정하는 표시방법에 따라 청소년유해매체물임을 표시하도록 한 정보통신망이용촉진및정보보호등에관한법률 제42조가 포괄위임입법금지 및 죄형법정주의의 명확성 원칙에 위배되는 여부(소극)

정보통신망이용촉진및정보보호등에관한법률 제42조에 따라 대통령령으로 정해질 표시방법은 청소년을 해당 유해정보로부터 보호하기 위하여 청소년의 이용을 억제하기 위한 취지의 표시이거나 그밖에 인터넷과 같은 매체의 특성에 맞춰 해당 정보에 대한 청소년의 이용을 억제하기 위한 표시가 될 것이라는 점이 예측될 수 있다. 위 조항은 포괄위임입법금지 및 죄형법정주의의 명확성 원칙에 위배되지 않는다.

3. 동법시행령 제21조 제2항이 인터넷을 이용하여 정보를 제공하는 자의 경우 기호·부호·문자 또는 숫자를 사용하여 청소년유해매체물임을 나타낼 수 있는 전자적 표시도 함께 하도록 규정한 것이 동법 제42조의 위임범위 내인지 여부

동법시행령 제21조 제2항이 추가적으로 전자적 표시를 하도록 한 것은 인터넷의 경우 청소년이 이용할 수 없다는 표시를 하는 것만으로는 청소년들에게 차단 효과가 약하므로, 프로그램의 전자적 장치에 의해 소프트웨어가 선별함으로써 청소년들이 접근을 방지하고자 한 것으로 이해된다. 그러한 전자적 표시는 인터넷 매체의 특수성을 반영한 것으로서 청소년을 청소년유해매체물로부터 격리하기 위한 표시방법의 하나에 해당되므로 동법시행령 제21조 제2항의 '전자적 표시' 규정은 동법 제42조의 위임범위를 벗어난 위법 내지 위헌성이 없다.

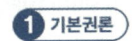

4. 인터넷상의 청소년유해매체물 정보의 경우 18세 이용금지 표시 외에 추가로 '전자적 표시'를 하도록 하여 차단소프트웨어 설치시 동 정보를 볼 수 없게 한 동법시행령 제21조 제2항 및 '청소년유해매체물의 표시방법'에 관한 정보통신부고시가 표현의 자유를 침해하는 여부(소극)

청소년유해매체물로 결정된 매체물 혹은 인터넷 정보라 하더라도 이들은 의사형성적 작용을 하는 의사의 표현·전파의 형식 중의 하나이므로 언론·출판의 자유에 의하여 보호되는 의사표현의 매개체에 해당된다. 그런데 이 사건 고시는 청소년유해매체물에 해당된 인터넷 정보제공자에 대하여 전자적 표시를 하도록 요구하고 있어 표현의 자유를 제한하는 것이므로, 그러한 제한이 헌법 제37조 제2항에서 인정되는 과잉금지의 원칙에 위배되는지가 문제된다.

인터넷을 이용한 정보에 대해서는 종전의 청소년보호법상 청소년유해매체물 표시방법만으로는 청소년을 해당 유해정보로는 효과적으로 차단하기 어렵기 때문에, 이 사건 고시는 인터넷 매체의 특성에 맞추어 특정 전자적 표시를 하게 함으로써 차단소프트웨어를 설치할 경우 청소년을 음란폭력성 등을 지닌 유해한 정보로부터 보호하기 위한 입법목적을 갖고 있는데, 이는 청소년의 보호를 위한 것으로서 공공복리를 위한 정당한 것이다.

이 사건 고시에 따라 전자적 표시가 행해지면 해당 차단소프트웨어를 설치한 경우 청소년유해매체물로 인정된 해당 인터넷 사이트나 페이지가 차단되게 되므로, 이러한 입법수단은 입법목적을 달성하는데 적절한 것이다.

이 사건 고시는 인터넷을 통하여 청소년유해매체물을 제공하는 경우 그 제공자에게 특정 기술표준(PICS)에 의한 전자적 표시를 하도록 요구하고 있다. 인터넷상의 유해 정보는 익명성과 전파성이 강하므로 종전의 "19세 미만 이용금지" 표시만으로 입법목적을 달성하게 하는 것은 효율적인 방법이라고 보기 어렵다. 한편 청소년을 인터넷 유해매체물로부터 차단하기 위해서는 이 사건 고시의 전자적 표시 외에 주민등록번호를 확인하거나 공인인증서를 이용하는 등 다른 방법이 채택될 수도 있을 것이나, 이들이 더 효과적인 방법이라고 단정하기 어렵고, 또한 국가가 일반인에게 특정한 기술표준을 채택하도록 하는 것은 부적절한 측면이 있으나, 현재로서는 달리 다른 방식으로 이 사건 고시가 추구하는 입법목적을 달성할 수단이 명백히 존재한다고 보기 어렵다. 그렇다면 동법시행령 제21조 제2항과 이 사건 고시는 피해의 최소성 원칙에 저촉되지 않는다.

이 사건 고시에 대해 공익 목적의 중요성이 인정되고, 전자적 표시의무는 해당 정보의 내용에 관하여 통제하는 것이기보다는 사후조치로서 유해매체물이 청소년에게 차단될 수 있는 기술적 방법만을 정하고 있는 것이고 그 효과는 부모나 성인이 차단소프트웨어를 설치했을 때에만 나타나는 것을 고려하면, 동법시행령 제21조 제2항과 이 사건 고시는 기본권 제한의 효과와 내용면에서 볼 때 추구하는 공익이 제한되는 사익에 비하여 균형을 벗어난 것으로 볼 수 없다.

7. 위 조항들이 동성애에 관한 양심의 자유 등을 침해하는지 여부(소극)

청소년유해매체물로 인정된 인터넷 정보에 대하여 '전자적 표시'를 요구한다고 해서 양심의 자유나 알권리 등이 침해된다고 할 수 없다.

120 정보통신망을 통한 음란표현 형사처벌 사건 [합헌, 각하]
― 2009. 5. 28. 선고 2006헌바109, 2007헌바49,57,83,129(병합)

판시사항 및 결정요지

1. 헌법재판소법 제68조 제2항에 의한 헌법소원심판 청구인이 당해 사건인 형사사건에서 무죄의 확정판결을 받은 경우 재판의 전제성 존부(소극)

헌법재판소법 제68조 제2항의 헌법소원 심판청구가 적법하기 위해서는 당해 사건에 적용될 법률이 헌법에 위반되는지 여부가 재판의 전제가 되어야 하는바, 재판의 전제가 된다는 것은 그 법률이 당해 사건에 적용될 법률이어야 하고 그 위헌 여부에 따라 재판의 주문이 달라지거나 재판의 내용과 효력에 관한 법률적 의미가 달라지는 것을 말한다.

그런데 당해 사건이 형사사건이고, 청구인의 유·무죄가 확정되지 아니한 상태에서는 처벌의 근거가 되는 형벌조항의 위헌확인을 구하는 청구에 대하여 위와 같은 의미에서의 재판의 전제성을 인정할 수 있을 것이나, 청구인에 대한 무죄판결이 확정된 경우에도 재판의 전제성을 계속하여 인정할 것인지를 살펴본다.

헌법재판소법 제75조 제7항은 '제68조 제2항의 규정에 의한 헌법소원이 인용된 경우에 당해 헌법소원과 관련된 소송사건이 이미 확정된 때에는 당사자는 재심을 청구할 수 있다'고 규정하면서 같은 조 제8항에서 위 조항에 의한 재심에 있어 형사사건에 대하여는 형사소송법의 규정을 준용하도록 하고 있다. 그런데 형사소송법 제420조, 제421조는 '유죄의 확정판결에 대하여 그 선고를 받은 자의 이익을 위하여', '항소 또는 상고기각판결에 대하여는 그 선고를 받은 자의 이익을 위하여' 재심을 청구할 수 있다고 각 규정하고 있다. <u>따라서 헌법재판소법 제68조 제2항에 의한 헌법소원심판 청구인이 당해 사건인 형사사건에서 무죄의 확정판결을 받은 때에는 처벌조항의 위헌확인을 구하는 헌법소원이 인용되더라도 재심을 청구할 수 없고, 청구인에 대한 무죄판결은 종국적으로 다툴 수 없게 되므로 법률의 위헌 여부에 따라 당해 사건 재판의 주문이 달라지거나 재판의 내용과 효력에 관한 법률적 의미가 달라지는 경우에 해당한다고 볼 수 없으므로 더 이상 재판의 전제성이 인정되지 아니하는 것으로 보아야 할 것이다.</u>

2. 엄격한 의미의 음란표현은 헌법 제21조가 규정하는 언론·출판의 자유의 보호영역에 해당하지 아니한다는 취지로 판시한 선례를 변경한 사례

우리 재판소는 "모든 표현이 시민사회의 자기교정기능에 의해서 해소될 수 있는 것은 아니다. 일정한 표현은 일단 표출되면 그 해악이 대립되는 사상의 자유경쟁에 의한다 하더라도 아예 처음부터 해소될 수 없는 성질의 것이거나 또는 다른 사상이나 표현을 기다려 해소되기에는 너무나 심대한 해악을 지닌 것이 있다. 바로 이러한 표현에 대하여는 국가의 개입이 1차적인 것으로 용인되고, 헌법상 언론·출판의 자유에 의하여 보호되지 않는데, 위에서 본 헌법 제21조 제4항이 바로 이러한 표현의 자유에 있어서의 한계를 설정한 것이라고 할 것이다. 이 사건 법률조항이 규율하는 음란 또는 저속한 표현 중 '음란'이란 인간존엄 내지 인간성을 왜곡하는 노골적이고 적나라한 성표현으로서 오로지 성적 흥미에만 호소할 뿐 전체적으로 보아 하등의 문학적, 예술적, 과학적 또는 정치적 가치를 지니지 않은 것으로서, 사회의 건전한 성도덕을 크게 해칠 뿐만 아니라 사상의 경쟁메커니즘에 의해서도 그 해악이 해소되기 어렵다고 하지 않을 수 없다. 따라서 이러한 엄격한 의미의 음란표현은 언론·출판의 자유에 의해서 보호되지 않는다고 할 것이다."라고 판시하여, '음란표현'은 헌법상 언론·출판 자유의 보호영역 밖에 있다고 판단한 바 있다.

그러나 음란표현이 언론·출판의 자유의 보호영역에 해당하지 아니한다고 해석할 경우 음란표현에 대하여는 언론·출판의 자유의 제한에 대한 헌법상의 기본원칙, 예컨대 명확성의 원칙, 검열 금지의 원칙 등에 입각한 합헌성 심사를 하지 못하게 될 뿐만 아니라, 기본권 제한에 대한 헌법상의 기본원칙, 예컨대 법률에 의한 제한, 본질적 내용의 침해금지원칙 등도 적용하기 어렵게 되는 결과, 모든 음란표현에 대하여 사전 검열을 받도록 하고 이를 받지 않은 경우 형사처벌을 하거나, 유통목적이 없는 음란물의 단순소지를 금지하거나, 법률에 의하지 아니하고 음란물출판에 대한 불이익을 부과하는 행위 등에 대한 합헌성 심사도 하지 못하게 됨으로써, 결국 음란표현에 대한 최소한의 헌법상 보호마저도 부인하게 될 위험성이 농후하게 된다는 점을 간과할 수 없다.

헌법 제21조 제4항은 "언론·출판은 타인의 명예나 권리 또는 공중도덕이나 사회윤리를 침해하여서는 아니 된다."고 규정하고 있는바, 이는 언론·출판의 자유에 따르는 책임과 의무를 강조하는 동시에 언론·출판의 자유에 대한 제한의 요건을 명시한 규정으로 볼 것이고, 헌법상 표현의 자유의 보호영역 한계를 설정한 것이라고는 볼 수 없다.

따라서 음란표현도 헌법 제21조가 규정하는 언론·출판의 자유의 보호영역에는 해당하되, 다만 헌법 제37조 제2항에 따라 국가 안전보장·질서유지 또는 공공복리를 위하여 제한할 수 있는 것이라고 해석하여야 할 것이다.

이 사건 법률조항의 음란표현은 헌법 제21조가 규정하는 언론·출판의 자유의 보호영역 내에 있다고 볼 것인바, 종전에 이와 견해를 달리하여 음란표현은 헌법 제21조가 규정하는 언론·출판의 자유의 보호영역에 해당하지 아니한다는 취지로 판시한 우리 재판소의 의견(95헌가16)을 변경한다.

3. 정보통신망을 통하여 음란한 부호·문언·음향·화상 또는 영상을 배포·판매·임대하거나 공연히 전시한 자를 처벌하는 구 정보통신망 이용촉진 및 정보보호 등에 관한 법률 제65조 제1항 제2호(이하 '이 사건 법률조항'이라 한다)의 '음란' 개념이 명확성의 원칙에 위반되는지 여부(소극)

가. 명확성원칙의 의미

표현의 자유를 규제하는 입법에 있어서 명확성의 원칙은 특별히 중요한 의미를 지닌다. 현대 민주 사회에서 표현의 자유가 국민주권주의 이념의 실현에 불가결한 것인 점에 비추어 볼 때, 불명확한 규범에 의한 표현의 자유의 규제는 헌법상 보호받는 표현에 대한 위축적 효과를 야기하고, 그로 인하여 다양한 의견, 견해, 사상의 표출을 가능케 함으로써 그러한 표현들이 상호 검증을 거치도록 한다는 표현의 자유의 본래의 기능을 상실케 한다. 즉, 무엇이 금지되는 표현인지가 불명확한 경우에, 자신이 행하고자 하는 표현이 규제의 대상이 아니라는 확신이 없는 기본권주체는 대체로 규제를 받을 것을 우려해서 표현행위를 스스로 억제하게 될 가능성이 높은 것이다. 그렇기 때문에 표현의 자유를 규제하는 법률은 규제되는 표현의 개념을 세밀하고 명확하게 규정할 것이 헌법적으로 요구된다.

한편, 이러한 명확성의 원칙은 죄형법정주의의 원칙에서도 요청된다. 즉 헌법 제12조 및 제13조를 통하여 보장되고 있는 죄형법정주의의 원칙은 범죄와 형벌이 법률로 정하여져야 함을 의미하며, 이러한 죄형법정주의에서 파생되는 명확성의 원칙은 법률이 처벌하고자 하는 행위가 무엇이며 그에 대한 형벌이 어떠한 것인지를 누구나 예견할 수 있고, 그에 따라 자신의 행위를 결정할 수 있도록 구성요건을 명확하게 규정하여야 하는 것을 의미한다.

그러나 모든 법규범의 문언을 순수하게 기술적 개념만으로 구성하는 것은 입법기술적으로 불가능하고, 다소 광범위하여 어느 정도의 범위에서는 법관의 보충적인 해석을 필요로 하는 개념을 사용하였다고 하더라도, 통상의 해석방법에 의하여 건전한 상식과 통상적인 법감정을 가진 사람이라면 당해 처벌법규의 보호법익과 금지된 행위 및 처벌의 종류와 정도를 알 수 있도록 규정하였다면 헌법이 요구하는 명확성의 원칙에 반한다고 할 수는 없다 할 것이다. 그리고 법규범이 명확한지 여부는 그 법규범이 수범자에게 법규의 의미내용을 알 수 있도록 공정한 고지를 하여 예측가능성을 주고 있는지 여부 및 그 법규범이 법을 해석·집행하는 기관에게 충분한 의미내용을 규율하여 자의적인 법해석이나 법집행이 배제되는지 여부, 다시 말하면 예측가능성 및 자의적 법집행 배제가 확보되는지 여부에 따라 이를 판단할 수 있는데, 법규범의 의미내용은 그 문언뿐만 아니라 입법목적이나 입법취지, 입법연혁, 그리고 법규범의 체계적 구조 등을 종합적으로 고려하는 해석방법에 의하여 구체화하게 되므로, 결국 법규범이 명확성원칙에 위반되는지 여부는 위와 같은 해석방법에 의하여 그 의미내용을 합리적으로 파악할 수 있는 해석기준을 얻을 수 있는지 여부에 달려 있다.

나. '음란' 개념과 명확성원칙의 위반 여부

이 사건 법률조항은 '음란'에 대하여 개념규정을 하고 있지 않고, 구 정보통신망법의 다른 어디에도 별도의 개념규정이 존재하지 아니한다. 그러나 우리 재판소는 이미 '음란' 개념을 앞서 본 바와 같이 규정하면서 명확성의 원칙에 반하지 않는다고 결정한 바 있고, 대법원도 오랜 기간에 걸쳐 형법상 '음란' 개념을 일관되게 판시하여 오면서 최근 그 범위를 엄격하게 좁힌 바 있어, 이 사건 법률조항의 '음란'에 대한 객관적 해석의 기준을 마련하고 있다.

그리고 입법자가 음란에 해당하는 행위를 일일이 구체적, 서술적으로 열거하는 방식으로 명확성의 원칙을 관철하는 것은 '사회일반의 건전한 성적 풍속 내지 성도덕' 보호라는 입법목적의 온전한 달성을 위한 적절한 방법이라 하기 어렵고, '음란'의 개념과 그 행태는 사회와 시대적 변화에 따라 변동하는 상대적, 유동적인 것이고 그 시대에 있어서 사회의 풍속, 윤리, 종교 등과도 밀접한 관계를 가지는 추상적인 것이므로, 음란에 해당하는 행위를 일일이 구체적, 서술적으로 열거하는 방식으로 명확성의 원칙을 관철하는 것은 입법기술상 현저히 곤란하다.

이 사건 법률조항의 '음란' 개념은, 비록 보다 구체화하는 것이 바람직스럽다고 볼 여지가 있으나, 현 상태로도 수범자와 법집행자에게 적정한 판단기준 또는 해석기준을 제시하고 있다고 볼 수 있고, 이와 같은 기준에 따라 어떤 표현이 '음란' 표현에 해당하는지 여부에 관한 자의적인 법해석이나 법집행을 배제할 수 있다 할 것이므로, 결국 이 사건 법률조항의 '음란' 개념은 명확성의 원칙에 위반되지 않는다고 할 것이다.

4. 이 사건 법률조항에 의한 표현의 자유 제한이 과잉금지의 원칙에 반하는 것인지 여부(소극)

표현의 자유는 자신의 의사를 표현·전달하고, 의사형성에 필요한 정보를 수집·접수하며, 객관적인 사실을 보도·전파할 수 있는 자유를 그 내용으로 하는 주관적 공권일 뿐 아니라, 의사표현과 여론형성 그리고 정보의 전달을 통하여 국민의 정치적 공감대에 바탕을 둔 민주정치를 실현시키고 동화적 통합을 이루기 위한 객관적 가치질서로서의 성격도 갖는다고 할 것인바, 우리 재판소는 헌법 제21조에서 보장하고 있는 표현의 자유에 대하여, 전통적으로는 사상 또는 의견의 자유로운 표명(발표의 자유)과 그것을 전파할 자유(전달의 자유)를 의미하는 것으로서, 개인이 인간으로서의 존엄과 가치를 유지하고 행복을 추구하며 국민주권을 실현하는 데 필수불가결한 것이고, 종교의 자유, 양심의 자유, 학문과 예술의 자유 등의 정신적인 자유를 외부적으로 표현하는 자유라고 판단한 바 있고, 또한, 표현의 자유의 내용으로서는 의사표현·전파의 자유, 정보의 자유, 신문의 자유 및 방송·방영의 자유 등이 있는데, 이러한 언론·출판의 자유의 내용 중 의사표현·전파의 자유에 있어서 의사표현 또는 전파의 매개체는 어떠한 형태이건 가능하며 그 제한이 없으므로, 담화·연설·토론·연극·방송·음악·영화·가요 등과 문서·소설·시가·도화·사진·조각·서화 등 모든 형상의 의사표현 또는 의사전파의 매개체를 포함한다고 판단한 바 있다.

따라서, <u>이 사건 법률조항은 '음란'한 영상 등을 정보통신망을 통하여 배포하는 등의 행위를 처벌하고 있으므로, 위와 같은 의사표현의 매개체에 의한 일정한 내용의 표현을 금지하고 있다는 점에서 헌법상 보장되고 있는 표현의 자유를 제한하는 것으로 볼 수 있다.</u>

음란정보로부터 사회일반의 건전한 성적 풍속 내지 성도덕을 보호하기 위하여 정보통신망을 통한 음란한 부호 등에 관한 배포 등 행위를 금지시킬 필요성은 분명 존재한다고 하지 않을 수 없어 이 사건 법률조항의 목적은 정당하고 그 수단도 적합하다.

대법원 판결에서 들고 있는 음란물 판단기준에 의하면, 모든 성적 표현물이 음란물이나 음란정보에 해당하는 것이 아니라 표현물을 전체적으로 관찰·평가해 볼 때 단순히 저속하다거나 문란한 느낌을 준다는 정도를 넘어서서 '존중·보호되어야 할 인격을 갖춘 존재인 사람의 존엄성과 가치를 심각하게 훼손·왜곡하였다고 평가할 수 있을 정도로, 노골적인 방법에 의하여 성적 부위나 행위를 적나라하게 표현 또는 묘사한 것으로서, 사회통념에 비추어 전적으로 또는 지배적으로 성적 흥미에만 호소하고 하등의 문학적·예술적·사상적·과학적·의학적·교육적 가치를 지니지 아니하는 것'만 음란물에 해당되어 이 사건 법률조항에 의한 법적 규제를 받게 되므로 그 요건이 보다 엄격하게 되어 있어 침해의 최소성 원칙에 반하지 않는다.

이 사건 법률조항에 의한 표현의 자유 제한은 음란표현이 헌법상 표현의 자유에 의한 보호대상이 되고 따라서 음란물 정보의 배포 등의 행위에 대하여 형사상 중한 처벌을 가하는 것이 이러한 기본권을 다소 제한하게 되는 결과가 된다 하더라도 이는 공공복리를 위하여 필요한 제한으로서 헌법 제37조 제2항의 과잉금지의 원칙에 반하는 것이라고 보기 어렵다.

121. 인터넷게시판 본인확인제의 위헌 여부 사건 [위헌]
― 2012. 8. 23. 선고 2010헌마47,252(병합)

판시사항

인터넷게시판을 설치·운영하는 정보통신서비스 제공자에게 본인확인조치의무를 부과하여 게시판 이용자로 하여금 본인확인절차를 거쳐야만 게시판을 이용할 수 있도록 하는 본인확인제를 규정한 '정보통신망 이용촉진 및 정보보호 등에 관한 법률' 제44조의5 제1항 제2호, 같은 법 시행령 제29조, 제30조 제1항(이하 위 조항들을 통칭하여 '이 사건 법령조항들'이라 한다)이 과잉금지원칙에 위배하여 인터넷게시판 이용자의 표현의 자유, 개인정보자기결정권 및 인터넷게시판을 운영하는 정보통신서비스 제공자의 언론의 자유를 침해하는지 여부(적극)

사건의 개요

1. 2010헌마47 사건

청구인 손○규, 천○소, 이○은(이하 '청구인 손○규 등'이라 한다)은 2009. 12. 30. 과 2010. 1. 17. 인터넷 사이트인 '유튜브(kr. youtube. com)', '오마이뉴스(ohmynews. com)', '와이티엔(ytn. co. kr)'의 게시판에 익명으로 댓글 등을 게시하려고 하였으나, 위 게시판의 운영자가 게시자 본인임을 확인하는 절차를 거쳐야만 게시판에 댓글 등을 게시할 수 있도록 조치를 함으로써 댓글 등을 게시할 수 없었다. 이에 청구인 손○규 등은 인터넷게시판(이하 특별히 '인터넷게시판'이라 칭하여야 할 경우를 제외하고 '게시판'이라 한다)을 운영하는 정보통신서비스 제공자에게 게시판 이용자가 본인임을 확인할 조치를 취할 의무(이하 '본인확인조치의무'라 한다)를 부과하고 있는 '정보통신망 이용촉진 및 정보보호 등에 관한 법률' 제44조의5 제1항 제2호, 같은 법 시행령 제30조 제1항이 자신들의 표현의 자유 등을 침해한다고 주장하면서 2010. 1. 25. 이 사건 헌법소원심판을 청구하였다.

2. 2010헌마252 사건

청구인 주식회사 ○○(이하 '청구인 회사'라 한다)은 2005. 11. 7. 부터 인터넷 언론사인 '인터넷 ○○(www. ○○. co. kr)'을 운영하여 왔는데, 방송통신위원회가 2010. 2. 2. 위 인터넷 언론사를 2010년도 본인확인조치의무 대상자로 공시함으로써 2010. 4. 1. 부터 본인확인조치의무를 부담하게 되었다. 이에 청구인 회사는 정보통신서비스 제공자에 대한 본인확인조치의무 부과 및 그 위반 시 제재를 규정한 '정보통신망 이용촉진 및 정보보호 등에 관한 법률' 제44조의5 제1항 제2호, 제2항, 제76조 제1항 제6호 및 같은 법 시행령 제29조, 제30조 제1항이 자신의 기본권을 침해한다고 주장하면서 2010. 4. 20. 이 사건 헌법소원심판을 청구하였다.

1 기본권론

심판대상조항 및 관련조항

정보통신망 이용촉진 및 정보보호 등에 관한 법률(2008. 6. 13. 법률 제9119호로 개정된 것)

제44조의5(게시판 이용자의 본인 확인) ① 다음 각 호의 어느 하나에 해당하는 자가 게시판을 설치·운영하려면 그 게시판 이용자의 본인 확인을 위한 방법 및 절차의 마련 등 대통령령으로 정하는 필요한 조치(이하 "본인확인조치"라 한다)를 하여야 한다.
    2. 정보통신서비스 제공자로서 제공하는 정보통신서비스의 유형별 일일 평균 이용자 수가 10만 명 이상이면서 대통령령으로 정하는 기준에 해당되는 자

정보통신망 이용촉진 및 정보보호 등에 관한 법률 시행령(2009. 1. 28. 대통령령 제21278호로 개정된 것)

제29조(본인확인조치) 법 제44조의5 제1항 각 호 외의 부분에서 "대통령령으로 정하는 필요한 조치"란 다음 각 호의 모두를 말한다.
    1. 「전자서명법」제2조 제10호에 따른 공인인증기관, 그 밖에 본인확인서비스를 제공하는 제3자 또는 행정기관에 의뢰하거나 모사전송·대면확인 등을 통하여 게시판 이용자가 본인임을 확인할 수 있는 수단을 마련할 것
    2. 본인확인절차 및 본인확인정보 보관 시 본인확인정보 유출을 방지할 수 있는 기술을 마련할 것
    3. 게시판에 정보를 게시한 때부터 게시판에서 정보의 게시가 종료된 후 6개월이 경과하는 날지 본인확인정보를 보관할 것

제30조(정보통신서비스 제공자 중 본인확인조치의무자의 범위) ① 법 제44조의5 제1항 제2호에서 "대통령령으로 정하는 기준에 해당되는 자"란 전년도 말 기준 직전 3개월간의 일일 평균 이용자 수가 10만 명 이상인 정보통신서비스 제공자를 말한다.

주문

'정보통신망 이용촉진 및 정보보호 등에 관한 법률'(2008. 6. 13. 법률 제9119호로 개정된 것) 제44조의5 제1항 제2호, '정보통신망 이용촉진 및 정보보호 등에 관한 법률 시행령'(2009. 1. 28. 대통령령 제21278호로 개정된 것) 제29조, 제30조 제1항은 헌법에 위반된다.

1. 이 사건의 쟁점

1) 헌법 제21조 제1항에서 보장하고 있는 표현의 자유는 사상 또는 의견의 자유로운 표명(발표의 자유)과 그것을 전파할 자유(전달의 자유)를 의미하는 것으로서, 그러한 의사의 '자유로운' 표명과 전파의 자유에는 자신의 신원을 누구에게도 밝히지 아니한 채 익명 또는 가명으로 자신의 사상이나 견해를 표명하고 전파할 익명표현의 자유도 포함된다.

그리고 표현의 자유에 있어 의사표현 또는 전파의 매개체는 어떠한 형태이건 가능하며 그 제한이 없는바, 인터넷게시판은 인터넷에서 의사를 형성·전파하는 매체로서의 역할을 담당하고 있으므로 의사의 표현·전파 형식의 하나로서 인정된다

그런 측면에서 볼 때, 이 사건 본인확인제는 게시판 이용자가 게시판에 정보를 게시함에 있어

본인 확인을 위하여 자신의 정보를 게시판 운영자에게 밝히지 않을 수 없도록 함으로써 표현의 자유 중 게시판 이용자가 자신의 신원을 누구에게도 밝히지 아니한 채 익명으로 자신의 사상이나 견해를 표명하고 전파할 익명표현의 자유를 제한한다. 동시에, 그러한 게시판 이용자의 표현의 자유에 대한 제한으로 말미암아 게시판 이용자의 자유로운 의사표현을 바탕으로 여론을 형성·전파하려는 정보통신서비스 제공자의 언론의 자유 역시 제한되는 결과가 발생한다.

한편 본인확인제는 정보통신서비스 제공자에게 인터넷게시판을 운영함에 있어서 본인확인조치를 이행할 의무를 부과하여 정보통신서비스 제공자의 직업수행의 자유도 제한하나, 청구인 회사의 주장 취지 및 앞에서 살펴본 본인확인제의 도입배경 등을 고려할 때 이 사건과 가장 밀접한 관계에 있고 또 침해의 정도가 큰 주된 기본권은 언론의 자유라 할 것이고, 게시판 운영자의 언론의 자유의 제한은 게시판 이용자의 표현의 자유의 제한에 수반되는 결과라고 할 수 있으므로, 이하에서는 게시판 이용자의 표현의 자유 침해 여부를 중심으로 하여 게시판 운영자의 언론의 자유 등 침해 여부를 함께 판단하기로 한다.

2) 그 밖에 본인확인제는 정보통신서비스 제공자에게 게시판 이용자의 본인확인정보를 수집하여 보관할 의무를 지우고 있는데, 본인확인정보는 개인의 동일성을 식별할 수 있게 하는 정보로서 개인정보자기결정권의 보호대상이 되는 개인정보에 해당하고, 개인정보를 대상으로 한 조사수집·보관처리·이용 등의 행위는 모두 원칙적으로 개인정보자기결정권에 대한 제한에 해당하므로, 본인확인제는 게시판 이용자가 자신의 개인정보에 대한 이용 및 보관에 관하여 스스로 결정할 권리인 개인정보자기결정권을 제한한다.

3) 그런데 청구인은 게시판 이용자의 사생활의 비밀과 자유 역시 제한한다고 주장하나, 이 사건 본인확인제에 의하여 사생활의 비밀과 자유가 구체화된 것이라고 할 수 있는 개인정보자기결정권이 제한된다고 보아 그 침해 여부를 판단하는 이상, 사생활의 비밀과 자유에 대한 침해 문제에 관하여는 따로 판단하지 아니한다.

4) 청구인은 본인확인제가 인터넷상에서 자유로운 의견표명을 사전에 제한하는 실질적인 사전검열이라 주장하나, 의견발표 전에 국가기관에 의하여 그 내용을 심사, 선별하여 일정한 사상표현을 저지하는 사전적 내용심사로는 볼 수 없으므로 사전검열금지원칙에 위배된다고 할 수 없다.

5) 결국, 이 사건에서는 본인확인제가 과잉금지원칙에 위배하여 표현의 자유인 게시판 이용자의 익명표현의 자유, 정보통신서비스 제공자의 언론의 자유를 침해하는지 여부 및 게시판 이용자의 개인정보자기결정권을 침해하는지 여부가 문제이므로 이에 대하여 살펴본다.

2. 과잉금지원칙 위배 여부

1) 이 사건 법령조항들이 정하고 있는 본인확인제는 인터넷상의 언어폭력, 명예훼손, 불법정보의 유통 등을 방지하기 위하여 게시판 이용자가 그와 같은 정보를 게시할 경우에는 향후 신원 확인을 통하여 형사처벌 또는 손해배상책임을 부담할 수도 있다는 점을 인식하게 하여 표현내용에 신중을 기하고 불법정보 등의 게시를 자제하도록 함과 아울러, 게시판 이용자의 위와 같은 행위로 실제로 피해가 발생한 경우에는 피해자 구제를 위하여 가해자를 특정할 수 있는 기초자료를 확보

함으로써 게시판을 보다 책임 있는 공론의 장이 되도록 유도하여 건전한 인터넷 문화를 조성하기 위한 것이므로 정당한 목적 달성에 기여하는 적합한 수단임이 인정된다.

2) 이 사건 법령조항들이 표방하는 건전한 인터넷 문화의 조성 등 입법목적은, 인터넷 주소 등의 추적 및 확인, 당해 정보의 삭제·임시조치, 손해배상, 형사처벌 등 인터넷 이용자의 표현의 자유나 개인정보자기결정권을 제약하지 않는 다른 수단에 의해서도 충분히 달성할 수 있음에도, 인터넷의 특성을 고려하지 아니한 채 본인확인제의 적용범위를 광범위하게 정하여 법집행자에게 자의적인 집행의 여지를 부여하고 있다.

결국 본인확인제는 그 입법목적을 달성할 다른 수단이 있음에도 불구하고 모든 게시판 이용자의 본인확인정보를 수집하여 장기간 보관하도록 함으로써 본래의 입법목적과 관계없이 개인정보가 유출될 위험에 놓이게 하고 다른 목적에 활용될 수 있도록 하며, 수사편의 등에 치우쳐 모든 국민을 잠재적 범죄자와 같이 취급하는바, 목적달성에 필요한 범위를 넘는 과도한 제한을 하는 것으로서 침해의 최소성이 인정되지 아니한다.

3) 표현의 자유는 민주주의의 근간이 되는 중요한 헌법적 가치이므로 표현의 자유의 사전 제한을 정당화하기 위해서는 그 제한으로 인하여 달성하려는 공익의 효과가 명백하여야 한다. 또한 이 사건 법령조항들은 국내 인터넷 이용자들의 해외 사이트로의 도피, 국내 사업자와 해외 사업자 사이의 차별 내지 자의적 법집행의 시비로 인한 집행 곤란의 문제를 발생시키고 있고, 나아가 본인확인제 시행 이후에 명예훼손, 모욕, 비방의 정보의 게시가 표현의 자유의 사전 제한을 정당화할 정도로 의미 있게 감소하였다는 증거를 찾아볼 수 없는 반면에, 게시판 이용자의 표현의 자유를 사전에 제한하여 의사표현 자체를 위축시킴으로써 자유로운 여론의 형성을 방해하고, 본인확인제의 적용을 받지 않는 정보통신망상의 새로운 의사소통수단과 경쟁하여야 하는 게시판 운영자에게 업무상 불리한 제한을 가하며, 게시판 이용자의 개인정보가 외부로 유출되거나 부당하게 이용될 가능성이 증가하게 되었는바, 이러한 인터넷게시판 이용자 및 정보통신서비스 제공자의 불이익은 본인확인제가 달성하려는 공익보다 결코 더 작다고 할 수 없으므로, 법익의 균형성도 인정되지 않는다

4) 그렇다면 본인확인제를 규율하는 이 사건 법령조항들은 본인확인이라는 방법으로 게시판 이용자의 표현의 자유를 사전에 제한하여 의사표현 자체를 위축시키고 그 결과 헌법으로 보호되는 표현까지도 억제함으로써 민주주의의 근간을 이루는 자유로운 여론 형성을 방해하는 것으로서 과잉금지원칙에 위배하여 청구인 손○규 등의 표현의 자유, 개인정보자기결정권, 청구인 회사의 언론의 자유 등 기본권을 침해한다.

122 선거운동기간 중 인터넷게시판 실명확인 사건 [위헌]
— 2021. 1. 28. 선고 2018헌마456, 2020헌마406, 2018헌가16(병합)

판시사항

1. 인터넷언론사는 선거운동기간 중 당해 홈페이지 게시판 등에 정당·후보자에 대한 지지반대 등의 정보를 게시하는 경우 실명을 확인받는 기술적 조치를 하도록 정한 공직선거법 조항(이하 '실명확인 조항'이라 한다) 중 "인터넷언론사" 및 "지지반대" 부분이 명확성원칙에 위배되는지 여부(소극)
2. 위 실명확인 조항을 비롯하여, 행정안전부장관 및 신용정보업자는 실명인증자료를 관리하고 중앙선거관리위원회가 요구하는 경우 지체 없이 그 자료를 제출해야 하며, 실명확인을 위한 기술적 조치를 하지 아니하거나 실명인증의 표시가 없는 정보를 삭제하지 않는 경우 과태료를 부과하도록 정한 공직선거법 조항(이하 '심판대상조항'이라 한다)이 게시판 등 이용자의 익명표현의 자유 및 개인정보자기결정권과 인터넷언론사의 언론의 자유를 침해하는지 여부(적극)

1. 명확성원칙 위반 여부

가. 표현의 자유에서 명확성원칙

법치국가원리의 한 표현인 명확성의 원칙은 기본적으로 모든 기본권 제한 입법에 대하여 요구된다. 규범의 의미내용으로부터 무엇이 금지되는 행위이고 무엇이 허용되는 행위인지를 수범자가 알 수 없다면 법적 안정성과 예측 가능성은 확보될 수 없게 될 것이고, 또한 법 집행 당국에 의한 자의적 집행을 가능하게 할 것이기 때문이다.

표현의 자유를 규제하는 입법에 있어서 명확성의 원칙은 특별히 중요한 의미를 지닌다. 현대 민주사회에서 표현의 자유가 국민주권주의 이념의 실현에 불가결한 것인 점에 비추어 볼 때, 불명확한 규범에 의한 표현의 자유의 규제는 헌법상 보호받는 표현에 대한 위축 효과를 일으키고, 그로 인하여 다양한 의견이나 견해 등의 표출을 통해 상호 검증을 거치도록 한다는 표현의 자유의 본래 기능을 상실케 한다. 따라서 표현의 자유를 규제하는 법률은 규제되는 표현의 개념을 세밀하고 명확하게 규정할 것이 헌법적으로 요구된다.

법규범이 명확한지 여부는 그 법규범이 수범자에게 법규의 의미내용을 알 수 있도록 공정한 고지를 하여 예측가능성을 주고 있는지 여부 및 그 법규범이 법을 해석·집행하는 기관에게 충분한 의미내용을 규율하여 자의적인 법해석이나 법집행이 배제되는지 여부에 따라 이를 판단할 수 있는데, 법규범의 의미내용은 그 문언뿐만 아니라 입법목적이나 입법취지, 입법연혁, 그리고 법규범의 체계적 구조 등을 종합적으로 고려하는 해석방법에 의하여 구체화하게 되므로, 결국 법규범이 명확성원칙에 위반되는지 여부는 위와 같은 해석방법에 의하여 그 의미내용을 합리적으로 파악할 수 있는 해석기준을 얻을 수 있는지 여부에 달려 있다.

나. 판 단

청구인들은 실명확인 조항의 "인터넷언론사" 부분 및 정당·후보자에 대한 "지지·반대" 부분의 의미·내용이 불명확하여 명확성원칙에 위배된다고 주장하므로 이에 관하여 판단한다.

실명확인 조항은 "인터넷언론사"에 대하여 실명확인 조치의무를 부과한다. 공직선거법은 "인터넷언론사"를 '신문 등의 진흥에 관한 법률' 제2조 제4호에 따른 인터넷신문사업자 그 밖에 정치·경제·사회·문화·시사 등에 관한 보도·논평·여론 및 정보 등을 전파할 목적으로 취재·편집·집필한 기사를 인터넷을 통하여 보도·제공하거나 매개하는 인터넷홈페이지를 경영·관리하는 자와 이와 유사한 언론의 기능을 행하는 인터넷홈페이지를 경영·관리하는 자로 정의한다(제8조의5 제1항). 공직선거법 및 관련 법령이 구체적으로 '인터넷언론사'의 범위를 정하고 있고, 중앙선거관리위원회가 설치·운영하는 인터넷선거보도심의위원회가 심의대상인 인터넷언론사를 결정하여 공개하는 점 등을 종합하면 '인터넷언론사'는 불명확하다고 볼 수 없다.

또한 사전적으로 "지지"는 '어떤 사람이나 단체 따위의 주의·정책·의견 따위에 찬동하여 이를 위하여 힘을 쓰거나 이를 원조하는 것'을 뜻하고, "반대"는 '어떤 행동이나 견해, 제안 따위에 따르지 아니하고 맞서 거스름'을 뜻한다. 그런데 공직선거법은 "선거운동"을 당선되거나 되게 하거나 되지 못하게 하기 위한 행위로 정의하고(제58조 제1항 본문), 헌법재판소는 '선거운동'을 후보자의 당선 내지 이를 위한 득표에 필요한 모든 행위 또는 특정 후보자의 낙선에 필요한 모든 행위 중 당선 또는 낙선을 위한 것이라는 목적의사가 객관적으로 인정될 수 있는 능동적, 계획적 행위라고 판시하여 왔다.

이처럼 공직선거법은 실명확인 조항의 정당·후보자에 대한 "지지·반대"의 정보등 게시행위와 "선거운동"을 구별하여 규율하고 있다고 할 것인바, 이와 같은 사정에 앞서 본 "지지·반대"의 사전적 의미, "선거운동"의 정의규정과 그에 대한 헌법재판소의 해석, 아래 과잉금지원칙 위반 여부 판단 항목에서 보는 심판대상조항의 입법목적 또는 입법취지, 공직선거법상 관련 조항의 규율 내용까지 모두 종합하여 보면, 실명확인 조항의 규율대상인 정당·후보자에 대한 "지지·반대"의 정보 등을 게시하는 행위는 공직선거법상 선거운동에 해당하는 행위를 포함하면서, 설령 그 행위가 선거운동과 같이 당선 또는 낙선을 도모하는 목적의사나 능동적, 계획적 행위에 이르지 않더라도 정당·후보자의 정책이나 의견 따위에 찬동하여 이를 원조하거나 이에 맞서서 거스르는 행위까지도 포함되는 것으로 충분히 해석할 수 있다고 할 것이고, 건전한 상식과 통상적인 법 감정을 가진 사람이면 자신의 글이 실명확인 조항의 규율 대상인 정당·후보자에 대한 "지지·반대"의 정보등을 게시하는 행위인지를 충분히 알 수 있다고 할 것이다.

그러므로 실명확인 조항 중 "인터넷언론사" 및 "지지·반대" 부분은 명확성원칙에 반하지 않는다고 할 것이다.

2. 과잉금지원칙 위반 여부

심판대상조항이 과잉금지원칙에 반하여 게시판 등 이용자의 익명표현의 자유와 인터넷언론사의 언론의 자유, 그리고 게시판 등 이용자의 개인정보자기결정권을 침해하는지 여부에 관하여 판단한다.

　심판대상조항의 입법목적은 정당이나 후보자에 대한 인신공격과 흑색선전으로 인한 사회경제적 손실과 부작용을 방지하고 선거의 공정성을 확보하기 위한 것이고, 익명표현이 허용될 경우 발생할 수 있는 부정적 효과를 막기 위하여 그 규제의 필요성을 인정할 수는 있으므로 목적의 정당성 및 수단의 적합성은 인정된다.

　그러나 심판대상조항과 같이 인터넷홈페이지의 게시판 등에서 이루어지는 정치적 익명표현을 규제하는 것은 인터넷이 형성한 '사상의 자유시장'에서의 다양한 의견 교환을 억제하고, 이로써 국민의 의사표현 자체가 위축될 수 있으며, 민주주의의 근간을 이루는 자유로운 여론 형성이 방해될 수 있다. 선거운동기간 중 정치적 익명표현의 부정적 효과는 익명성 외에도 해당 익명표현의 내용과 함께 정치적 표현행위를 규제하는 관련 제도, 정치적·사회적 상황의 여러 조건들이 아울러 작용하여 발생하므로, 모든 익명표현을 사전적·포괄적으로 규율하는 것은 표현의 자유보다 행정편의와 단속편의를 우선함으로써 익명표현의 자유와 개인정보자기결정권 등을 지나치게 제한한다.

　정치적 의사표현을 자유롭게 할 수 있는 핵심적 기간이라 볼 수 있는 선거운동기간 중 익명표현의 제한이 구체적 위험에 기초한 것이 아니라 심판대상조항으로 인하여 위법한 표현행위가 감소할 것이라는 추상적 가능성에 의존하고 있는 점, 심판대상조항의 적용대상인 "인터넷언론사"의 범위가 광범위하다는 점까지 고려하면 심판대상조항으로 인한 기본권 제한의 정도는 결코 작다고 볼 수 없다.

　실명확인제가 표방하고 있는 선거의 공정성이라는 목적은 인터넷 이용자의 표현의 자유나 개인정보자기결정권을 제약하지 않는 다른 수단에 의해서도 충분히 달성할 수 있다. 공직선거법은 정보통신망을 이용한 선거운동 규제를 통하여 공직선거법에 위반되는 정보의 유통을 제한하고 있고, '정보통신망 이용촉진 및 정보보호 등에 관한 법률'상 사생활 침해나 명예훼손 등의 침해를 받은 사람에게 인정되는 삭제요청 등의 수단이나 임시조치 등이 활용될 수도 있으며, 인터넷 이용자의 표현의 자유나 개인정보자기결정권을 제약하지 않고도 허위 정보로 인한 여론 왜곡을 방지하여 선거의 공정성을 확보하는 새로운 수단을 도입할 수도 있다.

　인터넷을 이용한 선거범죄에 대하여는 명예훼손죄나 후보자비방죄 등 여러 사후적 제재수단이 이미 마련되어 있다. 현재 기술 수준에서 공직선거법에 규정된 수단을 통하여서도 정보통신망을 이용한 행위로서 공직선거법에 위반되는 행위를 한 사람의 인적사항을 특정하고, 궁극적으로 선거의 공정성을 확보할 수 있다.

　심판대상조항은 정치적 의사표현이 가장 긴요한 선거운동기간 중에 인터넷언론사 홈페이지 게시판 등 이용자로 하여금 실명확인을 하도록 강제함으로써 익명표현의 자유와 언론의 자유를 제한하고, 모든 익명표현을 규제함으로써 대다수 국민의 개인정보자기결정권도 광범위하게 제한하고 있다는 점에서 이와 같은 불이익은 선거의 공정성 유지라는 공익보다 결코 과소평가될 수 없다.

　그러므로 심판대상조항은 과잉금지원칙에 반하여 인터넷언론사 홈페이지 게시판 등 이용자의 익명표현의 자유와 개인정보자기결정권, 인터넷언론사의 언론의 자유를 침해한다.

123 인터넷신문의 고용 요건을 규정한 신문법 시행령 등 위헌확인 사건
[위헌, 기각, 각하]
- 2016. 10. 27. 선고 2015헌마1206, 2016헌마277(병합)

판시사항

1. '신문 등의 진흥에 관한 법률'(이하 연혁에 관계없이 '신문법'이라 한다) 제2조 제2호(이하 '정의조항'이라 한다)가 명확성원칙 및 포괄위임금지원칙에 위배되는지 여부(소극)

2. 신문법 제9조 제1항 중 인터넷신문에 관한 부분(이하 '등록조항'이라 한다)이 명확성원칙, 포괄위임금지원칙 및 사전허가금지원칙에 위배되는지 여부(소극)

3. '신문 등의 진흥에 관한 법률 시행령'(이하 '신문법 시행령'이라 한다) 제2조 제1항 제1호 가목(이하 '고용조항'이라 한다), 제4조 제2항 제3호 다목과 라목(이하 '확인조항'이라 한다) 및 부칙 제2조(이하 '부칙조항'이라 한다)가 과잉금지원칙을 위반하여 언론의 자유를 침해하는지 여부(적극)

사건의 개요

청구인 1 내지 9는 인터넷신문 법인, 청구인 10 내지 18은 인터넷신문을 운영하는 개인사업자, 청구인 19는 인터넷신문 기자단체, 청구인 20 내지 52는 인터넷신문사의 임원 또는 기자, 청구인 53 내지 62는 인터넷신문의 독자, 청구인 63은 인터넷신문 창간을 준비하는 사람이다. 청구인 1 내지 18은 관할 시·도지사들로부터 "2015. 11. 11. 개정된 '신문 등의 진흥에 관한 법률 시행령' 제2조 제1항 제1호 가목, 제4조 제2항 제3호 다목, 라목 및 부칙 제2조에 따라 2016. 11. 18.까지 취재 및 편집 인력을 5명 이상(취재 인력 3명 이상)으로 증원하고, 이를 증명할 수 있는 국민연금, 국민건강보험, 산업재해보상보험 중 1가지 이상의 가입내역 확인서를 제출하여 재등록하여야 한다. 재등록하지 않을 경우 등록이 취소될 것"이라는 취지의 통보를 받았다. 이에 청구인들은 2015. 12. 28. '신문 등의 진흥에 관한 법률' 제2조 제2호, 제9조 제1항 및 위 시행령 조항이 청구인들의 기본권을 침해한다고 주장하며 이 사건 헌법소원심판을 청구하였다.

심판대상조항 및 관련조항

신문 등의 진흥에 관한 법률(2009. 7. 31. 법률 제9785호로 전부개정된 것)

제2조(정의) 이 법에서 사용하는 용어의 정의는 다음과 같다.
  2. "인터넷신문"이란 컴퓨터 등 정보처리능력을 가진 장치와 통신망을 이용하여 정치·경제·사회·문화 등에 관한 보도·논평 및 여론·정보 등을 전파하기 위하여 간행하는 전자간행물로서 독자적 기사 생산과 지속적인 발행 등 대통령령으로 정하는 기준을 충족하는 것을 말한다.

제9조(등록) ① 신문을 발행하거나 인터넷신문 또는 인터넷뉴스서비스를 전자적으로 발행하려는 자는 대통령령으로 정하는 바에 따라 다음 각 호의 사항을 주사무소 소재지를 관할하는 특별시장·광역시장·도지사 또는 특별자치도지사(이하 "시·도지사"라 한다)에게 등록하여야 한다. 등록된 사항이 변경된 때

에도 또한 같다. 다만, 국가 또는 지방자치단체가 발행 또는 관리하거나 법인이나 그 밖의 단체 또는 기관이 그 소속원에게 보급할 목적으로 발행하는 경우와 대통령령으로 정하는 경우에는 그러하지 아니하다. (각 호 생략)

신문 등의 진흥에 관한 법률 시행령(2015. 11. 11. 대통령령 제26626호로 개정된 것)

제2조(인터넷신문) ①「신문 등의 진흥에 관한 법률」(이하 "법"이라 한다) 제2조 제2호에서 "독자적 기사 생산과 지속적인 발행 등 대통령령으로 정하는 기준"이란 다음 각 호의 기준을 말한다.
   1. 독자적인 기사 생산을 위한 요건으로서 다음 각 목의 요건을 모두 충족할 것
      가. 취재 인력 3명 이상을 포함하여 취재 및 편집 인력 5명 이상을 상시적으로 고용할 것

제4조(등록) ② 제1항에 따른 신청서에는 다음 각 호의 구분에 따른 서류(전자문서를 포함한다)를 첨부하여야 한다.
   3. 인터넷신문
      다. 취재 담당자의 국민연금, 국민건강보험 또는 산업재해보상보험의 가입사실을 확인할 수 있는 서류
      라. 편집 담당자의 국민연금, 국민건강보험 또는 산업재해보상보험의 가입사실을 확인할 수 있는 서류

부칙(2015. 11. 11. 대통령령 제26626호)

제2조(인터넷신문의 기준에 관한 경과조치) 이 영 시행 전에 법 제9조 제1항에 따라 등록한 인터넷신문사업자로서 제2조 제1항 제1호 가목의 개정규정에 따른 기준에 미달하는 자는 이 영 시행 이후 1년 이내에 제2조 제1항 제1호 가목의 개정규정에 따른 기준을 갖추어야 한다.

주문

1. '신문 등의 진흥에 관한 법률 시행령'(2015. 11. 11. 대통령령 제26626호로 개정된 것) 제2조 제1항 제1호 가목, 제4조 제2항 제3호 다목과 라목, 부칙(2015. 11. 11. 대통령령 제26626호) 제2조는 헌법에 위반된다.
2. '신문 등의 진흥에 관한 법률'(2009. 7. 31. 법률 제9785호로 전부개정된 것) 제2조 제2호, 제9조 제1항 중 인터넷신문에 관한 부분에 대한 심판청구를 모두 기각한다.

I 적법요건에 대한 판단

공권력의 행사 또는 불행사로 인하여 헌법상 보장된 기본권을 침해받은 사람은 헌법소원을 제기할 수 있지만, 공권력 행사 또는 불행사의 직접 상대방이 아니고 공권력 작용에 간접적이나 사실적 또는 경제적 이해관계가 있을 뿐인 제3자는 헌법소원을 제기할 수 있는 자기관련성이 인정되지 않는다. 공권력 작용 중 법령으로 인하여 직접 수범자가 아닌 제3자의 기본권이 직접적이고 법적으로 침해되었는지 여부를 판단함에 있어서는, 입법의 목적·실질적 규율대상·법적 제한이나 금지가 제3자에게 미친 효과나 진지성의 정도 및 직접 수범자에 의한 헌법소원 제기 기대가능성 등이 종합적으로 고려되어야 한다.

심판대상조항은 인터넷신문을 전자적으로 발행하고 있거나 발행하려는 자를 대상으로 하고 있는데(신문법 제2조 제4호), 인터넷신문 기자단체인 청구인 19는 이에 해당하지 아니한다. 청구인 19는 자신의 기본권이 직접 침해당했다는 것이 아니라 회원인 기자들의 직업의 자유 등이 침해당함으로써 간접적으로 기본권을 침해당했다는 취지로 주장하고 있는데, 청구인 19의 회원인 기자들이 스스로 헌법소원심판을 청구하기 어려운 사정도 찾아볼 수 없다. 인터넷신문 독자들인 청구인 53 내지 62도 심판대상조항에 대하여 간접적·사실적 이해관계를 가지는 데 불과할 뿐 직접적·법률적 이해관계를 가진다고 할 수 없다.

Ⅱ. 본안에 대한 판단

1. 정의조항의 위헌 여부

가. 명확성원칙 위반 여부

청구인들은 정의조항이 인터넷신문에 관하여 모호하게 규정하여 정확한 의미를 파악하기 어려우므로 명확성원칙에 위배된다고 주장한다. 그러나 '인터넷신문'은 지면이 아닌 인터넷을 통하여 발행·배포되는 신문을 뜻하는 것임이 분명하다. 청구인들 주장은 신문법상 '인터넷신문'의 요건을 정의조항에서 규정하지 않고 시행령에 위임하여 법률 규정만으로는 정확한 요건을 파악하기 어렵다는 취지이므로, 이 부분 주장은 포괄위임금지원칙 위반 여부에서 판단한다.

나. 포괄위임금지원칙 위반 여부

정의조항은 독자적 기사 생산과 지속적 발행을 인터넷신문의 기본사항으로 명확하게 규정하고 있고, 이에 관하여 충족하여야 할 구체적 기준을 대통령령에 위임하고 있다. 시대적·기술적 변화 상황에 따라 유연하게 인터넷신문을 규율하기 위해서는 인터넷신문이 갖추어야 할 구체적 발행기준 등을 대통령령에 위임하여야 할 필요성이 인정된다. 한편, 신문법은 인터넷신문의 독립 및 기능을 보장하는 한편, 사회적 책임에 관한 규정을 두고 있고, 인터넷신문은 종이신문과 달리 물적 시설에 관한 기준이 필요하지는 않는 점에 비추어 볼 때, 대통령령에 규정될 인터넷신문의 요건은 주로 인터넷신문의 인적 기준 요건이 될 것임이 예측가능하다. 따라서 정의조항은 명확성원칙 및 포괄위임금지원칙에 위배되지 않는다.

2. 등록조항의 위헌 여부

가. 포괄위임금지원칙 위반 여부

급격한 기술 변화와 발전에 대응하여 유연하게 인터넷신문을 규율하기 위하여 등록에 관한 세부사항은 법률에 상세히 규정하기보다 대통령령에 위임할 필요성이 있다. 또 신문법 제2조 제2호가 독자적 기사 생산과 지속적 발행 등 대통령령으로 정하는 기준을 충족하는 전자간행물을 인터넷신문으로 규율하고 있는 점에 비추어 보면, 인터넷신문 등록 시 적어도 "독자적 기사 생산 및 지속적 발행" 요건을 갖추었음을 확인할 수 있는 서류에 관한 내용이 대통령령에 규정될 것임을 충분히 예측할 수 있다. 따라서 등록조항이 포괄위임금지 원칙에 위배된다고 할 수 없다.

나. 사전허가금지원칙 위반 여부

헌법 제21조 제2항은 행정권이 주체가 되어 사상이나 의견 등이 발표되기 전에 예방적 조치로 그 내용을 심사선별하여 발표를 사전에 억제하는, 즉 허가받지 아니한 것의 발표를 금지하는 제도를 금지하고 있다. 허가나 검열이 허용될 경우 정신활동의 독창성과 창의성을 침해하여 국민 정신생활에 미치는 위험이 클 뿐만 아니라, 행정기관이 집권자에게 불리한 내용의 표현을 사전에 억제함으로써 이른바 관제의견이나 지배자에게 무해한 여론만 허용되는 결과를 초래할 염려가 있기 때문에 헌법이 직접 그 금지를 규정하고 있는 것이다.

여기에서 사전허가금지의 대상은 어디까지나 언론·출판 자유의 내재적 본질인 표현의 내용을 보장하는 것을 말하는 것이지, 언론·출판을 위해 필요한 물적 시설이나 언론기업의 주체인 기업인으로서의 활동까지 포함되는 것으로 볼 수는 없다. 즉, 언론·출판에 대한 허가·검열금지의 취지는 정부가 표현의 내용에 관한 가치판단에 입각해서 특정 표현의 자유로운 공개와 유통을 사전 봉쇄하는 것을 금지하는 데 있으므로, 내용 규제 그 자체가 아니거나 내용 규제 효과를 초래하는 것이 아니라면 헌법이 금지하는 "허가"에는 해당되지 않는다.

등록조항은 인터넷신문의 명칭, 발행인과 편집인의 인적사항, 발행소 소재지, 발행목적과 발행내용, 발행 구분(무가 또는 유가) 등 인터넷신문의 외형적이고 객관적 사항을 제한적으로 등록하도록 하고 있다. 한편, 고용조항은 5인 이상 취재 및 편집 인력을 고용하도록 하고 있고, 확인조항은 취재 및 편집 담당자의 국민연금 등 가입사실 확인서류를 제출하도록 하고 있다. 이런 조항들은 인터넷신문에 대한 인적 요건의 규제 및 확인에 관한 것으로 인터넷신문의 내용을 심사선별하여 사전에 통제하기 위한 규정이 아님이 명백하다. 따라서 등록조항이 헌법 제21조 제2항에 위배된다고 볼 수 없다.

3. 고용조항·확인조항의 위헌 여부

가. 제한되는 기본권

언론의 자유에 의하여 보호되는 것은 정보의 획득에서부터 뉴스와 의견의 전파에 이르기까지 언론의 기능과 본질적으로 관련되는 모든 활동이다. 이런 측면에서 고용조항과 확인조항은 인터넷신문의 발행을 제한하는 효과를 가지고 있으므로 언론의 자유를 제한하는 규정에 해당한다.

청구인들은 고용조항으로 인하여 언론의 자유 이외에 직업수행의 자유도 침해된다고 주장한다. 그런데 고용조항의 입법목적이 인터넷신문의 신뢰성 제고이고, 신문법 규정들은 언론사로서의 인터넷신문의 규율 및 보호를 위한 규정들이다. 따라서 고용조항으로 인하여 청구인들의 직업수행의 자유보다는 언론의 자유가 보다 직접적으로 제한된다고 보이므로 언론의 자유 제한 여부를 중심으로 살펴본다.

나. 법률유보원칙 위반 여부

정의조항은 인터넷신문이 충족하여야 할 '독자적 기사 생산에 관한 기준'을 대통령령에 위임하고 있고, 고용조항은 이 위임에 따라 독자적 기사 생산을 위한 요건으로 상시 고용 인원을 규정하고 있다. 신문법상 인터넷신문의 사회적 책임에 관한 규정과 물적 시설 요건이 필요하지 않은 인터넷신문의 특성 등에 비추어 볼 때, 인터넷신문이 갖추어야 할 인적 요건에 대해 정하고 있는 고용조항은 정의조항의 위임 범위 안에 있다고 인정된다. 인터넷신문 등록 시 법상 요구되는 인적 요건을 갖추었음을 확인할 수 있는 서류의 제출을 요구하는 확인조항은 등록조항의 위임 범위 안에 있다고 인정된다.

고용조항과 확인조항은 법률유보원칙에 위배되지 아니한다.

다. 과잉금지원칙 위반 여부

1) 목적의 정당성 및 수단의 적합성

고용조항은 취재 및 편집 역량을 갖춘 인터넷신문만 등록할 수 있도록 함으로써 인터넷신문의 언론으로서의 신뢰성 및 사회적 책임을 제고하기 위한 것이고, 확인조항은 고용조항의 상시 고용인원을 국민연금 등 가입사실을 통하여 명확히 확인하기 위한 조항으로 입법목적의 정당성이 인정된다. 또한, 인터넷신문으로 하여금 고용인원을 충분히 확보하여 취재 및 편집 분야에 종사하도록 하고, 이를 확인하기 위하여 국민연금 등 가입사실 확인서류를 제출하게 하는 것은 인터넷신문의 신뢰성 및 사회적 책임을 제고하는 데 효과적일 수 있는 방법이다.

2) 침해 최소성

① 인터넷은 저렴한 비용으로 누구나 손쉽게 접근이 가능한 매체로서, 표현의 쌍방향성이 보장되고, 정보의 제공을 통한 의사표현뿐만 아니라 정보의 수령, 취득에 있어서도 좀 더 능동적이고 의도적 행동이 필요하다는 특성을 지니므로, 인터넷은 사상의 자유 시장에 가장 가깝게 접근한 매체라고 할 수 있다. 이 때문에 인터넷신문은 국민 개개인의 표현의 자유와 언론의 자유를 확장하는 유력한 수단으로 자리 잡고 있다.

인터넷신문의 이와 같은 긍정적 특성과 그에 따른 언론시장에서의 영향력 확대에 비추어 볼 때, 인터넷신문에 대하여는 자율성을 최대한 보장하고 언론의 자유에 대한 제한을 최소화하는 것이 바람직하다. 질서 위주의 사고로 인터넷신문을 지나치게 규제할 경우 언론의 자유 발전에 큰 장애를 초래할 수 있다. 언론매체에 관한 기술의 발달은 언론 자유의 장을 넓히고 질적 변화를 불러오고 있으므로, 계속 변화하는 이 분야에서 규제 수단 또한 헌법의 틀 안에서 다채롭고 새롭게 강구되어야 한다.

② 인터넷신문의 부정확한 보도로 인한 폐해를 규제할 필요가 있다고 하더라도 다른 덜 제약적인 방법들이 이미 충분히 존재한다. 시·도지사는 거짓이나 부정한 방법으로 등록하거나 인터넷신문의 내용이 등록된 발행목적이나 발행내용을 현저하게 반복하여 위반한 경우, 음란한 내용의 인터넷신문을 발행하여 공중도덕이나 사회윤리를 현저하게 침해한 경우에는 해당 신문의 발행정지를 명하거나 법원에 등록취소 심판을 청구할 수 있다(신문법 제21조 제2항). 언론으로부터 피해를 입은 사람은 언론중재법에 따라 인터넷신문을 상대로 정정보도청구, 반론보도청구, 추후보도청구를 할 수 있고(언론중재법 제14조 내지 제17조), 민사상 손해배상 청구를 하거나 형사상 명예훼손죄로 고소할 수도 있다.

인터넷신문이 거짓 보도나 부실한 보도 또는 공중도덕이나 사회윤리에 어긋나는 보도를 한다면 결국 독자로부터 외면 받아 퇴출될 수밖에 없다. 인터넷의 특성상 독자들은 수동적으로 인터넷신문을 받아 읽는 데 그치지 아니하고 적극적으로 기사를 선택하여 읽고 판단하며 반응한다. 부정확한 보도로 인한 폐해를 막기 위하여 이미 마련되어 있는 여러 법적 장치 이외에 인터넷신문만을 위한 별도의 추가 장치를 마련할 필요성은 찾아보기 어렵다. 인터넷신문 독자를 다른 언론매체 독자보다 더 보호하여야 할 당위성도 찾기 어렵다.

③ 언론의 신뢰성과 사회적 책임의 제고라는 측면에서 종이신문과 인터넷신문이 달리 취급되어야 할 아무런 이유가 없다. 독자적 기사 생산을 위해 인터넷신문에 대하여 5인 이상의 취재 및 편집 인력을 요구하는 것이라면 다른 종이신문에 대해서도 그 인적 구성요건에 대하여 같은 취지의 규정을 두는 것이 마땅하다.

④ 인터넷신문 기사의 품질 저하 및 그로 인한 폐해는 인터넷신문의 취재 및 편집 인력이 부족하여 발생하는 문제라고 단정하기 어렵다. 오히려 이런 폐해는 주요 포털사이트의 검색에 의존하는 인터넷신문의 유통구조로 인한 것이므로, 인터넷신문이 포털사이트에 의존하지 않고 독자적으로 유통될 수 있는 방안을 마련하는 것이 이런 문제를 해결하기 위한 더 근원적인 방법이다.

⑤ 사업주가 근로자와 고용관계에 있는 경우에는 국민연금, 국민건강보험, 산업재해보상보험에 가입하고 부담금을 납부하여야 한다. 따라서 확인조항은 고용조항에 따라 취재 및 편집 인력 5명이 인터넷신문과 고용관계에 있음을 객관적으로 확인하기 위한 조항이다. 그러나 인터넷신문의 신뢰성 제고를 위하여 취재 및 편집 인력을 반드시 상시 고용해야 한다고 단정할 수 없다. 신문사들 간에 서로 제휴하여 기사를 상호 제공할 수도 있고, 비전속 기자나 객원기자 등으로부터 기사를 제공받아 독자에게 전달할 수도 있다. 인터넷신문은 발행주기를 구별하지 않고 있으므로, 특정 주제만 다루거나 일정한 간격을 두고 전문적 주제를 취재·보도하는 인터넷신문의 경우 5인 이상의 상시 고용 인력이 반드시 필요하다고 단정하기도 어렵다.

3) 법익 균형성

고용조항 및 확인조항은 소규모 인터넷신문이 언론으로서 활동할 수 있는 기회 자체를 원천적으로 봉쇄할 수 있음에 비하여, 인터넷신문의 신뢰도 제고라는 입법목적의 효과는 불확실하다는 점에서 법익의 균형성도 잃고 있다.

4) 결 론

고용조항 및 확인조항은 과잉금지원칙에 위배되어 청구인들의 언론의 자유를 침해한다.

4. 부칙조항의 위헌 여부

고용조항이 과잉금지원칙에 반하여 위헌인 이상, 기존에 등록된 인터넷신문사업자에 대하여 고용조항을 적용한다는 부칙조항은 더 나아가 살펴 볼 필요 없이 헌법에 위반된다.

124 서울특별시 학생인권조례 사건 [기각, 각하]
- 2019. 11. 28. 선고 2017헌마1356

판시사항

1. 학교 운영자나 학교의 장, 교사, 학생 등(이하 '학교 구성원'이라 한다)으로 하여금 성별, 종교, 나이, 사회적 신분, 출신지역, 출신국가, 출신민족, 언어, 장애, 용모 등 신체조건, 임신 또는 출산, 가족형태 또는 가족상황, 인종, 경제적 지위, 피부색, 사상 또는 정치적 의견, 성적 지향, 성별 정체성, 병력, 징계, 성적 등의 사유(이하 '성별 등의 사유'라 한다)를 이유로 한 차별적 언사나 행동, 혐오적 표현 등을 통해 다른 사람의 인권을 침해하지 못하도록 규정하고 있는 '서울특별시 학생인권조례' 제5조 제3항이 법률유보원칙에 위배되어 학교 구성원인 청구인들의 표현의 자유를 침해하는지 여부(소극)

2. 이 사건 조례 제5조 제3항이 과잉금지원칙에 위배되어 학교 구성원인 청구인들의 표현의 자유를 침해하는지 여부(소극)

1. 쟁 점

가. 이 사건 조례 제5조 제3항은 학교 운영자나 학교의 장, 교사, 학생 등(이하 '학교 구성원'이라 한다)으로 하여금 성별 등의 사유를 이유로 한 차별적 언사나 행동, 혐오적 표현 등을 통해 다른 사람의 인권을 침해하지 못하도록 규정하고 있는바, 이는 표현의 자유 제한과 연결된다.

나. 이 사건 조례 제5조 제3항에서 규정하고 있는 차별·혐오표현에 대한 제한의 헌법적 정당성을 판단하기에 앞서 차별·혐오표현도 표현의 자유의 보호영역에 포함되는 것인지 문제될 수 있으나, '차별·혐오표현'이라는 것이 언제나 명백한 관념이 아니고 헌법상 표현의 자유에 의하여 보호되지 않는 표현에 해당하는지 여부는 표현의 자유라는 헌법상 기본권을 떠나 규명될 수 없다. 특히, 헌법 제21조 제4항은 '언론·출판은 타인의 명예나 권리 또는 공중도덕이나 사회윤리를 침해하여서는 아니된다.'고 규정하고 있으나, 이는 표현의 자유에 따르는 책임과 의무를 강조하는 동시에 표현의 자유에 대한 제한의 요건을 명시한 규정으로 볼 것이고, 헌법상 표현의 자유에서 보호영역의 한계를 설정한 것이라고 볼 수 없다. 따라서 이 사건 조례 제5조 제3항에서 제한하고 있는 표현이 '차별적 언사나 행동, 혐오적 표현'이라는 이유만으로 표현의 자유의 보호영역에서 애당초 배제된다고 볼 수 없고, 차별적 언사나 행동, 혐오적 표현도 헌법 제21조가 규정하는 표현의 자유의 보호영역에는 해당하되, 다만 헌법 제37조 제2항에 따라 제한할 수 있는 것이다. 따라서 이하에서는 이 사건 조례 제5조 제3항이 헌법 제37조 제2항 과잉금지원칙에 위배되어 청구인 1 내지 14의 표현의 자유를 침해하는 것인지 여부를 살펴본다.

다. 또한, 청구인들은 이 사건 조례 제5조 제3항이 헌법과 법령의 위임받은 범위를 일탈하였다는 취지로 주장하므로, 이 사건 조례 제5조 제3항이 법률유보원칙에 위배되어 청구인 1 내지 14의 표현의 자유를 침해하는 것인지를 먼저 살펴본다.

라. 한편, 청구인들은 이 사건 조례 제5조 제3항이 종교, 나이, 임신 또는 출산, 성적 지향, 성별 정체성 등의 사유를 이유로 한 차별·혐오표현을 금지하고 있는 것이 표현의 자유와 더불어 양심의 자유, 종교의 자유, 행복추구권도 침해한다고 주장하나, 헌법 제21조의 표현의 자유는 종교의 자유, 양심의 자유 등 정신적 자유를 외부적으로 표현하는 자유인 것이고, 그 주장취지 역시 표현의 자유 침해 주장과 내용상 동일하다 할 것이므로, 이 부분 주장에 대하여는 별도로 판단하지 아니한다.

마. 또한, 청구인들은 이 사건 조례 제5조 제3항이 징계, 성적 등을 사유로 한 차별도 금지하므로 학교장, 교사인 청구인들의 학문과 교육의 자유도 침해한다고 주장하므로 살피건대, 교원으로서 학문연구의 결과를 가르치는 자유인 수업권이 학문의 자유로부터 파생될 수 있다고 할 것이지만, 이 사건 조례 제5조 제3항이 징계, 성적을 이유로 한 제재나 성과취득 등의 결과를 부정하는 것이 아니고, 교원의 수업권을 실현하는 범위 내에서 징계나 성적을 부여하는 것 자체를 제한하는 것도 아니므로, 청구인들의 이 부분 주장 역시 더 나아가 살피지 아니한다.

2. 법률유보원칙 위배로 인한 표현의 자유 침해 여부

가. 헌법 제117조는 지방자치단체는 법령의 범위 안에서 자치에 관한 규정을 제정할 수 있도록 규정하고, 지방자치법 제22조는 이를 구체화하여 "지방자치단체는 법령의 범위 안에서 그 사무에 관하여 조례를 제정할 수 있다. 다만, 주민의 권리 제한 또는 의무 부과에 관한 사항이나 벌칙을 정할 때에는 법률의 위임이 있어야 한다."고 규정하고 있다.

이 사건 조례 제5조 제3항이 학교 구성원으로 하여금 성별 등의 사유를 이유로 차별적 언사나 행동, 혐오적 표현 등을 통해 다른 사람의 인권을 침해하지 못하도록 규정하고 있는 것은 학교 구성원인 청구인 1 내지 14의 표현의 자유를 제한하는 것으로서, 지방자치법 제22조 단서 소정의 주민의 권리 제한 또는 의무 부과에 관한 사항을 규율하는 조례에 해당한다고 볼 여지가 있다.

그런데 조례의 제정권자인 지방의회는 선거를 통해서 그 지역적인 민주적 정당성을 지니고 있는 주민의 대표기관이고, 헌법이 지방자치단체에 대해 포괄적인 자치권을 보장하고 있는 취지로 볼 때 조례제정권에 대한 지나친 제약은 바람직하지 않으므로 조례에 대한 법률의 위임은 법규명령에 대한 법률의 위임과 같이 반드시 구체적으로 범위를 정하여 할 필요가 없으며 포괄적인 것으로 족하다.

나. 교육기본법 제12조 제1항, 제2항, 초·중등교육법 제18조의4, '아동의 권리에 관한 협약'(United Nations Convention on the Right of the Child)은 학생의 인권이 학교교육 또는 사회교육의 과정에서 존중되고 보호될 것, 교육내용, 교육방법 등은 학생의 인격을 존중할 수 있도록 마련될 것, 아동은 신분, 의견, 신념 등을 이유로 하는 모든 형태의 차별이나 처벌로부터 보호되도록 보장될 것 등과 같이 학생의 기본적 인권이 보장되도록 규정하고 있고, 지방자치법 제9조 제2항 제5호, '지방교육자치에 관한 법률' 제20조 제1호는 교육감이 학생의 인권이 헌법과 법률, 협약 등에서 규정하고 있는 바와 같이 존중되고 보장될 수 있도록 관할 구역 내 학교의 운영에 관한 사무를

지도·감독할 수 있는 권한을 갖고 있으며, 이를 적절히 수행하기 위한 방편으로 교육에 관한 조례안의 작성 및 제출 권한이 있음을 규정하고 있다. 따라서 이 사건 조례 제5조 제3항은 서울특별시 교육감이 서울특별시 내 각급 학교의 운영에 관한 사무를 지도·감독함에 있어 헌법과 법률, 협약 등에서 규정, 선언하고 있는 바를 구체적으로 규범화하여 마련한 학교 운영 기준 중 하나로 위와 같은 법률상 근거에 기인한 것이고, 이 사건 조례 제5조 제3항이 법률의 위임 범위를 벗어난 것도 아니다.

그러므로 이 사건 조례 제5조 제3항은 법률유보원칙에 위배되어 학교 구성원인 청구인들의 표현의 자유를 침해하지 아니한다.

3. 과잉금지원칙 위배로 인한 표현의 자유 침해 여부

이 사건 조례 제5조 제3항은 그 표현의 대상이 되는 학교 구성원의 존엄성을 보호하고, 학생이 민주시민으로서의 올바른 가치관을 형성하도록 하며 인권의식을 함양하게 하기 위한 것으로 그 정당성이 인정되고, 수단의 적합성 역시 인정된다.

차별적 언사나 행동, 혐오적 표현은 개인이나 집단에 대한 혐오·적대감을 담고 있는 것으로, 그 자체로 상대방인 개인이나 소수자의 인간으로서의 존엄성을 침해하고, 특정 집단의 가치를 부정하므로, 이러한 차별·혐오표현이 금지되는 것은 헌법상 인간의 존엄성 보장 측면에서 긴요하다. 특히, 육체적·정신적으로 성장기에 있는 학생을 대상으로 한 차별·혐오표현은 교육의 기회를 통해 신장시킬 수 있는 학생의 정신적·신체적 능력을 훼손하거나 파괴할 수 있고, 판단능력이 미성숙한 학생들의 인격이나 가치관 형성에 부정적인 영향을 미치므로, 학내에서 이러한 행위를 규제할 필요가 크다. 이 사건 조례 제5조 제3항에서 금지하는 차별·혐오표현은 자유로운 의견 교환에서 발생하는 다소 과장되고, 부분적으로 잘못된 표현으로 민주주의를 위하여 허용되는 의사표현이 아니고, 그 경계를 넘어 '타인의 인권을 침해'할 것을 인식하였거나 최소한 인식할 가능성이 있고, 결과적으로 그러한 인권침해의 결과가 발생하는 표현으로, 이는 민주주의의 장에서 허용되는 한계를 넘는 것으로 민주주의 의사형성의 보호를 위해서도 제한될 필요가 있다. 또한, 이 사건 조례 제5조 제3항을 위반한 경우 구제신청을 받은 학생인권옹호관이 구제조치 등을 권고할 수 있고, 이를 받은 가해자나 관계인 또는 교육감은 그 권고사항을 존중하고 정당한 사유가 없는 한 이를 성실히 이행하여야 하지만, 이를 이행하지 아니할 경우 이유를 붙여 서면으로 통보할 수 있는 절차 역시 마련하고 있는바, 차별·혐오표현에 의한 인권침해가 가지는 해악에 비추어 그 구제적인 측면에서 이러한 조치보다 덜 기본권 제한적인 수단은 쉽게 발견하기 어렵다. 이와 같은 점을 종합할 때, 이 사건 조례 제5조 제3항은 침해의 최소성도 충족하였다.

이 사건 조례 제5조 제3항으로 달성되는 공익이 매우 중대한 반면, 제한되는 표현은 타인의 인권을 침해하는 정도에 이르는 표현으로 그 보호가치가 매우 낮으므로, 법익 간 균형이 인정된다.

따라서 이 사건 조례 제5조 제3항은 과잉금지원칙에 위배되어 학교 구성원인 청구인들의 표현의 자유를 침해하지 아니한다.

125 공공의 안녕질서 또는 미풍양속을 해하는 내용의 통신금지 사건
[위헌, 각하]
- 2002. 6. 27. 선고 99헌마480

판시사항

1. 공공의 안녕질서 또는 미풍양속을 해하는 내용의 통신을 금하는 전기통신사업법 제53조 제1항이 명확성의 원칙에 위배되는지 여부(적극)
2. 위 전기통신사업법 제53조 제1항이 과잉금지원칙에 위배되는지 여부(적극)
3. 공공의 안녕질서 또는 미풍양속을 해하는 것으로 인정되는 통신의 대상 등을 대통령령으로 정하도록 한 같은법 제53조 제2항이 포괄위임입법금지원칙에 위배되는지 여부(적극)
4. 공공의 안녕질서 또는 미풍양속을 해하는 통신에 대하여는 정보통신부장관은 전기통신사업자로 하여금 그 취급을 거부·정지 또는 제한하도록 명할 수 있도록 규정한 같은 법 제53조 제3항 및 같은 법 제53조의 제2항의 위임에 따라 공공의 안녕질서 또는 미풍양속을 해하는 것으로 인정되는 통신을 규정하는 같은 법시행령 제16조가 위헌인지 여부(적극)

사건의 개요

청구인은 항공대학교 학생으로서, 1998. 9. 14.부터 주식회사 나우콤에서 운영하는 종합컴퓨터 통신망인 '나우누리'에 '이의제기'라는 이용자명(ID)으로 가입하여 컴퓨터통신을 이용하여 왔다. 청구인은 1999. 6. 15. 위 '나우누리'에 개설되어 있는 '찬우물'이라는 동호회의 '속보란' 게시판에 "서해안 총격전, 어설프다 김대중!"이라는 제목의 글을 게시하였는데, '나우누리' 운영자가 같은 달 21. 정보통신부장관의 명령에 따라 위 게시물을 삭제하고 청구인에 대하여 '나우누리' 이용을 1개월 중지시켰다. 이에 청구인은 정보통신부장관의 위와 같은 명령의 근거조항인 전기통신사업법 제53조, 같은 법 제71조 제7호중 제53조 제3항 부분 및 같은 법 시행령 제16조가 청구인의 헌법상 보장된 표현의 자유, 학문과 예술의 자유를 침해하고, 적법절차 및 과잉금지원칙에 어긋나는 위헌조항이라고 주장하면서, 1999. 8. 11. 이 사건 헌법소원심판을 청구하였다.

심판대상조항 및 관련조항

전기통신사업법 (1991. 8. 10. 법률 제4394호로 전문개정된 것)

제53조(불온통신의 단속) ① 전기통신을 이용하는 자는 공공의 안녕질서 또는 미풍양속을 해하는 내용의 통신을 하여서는 아니된다.
② 제1항의 규정에 의한 공공의 안녕질서 또는 미풍양속을 해하는 것으로 인정되는 통신의 대상 등은 대통령령으로 정한다.
③ 정보통신부장관은 제2항의 규정에 의한 통신에 대하여는 전기통신사업자로 하여금 그 취급을 거부·정지 또는 제한하도록 명할 수 있다.

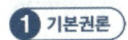

제71조(벌칙) 다음 각 호의 1에 해당하는 자는 2년 이하의 징역 또는 2천만원 이하의 벌금에 처한다.
   7. 제53조 제3항 또는 제55조의 규정에 의한 명령을 이행하지 아니한 자

전기통신사업법 시행령(1991. 12. 31. 대통령령 제13558호로 전문개정된 것)

제16조(불온통신) 법 제53조 제2항의 규정에 의한 공공의 안녕질서 또는 미풍양속을 해하는 것으로 인정되는 전기통신은 다음 각 호와 같다.
   1. 범죄행위를 목적으로 하거나 범죄행위를 교사하는 내용의 전기통신
   2. 반국가적 행위의 수행을 목적으로 하는 내용의 전기통신
   3. 선량한 풍속 기타 사회질서를 해하는 내용의 전기통신

주문

1. 전기통신사업법(1991. 8. 10. 법률 제4394호로 전문개정된 것) 제53조, 같은 법 시행령(1991. 12. 31. 대통령령 제13558호로 전문개정된 것) 제16조는 헌법에 위반된다.
2. 위 같은 법 제71조 제7호(1996. 12. 30. 법률 제5220호로 개정된 것) 중 제53조 제3항 부분에 대한 심판청구를 각하한다.

I 적법요건에 관한 판단

1. 헌법재판소법 제68조 제1항에 의하면, 헌법소원심판은 공권력의 행사 또는 불행사로 인하여 헌법상 보장된 기본권을 침해받은 자가 청구할 수 있는바, 여기에서 기본권을 침해받은 자라 함은 공권력의 행사 또는 불행사로 인하여 자기의 기본권이 현재 그리고 직접적으로 침해받은 자를 의미하며 단순히 간접적, 사실적 또는 경제적인 이해관계가 있을 뿐인 제3자는 이에 해당하지 않는다.

 직권으로, 전기통신사업법 제71조 제7호 중 제53조 제3항 부분에 대한 심판청구가 위와 같은 자기관련성의 요건을 갖추고 있는지 여부에 관하여 본다. 전기통신사업법 제71조 제7호의 처벌대상은 청구인과 같은 전기통신이용자가 아니라 전기통신사업자임이 명백하다.

 따라서 이 부분에 대한 심판청구는 자기관련성을 결여한 것으로서 부적법하다.

2. 정보통신부장관은 이 사건 심판대상조항은 그 자체로서 직접적인 기본권 침해의 결과를 가져온다고 볼 수 없어 이 사건 헌법소원이 부적법하다고 주장하므로, 이에 관하여 본다.

가. 전기통신사업법 제53조 제1항, 제2항, 같은 법 시행령 제16조에 관하여

<u>위 조항들은 서로 불가분의 관계를 가지면서 전체적으로 이른바 불온통신의 내용을 확정하고 이를 금지하는 규정으로서, 전기통신을 이용하는 자들에게 공공의 안녕질서 또는 미풍양속을 해하는 내용의 통신을 하지 말 것을 명하고 있다.</u>

 따라서 전기통신이용자들은 어떠한 집행행위에 의하여 비로소 그러한 불온통신의 금지의무를 지게 되는 것이 아니라, 위 조항들 자체에 의하여 직접 위와 같은 의무를 부담하게 된다고 할 것이므로, 위 조항들은 기본권침해의 직접성의 요건을 갖춘 것으로 보아야 한다.

나. 전기통신사업법 제53조 제3항에 관하여

헌법소원심판의 대상이 될 수 있는 법률은 그 법률에 기한 다른 집행행위를 기다리지 않고 직접 국민의 기본권을 침해하는 법률이어야 하나, 구체적 집행행위가 존재하는 경우라고 하여 언제나 반드시 법률자체에 대한 헌법소원심판청구의 적법성이 부정되는 것은 아니며, 예외적으로 집행행위가 존재하는 경우라도 그 집행행위를 대상으로 하는 구제절차가 없거나 구제절차가 있다고 하더라도 권리구제의 기대가능성이 없고, 다만 기본권침해를 당한 청구인에게 불필요한 우회절차를 강요하는 것밖에 되지 않는 경우 등으로서 당해 법률에 대한 전제관련성이 확실하다고 인정되는 때에는 당해 법률을 헌법소원의 직접 대상으로 삼을 수 있다.

전기통신사업법 제53조 제3항은 정보통신부장관이 전기통신사업자로 하여금 불온통신의 취급을 거부, 정지 또는 제한하도록 명할 수 있다고 규정하고 있어, 이 조항으로 인한 기본권의 침해는 정보통신부장관의 명령이라는 집행행위를 매개로 하여 발생하게 된다. 그런데 이 조항으로 인해 실질적으로 표현의 자유를 규제받는 자는 청구인과 같은 이용자임에도 불구하고, 정보통신부장관의 명령의 상대방인 전기통신사업자가 아닌 제3자라는 이유로 행정소송의 제기를 통한 권리구제를 받지 못할 가능성이 있다. 그러므로 예외적으로 이 조항을 직접 헌법소원의 대상으로 삼을 수 있다고 봄이 상당하다.

다.
결국 이 사건 심판대상조항에 관하여 기본권 침해의 직접성이 없어 부적법하다고 하는 정보통신부장관의 주장은 이유없다.

Ⅱ 본안에 관한 판단

1. 표현의 자유의 제한법리

가. 표현의 자유와 명확성의 원칙

법률은 명확한 용어로 규정함으로써 적용대상자에게 그 규제내용을 미리 알 수 있도록 공정한 고지를 하여 장래의 행동지침을 제공하고, 동시에 법집행자에게 객관적 판단지침을 주어 차별적이거나 자의적인 법해석을 예방할 수 있다. 법률은 되도록 명확한 용어로 규정하여야 한다는 이러한 명확성의 원칙은 민주주의·법치주의 원리의 표현으로서 모든 기본권제한입법에 요구되는 것이며, 죄형법정주의, 조세법률주의, 포괄위임금지와 같은 원칙들에도 명확성의 요청이 이미 내재되어 있다.

그런데 표현의 자유를 규제하는 입법에 있어서 이러한 명확성의 원칙은 특별히 중요한 의미를 지닌다. 현대 민주사회에서 표현의 자유가 국민주권주의 이념의 실현에 불가결한 존재인 점에 비추어 볼 때, 불명확한 규범에 의한 표현의 자유의 규제는 헌법상 보호받는 표현에 대한 위축적 효과를 수반하고, 그로 인해 다양한 의견, 견해, 사상의 표출을 가능케 하여 이러한 표현들이 상호 검증을 거치도록 한다는 표현의 자유의 본래의 기능을 상실케 한다. 즉, 무엇이 금지되는 표현인지가 불명확한 경우에, 자신이 행하고자 하는 표현이 규제의 대상이 아니라는 확신이 없는 기본권주체는 대체로 규제를 받을 것을 우려해서 표현행위를 스스로 억제하게 될 가능성이 높은 것이다. 그렇기 때문에 표현의 자유를 규제하는 법률은 규제되는 표현의 개념을 세밀하고 명확하게 규정할 것이 헌법적으로 요구된다.

나. 표현의 자유와 과잉금지원칙

헌법 제37조 제2항에 근거한 과잉금지원칙은 모든 기본권제한입법의 한계원리이므로 표현의 자유를 제한하는 입법도 이 원칙을 준수하여야 함은 물론이나, 표현의 자유의 경우에 과잉금지원칙은 위에서 본 명확성의 원칙과 밀접한 관련성을 지니고 있다. 불명확한 규범에 의하여 표현의 자유를 규제하게 되면 헌법상 보호받아야 할 표현까지 망라하여 필요 이상으로 과도하게 규제하게 되므로 과잉금지원칙과 조화할 수 없게 되는 것이다.

2. 전기통신사업법 제53조 제1항의 위헌여부

가. 명확성원칙 위반여부

표현의 자유를 규제하는 경우에 일반적으로 명확성의 요구가 보다 강화된다고 할 것이고, 특히 위 조항과 같이 표현의 내용에 의한 규제인 경우에는 더욱 더 규제되는 표현의 개념을 세밀하고 명확하게 규정할 것이 요구된다고 할 것이다.

그런데, "공공의 안녕질서 또는 미풍양속을 해하는"이라는 불온통신의 개념은 너무나 불명확하고 애매하다. 여기서의 "공공의 안녕질서"는 위 헌법 제37조 제2항의 "국가의 안전보장·질서유지"와, "미풍양속"은 헌법 제21조 제4항의 "공중도덕이나 사회윤리"와 비교하여 볼 때 동어반복이라 해도 좋을 정도로 전혀 구체화되어 있지 아니하다. 이처럼, "공공의 안녕질서", "미풍양속"은 매우 추상적인 개념이어서 어떠한 표현행위가 과연 "공공의 안녕질서"나 "미풍양속"을 해하는 것인지, 아닌지에 관한 판단은 사람마다의 가치관, 윤리관에 따라 크게 달라질 수밖에 없고, 법집행자의 통상적 해석을 통하여 그 의미내용을 객관적으로 확정하기도 어렵다.

표현의 자유를 위축시키지 않게 명확하면서도, 진정한 불온통신을 효과적으로 규제할 수 있도록 입법한다는 것은 쉬운 일이 아닐 것이다. 그러나 규제대상이 다양·다기하다 하더라도, 개별화 유형화를 통한 명확성의 추구를 포기하여서는 아니되고, 부득이한 경우 국가는 표현규제의 과잉보다는 오히려 규제의 부족을 선택하여야 할 것이다. 해악이 명백히 검증된 것이 아닌 표현을 규제하는 것은 득보다 실이 크다고 보는 것이 표현의 자유의 본질이기 때문이다.

결론적으로 전기통신사업법 제53조 제1항은 규제되는 표현의 내용이 명확하지 아니하여 명확성의 원칙에 위배된다.

나. 과잉금지원칙 위반여부

전기통신사업법 제53조는 "공공의 안녕질서 또는 미풍양속을 해하는"이라는 불온통신의 개념을 전제로 하여 규제를 가하는 것으로서 불온통신 개념의 모호성, 추상성, 포괄성으로 말미암아 필연적으로 규제되지 않아야 할 표현까지 다함께 규제하게 되어 과잉금지원칙에 어긋난다. 즉, 헌법재판소가 명시적으로 보호받는 표현으로 분류한 바 있는 '저속한' 표현이나, 이른바 '청소년유해매체물' 중 음란물에 이르지 아니하여 성인에 의한 표현과 접근까지 금지할 이유가 없는 선정적인 표현물도 '미풍양속'에 반한다 하여 규제될 수 있고, 성(性), 혼인, 가족제도에 관한 표현들이 "미풍양속"을 해하는 것으로 규제되고 예민한 정치적, 사회적 이슈에 관한 표현들이 "공공의 안녕질서"를 해하는 것으로 규제될 가능성이 있어 표현의 자유의 본질적 기능이 훼손된다.

결론적으로, 전기통신사업법 제53조 제1항은 표현의 자유를 지나치게 광범위하게, 포괄적으로 제한함으로써 과잉금지원칙에 위배된다.

3. 전기통신사업법 제53조 제2항의 위헌여부

전기통신사업법 제53조 제2항은 "제1항의 규정에 의한 공공의 안녕질서 또는 미풍양속을 해하는 것으로 인정되는 통신의 대상 등은 대통령령으로 정한다"고 규정하고 있는바 이는 포괄위임입법금지원칙에 위배된다. 왜냐하면, 위에서 본 바와 같이 "공공의 안녕질서"나 "미풍양속"의 개념은 대단히 추상적이고 불명확하여, 수범자인 국민으로 하여금 어떤 내용들이 대통령령에 정하여질지 그 기준과 대강을 예측할 수도 없게 되어 있고, 행정입법자에게도 적정한 지침을 제공하지 못함으로써 그로 인한 행정입법을 제대로 통제하는 기능을 수행하지 못한다. 그리하여 행정입법자는 다분히 자신이 판단하는 또는 원하는 "안녕질서", "미풍양속"의 관념에 따라 헌법적으로 보호받아야 할 표현까지 얼마든지 규제대상으로 삼을 수 있게 되어 있다. 이는 위 조항의 위임에 의하여 제정된 전기통신사업법시행령 제16조 제2호와 제3호가 위 전기통신사업법 제53조 제1항에 못지 않게 불명확하고 광범위하게 통신을 규제하고 있는 점에서 더욱 명백하게 드러난다..

결론적으로 전기통신사업법 제53조 제2항은 대통령령에 규정될 불온통신의 내용 및 범위를 예측할 수 있도록 구체적이고 명확하게 위임하고 있지 않아 포괄위임금지원칙에 위배된다.

4. 전기통신사업법 제53조 제3항 및 제16조의 위헌성

불온통신의 취급거부, 정지, 제한에 관한 전기통신사업법 제53조 제3항 및 불온통신의 개념을 정하고 있는 같은법시행령 제16조는 위헌인 같은 조 제1항, 제2항을 전제로 하고 있어 더 나아가 살필 필요 없이 각 위헌이다.

Ⅲ 결 론

따라서, 전기통신사업법 제53조, 같은 법 시행령 제16조는 청구인의 표현의 자유를 침해하는 것으로서 헌법에 위반되고, 같은 법 제71조 제7호 중 제53조 제3항 부분에 대한 심판청구는 부적법하므로 이를 각하하기로 하여 주문과 같이 결정한다. 이 결정은 재판관 하경철, 재판관 김영일, 재판관 송인준의 반대의견이 있는 외에는 나머지 재판관 전원의 일치된 의견에 의한 것이다.

공익을 해할 목적의 허위의 통신 금지(미네르바) 사건 [위헌]
― 2010. 12. 28. 선고 2008헌바157,2009헌바88(병합)

판시사항 및 결정요지

공익을 해할 목적으로 전기통신설비에 의하여 공연히 허위의 통신을 한 자를 형사 처벌하는 전기통신기본법 제47조 제1항(이하 '이 사건 법률조항'이라 한다)의 죄형법정주의의 명확성원칙 위반 여부(적극)

이 사건 법률조항은 표현의 자유에 대한 제한입법이며, 동시에 형벌조항에 해당하므로, 엄격한 의미의 명확성원칙이 적용된다. 그런데 이 사건 법률조항은 "공익을 해할 목적"의 허위의 통신을 금지하는바, 여기서의 "공익"은 형벌조항의 구성요건으로서 구체적인 표지를 정하고 있는 것이 아니라, 헌법상 기본권 제한에 필요한 최소한의 요건 또는 헌법상 언론·출판의 자유의 한계를 그대로 법률에 옮겨 놓은 것에 불과할 정도로 그 의미가 불명확하고 추상적이다. 따라서 어떠한 표현행위가 "공익"을 해하는 것인지, 아닌지에 관한 판단은 사람마다의 가치관, 윤리관에 따라 크게 달라질 수밖에 없으며, 이는 판단주체가 법전문가라 하여도 마찬가지이고, 법집행자의 통상적 해석을 통하여 그 의미내용이 객관적으로 확정될 수 있다고 보기 어렵다. 나아가 현재의 다원적이고 가치상대적인 사회구조 하에서 구체적으로 어떤 행위상황이 문제되었을 때에 문제되는 공익은 하나로 수렴되지 않는 경우가 대부분인바, 공익을 해할 목적이 있는지 여부를 판단하기 위한 공익간 형량의 결과가 언제나 객관적으로 명백한 것도 아니다. 결국, 이 사건 법률조항은 수범자인 국민에 대하여 일반적으로 허용되는 '허위의 통신' 가운데 어떤 목적의 통신이 금지되는 것인지 고지하여 주지 못하고 있으므로 표현의 자유에서 요구하는 명확성의 요청 및 죄형법정주의의 명확성원칙에 위배하여 헌법에 위반된다.

127. '쥐코' 동영상 대통령 명예훼손 사건 [인용(취소)]
— 2013. 12. 26. 선고 2009헌마747

판시사항 및 결정요지

1. 공적 인물의 공적 관심 사안에 대한 표현의 자유와 명예의 보호의 헌법적 평가기준

표현의 자유와 명예의 보호는 인간의 존엄과 가치, 행복을 추구하는 기초가 되고 민주주의의 근간이 되는 기본권이므로, 이 두 기본권을 비교형량하여 어느 쪽이 우위에 서는지를 가리는 것은 헌법적 평가 문제에 속한다. 명예훼손적 표현의 피해자가 공적 인물인지 아니면 사인인지, 그 표현이 공적인 관심 사안에 관한 것인지 순수한 사적인 영역에 속하는 사안인지의 여부에 따라 헌법적 심사기준에는 차이가 있어야 하고, 공적 인물의 공적 활동에 대한 명예훼손적 표현은 그 제한이 더 완화되어야 한다. 다만, 공인 내지 공적인 관심 사안에 관한 표현이라 할지라도 일상적인 수준으로 허용되는 과장의 범위를 넘어서는 명백한 허위사실로서 개인에 대한 악의적이거나 현저히 상당성을 잃은 공격은 제한될 수 있어야 한다.

2. 공직자의 자질·도덕성·청렴성에 관한 사실은 순수한 사생활의 영역에 있다고 보기 어렵고, 이에 대한 문제제기 내지 비판이 허용되어야 한다고 본 사례

공직자의 공무집행과 직접적인 관련이 없는 개인적인 사생활에 관한 사실이라도 일정한 경우 공적인 관심 사안에 해당할 수 있다. 공직자의 자질·도덕성·청렴성에 관한 사실은 그 내용이 개인적인 사생활에 관한 것이라 할지라도 순수한 사생활의 영역에 있다고 보기 어렵다. 이러한 사실은 공직자 등의 사회적 활동에 대한 비판 내지 평가의 한 자료가 될 수 있고, 업무집행의 내용에 따라서는 업무와 관련이 있을 수도 있으므로, 이에 대한 문제제기 내지 비판은 허용되어야 한다.

3. 제3자의 표현물을 인터넷에 게시한 경우 명예훼손의 책임을 인정하는 기준

제3자의 표현물을 인터넷에 게시한 행위에 대해 명예훼손의 책임을 인정하기 위해서는 헌법상 자기책임의 원리에 따라 게시자 자신의 행위에 대한 법적 평가가 있어야 할 것이다. 인터넷에 제3자의 표현물을 게시한 행위가 전체적으로 보아 단순히 그 표현물을 인용하거나 소개하는 것에 불과한 경우에는 명예훼손의 책임이 부정되고, 제3자의 표현물을 실질적으로 이용·지배함으로써 제3자의 표현물과 동일한 내용을 직접 적시한 것과 다름없다고 평가되는 경우에는 명예훼손의 책임이 인정되어야 할 것이다.

4. 대통령의 전과와 토지소유에 관하여 명예훼손적 표현을 담고 있는 동영상을 개인블로그에 게시한 청구인에 대하여 '구 정보통신망 이용촉진 및 정보보호 등에 관한 법률' 제70조 제2항에 규정된 명예훼손 혐의를 인정한 기소유예처분이 청구인의 평등권과 행복추구권을 침해하였다고 본 사례

128 사실 적시 명예훼손죄에 관한 위헌확인 등 사건 [기각]
— 2021. 2. 25. 선고 2017헌마1113

판시사항 및 결정요지

공연히 사실을 적시하여 사람의 명예를 훼손한 자를 형사처벌하도록 규정한 형법 제307조 제1항이 표현의 자유를 침해하는지 여부(소극)

헌법 제21조 제4항 전문은 "언론·출판은 타인의 명예나 권리 또는 공중도덕이나 사회윤리를 침해하여서는 아니 된다."라고 규정한다. 이는 언론·출판의 자유에 따르는 책임과 의무를 강조하는 동시에 언론·출판의 자유에 대한 제한의 요건을 명시한 규정일 뿐, 헌법상 표현의 자유의 보호영역에 대한 한계를 설정한 것이라고 볼 수는 없으므로, 공연한 사실의 적시를 통한 명예훼손적 표현 역시 표현의 자유의 보호영역에 해당한다. 그런데 심판대상조항은 공연히 사실을 적시하여 사람의 명예를 훼손한 자를 형사처벌하도록 규정함으로써 표현의 자유를 제한하고 있으므로, 심판대상조항이 과잉금지원칙에 반하여 표현의 자유를 침해하는지 여부가 문제된다.

오늘날 매체가 매우 다양해짐에 따라 명예훼손적 표현의 전파속도와 파급효과는 광범위해지고 있으며, 일단 훼손되면 완전한 회복이 어렵다는 외적 명예의 특성상, 명예훼손적 표현행위를 제한해야 할 필요성은 더 커지게 되었다. 형법 제307조 제1항은 공연히 사실을 적시하여 사람의 명예를 훼손하는 자를 형사처벌하도록 규정함으로써 개인의 명예, 즉 인격권을 보호하고 있다. 명예는 사회에서 개인의 인격을 발현하기 위한 기본조건이므로 표현의 자유와 인격권의 우열은 쉽게 단정할 성질의 것이 아니며, '징벌적 손해배상'이 인정되는 입법례와 달리 우리나라의 민사적 구제방법만으로는 형벌과 같은 예방효과를 확보하기 어려우므로 입법목적을 동일하게 달성하면서도 덜 침익적인 수단이 있다고 보기 어렵다. 형법 제310조는 '진실한 사실로서 오로지 공공의 이익에 관한 때에 처벌하지 아니'하도록 정하고 있고, 헌법재판소와 대법원은 형법 제310조의 적용범위를 넓게 해석함으로써 형법 제307조 제1항으로 인한 표현의 자유 제한을 최소화함과 동시에 명예훼손죄가 공적인 인물과 국가기관에 대한 비판을 억압하는 수단으로 남용되지 않도록 하고 있다.

만약 표현의 자유에 대한 위축효과를 고려하여 형법 제307조 제1항을 전부위헌으로 결정한다면 외적 명예가 침해되는 것을 방치하게 되고, 진실에 부합하더라도 개인이 숨기고 싶은 병력·성적 지향·가정사 등 사생활의 비밀이 침해될 수 있다. 형법 제307조 제1항의 '사실'을 '사생활의 비밀에 해당하는 사실'로 한정하는 방향으로 일부위헌 결정을 할 경우에도, '사생활의 비밀에 해당하는 사실'과 '그렇지 않은 사실' 사이의 불명확성으로 인해 또 다른 위축효과가 발생할 가능성은 여전히 존재한다. 헌법 제21조가 표현의 자유를 보장하면서도 타인의 명예와 권리를 그 한계로 선언하는 점, 타인으로부터 부당한 피해를 받았다고 생각하는 사람이 법률상 허용된 민·형사상 절차에 따르지 아니한 채 사적 제재수단으로 명예훼손을 악용하는 것을 규제할 필요성이 있는 점, 공익성이 인정되지 않음에도 불구하고 단순히 타인의 명예가 허명임을 드러내기 위해 개인의 약점과 허물을 공연히 적시하는 것은 자유로운 논쟁과 의견의 경합을 통해 민주적 의사형성에 기여한다는 표현의 자유의 목적에도 부합하지 않는 점 등을 종합적으로 고려하면, 형법 제307조 제1항은 과잉금지원칙에 반하여 표현의 자유를 침해하지 아니한다.

| 검열금지 |

129 선거여론조사 실시 신고제도 위헌확인 사건 [기각]
- 2015. 4. 30. 선고 2014헌마360

판시사항 및 결정요지

1. 시·군·구를 보급지역으로 하는 신문사업자 및 일일 평균 이용자 수 10만 명 미만인 인터넷언론사가 선거일 전 180일부터 선거일의 투표마감시각까지 선거여론조사를 실시하려면 여론조사의 주요 사항을 사전에 관할 선거관리위원회에 신고하도록 한 공직선거법 제108조 제3항 제4호 및 제7호(이하 위 두 조항을 합하여 '심판대상조항'이라 한다)가 청구인들의 언론·출판의 자유를 침해하는지 여부(소극)

가. 사전검열에 해당하는지 여부

헌법 제21조 제2항에서 금지하는 검열은 그 명칭이나 형식과 관계없이 실질적으로 행정권이 주체가 되어 사상이나 의견 등이 발표되기 이전에 예방적 조치로서 그 내용을 심사, 선별하여 발표를 사전에 억제하는, 즉 허가받지 아니한 것의 발표를 금지하는 제도를 뜻한다.

그런데 심판대상조항은 여론조사결과의 보도나 공표행위를 규제하는 것이 아니라 여론조사의 실시행위에 대한 신고의무를 부과하는 것이므로, 허가받지 아니한 것의 발표를 금지하는 헌법 제21조 제2항의 사전검열과 관련이 있다고 볼 수 없다. 따라서 심판대상조항은 헌법 제21조 제2항의 검열금지원칙에 위반되지 아니한다.

나. 과잉금지원칙 위배 여부

심판대상조항은 군소 언론사로 하여금 선거여론조사를 실시하려면 해당 여론조사의 주요 사항들을 사전에 신고하도록 하여 여론조사의 실시에 대한 효과적인 관리 및 감독을 가능하도록 함으로써, 선거여론조사가 특정 후보자의 선거운동 수단으로 악용되는 것을 방지하고 선거여론조사의 공정성, 정확성 및 신뢰성을 확보하고자 하는 것이다. 이는 궁극적으로 선거의 왜곡을 방지하여 선거의 공정성 달성에 기여하므로, 그 입법목적의 정당성이 인정된다.

심판대상조항은 여론조사의 실시를 전면적으로 금지하거나 여론조사의 실시에 대한 허가제를 규정하고 있는 것이 아니라, 단지 그 실시 전에 관할 선거관리위원회에 신고할 의무만을 부과하고 있을 뿐이다. 심판대상조항에 따라 청구인들이 신고하여야 하는 사항은 여론조사의 목적, 표본의 크기, 조사지역·일시·방법, 전체 설문내용 등의 사항으로서, 이는 여론조사의 공정성, 정확성 및 신뢰성을 판단할 수 있는 기초적이고 필수적인 자료라 할 것이다.

심판대상조항의 적용대상이 되는 여론조사는 '선거일 전 180일부터 선거일의 투표마감시각까지' 이루어지는 여론조사, 그 중에서도 '선거에 관하여 정당에 대한 지지도나 당선인을 예상하게 하는 여론조사'에 한하므로, 위 기간 이외의 기간에 실시하는 여론조사나, 선거에 관한 정당 지지도나 당선인 예상과 관련이 없는 사항에 대한 여론조사(예를 들어 투표의사, 지지자 결정 여부, 후보자 선택 시 고려사항 등 선거 일반사항에 관한 여론조사)는 신고 없이 얼마든지 실시할 수 있다.

여론조사결과가 공표·보도된 이후에는 선거여론조사공정심의위원회가 사후심의를 할 수 있고, 형벌, 과태료의 사후적 제재도 가능하나, 여론조사결과가 일단 공표·보도되면 매우 빠른 속도로 유권자의 의사에 영향을 미쳐 선거를 왜곡할 수 있으므로, 위와 같은 사후적 조치만으로는 불공정·부정확한 여론조사의 폐해를 실효적으로 제거하기 어렵다. 따라서 심판대상조항은 침해의 최소성 원칙에 위배되지 아니한다.

심판대상조항이 실현하고자 하는 공익은 선거여론조사의 공정성, 정확성 및 신뢰성을 확보하여 궁극적으로 선거의 공정성을 달성하고자 하는 것으로서, 이는 매우 중요한 공익에 해당한다. 반면 심판대상조항에 따른 여론조사실시 신고의무로 인하여 청구인들이 입게 되는 부담은 상대적으로 경미하므로, 법익의 균형성도 갖추었다.

따라서 심판대상조항은 과잉금지원칙에 위배되지 아니하므로 청구인들의 언론·출판의 자유를 침해하지 아니한다.

2. 심판대상조항이 청구인들의 평등권을 침해하는지 여부(소극)

심판대상조항이 전국 또는 시·도를 보급지역으로 하는 신문사업자와 시·군·구 또는 그보다 좁은 단위의 지역을 보급지역으로 하는 신문사업자, 일일 평균 이용자 수 10만 명 이상인 인터넷언론사와 10만 명 미만인 인터넷언론사를 구별하여 각각 후자에 대하여만 신고의무를 부과하는 것이 합리적 근거가 없는 자의적인 차별로서 청구인들의 평등권을 침해하는지 여부에 관하여 살펴본다.

시·군·구 또는 그 이하의 지역단위에서는 지역신문 이외에 해당 지역의 여론을 형성하는 기관이 거의 없고, 여론을 형성하는 집단의 규모가 작아서 선거여론조사 과정에서 특정한 방향으로 여론을 조작하기도 상대적으로 수월하다. 후보자들 역시 인지도가 대체로 낮기 때문에 자신을 홍보하는 수단으로 선거여론조사를 실시하고자 하는 유인도 상대적으로 크다. 따라서 심판대상조항이 시·군·구 또는 그보다 좁은 단위의 지역을 보급지역으로 하는 신문사들에게만 신고의무를 부과하는 것이 현저히 자의적이거나 불합리하다고 볼 수 없다. 또한, 군소 인터넷언론사들 중 상당수는 검증되지 않은 여론조사기관들에게 여론조사를 의뢰하고 그 결과를 공표·보도하여 왔다는 점에서, 인터넷언론사의 일일 평균 이용자수를 기준으로 선거여론조사 실시에 대한 신고의무의 부과여부를 달리하는 것 역시 현저히 불합리하다고 볼 수 없다. 따라서 심판대상조항은 청구인들의 평등권을 침해하지 아니한다.

130 건강기능식품법상 기능성광고에 대한 사전심의 조항 위헌소원 및 위헌제청 사건 [위헌]
― 2018. 6. 28. 선고 2016헌가8, 2017헌바476(병합)

판시사항

사전심의를 받은 내용과 다른 내용의 건강기능식품 기능성광고를 금지하고 이를 위반한 경우 처벌하는 '건강기능식품에 관한 법률' 제18조 제1항 제6호 중 '제16조 제1항에 따라 심의받은 내용과 다른 내용의 광고' 부분 등이 사전검열금지원칙에 위배되는지 여부(적극)

사건의 개요

1. 2016헌가8 사건

제청신청인은 '2014. 12. 27.자 조선일보 6면과 같은 달 30.자 일간스포츠 2면에 주식회사 ○○가 판매하는 '□□'이라는 상품에 대한 광고를 하면서 2013. 10. 1. 사단법인 한국건강기능식품협회 기능성표시광고심의위원회에서 "건강정보는 제품정보와 연결되지 않도록 한 곳(맨뒤)에 모아 구획을 나누어 광고할 것"으로 심의를 받고도 구획을 나누어 광고하지 않아 심의받은 내용과 다른 내용의 표시·광고를 하였다.'라는 공소사실로 기소되어 2015. 9. 23. 1심에서 벌금 1백만 원의 형을 선고받았다. 제청신청인은 항소심 계속 중 사전심의 받은 내용과 다른 내용으로 표시·광고하는 행위를 금지하고 그 위반행위에 대하여 형벌을 부과하고 있는 건강기능식품에 관한 법률(이하 '건강기능식품법'이라 한다) 제18조 제1항 제6호 중 '광고부분' 및 같은 법 제44조 제4호 중 제18조 제1항 제6호 가운데 '광고부분'이 헌법에 위반된다며 위헌법률심판제청신청을 하였고, 제청법원은 이를 받아들여 2016. 6. 2. 이 사건 위헌법률심판제청을 하였다.

2. 2017헌바476 사건

청구인은 각종 상품을 TV 홈쇼핑 등을 통해 판매하는 회사로서, '2014. 12. 28.경부터 2015. 7. 24.경까지 건강기능식품인 "△△" 등을 TV 홈쇼핑 채널에서 판매하면서 ① 사실과 다르거나 과장된 표시·광고, ② 소비자를 기만하거나 오인·혼동시킬 우려가 있는 표시·광고, ③ 심의받은 내용과 다른 내용의 표시·광고를 하였다'는 이유로 2016. 11. 8. 서울 강동구청장으로부터 건강기능식품법 제18조 제1항 제1호, 제3호, 제6호, 같은 법 제32조 제1항 제3호에 따른 영업정지 2개월의 처분(이하 '이 사건 처분'이라 한다)을 받았다. 청구인은 서울행정법원에 이 사건 처분의 취소를 구하는 소를 제기하고, 소송 계속 중 건강기능식품법 제18조 제1항 제6호 등이 헌법이 금지하는 사전검열에 해당하여 헌법에 위반된다고 주장하며 위헌법률심판제청을 신청하였으나 2017. 10. 26. 기각되자, 2017. 11. 24. 이 사건 헌법소원심판을 청구하였다.

심판대상조항 및 관련조항

건강기능식품에 관한 법률(2012. 10. 22. 법률 제11508호로 개정되고, 2018. 3. 13. 법률 제15480호로 개정되기 전의 것)

제18조(허위·과대·비방의 표시·광고 금지) ① 누구든지 건강기능식품의 명칭, 원재료, 제조방법, 영양소, 성분, 사용방법, 품질 및 건강기능식품이력추적관리 등에 관하여 다음 각 호에 해당하는 허위·과대·비방의 표시·광고를 하여서는 아니 된다.
　　6. 제16조 제1항에 따라 심의를 받지 아니하거나 심의받은 내용과 다른 내용의 표시·광고

제32조(영업허가취소 등) ① 식품의약품안전처장 또는 특별자치시장·특별자치도지사·시장·군수·구청장은 영업자가 다음 각 호의 어느 하나에 해당하는 경우에는 대통령령으로 정하는 바에 따라 영업허가를 취소하거나, 6개월 이내의 기간을 정하여 그 영업의 전부 또는 일부의 정지를 명하거나, 영업소의 폐쇄(제6조에 따라 신고한 영업만 해당한다. 이하 이 조에서 같다)를 명할 수 있다.
　　3. 제18조 제1항을 위반한 경우

제44조(벌칙) 다음 각 호의 1에 해당하는 자는 5년 이하의 징역 또는 5천만 원 이하의 벌금에 처한다. 이 경우 징역과 벌금을 병과할 수 있다.
　　4. 제18조 제1항의 규정에 위반하여 허위·과대·비방의 표시·광고를 한 자

주문

건강기능식품에 관한 법률(2012. 10. 22. 법률 제11508호로 개정되고, 2018. 3. 13. 법률 제15480호로 개정되기 전의 것) 제18조 제1항 제6호 중 '제16조 제1항에 따라 심의받은 내용과 다른 내용의 광고' 부분, 제44조 제4호 중 제18조 제1항 제6호 가운데 '제16조 제1항에 따라 심의받은 내용과 다른 내용의 광고를 한 자'에 관한 부분, 제32조 제1항 제3호 중 제18조 제1항 제6호 가운데 '제16조 제1항에 따라 심의받은 내용과 다른 내용의 광고를 한 자'에 관한 부분은 모두 헌법에 위반된다.

1. 이 사건의 쟁점

　심판대상조항들은 사전심의받은 내용과 다른 내용의 건강기능식품 기능성 광고를 금지하고 그 위반에 대해 영업 취소·정지 등의 행정제재와 형벌을 부과하는 것을 내용으로 하고 있다.
　그러므로 건강기능식품의 기능성 광고가 헌법 제21조 제1항의 표현의 자유의 보호범위에 포함되는지, 같은 조 제2항의 사전검열금지원칙의 적용대상이 되는지, 나아가 그 대상이 된다고 할 경우 건강기능식품법상의 사전심의제도가 헌법이 금지하는 사전검열에 해당하는지 여부가 문제된다.

2. 건강기능식품의 기능성 광고와 표현의 자유 및 사전검열금지 원칙의 적용헌법 제21조 제1항은 모든 국민은 언론·출판의 자유를 가진다고 규정하여 표현의 자유를 보장하고 있는바, 의사표현·전파의 자유에 있어서 의사표현 또는 전파의 매개체는 어떠한 형태이건 가능하며, 그 제한이 없다. 광고도 사상·지식·정보 등을 불특정다수인에게 전파하는 것으로서 언론·출판의 자유에 의한 보호를 받는 대상이 됨은 물론이고, 상업적 광고표현 또한 보호 대상이 된다.

그리고 헌법재판소는 헌재 2015. 12. 23. 2015헌바75 결정에서, 현행 헌법이 사전검열을 금지하는 규정을 두면서 1962년 헌법과 같이 특정한 표현에 대해 예외적으로 검열을 허용하는 규정을 두고 있지 아니한 점, 표현의 특성이나 이에 대한 규제의 필요성에 따라 언론·출판의 자유의 보호를 받는 표현 중에서 사전검열금지원칙의 적용이 배제되는 영역을 따로 설정할 경우 그 기준에 대한 객관성을 담보할 수 없어 종국적으로는 집권자에게 불리한 내용의 표현을 사전에 억제할 가능성을 배제할 수 없는 점 등을 들어, 현행 헌법상 사전검열은 표현의 자유 보호대상이면 예외 없이 금지된다는 입장을 명시적으로 밝힌 바 있다.

따라서 건강기능식품의 기능성 광고는 인체의 구조 및 기능에 대하여 보건용도에 유용한 효과를 준다는 기능성 등에 관한 정보를 널리 알려 해당 건강기능식품의 소비를 촉진시키기 위한 상업광고로서 헌법 제21조 제1항의 표현의 자유의 보호 대상이 됨과 동시에 같은 조 제2항의 사전검열 금지 대상도 된다.

3. 사전검열금지원칙 위반 여부

가. 헌법상 사전검열금지원칙의 의미 및 요건

헌법 제21조 제2항은 언론·출판에 대한 허가나 검열은 인정되지 아니한다고 규정하고 있다. 여기서 말하는 검열은 그 명칭이나 형식과 관계없이 실질적으로 행정권이 주체가 되어 사상이나 의견 등이 발표되기 이전에 예방적 조치로서 그 내용을 심사, 선별하여 발표를 사전에 억제하는, 즉 허가받지 아니한 것의 발표를 금지하는 제도를 뜻하고, 이러한 사전검열은 법률에 의하더라도 불가능하다.

사전검열금지원칙이 모든 형태의 사전적인 규제를 금지하는 것은 아니고, 의사표현의 발표 여부가 오로지 행정권의 허가에 달려있는 사전심사만을 금지한다. 헌법재판소는 헌법이 금지하는 사전검열의 요건으로 첫째, 일반적으로 허가를 받기 위한 표현물의 제출의무가 존재할 것, 둘째, 행정권이 주체가 된 사전심사절차가 존재할 것, 셋째, 허가를 받지 아니한 의사표현을 금지할 것, 넷째, 심사절차를 관철할 수 있는 강제수단이 존재할 것을 들고 있다.

나. 건강기능식품 기능성 광고 사전심의가 사전검열에 해당하는지 여부

이 사건 건강기능식품 기능성 광고 사전심의가 헌법이 금지하는 사전검열의 4가지 요건을 충족하는지 여부를 본다.

1) 허가를 받기 위한 표현물의 제출의무가 있는지 여부

건강기능식품법 제16조 제1항은, 건강기능식품의 기능성에 대한 광고를 하려는 자에게 식약처장이 정한 건강기능식품 표시·광고 심의의 기준, 방법 및 절차에 따라 심의를 받도록 하고 있고, 이에 따라 식약처장이 정한 심의기준 제4조는 건강기능식품의 기능성에 대한 광고를 하려는 자는 신청서에 해당 기능성 광고 내용을 첨부하여 심의기관에 제출하도록 하고 있다. 이는 일반적으로 허가를 받기 위한 표현물의 제출의무를 부과한 것에 해당한다.

2) 허가를 받지 아니한 의사표현을 금지하는지 여부

이 사건 금지조항은 누구든지 심의받은 내용과 다른 내용의 광고를 하여서는 아니된다고 규정하고 있다. 이는 허가받지 않은 의사표현을 금지하는 것에 해당한다.

3) 심사절차를 관철할 수 있는 강제수단이 존재하는지 여부

심의받은 내용과 다른 내용의 광고를 한 경우, 이 사건 제재조항은 대통령령으로 정하는 바에 따라 영업허가를 취소·정지하거나, 영업소의 폐쇄를 명할 수 있도록 하고, 이 사건 처벌조항은 5년 이하의 징역 또는 5천만 원 이하의 벌금에 처하도록 하고 있다. 이와 같은 행정제재나 형벌의 부과는 사전심의절차를 관철하기 위한 강제수단에 해당한다.

4) 행정권이 주체가 된 사전심사절차가 존재하는지 여부

가) 헌법상 사전검열금지원칙은 검열이 행정권에 의하여 행하여지는 경우에 한하여 적용되므로, 건강기능식품 기능성 광고의 심의기관인 한국건강기능식품협회의 사전심의가 행정권이 주체가 된 사전심사에 해당하는지 여부에 대해 살펴본다.

광고의 심의기관이 행정기관인지 여부는 기관의 형식에 의하기보다는 그 실질에 따라 판단되어야 한다. 따라서 검열을 행정기관이 아닌 독립적인 위원회에서 행한다고 하더라도, 행정권이 주체가 되어 검열절차를 형성하고 검열기관의 구성에 지속적인 영향을 미칠 수 있는 경우라면 실질적으로 그 검열기관은 행정기관이라고 보아야 한다. 그렇게 해석하지 아니한다면 검열기관의 구성은 입법기술상의 문제에 지나지 않음에도 불구하고 정부가 행정관청이 아닌 독립된 위원회의 구성을 통하여 사실상 사전검열을 하면서도 헌법상 사전검열금지원칙을 위반하였다는 비난을 면할 수 있는 길을 열어주기 때문이다. 민간심의기구가 심의를 담당하는 경우에도 행정권이 개입하여 그 사전심의에 자율성이 보장되지 않는다면 이 역시 행정기관의 사전검열에 해당하게 된다. 또한 민간심의기구가 사전심의를 담당하고 있고, 현재에는 행정기관이 그 업무에 실질적인 개입을 하고 있지 않더라도 행정기관의 자의에 의해 언제든지 개입할 가능성이 열려 있다면, 개입 가능성의 존재 자체로 민간심의기구는 심의 업무에 영향을 받을 수밖에 없을 것이기 때문에, 이 경우 역시 헌법이 금지하는 사전검열이라는 의심을 면하기 어렵다.

나) 건강기능식품법은 건강기능식품의 기능성에 대한 표시·광고를 하려는 자가 받아야 하는 심의의 기준, 방법 및 절차 형성의 권한을 식약처장에게 부여하고(건강기능식품법 제16조 제1항), 식약처장은 그 표시·광고 심의업무를 건강기능식품법 제28조에 따라 설립된 단체 등에 위탁할 수 있도록 규정하고 있다(같은 조 제2항). 위 법률 규정에 따라 현재 민간단체인 한국건강기능식품협회가 식약처장으로부터 건강기능식품 기능성 표시·광고 심의를 위탁받아 수행하고 있다. 그런데 위와 같이 업무위탁을 통하여 민간단체가 기능성 표시·광고 심의를 담당하고 있지만 여전히 건강기능식품법상으로는 행정기관인 식약처장이 심의업무의 주체이므로, 식약처장은 언제든지 심의업무의 위탁을 철회하고, 건강기능식품 기능성 표시·광고 사전심의에 전면적으로 개입할 가능성이 열려 있다.

다) 게다가 건강기능식품법은 심의업무를 위탁받은 심의기관이 심의업무를 위하여 표시·광고심의위원회를 설치하도록 하면서도, 심의기관의 장이 위원을 위촉함에 있어 식약처장의 승인을 받도록 하고(건강기능식품법 제16조 제3항 및 제4항), 식약처장은 위원이 직무태만, 품위손상이나 그 밖의 사유로 인하여 위원으로 적합하지 아니하다고 인정되는 경우 등에 해당 위원을 해촉할 수 있으며(같은 법 시행규칙 제20조의7), 위원의 수와 구성 비율, 위원의 자격과 임기, 위원장과 부위원장의 위촉 방식 등 표시·광고심의위원회의 구성에 관하여 총리령으로 규율하고 있다(같은 법 제16조 제5항, 같은 법 시행규칙 제20조의5). 이와 같은 법령을 통해 행정권이 표시·광고심의위원회의 구성에 개입할 뿐만 아니라 지속적으로 영향을 미칠 가능성이 존재하는 이상 그 구성에 자율성이 보장되어 있다고 볼 수 없다.

라) 그리고 건강기능식품 표시·광고 심의기준, 방법, 절차를 식약처장이 정하도록 하고 있으므로(건강기능식품법 제16조 제1항), 식약처장은 심의기준 등의 제정 및 개정을 통해 언제든지 심의기준 등을 정하거나 변경함으로써 심의기관인 한국건강기능식품협회의 심의 내용 및 절차에 영향을 줄 수 있다.

마) 실제로 식약처장이 심의기준을 제정하면서 심의의 기준이 되는 사항들을 구체적으로 열거하고 있는 점(심의기준 제3조), 심의 또는 재심의 결과를 통보받은 영업허가 또는 신고기관은 위 심의기준에 맞지 않는다고 판단되는 경우 식약처장에게 보고하여야 하고, 보고를 받은 식약처장은 심의기관에 재심의를 권고할 수 있으며, 심의기관은 특별한 사유가 없으면 이를 따라야 하는 점(심의기준 제6조의2), 심의기관의 장은 심의 및 재심의 결과를 분기별로 분기종료 15일 이내에 식약처장에게 보고하여야 하는 점(심의기준 제15조) 등에 비추어 볼 때 건강기능식품 광고 심의업무가 행정기관으로부터 독립적, 자율적으로 운영되고 있다고 보기 어렵다.

바) 이상과 같은 사정들을 종합하여 보면, <u>한국건강기능식품협회나 위 협회에 설치된 표시·광고심의위원회가 사전심의업무를 수행함에 있어서 식약처장 등 행정권의 영향력에서 벗어나 독립적이고 자율적으로 심의를 하고 있다고 보기 어렵고, 결국 건강기능식품 기능성광고 심의는 행정권이 주체가 된 사전심사라고 할 것이다.</u>

다. 소 결

따라서 한국건강기능식품협회가 행하는 이 사건 건강기능식품 기능성광고 사전심의는 헌법이 금지하는 사전검열에 해당하므로 헌법에 위반된다. 종래 이와 견해를 달리하여 건강기능식품 기능성광고의 사전심의절차를 규정한 구 건강기능식품법 관련조항이 헌법상 사전검열금지원칙에 위반되지 않는다고 판단한 우리 재판소결정(헌재 2010. 7. 29. 2006헌바75)은, 이 결정 취지와 저촉되는 범위 안에서 변경하기로 한다.

131 영상물등급위원회의 등급분류보류제도 사건 [위헌]
– 2001. 8. 30. 선고 2000헌가9

판시사항

1. 언론·출판의 자유의 보호대상이 되는 의사표현 또는 전파의 매개체의 범위
2. 헌법 제21조 제2항이 정한 검열금지의 원칙의 의미
3. 사전검열이 절대적으로 금지되는 이유
4. 금지되는 검열의 요건
5. 영상물등급위원회의 검열기관 해당 여부(적극)
6. 영상물등급위원회에 의한 등급분류보류제도의 검열 해당 여부(적극)

사건의 개요

1. 제청신청인은 이지상 감독이 연출한 영화(제목 : 둘 하나 섹스)의 제작·배급사인 인디스토리의 대표로서 위 영화를 상영하기 위하여 영상물등급위원회에 상영등급분류신청을 하였다.
2. 위 위원회는 위 영화의 음란성등을 문제삼아 1999. 9. 27. 영화진흥법 제21조 제4항에 의거하여 2개월의 상영등급분류보류결정을 하였고, 2개월의 보류기간이 경과한 다음 제청신청인이 다시 위 위원회에 상영등급분류신청을 하자, 위 위원회는 1999. 12. 28. 마찬가지의 이유로 3개월의 상영등급분류보류결정을 하였는 바, 이에 제청신청인은 2000. 2. 24. 서울행정법원에 위 위원회를 상대로 1999. 12. 28.자 상영등급분류보류결정의 취소를 구하는 소를 제기하였다.
3. 서울행정법원은 당해사건을 심리하던 중 제청신청인의 위헌제청신청(2000아509)을 받아들여 영화진흥법 제21조 제4항의 위헌 여부가 당해사건 재판의 전제가 된다며 2000. 8. 25. 이 사건 위헌제청을 하였다.

심판대상조항 및 관련조항

영화진흥법 제21조(상영등급분류) ④ 영상물등급위원회가 제3항의 규정에 의하여 상영등급을 분류함에 있어서 당해 영화가 다음 각호의 1에 해당된다고 인정되는 경우에는 내용검토 등을 위하여 대통령령이 정하는 바에 따라 3월 이내의 기간을 정하여 그 상영등급의 분류를 보류할 수 있다.
  1. 헌법의 민주적 기본질서에 위배되거나 국가의 권익을 손상할 우려가 있을 때
  2. 폭력·음란 등의 과도한 묘사로 미풍양속을 해치거나 사회질서를 문란하게 할 우려가 있을 때
  3. 국제적 외교관계, 민족의 문화적 주체성 등을 훼손하여 국익을 해할 우려가 있을 때

> **주문**

영화진흥법(1999. 2. 8. 법률 제5929호로 전문개정된 것) 제21조 제4항은 헌법에 위반된다.

I. 판 단

1. 이 사건 법률조항의 위헌 여부

가. 영화와 언론·출판의 자유

헌법 제21조 제1항은 모든 국민은 언론·출판의 자유를 가진다고 규정하여 언론·출판의 자유를 보장하고 있는바, 의사표현의 자유는 바로 언론·출판의 자유에 속한다. 따라서 의사표현의 매개체를 의사표현을 위한 수단이라고 전제할 때, 이러한 의사표현의 매개체는 헌법 제21조 제1항이 보장하고 있는 언론·출판의 자유의 보호대상이 된다고 할 것이다. 그리고 의사표현·전파의 자유에 있어서 의사표현 또는 전파의 매개체는 어떠한 형태이건 가능하며 그 제한이 없다고 하는 것이 우리 재판소의 확립된 견해이다. 즉, 담화·연설·토론·연극·방송·음악·영화·가요 등과 문서·소설·시가·도화·사진·조각·서화 등 모든 형상의 의사표현 또는 의사전파의 매개체를 포함한다고 할 것이다. 그러므로 이 사건에서 문제가 되고 있는 영화도 의사형성적 작용을 하는 한 의사의 표현·전파의 형식의 하나로 인정되며, 결국 언론·출판의 자유에 의해서 보호되는 의사표현의 매개체라는 점은 의문의 여지가 없다.

나. 검열금지원칙 위반 여부

1) 헌법 제21조 제2항의 검열의 의미 및 요건

헌법 제21조 제2항은 언론·출판에 대한 허가나 검열은 인정되지 아니한다고 규정하고 있다. 여기서 말하는 검열은 그 명칭이나 형식과 관계없이 실질적으로 행정권이 주체가 되어 사상이나 의견 등이 발표되기 이전에 예방적 조치로서 그 내용을 심사, 선별하여 발표를 사전에 억제하는, 즉 허가받지 아니한 것의 발표를 금지하는 제도를 뜻하고, 이러한 사전검열은 법률로써도 불가능한 것으로서 절대적으로 금지된다. 언론·출판에 대하여 사전검열이 허용될 경우에는 국민의 예술활동의 독창성과 창의성을 침해하여 정신생활에 미치는 위험이 클 뿐만 아니라 행정기관이 집권자에게 불리한 내용의 표현을 사전에 억제함으로써 이른바 관제의견이나 지배자에게 무해한 여론만이 허용되는 결과를 초래할 염려가 있기 때문에 헌법이 절대적으로 금지하고 있는 것이다.

그러나, 검열금지의 원칙은 모든 형태의 사전적인 규제를 금지하는 것은 아니고, 의사표현의 발표여부가 오로지 행정권의 허가에 달려있는 사전심사만을 금지하는 것이다. 그리고 검열은 일반적으로 허가를 받기 위한 표현물의 제출의무, 행정권이 주체가 된 사전심사절차, 허가를 받지 아니한 의사표현의 금지 및 심사절차를 관철할 수 있는 강제수단 등의 요건을 갖춘 경우에만 이에 해당하는 것이다.

2) 이 사건 법률조항의 위헌성

가) 허가를 받기 위한 표현물의 제출의무

영화진흥법 제21조 제1항은 영화가 상영되기 위해서는 상영 전에 영상물등급위원회로부터 상영등급을 분류받아야 할 것을 규정하고 있다. 우리 재판소가 영화의 상영으로 인한 실정법위반의 가능성을 사전에 막고, 청소년 등에 대한 상영이 부적절할 경우 이를 유통단계에서 효과적으로 관리할 수 있도록 미리 등급을 심사하는 것은 사전검열이 아니라고 하여 사전등급제 그 자체는 사전검열에 해당되지 아니한다고 한 바 있지만, 사전등급제가 관철되기 위해서는 영화라는 표현물이 등급분류업무를 담당하는 기관에 상영 이전에 제출되어야 한다는 점은 분명하다.

이 사건 법률조항에 의해 인정되는 등급분류보류결정은 등급분류의 일환으로서 행해지기 때문에, 등급분류보류제도는 '허가를 받기 위한 표현물의 제출의무'라는 요건을 충족시킨다.

나) 행정권이 주체가 된 사전심사절차

헌법상의 검열금지의 원칙은 검열이 행정권에 의하여 행하여지는 경우에 한하므로 영화의 심의 및 등급분류기관인 영상물등급위원회가 이에 해당하는지에 대하여 의문이 있을 수 있다. 그런데 여기서 영상물등급위원회가 행정기관인가의 여부는 기관의 형식에 의하기보다는 그 실질에 따라 판단되어야 할 것이다. 예를 들면 검열을 행정기관이 아닌 독립적인 위원회에서 행한다고 하더라도 행정권이 주체가 되어 검열절차를 형성하고 검열기관의 구성에 지속적인 영향을 미칠 수 있는 경우라면 실질적으로 보아 검열기관은 행정기관이라고 보아야 한다.

영상물등급위원회는, 그 위원을 대통령이 위촉하고, 그 구성방법 및 절차에 관하여 필요한 사항을 대통령령으로 정하도록 하고 있으며, 국가예산으로 그 운영에 필요한 경비의 보조를 받을 수 있도록 하고 있는 점 등에 비추어 행정권이 심의기관의 구성에 지속적인 영향을 미칠 수 있고 행정권이 주체가 되어 검열절차를 형성하고 있어 검열기관에 해당한다.

다) 허가를 받지 아니한 의사표현의 금지 및 심사절차를 관철할 수 있는 강제수단

영화진흥법 제21조 제4항이 규정하고 있는 영상물등급위원회에 의한 등급분류보류제도는, 영상물등급위원회가 영화의 상영에 앞서 영화를 제출받아 그 심의 및 상영등급분류를 하되, 등급분류를 받지 아니한 영화는 상영이 금지되고 만약 등급분류를 받지 않은 채 영화를 상영한 경우 과태료, 상영금지명령에 이어 형벌까지 부과할 수 있도록 하며, 등급분류보류의 횟수제한이 없어 실질적으로 영상물등급위원회의 허가를 받지 않는 한 영화를 통한 의사표현이 무한정 금지된다. 따라서, 영상물등급위원회에 의한 등급분류보류제도는 '허가를 받지 아니한 의사표현의 금지' 및 '심사절차를 관철할 수 있는 강제수단'이라는 요건도 충족시킨다.

Ⅱ 결 론

위와 같은 이유로 이 사건 법률조항이 규정하고 있는 영상물등급위원회의 등급분류보류제도는 우리 헌법이 절대적으로 금지하고 있는 사전검열에 해당하는 것으로서 더 나아가 비례의 원칙이나 명확성의 원칙에 반하는지 여부를 살펴볼 필요도 없이 헌법에 위반된다고 할 것이므로 주문과 같이 결정한다.

132 방영금지가처분 사건 [합헌]
— 2001. 8. 30. 선고 2000헌바36

판시사항 및 결정요지

1. 민사소송법 제714조 제2항에 의한 방영금지가처분을 허용하는 것이 헌법상 검열금지의 원칙에 위반되는지 여부(소극)

　의사표현의 자유는 헌법 제21조 제1항이 규정하는 언론·출판의 자유에 속하고, 여기서 의사표현의 매개체는 어떠한 형태이건 그 제한이 없으므로 의사표현의 한 수단인 TV 방송 역시 다른 의사표현수단과 마찬가지로 헌법에 의한 보장을 받음은 물론이다.

　한편, 헌법 제21조 제2항은 언론·출판에 대한 허가나 검열은 인정되지 아니한다고 규정하고 있는바, 이러한 검열이 허용될 경우 국민의 정신생활 및 의사형성에 미치는 위험이 클 뿐만 아니라 행정기관이 집권자에게 불리한 내용의 표현을 사전에 억제함으로써 이른바 관제의견이나 지배자에게 무해한 여론만이 허용되는 결과를 초래할 염려가 있기 때문에 헌법이 직접 그 금지를 규정하고 있는 것으로서, 이와 같이 헌법이 언론·출판에 대한 검열 금지를 따로 규정한 것은, 비록 헌법 제37조 제2항이 국민의 자유와 권리를 국가안전보장·질서유지 또는 공공복리를 위하여 필요한 경우에 한하여 법률로써 제한할 수 있도록 규정하고 있다고 할지라도 언론·출판의 자유에 대하여는 검열을 수단으로 한 제한만은 법률로써도 허용되지 아니한다는 것을 명백히 밝히기 위해서이다.

　다만, 여기서의 "검열"은, 개인이 사상이나 의견 등을 발표하기 이전에 행정권이 주체가 되어 예방적 조치로서 미리 그 내용을 심사, 선별하여 일정한 범위 내에서 발표를 사전에 억제하는, 즉 허가받지 아니한 것의 발표를 금지하는 제도를 뜻하는 것으로서, 검열 금지의 원칙은 모든 형태의 사전적인 규제를 금지하는 것이 아니고, 단지 의사표현의 발표 여부가 오로지 행정권의 허가에 달려 있는 사전심사만을 금지하는 것을 뜻한다 할 것이다.

　그런데, 이 사건 법률조항에 의한 방영금지가처분은 비록 제작 또는 방영되기 이전, 즉 사전에 그 내용을 심사하여 금지하는 것이기는 하나, 이는 행정권에 의한 사전심사나 금지처분이 아니라 개별 당사자간의 분쟁에 관하여 사법부가 사법절차에 의하여 심리, 결정하는 것이므로, 헌법에서 금지하는 사전검열에 해당하지 아니한다.

　따라서, 이 사건 법률조항에 방영금지가처분을 포함시켜 가처분에 의한 방영금지를 허용하는 것은 헌법상 검열 금지의 원칙에 위반되지 아니한다.

2. 민사소송법 제714조 제2항이 언론의 자유를 침해하는지 여부(소극)

　TV, 라디오 등의 방송매체가 공적 이해에 관계된 개인의 부정과 비리를 폭로하고 편견과 독단을 비판하는 것이 언론의 자유로 허용되어야 하지만, 한편으로는 그 보도, 논평 등으로 인하여 개인이나 단체의 명예나 신용의 훼손, 성명권이나 초상권, 프라이버시 등의 인격권 침해와 같이 타인의 법익 내지 기본권을 침해하게 되는 것을 피할 수 없게 된다.

　인격권 침해에 대한 실효성 있는 구제를 위하여서는 이미 발생하여 지속하는 침해행위의 정지·제거, 즉 방해배제청구와 함께 침해의 사전억제, 즉 방해예방청구가 허용되어야 할 필요가 있다 할 것이며, 이에 가처분에 의한 사전금지청구는 인격권 보호라는 목적에 있어서 그 정당성이 인정될 뿐 아니라 보호수단으로서도 적정하다고 판단된다.

그리고, 가처분에 의한 사전금지청구가 허용된다 하여도 그 대상이 되는 표현행위 이외의 다른 간접적 방법에 의한 의사표현까지 금지되는 것은 아닌 점, 법원이 이를 허용하는 경우에도 일반 가처분에 있어서와 마찬가지로 피보전권리와 보전의 필요성이라는 요건이 소명되어야 하는데, 특히 금지청구권은 언론의 자유를 보장하고 검열을 금지한 헌법 제21조의 취지 등을 참작하여 충돌하는 두 법익(언론의 자유와 인격권)의 비교·형량 등 엄격하고 명백한 요건하에서만 이를 인정하고 있는 점 등의 사정에 비추어 보면, 사전금지 가처분의 허용에 의한 언론의 자유 제한의 정도는 위 가처분의 필요성 및 목적의 정당성, 수단의 적정성 등을 고려할 때 침해 최소성의 원칙에 반하지 아니할 뿐만 아니라, 이에 의하여 보호되는 인격권보다 이로 인하여 제한되는 언론의 자유의 중요성이 더 크다고는 볼 수 없으므로 법익 균형성의 원칙 또한 충족한다고 볼 것이다.

한편, 청구인은 침해되는 인격권의 주체가 공적 인물인 경우에는 법익 균형의 원칙과 관련하여 언론의 자유와의 비교·형량에 있어서 그 심사기준을 달리 하여야 한다는 취지의 주장을 하고 있는 바, 당해 표현으로 인하여 침해되는 인격권의 주체가 공적 인물인지 아니면 사인(私人)인지, 그 표현이 공적인 관심사안에 관한 것인지 순수한 사적인 영역에 속하는 사안인지, 피해자가 당해 명예훼손적 표현의 위험을 자초한 것인지, 그 표현이 객관적으로 국민이 알아야 할 공공성·사회성을 갖춘 사실로서 여론형성이나 공개토론에 기여하는 것인지 등을 종합하여 구체적인 표현 내용과 방식에 따라 상반되는 두 권리를 유형적으로 형량한 비례관계를 따져 언론의 자유에 대한 한계 설정을 할 필요가 있고, 본건에 있어서 만민중앙교회 대표자 이재록이 공적 인물에 해당한다고 볼 수도 있겠으나, 바로 위와 같은 표현의 내용과 이로 인하여 침해되는 인격권의 내용 및 그 침해 정도, 두 가치 사이의 비교·형량 등 사전금지청구권에 관한 여러 가지 요건을 법원이 엄격히 심사하여 그 허용 여부를 결정하게 되는 것이므로, 공적 인물과 사인간에 심사기준을 달리 하여야 한다는 청구인의 주장은 이 사건 법률조항의 위헌 근거로 주장될 수 있는 내용은 아니라 할 것이다.

따라서, 이 사건 법률조항은 과잉금지의 원칙에 위배되지 아니하고 언론의 자유의 본질적 내용을 침해하는 것도 아니다.

| 알 권리 |

133 국방부 불온서적 지정 사건 [기각, 각하]
― 2010. 10. 28. 선고 2008헌마638

판시사항

1. 군인의 복무에 관하여 '이 법에 관한 것을 제외하고' 대통령령에 위임하고 있는 군인사법 제47조의2, 위 군인사법 제47조의2 및 군인복무규율 제16조의2에 근거한 국방부장관 및 육군참모총장의 '군내 불온서적 차단대책 강구 지시'가 기본권침해의 직접성이 인정되는지 여부(소극)
2. 불온도서의 소지·전파 등을 금지하는 군인복무규율 제16조의2가 명확성원칙, 과잉금지원칙 및 법률유보원칙에 위배되어 청구인들의 기본권을 침해하는지 여부(소극)

사건의 개요

청구인들은 사법시험 또는 군법무관시험에 합격하여 사법연수원 교육과정을 마치고, 육군 법무장교로 임용되어 이 사건 심판청구 당시 군법무관으로 재직 중이었다.

국방부장관은 군인복무규율 제16조의2 등에 근거하여 2008. 7. 22. 각 군에 '군내 불온서적 차단대책 강구 지시'를 하달하고, 이를 받은 육군참모총장과 공군참모총장은 2008. 7. 24. 육군본부 보안과 2136호 및 공군본부 군사보안과 4528호로 예하 부대에 '군내 불온서적 차단대책 강구 지시'를 하달하였다.

이에 육군 예하 부대인 주한 미8군 한국군지원단은 2008. 7. 28. 정작과 780호로 '군내 불온서적 차단대책 강구 지시'를, 육군 제9715부대는 2008. 8. 4. 정보참모처 1242호로 '부대 내 불온서적 차단대책 강구 지시'를 하급 부대에 다시 하달하였다.

청구인들은 국방부장관의 지시를 비롯하여 육군참모총장의 지시 등 군내의 불온도서 차단대책 강구 지시가 청구인들의 표현의 자유, 학문의 자유 등을 침해하고, 군인사법 제47조의2, 군인복무규율 제16조의2가 헌법상 포괄위임금지원칙 및 명확성원칙에 위배되어 청구인들의 기본권을 침해한다며, 2008. 10. 22. 이 사건 헌법소원심판을 청구하였다.

심판대상조항 및 관련조항

1. 청구인들은 군인사법 제47조의2(이하 '이 사건 법조항'이라고 한다), 군인복무규율 제16조의2 및 국방부장관의 지시, 육군참모총장의 지시와 이들 지시에 따른 각 군 예하 부대의 지시 등에 대하여 이 사건 헌법소원심판을 청구하였다.
2. 그 중 군인복무규율 제16조의2는 규율대상을 불온유인물·도서·도화 기타 표현물로 열거하고, 그 행위를 제작·복사·소지·운반·전파·취득으로 규정하고 있으나, 청구인들이 이 사건 심판청구를 통하여 실제로 다투고 있는 것은 그 대상으로는 '불온도서'이고, 그 행위로는 소지·운반·전파 또는 취득행위

이므로, 군인복무규율 제16조의2에 대한 이 사건 심판대상은 '불온도서'의 '소지·운반·전파·취득행위'에 관한 부분으로 한정하기로 한다(이하 이 부분을 '이 사건 복무규율조항'이라 한다).
3. 한편 공군참모총장이 공군을 상대로 발령한 지시는 육군 법무장교인 청구인들과는 아무런 관련이 없고, 주한 미8군 한국군 지원단 및 제9715부대가 발령한 지시 또한 소속 부대원이 아닌 청구인들과 관련이 없으므로, 청구인들이 심판을 구하는 지시 부분은 국방부장관 및 육군참모총장의 것으로 한정함이 상당하다(이하 이들 지시를 합하여 '이 사건 지시'라 한다).
4. 결국 이 사건 심판대상은 이 사건 법조항, 이 사건 복무규율조항 및 이 사건 지시가 청구인들의 기본권을 침해하여 위헌인지 여부이고, 이들 심판대상조항 및 관련조항의 내용은 다음과 같다.

【심판대상조항】

군인사법(1966. 10. 4. 법률 제1837호로 개정된 것)

제47조의2(복무규율) 군인의 복무에 관하여는 이 법에 규정한 것을 제외하고는 따로 대통령령이 정하는 바에 의한다.

군인복무규율(1998. 12. 31. 대통령령 제15954호로 개정된 것)

제16조의2(불온표현물 소자·전파 등의 금지) 군인은 불온유인물·도서·도화 기타 표현물을 제작·복사·소지·운반·전파 또는 취득하여서는 아니 되며, 이를 취득한 때에는 즉시 신고하여야 한다.

주문

청구인들의 심판청구 중 군인복무규율 제16조의2에 대한 부분을 기각하고, 나머지 부분을 모두 각하한다.

I 적법성에 관한 판단

1. 이 사건 법조항 부분

법령조항 자체가 헌법소원의 대상이 되기 위해서는 구체적인 집행행위를 기다리지 아니하고 그 자체에 의하여 직접, 현재, 자기의 기본권을 침해당하여야 하고, 여기서 말하는 직접성이란 집행행위에 의하지 아니하고 법령 그 자체에 의하여 자유의 제한, 의무의 부과, 권리 또는 법적 지위의 박탈이 생긴 경우를 뜻한다.

이 사건 법조항은 군인의 복무에 관하여는 이 법에 규정한 것을 제외하고는 따로 대통령령이 정하는 바에 의한다고 규정하여 기본권침해에 관하여 아무런 규율도 하지 아니한 채 이를 대통령령에 위임하고 있으므로, 그 내용이 국민의 권리관계를 직접 변동시키거나 법적 지위를 결정적으로 정하여 국민의 권리관계를 확정한 것이라고 보기 어렵고, 따라서 이 사건 심판청구 중 이 사건 법조항에 관한 부분은 기본권침해의 직접성 요건을 흠결하였다 할 것이다.

2. 이 사건 복무규율조항 부분

이 사건 복무규율조항은 군인들에 대하여 불온도서에 해당하는 도서의 취득 등의 금지의무를 부과하고 있는바, 군인들은 이 사건 복무규율 조항에 근거한 어떠한 집행행위에 의하여 비로소 그러한 불온도서의 취득 등 금지의무를 부담하는 것이 아니라, 동 조항 자체에 의하여 직접 그 의무를 부담하게 된다고 할 것이므로, 기본권침해의 직접성 및 공권력 행사성의 요건을 갖추고 있다 할 것이다.

3. 이 사건 지시 부분

이 사건 지시 중 국방부장관이 각 군에 내린 것은 그 직접적인 상대방이 각 군의 참모총장 및 직할 부대장이고, 육군참모총장의 것은 그 직접적인 상대방이 육군 예하부대의 장으로, 청구인들을 비롯한 일반 장병은 이 사건 지시의 직접적인 상대방이 아니므로, 이 사건 지시를 받은 하급 부대장이 일반 장병을 대상으로 하여 이 사건 지시에 따른 구체적인 집행행위를 함으로써 비로소 청구인들을 비롯한 일반 장병의 기본권제한의 효과가 발생한다 할 것이다.

청구인들을 비롯한 일반 장병의 기본권제한은 하급 부대장의 구체적 집행행위를 매개로 하여 비로소 현실화된다 할 것이므로, 이 사건 지시 자체가 대외적 효력을 발하여 청구인을 비롯한 일반 장병에 대하여 직접 자유의 제한, 의무의 부과, 권리 또는 법적 지위의 박탈을 초래한다고 보기는 어렵다.

이 사건 지시 자체는 군 지휘조직 내부의 행위로서 청구인들을 비롯한 일반 장병에 대한 직접적인 공권력 행사라고 볼 수 없고, 따라서 이 사건 심판청구 중 이 사건 지시 부분은 기본권침해의 직접성 요건을 흠결하였다 할 것이다.

4. 소 결

그렇다면 이 사건 심판청구 중 이 사건 복무규율조항에 대한 부분은 적법하고, 나머지 이 사건 법조항 및 이 사건 지시에 대한 부분은 부적법하다 할 것이다.

Ⅱ 본안에 대한 판단

1. 이 사건 복무규율조항과 제한되는 기본권

이 사건 복무규율조항은 군인인 국민이 자신이 선택한 도서를 자유롭게 소지·운반·전파 또는 취득하거나 부대 내에 반입할 수 없게 함으로써 헌법 제21조 등에서 도출되는 기본권인 알 권리를 제한하고 있다.

여기에서 '알 권리'란 모든 정보원(情報源)으로부터 일반적 정보를 수집하고 이를 처리할 수 있는 권리이고, 여기서 '일반적'이란 신문, 잡지, 방송 등 불특정다수인에게 개방될 수 있는 것을 말하며, '정보'란 양심, 사상, 의견, 지식 등의 형성에 관련이 있는 일체의 자료를 말한다.

일반적으로 출판되어 공중에 판매되는 도서 또한 불특정 다수인에게 개방된 매체라 할 것이고, 이러한 도서가 담고 있는 정보는 양심, 사상, 의견, 지식 등의 형성에 관련이 있는 자료라 할 것이다.

알 권리가 공공기관의 정보에 대한 공개청구권을 의미하는 경우에는 청구권적 성격을 지니지만, 일반적으로 접근할 수 있는 정보원으로부터 자유롭게 정보를 수집할 수 있는 권리를 의미하는 경우에는 자유권적 성격을 지니는 것으로서, 이 경우 그러한 권리는 별도의 입법을 할 필요도 없이 보장되는 것이므로, 일반적으로 정보에 접근하고 수집·처리함에 있어 알 권리는 별도의 입법이 없더라도 국가권력의 방해를 받음이 없이 보장되어야 한다.

이 사건 복무규율조항은 출판판매되는 일정한 도서에 대하여 취득·소지 내지는 부대 내의 반입 등을 금지하고 있는바, 이는 일반적인 정보원이라고 할 도서의 취득·소지·반입 등을 제한함으로써 알권리를 제한하는 것이고, 또한 이 사건 복무규율조항은 공공기관의 정보에 대한 공개청구권과 관계된 것이 아니라 일반적으로 접근할 수 있는 정보원으로부터 자유로운 정보 수집을 제한하고 있는 것이므로, 별도의 입법을 필요로 하지 아니하고 보장되는 자유권적 성격의 알 권리를 제한하고 있는 것이다.

한편, 이 사건 복무규율조항은 정보의 내용에 따라 이에 대한 접근성을 제한하고 있는데, 국가권력이 일정한 학문적, 사상적 내용을 갖고 있는 정보에 대한 접근을 그 내용을 이유로 차단하는 경우에는 개인의 자유로운 사고형성이 제한되어 학문·사상·양심의 자유가 제한될 수 있는 것이므로, 이 사건 복무규율조항에 의한 알 권리의 제한은 이들 정신적 자유의 제한과 밀접하게 관련되어 있다 할 것이다.

2. 이 사건 복무규율조항의 기본권침해 여부

가. 명확성원칙 위반 여부

1) 명확성원칙이란 법령을 명확한 용어로 규정함으로써 적용 대상자 즉 수범자에게 그 규제내용을 미리 알 수 있도록 공정한 고지를 하여 장래의 행동지침을 제공하고, 동시에 법 집행자에게 객관적 판단지침을 주어 차별적이거나 자의적인 법해석 및 집행을 예방하기 위한 원칙을 의미하는 것으로서, 민주주의와 법치주의의 원리에 기초하여 모든 기본권 제한입법에 요구되는 원칙이다.

2) 이 사건 복무규율조항은 이와 같은 국군의 이념 및 사명을 해할 우려가 있는 도서로 인하여 군인들의 정신전력이 저해되는 것을 방지하기 위한 조항이라고 할 것이고, 따라서 여기에 규정한 '불온도서'는 '국가의 존립·안전이나 자유민주주의체제를 해하거나, 반국가단체를 이롭게 할 내용으로서, 군인의 정신전력을 심각하게 저해하는 도서'를 의미하는 것으로 해석할 수 있다 할 것이다.

3) 이 사건 복무규율조항은 일반 국민을 대상으로 하지 않고 국가안전보장의 사명을 수행하는 국군의 구성원인 군인을 수범자로 한정하고 있는바, 통상적인 법감정과 복무의식을 가지고 있는 군인이라면 이 사건 복무규율조항의 규율내용을 이와 같이 예측하고 이를 행동 및 의사결정의 기준으로 삼을 수 있다 할 것이고, 또한 이 사건 복무규율조항을 위반한 행위에 대한 징계처분의 취소를 구하는 행정소송에서도 법관의 통상적인 해석적용에 의하여 보완될 수 있으므로

법집행당국의 자의적인 집행의 가능성 또한 크지 않다 할 것이다.

   4) 결국, 이 사건 복무규율조항은 규범의 의미내용으로부터 무엇이 금지되고 무엇이 허용되는 행위인지를 알 수 있어, 법적 안정성과 예측가능성이 확보될 수 있다 할 것이므로, 명확성원칙에 위배되는 법령조항이라고 보기 어렵다.

나. 과잉금지원칙 위반 여부

  이 사건 복무규율조항은 군인은 불온도서 등을 소지·운반·전파하거나 취득하여서는 아니 되고, 이를 취득한 때에는 즉시 신고하도록 의무를 부과함으로써 알 권리 등 기본권을 제한하고 있다.

 1) 목적의 정당성 및 수단의 적절성

  이 사건 복무규율조항은 군의 정신전력을 보존하는 것을 목적으로 하고 있는바, 정신전력이 국가안전보장을 확보하는 군사력의 중요한 일부분이라는 점이 분명한 이상, 그 목적의 정당성은 충분히 인정할 수 있다. 또 국가안전보장과 직결되는 위치에 있는 군의 정신전력을 보호하기 위해서는 이적표현물 등 국가의 존립·안전이나 자유민주주의체제를 해하는 도서로서 군인의 정신전력을 심각하게 저해하는 불온도서에 대한 군인의 접근을 차단할 필요가 있고, 이를 위하여 해당 도서의 소지 및 취득 등을 금지하는 것은 목적을 달성하기 위하여 적절한 수단이 된다 할 것이다.

 2) 침해의 최소성 및 법익의 균형성

  이 사건 복무규율조항은 국가의 존립·안전이나 자유민주주의체제를 해하거나, 반국가단체를 이롭게 할 내용으로서, 군인의 정신전력을 심각하게 저해하는 한정된 범위 내의 불온도서를 취득하는 등 행위를 금지하고, 그 인적인 범위 또한 군인들로 한정하고 있다.

  기본권의 예외 없는 보장을 핵심으로 하는 오늘날의 법치주의 헌법 아래에서 군인이라고 하여 기본권보장의 예외가 될 수는 없으나, 기본권의 보장도 국가의 존립과 안전을 그 기반으로 하는 것이고, 군인은 국가의 존립과 안전을 보장함을 직접적인 존재의 목적으로 하는 군 조직의 구성원이므로, 그 존립 목적을 위하여 불가피한 경우에는 일반인 또는 일반 공무원에 비하여 상대적으로 기본권제한이 가중될 수 있는 것이다.

  군인들의 정신전력은 국가안전보장의 중요한 부분을 형성하는 것으로서, 국가의 존립·안전이나 자유민주주의 체제를 해하거나, 반국가단체를 이롭게 하는 등 군인의 정신전력을 심각하게 저해하는 내용의 도서가 군인들의 정신전력에 나쁜 영향을 미칠 가능성이 있는 점은 부정할 수 없다.

  이렇듯 군의 정신전력에 심각한 저해를 초래할 수 있는 범위의 도서로 한정하여 소지 및 취득 등의 금지를 규정하고 있는 이 사건 복무규율조항은 기본권의 제한에 있어 침해의 최소성 요건을 지키고 있다 할 것이고, 이 사건 복무규율조항으로 달성되는 군의 정신전력 보존과 이를 통한 군의 국가안전보장 및 국토방위의무의 효과적인 수행이라는 공익은 이 사건 복무규율조항으로 인하여 제한되는 군인의 알 권리라는 사익보다 결코 작다 할 수 없으므로, 이 사건 복무규율조항은 법익균형성 원칙에도 위배되지 아니한다.

다. 법률유보원칙 위반 여부

1) 법률유보원칙의 의의 및 이 사건 복무규율조항

국민의 기본권은 헌법 제37조 제2항에 의하여 국가안전보장, 질서유지 또는 공공복리를 위하여 필요한 경우에 한하여 제한할 수 있으나, 그 제한도 원칙적으로 법률로써만 가능하며, 제한하는 경우에도 기본권의 본질적인 내용을 침해할 수 없고, 그것도 필요한 최소한도에 그쳐야 한다.

그런데 이러한 법률유보원칙은 '법률에 의한' 규율만을 뜻하는 것이 아니라 '법률에 근거한' 규율을 요청하는 것이므로, 기본권제한의 형식이 반드시 법률의 형식일 필요는 없고, 법률에 근거를 두면서 헌법 제75조가 요구하는 위임의 구체성과 명확성을 구비한다면 위임입법에 의하여도 기본권을 제한할 수 있는 것이다.

한편, 우리 헌법은 제75조에서 법률로 대통령령에 위임을 하는 경우에는 적어도 법률의 규정에 의하여 대통령령으로 규정될 내용 및 범위의 기본사항을 구체적으로 규정할 것을 요구하고 있으므로, 당해 법률로부터 대통령령에 규정될 내용의 대강을 예측할 수 있도록 하여야 할 것이다.

그런데 이 사건 복무규율조항에서 규율하고 있는 불온도서에 관한 기본권의 제한 가능성에 대하여 법률에서 명시적으로 규정하거나, 그 범위를 정하여 위임하고 있지 않으므로, 군인의 복무에 관한 사항으로서 군인사법에 정하지 아니한 사항에 대하여는 대통령령에서 정할 수 있도록 규정한 군인사법 제47조의2가 헌법 제75조의 포괄위임금지원칙에 위반되는 것인지, 그 법조항이 포괄위임금지원칙에 위반된다면, 이 사건 복무규율조항이 법률유보원칙을 준수한 것으로 볼 수 있는지가 문제이다.

2) 법률유보원칙 준수 여부

군인사법 제47조의2는 국가의 독립과 영토의 보전 등에 관한 대통령의 헌법상 책무를 다하도록 하기 위하여 헌법이 대통령에게 부여한 군통수권을 실질적으로 존중한다는 차원에서 군인의 복무에 관한 사항을 규율할 권한을 대통령령에 위임한 것이라 할 수 있고, 그 조항이 대통령령으로 규정될 내용 및 범위에 관한 기본적인 사항을 다소 광범위하게 위임하였다 하더라도 이를 헌법 제75조에 어긋나는 것이라고 보기 어렵다.

그리고 군인사법은 군인의 직무의 중요성, 신분 및 근로조건의 특수성 등을 고려하여 국가공무원법에 대한 특례를 규정함을 목적으로 하는 것인바(제1조 참조), 국가공무원법의 공무원 복무관련 규정(제7장 제55조 내지 제66조)은 군인사법 제47조의2의 규정의 위임범위에 관한 해석의 지침을 제공한다고 할 것이고, 또한 군인사법 자체도 제47조에서 군인의 직무상 의무의 대강으로 충성의무, 성실의무, 위험 및 책임회피 금지, 직무이탈금지 등을 정하고 있으므로, 군인사법 제47조의2의 위임에 따른 군인복무규율에서 규정할 내용은 이러한 군인의 직무상 의무를 구체화하거나 이를 확보하기 위하여 필요한 사항 및 국가공무원법상 복무관련 규정에 대한 특례사항 등이 될 것임을 쉽게 예상할 수 있다 할 것이므로, 군인사법 제47조의2가 포괄위임금지원칙에 위배되는 것으로 볼 수 없다.

결국, 군인사법 제47조의2는 포괄위임금지원칙에 위배되지 아니하고, 이 사건 복무규율조항은 이와 같은 군인사법 조항의 위임에 의하여 제정된 정당한 위임의 범위 내의 규율이라 할 것이므로, 이 사건 복무규율조항은 법률유보원칙을 준수하였다 할 것이다.

134. 변호사시험 성적 비공개 사건 [위헌]
– 2015. 6. 25. 선고 2011헌마769, 2012헌마209·536(병합))

판시사항

변호사시험 성적을 합격자에게 공개하지 않도록 규정한 변호사시험법(2011. 7. 25. 법률 제10923호로 개정된 것) 제18조 제1항 본문이 청구인들의 알 권리(정보공개청구권)를 침해하는지 여부(적극)

심판대상조항 및 관련조항

변호사시험법(2011. 7. 25. 법률 제10923호로 개정된 것)

제18조(시험정보의 비공개) ① 시험의 성적은 시험에 응시한 사람을 포함하여 누구에게도 공개하지 아니한다. 다만, 시험에 불합격한 사람은 시험의 합격자 발표일부터 6개월 내에 법무부장관에게 본인의 성적 공개를 청구할 수 있다.

주문

변호사시험법(2011. 7. 25. 법률 제10923호로 개정된 것) 제18조 제1항 본문은 헌법에 위반된다.

1. 제한되는 기본권

가. 정부나 공공기관이 보유하고 있는 정보에 대하여 정당한 이해관계가 있는 자가 그 공개를 요구할 수 있는 권리는 알 권리로서 이러한 알 권리는 헌법 제21조에 의하여 직접 보장된다. 어떤 문제가 있을 때 그에 관련된 정보에 대한 공개청구권은 알 권리의 당연한 내용이 된다. 심판대상조항은 변호사시험에 합격한 사람의 '성적'이라는 정보를 공개하지 않는다는 점에서 변호사시험에 합격한 청구인들의 알 권리 중 정보공개청구권을 제한하고 있다.

나. 한편, 청구인들은 변호사시험의 성적 공개를 금지하고 있는 심판대상조항이 변호사시험 합격자들이 공정한 경쟁을 통하여 직업을 선택할 기회를 배제함으로써 직업의 자유를 침해한다고 주장한다. 그러나 심판대상조항은 변호사시험 합격자에 대하여 그 성적을 공개하지 않도록 규정하고 있을 뿐이고, 이러한 시험 성적의 비공개가 청구인들의 법조인으로서의 직역 선택이나 직업수행에 있어서 어떠한 제한을 두고 있는 것은 아니므로 심판대상조항이 청구인들의 직업선택의 자유를 제한하고 있다고 볼 수 없다.

다. 청구인 송○욱은 심판대상조항이 변호사시험에 합격한 사람의 개인정보인 성적을 공개하지 않아 개인정보자기결정권을 침해한다고 주장한다.

개인정보자기결정권은 자신에 관한 정보가 언제 누구에게 어느 범위까지 알려지고 이용되도록 할 것인지를 그 정보주체가 스스로 결정할 수 있는 권리이다. 즉 정보주체가 개인정보의 공개와 이용에 관하여 스스로 결정할 권리로서, 이러한 개인정보자기결정권은 정보화사회로의 진입 및 현대의 정보통신기술의 발달로 인하여 개인의 정보가 정보주체의 의사와는 무관하게 이용 또는 공개되는 것을 방지함으로써 궁극적으로 개인의 결정의 자유를 보호하고, 나아가 자유민주체제의 근간이 총체적으로 훼손될 가능성을 차단하기 위하여 필요한 최소한의 헌법적 보장장치로 등장하게 되었다.

이러한 개인정보자기결정권의 한 내용인 자기정보공개청구권은 자신에 관한 정보가 부정확하거나 불완전한 상태로 보유되고 있는지 여부를 알기 위하여 정보를 보유하고 있는 자에게 자신에 관한 정보의 열람을 청구함으로써 개인정보를 보호하고, 개인정보의 수집, 보유, 이용에 관한 통제권을 실질적으로 보장하기 위하여 인정되는 것이다. 그런데 위 청구인의 변호사시험 성적 공개 요구는 개인정보의 보호나 개인정보의 수집, 보유, 이용에 관한 통제권을 실질적으로 보장해 달라는 것으로 보기 어렵고, 변호사시험 성적이 정보주체의 요구에 따라 수정되거나 삭제되는 등 정보주체의 통제권이 인정되는 성질을 가진 개인정보라고 보기도 어렵다. 따라서 심판대상조항이 개인정보자기결정권을 제한하고 있다고 보기 어렵다.

라. 또한 청구인들은 사법시험, 의사국가시험 등 다른 자격시험의 경우에는 응시자의 시험성적을 공개하도록 하고 있음에도 심판대상조항은 변호사시험에 합격한 사람에 대하여 그의 성적을 공개하지 못하도록 하는 것이, 다른 자격시험에 응시하는 사람에 비하여 변호사시험에 응시하는 사람을 합리적 이유 없이 차별 취급하는 것이라고 주장한다. 그런데 다른 자격시험의 경우, 특정의 전문교육과정을 요구하지 않거나 요구하는 경우라고 하더라도 전문교육기관 간의 과다 경쟁 및 서열화 방지, 충실한 교육의 담보라는 목적과는 관련이 없는 등 다른 자격시험 응시자와 변호사시험 응시자를 본질적으로 동일한 비교집단으로 볼 수 없다. 따라서 심판대상조항이 청구인들을 다른 자격시험 응시자와 차별취급하고 있다고 볼 수 없으므로 심판대상조항에 의한 평등권 침해 문제는 발생하지 않는다.

2. 알 권리(정보공개청구권) 침해 여부

가. 과잉금지원칙 위배 여부

1) 입법목적의 정당성

심판대상조항은 변호사시험 성적 비공개를 통하여 법학전문대학원 간의 과다경쟁 및 서열화를 방지하고, 법학전문대학원 교육과정이 충실하게 이행될 수 있도록 함으로써 새로운 법학전문대학원 체제를 조기에 정착시켜 궁극적으로 다양한 분야의 전문성을 갖춘 양질의 변호사를 양성하기 위한 것으로 그 입법목적은 정당하다.

2) 수단의 적절성

그러나 변호사시험 성적 비공개로 인하여 변호사시험 합격자의 능력을 평가할 수 있는 객관적인 자료가 없어서 오히려 대학의 서열에 따라 합격자를 평가하게 되어 대학의 서열화는 더욱 고착화된다. 또한 변호사 채용에 있어서 학교성적이 가장 비중 있는 요소가 되어 다수의 학생들이 학점 취득이 쉬운 과목 위주로 수강하기 때문에 학교별 특성화 교육도 제대로 시행되지 않고, 학교 선택에 있어서도 자신이 관심 있는 교육과정을 가진 학교가 아니라 기존 대학 서열에 따라 학교를 선택하게 되며, 법학전문대학원도 학생들이 어떤 과목에 상대적으로 취약한지 등을 알 수 없게 되어 다양하고 경쟁력 있는 법조인 양성이라는 목적을 제대로 달성할 수 없게 된다.

한편 시험 성적이 공개될 경우 변호사시험 대비에 치중하게 된다는 우려가 있으나, 좋은 성적을 얻기 위해 노력하는 것은 당연하고 시험성적을 공개하지 않는다고 하여 변호사시험 준비를 소홀히 하는 것도 아니다. 오히려 시험성적을 공개하는 경우 경쟁력 있는 법률가를 양성할 수 있고, 각종 법조직역에 채용과 선발의 객관적 기준을 제공할 수 있다. 따라서 변호사시험 성적의 비공개는 기존 대학의 서열화를 고착시키는 등의 부작용을 낳고 있으므로 수단의 적절성이 인정되지 않는다.

3) 침해의 최소성

위에서 본 바와 같이 변호사시험 성적을 합격자 본인에게도 공개하지 못하도록 하는 것은 입법목적을 달성하는 데 있어 적절하지 않고, 오히려 심판대상조항이 추구하는 법학교육의 정상화나 교육 등을 통한 우수 인재 배출, 법학전문대학원 간의 과다경쟁 및 서열화 방지라는 입법목적은 결국 법학전문대학원 내의 충실하고 다양한 교과과정 및 엄정한 학사관리를 통하여 이루어지는 것이 정상적일 뿐만 아니라 이러한 방안이 법학전문대학원의 도입취지에도 부합한다. 사정이 이와 같다면, 심판대상조항의 입법목적은 법학전문대학원 내의 충실하고 다양한 교과과정의 이행이나 엄정한 학사관리 등과 같이 법학전문대학원의 도입취지에 부합하면서도 청구인들의 변호사시험 성적에 대한 알 권리를 제한하지 않는 수단을 통해서 달성할 수 있음에도, 변호사시험 성적을 합격자 본인에게도 공개하지 못하도록 하는 것은 응시자들의 알 권리를 과도하게 제한하는 것으로서 침해의 최소성 원칙에도 위배된다.

4) 법익의 균형성

앞서 본 바와 같이 심판대상조항이 추구하는 공익은 궁극적으로 법학전문대학원의 충실하고 다양한 교과과정 및 엄정한 학사관리를 통해서 실현되는 것이지, 변호사시험 성적을 비공개함으로써 실현되는 것이 아니고 시험 성적을 공개한다고 하여 이러한 공익의 달성이 어려워지는 것도 아니다.

이에 반하여 변호사시험 응시자들은 시험 성적의 비공개로 인하여 자신의 인격을 발현하는데 중요한 기초가 되는 정보에 대한 알 권리를 제한받게 되므로, 심판대상조항으로 인하여 제한되는 사익은 현저히 중대하다. 변호사시험 합격자로서는 많은 시간과 노력을 기울여 준비하고 합격한 시험의 성적을 알고, 이를 각종 법조직역 또는 취업시장의 진출과정에서 활용하고자 하는 것은 개인의 자아실현을 위해 매우 중요한 부분이다. 따라서 심판대상조항은 법익의 균형성 요건도 갖추지 못하였다.

5) 소 결

심판대상조항은 과잉금지원칙에 위배되어 청구인들의 알 권리(정보공개청구권)를 침해한다.

제4항 집회·결사의 자유

| 집회의 자유 |

 **채증활동규칙 및 경찰의 집회 참가자에 대한 촬영행위 위헌확인 사건**
[기각, 각하]
— 2018. 8. 30. 선고 2014헌마843

판시사항

1. 구 채증활동규칙(2012. 9. 26. 경찰청예규 제472호)과 채증활동규칙(2015. 1. 26. 경찰청예규 제495호)(이 둘을 통틀어 이하 '이 사건 채증규칙'이라 한다)이 직접 기본권을 침해하는지 여부(소극)
2. 가. 피청구인이 집회에 참가한 청구인들을 촬영한 행위(이하 '이 사건 촬영행위'라 한다)가 예외적으로 심판의 이익이 인정되는지 여부(적극)
   나. 이 사건 촬영행위가 과잉금지원칙을 위반하여 청구인들의 일반적 인격권, 개인정보자기결정권, 집회의 자유를 침해하는지 여부(소극)

사건의 개요

청구인들은 연세대학교 법학전문대학원 재학생들로 2014. 8. 29. 16:00경부터 19:00경까지 연세대학교 앞에서 광화문광장까지 세월호 특별법 제정 촉구를 목적으로 행진하는 집회(이하 '이 사건 집회'라고 한다)에 참가하였다.

이 사건 집회의 주최자 이○솔은 2014. 8. 27.경 집회명 '연세대학교 학생/교수/동문 8.29 도심순례', 집회목적 '유가족 세월호 특별법 제정 촉구', 개최일시 '2014. 8. 29. 16:00부터 18:00까지', 개최장소 및 시위진로 '연세대학교 앞→명물거리→이화여자대학교 앞→이대역→아현역→충정로역→서대문역→경향신문사', '보도, 인도 이용', 주관자 '연세대학교 총학생회', 참가예정인원 80명으로 하여 서울지방경찰청에 신고하였다.

청구인들을 포함한 이 사건 집회 참가자 약 120명은 신고한 대로 구호를 제창하며 인도로 진행하였고, 2014. 8. 29. 17:50경 애초 신고한 마지막 지점인 경향신문사 앞을 지나 광화문 방면으로 약 100m 정도 행진을 계속하자, 경찰은 한국씨티은행 앞 인도에서 이를 저지하며 대치하게 되었고, 종로경찰서 정보관은 신고범위를 일탈한 불법행진임을 수차례 경고하였다. 그 후 종로경찰서 경비과장은 2014. 8. 29. 17:58경 종로경찰서장의 명을 받아 미신고 불법집회를 이유로 종결선언을 요청하였으나, 주최자가 이를 거부하자 18:00경 자진해산요청을 하였으며, 18:08경에는 1차 해산명령을 하였다.

종로경찰서 소속 채증요원들은 위와 같이 이 사건 집회 참가자들이 신고장소를 벗어난 다음 경찰의 경고 등의 조치가 있을 무렵부터 채증카메라 등을 이용하여 집회참가자들의 행위, 경고장면과 해산절차장면 등을 촬영하기 시작하였고, 청구인들을 포함한 이 사건 집회 참가자들이 2014. 8. 29. 18:15경

자진해산하여 개별적으로 광화문광장으로 이동하기 시작하자, 경찰은 촬영을 중단하였다(이하 '이 사건 촬영행위'라 한다).

청구인들은 주위적으로 이 사건 촬영행위의 근거가 된 구 채증활동규칙(2012. 9. 26. 경찰청예규 제472호)이 명확성원칙 및 법률유보원칙에 반하고, 예비적으로 이 사건 촬영행위가 청구인들의 초상권, 개인정보자기결정권 및 집회의 자유 등을 침해하여 위헌이라고 주장하며, 2014. 10. 2. 이 사건 헌법소원심판을 청구하였다. 그 후 청구인들은 2015. 3. 30. 개정된 채증활동규칙(2015. 1. 26. 경찰청예규 제495호)에 대한 심판청구를 주위적 청구에 추가하였다.

심판대상

이 사건 심판대상은 주위적으로 구 채증활동규칙(2012. 9. 26. 경찰청예규 제472호)과 개정된 채증활동규칙(2015. 1. 26. 경찰청예규 제495호)(이 둘을 통틀어 이하 '이 사건 채증규칙'이라 한다)이 청구인들의 기본권을 침해하는지 여부이고, 예비적으로 피청구인이 2014. 8. 29. 집회참가자인 청구인들을 촬영한 이 사건 촬영행위가 청구인들의 기본권을 침해하는지 여부이다.

주문

1. 청구인들의 주위적 심판청구를 모두 각하한다.
2. 청구인들의 예비적 심판청구를 모두 기각한다.

I 이 사건 채증규칙에 대한 판단

이 사건 채증규칙(경찰청 예규)은 법률로부터 구체적인 위임을 받아 제정한 것이 아니며, 집회·시위 현장에서 불법행위의 증거자료를 확보하기 위해 행정조직의 내부에서 상급행정기관이 하급행정기관에 대하여 발령한 내부기준으로 행정규칙이다. 청구인들을 포함한 이 사건 집회 참가자는 이 사건 채증규칙에 의해 직접 기본권을 제한받는 것이 아니라, 경찰의 이 사건 촬영행위에 의해 비로소 기본권을 제한받게 된다.

따라서 청구인들의 이 사건 채증규칙에 대한 심판청구는 헌법재판소법 제68조 제1항이 정한 기본권 침해의 직접성 요건을 충족하지 못하였으므로 부적법하다.

II 이 사건 촬영행위에 대한 판단

1. 심판의 이익 인정 여부

이 사건 촬영행위는 이미 종료되었으므로, 이에 대한 심판청구가 인용된다고 하더라도 청구인들의 권리구제에는 도움이 되지 않는다. 그러나 기본권 침해행위가 장차 반복될 위험이 있거나 당해 분쟁의 해결이 헌법질서의 유지·수호를 위하여 긴요한 사항이어서 헌법적으로 그 해명이 중대한 의미를 지니고 있는 때에는 예외적으로 심판의 이익을 인정할 수 있다.

앞서 본 바와 같이 집회·시위 등 현장에서 경찰의 채증활동기준을 정한 이 사건 채증규칙은 법률로부터 구체적인 위임을 받아 제정한 것이 아니고 행정조직 내부에서 상급행정기관이 하급행정기관에 대하여 발하는 업무처리지침으로서의 효력을 갖는 행정규칙이다. 그러나 집회·시위 등 현장에서 경찰의 촬영행위는 경찰관직무집행법 제2조 및 경찰법 제3조 등의 일반적 수권규범이나 이 사건 채증규칙에 기대어 적법하다는 인식하에서 계속적·반복적으로 이루어질 수 있으므로 기본권 침해의 반복가능성이 인정된다.

물론 촬영행위의 주체, 대상, 시간, 장소 등 구체적인 사정을 고려해 특정한 권력적 사실행위의 위법 여부에 대한 판단이 달라질 수 있다. 그러나 청구인들이 이 사건 촬영행위에 대한 심판청구에서 문제 삼고 있는 것은 집회·시위 등 현장에서 집회·시위 참가자에 대한 피청구인의 촬영행위가 헌법적으로 허용될 수 있는지에 대한 것이고, 경찰이 하는 촬영행위의 헌법적 한계를 확정짓고 그에 관한 합헌적 기준을 제시하는 문제는 단순히 개별행위에 대한 위법 여부의 문제를 넘어 촬영행위 대상자의 기본권 침해 여부를 확인하는 것이므로 헌법적 해명이 필요한 사안에 해당한다. 더군다나 이 문제에 관하여 아직까지 헌법재판소에서 헌법적 해명이 이루어진 적도 없으므로 그 해명의 필요성이 인정된다.

그렇다면 이 사건 촬영행위에 대한 심판청구는 주관적 권리보호이익은 소멸하였으나, 기본권 침해행위의 반복가능성과 헌법적 해명의 필요성이 있으므로 심판의 이익을 인정할 수 있다.

2. 본안에 대한 판단

가. 제한되는 기본권

1) 일반적 인격권

사람은 자신의 의사에 반하여 얼굴을 비롯하여 일반적으로 특정인임을 식별할 수 있는 신체적 특징에 관하여 함부로 촬영당하지 아니할 권리, 즉 헌법 제10조로부터 도출되는 초상권을 포함한 일반적 인격권을 가지고 있다. 따라서 옥외집회·시위 현장에서 참가자들을 촬영·녹화하는 경찰의 촬영행위는 집회참가자들에 대한 초상권을 포함한 일반적 인격권을 제한할 수 있다.

2) 개인정보자기결정권

경찰의 촬영행위는 개인정보자기결정권의 보호대상이 되는 신체, 특정인의 집회·시위 참가 여부 및 그 일시·장소 등의 개인정보를 정보주체의 동의 없이 수집하였다는 점에서 개인정보자기결정권을 제한할 수 있다.

3) 집회의 자유

헌법 제21조 제1항은 '모든 국민은 언론·출판의 자유와 집회·결사의 자유를 가진다.'고 규정하여 집회의 자유를 '표현의 자유'로서 언론·출판의 자유와 함께 국민의 기본권으로 보장하고 있다. 집회의 자유에는 집회를 통하여 형성된 의사를 집단적으로 표현하고 이를 통해 불특정 다수인의 의사에 영향을 줄 자유를 포함한다. 따라서 이를 내용으로 하는 시위의 자유 또한 집회의 자유를 규정한 헌법 제21조 제1항에 의하여 보호되는 기본권이다.

집회의 자유는 그 내용에 있어 집회참가자가 기본권행사를 이유로 혹은 기본권행사와 관련하여 국가의 감시를 받게 되거나, 경우에 따라서는 어떠한 불이익을 받을 수도 있다는 것을 걱정할 필요가 없는, 즉 자유로운 심리상태의 보장이 전제되어야 한다. 개인이 가능한 외부의 영향을 받지 않고 집회의 준비와 실행에 참여할 수 있고, 집회참가자 상호간 및 공중과의 의사소통이 가능한 방해받지 않아야 한다.

따라서 집회·시위 등 현장에서 집회·시위 참가자에 대한 사진이나 영상촬영 등의 행위는 집회·시위 참가자들에게 심리적 부담으로 작용하여 여론형성 및 민주적 토론절차에 영향을 주고 집회의 자유를 전체적으로 위축시키는 결과를 가져올 수 있으므로 집회의 자유를 제한한다고 할 수 있다.

나. 수사로서의 촬영행위

경찰의 촬영행위는 일반적 인격권, 개인정보자기결정권 및 집회의 자유 등 기본권 제한을 수반하는 것이므로 필요최소한에 그쳐야 한다(형사소송법 제199조 제1항 단서 참조). 따라서 범죄수사를 위한 경찰의 촬영행위는 현재 범행이 이루어지고 있거나 행하여진 직후이고, 증거보전의 필요성 및 긴급성이 있으며, 일반적으로 허용되는 상당한 방법에 의한 경우로 제한되어야 한다. 그러한 경우라면 그 촬영행위가 영장 없이 이루어졌다 하더라도 위법하다고 할 수 없다(99도2317).

다. 과잉금지원칙 위배 여부

1) 재판관 김창종, 재판관 안창호, 재판관 서기석, 재판관 조용호의 기각의견

가) 목적의 정당성 및 수단의 적합성

수사란 범죄혐의의 유무를 명백히 하여 공소를 제기·유지할 것인가의 여부를 결정하기 위해 범인을 발견·확보하고 증거를 수집·보전하는 수사기관의 활동을 말한다. 경찰은 범죄행위가 있는 경우 이에 대한 수사로서 증거를 확보하기 위해 촬영행위를 할 수 있다.

이 사건 촬영행위는 집회·시위 참가자들이 신고된 집회·시위 장소를 벗어난 다음 경찰이 집회·시위 주최자 등의 '집회 및 시위에 관한 법률'(이하 '집시법'이라 한다) 위반과 관련하여 수사하는 과정에서 이루어진 것이다. 따라서 이 사건 촬영행위는 집회·시위 주최자 등의 범죄에 대한 증거를 수집하여 형사소추에 활용하기 위한 것으로서 목적의 정당성과 수단의 적합성이 인정된다.

나) 침해의 최소성

경찰은 범인을 발견하고 증거를 수집·보전하기 위하여 촬영행위를 할 수 있다.

경찰의 촬영행위는 일반적 인격권, 개인정보자기결정권, 집회의 자유 등 기본권 제한을 수반하는 것이므로 수사를 위한 것이라고 하더라도 필요최소한에 그쳐야 한다. 다만 옥외 집회나 시위 참가자 등에 대한 촬영은 사적인 영역이 아니라 공개된 장소에서의 행위에 대한 촬영인 점과 독일 연방집회법 등과 달리 현행 '집회 및 시위에 관한 법률'(이하 '집시법'이라 한다)에서는 옥외집회·시위 참가자가 신원확인을 방해하는 변장을 하는 것 등이 금지되고 있지 아니하는 점이 고려될 수 있다.

미신고 옥외집회·시위 또는 신고범위를 넘는 집회·시위에서 단순 참가자들에 대한 경찰의 촬영

행위는 비록 그들의 행위가 불법행위로 되지 않는다 하더라도 주최자에 대한 집시법 위반에 대한 증거를 확보하는 과정에서 불가피하게 이루어지는 측면이 있다. 이러한 촬영행위에 의하여 수집된 자료는 주최자의 집시법 위반에 대한 직접·간접의 증거가 될 수 있을 뿐만 아니라 그 집회 및 시위의 규모·태양·방법 등에 대한 것으로서 양형자료가 될 수 있다. 그리고 미신고 옥외집회·시위 또는 신고범위를 넘는 집회·시위의 주최자가 집회·시위 과정에서 바뀔 수 있고 새로이 실질적으로 옥외집회·시위를 주도하는 사람이 나타날 수 있으므로, 경찰은 새로이 집시법을 위반한 사람을 발견·확보하고 증거를 수집·보전하기 위해서는 미신고 옥외집회·시위 또는 신고범위를 넘는 집회·시위의 단순 참가자들에 대해서도 촬영할 필요가 있다. 또한 미신고 옥외집회·시위 또는 신고범위를 벗어난 옥외집회·시위가 적법한 경찰의 해산명령에 불응하는 집회·시위로 이어질 수 있으므로, 이에 대비하여 경찰은 미신고 옥외집회·시위 또는 신고범위를 벗어난 집회·시위를 촬영함으로써, 적법한 경찰의 해산명령에 불응하는 집회·시위의 경위나 전후 사정에 관한 자료를 수집할 수 있다.

한편 근접촬영과 달리 먼 거리에서 집회·시위 현장을 전체적으로 촬영하는 소위 조망촬영이 기본권을 덜 침해하는 방법이라는 주장도 있으나, 최근 기술의 발달로 조망촬영과 근접촬영 사이에 기본권 침해라는 결과에 있어서 차이가 있다고 보기 어려우므로, 경찰이 이러한 집회·시위에 대해 조망촬영이 아닌 근접촬영을 하였다는 이유만으로 헌법에 위반되는 것은 아니다.

옥외집회·시위에 대한 경찰의 촬영행위는 증거보전의 필요성 및 긴급성, 방법의 상당성이 인정되는 때에는 헌법에 위반된다고 할 수 없으나, 경찰이 옥외집회 및 시위 현장을 촬영하여 수집한 자료의 보관·사용 등은 엄격하게 제한하여, 옥외집회·시위 참가자 등의 기본권 제한을 최소화해야 한다. 옥외집회·시위에 대한 경찰의 촬영행위에 의해 취득한 자료는 '개인정보'의 보호에 관한 일반법인 '개인정보 보호법'이 적용될 수 있다.

이러한 사정들을 종합하면, 이 사건 촬영행위는 침해의 최소성 원칙에 위배된다고 할 수 없다.

다) 법익의 균형성

이 사건 촬영행위로 달성하려는 공익, 즉 범인을 발견·확보하고 증거를 수집·보전함으로써 종국적으로 이루려는 질서유지보다 청구인들의 기본권 제한이 크다고 단정할 수 없으므로, 이 사건 촬영행위는 법익의 균형성에 위배된다고 할 수 없다.

라) 소 결

이 사건 촬영행위는 과잉금지원칙을 위반하여, 청구인들의 일반적 인격권, 개인정보자기결정권 및 집회의 자유를 침해한다고 볼 수 없다.

2) 재판관 이진성, 재판관 김이수, 재판관 강일원, 재판관 이선애, 재판관 유남석의 이 사건 촬영행위에 대한 반대의견 (생략)

III 결 론

청구인들의 이 사건 채증규칙에 대한 주위적 심판청구는 부적법하므로 각하하고, 이 사건 촬영행위에 대한 예비적 심판청구는 기각하기로 하여 주문과 같이 결정한다.

136 야간 옥외집회 금지 사건 [헌법불합치]
− 2009. 9. 24. 선고 2008헌가25

판시사항

1. 해가 뜨기 전이나 해가 진 후의 옥외집회(이하 '야간옥외집회'라 한다)를 금지하고, 일정한 경우 관할경찰관서장이 허용할 수 있도록 한 '집회 및 시위에 관한 법률'(2007. 5. 11. 법률 제8424호로 전부 개정된 것, 이하 '집시법'이라 한다) 제10조 중 "옥외집회" 부분과 이에 위반한 경우의 처벌규정인 집시법 제23조 제1호 중 "제10조 본문의 옥외집회" 부분(이하 두 조항을 합하여 '이 사건 법률조항들'이라 한다)이 헌법에 위반하여 집회의 자유를 침해하는지 여부(적극)
2. 단순위헌의견이 5인, 헌법불합치의견이 2인인 경우 주문의 표시 및 종전결정의 변경

사건의 개요

제청신청인은 2008. 5. 9. 19:35경부터 21:47경까지 야간에 옥외에서 미국산 쇠고기 수입반대 촛불집회를 주최하였다는 등의 이유로 집회 및 시위에 관한 법률 위반 등 혐의로 기소되었다. 제청신청인은 1심 계속중 제청신청인에게 적용된 '집회 및 시위에 관한 법률' 제10조, 제23조 제1호가 헌법상 금지되는 집회의 사전 허가제를 규정한 것으로서 헌법에 위반된다고 주장하며 위헌법률심판 제청신청을 하였다. 서울중앙지방법원은 위 법률조항들이 당해 사건 재판의 전제가 되고, 위헌이라고 인정할 만한 상당한 이유가 있다며 2008. 10. 13. 이 사건 위헌법률심판제청을 하였다.

심판대상조항 및 관련조항

집회 및 시위에 관한 법률(2007. 5. 11. 법률 제8424호로 전부 개정된 것)

제2조(정의) 이 법에서 사용하는 용어의 정의는 다음과 같다.
  1. "옥외집회"라 함은 천장이 없거나 사방이 폐쇄되지 않은 장소에서의 집회를 말한다.
  2. "시위"라 함은 다수인이 공동목적을 가지고 도로·광장·공원등 공중이 자유로이 통행할 수 있는 장소를 진행하거나 위력 또는 기세를 보여 불특정 다수인의 의견에 영향을 주거나 제압을 가하는 행위를 말한다.

제10조(옥외집회와 시위의 금지 시간) 누구든지 해가 뜨기 전이나 해가 진 후에는 옥외집회 또는 시위를 하여서는 아니 된다. 다만, 집회의 성격상 부득이하여 주최자가 질서유지인을 두고 미리 신고한 경우에는 관할경찰관서장은 질서 유지를 위한 조건을 붙여 해가 뜨기 전이나 해가 진 후에도 옥외집회를 허용할 수 있다.

제23조(벌칙) 제10조 본문 또는 제11조를 위반한 자, 제12조에 따른 금지를 위반한 자는 다음 각 호의 구분에 따라 처벌한다.
  1. 주최자는 1년 이하의 징역 또는 100만 원 이하의 벌금

주문

'집회 및 시위에 관한 법률'(2007. 5. 11. 법률 제8424호로 전부 개정된 것) 제10조 중 "옥외집회" 부분 및 제23조 제1호 중 "제10조 본문의 옥외집회" 부분은 헌법에 합치되지 아니한다.
위 조항들은 2010. 6. 30.을 시한으로 입법자가 개정할 때까지 계속 적용된다.

1. 재판관 이강국, 재판관 이공현, 재판관 조대현, 재판관 김종대, 재판관 송두환의 위헌의견

집시법 제10조 본문은 야간옥외집회를 일반적으로 금지하고, 그 단서는 행정권인 관할경찰서장이 집회의 성격 등을 포함하여 야간옥외집회의 허용 여부를 사전에 심사하여 결정한다는 것이므로, 결국 야간옥외집회에 관한 일반적 금지를 규정한 집시법 제10조 본문과 관할 경찰서장에 의한 예외적 허용을 규정한 단서는 그 전체로서 야간옥외집회에 대한 허가를 규정한 것이라고 보지 않을 수 없고, 이는 헌법 제21조 제2항에 정면으로 위반된다. 따라서 집시법 제10조 중 "옥외집회" 부분은 헌법 제21조 제2항에 의하여 금지되는 허가제를 규정한 것으로서 헌법에 위반되고, 이에 위반한 경우에 적용되는 처벌조항인 집시법 제23조 제1호 중 "제10조 본문의 옥외집회" 부분도 헌법에 위반된다.

2. 재판관 조대현, 재판관 송두환의 위헌보충의견

이 사건 법률조항들이 헌법 제21조 제2항에 위반된다고만 선언할 경우에, 국회가 집시법 제10조 단서를 삭제하면 행정청이 집회의 허부를 결정하는 허가제에 해당되지 않게 되어 헌법 제21조 제2항에 위반되는 점은 해소되지만, 집시법 제10조 본문이 야간옥외집회를 일반적·전면적으로 금지하고 있는 점의 위헌성은 해소되지 않게 된다. 집시법 제10조 본문은 야간옥외집회를 일반적·전면적으로 금지하여 합리적 사유도 없이 집회의 자유를 상당 부분 박탈하는 것이므로 헌법 제37조 제2항에 위반된다고 선언할 필요가 있다.

3. 재판관 민형기, 재판관 목영준의 헌법불합치의견

가. 헌법 제21조 제2항 위반 여부

'행정청이 주체가 되어 집회의 허용 여부를 사전에 결정하는 것'으로서 행정청에 의한 사전허가는 헌법상 금지되지만, 입법자가 법률로써 일반적으로 집회를 제한하는 것은 헌법상 '사전허가금지'에 해당하지 않는다. 집시법 제10조 본문은 "해가 뜨기 전이나 해가 진 후에는" 옥외집회를 못 하도록 시간적 제한을 규정한 것이고, 단서는 오히려 본문에 의한 제한을 완화시키려는 규정이다. 따라서 본문에 의한 시간적 제한이 집회의 자유를 과도하게 제한하는지 여부는 별론으로 하고, 단서의 "관할경찰관서장의 허용"이 '옥외집회에 대한 일반적인 사전허가'라고는 볼 수 없는 것이다. 집시법 제10조는 법률에 의하여 옥외집회의 시간적 제한을 규정한 것으로서 그 단서 조항의 존재에 관계없이 헌법 제21조 제2항의 '사전허가금지'에 위반되지 않는다.

나. 헌법 제37조 제2항 위반 여부

옥외집회는 그 속성상 공공의 안녕질서, 법적 평화 및 타인의 평온과 마찰을 빚을 가능성이 크다. 야간이라는 특수한 시간적 상황은 시민들의 평온이 더욱더 요청되는 시간대이고, 집회참가자 입장에서도 주간보다 감성적으로 민감해져 자제력이 낮아질 가능성이 높다. 또한 행정관서 입장에서도 야간옥외집회는 질서를 유지시키기가 어렵다. 집시법 제10조는 야간옥외집회의 위와 같은 특징과 차별성을 고려하여, 원칙적으로 야간옥외집회를 제한하는 것이므로, 그 입법목적의 정당성과 수단의 적합성이 인정된다.

한편 집시법 제10조에 의하면 낮 시간이 짧은 동절기의 평일의 경우에는 직장인이나 학생은 사실상 집회를 주최하거나 참가할 수 없게 되어, 집회의 자유를 실질적으로 박탈하거나 명목상의 것으로 만드는 결과를 초래하게 된다. 또한 도시화·산업화가 진행된 현대 사회에서, '야간'이라는 시간으로 인한 특징이나 차별성은 보다 구체적으로 표현하면 '심야'의 특수성으로 인한 위험성이라고도 할 수 있다. 집시법 제10조는 목적달성을 위해 필요한 정도를 넘는 지나친 제한이다. 나아가 우리 집시법은 제8조, 제12조, 제14조 등에서 국민의 평온과 사회의 공공질서가 보호될 수 있는 보완장치를 마련하고 있으므로, 옥외집회가 금지되는 야간시간대를 집시법 제10조와 같이 광범위하게 정하지 않더라도 입법목적을 달성하는데 큰 어려움이 없다. 집시법 제10조 단서는, 관할경찰관서장이 일정한 조건하에 집회를 허용할 수 있도록 규정하고 있으나, 그 허용 여부를 행정청의 판단에 맡기고 있는 이상, 과도한 제한을 완화하는 적절한 방법이라고 할 수 없다. 따라서 집시법 제10조는 침해최소성의 원칙에 반하고, 법익균형성도 갖추지 못하였다.

따라서 집시법 제10조 중 '옥외집회'에 관한 부분은 과잉금지 원칙에 위배하여 집회의 자유를 침해하는 것으로 헌법에 위반되고, 이를 구성요건으로 하는 집시법 제23조 제1호의 해당 부분 역시 헌법에 위반된다.

다. 헌법불합치 결정의 필요성

이 사건 법률조항들이 헌법에 위반된다는 의견이 5인이고, 헌법에 합치되지 아니한다는 의견이 2인이므로, 단순위헌 의견에 헌법불합치 의견을 합산하면 헌법재판소법 제23조 제2항 제1호에 규정된 법률의 위헌결정을 함에 필요한 심판정족수에 이르게 된다. 따라서 이 사건 법률조항들에 대하여 헌법에 합치되지 아니한다고 선언하되, 이 사건 법률조항들에는 위헌적인 부분과 합헌적인 부분이 공존하고 있으므로 입법자가 2010. 6. 30. 이전에 개선입법을 할 때까지 계속 적용되어 그 효력을 유지하도록 하고, 만일 위 일자까지 개선입법이 이루어지지 않는 경우 이 사건 법률조항들은 2010. 7. 1.부터 그 효력을 상실하도록 한다. 아울러 종전에 헌법재판소가 이 결정과 견해를 달리해, 구 '집회 및 시위에 관한 법률'(1989. 3. 29. 법률 제4095호로 전부 개정된 것) 제10조는 헌법에 위반되지 않는다고 판시한 1994. 4. 28. 91헌바14 결정은 이 결정과 저촉되는 범위 내에서 이를 변경하기로 한다.

137 야간 시위 금지 사건 [한정위헌]
― 2014. 3. 27. 선고 2010헌가2,2012헌가13(병합)

판시사항

1. 해가 뜨기 전이나 해가 진 후의 시위를 금지하는 '집회 및 시위에 관한 법률 제10조 본문 중 '시위'에 관한 부분 및 이에 위반한 시위에 참가한 자를 형사처벌하는 집시법 제23조 제3호 부분이 집회의 자유를 침해하는지 여부(적극)
2. 규제가 불가피하다고 보기 어려움에도 시위를 절대적으로 금지한 부분에 한하여 한정위헌결정을 한 사례

심판대상조항 및 관련조항

집회 및 시위에 관한 법률(2007. 5. 11. 법률 제8424호로 개정된 것)

제10조(옥외집회와 시위의 금지 시간) 누구든지 해가 뜨기 전이나 해가 진 후에는 옥외집회 또는 시위를 하여서는 아니된다. 다만, 집회의 성격상 부득이하여 주최자가 질서유지인을 두고 미리 신고한 경우에는 관할경찰관서장은 질서 유지를 위한 조건을 붙여 해가 뜨기 전이나 해가 진 후에도 옥외집회를 허용할 수 있다.

제23조(벌칙) 제10조 본문 또는 제11조를 위반한 자, 제12조에 따른 금지를 위반한 자는 다음 각 호의 구분에 따라 처벌한다.
  3. 그 사실을 알면서 참가한 자는 50만 원 이하의 벌금·구류 또는 과료

주문

집회 및 시위에 관한 법률(2007. 5. 11. 법률 제8424호로 개정된 것) 제10조 본문 중 '시위'에 관한 부분 및 제23조 제3호 중 '제10조 본문' 가운데 '시위'에 관한 부분은 각 '해가 진 후부터 같은 날 24시까지의 시위'에 적용하는 한 헌법에 위반된다.

I. 판 단

1. 집시법상 야간 시위의 금지

가. 현행 집시법 제2조 제1호는 『"옥외집회"란 천장이 없거나 사방이 폐쇄되지 아니한 장소에서 여는 집회를 말한다.』고 규정하고, 제2호는 『"시위"란 다수인이 공동목적을 가지고 도로·광장·공원 등 공중이 자유로이 통행할 수 있는 장소를 행진하거나 위력 또는 기세를 보여, 불특정한 여러 사람의 의견에 영향을 주거나 제압을 가하는 행위를 말한다.』고 규정하여, 옥외집회와 시위를 구분하고 있다.

위와 같은 문언과 법률의 연혁에 비추어 보면, 집시법상의 시위는, 다수인이 공동목적을 가지고 ① 도로·광장·공원 등 공중이 자유로이 통행할 수 있는 장소를 행진함으로써 불특정한 여러 사람의 의견에 영향을 주거나 제압을 가하는 행위와 ② 위력 또는 기세를 보여 불특정한 여러 사람의 의견에 영향을 주거나 제압을 가하는 행위를 말한다고 풀이해야 할 것이다. 따라서 집시법상의 시위는 반드시 '일반인이 자유로이 통행할 수 있는 장소'에서 이루어져야 한다거나 '행진' 등 장소 이동을 동반해야만 성립하는 것은 아니다.

다만 다수인이 일정한 장소에 모여 행한 특정행위가 공동의 목적을 가진 집단적 의사표현의 일환으로 이루어진 것으로서 집시법상 시위에 해당하는지 여부는, 행진 등 행위의 태양 및 참가 인원, 행위 장소 등 객관적 측면과 아울러 그들 사이의 내적인 유대 관계 등 주관적 측면을 종합하여 전체적으로 그 행위를 불특정 다수인의 의견에 영향을 주거나 제압을 가하는 행위로 볼 수 있는지 여부에 따라 개별·구체적으로 판단되어야 할 것이다.

나. 집시법상 집회에 대한 정의규정은 존재하지 아니한다. 그러나 일반적으로 집회는, 일정한 장소를 전제로 하여 특정 목적을 가진 다수인이 일시적으로 회합하는 것을 말하는 것으로 일컬어지고 있고, 그 공동의 목적은 '내적인 유대 관계'로 족하다.

다. 예외적으로 해가 뜨기 전이나 해가 진 후의 옥외집회를 허용할 수 있도록 한 집시법 제10조 단서는 시위에 대하여 적용되지 않으며, 이 사건 법률조항은 해가 뜨기 전이나 해가 진 후의 시위를 예외 없이 절대적으로 금지하는 것이라고 볼 것이다.

2. 이 사건 법률조항의 집회의 자유 침해 여부

가. 집회의 자유의 의미와 역할

헌법 제21조 제1항은 "모든 국민은 언론·출판의 자유와 집회·결사의 자유를 가진다."고 규정하여 집회의 자유를 표현의 자유로서 언론·출판의 자유와 함께 국민의 기본권으로 보장하고 있다. 집회의 자유에는 집회를 통하여 형성된 의사를 집단적으로 표현하고 이를 통하여 불특정 다수인의 의사에 영향을 줄 자유를 포함한다. 따라서 이를 내용으로 하는 시위의 자유 또한 집회의 자유를 규정한 헌법 제21조 제1항에 의하여 보호되는 기본권이다.

인간으로서의 존엄과 가치를 보장하기 위하여 자유로운 인격발현을 최고가치 중의 하나로 삼는 우리 헌법질서 내에서, 집회의 자유는 국민들이 타인과 접촉하고 정보와 의견을 교환하며 공동의 목적을 위하여 집단적으로 의사표현을 할 수 있게 함으로써 개성신장과 아울러 여론형성에 영향을 미칠 수 있게 하여 동화적 통합을 촉진하는 기능을 가지며, 나아가 정치·사회현상에 대한 불만과 비판을 공개적으로 표출케 함으로써 정치적 불만세력을 사회적으로 통합하여 정치적 안정에 기여하는 역할을 한다. 또한 선거와 선거 사이의 기간에 유권자와 그 대표 사이의 의사를 연결하고, 대의기능이 약화된 경우에 그에 갈음하는 직접민주주의의 수단으로서 기능하며, 현대사회에서 의사표현의 통로가 봉쇄되거나 제한된 소수집단에게 의사표현의 수단을 제공한다는 점에서, 언론·출판의 자유와 더불어 대의제 자유민주국가에서는 필수적 구성요소가 되는 것이다. 이러한 의미에서 헌법이 집회의 자유를 보장한 것은 관용과 다양한 견해가 공존하는 다원적인 '열린사회'에 대한 헌법적 결단인 것이다.

3. 과잉금지원칙 위반 여부

이 사건 법률조항은 '해가 뜨기 전이나 해가 진 후'(이하 '야간'이라 한다)의 시위를 절대적으로 금지하는바, 과잉금지원칙에 위반하여 집회의 자유를 침해하고 있는지 살펴본다.

1) 목적의 정당성 및 수단의 적합성

이 사건 법률조항이 야간의 시위를 금지한 것은 사회의 안녕질서를 유지하고 시위 참가자 등의 안전과 제3자인 시민들의 주거 및 사생활의 평온을 보호하기 위한 것으로서 정당한 목적 달성을 위한 적합한 수단이 된다고 볼 수 있다.

2) 침해의 최소성 및 법익균형성

집회의 자유는 집회의 시간, 장소, 방법과 목적을 스스로 결정할 권리, 즉 집회를 하루 중 언제 개최할지 등 시간 선택에 대한 자유와 어느 장소에서 개최할지 등 장소 선택에 대한 자유를 내포하고 있다. 따라서 야간의 시위 주최 및 참가 역시 집회의 자유로 보호됨이 원칙이고, 이를 사회의 안녕질서 또는 국민의 주거 및 사생활의 평온 등을 위하여 제한함에는 목적 달성에 필요한 최소한의 범위로 한정되어야 한다.

그런데 오늘날 우리 사회 대다수의 직장과 학교는 그 근무 및 학업 시간대를 오전 8-9시부터 오후 5-6시까지로 하고 있어 평일의 위 시간대에는 개인적 활동을 하기 어렵다. 시위를 주최하거나 참가하려는 직장인이나 학생은 특별한 사정이 없는 한 퇴근 또는 하교 후인 오후 5-6시 이후에나 시위의 주최 또는 참여가 가능한 경우가 많을 것이다. 그 결과 낮 시간이 짧은 동절기의 평일의 경우, 직장인이나 학생은 사실상 시위를 주최하거나 참가할 수 없게 되는데, 이는 헌법이 모든 국민에게 보장하는 집회의 자유를 실질적으로 박탈하거나 명목상의 것으로 만드는 결과를 초래하게 된다.

한편, 우리 헌법상 집회의 자유에 의하여 보호되는 것은 오로지 '평화적' 또는 '비폭력적' 집회에 한정되는 것이므로 집회의 자유를 빙자한 폭력행위나 불법행위 등은 헌법적 보호범위를 벗어난 것인 만큼, 형법, '폭력행위 등 처벌에 관한 법률', 도로교통법 등에 의하여 형사처벌되거나 민사상의 손해배상책임 등에 의하여 제재될 수 있다.

이러한 규정들을 종합하여 보면, 시위가 금지되는 시간대를 이 사건 법률조항과 같이 광범위하게 정하여 절대적으로 금지한 것은 목적 달성에 필요한 기본권의 제한을 최소화할 수 있는 방법을 강구하지 아니한 것으로서 침해최소성의 원칙에 반한다.

이 사건 법률조항에 의하여 달성되는 사회의 안녕질서 유지의 공익이나 시위 참가자 등의 안전과 제3자인 시민들의 평온 보호 등의 공익 역시 중요한 것이나, 현대 대의민주국가에서 민주적 공동체의 필수적 구성요소인 집회의 자유의 평화적인 행사로 인하여 필연적으로 발생하고, 회피되기 어려운 일정한 혼란 내지 법익의 제한은 일정한 범위에서 국가와 제3자에 의하여 수인되어야 할 것이라는 점에 비추어 보면, 야간이라는 광범위한 시간 동안 절대적으로 시위를 하지 못하게 하는 것은 공공의 안녕질서 보호라는 공익에 비해 집회의 자유를 과도하게 제한하는 것으로 법익 균형성원칙도 위반하고 있다고 할 것이다.

3) 소 결

이 사건 법률조항은 목적달성을 위하여 필요한 범위를 넘어 과도하게 야간 시위를 제한함으로써, 과잉금지원칙에 위배하여 집회의 자유를 침해하는 것으로 헌법에 위반되고, 이를 구성요건으로 하는 집시법 제23조 제3호의 해당 부분 역시 헌법에 위반된다.

4. 위헌 부분 특정의 필요성

가. 시위는 공공의 질서 내지 법적 평화와 마찰을 일으킬 가능성이 상당히 높은 것이어서 일정한 제한은 불가피하고, 관련 법익들을 비교형량하여 그러한 법익들이 조화되고, 동시에 최대한 실현될 수 있도록 정리·정돈되어야 할 것인바, 이 사건 법률조항이 가지는 위헌성은 야간 시위를 제한하는 것 자체에 있는 것이 아니라, 사회의 안녕질서와 시민들의 평온 등을 보호하기 위하여 필요한 범위를 넘어 '해가 뜨기 전이나 해가 진 후'라는 광범위하고 가변적인 시간대에 일률적으로 시위를 금지하는 데 있다.

즉 위와 같은 시간대 동안 시위를 절대적으로 금지하는 것에는 위헌적인 부분과 합헌적인 부분이 공존하고 있으며, 위와 같은 입법목적을 달성하면서도 시위의 주최자나 참가자의 집회의 자유를 필요최소한의 범위에서 제한하는 방법은 여러 방향에서 검토될 수 있다. 즉 우리나라 일반인의 시간대 별 생활형태, 주거와 사생활의 평온이 절실히 요청되는 시간의 범위 및 우리나라 시위의 현황과 실정 등 제반 사정을 참작하여 시위가 금지되는 시간대나 장소를 한정하거나, 한 장소에서의 연속적이고 장기간에 걸친 시위를 제한하거나, 일정한 조도 이상의 조명 장치를 갖추도록 하거나, 확성기 장치 등 소음을 유발하는 장비의 사용을 제한하거나, 시위 참가자의 규모를 고려하여 제한하는 등 다양한 방법을 통하여 시위의 자유와 공공의 안녕질서를 조화시키는 방법을 모색할 수 있으며, 이는 원칙적으로 입법자의 판단에 맡기는 것이 바람직하다.

나. 헌법재판소는 위헌법률의 제거가 법적 공백이나 혼란을 초래할 우려가 있는 경우, 심판대상 법률조항의 합헌 부분과 위헌 부분의 경계가 모호하여 단순위헌결정으로 대처하기 어려운 경우 등에 있어 헌법불합치 결정을 하여 왔다.

야간의 옥외집회를 원칙적으로 금지한 '집회 및 시위에 관한 법률' 제10조 중 '옥외집회' 부분 및 제23조 제1호 중 '제10조 본문의 옥외집회' 부분의 위헌 여부가 문제된 사건에서도, 헌법재판소는 위 조항들의 합헌적인 부분과 위헌적인 부분의 경계가 모호하고, 그 경계의 획정은 입법자의 판단에 맡기는 것이 바람직하다는 이유로 헌법불합치 결정을 하고, 입법자가 2010. 6. 30. 이전에 개선입법을 할 때까지 위 조항들을 계속 적용하도록 하면서, 만일 위 일자까지 개선입법이 이루어지지 않는 경우 위 조항들은 2010. 7. 1. 부터 그 효력을 상실하도록 한 바 있다(헌재 2009. 9. 24. 2008헌가25 참조).

그런데 결과적으로 위 조항들은 2010. 6. 30. 까지 개선입법이 이루어지지 아니하여 그 효력을 상실하였으며, 대법원은 위 결정이 형벌에 관한 법률조항에 대한 위헌결정에 해당하는 이상, 헌법재판소법 제47조 제2항 단서에 의하여 위 조항들은 소급하여 효력을 상실한다고 판단하였다(대법원 2011. 6. 23. 선고 2008도7562 판결). 그에 따라 과거 야간 옥외집회를 주최하거나 그에 참가하였다는 이유로 위 조항들에 의하여 형사처벌을 받았던 이들이 일률적으로 형사 재심 청구를 하는 것이 가능해졌고, 야간의 옥외집회는 주간의 옥외집회와 마찬가지로 규율되게 되었다.

다. 위와 같은 규범공백 상태 및 현실의 문제를 종합적으로 고려하면, 위와 같은 헌법재판소의 결정이 있던 때와 달리 현재는, 헌법에 합치되지 아니하는 법률의 잠정적용을 명하여야 할 예외적인 필요성, 즉 법적 안정성의 관점에서 법치국가적으로 용인하기 어려운 법적 공백이나 혼란이 예상되어 예외적으로 일정 기간 위헌적인 상태를 감수하는 것이 헌법적 질서에 보다 가까운 경우라 보기는 어렵다.

그러나 이 사건 법률조항에 대하여 헌법불합치결정을 하면서 전부의 적용을 중지할 경우, 야간의 옥외집회와 시위 전부가 주최 시간대와 관계없이 주간의 옥외집회나 시위와 마찬가지로 규율됨에 따라, 공공의 질서 내지 법적 평화에 대한 침해의 위험이 높아 일반적인 옥외집회나 시위에 비하여 높은 수준의 규제가 불가피한 경우에도 대응하기 어려운 문제가 발생할 수 있다.

따라서 이 사건 법률조항에 존재하는 합헌적인 부분과 위헌적인 부분 가운데, 현행 집시법의 체계 내에서 시간을 기준으로 한 규율의 측면에서 볼 때, 규제가 불가피하다고 보기 어려움에도 시위를 절대적으로 금지한 부분의 경우에는 위헌성이 명백하다고 할 수 있으므로 이에 한하여 위헌결정을 하기로 한다.

즉 우리 국민의 일반적인 생활형태 및 보통의 집회·시위의 소요시간이나 행위태양, 대중교통의 운행시간, 도심지의 점포·상가 등의 운영시간 등에 비추어 보면, 적어도 해가 진 후부터 같은 날 24시까지의 시위의 경우, 이미 보편화된 야간의 일상적인 생활의 범주에 속하는 것이어서 특별히 공공의 질서 내지 법적 평화를 침해할 위험성이 크다고 할 수 없으므로 그와 같은 시위를 일률적으로 금지하는 것은 과잉금지원칙에 위반됨이 명백하다. 그러나 나아가 24시 이후의 시위를 금지할 것인지 여부는 국민의 주거 및 사생활의 평온, 우리나라 시위의 현황과 실정, 국민 일반의 가치관 내지 법감정 등을 고려하여 입법자가 결정할 여지를 남겨두는 것이 바람직하다.

그렇다면 적어도 이 사건 법률조항과 이를 구성요건으로 하는 집시법 제23조 제3호의 해당 부분은 '해가 진 후부터 같은 날 24시까지의 시위'에 적용하는 한 헌법에 위반된다고 할 것이다.

II 결 론

'집회 및 시위에 관한 법률'(2007. 5. 11. 법률 제8424호로 개정된 것) 제10조 본문 중 '시위'에 관한 부분 및 제23조 제3호 중 '제10조 본문'의 '시위'에 관한 부분은 각 '해가 진 후부터 같은 날 24시까지의 시위'에 적용하는 한 헌법에 위반되므로 주문과 같이 결정한다.

138. 국회의사당 인근 옥외집회 금지 사건 [헌법불합치]

— 2018. 5. 31. 선고 2013헌바322, 2016헌바354, 2017헌바360·398·471, 2018헌가3·4·9(병합)

판시사항

1. 누구든지 국회의사당의 경계지점으로부터 100미터 이내의 장소에서 옥외집회 또는 시위를 할 경우 형사처벌한다고 규정한 '집회 및 시위에 관한 법률' 제11조 제1호 중 '국회의사당'에 관한 부분 및 제23조 중 제11조 제1호 가운데 '국회의사당'에 관한 부분(이하 위 두 조항을 합하여 '심판대상조항'이라 한다)이 집회의 자유를 침해하는지 여부(적극)
2. 헌법불합치결정을 하면서 계속 적용을 명한 사례

사건의 개요

당해 사건 피고인은 『피고인은 2015. 5. 1. 16:20경 국회의사당 국회 본관 앞 계단에서 전국교직원노동조합 및 전국공무원노동조합 소속 조합원 150여 명과 함께 '공무원 노후를 팔지 마라'는 피켓을 들고 '국회특위 해산하라'는 등의 구호를 제창함으로써 국회의사당 경계지점으로부터 100미터 이내의 장소에서 개최된 집회에 참가하였다.』는 공소사실로 기소되었다.

광주지방법원은 1심 계속 중 '집회 및 시위에 관한 법률' 제11조 제1호 중 '국회의사당' 부분이 과잉금지원칙에 반하여 위헌이라고 의심할 만한 상당한 이유가 있다며 2018. 2. 21. 직권으로 위헌법률심판제청을 하였다.

심판대상조항 및 관련조항

집회 및 시위에 관한 법률(2007. 5. 11. 법률 제8424호로 전부개정된 것)

제11조(옥외집회와 시위의 금지 장소) 누구든지 다음 각 호의 어느 하나에 해당하는 청사 또는 저택의 경계 지점으로부터 100미터 이내의 장소에서는 옥외집회 또는 시위를 하여서는 아니 된다.
  1. 국회의사당, 각급 법원, 헌법재판소

제23조(벌칙) 제10조 본문 또는 제11조를 위반한 자, 제12조에 따른 금지를 위반한 자는 다음 각 호의 구분에 따라 처벌한다.
  1. 주최자는 1년 이하의 징역 또는 100만 원 이하의 벌금
  2. 질서유지인은 6개월 이하의 징역 또는 50만 원 이하의 벌금·구류 또는 과료
  3. 그 사실을 알면서 참가한 자는 50만 원 이하의 벌금·구류 또는 과료

주문

1. 집회 및 시위에 관한 법률(2007. 5. 11. 법률 제8424호로 전부개정된 것) 제11조 제1호 중 '국회의사당'에 관한 부분 및 제23조 중 제11조 제1호 가운데 '국회의사당'에 관한 부분은 모두 헌법에 합치되지 아니한다.
2. 위 법률조항은 2019. 12. 31.을 시한으로 개정될 때까지 계속 적용한다.

1 '집회의 장소' 제한의 헌법적 의미

가. 헌법 제21조 제1항은 '모든 국민은 언론·출판의 자유와 집회·결사의 자유를 가진다.'고 규정하여 집회의 자유를 보장하고 있다.

인간의 존엄과 가치를 최고의 헌법적 가치로 삼고 있는 헌법질서 내에서, 집회의 자유는 국민들이 타인과 접촉하고 정보와 의견을 교환하며 공동의 목적을 위하여 집단적으로 의사표현을 할 수 있게 함으로써 개성신장과 아울러 여론형성에 영향을 미칠 수 있게 하여 동화적 통합을 촉진하는 기능을 하며, 나아가 정치·사회 현상에 대한 불만과 비판을 공개적으로 표출케 함으로써 정치적 불만세력을 사회적으로 통합하여 정치적 안정에 기여하는 역할을 한다. 또한 집회의 자유는 선거와 선거 사이의 기간에 유권자와 그 대표 사이의 의사를 연결하고, 대의기능이 약화된 경우에 그에 갈음하는 직접민주주의의 수단으로서 기능하며, 현대사회에서 의사표현의 통로가 봉쇄되거나 제한된 소수 집단에게 의사표현의 수단을 제공한다는 점에서, 대의제 민주국가에서는 언론·출판의 자유와 더불어 필수적 구성요소가 된다. 이러한 의미에서 헌법이 집회의 자유를 보장한 것은 관용과 다양한 견해가 공존하는 다원적인 '열린 사회'에 대한 헌법적 결단이라고 할 수 있다.

나. 집회의 자유는 집회의 시간, 장소, 방법과 목적을 스스로 결정하는 것을 보장하는 것으로, 구체적으로 보호되는 주요 행위는 집회의 준비 및 조직, 지휘, 참가, 집회장소·시간의 선택이다. 이 가운데 집회의 장소는 일반적으로 집회의 목적·내용과 밀접한 내적 연관관계를 가질 수 있다. 집회는 특별한 상징적 의미 또는 집회와 특별한 연관성을 가지는 장소, 예를 들면, 집회를 통해 반대하고자 하는 대상물이 위치하거나 집회의 계기를 제공한 사건이 발생한 장소 등에서 행해져야 이를 통해 다수의 의견표명이 효과적으로 이루어질 수 있으므로, 집회의 장소에 대한 선택은 집회의 성과를 결정짓는 주요 요인이 될 수 있다. 따라서 집회의 장소를 선택할 자유는 집회의 자유의 한 실질을 형성한다고 할 수 있다.

2. 집회의 자유 침해 여부

가. 목적의 정당성 및 수단의 적합성

국회는 국민을 대표하는 대의기관으로서 법률을 제정하거나 개정하며, 국정통제기관으로서 특히 행정부에 대한 강력한 통제권한을 행사하는 등 국가정책결정의 주요한 기능을 담당하고 있다. 이와 같은 국회의 기능과 역할은 헌법이 부여하고 보장하는 것으로 헌정질서의 유지·작동을 위한 기초가 되고, 그 특수성과 중요성에 비추어 특별하고도 충분한 보호가 요청된다. 그런데 국회의 사당 인근에서 옥외집회가 행하여지는 경우 그러한 집회는 이해관계나 이념이 대립되는 여러 당사자들 사이에 갈등이 극단으로 치닫거나 입법자에 대한 압력행사를 통하여 일정한 이익을 확보하려는 목적으로 이루어질 수 있고, 물리적 충돌이 발생할 여지도 있다. 심판대상조항은 위와 같은 사정을 감안하여 국회의원과 국회에서 근무하는 일반 직원, 그리고 국회에 출석하여 진술하고자 하는 일반 국민이나 공무원 등이 어떠한 압력이나 위력에 구애됨이 없이 자유롭게 국회의사당에 출입하여 업무를 수행하며, 국회의사당을 비롯한 국회 시설의 안전이 보장될 수 있도록 하기 위한 목적에서 입법된 것이다.

이러한 심판대상조항의 입법목적은 정당하고, 국회의사당 인근에서의 옥외집회를 전면적으로 금지하는 것은 국회의 기능을 저해할 가능성이 있는 집회를 사전에 차단함으로써 국회의 기능을 보호하는 데 기여할 수 있으므로 수단의 적합성도 인정된다.

나. 침해의 최소성

1) 집회의 자유는 대의제 민주주의의 기능을 강화·보완하고 사회통합에도 기여하는 등 언론·출판의 자유와 더불어 대의제 민주국가의 필수적 구성요소라고 할 것이므로, 국회의 특수성과 중요성을 고려한다 하더라도 국회의사당 인근에서 집회의 장소를 제한하는 것은 필요최소한에 그쳐야 한다.

위에서 본바와 같이 국회는 국민을 대표하는 대의기관으로서 법률을 제정하거나 개정하며, 국정통제기관으로서 특히 행정부에 대한 강력한 통제권한을 행사하는 등 국가정책결정의 헌법적 기능을 담당한다. 이와 같이 국회가 국가의 주요한 공익적 기능을 수행함에 있어 국회의원은 자신을 선출한 '국민의 의사'에 반드시 기속되는 것은 아니라고 하더라도, '국민주권에 바탕을 둔 대의제 민주주의'를 실현하기 위해서는 국회는 '국민의 의사'에 다가가 이를 국정에 가능한 반영하여야 한다. 그렇다면 국회의 헌법적 기능은 국회의사당 인근에서의 집회와 양립이 불가능한 것이 아니라 양립이 가능한 것이며, 국회는 이를 통해 보다 충실하게 헌법적 기능을 수행할 수 있다고 할 것이다.

국회의원은 국가이익을 우선하여 양심에 따라 직무를 수행해야 하므로(헌법 제46조 제2항), 특정인이나 일부 세력의 영향 때문에 직무의 순수성이 왜곡되어서는 안 된다. 따라서 '민의의 수렴'이라는 국회의 기능을 고려할 때, 국회가 특정인이나 일부 세력의 부당한 압력으로부터 보호될 필요성은 원칙적으로 국회의원에 대한 물리적인 압력이나 위해를 가할 가능성 및 국회의사당 등 국회 시설에의 출입이나 안전에 위협을 가할 위험성으로부터의 보호로 한정되어야 한다.

2) 헌법재판소는 '집회의 금지는 원칙적으로 공공의 안녕질서에 대한 직접적인 위협이 명백하게 존재하는 경우에 한하여 허용될 수 있다. 집회의 금지는 집회의 자유를 보다 적게 제한하는 다른 수단, 즉 집회참가자 수의 제한, 집회 대상과의 거리 제한, 집회 방법·시기·소요 시간의 제한 등과 같은 조건을 붙여 집회를 허용하는 가능성을 모두 소진한 후에 비로소 고려될 수 있는 최종적인 수단이다.'라고 판시하였다(2000헌바67). 이러한 헌법재판소의 결정에 비추어 보았을 때, 국회의사당 인근에서의 집회가 심판대상조항에 의하여 보호되는 법익에 대한 직접적인 위협을 초

래한다는 일반적 추정이 구체적인 상황에 의하여 부인될 수 있는 경우라면, 입법자로서는 예외적으로 옥외집회가 가능할 수 있도록 심판대상조항을 규정하여야 할 것이다.

예를 들어, 국회의 기능을 직접 저해할 가능성이 거의 없는 '소규모 집회'의 경우 국회의원 등에게 물리적인 압력이나 위해를 가할 가능성 또는 국회의사당 등 국회 시설의 출입이나 안전에 위협을 가할 위험성은 일반적으로 낮다. 이러한 소규모 집회가 일반 대중의 합세로 인하여 대규모 집회로 확대될 우려나 폭력집회로 변질될 위험이 없는 때에는 그 집회의 금지를 정당화할 수 있는 헌법적 근거를 발견하기 어렵다. 그리고 국회의 업무가 없는 '공휴일이나 휴회기 등에 행하여지는 집회'의 경우에도 국회의원 등의 국회의 자유로운 출입 및 원활한 업무 보장 등 보호법익에 대한 침해의 위험이 일반적으로 낮다. '국회의 활동을 대상으로 한 집회가 아니거나 부차적으로 국회에 영향을 미치고자 하는 의도가 내포되어 있는 집회'의 경우에도 국회를 중심으로 한 법익충돌의 위험성이 낮고, 국회의원 등에 대한 직접적·간접적 물리력이 행사될 가능성도 낮다. 이처럼 옥외집회에 의한 국회의 헌법적 기능이 침해될 가능성이 부인되거나 또는 현저히 낮은 경우에는, 입법자로서는 심판대상조항으로 인하여 발생하는 집회의 자유에 대한 과도한 제한 가능성이 완화될 수 있도록 그 금지에 대한 예외를 인정하여야 한다.

그럼에도 불구하고 심판대상조항은 전제되는 위험 상황이 구체적으로 존재하지 않는 경우까지도 예외 없이 국회의사당 인근에서의 집회를 금지하고 있는바, 이 또한 입법목적의 달성에 필요한 범위를 넘는 과도한 제한이라고 할 것이다.

3) 이러한 사정들을 종합하여 볼 때, 심판대상조항은 그 입법목적을 달성하는 데 필요한 최소한도의 범위를 넘어, 규제가 불필요하거나 또는 예외적으로 허용하는 것이 가능한 집회까지도 이를 일률적·전면적으로 금지하고 있다고 할 것이므로 침해의 최소성 원칙에 위배된다.

다. 법익의 균형성

심판대상조항을 통한 국회의 헌법적 기능 보호라는 목적과 집회의 자유에 대한 제약 정도를 비교할 때, 심판대상조항으로 달성하려는 공익이 제한되는 집회의 자유 정도보다 크다고 단정할 수는 없다고 할 것이므로 심판대상조항은 법익의 균형성 원칙에도 위배된다.

라. 소결론

심판대상조항은 입법 목적의 정당성과 수단의 적합성이 인정된다고 하더라도, 침해의 최소성 및 법익의 균형성 원칙에 반한다고 할 것이므로 과잉금지원칙을 위반하여 집회의 자유를 침해한다.

3. 헌법불합치 결정

심판대상조항이 가지는 위헌성은 국회의 헌법적 기능을 보호하는 데 필요한 범위를 넘어 국회의사당 인근에서의 집회를 일률적·전면적으로 금지하는 데 있다. 즉, 국회의사당 인근에서의 옥외집회를 금지하는 것에는 위헌적인 부분과 합헌적인 부분이 공존하고 있는 것이다. 그런데 국회의사당 인근에서의 옥외집회 중 어떠한 형태의 옥외집회를 예외적으로 허용함으로써 집회의 자유를 필요최소한의 범위에서 제한할 것인지에 관하여서는 이를 입법자의 판단에 맡기는 것이 바람직하다.

139 국무총리 공관 인근 옥외집회 금지 사건 [헌법불합치]
— 2018. 6. 28. 선고 2015헌가28, 2016헌가5(병합)

판시사항 및 결정요지

1. 국무총리 공관 인근에서 옥외집회·시위를 금지하고 위반시 처벌하는 '집회 및 시위에 관한 법률' 제11조 제3호, 제23조 제1호 중 제11조 제3호에 관한 부분(이하 '이 사건 금지장소 조항'이라 한다)이 집회의 자유를 침해하는지 여부(적극)

   국무총리의 생활공간이자 직무수행 장소인 공관의 기능과 안녕을 보호하기 위한 것으로서 그 입법목적이 정당하다. 그리고 국무총리 공관 인근에서 행진을 제외한 옥외집회·시위를 금지하는 것은 입법목적 달성을 위한 적합한 수단이다.
   이 사건 금지장소 조항은 국무총리 공관의 기능과 안녕을 직접 저해할 가능성이 거의 없는 '소규모 옥외집회·시위의 경우', '국무총리를 대상으로 하는 옥외집회·시위가 아닌 경우'까지도 예외 없이 옥외집회·시위를 금지하고 있는바, 이는 입법목적 달성에 필요한 범위를 넘는 과도한 제한이다. 또한 이 사건 금지장소 조항은 국무총리 공관 인근에서의 '행진'을 허용하고 있으나, 집시법상 '행진'의 개념이 모호하여 기본권 제한을 완화하는 효과는 기대하기 어렵다. 또한 집시법은 이 사건 금지장소 조항 외에도 집회의 성격과 양상에 따른 다양한 규제수단들을 규정하고 있으므로, 국무총리 공관 인근에서의 옥외집회·시위를 예외적으로 허용한다 하더라도 국무총리 공관의 기능과 안녕을 충분히 보장할 수 있다.
   이러한 사정들을 종합하여 볼 때, 이 사건 금지장소 조항은 그 입법목적을 달성하는 데 필요한 최소한도의 범위를 넘어, 규제가 불필요하거나 또는 예외적으로 허용하는 것이 가능한 집회까지도 이를 일률적·전면적으로 금지하고 있다고 할 것이므로 침해의 최소성 원칙에 위배된다. 이 사건 금지장소 조항을 통한 국무총리 공관의 기능과 안녕 보장이라는 목적과 집회의 자유에 대한 제약 정도를 비교할 때, 이 사건 금지장소 조항으로 달성하려는 공익이 제한되는 집회의 자유 정도보다 크다고 단정할 수는 없으므로 이 사건 금지장소 조항은 법익의 균형성 원칙에도 위배된다.
   따라서 이 사건 금지장소 조항은 과잉금지원칙을 위반하여 집회의 자유를 침해한다.

2. 국무총리 공관 인근에서 옥외집회·시위를 한 경우를 해산명령의 대상으로 삼아, 그 해산명령에 불응할 경우 처벌하는 집시법 제24조 제5호 중 제20조 제2항 가운데 '제11조 제3호를 위반한 집회 또는 시위'에 관한 부분이 집회의 자유를 침해하는지 여부(적극)

   이 사건 금지장소 조항이 과잉금지원칙을 위반하여 집회의 자유를 침해하므로, 이 사건 금지장소 조항을 구성요건으로 하는 이 사건 해산명령불응죄 조항 역시 집회의 자유를 침해하여 헌법에 위반된다.

3. 헌법불합치 결정을 하되 계속 적용을 명한 사례

140 각급 법원 인근 옥외집회 금지 사건 [헌법불합치]
— 2018. 7. 26. 선고 2018헌바137

판시사항 및 결정요지

1. 누구든지 각급 법원의 경계 지점으로부터 100미터 이내의 장소에서 옥외집회 또는 시위를 할 경우 형사처벌한다고 규정한 '집회 및 시위에 관한 법률' 제11조 제1호 중 '각급 법원' 부분 및 제23조 제1호 중 제11조 제1호 가운데 '각급 법원'에 관한 부분(이하 '심판대상조항'이라 한다)이 집회의 자유를 침해하는지 여부(적극)

 법관의 독립은 공정한 재판을 위한 필수 요소로서 다른 국가기관이나 사법부 내부의 간섭으로부터의 독립뿐만 아니라 사회적 세력으로부터의 독립도 포함한다. 심판대상조항의 입법목적은 법원 앞에서 집회를 열어 법원의 재판에 영향을 미치려는 시도를 막으려는 것이다. 이런 입법목적은 법관의 독립과 재판의 공정성 확보라는 헌법의 요청에 따른 것이므로 정당하다. 각급 법원 인근에 집회·시위금지장소를 설정하는 것은 입법목적 달성을 위한 적합한 수단이다.

 법원 인근에서 옥외집회나 시위가 열릴 경우 해당 법원에서 심리 중인 사건의 재판에 영향을 미칠 위협이 존재한다는 일반적 추정이 구체적 상황에 따라 부인될 수 있는 경우라면, 입법자로서는 각급 법원 인근일지라도 예외적으로 옥외집회·시위가 가능하도록 관련 규정을 정비하여야 한다.

 법원 인근에서의 집회라 할지라도 법관의 독립을 위협하거나 재판에 영향을 미칠 염려가 없는 집회도 있다. 예컨대 법원을 대상으로 하지 않고 검찰청 등 법원 인근 국가기관이나 일반법인 또는 개인을 대상으로 한 집회로서 재판업무에 영향을 미칠 우려가 없는 집회가 있을 수 있다. 법원을 대상으로 한 집회라도 사법행정과 관련된 의사표시 전달을 목적으로 한 집회 등 법관의 독립이나 구체적 사건의 재판에 영향을 미칠 우려가 없는 집회도 있다. 한편 집시법은 심판대상조항 외에도 집회·시위의 성격과 양상에 따라 법원을 보호할 수 있는 다양한 규제수단을 마련하고 있으므로, 각급 법원 인근에서의 옥외집회·시위를 예외적으로 허용한다고 하더라도 이러한 수단을 통하여 심판대상조항의 입법목적은 달성될 수 있다.

 심판대상조항은 입법목적을 달성하는 데 필요한 최소한도의 범위를 넘어 규제가 불필요하거나 또는 예외적으로 허용 가능한 옥외집회·시위까지도 일률적·전면적으로 금지하고 있으므로, 침해의 최소성 원칙에 위배된다.

 심판대상조항은 각급 법원 인근의 모든 옥외집회를 전면적으로 금지함으로써 상충하는 법익 사이의 조화를 이루려는 노력을 전혀 기울이지 않아, 법익의 균형성 원칙에도 어긋난다.

 심판대상조항은 과잉금지원칙을 위반하여 집회의 자유를 침해한다.

2. 헌법불합치결정을 하면서 계속 적용을 명한 사례

 각급 법원 인근에서의 옥외집회·시위를 금지하고 있는 심판대상조항에는 위헌적 부분과 합헌적 부분이 공존하고 있는데, 입법자로 하여금 어떤 경우 옥외집회·시위가 허용된다고 할 것인지를 정하도록 하는 것이 입법재량을 존중하는 방법이 된다. 심판대상조항에 대하여 헌법불합치결정을 선고하되, 입법자는 2019. 12. 31.까지 개선입법을 하여야 한다.

141 외교기관 인근 원칙적 집회 금지 사건 [합헌]
— 2010. 10. 28. 선고 2010헌마111

판시사항 및 결정요지

외교기관 인근의 옥외집회나 시위를 원칙적으로 금지하면서도 외교기관의 기능이나 안녕을 침해할 우려가 없다고 인정되는 구체적인 경우에는 예외적으로 옥외집회나 시위를 허용하고 있는 '집회 및 시위에 관한 법률'(2007. 5. 11. 법률 제8424호로 개정된 것) 제11조 제4호 중 '국내 주재 외국의 외교기관' 부분(이하 '이 사건 법률조항'이라 한다)이 청구인의 집회의 자유를 침해하는지 여부(소극)

헌법재판소는 2003. 10. 30. 외교기관 인근에서의 집회를 예외 없이 전면적으로 금지한 것은 침해의 최소성 및 법익의 균형성에 위배된다는 이유로 위 '외교기관 인근 집회의 전면금지' 조항을 위헌으로 판단하였고(2000헌바67), 그 취지에 따라 2004. 1. 29. 법률 제7123호로 개정된 집시법은 국내주재 외국의 외교기관이나 외교사절의 숙소 인근의 옥외집회나 시위를 원칙적으로 금지하면서도 예외적으로 옥외집회나 시위를 허용하는 내용으로 집시법 제11조를 개정하였다.

이 사건 법률조항은 외교기관을 대상으로 하는 외교기관 인근에서의 집회를 금지하고 있는바, 이는 외교기관에서 근무하는 외교관과 일반직원 그리고 외교기관에 출입하고자 하는 내·외국인 등이 생명·신체에 대한 어떠한 위협 없이 자유롭게 외교기관에 출입하고, 외교기관 시설 내에서의 안전이 보장될 수 있도록 하며, 나아가 외교관의 신체적 안전을 보호하고 원활한 업무를 보장함으로써 외교기관의 기능보장과 안전보호를 달성하고자 하는 데 그 주요한 입법목적이 있다고 할 것이므로 그 입법목적의 정당성과 수단의 적합성이 인정된다. 또한, 외교기관을 대상으로 하는 외교기관 인근에서의 옥외집회나 시위는 당사자들 사이의 갈등이 극단으로 치닫거나, 물리적 충돌로 발전할 개연성이 높고, 고도의 법익충돌 상황을 야기할 수 있기 때문에 집시법의 일반적인 규제조치 외에 외교기관 인근을 집회금지 구역으로 설정한 것 자체는 외교기관의 기능과 안전을 보호하려는 이 사건 법률조항의 입법목적을 보다 충실히 달성하기 위하여 적절한 수단이 될 수 있다. 나아가 이 사건 법률조항은 외교기관의 경계지점으로부터 반경 100미터 이내 지점에서의 집회 및 시위를 원칙적으로 금지하되, 그 가운데에서도 외교기관의 기능이나 안녕을 침해할 우려가 없다고 인정되는 세 가지의 예외적인 경우에는 이러한 집회 및 시위를 허용하고 있는바, 이는 입법기술상 가능한 최대한의 예외적 허용 규정이며, 그 예외적 허용 범위는 적절하다고 보이므로 이보다 더 넓은 범위의 예외를 인정하지 않는 것을 두고 침해의 최소성원칙에 반한다고 할 수 없다. 그리고 이 사건 법률조항으로 달성하고자 하는 공익은 외교기관의 기능과 안전의 보호라는 국가적 이익이며, 이 사건 법률조항은 법익충돌의 위험성이 없는 경우에는 외교기관 인근에서의 집회나 시위도 허용함으로써 구체적인 상황에 따라 상충하는 법익 간의 조화를 이루고 있다. 따라서 이 사건 법률조항이 청구인의 집회의 자유를 침해한다고 할 수 없다.

 **집회·시위를 위한 인천애뜰 잔디마당의 사용을 제한하는 인천광역시 조례 조항에 관한 헌법소원 사건** [위헌]
— 2023. 9. 26. 선고 2019헌마1417

심판대상조항 및 관련조항

인천애(愛)뜰의 사용 및 관리에 관한 조례(2019. 9. 23. 인천광역시조례 제6255호로 제정된 것)

제7조(사용허가 또는 제한) ① 시장은 제6조에 따른 신청이 있는 경우 다음 각 호의 어느 하나에 해당되지 않은 경우에 한하여 허가할 수 있다.
　5. 인천애뜰의 잔디마당과 그 경계 내 부지를 사용하고자 하는 사항 중 다음 각 목에 해당하는 경우

주문

인천애(愛)뜰의 사용 및 관리에 관한 조례(2019. 9. 23. 인천광역시조례 제6255호로 제정된 것) 제7조 제1항 제5호 가목은 헌법에 위반된다.

판시사항 및 결정요지

1. 집회 또는 시위를 하기 위하여 인천애(愛)뜰 중 잔디마당과 그 경계 내 부지에 대한 사용허가 신청을 한 경우 인천광역시장이 이를 허가할 수 없도록 제한하는 인천애(愛)뜰의 사용 및 관리에 관한 조례(이하 '이 사건 조례'라 한다) 제7조 제1항 제5호 가목(이하 '심판대상조항'이라 한다)에 의해 제한되는 기본권 및 쟁점

　가. 집회의 자유

　　인천애뜰에서 집회 또는 시위를 개최하려면 이 사건 조례에 따라 미리 사용허가를 받아야 하는데, 심판대상조항에 의하면 시장은 신청자가 잔디마당에서 집회 또는 시위를 하려고 하는 경우에는 그 사용허가를 할 수 없다. 따라서 심판대상조항은 청구인들이 잔디마당을 집회 장소로 선택할 권리를 제한한다.
　　집회 장소를 자유롭게 선택할 권리는 집회의 자유에 의하여 보호된다. 이하에서는 심판대상조항이 법률유보원칙과 과잉금지원칙을 위반하여 청구인들의 집회의 자유를 침해하는지 여부에 대하여 살펴본다.

　나. 그 밖의 주장

　　1) 청구인들은 심판대상조항이 헌법 제21조 제2항이 규정하는 집회에 대한 허가제 금지 원칙에 위반된다고 주장한다. 그러나 심판대상조항은 잔디마당에서 집회 또는 시위를 하려고 하는 경우 시장이 그 사용허가를 할 수 없도록 전면적·일률적으로 불허하고, '허가제'의 핵심 요소라 할 수 있는 '예외적 허용'의 가능성을 열어 두고 있지 않다. 그렇다면 심판대상조항은 집회에 대한 허가제를 규정하였다고 보기 어려우므로, 헌법 제21조 제2항 위반 주장에 대해서는 나아가 살펴보지 않기로 한다.
　　2) 청구인들은 심판대상조항이 일반적 행동의 자유도 침해한다고 주장하고 있으나, 집회의 자유

에 대한 침해 여부를 살펴보는 이상, 그에 대한 보충적 지위에 있다고 할 수 있는 일반적 행동의 자유 침해 여부는 살펴보지 않기로 한다. 또한 청구인들은 심판대상조항이 거주·이전의 자유도 침해한다고 주장하고 있으나, 생활의 근거지에 이르지 않는 일시적 이동을 위한 장소의 선택·변경은 거주·이전의 자유에 의하여 보호되는 것이 아니므로 심판대상조항에 의한 기본권 제한으로 볼 수 없다.

3) 청구인들은 서울특별시 서울광장에서의 집회·시위는 광장사용신고서를 제출하는 것만으로 가능한 것과 비교하면서, 심판대상조항에 의하여 평등권이 침해된다고 주장한다. 그러나 서울광장과 이 사건 인천애뜰은 이를 소유·관리하는 주체가 서로 다르므로 양자는 차별을 문제삼을 수 있는 비교집단으로 볼 수 없다. 따라서 청구인들의 평등권 침해 주장에 대해서는 나아가 살펴보지 않기로 한다.

2. 법률유보원칙에 위배되어 청구인들의 집회의 자유를 침해하는지 여부(소극)

조례에 대한 법률의 위임은 법규명령에 대한 법률의 위임과 같이 반드시 구체적으로 범위를 정할 필요가 없으며, 포괄적으로도 할 수 있다.

이 사건 조례는 지방자치법 제13조 제2항 제1호 자목 및 제5호 나목 등에 근거하여 인천광역시가 소유한 공유재산이자 공공시설인 인천애뜰의 사용 및 관리에 필요한 사항을 규율하기 위하여 제정되었고, 심판대상조항은 잔디마당과 그 경계 내 부지의 사용 기준을 정하고 있다. 그렇다면 심판대상조항은 법률의 위임 내지는 법률에 근거하여 규정된 것이라고 할 수 있으므로 법률유보원칙에 위배되지 않는다.

3. 심판대상조항이 과잉금지원칙에 위배되어 청구인들의 집회의 자유를 침해하는지 여부(적극)

잔디마당은 본래 시청사 부지 가장자리에 있었던 외벽과 화단 등을 철거하여 조성되어 시청사와 매우 근접한 장소로, 만약 집회·시위가 평화적으로 이루어지지 않을 경우 시청사의 안전과 기능 유지가 직접적으로 위협받을 수 있는바, 심판대상조항은 시청사의 안전과 기능을 확보하기 위한 규정으로 볼 수 있다. 또한 심판대상조항은 집회·시위를 개최하거나 참석하는 사람들의 잔디마당에 대한 독점적·배타적 사용을 차단함으로써 집회·시위에 참석하지 않는 시민이 자유롭게 잔디마당을 산책, 운동, 휴식 등의 장소로 이용할 수 있도록 하기 위한 규정이다. 이러한 심판대상조항의 목적은 정당하다.

집회·시위를 위한 잔디마당 사용허가가 전면적·일률적으로 차단되면 잔디마당에서 열리는 집회·시위의 개최도 봉쇄되므로 이로 인하여 시청사의 안전과 기능이 위협받을 가능성이 작아지고 해당 집회·시위에 참석하지 않는 시민의 자유로운 이용이 배제될 여지도 줄어들게 되는바, 수단의 적합성도 인정된다.

잔디마당은 도심에 위치하고 일반인에게 자유롭게 개방된 공간이며, 도보나 대중교통으로 접근하기 편리하고 다중의 이목을 집중시키기에 유리하여, 다수인이 모여 공통의 의견을 표명하기에 적합하다. 잔디마당을 둘러싸고 인천광역시와 시의회 청사 등이 있으며 이들은 모두 인천광역시 행정사무의 중심적 역할을 수행하고 있으므로, 이와 같은 지방자치단체의 행정사무에 대한 의견을 표명하려는 목적이나 내용의 집회의 경우에는 장소와의 관계가 매우 밀접하여 상징성이 크다. 이러한 특성을 고려하면 집회의 장소로 잔디마당을 선택할 자유는 원칙적으로 보장되어야 한다.

인천광역시로서는 시청사 보호를 위한 방호인력을 확충하고 청사 입구에 보안시설물을 설치하는 등의 대책을 마련함으로써, 잔디마당에서의 집회·시위를 전면적으로 제한하지 않고도 입법목적을 충분히 달성할 수 있다. 일반인에게 개방되어 자유로운 통행과 휴식 등을 위한 공간으로 활용되고 있는 잔디마당의 현황과 실제 운영방식을 고려하면, 잔디마당이 국토계획법상 공공청사 부지에 속한다는 사정을 집회의 자유를 전면적·일률적으로 제한할 수 있는 근거로 삼을 수 없다.

심판대상조항에 의하여 잔디마당을 집회 장소로 선택할 자유가 완전히 제한되는바, 공공에 위험을 야기하지 않고 시청사의 안전과 기능에도 위협이 되지 않는 집회나 시위까지도 예외 없이 금지되는 불이익이 발생한다.

그렇다면 심판대상조항은 과잉금지원칙에 위배되어 청구인들의 집회의 자유를 침해한다.

143 옥외집회신고서 반려행위 사건 [인용(위헌확인)]
– 2008. 5. 29. 선고 2007헌마712

판시사항

1. 서울남대문경찰서장이 ○○합섬HK지회에 대해 9회에 걸쳐 옥외집회신고서를 반려한 행위(이하 '이 사건 반려행위'라 한다)가 공권력의 행사에 해당하는지 여부(적극)
2. 이 사건 반려행위에 대한 헌법소원 심판청구에 대해 보충성의 예외를 인정할 수 있는지 여부(적극)
3. 이 사건 반려행위에 대한 심판청구에 대해 헌법적 해명의 필요성을 인정할 수 있는지 여부(적극)
4. 이 사건 반려행위가 집회의 자유를 침해하는지 여부(적극)

사건의 개요

청구인 전국○○산업노동조합은 ○○합섬HK지회가 소속된 산업별 노동조합이고, 청구인 전국○○산업노동조합 ○○합섬HK지회(이하 '○○합섬HK지회'라고 한다)는 ○○합섬 노동자 500여명으로 구성된 지회로서 이 사건 집회 신고를 한 주체이며, 청구인 이○훈은 위 HK지회의 지회장이고, 청구인 최○조는 위 지회의 회원이다. 청구인 ○○합섬HK지회는 피청구인 서울남대문경찰서장에게 2007. 3. 26. 09:00경, 서울 중구 ○○로2가 150에 위치한 ○○본관건물과 ○○생명빌딩 사이의 인도에서 2007. 4. 25. 옥외집회를 개최하겠다는 취지의 집회신고서를 접수한 후 접수증을 교부받았다(접수번호 제1442호). 그런데 피청구인은 위 옥외집회가 ○○생명인사지원실이 같은 일시에 제출한 옥외집회신고서(접수번호 제1443호)상의 옥외집회와 집회 시간 및 장소가 경합되어 상호방해 및 충돌우려가 있다는 이유에서, 2007. 3. 27. ○○합섬HK지회와 ○○생명인사지원실이 제출한 두 신고서 모두에 대해 반려하는 조치를 취하였고, 이러한 조치는 동일한 경위로 별지 목록 기재와 같이 총 9회에 걸쳐 이루어졌다. 이에 청구인들은 위 반려행위들이 청구인들의 행복추구권, 평등권 및 집회·결사의 자유를 침해한다는 이유로 2007. 6. 25. 이 사건 심판을 청구하였다.

심판대상

이 사건 심판 대상은 피청구인의 별지 목록 기재 민원서류반려행위가 청구인들의 기본권을 침해하였는지 여부이다(이하 '이 사건 반려행위'라 한다).

주문

1. 피청구인의 별지 목록 기재 민원서류반려행위는 청구인 전국○○산업노동조합 ○○합섬HK지회, 같은 이○훈, 같은 최○조의 집회의 자유를 침해하는 행위로서 위헌임을 확인한다.
2. 청구인 전국○○산업노동조합의 심판청구를 각하한다.

I 적법요건에 대한 판단

1. 자기관련성

헌법재판소법 제68조 제1항에 의한 헌법소원은 공권력의 행사 또는 불행사로 인하여 기본권을 침해받은 자만이 청구할 수 있는바, 여기에서 기본권을 침해받은 자란 자기의 기본권을 현재 그리고 직접적으로 침해받은 자를 의미한다. 따라서 원칙적으로 공권력의 행사 또는 불행사의 직접적인 상대방만이 청구인 적격이 있고, 공권력 작용의 직접적인 상대방이 아닌 제3자의 경우에는 공권력 작용이 그 제3자의 기본권을 직접적이고 법적으로 침해하고 있는 경우에만 예외적으로 자기관련성이 있다. 그 결과, 공권력 작용이 단지 간접적, 사실적 또는 경제적인 이해관계로만 관련되어 있는 제3자에게는 자기관련성이 인정되지 않는데, 이를 판단함에 있어서는 입법의 목적, 실질적인 규율대상, 법규정에서의 제한이나 금지가 제3자에게 미치는 효과나 진지성의 정도 등을 종합적으로 고려하여야 한다.

먼저 집회의 자유는 단체나 개인 모두에게 인정되는 기본권이므로 단체도 그 주체가 될 수 있다고 할 것인바, 청구인 ○○합섬HK지회는 ○○합섬 노동자 500여명으로 구성된 단체로서 ○○합섬HK의 채권단을 규탄하고자 이 사건 집회를 개최하려고 한 것인데, 피청구인의 이 사건 반려행위로 인하여 예정하였던 집회를 개최하지 못하게 된 것이므로, 이 사건 반려행위의 위헌성을 다투는 위 심판청구에 대하여 자기관련성이 인정된다.

다음으로 청구인 이○훈은 위 HK지회의 지회장이고, 청구인 최○조는 위 지회의 회원으로 이 사건 집회의 주최자는 아니나, 모두 ○○합섬HK지회의 구성원으로서 이 사건 집회에 참가하고자 하였는데 이 사건 반려행위로 인하여 옥외집회에 참가할 수 없게 되었으므로, 역시 이 사건 심판청구와 관련하여 자기관련성이 인정된다.

그러나 청구인 전국○○산업노동조합에 관하여 보건대, 위 노동조합은 화학섬유산업 단위노동조합이 모여 결성된 산업별 노동조합으로서 단위노동조합의 활동을 지원하는 기능만 하고 있다. 그런데 이 사건 집회의 주최자는 ○○합섬HK지회이고, 집회의 목적은 ○○합섬HK의 채권단을 규탄하는 것이다. 그렇다면 전국○○산업노동조합은 이 사건 집회의 당사자도 아니고, ○○합섬HK지회 집회와 관련하여 특별한 이해관계도 갖고 있지 않아 이 사건 반려행위로 인해 자신의 법적 이익 또는 권리를 직접적으로 침해당한 자라고 볼 수 없으며, 나아가 산업별 노동조합이 산하 단위노동조합을 위하여 또는 대신하여 헌법소원 심판청구를 할 수 있는 것도 아니므로, 이 사건 심판청구에 대하여 자기관련성이 인정되지 않는다.

결국 청구인 전국○○산업노동조합은 이 사건 심판청구와 관련하여 자기관련성이 인정되지 않고, 나머지 청구인들은 자기관련성이 인정된다(이하, 자기관련성이 인정되는 청구인 ○○합섬HK지회, 청구인 이○훈, 청구인 최○조 들을 '청구인들'이라 한다).

2. 기본권침해 가능성

피청구인은 옥외집회의 관리책임을 맡고 있는 행정기관으로서 이미 접수된 청구인들의 옥외집회신고서에 대하여 집시법상의 보완통고 또는 금지통고 처분을 하지 아니한 채 아무런 법률상 근거없이 단순히 청구인들에게 옥외집회신고서를 반려하였다. 이러한 반려행위에 대하여, 청구인들의 입장에서는 피청구인이 위 옥외집회신고의 접수를 거부하거나 집회의 금지를 통고하는 것으로 보지 않을 수 없고, 그 결과 위와 같은 형사적 처벌이나 집회의 해산을 받지 않기 위하여 위 집회의 개최를 포기할 수 밖에 없었다고 할 것이다.

결국 피청구인의 이 사건 반려행위는 주무(主務) 행정기관에 의한 행위로서 청구인들의 집회의 자유를 침해하였다고 할 것이므로, 이는 기본권침해 가능성이 있는 공권력의 행사에 해당한다고 할 것이다.

3. 보충성

헌법소원은 다른 법률에 구제절차가 있는 경우에는 그 절차를 모두 거친 후가 아니면 청구할 수 없다(헌법재판소법 제68조 제1항 단서). 그러므로 이 사건 반려행위에 대해서도 사전적으로 권리 구제를 받을 수 있는 절차가 마련되어 있다면 그 절차를 거쳐야 하며, 그렇지 않은 헌법소원심판청구는 원칙적으로 부적법하다.

그러나 헌법소원심판청구에 있어서 청구인이 그의 불이익으로 돌릴 수 없는 정당한 이유가 있는 착오로 전심절차를 밟지 않은 경우 또는 전심절차로 권리가 구제될 가능성이 거의 없거나 권리구제절차가 허용되는지 여부가 객관적으로 불확실하여 전심절차 이행의 기대가능성이 없을 때에는 보충성원칙의 예외가 인정된다.

위에서 본 바와 같이 청구인들 중 일부는 이 사건 반려행위 중 (1) 내지 (3)행위에 대하여 서울행정법원에 그 처분무효취소소송을 제기하면서 집행정지신청도 함께 제기하였으나, 위 법원은 집시법상 이미 접수된 옥외집회신고서를 반려할 수 있는 근거가 없을 뿐만 아니라, 반려행위를 집시법 제8조 제2항 소정의 금지통고로도 볼 수 없어 위 반려행위가 행정처분이 아니라는 이유에서 위 집행정지신청을 각하하였다. 이에 처분무효취소소송을 제기하였던 청구인들은 이와 같은 방법으로는 권리구제를 받을 수 없다고 보아 위 취소소송을 취하하고, 이 사건 헌법소원심판청구에 이른 것이다.

이러한 사정에 비추어 볼 때, 이 사건 반려행위에 대하여 법원에서의 권리구제절차가 허용되는지 여부가 객관적으로 불확실하므로 청구인들로 하여금 사전 구제절차를 이행하도록 기대하는 것은 적절하지 않다고 할 것이다. 그러므로 이 사건 심판청구는 보충성의 예외에 해당하는 심판청구로서 적법하다.

4. 권리보호이익과 헌법적 해명의 필요성

이 사건 반려행위는 관할경찰관서장에 의하여 아무런 법적 근거 없이 반복되어 왔을 뿐 아니라 그 편의성 때문에 앞으로도 반복될 가능성이 높다. 또한 위 반려행위의 법적 성격과 효과에 관하여 아직 법원의 확립된 해석도 없다. 그렇다면 이 사건 반려행위가 부당한 공권력의 행사로서 청구인들의 기본권을 침해하는지 여부에 관하여 헌법적으로 해명할 필요성이 존재한다고 할 것이므로, 이 사건 심판청구는 객관적 권리보호이익이 있는 적법한 청구라고 할 것이다.

Ⅱ 본안 판단

1. 문제되는 기본권

청구인들은 피청구인의 이 사건 반려행위로 인해 청구인들이 예정하였던 집회를 개최하지 못하였다고 주장하므로, 이 사건 반려행위로 인하여 침해된 기본권은 집회의 자유라고 할 것이다. 한편 청구인들은 이 사건 반려행위로 인해 평등권과 행복추구권도 침해받았다고 주장하나, 이는 집회의 자유를 누리지 못한 데에 따라 부수적으로 나타난 결과에 불과하므로, 이하에서는 이 사건 반려행위가 집회의 자유를 침해하고 있는지만을 본다.

2. 이 사건 반려행위의 위헌 여부

가. 집회의 자유 보장과 그 한계

집회의 자유는 반드시 법률에 의하여만 제한될 수 있고, 이 경우에도 그 본질적 내용을 침해하지 않는 필요최소한의 범위에 그쳐야 한다. 그럼에도 불구하고 해당 국가기관이 법에서 정한 이외의 사유로 집회의 자유를 제한한다면 이는 법률유보의 원칙을 위반하여 국민의 기본권을 침해하는 것으로 위헌임을 면치 못할 것이다.

나. 이 사건 반려행위의 성격

청구인들은 이 사건 집회를 하기 위해 집시법 제6조 제1항에 따라 집회신고서를 접수하였고, 이를 접수받은 남대문경찰서장은 같은 조 제2항에 따라 청구인들에게 그 접수증을 내주었으므로 이 사건 집회신고에 관한 청구인들의 접수행위는 완료되었다고 할 것이다.

이러한 상태에서 위 집회신고와 관련하여 관할경찰관서장이 할 수 있는 법률상 조치는, ①옥외집회신고서의 기재 사항에 미비한 점이 있다는 이유로 12시간 이내에 주최자에게 이를 보완할 것을 통고하거나(집시법 제7조 제1항), ② 공공의 안녕질서 유지를 위하여 집회를 금지 또는 제한하거나(제5조 제1항, 제10조, 제11조, 제12조), ③ 시간과 장소가 중복된 집회신고가 먼저 접수되었다는 이유로 뒤에 접수된 집회신고에 대하여 금지를 통고할 수 있을 뿐이다(제8조 제2항).

그런데 관할경찰관서장인 피청구인은 청구인들의 옥외집회신고서를 접수한 이후에 위 옥외집회가 ○○생명인사지원실이 신고한 옥외집회와 시간과 장소에서 경합된다는 이유에서 아무런 법률상 근거도 없이 청구인들 및 ○○생명인사지원실의 옥외집회신고서를 모두 반려하였다.

결국 피청구인의 주장에 의하면, 집회시간과 장소가 중복되는 2개 이상의 옥외집회 중 집회신고가 뒤에 접수된 집회는 집시법 제8조 제2항에 의하여 금지통고를 받게 되므로, 집회주최자들은 접수가능일의 가장 이른 시간에 관할경찰관서의 정문을 먼저 통과하기 위하여 몸싸움 등 물리력을 행사할 수 밖에 없는바, 관할경찰관서장은 이러한 충돌을 예방하기 위하여 일단 모든 집회신고를 접수하고 그 후 상호 양립될 수 없는 집회신고서 모두를 반려한 것이 이 사건 반려행위라는 것이다.

다. 이 사건 반려행위에 대한 판단

법률유보의 원칙에 따라 집회의 자유는 법률에 의하여만 제한할 수 있으므로 법률에 정하여지지 않은 방법으로 이를 제한할 경우에는 그것이 과잉금지 원칙에 위배되었는지 여부를 판단할 필요없이 헌법에 위반된다고 할 것이다.

이 사건에서 피청구인은 집회신고의 접수순위를 정하는데 있어서의 안전과 질서유지를 위한다는 이유에서 청구인들의 옥외집회신고서를 일단 접수한 후 이를 아무런 법률적 근거없이 청구인들에게 반려하였고, 이에 청구인들은 그것이 옥외집회신고의 접수를 거부하거나 집회의 금지를 통고하는 것이라고 보아 형사적 처벌이나 집회해산을 피하기 위하여 위 집회의 개최를 포기하였다.

그러나 법의 집행을 책임지고 있는 국가기관인 피청구인으로서는 집회의 자유를 제한하는데 있어서 실무상 아무리 어렵더라도 법에 규정된 방식에 따라야 할 책무가 있다. 그러므로 이 사건 집회신고에 관한 사무를 처리하는데 있어서도 적법한 절차에 따라 접수순위를 확정하려는 최선의 노력을 한 후, 집시법 제8조 제2항에 따라 후순위로 접수된 집회의 금지 또는 제한을 통고하였어야 한다. 만일 접수순위를 정하기 어렵다는 현실적인 이유로 중복신고된 모든 옥외집회의 개최가 법률적 근거없이 불허되는 것이 용인된다면, 집회의 자유를 보장하고 집회의 사전허가를 금지한 헌법 제21조 제1항 및 제2항은 무의미한 규정으로 전락할 위험성이 있기 때문이다.

결국 이 사건 반려행위는 법률의 근거없이 청구인들의 집회의 자유를 침해한 것으로서 헌법상 법률유보원칙에 위반된다고 할 것이다.

Ⅲ 결 론

그렇다면 이 사건 심판청구 중 청구인 전국○○산업노동조합의 청구는 부적법하므로 각하하고, 피청구인의 청구인 ○○합섬HK지회, 같은 이○훈, 같은 최○조에 대한 이 사건 반려행위는 위 청구인들의 집회의 자유를 침해하는 행위로서 취소되어야 할 것이나, 위 청구인들이 예정하였던 집회일은 이미 도과하였으므로 이를 취소하는 대신 위헌임을 확인하기로 하여 주문과 같이 결정한다.

144 옥외집회·시위 사전신고의무 사건 [합헌]
— 2014. 1. 28. 선고 2011헌바174,282,285,2012헌바39,64,240(병합)

판시사항

1. '집회' 개념이 불명확하여 집회 및 시위에 관한 법률 제22조 제2항 중 제6조 제1항 본문에 관한 부분(이하 '심판대상조항'이라 한다)이 죄형법정주의 명확성원칙에 위배되는지 여부(소극)
2. 옥외집회·시위의 사전신고제도를 규정한 심판대상조항이 헌법 제21조 제2항의 사전허가금지에 위배되는지 여부(소극)
3. 심판대상조항이 과잉금지원칙에 위배되어 집회의 자유를 침해하는지 여부(소극)
4. 심판대상조항이 과잉형벌에 해당하는지 여부(소극)

심판대상조항 및 관련조항

청구인들은 집회시위법 제6조 제1항, 제22조 제2항이 헌법에 위반되는지 여부를 구하거나, 같은 법 제6조 제1항 본문 중 '48시간 전에' 부분이 헌법에 위반되는지 여부를 구하고 있다. 그런데 당해 사건의 전제가 되는 부분은 미신고 옥외집회·시위에 대한 처벌규정인 집회시위법 제22조 제2항 중 옥외집회 및 시위에 대한 신고의무를 부과하고 있는 같은 법 제6조 제1항 본문이다. 그러므로 이 사건 심판대상은 집회시위법 제22조 제2항 중 제6조 제1항 본문에 관한 부분(이하 '심판대상조항'이라 한다)의 위헌 여부이다. 심판대상조항 및 관련조항의 내용은 다음과 같다.

【심판대상조항】

집회 및 시위에 관한 법률(2007. 5. 11. 법률 제8424호로 개정된 것)

제22조(벌칙) ② 제5조 제1항 또는 제6조 제1항을 위반하거나 제8조에 따라 금지를 통고한 집회 또는 시위를 주최한 자는 2년 이하의 징역 또는 200만 원 이하의 벌금에 처한다.

주문

1. 청구인 김○태, 신○희, 조○진, 김○주, 김○영의 심판청구를 모두 각하한다.
2. 집회 및 시위에 관한 법률(2007. 5. 11. 법률 제8424호로 개정된 것) 제22조 제2항 중 제6조 제1항 본문에 관한 부분은 헌법에 위반되지 아니한다.

1. 죄형법정주의 명확성원칙 위배 여부

일반적으로 집회는 일정한 장소를 전제로 하여 특정 목적을 가진 다수인이 일시적으로 회합하는 것을 말하는 것으로 일컬어지고 있고, 그 공동의 목적은 '내적인 유대 관계'로 족하다. 건전한 상식과 통상적인 법감정을 가진 사람이면 위와 같은 의미에서 집회시위법상 '집회'가 무엇을 의미하는지를 추론할 수 있으므로, 심판대상조항의 '집회'의 개념이 불명확하다고 볼 수 없다.

2. 헌법 제21조 제2항 사전허가금지 위배 여부

집회의 자유를 한층 보장하기 위하여 헌법 제21조 제2항은 '집회에 대한 허가는 인정되지 아니한다'고 규정함으로써 다른 기본권 조항과는 달리 기본권을 제한하는 특정 국가행위를 명시적으로 배제하고 있다. 그런데 집회의 자유의 행사는 다수인의 집단적인 행동을 수반하기 때문에 집단행동의 속성상 의사표현의 수단으로서 개인적인 행동의 경우보다 공공의 안녕질서나 법적 평화와 마찰을 빚을 가능성이 큰 것 또한 사실이다. 특히 옥외집회·시위는 일정한 옥외장소나 도로의 사용을 전제로 하므로 그러한 가능성이 더욱 높고, 이에 따라 사전에 집회의 자유와 다른 법익을 조화시킬 수 있는 제도적 장치가 요청된다. 그리하여 구 집회시위법 제6조 제1항은, 옥외집회·시위를 주최하려는 자는 그에 관한 신고서를 옥외집회·시위를 시작하기 720시간 전부터 48시간 전에 관할 경찰서장에게 제출하도록 하고 있다. 이러한 사전신고는 경찰관청 등 행정관청으로 하여금 집회의 순조로운 개최와 공공의 안전보호를 위하여 필요한 준비를 할 수 있는 시간적 여유를 주기 위한 것으로서, 협력의무로서의 신고이다. 결국 구 집회시위법 전체의 규정 체계에서 보면 법은 일정한 신고절차만 밟으면 일반적·원칙적으로 옥외집회 및 시위를 할 수 있도록 보장하고 있으므로, 집회에 대한 사전신고제도는 헌법 제21조 제2항의 사전허가금지에 위배되지 않는다.

3. 과잉금지원칙 위배 여부

가. 입법목적의 정당성

심판대상조항은, 당해 옥외집회·시위가 방해받지 않고 개최될 수 있도록 개최 전 단계에서 옥외집회·시위 개최자와 제3자, 일반 공중 사이의 이익을 조정하여 상호간의 이익충돌을 사전에 예방하고, 옥외집회·시위에 대한 사전신고를 통하여 행정관청과 주최자가 상호 정보를 교환하고 협력함으로써 옥외집회·시위가 평화롭게 구현되도록 하는 한편, 옥외집회와 시위로 인하여 침해될 수 있는 공공의 안녕질서를 보호하고 그 위험을 최소화하고자 하는 것으로, 입법목적의 정당성이 인정된다.

나. 수단의 적합성

옥외집회와 시위가 사전신고 없이 무제한적으로 이루어진다면, 옥외집회·시위의 경합에 의하여 옥외집회·시위를 통하여 전달하고자 하는 의사를 제대로 표현할 수 없는 상황이 벌어지거나, 옥외집회·시위 참가자나 그 반대 입장의 제3자 사이에 충돌이 발생할 수 있으며, 옥외집회·시위로 인한 심각한 교통소통의 장애나 주거의 평온 침해 등 제3자의 법익에 대하여 중대한 위험이 발생할 가능성을 배제할 수 없으므로, 이를 예방하기 위하여 옥외집회와 시위에 대한 사전신고를 요구하는 데에는 그 수단의 적합성 또한 인정된다.

다. 침해의 최소성

1) 집회의 자유가 가지는 헌법적 가치와 기능, 집회에 대한 허가 금지를 선언한 헌법정신, 신고제도의 취지 등을 종합하여 보면, 신고는 행정관청에 집회에 관한 구체적인 정보를 제공함으로써 공공질서의 유지에 협력하도록 하는 데에 그 의의가 있는 것이지 집회의 허가를 구하는 신청으로 변질되어서는 아니 되므로, 신고를 하지 아니하였다는 이유만으로 그 옥외집회 또는 시위를 헌법의 보호 범위를 벗어나 개최가 허용되지 않는 집회 내지 시위라고 단정할 수 없다. 전혀 불필요한 것을 신고사항으로 하거나 신고불가능한 시간에 신고하도록 하여 집회의 자유를 실질적으로 제한하거나 형해화할 정도에 이른다면, 이는 최소침해성원칙에 위반될 것이다. 또한 신고를 하지 아니하고 옥외집회 또는 시위를 개최하였다는 이유만으로 처벌한다면, 이는 사실상 집회의 사전신고제를 허가제처럼 운용하는 것이나 다름없어 집회의 자유를 침해하게 되므로 부당하다. 그러나, 아래에서 살펴보는 바와 같이 심판대상조항은 집회의 자유를 실질적으로 제한하거나 형해화하지 아니한다.

2) 집회시위법 제6조 제1항이 열거하는 신고사항 중 옥외집회·시위 장소와 시간에 관한 신고는 여러 옥외집회·시위가 경합되지 않도록 하기 위하여 꼭 필요한 사항이고, 옥외집회·시위의 목적도 관할 관청이 참가자의 규모를 예상하거나 이에 항의하는 반대시위 등을 예측하여 질서유지 등 필요한 조치를 할 수 있도록 하는 중요한 정보이다. 또한, 주최자 및 개최자에 관한 사항은 옥외집회·시위와 관련하여 관할 행정관청이 협력의 주체를 파악하고, 옥외집회·시위가 집회시위법상 금지된 집회·시위인 경우 그 금지통고를 누구에게 할 것인지를 확정하기 위해 필수적으로 알아야 하는 사항이며, 연락책임자·질서유지인의 주소·성명·직업·연락처 등도 옥외집회·시위 개최와 관련하여 관할 관청이 사전에 연락을 하여야 할 사정이 생길 경우의 상호 협조 등을 위하여 필요한 사항이다.

3) 심판대상조항은 모든 옥외집회에 대하여 신고의무를 부과하고 있는바, 미리 계획도 되었고 주최자도 있지만 집회시위법이 요구하는 시간 내에 신고를 할 수 없는 옥외집회인 이른바 '긴급집회'를 개최한 경우에도 심판대상조항에 의하여 처벌되는지 문제될 수 있다.

집회의 자유를 규정하고 있는 헌법 제21조 제1항을 기초로 하여 심판대상조항을 보면, 긴급집회의 경우에는 신고가능성이 존재하는 즉시 신고하여야 하는 것으로 해석된다. 따라서 신고 가능한 즉시 신고한 긴급집회의 경우에까지 심판대상조항을 적용하여 처벌할 수는 없다. 그러나, 그러한 신고조차 하지 아니하는 경우에는 일응 심판대상조항의 구성요건해당성이 충족되는 것으로 보아야 한다. 다만, 이 경우에도 48시간 이내에 신고를 할 수 없는 긴급한 사정이 있고, 옥외집회나 시위가 평화롭게 진행되어 타인의 법익이나 공공의 안녕질서에 대한 직접적인 위험이 명백하게 초래된 바가 없다면, 사회상규에 위배되지 아니하는 행위로서 위법성이 조각될 수 있고, 나아가 사안에 따라서는 적법행위에 대한 기대가능성이 없어 책임이 조각되는 경우도 있을 수 있다. 그리고 이는 구체적 사안을 전제로 헌법상 보장되는 집회의 자유의 내용과 심판대상조항이 보호하고자 하는 공익을 구체적으로 비교형량하여 법원이 판단하여야 할 개별사건에서의 법률의 해석·적용에 관한 문제이다.

4) 따라서 심판대상조항은 집회의 자유를 실질적으로 제한하거나 형해화하지 아니하므로 최소침해성원칙에 위배되지 아니한다.

라. 법익의 균형성

심판대상조항이 예정된 옥외집회·시위의 일정한 시간 전에 일정한 사항에 관한 사전신고를 의무화함으로써 옥외집회·시위 개최자가 겪어야 하는 불편함이나 번거로움은, 신고로 인해 보호되는 집회의 자유 보장, 공공의 안녕질서와 비교해 볼 때 결코 중대하다고 할 수 없으므로, 법익 균형성의 요건도 충족하고 있다.

마. 소 결

따라서 심판대상조항은 집회의 자유를 침해하지 아니한다.

4. 과잉형벌 여부

어떤 행정법규 위반행위에 대하여, 이를 단지 간접적으로 행정상의 질서에 장해를 줄 위험성이 있음에 불과한 경우(단순한 의무태만 내지 의무위반)로 보아 행정질서벌인 과태료를 과할 것인가, 아니면 직접적으로 행정목적과 공익을 침해한 행위로 보아 행정형벌을 과할 것인가, 그리고 행정형벌을 과할 경우 그 법정형의 종류와 형량을 어떻게 정할 것인가는, 당해 위반행위가 위의 어느 경우에 해당하는가에 대한 법적 판단을 그르친 것이 아닌 한 그 처벌내용은 기본적으로 입법자가 제반 사정을 고려하여 결정할 입법재량에 속하는 문제이다.

심판대상조항의 옥외집회·시위에 대한 사전신고는 집회·시위가 공공질서에 주는 영향력을 예측하는 자료가 되는데, 미신고 옥외집회·시위의 경우 행정관청으로서는 해당 옥외집회·시위가 공공질서에 미치는 영향을 예측하기 어렵고, 이 경우 사전에 옥외집회·시위의 개최로 인한 관련 이익의 조정이 불가능하게 되어 신고제의 행정목적을 직접 침해하고, 공공의 안녕질서에 위험을 초래할 개연성이 높으므로, 이에 대하여 행정제재가 아닌 형사처벌을 통하여 엄정한 책임을 묻겠다는 입법자의 결단이 부당하다고 볼 수 없다.

나아가 옥외집회·시위의 사전신고의무 위반에 대한 행정형벌의 내용으로서 2년 이하의 징역이나 200만 원 이하의 벌금형에 처하도록 한 것이 위 입법재량의 한계를 벗어난 과중한 처벌이라고도 볼 수 없다.

따라서 심판대상조항이 신고 없는 옥외집회·시위를 주최한 자에 대하여 과태료가 아닌 형벌을 부과하는 것은 과잉금지원칙에 위반하여 과도한 제재를 과하고 있다고 볼 수 없다.

| 결사의 자유 |

145 전화·컴퓨터통신을 이용한 농협 이사 선거운동 사건 [위헌]
― 2016. 11. 24. 선고 2015헌바62

판시사항

1. 당사자가 위헌법률심판제청신청의 대상으로 삼지 않았고 당해 법원이 기각결정의 대상으로 삼지 않은 법률조항에 대하여 위헌법률심판제청신청을 한 법률조항과 필연적 연관관계를 맺고 있어 법원이 실질적으로 판단한 것으로 볼 수 있다고 한 사례
2. 심판대상을 개정된 신법조항으로 확장한 사례
3. 지역농협 이사 선거의 경우 전화(문자메시지를 포함한다)·컴퓨터통신(전자우편을 포함한다)을 이용한 지지 호소의 선거운동방법을 금지하고, 이를 위반한 자를 처벌하는 농업협동조합법 제50조 제4항이 청구인들의 결사의 자유, 표현의 자유를 침해하는지 여부(적극)

사건의 개요

1. ○○농업협동조합은 2014. 1. 24. 대의원 55명이 후보자 10명 가운데 비상임이사 6명을 선출하는 선거를 시행하였고, 청구인들은 위 선거의 후보자였던 사람들로서, 청구인들 중 청구인 오○환, 정○용, 여○길, 강○규, 장○재가 비상임이사로 선출되었다.

2. 누구든지 이사 선거와 관련하여 선거 공보의 배부 외의 선거운동을 할 수 없음에도 불구하고, 청구인들은 대의원들에게 전화 또는 문자메시지로 지지를 호소하여 선거 공보의 배부 외의 방법으로 선거운동을 하였다는 범죄사실로 기소되어 제1심에서 청구인 오○환, 강○규는 각 벌금 150만 원, 나머지 청구인들은 각 벌금 100만 원에 처하는 판결을 선고받았다. 이에 청구인들이 항소하여 청구인 오○환, 강○규는 각 벌금 90만 원, 나머지 청구인들은 각 벌금 70만 원에 처하는 판결을 선고받은 후, 상고하지 아니하여 위 판결은 그대로 확정되었다.

3. 청구인들은 제1심 계속 중 구 농업협동조합법 제172조 제2항 제2호 중 제50조 제4항에 관한 부분에 대하여 위헌법률심판제청신청을 하였으나, 2015. 1. 14. 위 신청이 기각되자, 위 조항 및 구 농업협동조합법 제50조 제4항 중 '이사 및 감사 선거의 경우에는 제2호에 한정한다.'는 부분이 헌법에 위반된다고 주장하면서 2015. 2. 10. 이 사건 헌법소원심판을 청구하였다.

심판대상조항 및 관련조항

청구인들은 구 농업협동조합법 제50조 제4항에 대하여는 위헌법률심판제청신청을 하지 않았고, 당해 법원 또한 기각결정을 하지 않았는데, 이 사건 헌법소원심판청구에 이르러서야 비로소 위 조항이

위헌이라고 주장하고 있다. 그런데 당사자가 위헌법률심판제청신청의 대상으로 삼지 않았고 또한 법원이 기각 또는 각하결정의 대상으로도 삼지 않았음이 명백한 법률조항이라 하더라도, 예외적으로 위헌제청신청을 기각 또는 각하한 법원이 위 조항을 실질적으로 판단하였거나 위 조항이 명시적으로 위헌제청신청을 한 조항과 필연적 연관관계를 맺고 있어서 법원이 위 조항을 묵시적으로나마 위헌제청신청으로 판단을 하였을 경우에는 헌법재판소법 제68조 제2항의 헌법소원으로서 적법하다 할 것인바, 구 농업협동조합법 제50조 제4항은 동법 제172조 제2항 제2호의 구성요건을 규정하여 두 조항은 필연적 연관관계를 맺고 있어서 당해 법원이 묵시적으로나마 위 조항에 대하여도 판단하였다고 볼 수 있으므로, 위 조항에 대한 심판청구도 헌법재판소법 제68조 제2항에 따른 적법요건을 갖춘 것으로 보아 위 조항을 이 사건 심판대상에 포함시킨다.

한편 청구인들은 이사 선거와 관련하여 구 농업협동조합법 제50조 제4항 제4호의 선거운동을 하였다는 범죄사실로 형사처벌을 받았으므로, 심판대상을 위 법 제50조 제4항, 제172조 제2항 제2호 중 각 관련부분으로 한정한다.

그리고 구 농업협동조합법 제50조 제4항은 2014. 6. 11. 법률 제12755호로 개정되면서 '조합장을 대의원회에서 선출하는 경우'를 적용범위에서 제외하였으나, '이사 선거의 경우'에는 자구의 변화 없이 동일한 내용을 규정하고 있고, 구 농업협동조합법 제172조 제2항 제2호 역시 2014. 6. 11. 법률 제12755호로 개정되면서 그 적용대상에 '제50조 제7항'이 추가되었으나, '제50조 제4항'은 그대로 유지되고 있다. 개정된 농업협동조합법에 관하여 동일한 심사기준이 적용되는 결과 그 위헌 여부에 관하여 동일한 결론에 이르게 될 것이 명백하므로, 법질서의 정합성과 소송경제를 위하여 위 개정된 농업협동조합법 제50조 제4항, 제172조 제2항 제2호 중 각 관련부분도 이 사건 심판대상에 포함시키기로 한다.

따라서 이 사건 심판대상은 ① 구 농업협동조합법(2013. 3. 23. 법률 제11690호로 개정되고, 2014. 6. 11. 법률 제12755호로 개정되기 전의 것) 제50조 제4항 중 '이사 선거'에서 제4호의 선거운동을 할 수 없도록 규정한 부분 및 구 농업협동조합법(2011. 3. 31. 법률 제10522호로 개정되고, 2014. 6. 11. 법률 제12755호로 개정되기 전의 것) 제172조 제2항 제2호 중 위 법률조항을 위반하여 선거운동을 한 자를 처벌하도록 규정한 부분, ② 농업협동조합법(2014. 6. 11. 법률 제12755호로 개정된 것) 제50조 제4항 중 '이사 선거'에서 제4호의 선거운동을 할 수 없도록 규정한 부분 및 제172조 제2항 제2호 중 위 법률조항을 위반하여 선거운동을 한 자를 처벌하도록 규정한 부분(이하 ①, ②를 합하여 '이 사건 법률조항들'이라 한다)이 헌법에 위반되는지 여부이다. 심판대상조항 및 관련조항의 내용은 다음과 같다.

【심판대상조항】

구 농업협동조합법(2013. 3. 23. 법률 제11690호로 개정되고, 2014. 6. 11. 법률 제12755호로 개정되기 전의 것)

제50조(선거운동의 제한) ④ 누구든지 임원 선거와 관련하여 다음 각 호의 방법(조합장을 대의원회에서 선출하는 경우와 이사 및 감사 선거의 경우에는 제2호에 한정한다) 외의 선거운동을 할 수 없다.
  1. 선전 벽보의 부착
  2. 선거 공보의 배부
  3. 합동 연설회 또는 공개 토론회의 개최
  4. 전화(문자메시지를 포함한다)·컴퓨터통신(전자우편을 포함한다)을 이용한 지지 호소
  5. 도로·시장 등 농림축산식품부령으로 정하는 다수인이 왕래하거나 집합하는 공개된 장소에서의 지지 호소 및 명함 배부

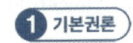

구 농업협동조합법(2011. 3. 31. 법률 제10522호로 개정되고, 2014. 6. 11. 법률 제12755호로 개정되기 전의 것)

제172조(벌칙) ② 다음 각 호의 어느 하나에 해당하는 자는 1년 이하의 징역 또는 1천만원 이하의 벌금에 처한다.
  2. 제50조 제4항·제6항(제107조·제112조에 따라 준용되는 경우를 포함한다) 또는 제130조제11항을 위반하여 선거운동을 한 자

농업협동조합법(2014. 6. 11. 법률 제12755호로 개정된 것)

제50조(선거운동의 제한) ④ 누구든지 임원 선거와 관련하여 다음 각 호의 방법(이사 및 감사 선거의 경우에는 제2호에 한정한다) 외의 선거운동을 할 수 없다.
  1. 선전 벽보의 부착
  2. 선거 공보의 배부
  3. 합동 연설회 또는 공개 토론회의 개최
  4. 전화(문자메시지를 포함한다)·컴퓨터통신(전자우편을 포함한다)을 이용한 지지 호소
  5. 도로·시장 등 농림축산식품부령으로 정하는 다수인이 왕래하거나 집합하는 공개된 장소에서의 지지 호소 및 명함 배부

제172조(벌칙) ② 다음 각 호의 어느 하나에 해당하는 자는 1년 이하의 징역 또는 1천만 원 이하의 벌금에 처한다.
  2. 제50조 제4항·제6항·제7항(제107조·제112조에 따라 준용되는 경우를 포함한다) 또는 제130조제11항을 위반하여 선거운동을 한 자

주문

1. 구 농업협동조합법(2013. 3. 23. 법률 제11690호로 개정되고, 2014. 6. 11. 법률 제12755호로 개정되기 전의 것) 제50조 제4항 중 '이사 선거'에서 제4호의 선거운동을 할 수 없도록 규정한 부분 및 구 농업협동조합법(2011. 3. 31. 법률 제10522호로 개정되고, 2014. 6. 11. 법률 제12755호로 개정되기 전의 것) 제172조 제2항 제2호 중 위 법률조항을 위반하여 선거운동을 한 자를 처벌하도록 규정한 부분은 모두 헌법에 위반된다.
2. 농업협동조합법(2014. 6. 11. 법률 제12755호로 개정된 것) 제50조 제4항 중 '이사 선거'에서 제4호의 선거운동을 할 수 없도록 규정한 부분 및 제172조 제2항 제2호 중 위 법률조항을 위반하여 선거운동을 한 자를 처벌하도록 규정한 부분은 모두 헌법에 위반된다.

1. 농업협동조합법상 선거운동의 의의

대법원은 농업협동조합법상 선거운동이란 특정 후보자의 당선 내지 득표나 낙선을 위하여 필요하고도 유리한 모든 행위로서 당선 또는 낙선을 도모한다는 목적의사가 객관적으로 인정될 수 있는 능동적·계획적인 행위를 말하는 것으로, 구체적으로 어떠한 행위가 선거운동에 해당하는지를 판단할 때에는 단순히 행위의 명목뿐만 아니라 행위의 태양, 즉 그 행위가 행하여지는 시기·장소·방법 등을 종합적으로 관찰하여 그것이 특정 후보자의 당선 또는 낙선을 도모하는 목적의지를 수반하는 행위인지를 판단하여야 한다고 하고 있다(2010도9737).

2. 이 사건 법률조항들에 대한 판단

가. 제한되는 기본권

1) 결사의 자유

헌법 제21조가 규정하는 결사의 자유라 함은 다수의 자연인 또는 법인이 공동의 목적을 위하여 단체를 결성할 수 있는 자유를 말하고, 적극적으로 단체결성의 자유, 단체존속의 자유, 단체활동의 자유, 결사에의 가입·잔류의 자유와 소극적으로 기존의 단체로부터 탈퇴할 자유와 결사에 가입하지 아니할 자유를 모두 포함한다.

농업협동조합법은 농협을 법인으로 하면서(제4조), 공직선거에 대한 관여를 금지하며(제7조), 조합의 재산에 대하여 국가 및 지방자치단체의 조세 외의 부과금이 면제되도록 규정하고 있어(제8조), 이를 공법인으로 볼 여지가 있다. 그러나 농협은 조합원의 경제적·사회적·문화적 지위의 향상을 목적으로 하는 농업인의 자주적 협동조직으로, 조합원 자격을 가진 20인 이상이 발기인이 되어 설립하고(제15조), 조합원의 출자로 자금을 조달하며(제21조), 조합의 결성이나 가입이 강제되지 아니하고, 조합원의 임의탈퇴 및 해산이 허용되며(제28조, 제29조), 조합장은 조합원들이 직접 선출하거나 총회에서 선출하고 있다(제45조). 따라서 농협은 기본적으로 사법인적 성격을 지니고 있으므로, 농협의 활동도 결사의 자유 보장의 대상이 된다.

결사의 자유에는 단체활동의 자유도 포함되는데, 단체활동의 자유는 단체 외부에 대한 활동뿐만 아니라 단체의 조직, 의사형성의 절차 등 단체의 내부적 생활을 스스로 결정하고 형성할 권리인 단체 내부 활동의 자유를 포함한다. 농협의 이사는 이사회의 구성원이 되어, 업무집행의 의사결정에 참여하고 의결된 사항에 대하여 조합장이나 상임이사의 업무집행상황을 감독한다(제43조 제2항, 제3항, 제4항). 그러므로 선거를 통한 이사 선출행위는 결사 내 의사결정기관의 구성에 관한 자율적인 활동이고, 이사 선거 후보자의 선거운동은 결사의 자유의 보호범위에 포함된다.

이 사건 법률조항들은 이사 선거와 관련하여 전화·컴퓨터통신을 이용한 지지 호소를 할 수 없도록 하고, 이를 위반하여 선거운동을 한 자를 처벌하므로, 이사 선거 후보자의 결사의 자유를 제한한다.

2) 표현의 자유

이 사건 법률조항들은 누구든지 이사 선거와 관련하여 전화·컴퓨터통신을 이용한 지지 호소의 선거운동을 할 수 없도록 하고, 이를 위반하여 선거운동을 한 자를 처벌하므로, 이사 선거에 출마한 후보자가 위 선거운동방법으로 자신의 선거공약 등을 표현할 자유를 제한하고 있다.

3) 소 결

따라서 이 사건 법률조항들은 농협 이사 선거 후보자의 결사의 자유 및 표현의 자유를 제한한다.

나. 결사의 자유 및 표현의 자유 침해 여부

1) 입법목적의 정당성 및 수단의 적합성

이 사건 법률조항들의 입법목적은 농협 이사 선거가 과열되는 과정에서 후보자들의 경제력 차이에 따른 불균형한 선거운동 및 흑색선전을 통한 부당한 경쟁이 이루어짐으로써 선거의 공정이 해쳐지는 것을 방지하려는 데 있다. 선거 공보의 배부를 통한 선거운동만을 허용하고 전화·컴퓨터통신을 이용한 지지 호소의 선거운동을 금지하고 이를 위반하여 선거운동을 한 자를 처벌하는 것은 위 입법목적을 달성하기 위한 적합한 수단이 된다.

2) 침해의 최소성

입법자는 선거운동방법을 규정하는 데 있어 결사의 자율적인 규율을 가능한 존중할 필요가 있다. 그런데 이 사건 법률조항들은 이사 선거에 있어 선거 공보의 배부만을 허용하고 있다. 이사 선거 후보자는 선거 공보를 단 1회 발송하는 것만으로 선거운동을 해야 하므로, 조합원들에 대하여 자신의 선거공약 등을 표현할 기회가 부족하고, 조합원들 역시 이사 선거 후보자의 역량과 자질을 제대로 평가할 수 있을 만큼의 정보를 제공받고 있다고 보기 어렵다.

컴퓨터통신은 누구나 손쉽게 접근이 가능하고 이를 이용하는 비용이 거의 발생하지 아니하거나 또는 적어도 상대적으로 매우 저렴하여 선거운동비용을 획기적으로 낮출 수 있는 매체로 평가받고 있다(2007헌마1001). 나아가 공직선거와 달리 제한된 지역에서 이루어지는 농협 이사 선거의 경우 전화, 문자메시지를 이용한 비용은 상대적으로 저렴하고, 대부분 농협이 채택하고 있는 간선제의 경우 수신자의 범위가 선거권자인 대의원으로 한정되므로 더욱 그러하다. 따라서 형평성, 저비용성의 측면에서 전화·컴퓨터통신을 이용한 지지 호소의 선거운동방법을 허용한다고 하더라도 후보자 간의 경제력 차이에 따른 불균형 내지 불공정이 심화될 우려는 거의 없다고 볼 수 있다.

위에서 본 바와 같은 농협 내에서 이사 선거가 갖는 중요성, 전화·컴퓨터통신을 이용한 지지 호소의 선거운동방법이 갖는 특성, 다른 유사 조합 또는 금고의 이사 선거의 선거운동방법과의 형평성 등을 종합적으로 고려하여 보면, 이 사건 법률조항들이 그 침해의 최소성을 충족하고 있다고 보기는 어렵다.

3) 법익의 균형성

이 사건 법률조항들이 달성하려고 하는 공익은 공공성이 강한 법인인 농협의 이사회를 구성하는 선거가 공정하게 이루어지도록 하는 것이나, 조합원의 결사의 자유 및 표현의 자유 제한을 정당화할 정도로 크다고 보기는 어려우므로, 법익의 균형성도 인정되지 아니한다.

4) 소 결

따라서 이 사건 법률조항들은 과잉금지의 원칙을 위반하여 농협 이사 선거 후보자의 결사의 자유 및 표현의 자유를 침해한다.

146 상호신용금고의 임원과 과점주주주에 대한 연대변제책임 사건 [한정위헌]
— 2002. 8. 29. 선고 2000헌가5·6, 2001헌가26, 2000헌바34, 2002헌가3·7·9·12(병합)

판시사항

1. 위헌법률심판절차 및 헌법소원심판절차에서 법률의 위헌성을 심사하는 기준
2. 결사의 자유에 의한 입법형성권의 한계
3. 결사의 자유를 제한하는 법률조항의 사례
4. 상호신용금고의 임원과 과점주주에게 법인의 채무에 대하여 연대변제책임을 부과하는 상호신용금고법 제37조의3 규정의 입법목적
5. 주주의 유한책임원칙이나 임원의 과실책임원칙이 헌법상의 원칙인지의 여부(소극)
6. 위 법률조항이 비례의 원칙에 위반되는지 여부(적극)
7. 연대변제책임을 부과함이 상당하다고 인정되는 임원과 과점주주의 범위
8. 한정위헌결정을 하는 이유

심판대상조항 및 관련조항

제37조의3(임원등의 연대책임) ① 상호신용금고의 임원(감사를 제외한다)과 과점주주(국세기본법 제39조 제2항에 규정된 과점주주에 해당하는 자를 말한다. 이하 같다)는 상호신용금고의 예금 등과 관련된 채무에 대하여 상호신용금고와 연대하여 변제할 책임을 진다.
② 퇴임한 임원(감사를 제외한다)은 퇴임전에 생긴 상호신용금고의 예금 등과 관련된 채무에 대하여 퇴임후 3년 내에는 제1항의 임원과 동일한 책임을 진다.

국세기본법(1998. 12. 28. 법률 제5579호로 개정된 것)

제39조(출자자의 제2차납세의무) ② 제1항 제2호에서 "과점주주"라 함은 주주 또는 유한책임사원 1인과 그와 대통령령이 정하는 친족 기타 특수관계에 있는 자로서 그들의 소유주식의 합계 또는 출자액의 합계가 당해 법인의 발행주식총수 또는 출자총액의 100분의 51 이상인 자들을 말한다.

주문

1. 상호신용금고법(1995. 1. 5. 법률 제4867호로 개정된 것) 제37조의3 제1항 중 임원에 관한 부분 및 제2항은 "상호신용금고의 부실경영에 책임이 없는 임원"에 대하여도 연대하여 변제할 책임을 부담케 하는 범위 내에서 헌법에 위반된다.
2. 위 같은 조 제1항 중 과점주주에 관한 부분은 "상호신용금고의 경영에 영향력을 행사하여 부실의 결과를 초래한 자 이외의 과점주주"에 대하여도 연대하여 변제할 책임을 부담케 하는 범위 내에서 헌법에 위반된다.

I 판 단

1. 이 사건 법률조항에 의하여 제한된 기본권

이 사건 법률조항은 상호신용금고(이하 "금고"라 한다)의 임원과 과점주주에게 법인의 채무에 대하여 연대변제책임을 부과하고 있다. 헌법재판소법 제41조에 의한 위헌법률심판절차와 위 법 제68조에 의한 헌법소원심판절차에서 심판대상인 법률의 위헌성을 판단하는 경우, 위헌제청신청인이나 청구인이 주장한 기본권의 침해여부에 관한 심사에 한정하지 아니하고 모든 헌법적 관점에서 심판대상인 법률조항이 헌법에 부합하는가를 심사해야 한다. 그러므로 이 사건 법률조항의 위헌성심사의 기준이 되는 기본권을 파악함에 있어서, '임원과 과점주주'의 관점에 얽매이지 아니하고 '이 사건 법률조항에 의하여 국민의 어떠한 기본권이 제한되는가'하는 것을 전반적으로 고려하여야 한다.

가. 결사의 자유

헌법 제21조 제2항의 '결사의 자유'란 다수의 자연인 또는 법인이 공동의 목적을 위하여 단체를 결성하거나 또는 이미 결성된 단체에 자유롭게 가입할 수 있는 자유를 말한다. 입법자가 회사법 등과 같이 단체의 설립과 운영을 가능하게 하는 법규정을 마련해야 비로소 개개의 국민이 헌법상 보장된 결사의 자유를 법질서에서 실질적으로 행사할 수 있으므로, 결사의 자유는 입법자에 의한 형성을 필요로 한다. 특정 형태의 단체를 설립하기 위하여 일정 요건을 충족시킬 것을 규정하는 법률은, 한편으로는 결사의 자유를 행사하기 위한 전제조건으로서 단체제도를 입법자가 법적으로 형성하는 것이자, 동시에 어떠한 조건 하에서 단체를 결성할 것인가에 관하여 자유롭게 결정하는 결사의 자유를 제한하는 규정이다.

입법자는 결사의 자유에 의하여, 국민이 모든 중요한 생활영역에서 결사의 자유를 실제로 행사할 수 있도록 그에 필요한 단체의 결성과 운영을 가능하게 하는 최소한의 법적 형태를 제공해야 한다는 구속을 받을 뿐만 아니라, 단체제도를 법적으로 형성함에 있어서 지나친 규율을 통하여 단체의 설립과 운영을 현저하게 곤란하게 해서도 안 된다는 점에서 입법자에 의한 형성은 비례의 원칙을 준수해야 한다.

이 사건의 경우, 주식회사의 형태로서 금고의 원활한 설립과 운영이 가능하기 위해서는 기업활동의 위험부담이 적정하게 나누어 분산되고 주주와 임원의 책임이 한정되어야 할 필요가 있는데, 이 사건 법률조항이 규정하고 있는 바와 같이 임원과 특정주주 등 개인이 법인과 연대하여 기업의 위험을 부담케 하는 경우, 사업에 필요한 자금을 제공할 주주의 모집 및 회사의 기관인 이사회의 구성이 어렵고, 소유와 경영의 분리를 전제로 하여 적임자에게 기업의 경영·관리를 맡기는 방식으로 기업을 운영하는 것이 곤란하다. 따라서 이 사건 법률조항은 임원과 과점주주의 연대변제책임이란 조건 하에서만 금고를 설립할 수 있도록 규정함으로써 사법상의 단체를 자유롭게 결성하고 운영하는 자유를 제한하는 규정이다.

나. 재산권

이 사건의 경우, 이 사건 법률조항에 의하여 구체적 재산권적 지위의 사용·수익·처분 등이 제한을 받는 것이 아니라, 단지 임원과 과점주주의 재산의 감소를 가져올 뿐이다. 결과적으로 재산감소의 효과가 있다고 하여 이를 곧 재산권에 대한 제한으로 볼 수 있는 것은 아니나, 헌법재판소는 종래 다수의 결정에서 재산권의 보호범위를 폭넓게 파악하여 '재산 그 자체'도 재산권보장의 보호대상으로 판단하였고, 구체적 재산권적 지위에 대한 제한이 존재하지 않음에도 헌법 제23조의 재산권을 법률의 위헌성을 심사하는 기준으로 삼아 왔으므로, 이 사건의 경우 재산권도 제한된 기본권으로 간주된다.

다. 평등권

달성하고자 하는 입법목적에 비추어 본질적으로 다른 것이기 때문에 달리 규율되어야 할 대상을 이 사건 법률조항이 동일하게 규율한다면, 평등원칙의 위반이 문제될 수 있으므로, 평등권은 이 사건 법률조항의 위헌성여부를 판단하는 심사기준으로서 고려되어야 한다.

2. 재판관 윤영철, 재판관 한대현, 재판관 하경철, 재판관 김영일, 재판관 권성, 재판관 주선회의 의견

가. 이 사건 법률조항의 위헌성

이 사건 법률조항이 '임원과 과점주주 전원'에 대하여 금고의 채무에 대한 무한연대책임을 규정함으로써 국민의 결사의 자유와 임원·과점주주의 재산권을 충분히 고려하지 아니하고 일방적으로 채권자의 보호만을 강조하여 국민의 기본권을 과도하게 침해하는지 여부 및 평등의 원칙에 위배되는지의 여부를 살펴보기로 한다.

상법상의 원칙인 주주의 유한책임원칙이나 임원의 과실책임원칙은 헌법상의 원칙이 아닌 법률상의 원칙으로서, 입법자는 공익상의 이유로 이에 대한 예외를 설정할 수 있다. 단지, 이 경우 상법상 원칙에 대한 예외를 두는 것은 입법목적을 달성하기 위하여 적합하고 필요한 조치에 해당해야 한다는 것이 헌법상의 유일한 요청이다. 위에서 확인한 입법목적이 입법자가 추구할 수 있는 헌법상 정당한 목적임에는 의문의 여지가 없으며, 이 사건 연대책임조항이 위의 입법목적을 달성하는데 기여한다는 것 또한 명백하므로, 수단의 적합성도 인정된다. 그러나 입법자는 입법목적을 달성하기 위하여 고려되는 방법 중에서 국민의 기본권을 가장 적게 침해하는 수단을 택해야 하며, 채권자의 보호뿐만 아니라 임원과 과점주주의 이익도 함께 고려하여 양자의 이익을 적절하게 조화시켜야 한다.

금고를 주식회사로 규정한 이상, 소유와 경영이 분리되는 것이 원칙이므로 '과점주주가 아닌 임원'이나 '임원이 아닌 과점주주'가 있을 수 있는데, 이 사건 법률조항은 금고의 경영부실에 대한 실질적 책임이나 관련이 있는지의 여부를 묻지 않고 임원과 과점주주 전원에게 연대변제책임을 부담케하고 있다.

그러나 부실경영에 아무런 관련이 없는 임원이나 과점주주에 대해서도 연대변제책임을 부과하는 것은 입법목적을 달성하기 위하여 필요한 범위를 넘는 과도한 제한이다. 이 사건 법률조항이 달성하고자 하는 바가 금고의 경영부실 또는 사금고화로 인한 금고의 도산을 막고 이로써 예금주를 보호하고자 하는 데에 있다면, 이를 실현하기 위한 입법적 수단이 적용되어야 하는 인적 범위도 마찬가지로 '부실경영에 관련된 자'에 제한되어야 한다. 이러한 인적 범위를 넘어서는 입법적 조치는 입법목적에 의하여 정당화되지 않는 과도한 수단이다. 여기서 금고의 임원이나 과점주주가 된 자가 연대책임이란 법적 상태를 사전에 인식하고 그에 동의하였다는 사실은 이 사건 법률조항의 위헌성을 판단함에 있어서 아무런 영향을 미치지 못한다. 법률의 위헌성여부가 그 법률에 의하여 기본권을 제한당하는 개인의 개별적인 동의여부에 달려있을 수 없기 때문이다.

과점주주의 경우에도 이 사건 법률조항의 입법목적에 비추어 연대변제책임은 '주주권을 실질적으로 행사하거나 회사에 대한 자신의 영향력을 이용하여 임원에게 업무집행을 지시 또는 요구하는 등 회사의 경영에 영향력을 행사함으로써 부실의 결과를 초래한 자'에 한정되어야 한다. 금고의 '모든 주주'가 아니라 유독 '과점주주'에게 합명회사의 사원이나 합자회사의 무한책임사원에 상응하는 무한책임을 부과한 것은 '회사의 소유와 경영이 일치하는 경우 아니면 적어도 경영에 영향력을 행사하는 경우'에만 정당화되는 것이다.

또한 이 사건 법률조항은 부실경영에의 관여 여부를 고려함이 없이 모든 임원과 과점주주에 대하여 일률적으로 금고의 채무에 대하여 연대책임을 부과함으로써 임원들간 및 과점주주들간에 불합리한 차별을 하고 있다. '금고의 부실경영의 방지 및 채권자의 보호'란 입법목적에 비추어 볼 때, '부실경영의 책임이 있는 임원과 그렇지 않은 임원', '금고경영에 영향력을 행사하는 과점주주와 그렇지 않은 과점주주'는 본질적으로 다른 것인데도, 이 사건 법률조항은 모든 임원과 과점주주들을 동일하게 취급하여 연대책임을 부담케 하므로, 평등원칙에도 위반된다.

그렇다면 이 사건 법률조항은 실현하고자 하는 입법목적에 비추어 그 적용범위를 '부실경영의 책임이 있는 임원' 및 '금고경영에 영향력을 행사한 과점주주'로 제한해야 함에도 불구하고, 임원과 과점주주 전원에 대하여 예외없이 금고의 채무에 대하여 연대책임을 부담케하고 있으므로, 그러한 점에서 국민의 기본권인 결사의 자유, 재산권을 과도하게 침해하고 평등원칙에도 위반된다.

이 사건 법률조항의 위헌성에 관하여는 위 재판관 6인이 의견을 같이 하나, 결정의 주문형태에 관하여는 의견을 달리하므로 아래에서는 이를 나누어 보기로 한다.

3. 재판관 윤영철, 재판관 한대현, 재판관 하경철, 재판관 김영일, 재판관 권성의 한정위헌의견

위에서 살펴 본 바와 같이, 임원과 과점주주에게 연대책임을 부과하는 것 자체가 위헌이 아니라 부실경영의 책임이 없는 임원 및 금고의 경영에 영향력을 행사하여 부실의 결과를 초래한 자 이외의 과점주주에게도 연대책임을 지도록 하는 것이 위헌이라는 점에서 연대책임을 지는 임원과 과점주주의 범위를 적절하게 제한함으로써 그 위헌성이 제거될 수 있을 뿐만 아니라, 이 사건 법률조항을 단순위헌으로 선언할 경우 임원과 과점주주가 금고의 채무에 대하여 단지 상법상의 책임만을 지는 결과가 발생하고 이로써 예금주인 금고의 채권자의 이익이 충분히 보호될 수 없기 때문에, 가급적이면 위 법규정의 효력을 유지하는 쪽으로 이를 해석하는 것이 바람직하다고 할 것이다.

따라서 이 사건 법률조항의 입법목적에 비추어, 연대채무를 부과함이 상당하다고 인정되는 임원의 범위는 '부실경영의 책임이 있는 자'로, 과점주주의 범위는 '금고의 경영에 영향력을 행사하여 부실의 결과를 초래한 자'로 제한적으로 해석하여야 할 것이고, 그 범위를 넘어서 '부실경영의 책임이 없는 임원'과 '금고의 경영에 영향력을 행사하여 부실의 결과를 초래한 자 이외의 과점주주'에 대해서도 연대채무를 부담하게 하는 범위 내에서는 헌법에 위반된다 할 것이다.

4. 재판관 주선회의 헌법불합치의견 (생략)

Ⅱ 결 론

이 사건 법률조항 중 "과점주주"에 관한 부분에 대하여는 재판관 5인이 한정위헌의견, 재판관 1인이 헌법불합치의견, 재판관 3인이 합헌의견인데, 한정위헌의견은 질적인 일부위헌의견이기 때문에 위헌결정의 일종인 헌법불합치의견도 일부위헌의견의 범위 내에서는 한정위헌의견과 견해를 같이 한 것이라 할 것이므로, 이를 합산하면 헌법재판소법 제23조 제2항 제1호에 규정된 위헌결정의 정족수에 도달하여 한정위헌결정을 선고하기로 한다.

이 사건 법률조항 중 "임원"에 관한 부분에 대하여는 재판관 5인이 한정위헌의견, 재판관 1인이 헌법불합치의견이고, 재판관 3인이 단순위헌의견인바, 어느 쪽도 독자적으로는 위헌결정의 정족수에 이르지 못하였으나, 단순위헌의견과 헌법불합치의견도 일부위헌의견의 범위내에서는 한정위헌의견과 견해를 같이 한 것이라 할 것이므로, 이를 합산하면 헌법재판소법 제23조 제2항 제1호에 규정된 위헌결정의 정족수에 도달하여 한정위헌결정을 선고하기로 한다(헌법재판소법 제40조, 법원조직법 제66조 제2항 참조). 이에 주문과 같이 결정한다.

제5항 학문과 예술의 자유

 **147** 서울대학교 법인화 위헌확인 사건 [기각, 각하]
― 2014. 4. 24. 선고 2011헌마612

판시사항 및 결정요지

1. 국립대학 서울대학교를 법인인 '국립대학법인 서울대학교'(이하 '법인 서울대'라고 한다)로 전환하고, 소속 교직원을 공무원에서 퇴직시키거나 법인 서울대의 교직원으로 임용하는 내용 등을 담고 있는 '구 국립대학법인 서울대학교 설립·운영에 관한 법률' 제3조 제1항, 제7조, 제9조 제1항, 제2항, 제15조 제3항, 제18조 제2항, 제22조, 제29조, 제30조, 제36조, '국립대학법인 서울대학교 설립·운영에 관한 법률' 부칙 제5조 제1항 내지 제3항, '구 국립대학법인 서울대학교 설립·운영에 관한 법률 시행령' 부칙 제3조(이하 '심판대상조항'이라 한다)에 대하여 다른 대학 교직원, 서울대학교 재학생 및 일반시민의 기본권 침해 가능성 내지 자기관련성이 인정되는지 여부(소극)

　다른 대학 교직원은 심판대상조항의 직접적인 수범자가 아니고, 서울대학교에 대한 재정 지원 조항이 다른 대학 교직원의 법적 지위나 권리·의무관계에 직접 영향을 미친다고 보기도 어렵다. 일반시민은 심판대상조항의 직접적인 수범자가 아니며, 대학의 자율 및 공무담임권, 평등권의 침해 문제도 발생하지 않으므로 기본권 침해 가능성 내지 자기관련성이 인정되지 아니한다. 서울대학교 재학생은 공무담임권이 침해될 가능성이 없고, 재학 중인 학교의 법적 형태를 공법상 영조물인 국립대학으로 유지하여 줄 것을 요구할 권리는 교육받을 권리에 포함되지 아니하며, 대학의 관리·운영에 관한 사항은 학생의 학문의 자유와 관련되어 있다고 볼 수 없어 자기관련성이 인정되지 않는다. 등록금 인상 가능성이나 기초학문 고사 우려 등은 사실상의 불이익에 불과하므로 평등권 침해 가능성도 인정되지 아니한다.

2. 국·공유재산을 서울대학교에 무상 양도하거나, 재정 지원하도록 한 구 '국립대학법인 서울대학교 설립·운영에 관한 법률'(이하 '법'이라 한다) 제22조, 제29조, 제30조 및 제36조(이하 '무상 양도, 재정 지원 조항'이라 한다)가 서울대학교 교직원의 평등권을 침해할 가능성이 있는지 여부(소극)

　서울대학교에 대한 무상 양도, 재정 지원 조항은 서울대학교 교직원의 입장에서 간접적·사실적 이익이 되는 조항에 불과하므로, 이들에게 불리한 차별이 발생한다고 볼 수 없어 평등권 침해 가능성이 인정되지 아니한다.

3. 이사회와 재경위원회에 일정 비율 이상의 외부인사를 포함하는 내용 등을 담고 있는 법 제9조 제1항, 제2항 및 제18조 제2항(이하 '외부인사 참여 조항'이라 한다)이 대학의 자율을 침해하는지 여부(소극)

　가. 대학의 자율과 심사기준

　　헌법 제31조 제4항은 "교육의 자주성·전문성·정치적 중립성 및 대학의 자율성은 법률이 정하는 바에 의하여 보장된다."라고 규정하여 교육의 자주성·대학의 자율성을 보장하고 있는데, 이는 대학에 대한 공권력 등 외부세력의 간섭을 배제하고 대학구성원 자신이 대학을 자주적으로 운영할 수 있도록 함으로써 대학인으로 하여금 연구와 교육을 자유롭게 하여 진리탐구와 지도적 인격의 도야라는 대학의 기능을 충분히 발휘할 수 있도록 하기 위한 것이다.

대학의 자율의 구체적인 내용은 법률이 정하는 바에 의하여 보장되며, 국가는 헌법 제31조 제6항에 따라 모든 학교제도의 조직·계획·운영·감독에 관한 포괄적인 권한, 즉 학교제도에 관한 전반적인 형성권과 규율권을 부여받는다. 다만 그 규율의 정도는 그 시대와 각급 학교의 사정에 따라 다를 수밖에 없으므로 교육의 본질을 침해하지 않는 한 궁극적으로는 입법권자의 형성의 자유에 속한다. 따라서 대학의 자율에 대한 침해 여부를 심사함에 있어서는 입법자가 입법형성의 한계를 넘는 자의적인 입법을 하였는지 여부를 판단하여야 한다.

학교법인의 이사회 등에 외부인사를 참여시키는 것은 다양한 이해관계자의 참여를 통해 개방적인 의사결정을 보장하고, 외부의 환경 변화에 민감하게 반응함과 동시에 외부의 감시와 견제를 통해 대학의 투명한 운영을 보장하기 위한 것이며, 대학 운영의 투명성과 공공성을 높이기 위해 정부도 의사형성에 참여하도록 할 필요가 있는 점, 사립학교의 경우 이사와 감사의 취임 시 관할청의 승인을 받도록 하고, 관련법령을 위반하는 경우 관할청이 취임 승인을 취소할 수 있도록 하고 있는 점 등을 고려하면, 외부인사 참여 조항은 대학의 자율의 본질적인 부분을 침해하였다고 볼 수 없다.

4. 총장의 간접선출을 규정한 법 제7조(이하 '총장의 간접선출 조항'이라 한다)**가 대학의 자율을 침해하는지 여부(소극)**

대학의 장(총장) 후보자 선정과 관련하여 대학에게 반드시 직접선출 방식을 보장하여야 하는 것은 아니며, 다만 대학교원들의 합의된 방식으로 그 선출방식을 정할 수 있는 기회를 제공하면 족하다.

총장의 간접선출 조항은 교직원이 참여하는 총장추천위원회에서 추천한 후보자 중에서만 총장을 선출하도록 하고 있으므로 단순 임명제와는 달리 교직원의 의사가 어느 정도 반영되고 있으며, 총장추천위원회 운영에 관한 구체적인 사항을 정관에서 정하도록 위임하여 직접선거와 유사한 방식을 채택할 가능성도 열어 놓고 있으므로, 대학의 자율의 본질적 부분을 침해하였다고 볼 수 없다.

5. 서울대 교직원의 공무원 지위 변동과 관련된 사항을 규정한 법 제3조 제1항, 제15조 제3항, 법 부칙 제5조 제1항 내지 제3항 및 법 시행령 부칙 제3조가 서울대 교직원의 공무담임권 및 평등권을 침해하는지 여부(소극)

국가는 헌법 제31조 제6항에 따라 모든 학교제도의 조직·계획·운영·감독에 관한 포괄적인 권한, 즉 학교제도에 관한 전반적인 형성권과 규율권을 부여받는다. 다만 그 규율의 정도는 그 시대 및 각급 학교의 사정에 따라 다를 수밖에 없으므로, 교육의 본질을 침해하지 않는 한 규율의 정도는 입법자의 형성의 자유에 속하는 것이고, 국립대학 제도를 어떻게 형성해 나갈 것인가 역시 기본적으로 입법재량의 범위 내에 있다. 따라서 입법자는 국립대학을 법인화할 것인지 여부, 국립대학을 법인화할 경우 모든 국립대학을 법인화할 것인지 일부만 법인화할 것인지, 어떤 국립대학을 법인화할 것인지를 결정할 재량권을 갖는다. 따라서 법에 의하여 서울대 교직원인 청구인들이 국가공무원의 신분을 상실하게 되어 다른 국립대학 교직원과 차별받게 된 것, 그리고 서울대 교원과 직원 간에 공무원 신분 유지 기간에 차이를 둔 것이 청구인들의 평등권을 침해하는지 여부에 관해서는 자의금지원칙 위반 여부에 따라 그러한 차별에 합리적 이유가 있는지를 판단해야 한다.

서울대학교가 법인이 되면서, 서울대 교직원들은 그 동안 담당해 왔던 공무가 사라져 유휴 인력이 되는 반면, 새로 설립된 법인 서울대는 교육, 학사지원 등을 그대로 이어받게 되어 이를 담당할 교직원이 필요하게 되었으므로, 교직원들을 각자 희망에 따라 공무원에서 퇴직시키고 법인 교직원으로 새로 임용하거나, 일정기간만 공무원 신분을 보유하도록 한 것은 입법목적의 정당성 및 수단의 적합성이 인정된다. 또한 법인 서울대의 교직원 임용에 관한 선택권을 부여하고, 임용을 희망하지 아니한 교직원들은 공무원으로 그 신분을 일정기간 보장하여 주며, 공무원 재직 당시의 정년과 연금 수준을 보장하고, 다른 부처로의 전출 등의 기회를 부여하는 등 여러 경과조치를 두고 있으므로 침해최소성 원칙도 준수하였다. 국가경쟁력과 직결되는 국립대학의 경쟁력 제고라는 공익은 서울대 교직원이 받게 되는 공무원 지위의 상실이라는 불이익에 비하여 결코 작지 아니하여 법익균형성도 인정되므로, 청구인들의 공무담임권을 침해한다고 볼 수 없다.

한편, 서울대의 법인화 필요성과 그 효과가 클 것으로 판단하여 서울대를 법인으로 전환하면서, 서울대에 재직 중이던 교직원의 신분에 변동이 생겼다 하더라도 이러한 차별에는 합리적인 이유가 인정되며, 일반행정 업무를 담당해 왔던 직원이 다른 부처로의 전출이 비교적 용이하다는 점을 고려하여 교원에게 직원보다 공무원 신분을 장기간 유지시켜 주는 것에도 합리적인 이유가 인정되므로, 청구인들의 평등권을 침해하지 아니한다.

148. 국립대학교 총장 간선제 사건 [기각]
– 2006. 4. 27. 선고 2005헌마1047,1048(병합)

판시사항

1. 국립대학 교수나 교수회가 대학의 자율과 관련한 기본권 주체성이 있는지 여부(적극)
2. 교수나 교수회에게 헌법 제31조 제4항의 대학의 자율의 보장내용에 포함되는 헌법상의 기본권인 국립대학의 장 후보자 선정에 참여할 권리가 있는지 여부(적극)
3. 대학의 자율을 제한하는 법률에 대한 위헌심사기준
4. 대학의 장 후보자 선정의 방식으로 '대학의장임용추천위원회에서의 선정'을 규정한 교육공무원법 제24조 제4항은 간선제를 강요하여 대학의 자율을 침해하는 것인지 여부(소극)
5. 대학의 장 임기만료 후 3월 이내에 후보자를 추천하지 아니하는 경우 대학의 추천없이 대통령이 교육인적자원부장관의 제청을 받아 대학의 장을 임용하도록 한 교육공무원법 제24조 제6항은 대학의 자율을 침해하는 것인지 여부(소극)
6. 대학의 장 후보자 선정을 직접선거의 방법으로 실시하기로 해당 대학 교원의 합의가 있는 경우 그 선거관리를 선거관리위원회에 의무적으로 위탁시키는 교육공무원법 제24조의3 제1항은 대학의 자율을 침해한 것인지 여부(소극)
7. 대학의장임용추천위원회의 구성·운영 등에 관하여 필요한 사항을 대통령령에 정하도록 위임한 교육공무원법 제24조 제7항은 포괄위임입법금지의 원칙이나 교육제도 법정주의에 반하는 것인지 여부(소극)

심판대상조항 및 관련조항

교육공무원법(2005. 5. 31. 법률 제7537호로 개정된 것)

제24조(대학의 장의 임용) ① 대학(공립대학을 제외한다. 이하 제27조까지 같다)의 장은 당해 대학의 추천을 받아 교육인적자원부장관의 제청으로 대통령이 임용한다. 새로이 설립되는 대학의 장을 임용하거나 대학의 장의 명칭변경으로 인하여 학장으로 재직중인 자를 당해 대학의 총장으로, 총장으로 재직중인 자를 당해 대학의 학장으로 그 임기중에 임용하는 경우에는 교육인적자원부장관의 제청으로 대통령이 임용한다.
③ 제1항 본문의 규정에 의한 대학의 장의 임용추천을 위하여 대학에 대학의장임용추천위원회(이하 "위원회"라 한다)를 둔다.
④ 위원회는 해당 대학이 정하는 바에 따라 다음 각 호의 어느 하나의 방법에 의하여 대학의 장 후보자를 선정하여야 한다.
    1. 위원회에서의 선정
    2. 해당 대학 교원의 합의된 방식과 절차에 따른 선정
⑥ 제1항의 규정에도 불구하고 대학의 장 임기만료 후 3월 이내에 해당 대학이 대학의 장 후보자를 추천하지 아니하는 경우 해당 대학의 장은 교육인적자원부장관의 제청으로 대통령이 임용한다.

⑦ 위원회의 구성·운영 등에 관하여 필요한 사항은 대통령령으로 정하되, 위원의 일정비율 이상은 여성으로 한다.

제24조의2(선거운동의 제한) ④ 누구든지 대학의 장 후보자 선정 선거와 관련하여 다음 각 호의 방법 외의 행위를 할 수 없다.
1. 선전벽보의 부착 / 2. 선거공보의 배부 / 3. 소형인쇄물의 배부 / 4. 합동연설회 또는 공개토론회의 개최 / 5. 전화·컴퓨터 통신을 이용한 지지호소

제24조의3(대학의 장 후보자 추천을 위한 선거사무의 위탁) ① 대학의 장 후보자를 추천함에 있어서 제24조 제4항 제2호의 규정에 따라 해당 대학 교원의 합의된 방식과 절차에 따라 직접선거에 의하는 경우 해당 대학은 선거관리에 관하여 그 소재지를 관할하는「선거관리위원회법」에 의한 구·시·군선거관리위원회(이하 "구·시·군선거관리위원회"라 한다)에 위탁하여야 한다.

I 적법요건에 대한 판단

1. 기본권주체성 및 기본권성

청구인들은 대학의 자치의 주체로서 대학의 장 후보자 선출에 참여할 권리가 있는지, 그리고 이러한 권리가 대학의 자치에 포함되는 헌법상의 기본권인지 그 성격이 문제된다.

헌법재판소는 대학의 자율성은 헌법 제22조 제1항이 보장하고 있는 학문의 자유의 확실한 보장수단으로 꼭 필요한 것으로서 대학에게 부여된 헌법상의 기본권으로 보고 있다. 그러나 대학의 자치의 주체를 기본적으로 대학으로 본다고 하더라도 교수나 교수회의 주체성이 부정된다고 볼 수는 없고, 가령 학문의 자유를 침해하는 대학의 장에 대한 관계에서는 교수나 교수회가 주체가 될 수 있고, 또한 국가에 의한 침해에 있어서는 대학 자체 외에도 대학 전구성원이 자율성을 갖는 경우도 있을 것이므로 문제되는 경우에 따라서 대학, 교수, 교수회 모두가 단독, 혹은 중첩적으로 주체가 될 수 있다고 보아야 할 것이다.

나아가 전통적으로 대학자치는 학문활동을 수행하는 교수들로 구성된 교수회가 누려오는 것이었고, 현행법상 국립대학의 장 임명권은 대통령에게 있으나, 1990년대 이후 국립대학에서 총장 후보자에 대한 직접선거방식이 도입된 이래 거의 대부분 대학 구성원들이 추천하는 후보자 중에서 대학의 장을 임명하여 옴으로써 대통령이 대학총장을 임명함에 있어 대학교원들의 의사를 존중하여 온 점을 고려하면, 청구인들에게 대학총장 후보자 선출에 참여할 권리가 있고 이 권리는 대학의 자치의 본질적인 내용에 포함된다고 할 것이므로 결국 헌법상의 기본권으로 인정할 수 있다.

2. 자기관련성

이 사건 법률조항의 수범자는 직접적으로는 대학이나 대학의장임용추천위원회(이하 '위원회'라고 한다)이긴 하나, 위 각 규정이 대학이 총장 후보자를 선출하는 절차나 방법에 일정한 제한을 가함으로써 근본적으로 교수들이나 교수회의 대학의 장 후보자선정에 관여할 기본권을 제약하고 있고, 위원회에는 교수들이 구성원으로 참여하고 있으며, 위 각 법규정의 목적 및 실질적인 규율대상,

법규정에서의 제한이나 금지가 제3자에게 미치는 효과나 진지성의 정도, 규범의 수규자에 의한 헌법소원의 제기가능성 등을 종합적으로 고려하여 판단할 때, 청구인들의 위 기본권이 직접적이고 법적으로 침해당하고 있다고 할 것이므로 청구인들의 자기관련성을 인정할 수 있다.

II 본안에 관한 판단

1. 대학의 자율과 위헌 심사기준

헌법 제31조 제4항은 "교육의 자주성·전문성·정치적중립성 및 대학의 자율성은 법률이 정하는 바에 의하여 보장된다."라고 규정하여 교육의 자주성·대학의 자율성을 보장하고 있는데 이는 대학에 대한 공권력 등 외부세력의 간섭을 배제하고 대학구성원 자신이 대학을 자주적으로 운영할 수 있도록 함으로써 대학인으로 하여금 연구와 교육을 자유롭게 하여 진리탐구와 지도적 인격의 도야라는 대학의 기능을 충분히 발휘할 수 있도록 하기 위한 것이며, 교육의 자주성이나 대학의 자율성은 헌법 제22조 제1항이 보장하고 있는 학문의 자유의 확실한 보장수단으로 꼭 필요한 것으로서 이는 대학에게 부여된 헌법상의 기본권이다.

그러나 대학의 자율도 헌법상의 기본권이므로 기본권제한의 일반적 법률유보의 원칙을 규정한 헌법 제37조 제2항에 따라 제한될 수 있고, 대학의 자율의 구체적인 내용은 법률이 정하는 바에 의하여 보장되며, 또한 국가는 헌법 제31조 제6항에 따라 모든 학교제도의 조직, 계획, 운영, 감독에 관한 포괄적인 권한 즉, 학교제도에 관한 전반적인 형성권과 규율권을 부여받았다고 할 수 있고, 다만 그 규율의 정도는 그 시대의 사정과 각급 학교에 따라 다를 수 밖에 없는 것이므로 교육의 본질을 침해하지 않는 한 궁극적으로는 입법권자의 형성의 자유에 속하는 것이라 할 수 있다. 따라서 이 사건 법률조항이 대학의 자유를 제한하고 있다고 하더라도 그 위헌 여부는 입법자가 기본권을 제한함에 있어 헌법 제37조 제2항에 의한 합리적인 입법한계를 벗어나 자의적으로 그 본질적 내용을 침해하였는지 여부에 따라 판단되어야 할 것이고, 다만 법 제24조 제7항에 대하여는 포괄위임입법금지의 원칙 등이 그 심사기준이 될 것이다.

2. 대학의 자율의 침해 여부

가. 법 제24조 제4항

청구인들은 해당 대학 교원의 합의가 존재하지 않거나 혹은 관련 위탁선거관리규칙에서 정한 기간 내에 합의를 도출할 수 없다면 총장선거의 방식으로 '위원회에서의 선정'을 택하지 않을 수 없고, 위원회에서의 선정에 대하여는 아무런 제한이 없다는 점에서 위 조항이 대학의 장 후보자 선정을 간선제에 의하도록 강요하여 대학의 자율을 침해하고 있다고 주장한다.

위원회에서의 선정은 원칙적인 방식이 아닌 교원의 합의된 방식과 선택적이거나 혹은 실제로는 보충적인 방식으로 규정되어 있는 점, 대학의 장 후보자 선정과 관련하여 대학에게 반드시 직접 선출 방식을 보장하여야 하는 것은 아니며, 다만 대학교원들의 합의된 방식으로 그 선출방식을 정할 수 있는 기회를 제공하면 족하다고 할 것인데, 위 규정은 대학의 장 후보자 선정을 위원회에서 할 것인지, 아니면 교원의 합의된 방식에 의할 것인지를 대학에서 우선적으로 결정하도록 하여 이를 충분히 보장하고 있는 점, 또한 이 규정은 개정 전 교육공무원임용령 제12조의3 제4항과 동일한 내용으로서 청구인들이 속한 각 대학은 개정 전 위 시행령에 근거하여 직선제의 방식으로 대학의 장 후보자를 선출해 온 점을 고려하면, 이전의 시행령의 내용을 그대로 담고 있는 위 법률규정이 대학에게 총장 후보자 선출에 있어서 새로운 제한을 추가하거나 가중한 것이라고 볼 수 없으므로 위 규정이 매우 자의적인 것으로서 합리적인 입법한계를 일탈하였거나 대학의 자율의 본질적인 부분을 침해하였다고 볼 수 없다.

나. 법 제24조 제6항

국립대학에서 총장이 임명되지 못하는 경우에 대통령이 교육인적자원부장관의 제청으로 총장을 임용하는 것은 그 공백상태를 해결하기 위한 적절한 수단이며 이 경우 임시적 지위를 갖는 총장을 임용하는 일시적인 임용형태를 취할 것인지 아니면 통상의 총장지위를 갖는 정식의 임용형태를 취할 것인지는 입법자의 재량사항에 속한 것으로 볼 수 있는 점, 또한 총장 임기만료 후 3개월이 경과한 경우에만 대통령이 위의 권한을 행사하도록 함으로써 대학에게 그 총장후보자의 선출에 대한 자율권을 행사할 충분한 기간과 기회를 제공하고 있는 점, 대학의 자율도 국민의 교육받을 권리를 존중하여 가능한 한 이를 침해하여서는 안되며, 대학이 총장의 임기만료 후에도 만연히 대학의 장 후보자를 선출하지 아니한채 국가가 관여하는 것을 배제해달라고 주장하는 것은 합리적인 대학의 자율의 범위라고 볼 수 없는 점 등을 고려할 때 교육공무원법 제24조 제6항이 매우 자의적인 것으로서 합리적인 입법한계를 일탈하였거나 대학의 자율의 본질적인 부분을 침해하였다고 볼 수 없다.

다. 법 제24조의2 제4항

위 규정은 대학의 장 후보자 선출과정에서의 과도한 선거운동을 제한함으로써 선거운동의 투명성과 공정성을 확보할 것을 목적으로 하는 점에서 그 입법목적의 정당성이 인정된다.

그리고 위 규정에서 허용한 선거운동방법이 입후보자들의 의사를 전달하거나 선거권자가 입후보자에 대한 정보를 얻는데 매우 제한적이어서 불충분한 것으로는 볼 수 없으며, 여기에서 허용한 선거운동방법은 과열·혼탁 선거의 염려가 비교적 적은 공정한 선거운동 방법인 점, 헌법 제41조 제1항과 제67조 제1항에서 국민의 보통, 평등, 직접, 비밀 선거제도를 규정하고 있는바, 이는 국민의 대표기관을 선출하는 선거절차에 관한 원칙으로서 대학의 장 후보자가 비록 대학구성원들의 대표자의 의미를 갖고 있으나 이는 총장 후보자에 불과하고 국민의 대표기관으로 볼 수 없어 위의 원칙이 직접 적용된다고 보기 어렵고, 가령 적용된다고 하더라도 위 규정의 내용이 위와 같은 선거원칙을 실질적으로 해친다고 볼 수 없는 점 등에 비추어 볼 때 위 규정이 매우 자의적인 것으로서 합리적인 입법한계를 일탈하였거나 대학의 자율의 본질적인 부분을 침해하였다고 볼 수 없다.

라. 법 제24조의3 제1항(선관위 위탁규정)

국가의 예산과 공무원이라는 인적조직에 의하여 운용되는 국립대학에서 선거관리를 공정하게 하기 위하여 중립적 기구인 선거관리위원회에 선거관리를 위탁하는 것은 선거의 공정성을 확보하기 위한 적절한 방법인 점, 선거관리위원회에 위탁하는 경우는 대학의 장 후보자를 선정함에 있어서 교원의 합의된 방식과 절차에 따라 직접선거에 의하는 경우로 한정되어 있는 점, 선거에 관한 모든 사항을 선거관리위원회에 위탁하는 것이 아니라 선거관리만을 위탁하는 것이고 그 외 선거권, 피선거권, 선출방식 등은 여전히 대학이 자율적으로 정할 수 있는 점, 중앙선거관리위원회에서 위 선거관리와 관련한 규칙을 제정하고자 하는 경우 대학들은 교육인적자원부장관을 통하여 그 의견을 개진할 수 있는 점, 선거관리위원회는 공공단체의 직접선거와 관련하여 조합원이 직접 투표로 선출하는 조합장선거와 교육위원 및 교육감선거의 경우에도 그 선거사무를 관리하고 있는 점을 고려하면, 위 규정이 매우 자의적인 것으로서 합리적인 입법한계를 일탈하였거나 대학의 자율의 본질적인 부분을 침해하였다고 볼 수 없다.

3. 포괄위임입법금지의 원칙 위반 여부 등 - 법 제24조 제7항 관련

헌법 제75조는 위임입법의 근거조문임과 동시에 그 범위와 한계를 제시하고 있는바, 여기서 "법률에서 구체적인 범위를 정하여 위임받은 사항"이란 법률에 이미 대통령령으로 규정될 내용 및 범위의 기본사항이 구체적으로 규정되어 있어서 누구라도 당해 법률로부터 대통령령에 규정될 내용의 대강을 예측할 수 있어야 함을 의미하고, 여기에서의 예측가능성의 유무는 당해 특정조항 하나만을 가지고 판단할 것은 아니고 관련법조항 전체를 유기적·체계적으로 종합판단하여야 하며 각 대상법률의 성질에 따라 구체적·개별적으로 검토하여야 한다. 그리고 처벌법규나 조세법규 등 국민의 기본권을 직접적으로 제한하거나 침해할 소지가 있는 법규에서는 구체성·명확성의 요구가 강화되어 그 위임의 요건과 범위가 일반적인 급부행정법규의 경우보다 더 엄격하게 제한적으로 규정되어야 하는 반면에, 규율대상이 다양하거나 수시로 변화하는 성질의 것일 때에는 위임의 구체성·명확성의 요건이 완화되어야 할 것이다.

그리고 대상법률이 형성법률인 경우 위헌성 판단은 기본권 제한의 한계 규정인 헌법 제37조 제2항에 따른 과잉금지 내지 비례의 원칙의 적용을 받는 것이 아니라, 그러한 형성법률이 그 재량의 한계인 자유민주주의 등 헌법상의 기본원리를 지키면서 관련 기본권이나 객관적가치질서의 보장에 기여하는지 여부에 따라 판단된다.

교육공무원법 제24조 제7항은 위원회의 구성, 운영 등에 관하여 구체적인 위임의 범위를 정하지 아니하고 시행령에 위임하였으나, 이 위원회는 대학의 장 후보자를 추천하기 위한 위원회임은 목적상 명백하고, 또한 위원회는 대학의 모든 구성원이 아닌 해당 대학 교원을 중심으로 구성될 것임을 알 수 있어 그 대강의 내용을 예측할 수 있고, 각 대학마다 규모나 지역 등의 사정에 따라 탄력적으로 위원수나 위원자격을 정하도록 할 필요가 있어 구성과 운영 등에 관한 사항을 시행령에 위임하여야 할 합리적인 이유가 있으므로 위임입법의 한계를 일탈하였다고 할 수 없다.

한편 위의 연혁과 관련규정의 내용에 기초하여 볼 때, 위원회는 해당 대학이 대학의 장 후보자 추천권한을 행사하기 위한 것으로서 위 규정은 청구인들의 권리를 제한하는 규정이라기 보다는 추천권행사를 위한 형성적 법률규정에 가깝다고 볼 수 있고, 위 규정은 교수들이나 특히 여성위원들의 참여를 보장하고 있어 청구인들의 기본권이나 대학의 자율을 증진시키는 측면도 있으므로 위 규정이 대학자치의 본질을 침해한다거나, 교육제도 법정주의에 반하여 위헌이라고 보기도 어렵다.

149. 교육부장관이 강원대학교 법학전문대학원의 2015학년도 및 2016학년도 신입생 각 1명의 모집을 정지한 행위의 위헌 여부 [인용(위헌확인), 인용(취소)]
- 2015. 12. 23. 선고 2014헌마1149

판시사항

1. 헌법소원심판에서 국립대학에 대하여 대학의 자율권의 주체로서 청구인 능력을 인정한 사례
2. 피청구인이 강원대학교 법학전문대학원의 2015학년도 및 2016학년도 신입생 각 1명의 모집을 정지하도록 한 행위(이하 '이 사건 모집정지'라고 한다)가 법률유보원칙에 반하여 청구인의 대학의 자율권을 침해하는지 여부(소극)
3. 이 사건 모집정지가 과잉금지원칙에 반하여 청구인의 대학의 자율권을 침해하는지 여부(적극)

사건의 개요

1. 청구인(강원대학교)은 강원도를 소재지로 설립된 국립대학교이고, 강원대학교총장은 강원대학교의 장으로서 교무를 통할하고 소속 교직원을 감독하며 학생을 지도하고 학교를 대표하며, 피청구인(교육부장관)은 학교교육에 관한 사무를 관장하는 행정각부의 장으로 학교를 지도·감독하며 법학전문대학원의 설치·운영에 관한 사항을 주관한다.

2. 피청구인은 2014. 5. 28. 강원대학교 총장에게 2012, 2013, 2014학년도에 강원대학교 법학전문대학원 설치 인가신청서 상의 장학금 지급비율을 이행하지 않았으니 이를 이행하라는 시정명령을 하였다. 그러나 강원대학교총장은 피청구인이 법학전문대학원 인가 당시 강원대학교 법학전문대학원의 장학금확보율을 장학금지급률로 오해하여 시정명령을 하였다면서 이를 이행하지 아니하였다. 그러자 피청구인은 법학교육위원회의 심의를 거쳐, 2014. 9. 23. 강원대학교 법학전문대학원의 학생정원 40명 중 2015학년도 모집정지 1명 및 2016학년도 모집정지 1명(2015. 2. 28.까지 조건부 유예)을 내용으로 하는 제재를 통지하였고[2012-2014학년도 시정명령 미이행 법학전문대학원 행·재정 제재 확정 통지(대학원지원과-4757)], 2015. 6. 19. 위 2016학년도 조건부 제재 유예 부분을 모집정지 1명 제재로 확정 통지하였다[2014학년도 시정명령 미이행 법학전문대학원 행·재정 제재 확정 통지(대학학사제도과-4803)].

3. 이에 청구인은 피청구인이 강원대학교 법학전문대학원의 2015학년도 및 2016학년도 신입생 각 1명의 모집을 정지하도록 한 행위가 헌법 제31조 제4항이 정하고 있는 대학의 자율권을 침해한다고 주장하면서 2014. 12. 23. 이 사건 헌법소원심판을 청구하였다.

심판대상

이 사건 심판대상은 피청구인이 강원대학교 법학전문대학원의 2015학년도 및 2016학년도 신입생 각 1명의 모집을 정지하도록 한 행위(이하 '이 사건 모집정지'라고 한다)가 청구인의 기본권을 침해하여 헌법에 위반되는지 여부이다.

주문

피청구인이 강원대학교 법학전문대학원에 대하여, 2015학년도 신입생 1명의 모집을 정지하도록 한 행위는 청구인의 대학의 자율권을 침해하므로 위헌임을 확인하고, 2016학년도 신입생 1명의 모집을 정지하도록 한 행위는 청구인의 대학의 자율권을 침해하므로 이를 취소한다.

I. 판 단

1. 이 사건의 쟁점

가. 헌법재판소는, 헌법 제31조 제4항이 정하는 교육의 자주성 및 대학의 자율성은 헌법 제22조 제1항이 보장하는 학문의 자유의 확실한 보장수단으로 꼭 필요한 것으로서 대학에게 부여된 헌법상의 기본권인 대학의 자율권이라고 판시하면서 국립 서울대학교가 대학의 자율권의 주체가 될 수 있음을 인정한 바 있고(92헌마68), 대학의 자율권은 기본적으로 대학에게 부여된 기본권이나 문제되는 사안에 따라 교수·교수회도 그 주체가 될 수 있다고 판시함으로써 대학의 자율권의 주체는 원칙적으로 대학 그 자체임을 재확인한 바 있다(2005헌마1047). 그리고 이러한 대학의 자율권의 보호영역에는 대학시설의 관리·운영만이 아니라 학사관리 등 전반적인 것으로 연구와 교육의 내용, 그 방법과 대상, 교과과정의 편성, 학생의 선발, 학생의 전형도 포함된다(92헌마68). 그런데 이 사건 모집정지는 강원대학교 법학전문대학원의 2015학년도 및 2016학년도 신입생 모집정원 40명 중 각 1명의 모집을 정지하도록 하고 있으므로, 국립대학교인 청구인의 학생 선발에 관한 대학의 자율권을 제한한다.

나. 청구인은 이 사건 모집정지에 대하여 행정소송을 제기하지 아니한 채 바로 헌법소원심판을 청구하였으므로 보충성 요건을 갖추었는지 여부가 문제되지만, 법인화되지 않은 국립대학은 영조물에 불과하고, 그 총장은 국립대학의 대표자일 뿐이어서 행정소송의 당사자능력이 인정되지 않는다는 것이 법원의 확립된 판례이므로(2009두23129), 설사 청구인이 이 사건 모집정지에 대하여 행정소송을 제기한다고 할지라도 부적법 각하될 가능성이 많아 행정소송에 의하여 권리 구제를 받을 가능성이 없는 경우에 해당되고, 따라서 보충성의 예외를 인정함이 상당하다.

다. 헌법 제31조 제4항은 '대학의 자율성은 법률이 정하는 바에 의하여 보장된다.'라고 규정하고 있으므로 입법자는 법률의 형식으로 대학의 자율권 보장의 내용을 구체적으로 형성하고 실현할 수 있다고 할 것이나, 헌법 제22조 제1항의 학문의 자유를 실질적으로 보장하기 위하여 헌법 제31조 제4항이 명시적으로 도입된 취지를 고려할 때 대학의 자율권에 대한 제한도 헌법 제37조 제2항을 준수해야 하므로, 이 사건 모집정지가 헌법 제37조 제2항의 법률유보원칙 및 과잉금지원칙에 반하여 청구인의 대학의 자율권을 침해하는지 문제된다.

라. 한편 청구인은 법학전문대학원법 제17조의 내용이 불명확하므로 이에 근거한 이 사건 모집정지는 명확성원칙에 위반되는 공권력 행사라는 취지로 주장하나, 법학전문대학원법 제17조의 위

헌 여부는 이 사건 심판대상에 해당되지 아니하고, 이 사건 모집정지는 ○○대학교 법학전문대학원의 2015학년도 및 2016학년도 신입생모집을 각 1명 정지하도록 한다는 것으로서 그 내용이 명확하므로, 이에 관해서는 별도로 판단하지 아니한다.

2. 법률유보원칙에 반하여 대학의 자율권을 침해하는지 여부

피청구인은 법학전문대학원 설치·운영에 관한 법률(이하 '법학전문대학원법'이라 한다) 제5조, 제10조, 제39조 등을 이 사건 모집정지의 관련근거로 기재하였으나, 위 조항들은 이 사건 모집정지의 직접적인 법적 근거가 될 수 없다. 그러나 교육기본법·고등교육법·법학전문대학원법 등 관련법률에 의하면, 국가는 국립대학의 설립·경영의 주체이자 강원대학교 법학전문대학원의 설치 주체로서 그 장학금제도에 관해 관리·감독할 권한이 있고, 피청구인은 학교교육의 사무를 관장하는 국가기관의 장으로서 청구인을 지도·감독할 권한이 있는바, 이 사건 모집정지는 이러한 법적 근거와 권한에 따라 이루어진 것이다. 따라서 이 사건 모집정지는 법률유보원칙에 반하지 아니한다.

3. 과잉금지원칙에 반하여 대학의 자율권을 침해하는지 여부

이 사건 모집정지는 대학의 자율권을 제한하고 있으므로, 이를 제한함에는 헌법 제37조 제2항의 과잉금지원칙이 준수되어야 한다. 다만 법학전문대학원은 교육기관으로서의 성격과 함께 법조인 양성이라는 국가의 책무를 일부 위임받은 직업교육기관으로서의 성격을 함께 가지고 있고, 입법자는 일정한 전문분야에 관한 자격제도를 마련함에 있어 광범위한 입법재량을 가지고 있으며, 이에 따라 국립대학에 설치된 법학전문대학원의 장학금제도를 지도·감독하는 피청구인에게 부여된 재량권 역시 존중될 필요가 있으므로, 이 사건 모집정지의 위헌성을 판단함에 있어 과잉금지원칙의 요구는 다소 완화된다고 할 것이다.

이 사건 모집정지는 장학금 지급계획 불이행에 대한 제재를 통하여 청구인으로 하여금 신청서상의 장학금 지급계획을 이행하도록 강제함으로써, 능력에 따라 균등하게 교육 받을 권리를 보장하여 법학전문대학원을 통한 우수한 법조인 양성에 차질이 없도록 하기 위한 것이므로, 목적의 정당성 및 수단의 적절성이 인정된다.

그러나 이 사건 모집정지는 강원대학교 법학전문대학원의 신입생 정원 중 2.5%의 모집을 정지하는 것으로 청구인에게 큰 불이익인 점, 강원대학교 법학전문대학원 설치인가 신청서의 내용을 종합하면 장학금지급률을 최저 20% 보장하되 그 당시 장학금확보율이 100.6%에 달한다는 내용으로 해석되는 점, 피청구인의 법학전문대학원 설치인가 심사기준에 따르면 장학금지급률 20% 이상이면 해당 항목의 만점에 해당하는 점, 청구인은 법학전문대학원 개원 이래 초기 3년간 다른 24개 대학들에 비하여 최고수준의 장학금을 지급하였고 이후에도 피청구인의 설치인가 심사기준에서 요구하는 장학금지급률 및 청구인이 제출한 설치인가 신청서상의 최저 장학금지급률을 상회하는 장학금을 지급해 온 점, 법학전문대학원법 제39조는 시정명령 불이행으로 인하여 '정상적인 학사운영이 곤란'한 경우에 한하여 학생모집을 정지할 수 있도록 정하고 있음에도 불구하고 이 사건 모집정지 당시 ○○대학교 법학전문대학원의 장학금지급률로 인하여 강원대학교 법학전문대학원의 정상적인 학사운영이 곤란한 정도에 이르렀다고 인정하기 어려운 점 등을 종합하면, 침해의 최소성 및 법익의 균형성이 인정되지 않는다.

따라서 이 사건 모집정지는 과잉금지원칙에 반하여 청구인의 대학의 자율권을 침해한다.

Ⅱ 결 론

이 사건 모집정지는 과잉금지원칙에 반하여 청구인의 대학의 자율권을 침해하므로 그 중 2015년 모집정지 부분은 위헌임을 확인하고, 2016년 모집정지 부분은 취소하기로 하여, 관여 재판관 전원의 일치된 의견에 따라 주문과 같이 결정한다.

함께 보는 판례

학문의 자유의 보호영역 (대법원 2005. 3. 11. 선고 2002도4278)

학문의 연구는 기존의 사상 및 가치에 대하여 의문을 제기하고 비판을 가함으로써 이를 개선하거나 새로운 것을 창출하려는 노력이므로 그 연구의 자료가 사회에서 현재 받아들여지고 있는 기존의 사상 및 가치체계와 상반되거나 저촉된다고 하여도 용인되어야 할 것이고, 학문연구의 방법으로서 마르크스주의 방법론을 수용하고, 이에 입각하여 단순한 현실의 묘사나 이에 따른 분석, 예측 또는 설명을 시도하는 것 자체는 그것이 이론적인 영역을 넘어 직접적으로 그 이념이 추구하는 사회적인 행동을 지향하는 것이 아닌 한, 헌법이 보장하는 학문의 자유의 범주 내에 속하는 것이라 할 것이다.

피고인이 경상대학교 교수들로 다른 교수들과 함께 사회과학분야의 일반교양 과목의 하나로 '한국사회의 이해'라는 강좌를 개설하여 경상대학교 대학생들을 상대로 공동으로 강의를 하여 오던 중 교수들의 강의안 등을 모아 이 사건 서적을 발간하였고, 그 주된 내용이 한국사회의 부정적 측면을 비판한 것이기는 하나 이와 함께 한국사회의 긍정적 경험과 발전의 잠재력도 언급하고 있으며, 명시적으로 사회주의혁명을 주장하는 내용은 없고, 특히 피고인들이 자신들의 학문연구 결과를 발표하는 일환으로 제작 반포한 것으로서 학문의 자유 내지 표현의 자유의 한계를 벗어난 것이라고 할 수 없다.

이 사건 서적은 비록 그 전체적인 내용이 학문의 중립성을 포기한 채 편향적 시각인 소회 사회과학의 한 방법론으로서의 마르크스주의 관점을 수용하고 이에 입각하여 나름대로 한국사회의 현실을 분석하고… 이를 해결하기 위하여 노동자 농민이 중심이 된 사회운동의 강화, 개혁의 중요성을 강조하는 취지이기는 하여도… 대한민국의 안전 존립과 자유민주적 기본질서를 위협하는 적극적이고 공격적인 내용이 없는 이상 이 사건 서적을 국가보안법 제7조 제5항 소정의 이적표현물이라고 할 수 없고, 나아가 이 사건 서적과 같은 내용의 강의를 한 것을 가지고 반국가단체인 북한의 활동에 동조하였다고 볼 수는 없다.

제4절 경제생활영역의 자유

제1항 재산권

 **150** PC방 전체를 금연구역으로 지정한 국민건강증진법 사건 [기각, 각하]
― 2013. 6. 27. 선고 2011헌마315·509, 2012헌마386(병합)

판시사항 및 결정요지

1. PC방 전체를 금연구역으로 지정할 의무를 위반한 경우 과태료를 부과하는 국민건강증진법(2011. 6. 7. 법률 제10781호로 개정된 것) 제34조 제1항 제2호 중 제9조 제4항 제23호의 인터넷컴퓨터게임시설제공업소 부분(이하 '이 사건 과태료조항'이라 한다)에 대한 심판청구가 적법한지 여부(소극)

　이 사건 과태료조항은 그 전제인 의무부과조항(이 사건 금연구역조항)을 위반하는 경우에 과태료를 부과하는 제재조항으로서, 청구인들이 과태료라는 제재가 체계정당성에 어긋난다거나 과다하다는 등 그 자체의 고유한 위헌성을 다투는 것이 아니라, 전제되는 의무부과조항이 위헌이어서 그 제재조항도 위헌이라고 주장하고 있으므로, 이 사건 과태료조항에 대한 심판청구는 기본권침해의 직접성 요건을 갖추지 못하여 부적법하다.

2. PC방 전체를 금연구역으로 지정하도록 한 국민건강증진법(2011. 6. 7. 법률 제10781호로 개정된 것) 제9조 제4항 제23호 중 인터넷컴퓨터게임시설제공업소 부분(이하 '이 사건 금연구역조항'이라 한다)과 부칙 제1조 단서 중 "제9조 제4항 제23호의 개정규정은 공포 후 2년이 경과한 날부터 각각 시행한다." 부분(이하 '이 사건 부칙조항'이라 한다)이 과잉금지원칙과 신뢰보호원칙에 위배되어 청구인들의 직업수행의 자유를 침해하는지 여부(소극)

　다수인이 이용하는 PC방과 같은 공중이용시설 전체를 금연구역으로 지정함으로써 청소년을 비롯한 비흡연자의 간접흡연을 방지하고 혐연권을 보장하여 국민 건강을 증진시키기 위해 개정된 이 사건 금연구역조항의 입법목적은 정당하며, 그 방법도 적절하다. PC방과 같이 다수의 공중이 이용하는 공간에서의 간접흡연 문제를 효과적으로 해결하기 위해서는 내부에 칸막이 등을 설치하여 금연구역과 흡연구역을 분리하는 것만으로는 부족하고 해당 공간 전체를 금연구역으로 지정하는 것이 가장 효과적이고 이 방법 이외에 이와 동일한 효과를 가져올만한 대체수단이 있다거나 직업수행의 자유를 덜 제한하는 다른 수단이 존재한다고 단정하기는 어렵다. 아울러 이 사건 금연구역조항은 PC방 영업 자체를 금지하는 것이 아니고 다만 영업방식을 제한하고 있을 뿐이어서 청구인들의 직업수행의 자유를 크게 제한하는 것이라고 볼 수 없는 반면, 혐연권을 보장하고 국민의 건강을 증진시키는 공익의 효과는 매우 크다고 인정되므로, 이 사건 금연구역조항은 과잉금지원칙에 위배되지 않는다.

　청구인들은 현재 시행되고 있는 금연·흡연구역의 분리가 지속적으로 유지되지 아니하고 언젠가는 전면금연구역으로 전환되리라는 것을 예측할 수 있었다고 보이고, PC방이 전면금연구역으로 전환되더라도 기존시설을 그대로 사용하거나 보수 또는 구조 변경을 통해 일부 활용할 수도 있으므로,

구법에 기초한 청구인들의 신뢰이익은 절대적으로 보호받아야 할 성질의 것이 아니며 이에 대한 침해도 그리 크지 않다고 인정된다. 그리고 이 사건 부칙조항이 이 사건 금연구역조항의 시행을 유예한 2년의 기간은 법 개정으로 인해 변화된 상황에 적절히 대처하는 데 있어 지나치게 짧은 기간이라 볼 수 없으므로, 이 사건 금연구역조항과 부칙조항은 신뢰보호원칙에 위배되지 않는다.

3. 이 사건 금연구역조항이 청구인의 재산권을 침해하는지 여부(소극)

헌법 제23조 제1항의 재산권보장에 의하여 보호되는 재산권은 사적 유용성 및 그에 대한 원칙적 처분권을 내포하는 재산가치 있는 구체적 권리이므로 구체적인 권리가 아닌 단순한 이익이나 재화 획득에 관한 기회 등은 재산권보장의 대상이 아니다. 청구인들의 PC방 영업활동은 국가에 의하여 강제된 것이 아니고 원칙적으로 자신의 계획과 책임 아래 행동하면서 법제도에 따라 반사적으로 부여되는 기회를 활용한 것에 지나지 않는다. 따라서 이 사건 금연구역조항의 시행에 따라 흡연 고객이 이탈함으로써 청구인들의 영업이익이 감소된다고 하더라도, 이는 장래의 기대이익이나 영리획득의 기회에 손상을 입는 것에 지나지 않으므로, 이를 가리켜 헌법에 의해 보호되는 재산권의 침해라고 볼 수는 없다.

또한 이 사건 금연구역조항은 청구인들이 설치한 PC방 내부의 흡연구역 관련 시설을 철거하거나 변경하도록 강제하는 내용이 아니므로 이로 인해 흡연구역 관련 시설에 대한 권리가 침해되는 것은 아니다. 따라서 설령 이 사건 금연구역조항의 시행에 따라 청구인들이 기존의 흡연구역 관련 시설을 철거하거나 변경하였다고 하더라도 이로 인한 재산권 제한은 이 사건 금연구역조항으로 인한 간접적, 사실상의 불이익에 불과하다.

그러므로 이 사건 금연구역조항은 청구인들의 재산권을 침해하지 않는다.

151 한약사가 아닌 약사의 한약조제 금지 사건 [합헌]
― 1997. 11. 27. 선고 97헌바10

판시사항 및 결정요지

1. 구 약사법상 약사에게 인정된 한약조제권이 재산권인지 여부(소극)

헌법 제23조 제1항 및 제13조 제2항에 의하여 보호되는 재산권은 사적유용성 및 그에 대한 원칙적 처분권을 내포하는 재산가치있는 구체적 권리이므로 구체적인 권리가 아닌 단순한 이익이나 재화의 획득에 관한 기회 등은 재산권 보장의 대상이 아니라 할 것인바, 약사는 단순히 의약품의 판매뿐만 아니라 의약품의 분석, 관리 등의 업무를 다루며, 약사면허 그 자체는 양도·양수할 수 없고 상속의 대상도 되지 아니하며, 또한 약사의 한약조제권이란 그것이 타인에 의하여 침해되었을 때 방해를 배제하거나 원상회복 내지 손해배상을 청구할 수 있는 권리가 아니라 법률에 의하여 약사의 지위에서 인정되는 하나의 권능에 불과하고, 더욱이 의약품을 판매하여 얻게 되는 이익 역시 장래의 불확실한 기대리익에 불과한 것이므로, 구 약사법상 약사에게 인정된 한약조제권은 위 헌법조항들이 말하는 재산권의 범위에 속하지 아니한다.

2. 한약사제도를 신설하면서 그 이전부터 한약을 조제하여 온 약사들에게 향후 2년간만 한약을 조제할 수 있도록 하고 있는 약사법(1994. 1. 7. 법률 제4731호) 부칙 제4조 제2항이 직업의 자유의 본질적 내용을 침해하는지 여부(소극)

약사법을 개정하여 한약사제도를 신설하면서 그 개정 이전부터 한약을 조제하여 온 약사들에게 향후 2년간만 한약을 조제할 수 있도록 하고 있는 약사법 부칙 제4조 제2항은 직업수행의 자유를 제한하고 있기는 하나, 약사라는 직업에 있어서 한약의 조제라는 활동은 약사직의 본질적인 구성부분으로서의 의미를 갖기보다는 예외적이고 부수적인 의미를 갖고 있었음에 불과하여 약사가 한약의 조제권을 상실한다고 하더라도 어느 정도 소득의 감소만을 초래할 뿐 약사라는 본래적인 직업의 주된 활동을 위축시키거나 그에 현저한 장애를 가하여 사실상 약사라는 직업을 포기하게 하는 결과를 초래하는 것은 아니며, 또한 양약은 취급하지 않고 전적으로 한약의 조제만을 하여 온 약사의 경우에도 그러한 활동은 약사의 통상적인 직업활동으로 부터 벗어나는 예외적인 것에 지나지 아니하여 그들은 어느 때라도 아무런 제약 없이 약사들의 본래의 주된 활동인 이른바 "양"약사라는 직업을 재개할 수 있으므로, 위 법률조항은 직업의 자유의 본질적 내용을 침해한다고 할 수 없다.

3. 위 법률조항이 신뢰보호원칙에 위배되는지 여부(소극)

법치국가의 원칙상 법률이 개정되는 경우에는 구법질서에 대하여 가지고 있던 당사자의 신뢰는 보호되어야 할 것이다. 그런데 국민건강이라는 공공복리를 위하여 한약사제도를 신설한 약사법 개정의 입법목적에 정당성이 인정되고, 한약의 조제라는 활동이 약사직의 본질적인 구성부분이 아닌 예외적이고 부수적인 구성부분이므로, 약사들의 한약의 조제권에 대한 신뢰리익은 법률개정 이익에 절대적으로 우선하는 것이 아니라 적정한 유예기간을 규정하는 경과규정에 의하여 보호될 수 있는 것이라 할 것인바, 위 법률조항이 설정한 2년의 유예기간은 약사들이 약사법의 개정으로 인한 상황변화에 적절히 대처하고 그에 적응함에 필요한 상당한 기간이라고 판단되는 점에 또다른 경과규정으로 2년 이내에 한약조제시험에 합격하는 약사에게 한약조제권을 부여하고 있는 점 등을 종합하면, 이러한 경과규정은 약사법 개정 이전부터 한약을 조제하여 온 약사들의 신뢰를 충분히 보호하고 있다고 보아야 할 것이다.

152 국민연금법 분할연금 사건 [헌법불합치]
― 2016. 12. 29. 선고 2015헌바182

판시사항

1. 별거나 가출 등으로 실질적인 혼인관계가 존재하지 아니하여 연금 형성에 기여가 없는 이혼배우자에 대해서까지 법률혼 기간을 기준으로 분할연금 수급권을 인정하는 국민연금법 제64조 제1항이 재산권을 침해하는지 여부(적극)
2. 헌법불합치결정을 하면서 계속 적용을 명한 사례

사건의 개요

청구인은 1988. 1. 1.부터 2008. 12. 31.까지 국민연금 가입자 자격을 유지하다가 2010. 6. 14. 조기노령연금 수급권을 취득하여 2010. 7.부터 국민연금공단으로부터 노령연금을 받아 왔다. 한편, 청구인은 1975. 8. 15. 박○순과 혼인하였는데, 2004. 2. 10. 박○순을 상대로 이혼 등을 청구하는 소를 제기하였고, 위 소송 계속 중 2004. 4. 21. 이혼 조정이 성립되어 이혼하였다. 박○순은 2014. 4. 24. 국민연금공단에 분할연금의 지급을 청구하였고, 이에 국민연금공단은 2014. 6. 2. 박○순에 대하여 분할연금 지급결정을 한 후, 2014. 6. 23. 청구인에게 청구인의 노령연금액을 774,440원에서 491,620원으로 감액하는 내용의 연금수급권 내용변경 통지(이하 '이 사건 처분'이라 한다)를 하였다.

청구인은 2014. 11. 13. 국민연금공단을 상대로 이 사건 처분의 취소를 구하는 소를 제기한 다음, 그 소송 계속 중 분할연금을 규정한 국민연금법 제64조에 대하여 위헌법률심판제청신청을 하였다가 기각되자, 2015. 5. 4. 이 사건 헌법소원심판을 청구하였다.

심판대상조항 및 관련조항

청구인은 국민연금법 제64조 전부에 대하여 헌법소원심판을 청구하면서, 법률혼 관계에 있었지만 실질적으로는 부부공동생활이 파탄에 이른 탓에 연금 형성에 아무런 기여가 없는 이혼배우자에 대해서까지 분할연금 수급권을 인정하는 것은 위헌이라는 주장을 하고 있다. 이러한 주장은 분할연금제도 자체가 위헌이라는 것이 아니라, 위 조항에서 법률혼 관계에 있었지만 별거·가출 등으로 실질적인 혼인관계가 존재하지 않았던 기간을 전혀 고려하지 않고 일률적으로 혼인 기간에 포함시키고 있는 것이 위헌이라는 취지로 이해할 수 있다.

그런데 국민연금법 제64조 제2항, 제3항은 각각 분할연금액과 분할연금의 청구기간에 관한 규정으로서 청구인의 주장과 직접적인 관련이 없으므로 심판대상에서 제외하고, 청구인의 주장과 직접 관련 있는 조항인 국민연금법 제64조 제1항만을 심판대상으로 삼기로 한다.

【심판대상조항】

국민연금법(2011. 12. 31. 법률 제11143호로 개정된 것)

제64조(분할연금 수급권자 등) ① 혼인 기간(배우자의 가입기간 중의 혼인 기간만 해당한다. 이하 같다)이 5년 이상인 자가 다음 각 호의 요건을 모두 갖추면 그때부터 그가 생존하는 동안 배우자였던 자의 노령연금을 분할한 일정한 금액의 연금(이하 "분할연금"이라 한다)을 받을 수 있다.
  1. 배우자와 이혼하였을 것
  2. 배우자였던 사람이 노령연금 수급권자일 것
  3. 60세가 되었을 것

【주문】

1. 국민연금법(2011. 12. 31. 법률 제11143호로 개정된 것) 제64조 제1항은 헌법에 합치되지 아니한다.
2. 위 법률조항은 2018. 6. 30.을 시한으로 입법자가 개정할 때까지 계속 적용된다.

1. 국민연금법상 분할연금제도

 국민연금법상 분할연금제도는 이혼한 배우자에게 전배우자가 혼인 기간 중 취득한 노령연금 수급권에 대해서 그 연금 형성에 기여한 부분을 인정하여 청산분배를 받을 수 있도록 하는 한편, 가사노동 등으로 직업을 가지지 못하여 국민연금에 가입하지 못한 배우자에게도 상대방 배우자의 노령연금 수급권을 기초로 일정한 수준의 노후 소득을 보장하려는 취지에서 마련되었다. 분할청구의 대상은 혼인 기간 중 형성된 배우자의 노령연금 수급권이다. 배우자의 국민연금 가입기간 중 혼인 기간이 5년 이상이어야 하며, 노령연금 수급권자인 배우자였던 자와 이혼하고 60세가 되면 노령연금에 대한 분할청구권을 취득한다(국민연금법 제64조 제1항). 분할되는 연금액은 배우자였던 자의 노령연금액(부양가족연금액 제외) 중 혼인 기간에 해당하는 연금액을 균등하게 나눈 금액이다(같은 법 제64조 제2항).

 분할연금 수급권을 취득하려면 혼인 기간이 5년 이상이어야 하지만, 여기서 '혼인'은 반드시 법률혼 관계에 있어야 하는 것은 아니고 사실상의 혼인관계도 포함됨은 물론이다(국민연금법 제3조 제2항 참조). 그런데 법률혼 기간을 산정함에 있어 국민연금의 실무에서는 일방 배우자가 법률혼 상태에 있다가 별거하거나 가출하는 등 실질적인 혼인관계에 있지 않은 경우에도 그 기간을 제외하지 않고 있다. 따라서 실질적으로 부부공동생활을 하지 않은 이혼배우자도 법률혼 상태에 있는 한 별거·가출 기간까지 혼인 기간으로 인정받아 분할연금 수급권을 취득할 수 있다.

 그런데 혼인 기간 중 실질적으로 부부공동생활을 하지 않은 배우자가 상대 배우자의 노령연금을 균분하여 지급받는 것은 혼인 기간 중 상대방 배우자의 연금 형성에 대한 기여를 인정하기 위해 마련된 분할연금제도의 취지를 훼손한다는 지적이 있었다. 이러한 문제점을 개선하기 위하여 2015. 12. 29. 법률 제13642호로 개정된 국민연금법은 민법상 재산분할청구제도에 따라 연금의 분할에 관하여 별도로 결정된 경우에는 그에 따르도록 하는 분할연금 지급의 특례를 신설하였다(제64조의2).

2. 쟁점의 정리

국민연금 가입자가 노령연금을 받을 권리는 재산권의 보호대상이다. 그런데 심판대상조항에 따라 이혼배우자 일방이 분할연금 수급권을 취득하여 행사할 경우 노령연금액이 감액되므로, 심판대상조항은 노령연금 수급권자의 재산권을 제한한다.

노령연금 수급권 및 노령연금 수급권을 기초로 발생하는 분할연금 수급권은 모두 공적연금의 수급권에 해당하므로, 그 구체적 내용을 법률로 형성함에 있어 입법자는 광범위한 형성의 자유를 가진다.

3. 재산권 침해 여부

분할연금제도는 이혼한 배우자가 혼인 기간 중 재산 형성에 기여한 부분을 청산분배하는 재산권적인 성격과 이혼배우자의 노후를 보장하는 사회보장적 성격을 함께 가진다. 따라서 입법자는 이 두 요소를 고려하여 분할연금의 구체적인 내용을 정할 수 있고, 두 요소 중 어느 요소를 더 중시할 지는 입법자의 재량에 맡겨져 있다.

분할연금제도의 재산권적 성격은 노령연금 수급권도 혼인생활 중에 협력하여 이룬 부부의 공동재산이므로 이혼 후에는 그 기여분에 해당하는 몫을 분할하여야 한다는 것이고, 여기서 노령연금 수급권 형성에 대한 기여란 부부공동생활 중에 역할분담의 차원에서 이루어지는 가사·육아 등을 의미하므로, 분할연금은 국민연금 가입기간 중 실질적인 혼인 기간을 고려하여 산정하여야 한다. 따라서 법률혼 관계를 유지하고 있었다고 하더라도 실질적인 혼인관계가 해소되어 노령연금 수급권의 형성에 아무런 기여가 없었다면 그 기간에 대하여는 노령연금의 분할을 청구할 전제를 갖추었다고 볼 수 없다.

그럼에도 불구하고 심판대상조항은 법률혼 관계에 있었지만 별거·가출 등으로 실질적인 혼인관계가 존재하지 않았던 기간을 일률적으로 혼인 기간에 포함시켜 분할연금을 산정하도록 하고 있는 바, 이는 분할연금제도의 재산권적 성격을 몰각시키는 것으로서 그 입법형성권의 재량을 벗어났다고 보아야 한다.

2015. 12. 29. 개정된 국민연금법은 제64조의2를 신설하여 민법상 재산분할청구제도에 따라 연금의 분할에 관하여 별도로 결정된 경우에는 그에 따르도록 하였다. 그런데, 위 조항이 신설되었다 하더라도 심판대상조항이 유효하다면 노령연금 수급권자로서는 하여금 먼저 재산분할청구권을 행사하여야 자신의 정당한 연금을 확보할 수 있으므로, 위 조항이 신설되었다 하여 심판대상조항의 위헌성이 해소되는 것은 아니다. 따라서 심판대상조항은 재산권을 침해한다.

4. 헌법불합치결정과 잠정적용명령

153 근로자의 퇴직금 전액에 대하여 우선변제수령권을 인정하는 사건
[헌법불합치]
― 1997. 8. 21. 선고 94헌바19,95헌바34,97헌가11

판시사항 및 결정요지

1. 근로자에게 그 퇴직금 전액에 대하여 질권자나 저당권자에 우선하는 변제수령권을 인정하는 근로기준법 제37조 제2항 중 '퇴직금' 부분이 재산권의 본질적 내용을 침해하거나 과잉금지의 원칙에 어긋나는지 여부 (적극)

이 사건 법률조항이 근로자에게 그 퇴직금 전액에 대하여 질권자나 저당권자에 우선하는 변제수령권을 인정함으로써 결과적으로 질권자나 저당권자가 그 권리의 목적물로부터 거의 또는 전혀 변제를 받지 못하게 되는 경우에는, 그 질권이나 저당권의 본질적 내용을 이루는 우선변제수령권이 형해화하게 되므로 이 사건 법률조항 중 "퇴직금"부분은 질권이나 저당권의 본질적 내용을 침해할 소지가 생기게 되는 것이다.

이 사건 법률조항은 임금과는 달리 "퇴직금"에 관하여는 아무런 범위나 한도의 제한 없이 질권이나 저당권에 우선하여 그 변제를 받을 수 있다고 규정하고 있으므로, 도산위기에 있는 기업일수록, 즉 자금의 융통이 꼭 필요한 기업일수록, 금융기관 등 자금주는 자금회수의 예측불가능성으로 말미암아 그 기업에 자금을 제공하는 것을 꺼리게 된다. 그 결과 이러한 기업은 담보할 목적물이 있다고 하더라도 자금의 융통을 받지 못하여 그 경영위기를 넘기지 못하고 도산을 하게 되며 그로 인하여 결국 근로자는 직장을 잃게 되므로 궁극적으로는 근로자의 생활보장이나 복지에도 좋은 결과를 낳지 못한다. 또한 근로자의 퇴직후의 생활보장 내지 사회보장을 위하여서는, 기업금융제도를 훼손하지 아니하고 기업금융을 훨씬 원활하게 할 수 있으며 오히려 어떤 의미에서는 새로운 기업금융제도를 창출할 수 있는, 종업원 퇴직보험제도의 개선, 기업년금제도의 도입 등 사회보험제도를 도입, 개선, 활용하는 것이 보다 적절할 것이다. 그럼에도 불구하고 이 사건 법률조항은 근로자의 생활보장이라는 입법목적의 정당성만을 앞세워 담보물권제도의 근간을 흔들고 기업금융의 길을 폐쇄하면서까지 퇴직금의 우선변제를 확보하자는 것으로서 부당하다고 아니할 수 없다. 그렇다면 이 사건 법률조항은 근로자의 생활보장 내지 복지증진이라는 공공복리를 위하여 담보권자의 담보권을 제한함에 있어서 그 방법의 적정성을 그르친 것이며 침해의 최소성 및 법익의 균형성 요청에도 저촉되는 것이므로 과잉금지의 원칙에도 위배된다고 할 것이다.

2. 이 사건 법률조항 중 퇴직금 부분에 대한 헌법불합치선언의 필요성

퇴직금의 전액이 아니고 근로자의 최저생활을 보장하고 사회정의를 실현할 수 있는 적정한 범위 내의 퇴직금채권을 다른 채권들보다 우선변제함은 퇴직금의 후불임금적 성격 및 사회보장적 급여로서의 성격에 비추어 상당하다고 할 것인데 이 "적정한 범위"의 결정은 그 성질상 입법자의 입법정책적 판단에 맡기는 것이 옳다고 생각되는 점과 근로자의 퇴직금보장을 위한 각종 사회보험제도의 활용, 그 제도에 의한 대체 내지 보완이나 그 제도들과의 조화 등도 제반사정을 감안해야 하는 입법자의 사회정책적 판단령역인 점 등을 종합해 보면, 헌법재판소로서는 이 사건 법률조항 중 "퇴직금"부분에 대하여 바로 위헌선언을 할 것이 아니라 헌법불합치의 선언을 한 다음, 입법자로 하여금 조속한 시일내에 담보물권제도의 근간을 해치지 아니하는 범위내에서 질권 또는 저당권에 의하여 담보된 채권에 우선하여 변제받을 수 있는 근로자의 퇴직금채권의 "적정한 범위"를 확정하도록 하여 근로자를 보호하는 한편 그때까지는 위에서 본 이 사건 법률조항 중 "퇴직금"부분의 위헌성 때문에 그 부분의 적용을 중지하도록 함이 상당하다.

154. 지방의회의원에 대한 퇴직연금의 지급을 정지하는 공무원연금법 조항에 관한 위헌소원 사건 [헌법불합치]
— 2022. 1. 27. 선고 2019헌바161

심판대상조항 및 관련조항

구 공무원연금법(2015. 6. 22. 법률 제13387호로 개정되고, 2018. 3. 20. 법률 제15523호로 전부개정되기 전의 것)

제47조(퇴직연금 또는 조기퇴직연금의 지급정지) ① 퇴직연금 또는 조기퇴직연금의 수급자가 다음 각 호의 어느 하나에 해당하는 경우에는 그 재직기간 중 해당 연금 전부의 지급을 정지한다. 다만, 제3호부터 제5호까지에 해당하는 경우로서 근로소득금액이 전년도 공무원 전체의 기준소득월액 평균액의 100분의 160 미만인 경우에는 그러하지 아니하다.
  2. 선거에 의한 선출직 공무원에 취임한 경우

공무원연금법 부칙(2015. 6. 22. 법률 제13387호)

제12조(급여지급에 관한 경과조치) ① 이 법 시행 전에 지급사유가 발생한 급여의 지급은 종전의 규정에 따른다. 다만, 제47조의 개정규정 및 부칙 제5조는 이 법 시행 전에 급여의 사유가 발생한 사람에 대하여도 적용한다.

공무원연금법(2018. 3. 20. 법률 제15523호로 전부개정된 것)

제50조(퇴직연금 또는 조기퇴직연금의 지급정지) ① 퇴직연금 또는 조기퇴직연금의 수급자가 다음 각 호의 어느 하나에 해당하는 경우에는 그 재직기간 중 해당 연금 전부의 지급을 정지한다. 다만, 제3호부터 제5호까지의 어느 하나에 해당하는 경우로서 근로소득금액이 전년도 공무원 전체의 기준소득월액 평균액의 160퍼센트 미만인 경우에는 그러하지 아니하다.
  2. 선거에 의한 선출직 공무원에 취임한 경우

주문

1. 구 공무원연금법(2015. 6. 22. 법률 제13387호로 개정되고, 2018. 3. 20. 법률 제15523호로 전부개정되기 전의 것) 제47조 제1항 제2호 중 '지방의회의원'에 관한 부분 및 공무원연금법 부칙(2015. 6. 22. 법률 제13387호) 제12조 제1항 단서 중 '제47조 제1항 제2호의 지방의회의원'에 관한 부분은 헌법에 합치되지 아니한다.
법원 기타 국가기관 및 지방자치단체는 위 법률조항의 적용을 중지하여야 한다.
2. 공무원연금법(2018. 3. 20. 법률 제15523호로 전부개정된 것) 제50조 제1항 제2호 중 '지방의회의원'에 관한 부분은 헌법에 합치되지 아니한다.

판시사항 및 결정요지

1. 지방의회의원에 대한 퇴직연금의 지급을 정지하는 구 공무원연금법 제47조 제1항 제2호 중 '지방의회의원'에 관한 부분 및 공무원연금법 부칙(2015. 6. 22. 법률 제13387호) 제12조 제1항 단서 중 '제47조 제1항 제2호의 지방의회의원'에 관한 부분, 공무원연금법 제50조 제1항 제2호 중 '지방의회의원'에 관한 부분이 재산권을 침해하는지 여부(적극)

공무원연금법상의 각종 급여는 기본적으로 모두 사회보장적 급여로서의 성격을 가짐과 동시에 공로보상 내지 후불임금으로서의 성격도 함께 가진다. 특히 공무원연금법상 퇴직연금수급권은 경제적 가치 있는 권리로서 헌법 제23조에 의하여 보장되는 재산권으로서의 성격을 가진다.

청구인들은 퇴직공무원으로서 퇴직연금을 수령하여 오다가 2014년 지방의회의원선거에서 당선된 지방의회의원들인바, 이 사건 구법 조항으로 지방의회의원 임기 동안 퇴직연금을 받지 못하게 되었으므로, 이 조항으로 인하여 청구인들이 제한받게 되는 기본권은 재산권이다. 이하에서는 이와 같은 재산권 제한이 과잉금지원칙에 위배되는지 여부에 대해 살펴본다.

이 사건 구법 조항은 악화된 연금재정을 개선하여 공무원연금제도의 건실한 유지·존속을 도모하고 연금과 보수의 이중수혜를 방지하기 위한 것으로 입법목적의 정당성과 수단의 적합성이 인정된다.

퇴직공무원의 적정한 생계 보장이라는 공무원연금제도의 취지에 비추어, 연금 지급을 정지하기 위해서는 '연금을 대체할 만한 소득'이 전제되어야 한다. 지방의회의원이 받는 의정비 중 의정활동비는 의정활동 경비 보전을 위한 것이므로, 연금을 대체할 만한 소득이 있는지 여부는 월정수당을 기준으로 판단하여야 한다.

퇴직연금수급자인 지방의회의원 중 약 4분의 3에 해당하는 의원이 퇴직연금보다 적은 액수의 월정수당을 받고, 2020년 기준 월정수당이 정지된 연금월액보다 100만 원 이상 적은 지방의회의원도 상당 수 있다. 월정수당은 지방자치단체에 따라 편차가 크고 안정성이 낮다.

이 사건 구법 조항과 같이 소득 수준을 고려하지 않으면 재취업 유인을 제공하지 못하여 정책목적 달성에 실패할 가능성도 크다. 다른 나라의 경우 연금과 보수 중 일부를 감액하는 방식으로 선출직에 취임하여 보수를 받는 것이 생활보장에 더 유리하도록 제도를 설계하고 있다.

따라서 기본권을 덜 제한하면서 입법목적을 달성할 수 있는 다양한 방법이 있으므로 이 사건 구법 조항은 침해의 최소성 요건을 충족하지 못하고, 법익의 균형성도 충족하지 못한다.

이 사건 구법 조항은 과잉금지원칙에 위배되어 청구인들의 재산권을 침해하므로 헌법에 위반된다.

2. 헌법불합치결정(구법조항 적용중지, 현행법조항 계속적용)

다만, 이 사건 구법 조항의 위헌성은 연금지급정지제도 자체에 있다기보다는 선출직 공무원으로서 받게 되는 보수가 연금에 미치지 못하는 경우에도 연금 전액의 지급을 정지하는 것에 있고, 위헌성 제거 방식에 대하여는 입법자에게 재량이 있다. 따라서 이 사건 구법 조항에 대해서는 적용을 중지하는 헌법불합치결정을 한다.

이 사건 현행법 조항은 구법조항과 같은 문제가 있어 법질서의 정합성과 소송경제를 고려하여 함께 위헌을 선언할 필요가 있다. 그러나 이 사건 현행법 조항에 대하여 단순위헌결정을 하여 효력을 상실시킬 경우 법적 공백으로 선출직 공무원에 대한 연금정지의 근거규정이 사라지게 되는 불합리한 결과가 발생하므로 헌법불합치 결정을 선고하되 개선입법이 이루어질 때까지 계속적용을 명한다. 입법자는 가능한 빠른 시일 내에 늦어도 2023. 6. 30.까지 개선입법을 이행하여야 한다.

155 개발제한구역지정 사건 [헌법불합치]
- 1998. 12. 24. 선고 89헌마214,90헌바16,97헌바78(병합)

판시사항

1. 토지재산권의 사회적 의무성
2. 개발제한구역(이른바 그린벨트) 지정으로 인한 인한 토지재산권 제한의 성격과 한계
3. 토지재산권의 사회적 제약의 한계를 정하는 기준
4. 토지를 종전의 용도대로 사용할 수 있는 경우에 개발제한구역 지정으로 인한 지가의 하락이 토지재산권에 내재하는 사회적 제약의 범주에 속하는지 여부(적극)
5. 도시계획법 제21조의 위헌 여부(적극)
6. 헌법불합치결정을 하는 이유와 그 의미
7. 보상입법의 의미 및 법적 성격

사건의 개요

청구인 배옥섭, 김성복, 김영수는 도시계획법(1971. 1. 19. 법률 제2291호로 제정되어 1972. 12. 30. 법률 제2435호로 개정된 것, 이하 "법"이라 한다) 제21조 제1항에 따라 1972. 8. 25. 건설부 고시 제385호에 의하여 개발제한구역으로 지정된 토지 위에 관할관청의 허가를 받지 아니하고 1978.경부터 1980.경까지 사이에 건축물을 건축하여 소유하고 있다는 이유로 인천 서구청장으로부터 위 건축물에 대한 철거대집행계고처분 등을 받고, 서울고등법원에 위 서구청장을 상대로 위 건축물철거대집행계고처분 등의 취소를 구하는 행정소송(89구1928)을 제기하였다. 위 청구인들은 위 소송계속 중 서울고등법원에 법 제21조가 재판의 전제가 된다고 주장하면서 위헌심판제청을 신청하였으나 위 신청이 기각되자, 1989. 9. 5. 기각결정정본을 송달받고 같은 달 19. 이 사건 헌법소원심판을 청구하였다.

심판대상조항 및 관련조항

도시계획법(1971. 1. 19. 법률 제2291호로 제정되어 1972. 12. 30. 법률 제2435호로 개정된 것)

제21조(개발제한구역의 지정) ① 건설교통부장관은 도시의 무질서한 확산을 방지하고 도시주변의 자연환경을 보존하여 도시민의 건전한 생활환경을 확보하기 위하여 또는 국방부장관의 요청이 있어 보안상 도시의 개발을 제한할 필요가 있다고 인정되는 때에는 도시개발을 제한할 구역(이하 "개발제한구역"이라 한다)의 지정을 도시계획으로 결정할 수 있다.
② 제1항의 규정에 의하여 지정된 개발제한구역안에서는 그 구역지정의 목적에 위배되는 건축물의 건축, 공작물의 설치, 토지의 형질변경, 토지면적의 분할 또는 도시계획사업의 시행을 할 수 없다. 다만, 개발제한구역 지정당시 이미 관계법령의 규정에 의하여 건축물의 건축·공작물의 설치 또는 토지의 형질변경에 관하여 허가를 받아(관계법령에 의하여 허가를 받을 필요가 없는 경우를 포함한다) 공사 또는 사업에 착수한 자는 대통령령이 정하는 바에 의하여 이를 계속 시행할 수 있다.

③ 제2항의 규정에 의하여 제한될 행위의 범위 기타 개발제한에 관하여 필요한 사항은 대통령령으로 정하는 범위안에서 건설교통부령으로 정한다.

주문

도시계획법(1971. 1. 19. 법률 제2291호로 제정되어 1972. 12. 30. 법률 제2435호로 개정된 것) 제21조 는 헌법에 합치되지 아니한다.

I 판 단

1. 재산권의 침해여부

가. 재산권의 보장과 토지재산권의 사회적 의무

1) 헌법은 "모든 국민의 재산권은 보장된다. 그 내용과 한계는 법률로 정한다", "재산권의 행사는 공공복리에 적합하도록 하여야 한다"(제23조 제1항 및 제2항)고 규정함으로써 재산권은 법률로써 규제될 수 있고, 그 행사 또한 일정한 제약을 받을 수 있다는 것을 밝히고 있다.

재산권이 법질서내에서 인정되고 보호받기 위하여는 입법자에 의한 형성을 필요로 한다. 즉, 재산권은 이를 구체적으로 형성하는 법이 없을 경우에는 재산에 대한 사실상의 지배만 있을 뿐이므로 다른 기본권과는 달리 그 내용이 입법자에 의하여 법률로 구체화됨으로써 비로소 권리다운 모습을 갖추게 된다. 입법자는 재산권의 내용을 구체적으로 형성함에 있어서 헌법상의 재산권보장(헌법 제23조 제1항 제1문)과 재산권의 제한을 요청하는 공익 등 재산권의 사회적 기속성(헌법 제23조 제2항)을 함께 고려하고 조정하여 양 법익이 조화와 균형을 이루도록 하여야 한다.

2) 재산권에 대한 제한의 허용정도는 재산권행사의 대상이 되는 객체가 기본권의 주체인 국민 개개인에 대하여 가지는 의미와 다른 한편으로는 그것이 사회전반에 대하여 가지는 의미가 어떠한가에 달려 있다. 즉, 재산권 행사의 대상이 되는 객체가 지닌 사회적인 연관성과 사회적 기능이 크면 클수록 입법자에 의한 보다 광범위한 제한이 정당화된다. 다시 말하면, 특정 재산권의 이용이나 처분이 그 소유자 개인의 생활영역에 머무르지 아니하고 일반국민 다수의 일상생활에 큰 영향을 미치는 경우에는 입법자가 공동체의 이익을 위하여 개인의 재산권을 규제하는 권한을 더욱 폭넓게 가진다고 하겠다.

3) 토지에 대한 재산권은 연속된 공간의 특정부분을 소유하는 등의 권리이므로 그 대상이 되는 토지의 가치는 그 토지가 위치한 지역의 사회적 제반조건에 따라 정해지고, 이용 또한 그 이웃에 있는 다른 토지의 이용과 서로 조화되어야 하는 제약이 따를 수밖에 없는 특성이 있다. 그런데 토지는 원칙적으로 생산이나 대체가 불가능하여 공급이 제한되어 있고, 우리나라의 가용토지면적은 인구에 비하여 절대적으로 부족한 반면에, 모든 국민이 생산 및 생활의 기반으로서 토지의 합리적인 이용에 의존하고 있으므로, 그 사회적 기능에 있어서나 국민경제

의 측면에서 다른 재산권과 같게 다룰 수 있는 성질의 것이 아니므로 공동체의 이익이 보다 강하게 관철되어야 한다.

헌법은 토지가 지닌 위와 같은 특성을 감안하여 "국가는 국민 모두의 생산 및 생활의 기반이 되는 국토의 효율적이고 균형있는 이용·개발과 보전을 위하여 법률이 정하는 바에 의하여 그에 관한 필요한 제한과 의무를 과할 수 있다"(제122조)고 규정함으로써 토지재산권에 대한 광범위한 입법형성권을 부여하고 있다.

나. 이 사건 법률조항에 의한 토지재산권제한의 내용

개발제한구역내에 있는 토지는 원칙적으로 지정 당시의 상태에 따른 사용이 가능하므로, 이 사건 법률조항에 따라 제한대상이 되는 것은 토지재산권의 한 내용인 토지사용권에 한하고, 사용권이 제한된다 하더라도 구역 지정 당시의 본래적인 용도에 따른 사용은 원칙적으로 보장되고 상당한 범위내의 현상개량적인 개발행위도 예외적으로 허용되며 단지 장래에 있어서 구역의 지정목적에 반하는 사용방법만이 금지된다.

다. 이 사건 법률조항의 위헌여부

1) 이 사건 법률조항은 입법자가 토지재산권에 관한 권리와 의무를 일반·추상적으로 확정하는 규정으로서 법질서 안에서 보호받을 수 있는 권리로서의 재산권의 내용과 한계를 정하는 재산권을 형성하는 규정인 동시에 공익적 요청에 따른 재산권의 사회적 제약을 구체화하는 규정이기도 하다(헌법 제23조 제1항 및 제2항).

헌법상의 재산권은 토지소유자가 이용가능한 모든 용도로 토지를 자유로이 최대한 사용할 권리나 가장 경제적 또는 효율적으로 사용할 수 있는 권리를 보장하는 것을 의미하지는 않는다. 입법자는 중요한 공익상의 이유와 앞에서 본 토지가 가진 특성에 따라 토지를 일정용도로 사용하는 권리를 제한할 수 있기 때문이다. 따라서 토지의 개발이나 건축은 합헌적 법률로 정한 재산권의 내용과 한계내에서만 가능한 것일 뿐만 아니라 토지재산권의 강한 사회성 내지는 공공성으로 말미암아 이에 대하여는 다른 재산권에 비하여 보다 강한 제한과 의무가 부과될 수 있다. 그러나, 그렇다고 하더라도 토지재산권에 대한 제한입법 역시 다른 기본권을 제한하는 입법과 마찬가지로 과잉금지의 원칙(비례의 원칙)을 준수해야 하고, 재산권의 본질적 내용인 사용·수익권과 처분권을 부인해서는 아니된다.

요컨대, 공익을 실현하기 위하여 적용되는 구체적인 수단은 그 목적이 정당해야 하며 법치국가적 요청인 비례의 원칙에 합치해야 한다. 즉, 입법자가 선택한 수단이 의도하는 입법목적을 달성하고 촉진하기에 적합해야 하고(방법의 적정성), 입법목적을 달성하기에 똑같이 효율적인 수단중에서 가장 기본권을 존중하고 적게 침해하는 수단을 사용해야 하며(침해의 최소성), 법률에 의하여 기본권이 침해되는 정도와 법률에 의하여 실현되는 공익의 비중을 전반적으로 비교형량하였을 때 양자 사이의 적정한 비례관계가 성립해야 한다(법익의 균형성).

2) 그렇다면, 이 사건 법률조항을 규정함에 있어서 토지재산권을 제한하는 경우 지켜야할 위와 같은 원칙을 지켰는지 경우를 나누어 살펴보기로 한다.

가) 구역지정 후 토지를 종래의 목적으로 사용할 수 있는 원칙적인 경우

(1) 목적의 정당성

도시의 평면적 확산을 적절히 제한하여 도시기능의 적정화를 기하고 도시주변의 자연환경을 보존하여 도시주민의 생활의 질을 높여 나가야 한다는 것은 보편적 공익의 요청이자 국가의 의무이다. 한편 분단으로 인하여 남북이 서로 첨예하게 대치하고 있는 상황에서는 보안상의 이유로 특정 지역에 대한 개발을 제한할 필요가 있음도 부인할 수 없다. 그러므로 <u>개발제한구역 지정으로 인한 토지재산권의 제한은 바로 이와 같은 공익상의 요청에 부응하기 위한 것으로서 그 목적의 정당성이 인정된다.</u>

(2) 수단의 적정성, 침해의 최소성, 법익의 균형성

이 사건 법률조항은 위와 같은 입법목적을 달성하기 위하여 개발제한구역으로 지정된 구역 안에서는 그 구역지정의 목적에 위배되는 건축물의 건축, 공작물의 설치, 토지의 형질변경, 토지면적의 분할 또는 도시계획사업의 시행을 원칙적으로 그리고 전면적으로 금지하고 있고(법 제21조 제2항), 이러한 수단이 입법목적을 달성하는 데 크게 기여한다는 것은 의문의 여지가 없으므로, 이 사건 법률조항은 수단의 적정성도 인정된다.

토지는 우리들 모두의 일터이고 삶의 터전이기 때문에 토지재산권의 사회적 기능이 매우 중요할 뿐만 아니라 국민의 대다수를 점하는 도시민의 건전한 생활환경의 확보와 국가안보 등과 같은 이 사건 법률조항을 통하여 실현하려는 법익의 비중이 매우 크다는 것을 고려할 때, 지정된 구역내의 토지소유자에게 종래 상태에 따른 토지의 이용을 보장하면서 단지 개발행위만을 금지하는 것은 토지소유자에게 과도하고 일방적인 부담을 부과하는 것이 아니라 토지소유자가 수인해야 하는 사회적 제약의 범위에 속한다고 판단된다.

따라서 이 사건 법률조항이 토지재산권의 제한을 통하여 실현하고자 하는 공익의 비중과 이 사건 법률조항에 의하여 발생하는 토지재산권의 침해의 정도를 전반적으로 비교형량할 때, 양자 사이에 적정한 비례관계가 성립한다고 보이므로 법익균형성의 요건 또한 충족되었다 하겠다.

(3) <u>결국, 구역의 지정으로 인한 개발가능성의 소멸과 그에 따른 지가의 하락이나 지가상승률의 상대적 감소는 토지소유자가 감수해야 하는 사회적 제약의 범주에 속하는 것으로 보아야 한다.</u> 토지거래에서 건축이나 개발의 가능성을 지니고 있는 토지가 그렇지 아니한 토지에 비하여 상대적으로 더 높은 가치를 인정받고 결과적으로 지가의 상승을 가져오는 반면, 장래에 개발을 기대할 수 없는 토지는 지가상승률의 감소나 지가의 하락을 가져 오게 된다. <u>그러나 자신의 토지를 장래에 건축이나 개발목적으로 사용할 수 있으리라는 기대가능성이나 신뢰 및 이에 따른 지가상승의 기회는 원칙적으로 재산권의 보호범위에 속하지 않는다. 구역지정 당시의 상태대로 토지를 사용·수익·처분할 수 있는 이상, 구역지정에 따른 단순한 토지이용의 제한은 원칙적으로 재산권에 내재하는 사회적 제약의 범주를 넘지 않기 때문이다. 따라서 토지소유자가 종래의 목적대로 토지를 이용할 수 있는 한, 구역의 지정으로 인하여 토지재산권의 내재적 제약의 한계를 넘는 가혹한 부담이 발생했다고 볼 수 없다.</u>

(4) 다만, 구역의 지정으로 인한 토지재산권의 제한이 비록 헌법적으로는 재산권에 내재하는 사회적 제약의 범위내의 것이라 할지라도, 구역의 지정이 도시민의 건전한 생활환경을 위한 것임에도 불구하고 수익자인 도시민은 최소한의 부담도 하지 아니하고 오로지 구역내의 주민과 토지소유자들에게만 그 부담을 전가하는 것은 형평과 사회정의의 요청에 반하므로, 구역내의 주민이나 토지소유자들에게는, 예컨대 각종 세금의 감면 등 다양한 혜택을 부여하는 한편 수익자로부터는 개발이익을 환수하는 방법 등을 통하여 구역내 주민의 부담을 완화하고 형평을 회복하는 조치를 취하는 것이 바람직하다 할 것이다.

나) 구역지정 후 토지를 종래의 목적으로도 사용할 수 없거나 또는 토지를 전혀 이용할 수 있는 방법이 없는 예외적인 경우

(1) 그러나 구역지정으로 말미암아 예외적으로 토지를 종래의 목적으로도 사용할 수 없거나 또는 법률상으로 허용된 토지이용의 방법이 없기 때문에 실질적으로 토지의 사용·수익권이 폐지된 경우에는 다르다. 이러한 경우에는 재산권의 사회적 기속성으로도 정당화될 수 없는 가혹한 부담을 토지소유자에게 부과하는 것이므로 입법자가 그 부담을 완화하는 보상규정을 두어야만 비로소 헌법상으로 허용될 수 있기 때문이다.

따라서 이 사건 법률조항은 위에서 살펴 본 바와 같이 원칙적으로는 토지재산권의 사회적 제약을 합헌적으로 구체화한 규정이지만, 토지소유자가 수인해야 할 사회적 제약의 정도를 넘는 경우에도 아무런 보상없이 재산권의 과도한 제한을 감수해야 하는 의무를 부과하는 점에서는 위헌이다. 이러한 경우 입법자는 비례의 원칙을 충족시키고 이로써 법률의 위헌성을 제거하기 위하여 예외적으로 발생한 특별한 부담에 대하여 보상규정을 두어야 한다.

(2) 언제 이 사건 법률조항에 의한 제한이 토지재산권의 내재적 한계로서 허용되는 사회적 제약의 범위를 넘어 감수하라고 할 수 없는 특별한 재산적 손해가 발생하였는가의 문제는 일률적으로 확정할 수는 없고 당해 토지가 놓여 있는 객관적 상황(공부상 지목, 토지의 구체적 현황 등)을 종합적으로 고려하여 판단해야 할 것이나, 구역지정으로 인하여 예외적으로 토지를 종래의 목적으로도 사용할 수 없거나 또는 더 이상 법적으로 허용된 토지이용의 방법이 없기 때문에 실질적으로 토지의 사용·수익의 길이 없는 경우에는 토지의 소유권은 이름만 남았을 뿐 알맹이가 없는 것이므로 토지소유자가 수인해야 하는 사회적 제약의 한계를 넘는 것으로 보아야 한다.

(3) 위와 같은 기준에 따라 토지재산권의 내재적 한계로서 허용되는 사회적 제약의 범위를 넘어 감수하라고 할 수 없는 특별한 재산적 손해가 발생하였다고 볼 수 있는 구체적 예는 다음과 같은 경우를 들 수 있다.

① 나대지의 경우

개발제한구역 내의 토지중 지정 당시의 지목이 대지로서 나대지의 상태로 있었던 토지는 구역의 지정과 동시에 건물의 신축이 금지되는 결과 실제로는 지정 당시의 지목과 토지의 현황에 따른 용도로조차 사용할 수 없게 되었다. 토지관련 공부에 지목이 대지로 되어 있어 개발제한구역의 지정 이전에 대지로서 토지를 사용할 수 있는 법적 권리가 발생하였고 지정 당시 이미 나대지 상태로 형성되어 있어 현실이용상태 또한 지목과 일치한다면, 그 용도에 관하여 당해 토지소유자에게는 보상없이는 박탈할 수 없는 재산권적 지위를 인정해야 한다. 이 경우 나대지의 소유자는 개발제한구역의 지정 그 자체로서 그가 소유하는 토지의 이용이 사실상 폐지되는 것과 같은 결과를 감수하지 않으면 아니되므로, 이는 그나마 종전의 용도대로는 계속 사용할 수 있는 다른 토지의 경우와는 달리 토지재산권에 대한 사회적 제약의 한계를 넘는 과도한 부담을 안게 되었다고 할 것이다.

② 사정변경으로 인한 용도의 폐지

토지가 종래 농지 등으로 사용되었으나 개발제한구역의 지정이 있은 후에 주변지역의 도시과밀화로 인하여 농지가 오염되거나 수로가 차단되는 등의 사유로 토지를 더 이상 종래의 목적으로 사용하는 것이 불가능하거나 현저히 곤란하게 되어버린 경우에도 당해 토지소유자에게 위 나대지의 경우에서와 유사한 가혹한 부담이 발생한다. 개발제한구역으로 지정된 토지는 토지 주변상황의 변화로 인하여 지정 당시에 행사된 용도대로의 사용이 불가능한 경우에도 원칙적으로 형질변경이 허용되지 아니하여 다른 용도로도 이용할 수 없기 때문이다.

다) 소결론

결국, 이 사건 법률조항에 의한 재산권의 제한은 개발제한구역으로 지정된 토지를 원칙적으로 지정 당시의 지목과 토지현황에 의한 이용방법에 따라 사용할 수 있는 한, 재산권에 내재하는 사회적 제약을 비례의 원칙에 합치하게 합헌적으로 구체화한 것이라고 할 것이나, 종래의 지목과 토지현황에 의한 이용방법에 따른 토지의 사용도 할 수 없거나 실질적으로 사용·수익을 전혀 할 수 없는 예외적인 경우에도 아무런 보상없이 이를 감수하도록 하고 있는 한, 비례의 원칙에 위반되어 당해 토지소유자의 재산권을 과도하게 침해하는 것으로서 헌법에 위반된다할 것이다.

따라서 입법자가 이 사건 법률조항을 통하여 국민의 재산권을 비례의 원칙에 부합하게 합헌적으로 제한하기 위해서는, 수인의 한계를 넘어 가혹한 부담이 발생하는 예외적인 경우에는 이를 완화하는 보상규정을 두어야 한다. 이러한 보상규정은 입법자가 헌법 제23조 제1항 및 제2항에 의하여 재산권의 내용을 구체적으로 형성하고 공공의 이익을 위하여 재산권을 제한하는 과정에서 이를 합헌적으로 규율하기 위하여 두어야 하는 규정이다.

재산권의 침해와 공익간의 비례성을 다시 회복하기 위한 방법은 헌법상 반드시 금전보상만을 해야 하는 것은 아니다. 입법자는 지정의 해제 또는 토지매수청구권제도와 같이 금전보상에 갈음하거나 기타 손실을 완화할 수 있는 제도를 보완하는 등 여러 가지 다른 방법을 사용할 수 있다. 즉, 입법자에게는 헌법적으로 가혹한 부담의 조정이란 '목적'을 달성하기 위하여 이를 완화조정할 수 있는 '방법'의 선택에 있어서는 광범위한 형성의 자유가 부여된다.

3. 평등권 위반 여부

개발제한구역의 지정으로 인하여 구역내 토지소유자에게 발생하는 재산권에 대한 제한의 정도는 '토지를 종래의 지목과 그 현황에 따라 사용할 수 있는가'의 여부에 따라 현저히 상이한데도, 이를 가리지 아니하고 일률적으로 규정하여 구역내의 모든 토지소유자에게 아무런 보상없이 재산권의 제한을 수인해야 할 의무를 부과하는 이 사건 법률조항은, 재산권의 제한에 있어서 보상을 필요로 하는 예외적인 범위 안에서 개별 토지소유자에게 발생한 재산적 부담의 정도를 충분히 고려하여 본질적으로 같은 부담은 같게 다른 부담은 다르게 규율할 것을 요청하는 평등원칙에도 위반된다.

4. 헌법불합치결정을 하는 이유

… 사회적 제약의 한계를 넘는 가혹한 부담을 초래하는 예외적인 경우에도 아무런 보상규정을 두지 아니함으로써 헌법상의 재산권보장에 위반되는 이 사건 법률조항을 입법자는 더 이상 그대로 존치시켜서는 아니되며, 이 사건 법률조항의 입법목적과 재산권의 보장 사이에 비례성이 회복될 수 있도록 보상입법을 하여 위헌적 상태를 제거할 의무가 있다.

개발제한구역의 지정으로 말미암아 토지소유자가 입게 되는 특별한 손해의 보상문제는 구역내의 개개토지에 대한 광범위하고 치밀한 실지조사가 이루어지고 충분한 재정적 준비가 갖추어진 후에 여러 이해관계의 신중한 조절과정을 거쳐야 비로소 해결이 가능한 성질의 것이라 할 것이어서 단시일내에 보상법률을 제정하는 데에는 여러 가지 어려움이 따를 것이다. 그러나 최초 개발제한구역의 지정이 이루어진 때로부터 오랜 세월이 흐른 오늘에 이르도록 일부 토지소유자에 대한 가혹한 부담이 아무런 보상없이 그대로 방치되어 온 상황을 감안한다면, 입법자는 되도록 빠른 시일 내에 보상입법을 마련함으로써 이 사건 법률조항의 위헌적 상태를 제거하여야 할 것이다.

헌법재판소가 불합치결정을 내리는 경우 위헌결정을 선고한 경우와 마찬가지로 원칙적으로 위헌적 법률의 적용이 금지되므로, 행정청은 위헌적 상태를 제거하기 위한 보상입법이 마련되기 전에는 이 사건 법률조항에 근거하여 새로이 개발제한구역의 지정을 하여서는 아니된다.

그러나 이 사건 법률조항은 오로지 보상규정의 결여라는 이유 때문에 헌법에 합치되지 아니한다는 평가를 받는 것이므로, 이 사건 청구인들을 포함한 모든 토지소유자가 토지재산권의 사회적 한계를 넘는 가혹한 부담을 받은 경우에 한하여 보상입법을 기다려 그에 따른 권리행사를 할 수 있음은 별론으로 하고, 이 사건 결정에 근거하여 이 사건 법률조항에 의한 개발제한구역의 지정이나 그에 따른 토지재산권의 제한 그 자체의 효력을 다투거나 이 사건 법률조항에 위반하여 행하여진 자신들의 행위의 정당성을 주장할 수는 없다 할 것이다.

Ⅱ 결 론

그러므로 이 사건 법률조항은 헌법에 위반되나 보상에 관한 새로운 입법이 이루어 질 때까지 그 효력을 형식적으로 존속하도록 함이 상당하여 주문과 같이 결정한다. 이 결정은 재판관 조승형, 재판관 이영모의 반대의견이 있는 외에 나머지 재판관 전원의 의견일치에 따른 것이다.

156 택지소유상한에 관한 법률 사건
— 1999. 4. 29. 선고 94헌바37외66건(병합)

판시사항

1. 특별시·광역시에 있어서 택지의 소유상한을 200평으로 정한 것이 과잉금지원칙에 어긋나는지 여부(적극)
2. 택지소유상한에관한법률(이하 '법') 시행 이전부터 택지를 소유하고 있는 사람에게도 일률적으로 택지소유상한제를 적용하는 것이 신뢰이익을 해하는지 여부(적극)
3. 경과규정에서 법 시행 이전부터 택지를 소유하고 있는 사람을 법 시행 이후 택지를 취득한 사람과 동일하게 취급하는 것이 평등원칙에 위반되는지 여부(적극)
4. 기간의 제한없이 고율의 부담금을 계속적으로 부과하는 것이 재산권에 내재하는 사회적 제약에 의하여 허용되는 범위를 넘는지 여부(적극)
5. 매수청구 후에도 부담금을 부과하는 것이 과잉금지원칙에 위반되는지 여부(적극)
6. 헌법재판소법 제45조 단서에 따라 법률 전체에 대하여 위헌결정을 한 사례

주문

1998. 9. 19. 법률 제5571호로 폐지되기 전의 택지소유상한에관한법률(제정 1989. 12. 30. 법률 제4174호, 개정 1994. 12. 22. 법률 제4796호, 1995. 12. 29. 법률 제5108호, 1995. 12. 29. 법률 제5109호, 1997. 8. 30. 법률 제5410호)은 헌법에 위반된다.

I 판 단

1. 재산권 보장과 토지재산권의 사회적 의무성

우리 헌법은 제23조 제1항 제1문에서 "모든 국민의 재산권은 보장된다."고 규정하고, 제119조 제1항에서 "대한민국의 경제질서는 개인과 기업의 경제상의 자유와 창의를 존중함을 기본으로 한다."고 규정함으로써, 국민 개개인이 사적 자치의 원칙을 기초로 하는 자본주의 시장경제질서 아래 자유로운 경제활동을 통하여 생활의 기본적 수요를 스스로 충족할 수 있도록 하면서, 사유재산의 자유로운 이용·수익과 그 처분 및 상속을 보장하고 있다.

그러나 한편 헌법 제23조 제1항 제2문은 재산권은 보장하되 "그 내용과 한계는 법률로 정한다."고 규정하고, 동조 제2항은 "재산권의 행사는 공공복리에 적합하도록 하여야 한다."고 규정하여 재산권 행사의 사회적 의무성을 강조하고 있다. 이러한 재산권 행사의 사회적 의무성은 헌법 또는 법률에 의하여 일정한 행위를 제한하거나 금지하는 형태로 구체화될 것이지만, 그 정도는 재산의 종류, 성질, 형태, 조건 등에 따라 달라질 수 있다. 따라서 재산권 행사의 대상이 되는 객체가 지

닌 사회적인 연관성과 사회적 기능이 크면 클수록 입법자에 의한 보다 더 광범위한 제한이 허용된다고 할 것이다. 즉, 특정 재산권의 이용이나 처분이 그 소유자 개인의 생활영역에 머무르지 아니하고 일반 국민 다수의 일상생활에 큰 영향을 미치는 경우에는 입법자가 공동체의 이익을 위하여 개인의 재산권을 규제하는 권한을 더욱 폭넓게 가진다. 그런데 토지는 원칙적으로 생산이나 대체가 불가능하여 공급이 제한되어 있고, 우리나라의 가용토지 면적은 인구에 비하여 절대적으로 부족한 반면에, 모든 국민이 생산 및 생활의 기반으로서 토지의 합리적인 이용에 의존하고 있으므로, 그 사회적 기능에 있어서나 국민경제의 측면에서 다른 재산권과 같게 다룰 수 있는 성질의 것이 아니므로 공동체의 이익이 보다 더 강하게 관철될 것이 요구된다고 할 것이다. 따라서 헌법 제122조는 토지가 지닌 위와 같은 특성을 감안하여 "국가는 국민 모두의 생산 및 생활의 기반이 되는 국토의 효율적이고 균형있는 이용·개발과 보전을 위하여 법률이 정하는 바에 의하여 그에 관한 필요한 제한과 의무를 과할 수 있다."고 규정함으로써, 토지재산권에 대한 광범위한 입법형성권을 부여하고 있는 것이다.

2. 택지소유 상한제도의 법적 성격 및 위헌성 심사의 기준

헌법 제23조에 의하여 재산권을 제한하는 형태에는, 제1항 및 제2항에 근거하여 재산권의 내용과 한계를 정하는 것과, 제3항에 따른 수용·사용 또는 제한을 하는 것의 두 가지 형태가 있다. 전자는 "입법자가 장래에 있어서 추상적이고 일반적인 형식으로 재산권의 내용을 형성하고 확정하는 것"을 의미하고, 후자는 "국가가 구체적인 공적 과제를 수행하기 위하여 이미 형성된 구체적인 재산적 권리를 전면적 또는 부분적으로 박탈하거나 제한하는 것"을 의미한다. 그런데 법은, 택지의 소유에 상한을 두거나 그 소유를 금지하고, 허용된 소유상한을 넘은 택지에 대하여는 처분 또는 이용·개발의무를 부과하며, 이러한 의무를 이행하지 아니하였을 때에는 부담금을 부과하는 등의 제한 및 의무부과 규정을 두고 있는바, 위와 같은 규정은 헌법 제23조 제1항 및 제2항에 의하여 토지재산권에 관한 권리와 의무를 일반·추상적으로 확정함으로써 재산권의 내용과 한계를 정하는 규정이라고 보아야 한다.

한편 재산권이 헌법 제23조에 의하여 보장된다고 하더라도, 입법자에 의하여 일단 형성된 구체적 권리가 그 형태로 영원히 지속될 것이 보장된다고까지 하는 의미는 아니다. 재산권의 내용과 한계를 정할 입법자의 권한은, 장래에 발생할 사실관계에 적용될 새로운 권리를 형성하고 그 내용을 규정할 권한뿐만 아니라, 더 나아가 과거의 법에 의하여 취득한 구체적인 법적 지위에 대하여까지도 그 내용을 새로이 형성할 수 있는 권한을 포함하고 있는 것이다. 그러나 이러한 입법자의 권한이 무제한적인 것은 아니다. 이 경우 입법자는 재산권을 새로이 형성하는 것이 구법에 의하여 부여된 구체적인 법적 지위에 대한 침해를 의미한다는 것을 고려하여야 한다. 따라서 재산권의 내용을 새로이 형성하는 규정은 비례의 원칙을 기준으로 판단하였을 때 공익에 의하여 정당화되는 경우에만 합헌적이다. 즉, 재산권의 내용을 새로이 형성하는 법률이 합헌적이기 위하여서는 장래에 적용될 법률이 헌법에 합치하여야 할 뿐만 아니라, 또한 과거의 법적 상태에 의하여 부여된 구체적 권리에 대한 침해를 정당화하는 이유가 존재하여야 하는 것이다.

3. 택지소유의 상한을 설정하거나 택지소유를 금하는 제한규정의 위헌 여부
가. 제한의 내용

법은, 택지에 관하여 그 소유시기와 상관없이 개인은 가구별로 정한 소유상한을 초과하여 이를 소유할 수 없도록 하고, 법인에 대하여는 아예 택지의 소유를 금지하면서, 개인이 가구별 소유상한을 초과하여 택지를 취득하거나 법인이 택지를 취득하고자 하는 경우에는 시장·군수의 허가를 받도록 하는 한편, 법 시행 이전부터 가구별 소유상한을 초과하여 소유하고 있는 택지 및 법인소유의 택지에 대하여도 법에 의한 규제가 적용됨을 선언하고 있다.

나. 택지소유 상한을 설정한 것의 위헌 여부

우선, 법이 개인에 대하여는 가구별 택지소유의 상한을 설정하고, 법인에 대하여는 택지의 소유를 금지한 것이 헌법상의 재산권 보장의 원칙에 위반되는 것인지 여부에 관하여 살펴본다. 그런데 앞에서 본 바와 같이, 재산권의 내용을 새로이 형성하는 법률에 대하여는, "법이 장래에 있어서 재산권을 제한하는 것이 헌법에 합치되는가" 하는 관점과 "법이 구법상태에서 이미 취득한 재산권을 제한하는 것이 헌법에 합치되는가" 하는 두 가지 관점에서 그 위헌성을 심사하여야 하기 때문에, 아래에서는 이에 따라 법 시행 이후 택지를 소유하려고 하는 경우와 법 시행 이전부터 택지를 소유하고 있는 경우를 나누어 살펴보기로 한다.

1) 법 시행 이후 택지를 소유하려는 경우

입법자는 공익실현을 위하여 기본권을 제한하는 경우에도 입법목적을 실현하기에 적합한 여러 수단 중에서 되도록 국민의 기본권을 가장 존중하고 기본권을 최소로 침해하는 수단을 선택하여야 한다. 기본권을 제한하는 규정은 기본권 행사의 "방법"을 규제하는 규정과 기본권 행사의 "가부(可否)"를 규제하는 규정으로 구분할 수 있다. 침해의 최소성의 관점에서, 입법자는 그가 의도하는 공익을 달성하기 위하여 우선 기본권을 보다 더 적게 제한하는 단계인 기본권 행사의 방법에 관한 규제로써 공익을 실현할 수 있는가를 시도하고, 이러한 방법으로는 공익달성이 어렵다고 판단되는 경우에 비로소 그 다음 단계인 기본권 행사의 가부에 관한 규제를 선택하여야 한다.

재산권은 개인이 각자의 인생관과 능력에 따라 자신의 생활을 형성하도록 물질적·경제적 조건을 보장해 주는 기능을 하는 것으로서, 재산권의 보장은 자유실현의 물질적 바탕을 의미하고, 특히 택지는 인간의 존엄과 가치를 가진 개인의 주거로서, 그의 행복을 추구할 권리와 쾌적한 주거생활을 할 권리를 실현하는 장소로 사용되는 것이라는 점을 고려할 때, 소유상한을 지나치게 낮게 책정하는 것은 개인의 자유실현의 범위를 지나치게 제한하는 것이라고 할 것인데, 소유목적이나 택지의 기능에 따른 예외를 전혀 인정하지 아니한 채 일률적으로 200평으로 소유상한을 제한함으로써, 어떠한 경우에도, 어느 누구라도, 200평을 초과하는 택지를 취득할 수 없게 한 것은, 적정한 택지공급이라고 하는 입법목적을 달성하기 위하여 필요한 정도를 넘는 과도한 제한으로서, 헌법상의 재산권을 과도하게 침해하는 위헌적인 규정이다.

2) 법 시행 이전부터 택지를 소유하고 있는 경우

가) 소급입법에 의한 재산권 침해 여부

과거의 사실관계 또는 법률관계를 규율하기 위한 소급입법의 태양에는 이미 과거에 완성된 사실·법률관계를 규율의 대상으로 하는 이른바 진정소급효의 입법과 이미 과거에 시작하였으나 아직 완성되지 아니하고 진행과정에 있는 사실·법률관계를 규율의 대상으로 하는 이른바 부진정소급효의 입법이 있다. 헌법 제13조 제2항이 금하고 있는 소급입법은 전자, 즉 진정소급효를 가지는 법률만을 의미하는 것으로서, 이에 반하여 후자, 즉 부진정소급효의 입법은 원칙적으로 허용되는 것이다. 다만 이 경우에 있어서도 소급효를 요구하는 공익상의 사유와 신뢰보호의 요청 사이의 비교형량 과정에서, 신뢰보호의 관점이 입법자의 형성권에 제한을 가하게 된다.

그런데 법은, 부칙(1989. 12. 30. 법률 제4174호) 제2조 제1항 및 제2항에서 법 시행 이전부터 이미 소유하고 있는 택지에 대하여는 기존의 소유권을 인정하면서도, 장래에 있어서 처분 또는 이용·개발의무를 부과하고 있다. 법의 위와 같은 규제는 법률이 이미 종결된 과거의 사실 또는 법률관계에 사후적으로 적용함으로써 과거를 법적으로 새로이 평가하는 진정소급효의 입법과는 다른 것으로서, 이는 아래에 보는 바와 같이 종래의 법적 상태의 존속을 신뢰한 기존의 택지소유자에 대한 신뢰보호의 문제일 뿐, 소급입법에 의한 재산권 침해의 문제는 아니다. 따라서 부칙 제2조가 그 자체로 소급입법에 의한 재산권 박탈금지의 원칙을 선언하고 있는 헌법 제13조 제2항에 위반된다고 하는 주장은 이유없다고 할 것이다.

나) 신뢰보호의 원칙

일정한 법적 상태를 새로이 규율하는 규정이 장래에 발생하는 사실관계뿐만 아니라 이미 과거에 시작하였으나 아직 완성되지 아니한 채 진행과정에 있는 사실관계에도 적용되는 예는 법률개정의 경우 흔히 찾아 볼 수 있는 현상이며, 여기서 발생하는 문제는 소급효의 문제가 아니라 종래의 법적 상태에서 새로운 법적 상태로 이행하는 과정에서 불가피하게 발생하는 법치국가적 문제, 구체적으로 입법자에 대한 신뢰보호의 문제이다. 따라서 기존의 택지소유자에게도 처분 또는 이용·개발의무를 부과하는 법규정들이 헌법적으로 허용되는가 하는 문제는 법치국가적 신뢰보호 원칙을 기준으로 판단하여야 한다.

한편, 헌법상 재산권 보장의 중요한 기능은 국민에게 법적 안정성을 보장하고 합헌적인 법률에 의하여 형성된 구체적 재산권의 존속에 대한 신뢰를 보호하고자 하는데 있다. 이러한 의미에서 재산권에 관한 법치국가적 신뢰보호 원칙은 헌법상 재산권 보장의 원칙을 통하여 고유하게 형성되고 구체적으로 표현되었다고 할 수 있다.

다) 소유상한에 대한 예외규정의 필요 여부

법 시행 이전부터 소유하고 있는 택지까지 법의 적용대상으로 포함시킨 것은 입법목적을 실현하기 위하여 불가피한 조치였다고 보여지지만, 택지는 소유자의 주거장소로서 그의 행복추구권 및 인간의 존엄성의 실현에 불가결하고 중대한 의미를 가지는 경우에는 단순히 부동산투기의 대상이 되는 경우와는 헌법적으로 달리 평가되어야 하고, 신뢰보호의 기능을 수행하는 재산권 보장의 원칙에 의하여 보다 더 강한 보호를 필요로 하는 것이므로, 택지를 소유하게 된 경위나 그 목적 여하에 관계 없이 법 시행 이전부터 택지를 소유하고 있는 개인에 대하여 일률적으로 소유상한을 적용하도록 한 것은, 입법목적을 달성하기 위하여 필요한 정도를 넘는 과도한 침해이자 신뢰보호의 원칙 및 평등원칙에 위반된다.

다. 택지의 정의가 법률의 명확성 원칙에 위반되는지 여부 (생략)

라. 평등원칙 위반 여부 (생략)

마. 소결론

법 제7조 제1항 제1호는 택지소유의 상한을 지나치게 낮게 정함으로써 헌법상의 재산권을 과도하게 침해하는 위헌인 규정이고, 법 시행 이전부터 이미 소유하고 있는 택지에 대하여 택지소유자의 택지소유의 경위 및 그 목적과 관계없이 일률적으로 법 시행 이후에 취득하는 토지와 동일한 소유상한을 적용하는 부칙(1989. 12. 30. 법률 제4174호) 제2조 제1항은 기존 택지소유자의 신뢰이익과 재산권을 과도하게 침해함과 동시에 평등원칙에 위반되는 위헌적인 규정이다.

4. 처분 또는 이용·개발의무의 부과규정의 위헌 여부

가. 법의 규정 내용

개인이 가구별 소유상한을 초과하는 택지를 소유하거나 법인이 택지를 소유하려면 그 처분 또는 이용·개발에 관한 사용계획서를 제출하고 허가를 받아야 이를 취득할 수 있고, 취득한 후에는 사용계획서에 따라 택지를 처분하거나 이용·개발하여야 하며, 법 시행 이전부터 가구별 소유상한을 초과하여 소유하고 있는 택지 및 법인이 소유하는 택지에 대하여도 같은 법리가 적용되어, 이들 소유자도 사용계획서를 제출하여 이를 처분하거나 이용·개발하도록 하고 있다. 아래에서는 법 시행 이후 택지를 소유하려는 경우와 법 시행 이전부터 이미 택지를 소유하고 있는 경우를 나누어 살펴보기로 한다.

나. 법 시행 이후 택지를 소유하려는 경우

법 시행 이후 택지를 소유하려는 경우에 있어 위와 같은 처분 또는 이용·개발의무는 택지소유상한의 설정 자체와 어울려 그 입법목적을 실현하기 위한 수단으로 부과되는 것이므로, 택지소유상한의 설정 자체가 앞에서 본 바와 같이 합헌적인 범위 내에서는 위와 같은 의무부과에 의한 재산권의 제한 역시 마찬가지의 이유로 재산권의 본질적 내용을 침해하거나 비례의 원칙 내지 과잉금지의 원칙에 위반된다고 볼 수 없다.

다. 법 시행 이전부터 이미 소유하고 있는 택지의 경우

법은 법 시행 이전부터 택지를 소유하고 있는 경우에도 택지소유의 경위나 그 목적 여하를 불문하고 법 시행 이후 택지를 취득한 경우와 마찬가지의 처분 또는 이용·개발의무기간을 부여함으로써, 결과적으로 처음부터 택지소유가 제한되는 내용을 알고 법의 목적에 부합되게 택지를 처분 또는 이용·개발할 목적으로 취득한 경우와 이러한 제한이 없는 상태에서 당시의 법적 상태를 신뢰하여 택지를 취득한 경우를 동일하게 취급하고 있다. 따라서 법이 처분이나 이용·개발의무기간을 정함에 있어서 개인의 주거용 택지를, 법 시행 이전에 투기 등의 목적으로 취득한 택지나 법 시행 이후에 취득한 택지와 동일하게 취급하는 것은 명백하게 평등원칙에 반하며, 법이 정하고 있는 처분 또는 이용·개발의무기간이 법 시행 이후의 택지취득자의 상황에 맞춘 것임을 감안한다면 법 시행 이전부터 택지를 소유하고 있는 택지소유자에게도 일률적으로 마찬가지의 처분 또는 이용·개발의무기간을 부과하는 것은 유예기간이 상대적으로 지나치게 짧아 기존 택지소유자의 재산권을 비례의 원칙에 위반되어 과도하게 침해하는 것이라 할 것이다.

5. 부담금 부과규정의 위헌 여부

가. 법의 규정내용

가구별 소유상한을 초과하는 가구별 택지와 법인이 소유하는 택지에 대하여는 앞에서 본 바와 같이 처분 또는 이용·개발의무가 부과되고 이를 이행하지 않을 경우 제20조 소정의 사유가 없는 한 제19조에 의하여 부담금(4%~11%)이 부과되는데, 이로 인하여 택지의 처분 또는 이용·개발의무가 강제되는 것이다.

나. 부담금 부과의 위헌 여부

1) 부담금의 법적 성격

보통 부담금이라 함은 특정의 공익사업과 특별한 관계가 있는 자에 대하여 그 사업에 필요한 경비를 부담시키기 위하여 과하는 금전적 지급의무를 말하고, 분담금이라고 하기도 한다. 그러나 법의 규정에 의한 부담금은 비록 "부담금"이라는 표현을 취하고 있으나, 그 징수목적이 토지의 과다보유를 억제하고, 소유상한을 초과한 택지의 처분 또는 이용·개발을 유도하는 데 있는 것이기 때문에, 이를 특정한 공익사업을 위한 경비 충당을 목적으로 하는 원래 의미의 부담금이라고 보기는 어렵다. 그리고, 위와 같은 부담금에 부수적이나마 재정수입의 목적이 있다고도 인정하기 어려우므로, 이를 조세의 일종이라고 할 수도 없다.

결국 법 소정의 부담금은 법이 정한 상한을 초과하여 택지를 소유하고 있는 자에 대하여 의무위반에 대한 제재로서 부과하는 금전적 부담으로서, 법의 목적을 실현하기 위한 이행강제수단이라고 할 것인데, 현대 행정이 복잡·다양해지고 복리행정이 확대됨에 따라 간접적 수단에 의하여 국민의 행위를 일정한 방향으로 유도·조정함으로써 사회·경제적인 정책목적을 효율적으로 달성하기 위하여 도입된 새로운 유형의 공과금이라고 할 수 있을 것이다.

2) 부담금의 부과 자체가 헌법에 위반되는지 여부

가구별 소유상한을 초과한 가구별 택지 또는 법인이 소유하는 택지에 대하여 처분 또는 이용·개발의무를 부과한 후 그 불이행시 법에 규정한 요건에 따라 부담금을 부과하는 것은 택지소유 상한의 설정과 그에 따른 처분 또는 이용·개발의무의 이행확보를 위한 것이므로, 가구별 택지소유상한의 설정 및 법인의 택지소유금지, 택지에 대한 처분 또는 이용·개발의무의 부과 등의 제한 및 규제가 헌법적으로 허용되는 한, 부담금의 부과 자체도 재산권의 본질적 내용을 침해하거나 사유재산제도를 형해화하여 재산권의 보장 원칙에 위반되는 것이라고 볼 수 없다.

… 결국, 택지소유 상한제도의 실효성을 확보하기 위한 수단으로서 처분 또는 이용·개발의무를 부과하고, 그 불이행시 부담금을 부과하는 것은 법의 목적을 달성하기 위하여 적정하고도 필요한 조치로서, 비례의 원칙에 위반되지 않는다고 할 것이다.

다. 부담금 부과율의 위헌 여부

부담금은 법이 규정하고 있는 처분 또는 이용·개발의무의 이행을 강제하기 위한 수단으로서의 성격을 가지고 있는 것으로서, 그 부과 자체의 타당성과 당위성은 인정되는 것이나, 그렇다고 하더라도 부과율이 지나치게 높다면 헌법상의 재산권 보장에 위반될 수 있다.

부담금의 목적과 기능에 비추어 볼 때, 그 부과율은 일단 택지소유자가 그 납부를 감수하면서까지 택지를 그대로 보유할 가능성과, 택지를 처분 또는 이용·개발하게 될 가능성 중에서, 후자를 선택하도록 유도·강제할 수 있는 정도의 비율은 되어야 할 것이다.

그러나 헌법상 재산권의 제한은, 재산권의 본질적 내용인 사적 유용성과 처분권이 원칙적으로 남아 있는 범위 내에서만 허용되는 것이다. 따라서 국가가 공익실현을 위하여 토지재산권을 어느 정도까지의 제한할 수 있는가 하는 헌법적 한계를 판단함에 있어서는, 토지재산권에 대하여 제한을 가한 이후에도 재산권의 핵심적인 부분이 그 소유자에게 남아 있는가 하는 관점이 중요한 기준이 된다고 할 것이다.

이러한 관점에서 이 사건 부담금의 부과율에 관하여 보건대, 법 제24조 제1항은 연 4%에서 연 11%에 이르는 높은 부과율을 규정하면서 부과기간의 제한을 두고 있지 않기 때문에, 연 11%의 부과율이 적용되는 경우, 다른 조세부담을 고려하지 않더라도 약 10년이 지나면 그 부과율이 100%에 이르게 되어 결국 10년이란 짧은 기간에 사실상 토지가액 전부를 부담금의 명목으로 징수하는 셈이 되는바, 법의 입법목적을 시급하게 그리고 효율적으로 달성할 필요가 있고, 그렇게 하기 위하여서는 부담금이 재산원본에 대하여 부과되는 금전적 징계로서의 성격을 가질 수밖에 없기 때문에 처음부터 재산원본에 대한 침해가 불가피하다는 점을 감안하더라도, 아무런 기간의 제한없이 위와 같이 높은 부과율에 의한 부담금을 부과함으로 말미암아 짧은 기간 내에 토지재산권을 무상으로 몰수하는 효과를 가져오는 것은, 재산권에 내재하는 사회적 제약에 의하여 허용되는 침해의 한계를 넘는 것이라 아니할 수 없다.

라. 매수청구 후 부담금 부과의 위헌 여부

부담금 납부의무자가 건설교통부장관에게 매수청구를 한 이후 실제로 매수가 이루어질 때까지의 기간 동안에도 부담금을 납부하여야 하도록 하는 것은 입법목적을 달성하기 위하여 필요한 수단의 범위를 넘는 과잉조치로서, 최소침해성의 원칙에 위반되어 재산권을 과도하게 침해하는 것이다.

마. 부담금의 산정요건 등의 위헌 여부 (생략)

바. 이중과세 금지 및 실질과세 원칙의 위반 여부 (생략)

사. 거주이전의 자유 및 직업선택의 자유의 침해 여부

 나아가 택지에 대하여 소유상한을 설정하고 처분 또는 이용·개발의무를 부과한 후 그 불이행시 부담금을 부과하는 것은, 특히 법 시행 이전부터 이미 가구별 소유상한을 초과하는 택지를 소유하고 있던 개인이나 택지를 소유하고 있던 법인에게 사실상 그 처분을 강요하는 셈이 되어, 그들의 헌법 제14조의 거주이전의 자유 또는 헌법 제15조의 직업선택의 자유 내지 영업활동의 자유가 사실상 제한당할 여지가 있으나, 이는 위의 기본권에 대한 침해가 아니라 토지재산권에 대한 제한이 수반하는 반사적 불이익에 불과하고, 설사 기본권의 침해가 있다고 하더라도 입법목적에 비추어 볼 때 그 규제의 합리성이 인정되므로, 비례의 원칙이나 과잉금지의 원칙에 위반되지 않는다.

II. 결 론

 이상 위에서 살펴 본 바와 같이, 이 사건 심판대상 규정 중 택지소유의 상한을 정한 법 제7조 제1항 제1호, 법 시행 이전부터 이미 택지를 소유하고 있는 택지소유자의 재산권 및 신뢰이익을 충분히 고려하지 않은 부칙(1989. 12. 30. 법률 제4174호) 제2조 제1항 및 제2항, 아무런 기간의 제한이 없이 고율의 부담금을 계속적으로 부과할 수 있도록 규정한 제24조 제1항(다만 1997. 8. 30. 법률 제5410호 개정법률에 의하여 제20조 제1항 제4호의2가 신설된 후 동 규정의 적용을 받는 택지소유자의 경우 제외), 법 제31조 제1항의 규정에 의한 매수청구가 있은 후에도 부담금의 부과를 가능하도록 하는 범위 내에서 부담금 부과의 근거조항이 되는 법 제19조 제1호 및 제2호는 모두 헌법에 위반된다.

 그런데 위헌으로 판단된 위 조항들 중 법 제7조 제1항은 택지소유의 상한을 정하는 규정이고, 부칙(1989. 12. 30. 법률 제4174호) 제2조는 법 시행 이전부터 이미 택지를 소유하고 있는 택지소유자에 대하여도 택지소유 상한을 적용하고 그에 따른 처분 또는 이용·개발의무를 부과하는 규정으로서, 사실상 택지소유 상한제도의 가장 기본적인 요소라고 할 수 있다. 따라서 이들 규정이 위헌결정으로 인하여 그 효력이 상실된다면 택지소유 상한제도 전체의 효력이 상실되는 것과 마찬가지의 결과를 가져온다 할 것이다. 또한 이 사건의 당해 사건들은 부담금 부과처분의 취소를 구하는 사건들이 대부분인데, 부담금의 부과율을 정한 제24조 제1항이 위헌결정으로 인하여 그 효력이 상실된다면 위 사건들에 있어서는 법 전체의 효력이 상실되는 것과 마찬가지라고 할 수 있다. 따라서 이 사건에 있어서는 위와 같은 조항들이 위헌으로 결정된다면 법 전부를 시행할 수 없다고 인정되므로, 헌법재판소법 제45조 단서의 규정취지에 따라 법 전부에 대하여 위헌결정을 하는 것이 보다 더 합리적이라 할 것이다.

157 지역균형개발법 민간개발자 고급골프장 수용 사건 [헌법불합치]
— 2014. 10. 30. 선고 2011헌바129·172(병합)

판시사항

1. 행정기관이 개발촉진지구 지역개발사업으로 실시계획을 승인하고 이를 고시하기만 하면 고급골프장 사업과 같이 공익성이 낮은 사업에 대해서까지도 시행자인 민간개발자에게 수용권한을 부여하는 구 '지역균형개발 및 지방중소기업 육성에 관한 법률'(2005. 11. 8. 법률 제7695호로 개정되고, 2011. 5. 30. 법률 제10762호로 개정되기 전의 것) 제19조 제1항의 '시행자' 부분 중 '제16조 제1항 제4호'에 관한 부분(이하 '이 사건 법률조항'이라 한다)이 헌법 제23조 제3항에 위배되는지 여부(적극)
2. 헌법불합치결정을 하면서 계속 적용을 명한 사례

I 판 단

1. 헌법 제23조 제3항의 공공필요성

가. 공용수용의 필요성

오늘날 현대국가에서는 복리국가의 요청에 따라 국민의 복지수준의 향상과 공공복리의 증진 및 국가경쟁력의 향상을 위하여 사회간접자본시설을 설치·운영하는 등 다양한 공익사업을 시행할 수밖에 없고, 이에 따라 토지 등의 취득이 불가피하게 된다. 헌법 제23조 제1항은 국민의 재산권을 보장하고 있으므로 공익사업에 필요한 토지 등은 사업주체와 권리자 간의 합의를 바탕으로 취득해야 하나, 토지 등의 소유자와 협의에 의한 취득이 성사되지 않는 경우에는 공익사업의 원활한 수행을 확보하고 공공이익의 증진을 도모하기 위하여 권리자의 의사에 불구하고 토지소유권 등의 권리를 강제적으로 취득하게 하는 법적 수단이 필요하다.

공용수용이란 특정한 공익사업의 시행을 위하여 법률에 의거하여 타인의 토지 등의 재산권을 강제적으로 취득하는 제도를 말한다. 공용수용의 목적은 특정한 공익사업을 위한 재산권의 강제적 취득이고, 공익사업의 범위는 법률에 의해서 정해진다.

종래에는 토지 등 재산권에 대한 공용수용의 사업시행자는 국가, 지방자치단체, 공공단체가 일반적이었으나, 최근에는 경제규제완화·규제개혁에 따른 공기업 민영화와 민간기업의 공적임무 수행 요청이 증가하고 있고, 사회경제적 여건변화에 따라 공용수용의 사업시행자가 민간기업, 개인, 조합 또는 민관합동법인까지로 확대되고 있다. 이에 사인에 대하여 수용권을 부여하는 개별법률이 점차 증가하고 있다.

나. 헌법 제23조 제3항의 공용수용 요건

헌법 제23조는 "① 모든 국민의 재산권은 보장된다. 그 내용과 한계는 법률로 정한다. ② 재산권의 행사는 공공복리에 적합하도록 하여야 한다. ③ 공공필요에 의한 재산권의 수용·사용 또는 제한 및 그에 대한 보상은 법률로써 하되, 정당한 보상을 지급하여야 한다"라고 규정하고 있다. 이 규정의 근본취지는 우리 헌법이 사유재산제도의 보장이라는 기조 위에서 원칙적으로 모든 국민의 구체적 재산권의 자유로운 이용·수익·처분을 보장하면서 공공필요에 의한 재산권의 수용·사용 또는 제한은 헌법이 규정하는 요건을 갖춘 경우에만 예외적으로 허용한다는 것으로 해석된다.

이와 같은 우리 헌법의 재산권 보장에 관한 규정의 근본취지에 비추어 볼 때, 공공필요에 의한 재산권의 공권력적, 강제적 박탈을 의미하는 공용수용은 헌법상의 재산권 보장의 요청상 불가피한 최소한에 그쳐야 한다. 즉 공용수용은 헌법 제23조 제3항에 명시되어 있는 대로 국민의 재산권을 그 의사에 반하여 강제적으로라도 취득해야 할 공익적 필요성이 있을 것, 법률에 의거할 것, 정당한 보상을 지급할 것의 요건을 모두 갖추어야 한다.

이 사건 법률조항은 법률의 형식을 취하고 있고, 보상과 관련한 부분은 별도의 규정으로 규율되고 있으므로, 결국 여기에서는 공익적 필요성을 갖추고 있는지 여부가 쟁점이 된다.

다. 공용수용의 요건으로서 공공필요

헌법재판소는 헌법 제23조 제3항에서 규정하고 있는 '공공필요'의 의미를 "국민의 재산권을 그 의사에 반하여 강제적으로라도 취득해야 할 공익적 필요성"으로 해석하여 왔다. 즉 '공공필요'의 개념은 '공익성'과 '필요성'이라는 요소로 구성되어 있다.

1) 공익성

공용수용이 허용될 수 있는 공익성을 가진 사업, 즉 공익사업의 범위는 사업시행자와 토지소유자 등의 이해가 상반되는 중요한 사항으로서, 공용수용에 대한 법률유보의 원칙에 따라 법률에서 명확히 규정되어야 한다. 공공의 이익에 도움이 되는 사업이라도 '공익사업'으로 실정법에 열거되어 있지 않은 사업은 공용수용이 허용될 수 없다.

공익사업의 범위는 국가의 목표 및 시대적 상황에 따라 달라질 수 있으며 입법정책으로 결정될 문제라고 할 수 있다. 과거 공용수용이 허용되는 공익사업은 도로건설, 철도부설, 발전소건설, 운하건설 등과 같은 특정사업에서 시작되었다가, 특정사업이 아닌 것으로까지 확대되어 왔다. 또한 공익사업의 범위는 당시의 행정수요 및 사회경제적 여건의 변화에 따라 규정되는 것으로서, 과거 공익사업으로 규정되었던 제철·비료 등의 사업 분야는 더 이상 공익사업으로 보기 어렵고, 사인간의 토지매수로 가능하다고 보아 공익사업에서 제외되었다. 현재 공용수용이 허용될 수 있는 공익사업은 '공익사업을 위한 토지 등의 취득 및 보상에 관한 법률' 및 각 개별법에 열거되어 있다.

다만 법이 공용수용 할 수 있는 공익사업을 열거하고 있더라도, 이는 공공성 유무를 판단하는 일응의 기준을 제시한 것에 불과하므로, 사업인정의 단계에서 개별적·구체적으로 공공성에 관한 심사를 하여야 한다. 즉 공공성의 확보는 1차적으로 입법자가 입법을 행할 때 일반적으로 당해 사업이 수용이 가능할 만큼 공공성을 갖는가를 판단하고, 2차적으로는 사업인정권자가 개별적·구체적으로 당해 사업에 대한 사업인정을 행할 때 공공성을 판단하는 것이다.

오늘날 공익사업의 범위가 확대되는 경향에 대응하여 재산권의 존속보장과의 조화를 위해서는, '공공필요'의 요건에 관하여, 공익성은 추상적인 공익 일반 또는 국가의 이익 이상의 중대한 공익을 요구하므로 기본권 일반의 제한사유인 '공공복리'보다 좁게 보는 것이 타당하며, 공익성의 정도를 판단함에 있어서는 공용수용을 허용하고 있는 개별법의 입법목적, 사업내용, 사업이 입법목적에 이바지 하는 정도는 물론, 특히 그 사업이 대중을 상대로 하는 영업인 경우에는 그 사업 시설에 대한 대중의 이용·접근가능성도 아울러 고려하여야 한다.

2) 필요성

공용수용을 허용하고 있는 개별법은 대부분 공익사업을 시행하기 위하여 '필요한 경우'에 토지 등을 수용할 수 있다고 규정하고 있다.

수용은 타인의 재산권을 직접적으로 박탈하는 것일 뿐 아니라, 헌법 제10조로부터 도출되는 계약의 자유 내지 피수용자의 거주이전 자유까지 문제될 수 있는 등 사실상 많은 헌법상 가치들의 제약을 초래할 수 있으므로, 헌법적 요청에 의한 수용이라 하더라도 국민의 재산을 그 의사에 반하여 강제적으로라도 취득해야 할 정도의 필요성이 인정되어야 하고, 그 필요성이 인정되기 위해서는 공용수용을 통하여 달성하려는 공익과 그로 인하여 재산권을 침해당하는 사인의 이익 사이의 형량에서 사인의 재산권침해를 정당화할 정도의 공익의 우월성이 인정되어야 한다.

특히 사업시행자가 사인인 경우에는 위와 같은 공익의 우월성이 인정되는 것 외에도 사인은 경제활동의 근본적인 목적이 이윤을 추구하는 일에 있으므로, 그 사업 시행으로 획득할 수 있는 공익이 현저히 해태되지 않도록 보장하는 제도적 규율도 갖추어져 있어야 한다.

2. 헌법 제23조 제3항 위반 여부

그런데 예를 들어 국토의 계획 및 이용에 관한 법률에 의한 도시계획시설사업은 도로·철도·항만·공항·주차장 등 교통시설, 수도·전기·가스공급설비 등 공급시설과 같은 도시계획시설을 설치·정비 또는 개량하여 공공복리를 증진시키고 국민의 삶의 질을 향상시키는 것을 목적으로 하고 있어 그 자체로 공공필요성의 요건이 충족되지만, 위에서 본 지구개발사업에는 그 자체로 공공필요성이 충족되기 어려운 사업도 포함하고 있다.

지구개발사업의 하나인 관광휴양지 조성사업은 개발수준이 다른 지역에 비하여 현저하게 낮은 지역 등의 주민소득 증대에 이바지할 수 있는 사업인바(제14조 제7항 제4호), 오늘날 관광산업은 고부가 가치 산업 내지 신성장 동력으로서 국제수지에 미치는 영향이 크고 국민경제에 미치는 효과도 높게 나타남으로써 지하자원이 부족한 우리나라에서 국가적 차원에서 전략산업으로 그 진흥을 도모하고 있음에도, 국내에는 아직 국제적 수준의 관광휴양지가 부족하여 국민소득 수준의 향상 등에 따른 다양한 관광시설에 대한 수요에 미치지 못하고, 관광산업의 국제 경쟁력 제고에도 어려움을 겪고 있는 것이 현실이다. 따라서 관광휴양지 조성사업은 국내관광의 활성화를 통한 내수 진작 기능뿐만 아니라 외국관광객 유치를 위한 기반으로도 활용될 수 있으며, 산업화 이후 수도권에 인구, 산업, 정보의 집중이 가속화되고 있는 상황에서 관광레저산업의 거점화 등을 통하여 개발수준이 다른 지역에 비하여 현저하게 낮은 지역 등의 주민소득 증대에 이바지할 수 있는 측면도 있는 것이 사실이다.

그러나 관광휴양지 조성사업 중에는 대규모 놀이공원 사업과 같이 위와 같이 개발수준이 다른 지역에 비하여 현저하게 낮은 지역 등의 주민소득 증대에 이바지할 수 있는 등 입법목적에 대한 기여도가 높을 뿐만 아니라 그 사업이 대중을 상대로 하는 영업이면서 대중이 비용부담 등에서 손쉽게 이용할 수 있어 사업 시설에 대한 대중의 이용·접근가능성이 커서 공익성이 높은 사업도 있는 반면, 고급골프장, 고급리조트 등(이하 '고급골프장 등'이라 한다)의 사업과 같이 넓은 부지에 많은 설치비용을 들여 조성됨에도 불구하고 평균고용인원이 적고, 시설 내에서 모든 소비행위가 이루어지는 자족적 영업행태를 가지고 있어 개발이 낙후된 지역의 균형 발전이나 주민소득 증대 등 입법목적에 대한 기여도가 낮을 뿐만 아니라, 그 사업이 대중을 상대로 하는 영업이면서도 사업 시설을 이용할 때 수반되는 과도한 재정적 부담 등으로 소수에게만 접근이 용이하는 등 대중의 이용·접근가능성이 작아 공익성이 낮은 사업도 있다.

나아가 고급골프장 등의 사업을 시행하기 위하여 공용수용을 통하여 달성하려는 공익과 그로 인하여 재산권을 침해당하는 사인의 이익을 형량해 볼 때, 고급골프장 등 사업의 특성상 그 사업 운영 과정에서 발생하는 지방세수 확보와 지역경제 활성화는 부수적인 공익일 뿐이고, 이 정도의 공익이 그 사업으로 인하여 강제수용 당하는 주민들이 침해받는 기본권에 비하여 그 기본권침해를 정당화할 정도로 우월하다고 볼 수는 없다. 따라서 고급골프장 등의 사업에 있어서는 그 사업 시행으로 획득할 수 있는 공익이 현저히 해태되지 않도록 보장하는 제도적 규율이 갖추어졌는지에 관하여는 살펴볼 필요도 없이, 민간개발자로 하여금 위와 같이 공익성이 낮은 고급골프장 등의 사업 시행을 위하여 타인의 재산을 그 의사에 반하여 강제적으로라도 취득할 수 있게 해야 할 필요성은 인정되지 아니한다.

결국 이 사건 법률조항은 공익적 필요성이 인정되기 어려운 민간개발자의 지구개발사업을 위해서까지 공용수용이 허용될 수 있는 가능성을 열어두고 있어 헌법 제23조 제3항에 위반된다 할 것이다.

3. 헌법불합치결정 및 잠정적용 명령

헌법재판소가 이 사건 법률조항에 대하여 위헌결정을 선고하면, 공공필요성이 있는 지구개발사업 시행을 위한 민간개발자의 공공수용까지 허용되지 않는 결과가 되어 입법목적을 달성하기 어려운 법적 공백과 혼란이 예상되므로, 헌법불합치결정을 하되 이 사건 법률조항은 입법자가 개정할 때까지 계속 적용하기로 한다.

II 결 론

그렇다면 이 사건 법률조항은 헌법에 합치되지 아니하므로 주문과 같이 결정한다. 이 결론에는 재판관 박한철, 재판관 김창종, 재판관 강일원의 반대의견이 있는 외에는 나머지 재판관의 일치된 의견에 의한 것이다.

158 골프장 수용 사건 [헌법불합치, 합헌]
― 2011. 6. 30. 선고 2008헌바166,2011헌바35(병합)

판시사항

1. 체육시설을 도시계획시설사업의 대상이 되는 기반시설의 한 종류로 규정한 '국토의 계획 및 이용에 관한 법률'(이하 '국토계획법'이라 한다) 제2조 제6호 라목 중 "체육시설" 부분(이하 '이 사건 정의조항'이라 한다)이 포괄위임금지원칙에 위배되는지 여부(적극)
2. 민간기업이 도시계획시설사업의 시행자로서 도시계획시설사업에 필요한 토지 등을 수용할 수 있도록 규정한 국토계획법 제95조 제1항의 "도시계획시설사업의 시행자" 중 " 제86조 제7항"의 적용을 받는 부분(이하 '이 사건 수용조항'이라 한다)이 헌법 제23조 제3항 소정의 공공필요성 요건을 결여하거나 과잉금지원칙을 위반하여 재산권을 침해하는지 여부(소극)
3. 이 사건 정의조항에 대하여 헌법불합치결정을 선고하면서 잠정적용을 명한 사례

사건의 개요

경기도지사는 2007. 5. 21. 청구인 1 내지 7 소유의 토지를 포함한 안성시 보개면 ○○리 산11-1 일원에 대하여 안성 도시관리계획(용도지역변경, 도시계획시설)을 결정·고시하였다.

안성시장은 2007. 11. 21. 안성시 보개면 ○○리 산11-1 일원에 대한 도시계획시설사업(종류: 체육시설, 명칭: ○○컨트리 클럽, 사업시행자: 주식회사 ○○코리아)에 관한 실시계획을 인가고시하였다가 2008. 3. 6. 위 도시계획시설사업에 관한 실시계획인가 변경신청(종류: 체육시설, 명칭: ○○컨트리클럽, 사업시행자: 주식회사 ○○)을 인가고시하였다.

위 사업의 시행자인 주식회사 ○○는 위 청구인들과 그들 소유의 토지들에 관한 보상협의를 시도하였으나 협의가 이루어지지 아니하자 경기도지방토지수용위원회에 위 토지들에 대한 재결신청을 하였고, 경기도지방토지수용위원회는 2008. 6. 23. 위 토지들에 대한 수용재결을 하였다.

이에 위 청구인들은 2008. 7. 15. 수원지방법원에 경기도지방토지수용위원회를 상대로 위 수용처분의 취소를 구하는 소를 제기하였으며, 위 소송계속 중 공공필요성이 없는 사업을 위해 민간기업에게 토지수용권을 부여하고 있는 '국토의 계획 및 이용에 관한 법률' 제95조 제1항 등이 헌법 제23조 제3항, 제37조 제2항 등에 위반된다는 이유로 위헌법률심판제청신청을 하였으나, 2008. 11. 17. 기각되자, 같은 해 12. 24. 이 사건 헌법소원심판을 청구하였다.

심판대상조항 및 관련조항

국토의 계획 및 이용에 관한 법률(2002. 2. 4. 법률 제6655호로 제정된 것)

제2조(정의) 이 법에서 사용하는 용어의 정의는 다음과 같다.
6. "기반시설"이라 함은 다음 각 목의 시설로서 대통령령이 정하는 시설을 말한다.

라. 학교·운동장·공공청사·문화시설·체육시설 등 공공·문화 체육시설

제95조(토지 등의 수용 및 사용) ① 도시계획시설사업의 시행자는 도시계획시설사업에 필요한 다음 각 호의 물건 또는 권리를 수용 또는 사용할 수 있다.
　　1. 토지·건축물 또는 그 토지에 정착된 물건
　　2. 토지·건축물 또는 그 토지에 정착된 물건에 관한 소유권 외의 권리

제86조(도시계획시설사업의 시행자) ⑦ 국가·지방자치단체, 정부투자기관 그 밖에 대통령령이 정하는 자 외의 자가 제5항의 규정에 의하여 도시계획시설사업의 시행자로 지정을 받고자 하는 때에는 도시계획시설사업의 대상인 토지(국공유지를 제외한다)의 소유면적 및 토지소유자의 동의비율에 관하여 대통령령이 정하는 요건을 갖추어야 한다.

주문

1. '국토의 계획 및 이용에 관한 법률'(2002. 2. 4. 법률 제6655호로 제정된 것) 제2조 제6호 라목 중 "체육시설" 부분은 헌법에 합치되지 아니한다.
위 법률조항은 2012. 12. 31.을 시한으로 입법자가 개정할 때까지 계속 적용한다.
2. 위 '국토의 계획 및 이용에 관한 법률' 제95조 제1항의 "도시계획시설사업의 시행자" 중 " 제86조 제7항"의 적용을 받는 부분은 헌법에 위반되지 아니한다.

1. 이 사건 정의조항에 대한 판단 - 포괄위임금지원칙 위반 여부(적극)

　기반시설의 종류로서 체육시설을 규정한 이 사건 정의조항은 이 사건 수용조항과 결합한 전반적인 규범체계 속에서 도시계획시설사업의 시행을 위해 수용권이 행사될 수 있는 대상의 범위를 확정하는 역할을 하므로 재산권 제한과 밀접하게 관련된 조항이라 할 것이다. 특히 재산권 수용에 있어 요구되는 공공필요성과 관련하여 살펴본다면 체육시설은 다수의 시민들이 비용부담 등에서 손쉽게 이용할 수 있는 시설에서부터, 그 시설을 이용할 때 특별한 비용이 추가적으로 요구되어 일정한 경제적 제한이 존재하는 시설, 나아가 시설이용비용의 다과와는 관계없이 그 자체 공익목적을 위하여 설치된 시설 등에 이르기까지 상당히 넓은 범위에 걸쳐 있다.
　따라서 그 자체로 공공필요성이 인정되는 교통시설이나 수도·전기·가스공급설비 등 국토계획법상의 다른 기반시설과는 달리, 기반시설로서의 체육시설의 종류와 범위를 대통령령에 위임하기 위해서는, 체육시설 중 공공필요성이 인정되는 범위로 한정해 두어야 한다. 그러나 이 사건 정의조항은 체육시설의 구체적인 내용을 아무런 제한 없이 대통령령에 위임하고 있으므로, 기반시설로서의 체육시설의 구체적인 범위를 결정하는 일을 전적으로 행정부에게 일임한 결과가 되어 버렸다. 그렇다면, 이 사건 정의조항은 개별 체육시설의 성격과 공익성을 고려하지 않은 채 구체적으로 범위를 한정하지 않고 포괄적으로 대통령령에 입법을 위임하고 있으므로 헌법상 위임입법의 한계를 일탈하여 포괄위임금지원칙에 위배된다.

2. 이 사건 수용조항에 대한 판단 - 헌법 제23조 제3항 소정의 공공필요성 요건을 결여하거나 과잉금지원칙을 위반하여 재산권을 침해하는지 여부(소극)

가. 헌법 제23조 제3항 위배 여부

도시계획시설사업은 도로·철도·항만·공항·주차장 등 교통시설, 수도·전기·가스공급설비 등 공급시설과 같은 도시계획시설을 설치·정비 또는 개량하여 공공복리를 증진시키고 국민의 삶의 질을 향상시키는 것을 목적으로 하고 있으므로, 도시계획시설사업은 그 자체로 공공필요성의 요건이 충족되는 점에 관해서는 우리 재판소가 이미 지적한 바와 같다.

그렇다면 이 사건 수용조항은 공공필요성을 갖춘 사업을 위하여 수용권이 행사되도록 규정한 것이므로, 헌법 제23조 제3항에 위반된다고 할 수 없다.

나. 재산권 침해 여부

민간기업이 도시계획시설사업의 시행자로서 이 사건 수용조항에 따라 수용권을 행사하는 것이 과잉금지원칙에 반하여 헌법상 재산권을 침해하는 것인지 문제된다.

1) 목적의 정당성 및 수단의 적절성

이 사건 수용조항은 도시계획시설사업의 원활한 진행을 위한 것이고, 이는 공공복리를 추구하기 위한 정당한 입법적 목적에 해당한다. 민간기업도 일정한 조건하에서는 헌법상 공용수용권을 행사할 수 있고, 위 수용조항을 통하여 사업시행자는 사업을 원활하게 진행할 수 있으므로, 위 조항은 위 입법목적을 위한 효과적인 수단이 된다.

2) 피해의 최소성

국토계획법은 민간기업이 도시계획시설사업의 시행자로 지정을 받고자 하는 때에는 도시계획시설사업 대상토지면적의 2/3이상에 해당하는 토지를 소유하고 토지소유자의 1/2 이상에 해당하는 자의 동의를 얻어야 하도록 규정함으로써(국토계획법 제86조 제7항 및 동법 시행령 제96조) 민간기업의 일방적인 의사에 의해 수용절차가 진행되지 않도록 제어장치를 두고 있다. 비록 민간기업인 국토계획법상 도시계획시설의 사업시행자가 수용권을 행사할 수 있다고 하더라도 국토계획법에서 수용과 관련하여 특별한 규정이 있는 경우를 제외하고는 여전히 '공익사업을 위한 토지 등의 취득 및 보상에 관한 법률'(이하 '공익사업법'이라 한다)이 준용되므로(국토계획법 제96조 제1항), 위 사업시행자에게도 마찬가지로 토지 등에 대한 보상에 관하여 토지소유자 등과 성실하게 협의하여야 하는 의무가 주어진다(공익사업법 제16조).

만약 사업시행자에게 수용권한이 부여되지 않는다면 협의에 응하지 않는 사람들의 일방적인 의사에 의해 도시계획시설사업을 통한 공익의 실현이 저지되거나 연기될 수 있고, 수용에 이르기까지의 과정이 국토계획법상 적법한 절차에 의해 진행되며, 사업시행자는 피수용권자에게 정당한 보상을 지급해야 하고, 우리 법제는 구체적인 수용처분에 하자가 있을 경우 행정소송 등을 통한 실효적인 권리구제의 방안들을 마련하고 있는 점 등에 비추어 이 사건 수용조항이 피해의 최소성 원칙에 반한다고 볼 수 없다.

3) 법익의 균형성

우리 국가공동체에서 도시계획시설이 수행하는 역할 등을 감안한다면 위 수용조항이 공익과 사익 간의 균형성을 도외시한 것이라고 보기도 어렵다.

4) 소 결

따라서 이 사건 수용조항은 피수용권자의 재산권을 과도하게 침해하여 헌법 제23조 제3항 혹은 제37조 제2항에 위반된다고 볼 수 없다.

4. 이 사건 정의조항에 대한 헌법불합치결정

법률이 헌법에 위반되는 경우, 헌법의 규범성을 보장하기 위하여 원칙적으로 그 법률에 대하여 위헌결정을 하여야 하는 것이지만, 위헌결정을 통해 법률조항을 법질서에서 제거하는 것이 법적 공백이나 혼란을 초래할 우려가 있는 경우에는 위헌조항의 잠정적 적용을 명하는 헌법불합치결정을 할 수 있다.

국민의 건강 증진과 여가 선용을 위해 도시계획시설로서의 체육시설은 반드시 필요하므로, 만약 헌법재판소가 이 사건 정의조항에 대해 위헌결정을 선고한다면 헌법재판소가 결정을 선고한 때부터 이 사건 정의조항은 그 효력을 상실하게 되어 도시계획시설사업에 꼭 포함되어야 할 체육시설까지 도시계획시설사업의 대상에서 제외되는 법적 공백과 혼란이 예상된다. 따라서 이 사건 정의조항에 대하여 단순위헌결정을 하는 대신 헌법불합치결정을 하고 위 조항은 새로운 입법에 의하여 그 위헌성이 제거될 때까지 잠정적으로 적용되는 것이 바람직하다.

> **함께 보는 판례**
>
> **법률에 의하여 직접 수용이 이루어지는 소위 "입법적" 수용이 헌법에 위반되는지 여부(소극)** (1998. 3. 26. 선고 93헌바12)
> "입법적" 수용은 법률에 근거하여 일련의 절차를 거쳐 별도의 행정처분에 의하여 이루어지는 소위 "행정적" 수용과 달리 법률에 의하여 직접 수용이 이루어지는 것이므로 "법률"에 의하여 수용하라는 헌법적 요청을 충족한다.

| 특별부담금 |

159 KBS TV수신료 사건 [합헌, 각하]
― 2008. 2. 28. 선고 2006헌바70

판시사항

1. 텔레비전 방송수신료의 부과와 그 징수업무의 위탁을 규정한 방송법 제64조, 제67조 등이 법률유보원칙에 위반하는지 여부(소극)
2. 수신료 납부의무자의 범위에 대하여 규정한 방송법 제64조가 포괄위임금지 원칙에 위반되는지 여부(소극)
3. 수신료 부과가 과잉금지원칙을 위반하여 텔레비전 수상기 소지자의 재산권을 침해하는지 여부(소극)
4. 컴퓨터나 휴대폰 등 다른 방송수신매체에는 수신료를 부과하지 아니하고 텔레비전수상기에 대하여만 수신료를 부과하는 것이 평등원칙에 위반되는지 여부(소극)

사건의 개요

청구인은 텔레비전방송을 수신하기 위하여 텔레비전수상기(이하 '수상기'라 한다)를 소지하고 있고, 한국전력공사는 한국방송공사로부터 텔레비전방송수신료(이하 '수신료'라 한다)의 징수업무를 위탁받았는데, 한국전력공사는 2005. 6. 23. 청구인에 대하여 2005. 6.분 수신료 2,500원을 부과하는 처분을 하였다. 그러자 청구인은 한국전력공사를 상대로 서울행정법원 2005구합27390호로 위 텔레비전방송수신료부과처분의 취소를 구하는 행정소송을 제기하는 한편 그 재판계속중 방송법 제64조, 제67조 제2항의 위헌 여부가 위 재판의 전제가 된다고 하여 위헌법률심판제청신청(주위적으로 위 법률조항들의 위헌 여부, 예비적으로 위 법률조항들에 의하여 한국전력공사가 전기요금에 결합하거나 병기하여 텔레비전방송수신료를 징수하는 것의 위헌 여부)을 하였으나, 2006. 6. 30. 주위적 위헌법률심판제청신청은 기각, 예비적 위헌법률심판제청신청은 각하되었다.

이에 청구인은 2006. 8. 4. 주위적으로 위 법률조항들이 조세법률주의, 평등의 원칙, 법률유보의 원칙에 위배되고 재산권을 침해한다고 하여 그 위헌확인을 구하고, 예비적으로 위 법률조항들과 방송법 시행령 제43조 제2항에 의하여 한국전력공사가 전기요금에 결합하거나 병기하여 수신료를 징수하는 것이 재산권을 과도하게 침해하고 법률유보원칙과 평등원칙에 어긋나며 인간의 존엄과 가치 및 행복추구권, 헌법에 열거하지 아니한 권리로서 자기결정권, 일반적 행동자유권, 소비자행동권 등의 본질적 내용을 침해한다고 하여 그 위헌확인을 구하는 이 사건 헌법소원심판을 청구하였다.

심판대상조항 및 관련조항

방송법

제64조(텔레비전수상기의 등록과 수신료 납부) 텔레비전방송을 수신하기 위하여 텔레비전수상기(이하 '수상기'라 한다)를 소지한 자는 대통령령이 정하는 바에 따라 공사에 그 수상기를 등록하고 텔레비전방송수신료를 납부하여야 한다. 다만, 대통령령이 정하는 수상기에 대하여는 그 등록을 면제하거나 수신료의 전부 또는 일부를 감면할 수 있다.

제67조(수상기 등록 및 징수의 위탁) ② 공사는 수상기의 생산자·판매인·수입판매인 또는 공사가 지정하는 자에게 수상기의 등록업무 및 수신료의 징수업무를 위탁할 수 있다.

방송법

시행령 제43조(수신료의 납부통지) ② 지정받은 자가 수신료를 징수하는 때에는 지정받은 자의 고유업무와 관련된 고지행위와 결합하여 이를 행할 수 있다.

주문

1. 방송법 시행령 제43조 제2항 및 한국전력공사의 수신료 부과처분에 대한 심판청구를 각하한다.
2. 방송법 제64조, 제67조 제2항은 헌법에 위반되지 아니한다.

I 적법요건에 대한 판단

헌법재판소법 제68조 제2항의 규정에 의한 헌법소원 심판청구는 법률이 헌법에 위반되는지 여부가 재판의 전제가 되는 때에 당사자가 위헌제청신청을 하였음에도 불구하고 법원이 이를 배척하였을 경우에 법원의 제청에 갈음하여 당사자가 직접 헌법재판소에 헌법소원의 형태로써 심판신청을 하는 것이므로, 그 심판의 대상은 재판의 전제가 되는 법률이다. 그런데 이 사건 심판청구 중 방송법 시행령 제43조 제2항 및 한국전력공사의 수신료부과처분에 대한 부분은 헌법재판소법 제68조 제2항에 의한 헌법소원심판의 대상이 될 수 없는 대통령령 및 행정처분을 대상으로 한 것이므로 부적법하다.

II 본안에 대한 판단

1. 수신료의 법적 성격

가. 수신료는 공영방송사업이라는 특정한 공익사업의 소요경비를 충당하기 위한 것으로서(방송법 제56조) 일반 재정수입을 목적으로 하는 조세와 다르다. 또, 텔레비전방송을 수신하기 위하여 수상기를 소지한 자에게만 부과되어 공영방송의 시청가능성이 있는 이해관계인에게만 부과된다는 점에서도 일반 국민·주민을 대상으로 하는 조세와 차이가 있다. 그리고 '한국방송공사의 텔레비전방송을 수신하는 자'가 아니라 '텔레비전방송을 수신하기 위하여 수상기를 소지하는 자'가 부과대

상이므로 실제 방송시청 여부와 관계없이 부과된다는 점, 그 금액이 공사의 텔레비전방송의 수신 정도와 관계없이 정액으로 정해져 있는 점 등을 감안할 때 이를 공사의 서비스에 대한 대가나 수익자부담금으로 보기도 어렵다.

따라서 수신료는 공영방송사업이라는 특정한 공익사업의 경비조달에 충당하기 위하여 수상기를 소지한 특정집단에 대하여 부과되는 특별부담금에 해당한다고 할 것이다.

나. 한편, 2001. 12. 31. 법률 제6589호로 제정된 부담금관리기본법은 제3조에서 "부담금은 별표에 규정된 법률의 규정에 의하지 아니하고는 이를 설치할 수 없다."라고 규정하고, 별표에서는 방송법 제37조에 의한 '방송발전기금징수금'만을 열거하고 있을 뿐 수신료는 규정하고 있지 않다. 그러나 어떤 공과금이 조세인지 아니면 부담금인지는 단순히 법률에서 그것을 무엇으로 성격 규정하고 있느냐를 기준으로 할 것이 아니라, 그 실질적인 내용을 결정적인 기준으로 삼아야 하며, 부담금관리기본법 부칙 제3조에서 별표에 규정되지 아니한 기존부담금에 관한 경과조치를 두어 별표에 규정되지 아니한 부담금의 존재를 예정하고 있으므로, <u>수신료가 부담금관리기본법상 부담금으로 규정되어 있지 않다 하더라도 여전히 수신료는 부담금에 해당한다 할 것이다.</u>

2. 법률유보원칙 위반 여부

가. 청구인은 수신료 징수업무를 위탁받은 자가 수신료 징수를 자신의 고유업무와 관련된 고지행위와 결합하여 할 수 있도록 규정한 방송법 시행령 제43조 제2항은 법률의 위임이 없거나 위임의 한계를 일탈한 것으로서 헌법 제37조 제2항의 법률유보의 원칙에 위반되며, 위 방송법 시행령 제43조 제2항이 이 사건 법률조항들에 따른 것이라고 한다면, 이 사건 법률조항들이 헌법 제37조 제2항의 법률유보의 원칙에 위반된다고 주장하고 있다.

그러나 대통령령으로 규정한 내용이 헌법에 위반될 경우라도 그 대통령령의 규정이 위헌으로 되는 것은 별론으로 하고 그로 인하여 당연히 수권법률까지 위헌으로 되는 것은 아니므로 방송법 시행령 제43조 제2항의 위헌 여부는 이 사건 법률조항들의 위헌 여부에 영향을 미치지 아니하고, 다만 이 사건 법률조항들 자체가 법률유보원칙에 위반되는지 여부를 살펴볼 필요가 있다.

나. 헌법은 법치주의를 그 기본원리의 하나로 하고 있으며, 법치주의는 행정작용에 국회가 제정한 형식적 법률의 근거가 요청된다는 법률유보를 그 핵심적 내용으로 하고 있다. 그런데 오늘날 법률유보원칙은 단순히 행정작용이 법률에 근거를 두기만 하면 충분한 것이 아니라, 국가공동체와 그 구성원에게 기본적이고도 중요한 의미를 갖는 영역, 특히 국민의 기본권실현에 관련된 영역에 있어서는 행정에 맡길 것이 아니라 국민의 대표자인 입법자 스스로 그 본질적 사항에 대하여 결정하여야 한다는 요구까지 내포하는 것으로 이해하여야 한다(이른바 의회유보원칙). 그런데 입법자가 형식적 법률로 스스로 규율하여야 하는 사항이 어떤 것인가는 일률적으로 획정할 수 없고 구체적 사례에서 관련된 이익 내지 가치의 중요성, 규제 내지 침해의 정도와 방법 등을 고려하여 개별적으로 결정할 수 있을 뿐이나, 적어도 헌법상 보장된 국민의 자유나 권리를 제한할 때에는 그 제한의 본질적인 사항에 관한 한 입법자가 법률로써 스스로 규율하여야 할 것이다.

다. 이와 관련하여 헌법재판소는 98헌바70 사건에서 수신료의 금액에 대하여 국회의 결정 내지 관여를 배제한 채 한국방송공사로 하여금 결정하도록 한 구 한국방송공사법 제36조 제1항이 법률유보원칙에 위반하여 헌법에 합치되지 아니한다는 결정을 하면서 수신료와 관련하여 법률유보의 원칙상 반드시 법률로 규율하여야 할 사항에 대하여 판시한 바 있다. 즉, 수신료는 국민의 재산권 보장의 측면에서나 한국방송공사에게 보장된 방송자유의 측면에서나 국민의 기본권 실현에 관련된 영역에 속하고, 그 중 수신료의 금액, 수신료 납부의무자의 범위, 수신료의 징수절차는 수신료 부과·징수의 본질적인 요소이며 따라서 입법자가 스스로 결정하여야 할 사항이라고 판시하였다(1999. 5. 27. 98헌바70).

현행 방송법이 위 98헌바70 결정에서 판시한 수신료 부과·징수의 본질적인 요소들을 모두 규율하고 있는지 살펴보면 첫째, 위 헌법불합치 결정의 취지에 따라 수신료의 금액은 한국방송공사의 이사회에서 심의·의결한 후 방송위원회를 거쳐 국회의 승인을 얻도록 규정하고 있으며(제65조), 둘째, 수신료 납부의무자의 범위를 '텔레비전방송을 수신하기 위하여 수상기를 소지한 자'로 규정하고(제64조 제1항), 셋째, 징수절차와 관련하여 가산금 상한 및 추징금의 금액, 수신료의 체납 시 국세체납처분의 예에 의하여 징수할 수 있음을 규정하고 있다(제66조). 따라서 수신료의 부과·징수에 관한 본질적인 요소들은 방송법에 모두 규정되어 있다고 할 것이다.

수신료의 금액, 납부의무자의 범위, 징수절차에 관하여 방송법에 기본적인 내용이 규정되어 있는 이상 징수업무를 한국방송공사가 직접 수행할 것인지 제3자에게 위탁할 것인지, 위탁한다면 누구에게 위탁하도록 할 것인지, 위탁받은 자가 자신의 고유업무와 결합하여 징수업무를 할 수 있는지는 징수업무 처리의 효율성 등을 감안하여 결정할 수 있는 사항으로서 국민의 기본권제한에 관한 본질적인 사항이 아니라 할 것이다.

라. 따라서 이 사건 법률조항들은 법률유보의 원칙에 위반되지 아니한다.

3. 포괄위임금지원칙 위반 여부

청구인은 수신료가 실질적으로 조세임을 전제로 방송법 제64조가 조세법률주의에 위반된다고 주장하고 있다. 이와 관련하여 헌법재판소는 위 98헌바70 결정에서 방송법 제64조와 동일한 규정인 구 한국방송공사법 제35조에 대하여 조세법률주의 및 포괄위임금지원칙 위반 여부에 대하여 아래와 같이 판단하였다.

"…… 수신료는 앞에서 본 바와 같이 조세라고 할 수 없으므로 그 조세임을 전제로 이 법 제35조가 조세법률주의에 위반된다는 청구인의 주장은 타당하지 아니하나, 이 조항이 수신료 납부의무자의 범위에 관하여 대통령령에 포괄적으로 위임함으로써 헌법 제75조에 규정된 포괄위임금지원칙에 위반되는 것은 아닌 지가 문제될 수 있다.

등록면제 또는 수신료감면에 관한 규정은 국민에게 이익을 부여하는 수익적 규정에 해당하는 것이어서 이에 대하여 요구되는 위임입법의 구체성·명확성의 정도는 상대적으로 완화될 수 있는 것이고, 또한 수신료 납부의무자의 범위가 '텔레비전방송을 수신하기 위하여' 수상기를 소지한 자로 되어 있으며, 수신료의 징수목적이 공사의 경비 충당에 있다는 점을 감안하면 대통령령에서 정할 수신료 감면 대상자의 범위는 텔레비전방송의 수신이 상당한 기간 동안 불가능하거나 곤란하다고 볼만한 객관적 사유가 있는 수상기의 소지자, 공사의 경비충당에 지장이 없는 범위 안에서 사회정책적으로 수신료를 감면하여 줄 필요가 있는 수상기소지자 등으로 그 범위가 정하여 질 것임을 예측할 수 있다. 따라서 이 법 제35조는 헌법 제75조에 규정된 포괄위임금지의 원칙에 위반되지 아니한다고 할 것이다(98헌바70)."

이 사건에서 위 결정과 달리 판단하여야 할 새로운 사정변경이 있다고 볼 수 없으므로 위 판시를 그대로 유지함이 상당하다. 따라서 방송법 제64조는 헌법 제75조에 규정된 포괄위임금지원칙에 위반되지 아니한다.

4. 재산권 침해 여부

방송법 제64조는 수상기 소지자에게 특별부담금을 부과함으로써 수상기 소지자의 재산권을 제한하는 규정이다. 따라서 헌법 제37조 제2항이 정하고 있는 과잉금지원칙이 지켜져야 한다.

가. 입법목적의 정당성

방송법 제64조는 한국방송공사가 수행하는 각종 방송문화활동, 방송시설의 설치·운영 등 사업의 직·간접적인 수혜자라고 볼 수 있는 수상기 소지자에게 수신료를 부담시킴으로써 공영방송의 재원을 안정적으로 확보하기 위한 것으로서 입법목적의 정당성이 인정된다.

나. 방법의 적절성

1) 헌법 제59조는 "조세의 종목과 세율은 법률로 정한다."라고 규정하고 있는바, 헌법이 여러 공과금 중 조세에 관하여 이와 같이 특별히 명시적 규정을 두고 있는 것은 국가 또는 지방자치단체의 공적 과제 수행에 필요한 재정의 조달이 일차적으로 조세에 의해 이루어질 것을 예정하였기 때문이라 할 것이다. 그런데 만일 실질적으로는 국가 등의 일반적 과제에 관한 재정조달을 목표로 하여 조세의 성격을 띠는 것임에도 단지 국민의 조세저항이나 이중과세의 문제를 회피하기 위한 수단으로 부담금이라는 형식을 남용한다면, 조세를 중심으로 재정을 조달한다는 헌법상의 기본적 재정질서가 교란될 위험이 있을 뿐만 아니라, 조세에 관한 헌법상의 특별한 통제장치가 무력화될 우려가 있다. 따라서 부담금은 조세에 대한 관계에서 어디까지나 예외적으로만 인정되어야 하며, 국가의 일반적 과제를 수행하는데 부담금의 형식을 남용해서는 안된다.

수신료는 국가의 일반적 재정수입을 목적으로 하는 것이 아니라 공영방송사업이라는 특정사업의 재정조달을 목적으로 하는 것으로 국가의 일반적 과제와는 구별되며, 부담금의 형식을 남용한 것으로 볼 수 없다. 또한 공영방송이 국가로부터 예산의 형태로 그 운영자금을 지원받거나 재원마련을 광고수입에 전적으로 의존한다면 방송의 중립성과 독립성을 지키는 것은 사실상 요원해질 것이다. 수상기 소지자로부터 징수되는 수신료는 공영방송이 국가나 각종 이익단체에 재정적으로 종속되는 것을 방지할 뿐만 아니라 공영방송 스스로 국민을 위한 다양한 프로그램을 자기책임하에 형성할 수 있는 계기를 제공해 준다. 이러한 의미에서 공영방송의 직·간접적 수혜자인 수상기 소지자에게 수신료를 부과하는 것은 공영방송사업의 재원마련이라는 입법목적을 달성하기 위한 효과적이고 적절한 수단으로 볼 수 있다.

2) 한편 부담금이 헌법적으로 정당화되기 위해서는 부담금 납부의무자가 부담금을 통해 추구하고자 하는 공적과제에 대하여 일반 국민에 비해 '특별히 밀접한 관련성'을 가져야 한다. 수신료의 납부의무자는 텔레비전 방송을 수신하기 위하여 수상기를 소지하고 있는 자들로서 일반인들과 구별되는 집단적 동질성을 가지고 있으며, 공영방송의 시청, 방송문화활동의 직·간접적인 수혜자라는 점에서 객관적으로 밀접한 관련성을 가지고, 또한 이러한 공적과제 실현에 있어 조세외적 부담을 져야할 집단적 책임이 인정되고, 수신료 수입이 결국 수신료 납부의무자들의 집단적 이익을 위하여 사용된다 할 것이므로 수신료 납부의무자들과 수신료를 통해 달성하려는 특별한 공적 과제 사이에는 '특별히 밀접한 관련성'이 인정된다.

3) 또한 방송법 제65조에 의하면 수신료의 금액은 이사회가 심의·의결한 후 방송위원회를 거쳐 국회의 승인을 얻어 확정되도록 규정되어 있는 점과 같이 입법자의 통제를 받는다는 점에서 수신료가 재정에 대한 국회의 민주적 통제체계로부터 일탈하는 수단으로 남용될 위험성은 크지 않다.

따라서 수신료는 헌법적으로 허용될 수 있는 부담금으로서 입법목적을 달성하기 위한 적절한 수단이다.

다. 피해의 최소성

한편 수신료는 월 1회 징수하도록 되어 있으며(방송법 시행령 제42조) 그 금액은 현재 2,500원이며 연간 30,000원에 불과하다. 또한 주거용 주택의 경우에는 세대별로 1대의 수상기에 대하여만 수신료를 징수하도록 하고 이를 초과하는 수상기에 대하여는 수신료를 부과하지 않고 있으며, '국민기초생활 보장법'에 의한 수급자의 경우에는 수신료를 면제하고, 난시청 지역이나 월전력사용량이 일정량 이하인 경우, 수상기가 질권의 목적이 되어 있거나 국가에 압수된 경우 등 방송 수신이 불가능하다고 인정할만한 경우 등에도 역시 수신료를 면제하도록 하고 있는 점 등을 고려할 때 이 사건 수신료의 부과가 과도한 액수의 부담금을 부과하는 것으로서 침해의 최소성의 원칙에 어긋나는 것으로 볼 수 없다.

라. 법익의 균형성

또한 방송법 제64조에 의하여 달성하려고 하는 공영방송사업의 재원 마련 나아가 공영방송의 독립성 및 중립성 확보라는 입법목적의 중요성에 비추어 볼 때, 수상기 소지자가 이 사건 수신료를 납부함으로써 입게 되는 재산상의 불이익은 크지 않다 할 것이므로 방송법 제64조가 법익의 균형성의 원칙에 반하는 것으로도 볼 수 없다.

마. 따라서 방송법 제64조가 과잉금지원칙에 위배하여 수상기 소지자의 재산권을 침해하였다고 볼 수 없다.

5. 평등원칙 위반 여부

가. 평등원칙은 행위규범으로서 입법자에게, 객관적으로 같은 것은 같게 다른 것은 다르게, 규범의 대상을 실질적으로 평등하게 규율할 것을 요구하고 있다. 이 사건 평등의 대상이 되는 부담금의 문제는 자의금지원칙에 의한 심사의 대상이다.

입법자가 수신료를 부과함에 있어서 공영방송사업 재정조달을 위해 수신료를 부담해야할 특별하고 긴밀한 관계에 있는 자들 즉 방송수신매체의 소지자들 중 어느 범위까지 수신료를 부담시킬 것인지 여부는 과학기술의 발전으로 방송수신매체가 다양화됨에 따라 각 방송수신매체의 특성을 고려하여 결정하여야 하는 것으로서 원칙적으로 형성의 자유를 갖는 입법자의 결정사항에 속한다. 따라서 평등원칙의 위반 여부에 대한 헌법재판소의 판단은 단지 자의금지의 원칙을 기준으로 차별을 정당화할 수 있는 합리적인 이유가 있는가의 여부만을 심사하게 된다.

나. 기존의 수상기와 컴퓨터, 이동멀티미디어방송(DMB)을 수신할 수 있는 휴대폰 등은 모두 텔레비전 방송을 수신할 수 있다는 점에서는 본질적으로 동일하다고 볼 수 있으나, 기존의 수상기는 주로 방송 수신이라는 목적만을 가지지만 개인용 컴퓨터나 이동멀티미디어방송(DMB)을 수신할 수 있는 휴대폰 등의 경우는 방송수신이 부가적인 기능일 뿐 주된 기능은 정보검색이나 이동통신 등 따로 있으므로 기존의 수상기 소지자들은 방송을 수신하고자 하는 목적에서 수상기를 소지하고 있을 가능성이 큰 반면 컴퓨터나 휴대폰 등의 소지자들은 방송 수신 외의 다른 목적에서 이러한 기기들을 소지할 가능성이 더 높고 그에 따라 수상기 소지자들이 컴퓨터나 휴대폰 등의 소지자들보다 방송을 수신할 가능성이 월등히 높고 공영방송사업과도 더욱 특별하고 긴밀한 관계에 있다는 점 등을 고려할 때 일반 수상기와 차별화 할 수 있는 합리적인 이유가 존재하는바, 평등의 원칙에 위반되지 않는다고 할 것이다.

다. 한편 청구인은 케이블 텔레비전 등을 시청하면서 케이블 텔레비전 시청료를 납부하는 경우와 정당한 사유로 한국방송공사의 방송을 수신할 의사가 없는 자의 경우에도 수상기를 소지한다는 이유로 수신료 납부의무를 부담 하는 것은 평등의 원칙에 반한다고 주장하고 있다. 그러나 케이블 텔레비전 시청료는 케이블 텔레비전을 시청하는 대가로 케이블 텔레비전 방송국에 지불하는 요금일 뿐 공영방송사업이라는 특정한 공익사업의 경비조달에 충당하기 위한 특별부담금으로서의 수신료와 성격이 전혀 다르기 때문에 케이블 텔레비전 시청자가 수신료 납부의무를 부담한다고 하여 이를 이중부담이라 할 수 없으며, 마찬가지로 위 헌법재판소 선례에서 본 바와 같이 이 사건 수신료가 특별부담금으로서의 정당화 요건을 모두 충족시키는 이상 수신료 부과대상인 수상기 소지자에게 수신료 납부의무를 부과하는 것은 정당하며 실제로 방송을 수신할 의사가 있는지 여부를 고려하지 않았다고 하여 이를 두고 평등의 원칙에 반한다고 할 수 없다.

라. 따라서 방송법 제64조는 헌법상 평등원칙에 위반되지 아니한다.

160. 문예진흥기금 사건 [위헌]
— 2003. 12. 18. 선고 2002헌가2

판시사항

문예진흥기금 모금의 모금액·모금대행기관의 지정·모금수수료·모금방법 및 관련자료 기타 필요한 사항을 대통령령에 위임하고 있는 구 문화예술진흥법 제19조 제5항 및 제19조의2 제3항이 헌법 제75조상의 포괄위임입법금지의 원칙등에 위배되는지 여부(적극)

사건의 개요

제청신청인 이○현은 공연기획사를 운영하면서 문화예술진흥기금(이하 '문예진흥기금'이라 한다) 모집대상 시설인 공연장 등을 빌려 공연을 주관하고 입장객으로부터 위 기금의 수금 및 납부업무에 종사하는 자인데 1998. 6. 2.부터 1999. 5. 23.까지 사이에 4회에 걸쳐 문예진흥기금 명목으로 수금한 돈 가운데 도합 금 12,305,134원을 횡령한 혐의로 기소되었다.

제청신청인은, 문예진흥기금이 국민에게 강제적으로 부과되는 점에서 조세와 차이가 없고 그 모금액수·모금수수료·모금방법 등에 관한 구체적 사항이 법률에 규정되지 않고 대통령령에 모두 위임되어 있어 조세법률주의에 위배되고 위임입법의 한계를 일탈하였으며 모든 국민들을 대상으로 하여 개인의 담세능력과 상관 없이 일률적으로 부과되는 점에서 국민의 재산권과 평등권을 침해하며 공연장을 운영하는 자의 직업수행의 자유를 침해한다는 등의 이유로 문화예술진흥법 제18조 제1항 제3호·제2항, 제19조, 제19조의2, 제28조 제1항·제2항 등에 대하여 위헌법률심판의 제청을 서울지방법원에 신청하였다. 법원은 2002. 2. 7. 위 법 제19조 제5항 및 제19조의2 제3항에 대해서만 위헌제청을 하고 그 나머지 조항에 대하여는 신청을 기각하였다.

심판대상조항 및 관련조항

구 문화예술진흥법

제19조(기금의 모금) ⑤ 제1항의 규정에 의한 모금의 모금액, 모금대행기관의 지정, 모금수수료, 모금방법 및 관련자료 기타 필요한 사항은 대통령령으로 정한다.

제19조의2(대관에 의한 모금) ③ 제1항의 규정에 의한 모금의 모금액·모금수수료·모금방법 및 관련자료에 관하여 필요한 사항은 대통령령으로 정한다.

주문

구 문화예술진흥법(2000. 1. 12. 법률 제6132호로 개정되기 전의 것) 제19조 제5항 및 제19조의2 제3항은 헌법에 위반된다.

I 재판관 하경철, 재판관 권 성, 재판관 김효종, 재판관 송인준의 위헌의견

1. 문예진흥기금 납입금의 법적 성격

문예진흥기금의 조성을 위하여 이 법에 의하여 개별 관람자 등으로부터 관람료 등에 부가하여 징수하는 개별화된 부담금액을 편의상 문예진흥기금의 납입금이라 부른다.

가. 특별부담금의 의의

조세나 부담금과 같은 전통적인 공과금체계만으로는 현대국가의 새로운 행정수용에 원활하게 대처할 수 없기 때문에 특별부담금이라는 새로운 유형의 공과금제도가 인정되고 있다. 특별부담금은, 특별한 과제를 위한 재정에 충당하기 위하여 특정집단에게 과업과의 관계 등을 기준으로 부과되고 공적기관에 의한 반대급부가 보장되지 않는 금전급부의무를 말하는 것인데 이 부담금은 특정과제의 수행을 위하여 별도로 지출·관리된다. 따라서 특별부담금은 일반적인 국가재정수요의 충당을 위하여 일반 국민으로부터 그 담세능력에 따라 징수되는 조세와 구별된다.

일반적으로 특별부담금은 그 성격에 따라 ① 일정한 과제의 수행에 필요한 재정경비를 조성하는 것을 목적으로 한 '재정충당 특별부담금'과 ② 법상의 명령이나 금지에 의하여 직접 규제하는 대신에 금전의 부담을 지워 간접적으로 일정한 국가목적의 달성을 유도하는 기능을 가진 '유도적 특별부담금'으로 나눌 수 있다.

나. 특별부담금으로서의 문예진흥기금의 납입금

문예진흥기금은 위와 같이 부담금관리기본법 및 기금관리기본법의 적용을 받고 문화예술진흥을 위한 사업이나 활동을 지원하기 위하여 설치되어 독립된 회계로 관리되는바, 그 기금조성을 위한 납입금은 구법 제19조 및 제19조의2 등에 의해 강제적으로 징수되고 문화예술진흥이라는 특정한 공익적 과제의 필요에 충당하기 위하여 공연장 등을 이용하는 일부의 사람들에게만 부과되는 공과금이므로 이는 특별부담금에 해당한다.

문예진흥기금의 납입금은, 부담금 부과대상과 사용용도간의 관계를 기준으로 할 때, 양자간의 관계가 밀접하여 반대급부가 명백하게 반영되는 수익자부담금·원인자부담금·손괴자부담금은 아니고, 행정의 실효성확보 내지 의무이행의 확보수단으로 활용하여 특정행정목적의 실현을 유도하는 유도적 특별부담금도 아니다. 문예진흥기금의 납입금은 문화예술진흥이라는 특정한 공익목적을 달성하는 데 필요한 재원을 확보하고자 부과하는 것이므로 이는 재정충당목적의 특별부담금이라 할 것이다. 이러한 재정충당목적의 특별부담금은 조세유사적 부담금으로서 기금이나 특별회계 또는 공공기관의 수입으로 계리되어 그 사용용도가 지정되어 있기 때문에 그 실질은 목적세와 같은 성질을 지니고 있다.

3. 문예진흥기금 납입금의 위헌성

가. 특별부담금의 통제필요성

1) 국가의 '모든' 수입과 지출이 예산안에 계상되어야 한다(예산회계법 제18조 제2항 본문 참조)는 예

산총계주의원칙(이른바 예산완전성의 원칙)과 국가의 모든 수입과 지출이 '하나의' 예산안에 편성되어야 한다는 예산단일성의 원칙에 입각할 때, 국가의 일반회계와는 별도로 독립하여 운용되는 기금이나 특별회계 등 특별예산제도는 원칙적으로 허용되지 아니한다. 따라서 예산회계법 제9조 제2항은, 특별회계는 국가에서 특정한 사업을 운영할 때, 특정한 자금을 보유하여 운용할 때, 기타 특정한 세입으로 특정한 세출에 충당함으로써 일반회계와 구분하여 계리할 필요가 있을 때에 법률로 설치한다고 규정하고 있다.

특별부담금의 수입에 의한 특별회계는 객관적이고 합리적인 근거가 제시되는 경우에 한하여 극히 예외적으로만 인정되어야 한다. 또한 부담금관리기본법 제5조는 부담금부과의 원칙에 관하여 규율하고 있는데, "부담금은 설치목적을 달성하기 위하여 필요한 최소한의 범위안에서 공정성 및 투명성이 확보되도록 부과되어야 하며, 특별한 사유가 없는 한 동일한 부과대상에 대하여 이중의 부담금이 부과되어서는 아니된다."라고 규정하고 있다. 그러므로 특별부담금은 위에서 본 바와 같은 예외성의 원칙과 최소성의 원칙을 준수하는 것이어야 한다.

2) 국가재정수입의 일반적인 원천은 조세수입이라 할 수 있는데, 이러한 조세에 대하여는 헌법상 엄격한 통제가 가하여진다. 헌법 제38조는 "모든 국민은 법률이 정하는 바에 의하여 납세의 의무를 진다."라고 규정하고 제59조는 "조세의 종목과 세율은 법률로 정한다."라고 규정함으로써, 행정부의 일방적이고 자의적인 조세부과를 금하고 반드시 국회가 제정한 법률에 의하여만 조세를 부과할 수 있다는 조세법률주의의 원칙을 선언하고 있다. 따라서 조세의 부과·징수는 조세법률주의에 입각하여 그 핵심적 내용인 과세요건 법정주의 및 과세요건 명확주의에 의하여 엄격한 통제를 받는다. 그에 비하여 재정충당목적의 특별부담금은 반대급부 없는 강제적인 징수인 면에서 조세와 공통점을 가지면서도 헌법상 명시적인 특별통제장치가 결여되어 있다.

그럼에도 불구하고 이러한 조세성 특별부담금이 계속 설치·운용되는 것은 특별부담금의 신설이 조세의 신설에 비하여 국민의 저항이 크지 않고 징수나 집행과정의 어려움이 적어 손쉬운 재원조달 수단이 될 수 있기 때문이고 또한 특별부담금의 수입이 대부분 기금이나 특별회계의 형태로 관리되므로 일반 예산에 비해 안정적으로 사업비를 확보할 수 있다는 장점을 행정당국에 제공하기 때문이다. 그 결과, 조세수입이 대부분 일반회계로 귀속되어 국가 전체적인 관점에서 사업의 타당성이나 우선 순위를 엄격히 따져 사용되고 있는 데 비하여 재정충당목적의 특별부담금은 그 사용용도가 한정되어 있음을 기화로 그 재원에 여유가 있는 경우에는 국가재정 전체의 관점에서 볼 때에는 우선순위가 떨어지는 그러한 사업의 추진이나 운영에 방만하게 사용되어 재정운영의 효율성을 떨어뜨리는 문제점까지도 일으킨다. 따라서 조세에 준하는 정도로, 나아가 그 이상으로, 특별부담금에 대한 헌법적 통제의 필요성이 요청된다.

나. 특별부담금의 헌법적 허용한계

국민의 재산권이나 조세평등을 해할 우려가 있는 재정충당목적의 특별부담금은 헌법 제11조상의 평등원칙과 헌법 제37조 제2항상의 과잉금지원칙으로부터 도출되는 다음과 같은 헌법적 정당화 요건을 갖추어야 하고 그렇지 못한 경우에는 국민의 재산권을 침해하여 위헌이 될 것이다.

특별부담금은 조세의 납부의무자인 일반국민들 중 일부가 추가적으로 부담하는 또 하나의 공과금이므로 국민들 사이의 공과금 부담의 형평성 내지 조세평등을 침해하지 않기 위해서는 특별부담금은, 일반인과 구별되는 동질성을 지니어 특정집단이라고 이해할 수 있는 그러한 사람들에게만 부과되어야 하고(집단의 동질성), 특별부담금의 부과를 통하여 수행하고자 하는 특정한 경제적·사회적 과제와 특별히 객관적으로 밀접한 관련성이 있어야 하고(객관적 근접성), 그리하여 그러한 과제의 수행에 관하여 조세외적 부담을 져야 할 책임이 인정될만한 집단에 대해서만 부과되어야 할 것이며(집단적 책임성), 특별부담금의 수입이 특별부담금 납부의무자의 집단적 이익을 위하여 사용되어야 할 것(집단적 효용성)이다.

다만 재정충당목적의 특별부담금인 경우 구체적인 사안별로 위와 같은 헌법적 정당화 요건은 일정 부분 완화될 수도 있지만 적어도 객관적 근접성과 집단적 책임성은 특별부담금의 본질적인 허용요건이라고 보아야 할 것이다. 나아가 재정충당목적이 전혀 없는 순전한 유도적 특별부담금인 경우와, 재정충당의 목적과 유도의 목적이 혼재된 특별부담금의 경우에는 구체적인 사안별로 위와 같은 헌법적 정당화 요건은 일정 부분 요청되지 않을 수도 있을 것이다.

이렇게 특별부담금에 관하여 그 허용한계를 설정하는 것이, 헌법상 예정되어 있지 않은 국가재정충당의 행위형식인 특별부담금에 의하여, 국민의 재산권이 침해되는 것을 막는 것이 되어 재산권을 보장하는 헌법정신에 충실하게 되는 것이고 조세평등을 추구하는 헌법의 이념에 부합하게 되는 것이며 특별부담금의 예외성과 최소성의 원칙에도 부합하는 것이 될 것이다.

다. 이 사건 문예진흥기금 납입금의 위헌성

특별부담금으로서의 문예진흥기금의 납입금이 위와 같은 헌법적 허용한계를 준수하고 있는지 또는 이를 일탈하여 위헌인지 여부에 대하여 살펴본다.

첫째, 문예진흥기금의 모금대상인 시설을 이용하는 자는 연간 5,700만명에 이르고 있다. 이러한 문화시설 이용자를 공연 등을 관람한다는 이유만으로, 역사적·사회적으로 나아가 법적으로, 다른 사람들과 구분할만한 동질성 있는 특별한 집단으로 인정하는 것은 대단히 무리라고 할 것이다. 현대 문화국가에 있어서는 공연장 등의 이용이, 선택된 문화적 향수자라고 구획될 만한, 특정한 국민에게만 허용되는 것이 아니기 때문이다. 그와 같은 구획이 있다면 그것은 우연한 사정에 의한 일시적인 것에 불과하다. 이 구획 안에 포섭되는 수많은 사람들 사이에 사회적으로, 경제적으로, 문화적으로, 좁게든 넓게든, 무슨 동질성이나 연계성을 인정할 만한 지표를 찾을 수가 없는 것이다. 그와 같은 동질성을 인정한다면 그것은 대단히 작위적이고 불합리하고 현실에 맞지 않는 것이 될 것이다.

둘째, 문예진흥기금의 납입금의무를 지는 사람들이, 똑같은 일반 국민인데도, 우연히 관람기회를 갖는다고 하여 이로써 여타의 다른 국민 또는 일반 납세자보다 문화예술진흥의 목적을 달성하는 데 대하여 객관적으로 더 근접한 위치에 있다고 볼 수는 없다. 공연 등을 관람하는 것은 모든 국민에게 일상적으로 용이하게 접근이 가능하기 때문에 일반 관람자로서의 국민들중에 누구를 특별히 문화예술의 진흥이라는 공적 과제에 더 근접한 위치에 있다고 자리매김을 하는 것은 너무나 무리한 일이다.

셋째, 공연 등을 관람하는 일부의 국민들만이 문화예술의 진흥에 집단적으로 특별한 책임을 부담하여야 할 아무런 합리적인 이유도 발견되지 아니한다. 오히려 이들은 일반납세자로서 공연 등의 관람료에 포함된 부가가치세를 부담함에도 불구하고, 세금의 부담에서 한 걸음 더 나아가, 문예진흥기금의 납입이라는 추가적인 책임과 부담까지 안고 있는 것이다. 문화예술의 진흥은 모든 국민이 함께 참여하고 함께 책임을 져야할 전 국민적이고 전 국가적인 과제라고 볼 때 일부 국민들에 대하여 그들이 우연히 갖는 공연관람의 기회를 포착하여 여기에 기금납입의 책임을 지우는 것은 일종의 책임전가라고 할 것이다.

넷째, 문예진흥기금이 공연관람자 등의 집단적 이익을 위해서 사용되는 것도 아니다. 현실적으로 문예진흥기금은 문예진흥을 위한 다양한 용도로 사용되고 있다. 문인창작기금지원, 문학작품창작지원, 문예지원고료지원에 사용되기도 하고, 문화행정에 대한 전문성을 높이고 현장의 문화예술활동을 촉진시키기 위한 공공문화행정담당자의 문화행정 연수, 전국무대예술인 연수, 지역문화종사자 연수, 공연예술 아카데미 개설 등의 사업 프로그램을 위하여 사용되기도 한다. 이런 것들을 공연관람자들의 집단적 이익을 위한 사용이라고 말할 수는 없는 것이다.

공연 등을 보는 국민이 예술적 감상의 기회를 가진다고 하여 이것을 집단적 효용성으로 평가하는 것도 무리이다. 공연관람자 등이 예술감상에 의한 정신적 풍요를 느낀다면 그것은 헌법상의 문화국가원리에 따라 국가가 적극 장려할 일이지, 이것을 일정한 집단에 의한 수익으로 인정하여 그들에게 경제적 부담을 지우는 것은 헌법의 문화국가이념(제9조)에 역행하는 것이다.

그렇다면 이 사건 문예진흥기금의 납입금은 특별부담금의 헌법적 허용한계를 벗어나서 위헌이라 할 것이다.

라. 소 결

위와 같이 이 사건 문예진흥기금의 납입금 자체가 특별부담금의 헌법적 허용한계를 벗어나서 국민의 재산권을 침해하므로 위헌이라 할 것이고 그렇다면 납입금의 모금에 대하여 모금액·모금대행기관의 지정·모금수수료·모금방법 등을 대통령령에 위임한 심판대상 법조항들은 다른 점에 대하여 더 나아가 살펴볼 필요도 없이 위헌임을 면치 못할 것이다.

Ⅲ 재판관 윤영철, 재판관 김영일, 재판관 김경일, 재판관 전효숙의 위헌의견

1. 위임입법의 한계

가. 법은 문예진흥기금의 납입의무자, 모금대상시설에 관하여는 스스로 규정하고 있지만(구법 제19조 제1항), 모금액, 모금수수료, 모금방법, 관련자료에 관하여는 심판대상 법조항들을 통하여 모두 대통령령에 위임하고 있으므로 헌법 제75조에 규정된 포괄위임입법금지원칙에 위배되는지가 문제된다.

나. 헌법 제75조는 "대통령은 법률에서 구체적으로 범위를 정하여 위임받은 사항……에 관하여 대통령령을 발할 수 있다"고 규정함으로써 위임입법의 근거를 마련함과 동시에 위임은 '구체적으

로 범위를 정하여' 하도록 하여 그 한계를 제시하고 있다. 이와 같이 입법을 위임할 경우에는 법률에 미리 대통령령으로 규정될 내용 및 범위의 기본사항을 구체적으로 규정하여 둠으로써 행정권에 의한 자의적인 법률의 해석과 집행을 방지하고 의회입법과 법치주의의 원칙을 달성하고자 하는 헌법 제75조의 입법취지에 비추어 볼 때, '구체적으로 범위를 정하여'라 함은 법률에 대통령령 등 하위법규에 규정될 내용 및 범위의 기본사항이 가능한 한 구체적이고도 명확하게 규정되어 있어서 누구라도 당해 법률 그 자체로부터 대통령령 등에 규정될 내용의 대강을 예측할 수 있어야 함을 의미한다고 할 것이고, 그 예측가능성의 유무는 당해 특정조항 하나만을 가지고 판단할 것은 아니고 관련 법조항 전체를 유기적·체계적으로 종합판단하여야 하며, 각 대상법률의 성질에 따라 구체적·개별적으로 검토하여야 한다. 그리고 이와 같은 위임의 구체성·명확성의 요구 정도는 그 규율대상의 종류와 성격에 따라 달라질 것이지만 특히 처벌법규나 조세법규와 같이 국민의 기본권을 직접적으로 제한하거나 침해할 소지가 있는 법규에서는 구체성·명확성의 요구가 강화되어 그 위임의 요건과 범위가 일반적인 급부행정의 경우보다 더 엄격하게 제한적으로 규정되어야 하는 반면에, 규율대상이 지극히 다양하거나 수시로 변화하는 성질의 것일 때에는 위임의 구체성·명확성의 요건이 완화되어야 할 것이다.

2. 심판대상 법조항들의 위헌여부

가. 문예진흥기금의 모금은 공연 등을 관람하려는 수많은 국민들에게 금전적 부담을 지움으로써 국민의 문화향수권 및 재산권 등을 직접적으로 제한하게 된다. 특히 모금액 및 모금방법은 기금납입의무자, 모금대상시설과 아울러 문예진흥기금의 모금에 관한 중요하고도 본질적인 입법사항이다. 그러므로 이에 관한 사항을 하위법규에 위임함에 있어서는 위임의 구체성·명확성이 보다 엄격하게 요구된다 할 것이다.

나. 심판대상 법조항들은 위임사항만을 모금액, 모금수수료, 모금방법, 관련자료 등으로 정하고 있을 뿐, 위임의 범위를 전혀 구체적으로 정하고 있지 않다. 그리하여 누구라도 심판대상 법조항들 그 자체로부터 대통령령에 규정될 내용의 대강을 예측할 수 없다.

모금액은 공연 등을 관람코자 하는 국민들에게 가장 직접적으로 영향을 미치는 입법사항이다. 따라서 입법자가 이에 관하여 법률로써 직접 규정하는 것에 어려움을 느낀다 하더라도, 적어도 모금액의 상한이나 모금액 산정의 대강의 기준이라도 스스로 정하고서 행정입법에 위임하였어야 한다. 그런데도 심판대상 법조항들은 이에 관하여 아무런 한계를 설정하지 않음으로써 모금액에 관하여 행정권의 전적인 재량에 내맡긴 것이나 다름없다.

문예진흥기금의 모금은 국민들에게 금전적 부담을 지운다는 점에서 그 모금방법 또한 가능한 한 구체적이고 명확한 입법적 규율이 필요한 사항이다. 설사 모금액이 낮게 책정되어 그 부담이 비교적 경미하다 하더라도 모금의 방법이나 절차에 관한 최소한의 규율은 근거법률에 유보되어야 한다. 그런데 법은 한국문화예술진흥원이 문화관광부장관의 승인을 얻어 모금한다는 점을 제외하고는 모금의 절차와 방법에 관하여 아무런 제한 없이 대통령령에 위임하고 있다. 그리하여 납부고지, 납부시기, 납부방법, 미납시의 조치, 불복방법 등을 어떻게 규율할 것인지는 오로지 행정권의 임의적 판단에 맡겨져 있다.

다. 심판대상 법조항들의 입법목적, 법의 체계나 다른 규정, 관련법규를 살펴보더라도 대통령령 등에 규정될 내용의 대강을 충분히 예측할 수 없다.

문예진흥기금의 성격과 목적, 그리고 기금납입의무자 및 모금대상시설에 관한 관련 조항들에 비추어 모금액이 공연 등의 관람료를 상회하지 않는 범위 내에서 정해질 것이라는 점을 설사 예측할 수 있다 하더라도, 문화국가원리를 표방하고 있는 헌법정신, 공연 등을 관람하려는 수많은 국민들의 문화향수권을 직접 제약하는 문예진흥기금의 성격을 고려할 때 그 정도만으로는 불충분하다고 할 것이고, 위에서 본바와 같이 모금액의 상한, 모금액 산정의 기준, 모금 및 납부의 절차와 방법 등에 관하여 입법자 스스로 최소한의 기준을 정립한 다음 나머지 세부적인 사항에 대하여 입법위임을 하였어야 하는 것이지, 심판대상 법조항들과 같은 백지위임의 입법형식을 취함으로써 그에 관한 판단권을 전적으로 행정부의 재량에 맡겨서는 아니될 것이다.

라. 결국 심판대상 법조항들은 구체적으로 범위를 정하지 아니한 채 입법사항을 포괄적으로 대통령령에 위임한 것이어서 헌법 제75조에 규정된 포괄위임입법금지원칙에 위배된다 할 것이다.

3. 결 론

심판대상 법조항들은 헌법 제75조에 규정된 포괄위임입법금지의 원칙에 위반된다.

Ⅲ 결 론

재판관 하경철, 재판관 권 성, 재판관 김효종, 재판관 송인준 등 4인의 의견은 심판대상 법조항들이 특별부담금의 헌법적 허용한계를 벗어나서 국민의 재산권을 침해하므로 위헌이라는 것이고 한편 재판관 윤영철, 재판관 김영일, 재판관 김경일, 재판관 전효숙 등 4인의 의견은 심판대상 법조항들이 포괄위임금지의 원칙에 위배되어 위헌이라는 것이다. 그렇다면 심판대상 법조항들을 위헌이라고 보는 이유는 두 개가 되어 비록 서로 다르지만 8인의 재판관 모두 심판대상 법조항들이 위헌이라는 결론에는 일치한다. 그러므로 심판대상 법조항들에 대하여 주문과 같이 위헌을 선고하기로 한다. 이 결정에 대하여는 재판관 주선회의 반대의견이 있다.

161 국민체육진흥법상 '회원제로 운영하는 골프장 시설의 입장료에 대한 부가금' 조항에 관한 위헌제청 사건 [위헌]
— 2019. 12. 27. 선고 2017헌가21

판시사항

1. 구 국민체육진흥법 제20조 제1항 제3호 및 국민체육진흥법 제20조 제1항 제3호(이하 위 두 조항을 합하여 '심판대상조항'이라 한다)가 규정한 '회원제로 운영하는 골프장 시설의 입장료에 대한 부가금'의 법적 성격
2. 심판대상조항이 헌법상 평등원칙에 위배되는지 여부(적극)

사건의 개요

주식회사 ○○(이하, '이 사건 회사'라고 한다)은 회원제 골프장(이하, '이 사건 골프장'이라고 한다)을 운영한 법인이다. □□공단(이하, '진흥공단'이라고 한다)은 국민체육진흥기금의 조성·관리 등을 목적으로 국민체육진흥법에 의해 설립된 법인이다.

진흥공단은 2007년 12월경 제주도를 제외한 전국의 회원제로 운영하는 골프장 시설의 이용자를 대상으로 구 국민체육진흥법 제20조 등에 따른 부가금을 징수하는 것에 대해 문화관광부장관의 승인을 받고, 매년 초 이 사건 회사를 비롯한 전국의 회원제 골프장 시설의 운영자에게 부가금 징수안을 통보하였다. 이 사건 회사는 2012년까지 이 사건 골프장 시설 이용자로부터 부가금을 수납하여 진흥공단에 납부하였다.

문화체육관광부는 2013. 1. 1. 경기 활성화 등을 이유로 진흥공단에 부가금 징수를 중단할 것을 지시하였다. 이에 따라 이 사건 회사도 2013년도에는 이 사건 골프장 시설 이용자를 상대로 부가금을 수납하지 않았다. 그런데 2013년 10월경에 시행된 제19대 국회(교육문화체육관광위원회) 국정감사에서, 법규의 개정 없이 부가금 징수를 임의 중단한 것은 국민체육진흥법을 위반하여 회원제 골프장 시설의 운영자나 이용자에게 특혜를 주는 것이라는 문제가 제기되었다. 이에 진흥공단은 2014. 1. 21. 문화체육관광부장관으로부터 다시 종전의 내용대로 부가금을 징수하는 것을 승인받고, 이 사건 회사를 포함한 전국의 회원제 골프장 시설 운영자에게 2014년도 부가금 징수 시행을 통보하였다.

이 사건 회사는 이 사건 골프장 시설 이용자의 의사에 따라 부가금을 수납하겠다는 이유로, 2014년 2월에서 2014년 11월까지의 부가금 상당액 중 일부만을 진흥공단에 납부하였다. 진흥공단은 이 사건 회사를 상대로 2014. 2. 1.부터 2014. 11. 30.까지 이 사건 골프장 입장 인원에 기초하여 산정한 부가금 상당의 손해배상금 및 그에 대한 지연손해금의 지급을 구하는 소를 제기하여 2015. 5. 27. 전부 승소하였다. 이 사건 회사는 이에 불복하여 2015. 6. 16. 항소하였다.

이 사건 회사에 대하여 2016. 3. 25. 회생절차개시결정이 내려지면서, 당시 이 사건 회사의 대표이사였던 김◇◇이 관리인으로 간주되었다. 김◇◇은 당해 사건의 소송절차를 수계한 후 2016. 6. 23. 국민체육진흥법 제20조 제1항 제3호 및 제23조에 대하여 위헌법률심판제청신청을 하였다. 한편 이 사건 회사에 대하여 2016. 9. 20. 회생절차가 폐지되었다가 2016. 10. 28. 다시 회생절차가 개시되었다. 이 과정에서 김◇◇과 유☆☆이 공동관리인으로 선임되었고, 이들은 당해 사건의 소송절차를 수계하였다.

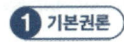

제청법원은 2017. 6. 15. 위 위헌법률심판제청신청 중 국민체육진흥법 제23조에 대한 신청은 기각하고, 국민체육진흥법 제20조 제1항 제3호에 대하여 이 사건 위헌법률심판을 제청하는 결정을 하였다.

심판대상조항 및 관련조항

구 **국민체육진흥법**(2007. 4. 11. 법률 제8344호로 전부개정되고 2017. 12. 19. 법률 제15261호로 개정되기 전의 것)

제20조(기금의 조성) ① 기금은 다음 각 호의 재원으로 조성한다.
    3. 골프장(회원제로 운영하는 골프장을 말한다. 이하 같다) 시설의 입장료에 대한 부가금

국민체육진흥법(2017. 12. 19. 법률 제15261호로 개정된 것)

제20조(기금의 조성) ① 국민체육진흥계정은 다음 각 호의 재원으로 조성하며, 사행산업중독예방치유계정은 「사행산업통합감독위원회법」 제14조의4에서 정하는 바에 따른다.
    3. 골프장(회원제로 운영하는 골프장을 말한다. 이하 같다) 시설의 입장료에 대한 부가금

주문

구 국민체육진흥법(2007. 4. 11. 법률 제8344호로 전부개정되고, 2017. 12. 19. 법률 제15261호로 개정되기 전의 것) 제20조 제1항 제3호 및 국민체육진흥법(2017. 12. 19. 법률 제15261호로 개정된 것) 제20조 제1항 제3호는 모두 헌법에 위반된다.

I 판 단

1. 국민체육진흥법 제20조 제1항 제3호(이하 '심판대상조항'이라 한다)가 규정한 '회원제로 운영하는 골프장 시설의 입장료에 대한 부가금'의 법적 성격

심판대상조항이 규정한 회원제로 운영하는 골프장 시설의 입장료에 대한 부가금(이하, '골프장 부가금'이라고 한다)은 국민체육진흥법상 국민체육진흥기금(2018. 1. 1. 이후에는 국민체육진흥계정, 이하, '2018. 1. 1. 이전의 국민체육진흥기금'과 '2018. 1. 1. 이후의 국민체육진흥계정'을 합하여 '국민체육진흥계정'이라고 한다)을 조성하는 재원이다. 골프장 부가금은 시설의 이용 대가와 별개의 금전으로서, 회원제로 운영하는 골프장 시설의 이용자(이하, '골프장 부가금 납부의무자'라 한다)라는 특정 부류의 집단에만 강제적·일률적으로 부과된다. 골프장 부가금은 국민체육진흥계정으로 포함되어 국민체육진흥법에서 열거한 용도로 사용되며, 진흥공단은 국민체육진흥계정을 독립된 회계로 관리·운용하여야 한다. 이를 종합하면, 골프장 부가금은 조세와 구별되는 것으로서 부담금에 해당한다.

부담금은 그 부과목적과 기능에 따라 순수하게 재정조달의 목적만 가지는 '재정조달목적 부담금'과 재정조달 목적뿐만 아니라 부담금의 부과 자체로써 국민의 행위를 특정한 방향으로 유도하거나 특정한 공법적 의무의 이행 또는 공공출연으로부터의 특별한 이익과 관련된 집단 간의 형평성 문제를 조정하여 특정 사회·경제정책을 실현하기 위한 '정책실현목적 부담금'으로 구분할 수

있다. 전자의 경우에는 공적 과제가 부담금 수입의 지출 단계에서 비로소 실현되나, 후자의 경우에는 공적 과제의 전부 혹은 일부가 부담금의 부과 단계에서 이미 실현된다.

골프장 부가금은 국민체육의 진흥을 위한 각종 사업에 사용될 국민체육진흥계정의 재원을 마련하는 데에 그 부과의 목적이 있을 뿐, 그 부과 자체로써 골프장 부가금 납부의무자의 행위를 특정한 방향으로 유도하거나 골프장 부가금 납부의무자 이외의 다른 집단과의 형평성 문제를 조정하고자 하는 등의 목적이 있다고 보기 어렵다. 게다가 뒤에서 보는 바와 같이 심판대상조항이 골프장 부가금을 통해 추구하는 공적 과제는 국민체육진흥계정의 집행 단계에서 비로소 실현된다고 할 수 있으므로, 골프장 부가금은 재정조달목적 부담금에 해당한다.

2. 재정조달목적 부담금의 헌법적 정당화 요건

재정조달목적 부담금은 특정한 반대급부 없이 부과될 수 있다는 점에서 조세와 매우 유사하므로 헌법 제38조가 정한 조세법률주의, 헌법 제11조 제1항이 정한 법 앞의 평등원칙에서 파생되는 공과금 부담의 형평성, 헌법 제54조 제1항이 정한 국회의 예산심의·확정권에 의한 재정감독권과의 관계에서 오는 한계를 고려하여, 그 부과가 헌법적으로 정당화되기 위하여는 ① 조세에 대한 관계에서 예외적으로만 인정되어야 하며 국가의 일반적 과제를 수행하는 데에 부담금 형식을 남용하여서는 아니 되고, ② 부담금 납부의무자는 일반 국민에 비해 부담금을 통해 추구하고자 하는 공적 과제에 대하여 특별히 밀접한 관련성을 가져야 하며, ③ 부담금이 장기적으로 유지되는 경우 그 징수의 타당성이나 적정성이 입법자에 의해 지속적으로 심사되어야 한다.

특히 부담금 납부의무자는 그 부과를 통해 추구하는 공적 과제에 대하여 '특별히 밀접한 관련성'이 있어야 한다는 점에서 ① 일반인과 구별되는 동질성을 지녀 특정집단이라고 이해할 수 있는 사람들이어야 하고(집단적 동질성), ② 부담금의 부과를 통하여 수행하고자 하는 특정한 경제적·사회적 과제와 특별히 객관적으로 밀접한 관련성이 있어야 하며(객관적 근접성), ③ 그러한 과제의 수행에 관하여 조세 외적 부담을 져야 할 책임이 인정될만한 집단이어야 한다(집단적 책임성). ④ 만약 부담금의 수입이 부담금 납부의무자의 집단적 이익을 위하여 사용될 경우에는 그 부과의 정당성이 더욱 제고된다(집단적 효용성). 또한, 부담금은 국민의 재산권을 제한하는 성격을 가지고 있으므로 부담금을 부과함에 있어서도 평등원칙이나 비례성원칙과 같은 기본권제한입법의 한계는 준수되어야 하며, 위와 같은 부담금의 헌법적 정당화 요건은 기본권 제한의 한계를 심사함으로써 자연히 고려될 수 있다.

3. 심판대상조항이 헌법상 평등원칙에 위배되는지 여부(적극)

가. 차별취급의 존재

헌법 제11조 제1항의 평등의 원칙은 입법과 법의 적용에 있어서 합리적 근거 없는 차별을 하여서는 아니 된다는 상대적 평등을 뜻한다. 특히 조세를 비롯한 공과금의 부과에서의 평등원칙은, 공과금 납부의무자가 법률에 의하여 법적 및 사실적으로 평등하게 부담을 받을 것을 요청한다.

심판대상조항으로 말미암아 골프장 부가금 납부의무자는 골프장 부가금 징수 대상 체육시설을 이용하지 않는 그 밖의 국민과 달리 심판대상조항에 따른 골프장 부가금을 부담해야만 하는 차별취급을 받는다.

나. 심사기준

부담금은 국민의 재산권을 제한하여 일반 국민이 아닌 특별한 의무자집단에 대하여 부과되는 특별한 재정책임이므로, 납부의무자들을 일반 국민들과 달리 취급하여 이들을 불리하게 대우함에 있어서 합리적인 이유가 있어야 하며 자의적인 차별은 납부의무자들의 평등권을 침해한다. 평등원칙의 적용에 있어서 부담금의 문제는 합리성의 문제로서 자의금지원칙에 의한 심사 대상인데, 선별적 부담금의 부과라는 차별이 합리성이 있는지 여부는 그것이 행위 형식의 남용으로서 앞서 본 부담금의 헌법적 정당화 요건을 갖추었는지 여부와 관련이 있다.

다. 판 단

1) 국민체육 진흥 과제의 성격

심판대상조항이 규정한 골프장 부가금은 국민체육진흥법의 목적 등을 바탕으로 한 국민체육진흥계정의 재원이라는 점 등을 고려할 때, 골프장 부가금을 통해 수행하려는 공적 과제는 국민체육진흥계정의 안정적 재원 마련을 토대로 한 '국민체육의 진흥'이라고 할 수 있다. 그런데 국민체육진흥법상 '체육'의 의미와 그 범위, 국민체육진흥계정의 사용 용도 등에 비추어보면, '국민체육의 진흥'은 국민체육진흥법이 담고 있는 체육정책 전반에 관한 여러 규율사항을 상당히 폭넓게 아우르는 것으로서 이를 특별한 공적 과제로 보기에는 무리가 있다.

2) '국민체육의 진흥'에 대하여 골프장 부가금 납부의무자가 특별히 밀접한 관련성을 가지는지 여부

가) 집단적 동질성

심판대상조항에 의한 부담금의 납부의무자는 골프장 부가금 징수 대상 시설의 이용자로 한정된다. 이들은 여러 체육시설 가운데 회원제로 운영되는 골프장을 이용하는 집단이라는 점에서 동질적인 특정 요소를 갖추고 있다. 골프장 부가금 납부의무자는 운동장, 체육관, 수영장 등 다른 체육시설 이용자와 견주어 상대적으로 고비용의 체육활동을 향유할 능력이 있는 사회적·경제적으로 동질적인 집단이라고 인정할 수 있다.

나) 객관적 근접성

부담금의 납부의무자는 그 부과를 통해 수행하려는 공적 과제에 대하여 일반납세자나 다른 사회집단에 비해 객관적인 근접성이 있어야 한다. 즉 공적 과제의 내용이 특수하게 설정되었다면 그 내용과 연결되는 납부의무자 집단 또한 그것에 맞게 합리적으로 설정되어야 할 것이다.

그러나 광범위한 목표를 바탕으로 다양한 규율 내용을 수반하는 '국민체육의 진흥'이라는 공적 과제에 국민 중 어느 집단이 특별히 더 근접한다고 자리매김하는 것은 무리한 일이다. 수영장 등 다른 체육시설의 입장료에 대한 부가금제도를 국민부담 경감 차원에서 폐지하면서 골프장 부가금 제도를 유지한 것은 이른바 고소득 계층이 회원제로 운영하는 골프장을 주로 이용한다는 점이 고려된 것으로 보인다. 하지만 골프 이외에도 많은 비용이 필요한 체육 활동이 적지 않을뿐더러, 체육시설 이용 비용의 다과(多寡)에 따라 '국민체육의 진흥'이라는 공적 과제에 대한 객관적 근접성의 정도가 달라진다고 단정할 수도 없다. 골프장 부가금 납부의무자와 '국민체육의 진흥'이라는 골프장 부가금의 부과 목적 사이에는 특별히 객관적으로 밀접한 관련성이 인정되지 않는다.

다) 집단적 책임성 및 효용성

부담금은 추구하는 공적 과제의 수행에 관하여 조세 외적 부담을 져야 할 책임이 인정될만한 집단에 대해서만 부과되어야 한다. 이 역시 공적 과제 수행에 책임 있는 집단을 합리적으로 선정하였느냐의 문제가 되며, 집단적 효용성의 문제와도 어느 정도 관련이 있다.

앞서 본 바와 같이 '국민체육의 진흥'이라는 공적 과제에 대해서 골프장 부가금 납부의무자에게 특별히 객관적으로 밀접한 관련성을 인정할 수 없으므로, '국민체육의 진흥' 달성에 관하여 골프장 부가금 납부의무자의 집단적 책임성을 인정하기에 무리가 있다. 수많은 체육시설 중 유독 골프장 부가금 징수 대상 시설의 이용자만을 국민체육진흥계정 조성에 관한 조세 외적 부담을 져야 할 책임이 있는 집단으로 선정한 것에는 합리성이 결여되어 있다.

골프장 부가금 등을 재원으로 하여 조성된 국민체육진흥계정의 설치 목적이 국민체육의 진흥에 관한 사항 전반을 아우르고 있다는 점에 비추어 볼 때, 국민 모두를 대상으로 하는 광범위하고 포괄적인 수준의 효용성을 놓고 부담금의 정당화 요건인 집단적 효용성을 갖추었다고 단정하기도 어렵다.

라. 결 론

심판대상조항이 규정하고 있는 골프장 부가금은 일반 국민에 비해 특별히 객관적으로 밀접한 관련성을 가진다고 볼 수 없는 골프장 부가금 징수 대상 시설 이용자들을 대상으로 하는 것으로서 합리적 이유가 없는 차별을 초래하므로, 헌법상 평등원칙에 위배된다.

II 결 론

그렇다면 심판대상조항은 헌법에 위반되므로 관여 재판관 전원의 일치된 의견으로 주문과 같이 결정한다.

162 먹는샘물 수입판매업자에 대한 수질개선부담금 사건 [합헌]
― 2004. 7. 15. 선고 2002헌바42

판시사항

1. 부담금의 정당화 요건
2. 먹는샘물 수입판매업자에 대한 수질개선부담금 부과가 평등원칙에 위배되는지 여부(소극)
3. 먹는샘물 평균판매가액의 100분의 20의 범위 안에서 수질개선부담금을 부과하도록 하는 것이 비례성원칙에 위배되는지 여부(소극)

사건의 개요

1. 청구인은 먹는샘물 수입판매업을 주된 사업으로 하는 회사로서, 프랑스의 '다농'사로부터 '에비앙'과 '볼빅'이라는 이름의 먹는샘물을 수입·판매하여 왔다.
2. 서울특별시장은 먹는물관리법 제28조 제1항에 따라 2001. 11. 9. 청구인에게 2001년 3/4분기 수질개선부담금 38,879,340원, 2002. 2. 8. 2001년 4/4분기 수질개선부담금 41,545,600원을 각 부과하였다.
3. 청구인은 2001. 11. 29.과 2002. 2. 28.에 서울특별시장을 상대로 위 각 수질개선부담금 부과처분에 대한 취소의 소를 제기한 후, 그 소송에서 위 법률조항 중 먹는샘물 수입판매업자에 관한 부분이 헌법에 위반된다면서 위헌제청을 신청하였으나 기각되자 이 사건 헌법소원심판을 청구하였다.

심판대상조항 및 관련조항

먹는물관리법(1997. 8. 28. 법률 제5394호로 개정된 것)

제28조(수질개선부담금의 부과징수) ① 환경부장관은 공공의 지하수자원을 보호하고 먹는물의 수질개선에 기여하게 하기 위하여 먹는샘물 제조업자 및 먹는샘물 수입판매업자 기타 제9조의 규정에 의한 샘물개발허가를 받은 자에 대하여 대통령령이 정하는 바에 따라 수질개선부담금(이하 "부담금"이라 한다)을 부과징수할 수 있다. 다만, 먹는샘물의 제조업자·수입판매업자에 대하여는 먹는샘물의 평균판매가액의 100분의 20의 범위 안에서 대통령령이 정하는 율에 따라 부담금을 부과징수하고, 기타 제9조의 규정에 의한 샘물개발허가를 받은 자에 대하여는 샘물을 사용한 제품의 판매가격에서 샘물이 차지하는 원가의 100분의 20의 범위 안에서 대통령령이 정하는 바에 따라 부담금을 부과징수한다.

주문

먹는물관리법(1997. 8. 28. 법률 제5394호로 개정된 것) 제28조 제1항 중 먹는샘물 수입판매업자에 관한 부분은 헌법에 위반되지 아니한다.

I 부담금의 개념과 그 정당화 요건

1. 부담금의 개념 및 유형 (생략)

2. 재정조달목적 부담금의 헌법적 정당화 요건

1) 첫째, 부담금은 조세에 대한 관계에서 어디까지나 예외적으로만 인정되어야 하며, 어떤 공적 과제에 관한 재정조달을 조세로 할 것인지 아니면 부담금으로 할 것인지에 관하여 입법자의 자유로운 선택권을 허용하여서는 안 된다. 즉, 국가 등의 일반적 재정수입에 포함시켜 일반적 과제를 수행하는 데 사용할 목적이라면 반드시 조세의 형식으로 해야 하지, 거기에 부담금의 형식을 남용해서는 안 되는 것이다.

2) 둘째, 부담금 납부의무자는 재정조달 대상인 공적 과제에 대하여 일반국민에 비해 '특별히 밀접한 관련성'을 가져야 한다. 당해 과제에 관하여 납부의무자 집단에게 특별한 재정책임이 인정되고 주로 그 부담금 수입이 납부의무자 집단에게 유용하게 사용될 때 위와 같은 관련성이 있다고 볼 것이다.

3) 셋째, 이상과 같은 부담금의 예외적 성격과 특히 부담금이 재정에 대한 국회의 민주적 통제체계로부터 일탈하는 수단으로 남용될 위험성을 감안할 때, 부담금이 장기적으로 유지되는 경우에 있어서는 그 징수의 타당성이나 적정성이 입법자에 의해 지속적으로 심사될 것이 요구된다고 하여야 한다.

3. 정책실현목적 부담금의 헌법적 정당화 요건

1) 정책실현목적 부담금의 경우 재정조달목적은 오히려 부차적이고 그보다는 부과 자체를 통해 일정한 사회적·경제적 정책을 실현하려는 목적이 더 주된 경우가 많다. 이 때문에, 재정조달목적 부담금의 정당화 여부를 논함에 있어서 고려되었던 사정들 중 일부는 정책실현목적 부담금의 경우에 똑같이 적용될 수 없다.

2) 첫째로, 헌법이 예정하고 있는 기본적 재정질서에 터잡아 부담금에 대한 조세의 우선적 지위가 인정되는 것은 어디까지나 그 부과목적이 재정조달에 있는 경우라 할 것이며, 특정한 정책 실현에 목적을 둔 모든 경우에도 같다고 볼 것은 아니다. 공과금은 그 개념상 원래 국가 또는 지방자치단체의 재정수입을 목적으로 하는 것인데, 재정수입의 목적보다는 주로 특정한 경제적·사회적 정책을 실현할 목적에서 공과금을 부담시킬 수가 있는가 하는 것은 기본적 재정질서가 어떠한가와는 별개로 헌법적 쟁점이 되고 있으며, 그러한 한에서 공과금으로서의 조세와 부담금은 똑같은 문제상황에 처해 있기 때문이다.

3) 둘째로, 조세평등주의는 담세능력에 따른 과세의 원칙을 예외 없이 절대적으로 관철시킬 것을 의미하지는 않으며, 합리적 이유가 있는 경우라면 납세자간의 차별취급도 예외적으로 허용될 수 있다. 마찬가지로, 부담금도 그 납부의무자에게 추가적인 공과금을 부담시킬 만한 합리적 이유가 있으면 공과금 부담의 형평성에 반하지 않는다. 그리고 바로 그러한 합리적 이유로서, 재정조달목적 부담금의 경우에는 납부의무자가 재정조달의 대상인 공적 과제에 대하여 일반국민에 비해

특별히 밀접한 관련성을 가질 것이 요구되는 것이다. 그런데 정책실현목적 부담금의 경우에는, 특별한 사정이 없는 한, 부담금의 부과가 정당한 사회적·경제적 정책목적을 실현하는 데 적절한 수단이라는 사실이 곧 합리적 이유를 구성할 여지가 많다. 그러므로 이 경우에는 '재정조달 대상인 공적 과제와 납부의무자 집단 사이에 존재하는 관련성' 자체보다는 오히려 '재정조달 이전 단계에서 추구되는 특정 사회적·경제적 정책목적과 부담금의 부과 사이에 존재하는 상관관계'에 더 주목하게 된다. 따라서 재정조달목적 부담금의 헌법적 정당화에 있어서는 중요하게 고려되는 '재정조달 대상 공적 과제에 대한 납부의무자 집단의 특별한 재정책임 여부' 내지 '납부의무자 집단에 대한 부담금의 유용한 사용 여부' 등은 정책실현목적 부담금의 헌법적 정당화에 있어서는 그다지 결정적인 의미를 가지지 않는다고 할 것이다.

4. 기 타

부담금을 부과함에 있어서도 평등원칙이나 비례성원칙과 같은 기본권제한입법의 한계가 준수되어야 한다. 그런데 이러한 평등원칙 및 비례성원칙의 준수 여부를 판단함에 있어 위에서 살펴본 내용들은 매우 중요한 고려사항이 된다고 할 것이다.

II 수질개선부담금제도의 개요

부담금관리기본법은 제3조에서 "부담금은 별표에 규정된 법률의 규정에 의하지 아니하고는 이를 설치할 수 없다."라고 규정하고, 별표 제44호에서 "먹는물관리법 제28조의 규정에 의한 수질개선부담금"을 동법에서 말하는 부담금 중 하나로서 열거하고 있다. 그러나 어떤 공과금이 조세인지 아니면 부담금인지는 단순히 법률에서 그것을 무엇으로 성격 규정하고 있느냐를 기준으로 할 것이 아니라, 그 실질적인 내용을 결정적인 기준으로 삼아야 한다.

살피건대, 수질개선부담금은 공공의 지하수 자원을 보호하고 먹는물의 수질개선에 기여하게 한다는 특정한 공적 과제를 위하여 반대급부 없이 부과되며, 그 지출 용도가 매우 제한적으로 설정되어 있고(법 제28조의2), 위 행정과제와의 관련성을 매개로 특정 부류의 사람들에 대해서만 부과되는 점에서 그 이념과 기능이 조세의 그것과 실질적으로 구별되므로 부담금에 해당한다.

III 이 사건 법률조항의 위헌 여부

1. 평등원칙 위반 여부

가. 이 사건 법률조항이 먹는샘물 수입판매업자에게 수질개선부담금을 부과하는 것은, 수돗물과 마찬가지로 음용수로 사용된다는 점에서 수돗물과 대체적·경쟁적 관계 있는 수입 먹는샘물이 음용수로 증가함으로써 수돗물을 음용수로 이용하는 사람의 수가 감소하게 되어 상수도 보급확대, 시설개량 및 수돗물 수질개선에 관한 정부의 정책 유인이 감소되어 장기적으로는 먹는물의 일종인 수돗물의 수질 저하가 야기되는 것을 방지하기 위하여 수돗물과 대체관계에 있는 수입 먹는샘물의 보급 및 소비를 상대적으로 억제하고 징수된 부담금으로 수돗물 수질개선이라는 환경정책 실현을

위한 재원을 마련함으로써 국가가 수돗물의 질을 개선하여 저렴하게 공급하는 수돗물 우선정책을 달성하는데 밀접한 관련이 있으므로 그 내용상으로는 환경에 관한 부담금이고, 그 기능상으로는 정책실현목적의 유도적 부담금이라 할 것이다.

따라서, 먹는샘물 수입판매업자에게 추가적으로 수질개선부담금을 부과하는 것에 합리적 이유가 있는지 여부를 판단하는데 있어서는 특별한 사정이 없는 한 부담금의 부과가 정당한 사회적·경제적 정책목적을 실현하는 데 적절한 수단인지 여부를 살펴보는 것으로 충분하고, 달리 납부의무자에게 재정조달의 대상인 공적 과제에 대하여 일반국민에 비해 특별한 재정책임이 인정되는지 여부 혹은 그러한 부담금의 수입이 납부의무자의 집단이익을 위하여 사용되는지 여부 등은 살펴볼 필요가 없다 할 것이다.

나. 먹는샘물 수입판매업자도 다른 일반국민과 마찬가지로 국가에 대하여 납세의무를 부담하고 있음에도 이 사건 법률조항은 일반국민은 부담하지 않는 수질개선부담금이라는 조세외적 공과금을 먹는샘물 수입판매업자에게 부담시키고 있는데, 이러한 선별적 부담금 부과에 합리적 이유가 있는지 살펴본다.

우리나라의 자연환경, 수자원의 현황, 국민의 소득수준 등의 여러 요소와 사정을 종합적으로 고려할 때 음용수에 관하여 국가가 수돗물 우선정책을 추진하는 것은 합리적인 정책형성권 행사로서 존중되어야 할 것인데, 수돗물과 대체적·경쟁적 관계에 있는 수입 먹는샘물이 음용수로 사용되는 것이 증가하면 그만큼 수돗물 우선정책은 위축되게 되고, 이는 자원배분의 효율성 면에서도 바람직하지 않고, 나아가 수입 먹는샘물을 선택할 경제적 능력이 부족한 저소득층 국민들로 하여금 질 낮은 수돗물을 마시지 않을 수 없게 하는 결과를 초래할 것이므로, 먹는샘물 수입판매업자에게 수질개선부담금을 부과하는 것은 수돗물 우선정책에 반하는 수입 먹는샘물의 보급 및 소비를 억제하도록 간접적으로 유도함으로써 궁극적으로는 수돗물의 질을 개선하고 이를 국민에게 저렴하게 공급하려는 정당한 국가정책이 원활하게 실현될 수 있게 하기 위한 적절한 수단이라 할 것이다.

입법자는 이와 같은 사정들을 종합적으로 고려하여 먹는샘물의 수입판매업자에게 수질개선부담금을 선별적으로 부과한 것이므로 거기에는 합리적인 이유가 있다고 할 것이어서 평등원칙에 위배되는 것이라 볼 수 없다.

다. 국내 지하수자원을 개발·이용하는 먹는샘물 제조업자와는 달리 외국의 먹는샘물 완제품을 수입하여 판매하는 수입판매업자는 우리나라의 지하수 자원을 고갈시키거나 환경오염을 유발할 우려가 없음에도 먹는샘물 제조업자와 똑같은 비율의 수질개선부담금을 부과하는 것은 '다른 것을 같게' 취급하는 것으로서 평등원칙에 반하는 것인지 여부에 관하여 살펴본다.

먹는샘물은 수입된 것이거나 국내에서 제조된 것이거나 상관없이 모두 음용수로 사용되는 면에서는 수돗물과 대체적·경쟁적 관계에 있기 때문에 먹는샘물이 음용수로 사용되는 것이 증가하면 그만큼 수돗물 우선정책은 위축될 뿐만 아니라, 수돗물은 가격면에서 먹는샘물에 비하여 현저히 저렴하므로 국민의 대다수가 수돗물을 음용수로 이용하고 있는 상황에서 수돗물 우선 정책이 포기되거나 제대로 실현되지 아니한다면 수돗물을 이용하는 대다수 국민의 먹는물 비용부담을 증가시키게 되고, 특히 먹는샘물을 선택할 경제적 능력이 부족한 저소득층 국민들은 질 낮은 수돗물을 마시지 아니할 수 없는 결과를 초래하게 되므로, 결국 먹는샘물 수입판매업자와 먹는샘물 제조업자는 모두 국가의 수돗물 우선 정책에 직접적이고도 상반되는 이해관계를 가지면서 그에 특별한 위험을 야기하는 집단으로서 수질개선부담금을 부과할만한 특별한 관계에 있다는 점에서 동일하다고 할 것이다.

따라서, 이 사건 법률조항이 먹는샘물 수입판매업자와 먹는샘물 제조업자에 대하여 먹는샘물의 평균판매가액의 100분의 20의 범위 안에서 대통령령이 정하는 율에 따라 부담금을 부과징수하도록 한 것은 '다른 것을 같게' 취급한 것으로 볼 수 없다 할 것이므로, 평등원칙에 위배된다고 할 수 없다.

2. 비례성원칙 위반 여부

이 사건 법률조항에 의한 수질개선부담금은 직접적으로는 먹는샘물 수입판매업자의 직업의 자유와 재산권을, 간접적으로는 수입된 먹는샘물을 소비하고자 하는 국민의 행복추구권을 제한하는 의미가 있다. 그런데 이러한 제한은 헌법 제37조 제2항에 따라 비례성의 원칙에 부합할 것이 요구된다.

먹는물관리법(1997. 8. 28. 법률 제5394호로 개정된 것) 제28조 제1항 중 먹는샘물 수입판매업자에 관한 부분은 먹는물의 수질에 관한 국가의 일원화되고 합리적인 관리를 재정적으로 뒷받침하는 한편, 수돗물 우선정책이 원활하게 실현될 수 있게 하여 궁극적으로는 국민이 질 좋은 수돗물을 저렴하게 공급받을 수 있도록 함을 목적으로 하며, 이러한 입법목적은 정당하다.

한편, 먹는샘물은 수돗물과 마찬가지로 음용수로 사용된다는 점에서 수돗물과 대체적·경쟁적 관계에 있어서 먹는샘물이 음용수로 보편화되면 그만큼 수돗물 우선정책이 위축되는바, 먹는샘물을 수입하여 판매함으로써 수돗물 우선정책에 특별한 위험을 야기하는 수입판매업자에 대하여 수질개선부담금을 부과하기로 한 것은 부과대상자의 선정의 측면에서 적정하다.

이 사건 법률조항은 단지 부담금의 부과 및 그것의 가격에의 반영을 통해 먹는샘물의 수입판매 및 소비를 간접적으로 규제하는 데 그치고 있을 뿐, 이를 원천적으로 봉쇄하고 있지는 않다. 한편, 수질개선부담금은 먹는샘물의 보급 및 소비를 억제함으로써 수돗물 우선정책의 원활한 실현을 가능하게 하고 아울러 먹는물의 수질개선에 소요되는 재정을 마련하기 위한 것인바, 입법자는 이러한 공익목적과 국민의 사익을 적절히 형량하여 합리적이라고 판단되는 부과율을 책정할 수 있다. 그런데 이 사건 법률조항은 먹는샘물 수입판매업자에 대한 구체적인 부과율을 평균판매가액의 100분의 20의 범위 안에서 대통령령이 정하도록 위임하고 있고, 그에 기하여 법시행령 제8조는 이를 1천분의 75(7.5%)로 정하고 있는바, 이러한 부과율 자체가 현저히 불합리하거나 위헌이라고 볼 정도로 지나치게 높다고 할 수 없다. 더구나 부담금관리기본법 제7조에 의하면 기획예산처장관은 매년 부담금의 부과실적 및 사용명세 등이 포함된 부담금운용종합보고서를 작성하여 국회에 제출하도록 되어 있어, 수질개선부담금 징수의 타당성이나 적정성은 매년 입법자의 지속적인 심사 하에 놓여 있다.

그렇다면 이 사건 법률조항은 먹는샘물 수입판매업자의 직업의 자유와 재산권, 국민의 행복추구권을 필요 이상으로 지나치게 제약함으로써 헌법에 위반되는 것이라고는 볼 수 없다.

제2항 직업의 자유

163 성매매처벌법 사건 [합헌]
— 2016. 3. 31. 선고 2013헌가2

판시사항 및 결정요지

1. 성매매를 한 자를 형사처벌 하도록 규정한 '성매매알선 등 행위의 처벌에 관한 법률'(이하 성매매처벌법이라 한다) 제21조 제1항이 개인의 성적 자기결정권, 사생활의 비밀과 자유, 성판매자의 직업선택의 자유를 침해하는지 여부(소극)

가. 제한되는 기본권

헌법 제10조는 개인의 인격권과 행복추구권을 보장하고 있고, 인격권과 행복추구권은 개인의 자기운명결정권을 전제로 한다. 이러한 자기운명결정권에는 성행위 여부 및 그 상대방을 결정할 수 있는 성적 자기결정권이 포함되어 있고, 경제적 대가를 매개로 하여 성행위 여부를 결정할 수 있는 것 또한 성적 자기결정권과 관련되어 있다 볼 것이므로 심판대상조항은 개인의 성적 자기결정권을 제한한다.

또한 심판대상조항은 개인의 성생활이라는 내밀한 사적 생활영역에서의 행위를 제한하고 있으므로 헌법 제17조가 보장하는 사생활의 비밀과 자유도 제한한다.

한편, 헌법 제15조에서 보장하는 '직업'이란 생활의 기본적 수요를 충족시키기 위하여 행하는 계속적인 소득활동을 의미하고, 성매매는 그것이 가지는 사회적 유해성과는 별개로 성판매자의 입장에서 생활의 기본적 수요를 충족하기 위한 소득활동에 해당함을 부인할 수 없다 할 것이므로, 심판대상조항은 성판매자의 직업선택의 자유도 제한하고 있다.

나. 과잉금지원칙 위배 여부

개인의 성행위 그 자체는 사생활의 내밀영역에 속하고 개인의 성적 자기결정권의 보호대상에 속한다고 할지라도, 그것이 외부에 표출되어 사회의 건전한 성풍속을 해칠 때에는 법률의 규제를 받아야 하는 것이다. 외관상 강요되지 않은 자발적인 성매매행위도 인간의 성을 상품화함으로써 성판매자의 인격적 자율성을 침해할 수 있고, 성매매산업이 번창하는 것은 자금과 노동력의 정상적인 흐름을 왜곡하여 산업구조를 기형화시키는 점에서 사회적으로 매우 유해한 것이다. 성매매는 그 자체로 폭력적, 착취적 성격을 가진 것으로 경제적 대가를 매개로 하여 경제적 약자인 성판매자의 신체와 인격을 지배하는 형태를 띠므로 대등한 당사자 사이의 자유로운 거래 행위로 볼 수 없고, 인간의 성을 상품화하여 성범죄가 발생하기 쉬운 환경을 만드는 등 사회 전반의 성풍속과 성도덕을 허물어뜨린다. 성매매를 형사처벌함에 따라 성매매 집결지를 중심으로 한 성매매 업소와 성판매 여성이 감소하는 추세에 있고, 성구매사범 대부분이 성매매처벌법에 따라 성매매가 처벌된다는 사실을 안 후 성구매를 자제하게 되었다고 응답하고 있는 점 등에 비추어 보면, 성매매를 형사처벌함으로써 사회 전반의 건전한 성풍속 및 성도덕을 확립하려는 심판대상조항의 입법목적은 정당하고 수단의 적절성도 인정된다.

한편, 성매매에 대한 수요는 성매매 시장을 형성, 유지, 확대하는 주요한 원인인바, 우리 사회는 잘못된 접대문화 등으로 인하여 성매매에 대한 관대한 인식이 팽배해 있으며, 성매매 집결지를 중심으로 한 전통적인 유형의 성매매뿐만 아니라 산업형(겸업형) 성매매, 신·변종 성매매 등 다양한 유형의 성매매 시장이 활성화되어 있고, 불법 체류자나 이주 노동자들의 성매매, 청소년·노인의 성매매 등 성매매의 양상도 점차 복잡해지고 있다. 이러한 상황에서 성매매에 대한 지속적인 수요를 억제하지 않는다면, 성인뿐만 아니라 청소년이나 저개발국의 여성들까지 성매매 시장에 유입되어 그 규모가 비약적으로 확대될 우려가 있고, 재범방지 교육이나 성매매 예방교육 등이 형사처벌과 유사하거나 더 높은 효과를 갖는다고 볼 수 없으므로 성구매자에 대한 형사처벌이 과도하다고 볼 수 없다.

성매매 공급이 확대되거나 쉽게 접근할 수 있는 길을 열어줄 위험과 불법적인 조건으로 성매매를 유도할 가능성이 있는 점 등을 고려할 때 성판매자도 형사처벌의 대상에 포함시킬 필요성이 인정된다. 사회구조적 요인이 성매매 종사에 영향을 미칠 수는 있으나 이는 성매매에만 국한된 특유한 문제라고 볼 수 없고, 만약 이들에게 책임을 묻기 어려운 사정이 있는 경우에는 성매매피해자로 인정되어 형사처벌의 대상에서 제외될 수 있는 가능성도 존재하는 점, 형사처벌 외에 보호사건으로 처리될 수도 있는 점, 성매매피해자 등의 보호, 피해 회복 및 자립·자활을 지원하기 위하여 법적, 제도적 장치가 마련되어 있는 점 등에 비추어 성판매자에 대한 형사처벌도 과도하다고 볼 수 없다. 또한 나라별로 다양하게 시행되는 성매매에 대하여 정책의 효율성을 판단하는 것도 쉽지 않으므로, 전면적 금지정책에 기초하여 성매매 당사자 모두를 형사처벌하도록 한 입법을 침해최소성에 어긋난다고 볼 수 없다.

자신의 성 뿐만 아니라 타인의 성을 고귀한 것으로 여기고 이를 수단화하지 않는 것은 모든 인간의 존엄과 평등이 전제된 공동체의 발전을 위한 기본전제가 되는 가치관이므로, 사회 전반의 건전한 성풍속과 성도덕이라는 공익적 가치는 개인의 성적 자기결정권 등 기본권 제한의 정도에 비해 결코 작다고 볼 수 없어 법익균형성원칙에도 위배되지 아니한다. 따라서 심판대상조항은 개인의 성적 자기결정권, 사생활의 비밀과 자유, 직업선택의 자유를 침해하지 아니한다.

2. 심판대상조항이 제청신청인의 평등권을 침해하는지 여부(소극)

제청법원은 심판대상조항이 불특정인을 상대로 한 성판매는 처벌하면서 특정인에 대한 성판매는 처벌하지 않으므로, 불특정인을 상대로 한 성판매자의 평등권을 침해한다고 주장한다. 그런데 사회 전반의 건전한 성풍속과 성도덕에 미치는 영향, 제3자에 의한 착취 문제나 성산업의 재생산 등의 측면에서 볼 때 불특정인을 상대로 한 성판매는 특정인에 대한 성판매에 비해 사회적 유해성이 훨씬 크다고 평가할 수 있으므로 그러한 차별에는 합리적 이유가 인정된다. 따라서 심판대상조항은 평등권을 침해한다고 볼 수 없다.

 한국방송광고공사와 이로부터 출자를 받은 회사가 아니면 지상파방송사업자에 대해 방송광고 판매대행을 할 수 없도록 한 사건 [헌법불합치]
― 2008. 11. 27. 선고 2006헌마352

판시사항

1. 한국방송광고공사와 이로부터 출자를 받은 회사가 아니면 지상파방송사업자에 대해 방송광고 판매대행을 할 수 없도록 규정하고 있는 구 방송법 제73조 제5항 및 구 방송법시행령 제59조 제3항(이하 법 및 시행령 규정을 합하여 '이 사건 규정'이라 한다)이 방송광고판매대행업자인 청구인의 직업수행의 자유와 평등권을 침해하는지 여부(적극)
2. 이 사건 규정과 거의 유사한 내용을 담고 있는 방송법 제73조 제5항 및 방송법시행령 제59조 제5항도 함께 심판대상에 포함시켜 판단하고 현행법령에 대해서는 계속적용을 명한 사례

1. 문제되는 기본권

이 사건 규정은 한국방송광고공사 및 한국방송광고공사가 출자한 방송광고 판매대행사만이 지상파방송사업자에게 방송광고를 판매할 수 있도록 규정함으로써 한국방송광고공사가 출자하지 않은 민영 방송광고 판매대행업자는 지상파방송사업자에 방송광고판매를 할 수 없도록 하고 있는바, 이는 과잉금지원칙을 위반하여 직업수행의 자유를 침해하는 것이 아닌가 하는 의문을 갖게 한다.

한편, 이 사건 규정은 한국방송광고공사와 한국방송광고공사로부터 출자를 받은 회사가 아니면 지상파방송사업자에게 방송광고 판매대행을 할 수 없도록 함으로써 순수한 민영 방송광고 판매대행사를 이들에 비해 과도하게 차별하는 것이 아닌가 하는 의문을 갖게 한다.

이상에서와 같이 이 사건 규정은 직업수행의 자유와 평등권 침해 문제를 야기하고 있으므로 이하에서는 이들에 대해 살펴본다.

2. 직업수행의 자유에 대한 침해 여부

위에서 본 바와 같이 이 사건 규정은 민영 방송광고 판매대행사의 직업수행의 자유를 제한하고 있으나, 이러한 자유도 국가안전보장·질서유지 또는 공공복리를 위하여 필요한 경우에는 그 본질적 내용을 침해하지 않는 범위 내에서 헌법 제37조 제2항에 의한 제한이 가능하다고 할 것인바, 이하에서는 이 사건 규정이 그 제한의 범위를 벗어나 직업수행의 자유를 침해하고 있는지를 살펴본다.

가. 심사 기준

이 사건 규정은 한국방송광고공사 또는 한국방송광고공사로부터 출자를 받은 방송광고 판매대행사에게만 지상파방송사업자에게 방송광고를 판매할 수 있도록 규정하고 있다. 그런데 방송이

라는 매체를 통해 광고를 판매할 수 있는 곳이 지상파방송 이외에도 존재하지만, 지상파 방송광고가 전체 방송광고 시장의 대부분을 차지하고 있는 우리나라 광고시장의 현실을 감안할 때, 지상파방송사업자에 대한 방송광고 판매대행을 한국방송광고공사나 이로부터 출자를 받은 방송광고 판매대행사만 하도록 하는 것은 청구인과 같은 민영 방송광고 판매대행사의 직업수행의 자유를 유명무실하게 할 우려가 있다. 이와 같이 직업수행의 자유에 대한 제한이지만 그 실질이 직업수행의 자유를 형해화시키는 경우에는 그것이 직업선택이 아닌 직업수행의 자유에 대한 제한이라고 하더라도 엄격한 심사기준이 적용된다 할 것이다.

나. 과잉금지원칙 위반 여부

이 사건 규정은 지상파 방송광고 판매대행 시장에 제한적 경쟁체제를 도입함과 동시에 방송의 공정성과 공익성, 그리고 다양성을 확보하기 위해 한국방송광고공사와 이로부터 출자를 받은 회사에게만 지상파 방송광고 판매대행을 할 수 있도록 하고 있으나 아직까지 한국방송광고공사가 지상파 방송광고 판매대행을 할 수 있도록 출자를 한 회사는 한 곳도 없어 여전히 한국방송광고공사의 독점체제가 유지되고 있는바, 이는 지상파 방송광고 판매대행 시장에 제한적으로라도 경쟁체제를 도입한 것이라고 볼 수 없다. 또한 입법자는 지상파 방송광고 판매대행사업을 일정한 요건을 갖춘 업체에 한하여 허가제로 한다든지, 방송사의 출연금으로 기금을 조성하여 공공성이 높은 프로그램제작에 보조금을 지급한다든지 하는 등의 방법으로 이 사건 규정의 입법목적을 달성하면서도 기본권 침해를 최소화시킬 수 있으나 입법자는 한국방송광고공사와 이로부터 출자를 받은 회사에 대해서만 지상파 방송광고 판매대행을 허용하고 있을 뿐이다. 결국 이 사건 규정은 과잉금지원칙을 위반하여 청구인의 직업수행의 자유를 침해하고 있다고 할 것이다.

3. 평등권 침해 여부

가. 심사기준

평등원칙 위반에 대한 심사는 엄격한 심사척도에 의하는 경우와 완화된 심사척도에 의하는 경우로 나뉘어진다. 그런데 평등원칙 위반 여부를 심사함에 있어 엄격한 심사척도에 의할 것인지, 완화된 심사척도에 의할 것인지는 입법자에게 인정되는 입법형성권의 정도에 따라 달라지게 될 것이다. 먼저 헌법에서 특별히 평등을 요구하고 있는 경우 엄격한 심사척도가 적용될 수 있다. 헌법이 스스로 차별의 근거로 삼아서는 안되는 기준을 제시하거나 차별을 특히 금지하고 있는 영역을 제시하고 있다면, 그러한 기준을 근거로 한 차별이나 그러한 영역에서의 차별에 대하여는 엄격하게 심사하는 것이 정당화된다. 다음으로 차별적 취급으로 인하여 관련 기본권에 대한 중대한 제한을 초래하게 되는 경우 입법형성권은 축소되어 보다 엄격한 심사척도가 적용되어야 할 것이다. 그런데 이 사건 규정은 한국방송광고공사나 이로부터 출자를 받은 민영 방송광고 판매대행 사업자가 아니면 지상파 방송사업자에 방송광고 판매대행을 전혀 할 수 없도록 하여 일반 민영 방송광고 판매대행 사업자의 직업수행의 자유에 중대한 제한을 초래하고 있다. 따라서 이 사건 평등권 위반 여부 심사에 있어서는 엄격한 비례심사가 적용되어야 할 것이다.

나. 평등권 침해 여부

　이 사건 규정의 입법목적의 달성은 한국방송광고공사이거나 이로부터 출자를 받았는지 여부로 좌우되지는 않으며, 지상파 방송광고 판매대행사가 공영인지 민영인지, 또는 공적 부분의 출자가 있었는지 여부를 불문하고 실질적인 경쟁관계를 형성할 수 있는 복수의 광고판매 대행사가 존재하는지, 공공성이나 다양성 등을 제고하기 위한 실질적인 제도를 구축하고 있는지 여부에 달려 있는 것이다. 그럼에도 불구하고 이 사건 규정은 민영 방송광고 판매대행사는 사적 이익만을 위해 설립된 회사라고 단정하고 한국방송광고공사와 이로부터 출자를 받은 회사에만 지상파방송사업자에 대한 방송광고 판매대행을 할 수 있도록 하고 있는바, 이는 차별목적과 수단 사이에 비례성을 상실한 것이라 할 것이다.

　따라서 이 사건 규정은 청구인의 평등권을 침해하고 있다고 할 것이다.

4. 심판대상 확장 및 헌법불합치 결정과 잠정적용 명령

　이 사건 구 방송법 규정과 구 방송법시행령 규정은 개정이 이루어졌으나 개정된 규정들과 구 방송법령 규정 사이에는 본질적인 차이가 없으므로 위헌결정의 실효성을 담보하고, 법질서의 정합성과 소송경제를 위하여 개정된 방송법 제73조 제5항과 방송법시행령 제59조 제5항에 대해서도 이 사건 규정과 함께 위헌을 선언한다. 다만 이 사건 심판대상 규정들에 대해 단순위헌결정을 하여 당장 그 효력을 상실시킬 경우 지상파 방송광고 판매대행을 규제하는 근거 규정이 사라지게 되므로 헌법불합치결정을 하기로 하는바, 방송법 제73조 제5항과 방송법시행령 제59조 제5항은 그 위헌성이 제거될 때까지 잠정적으로 적용되어야 하고, 늦어도 2009. 12. 31.까지는 개정을 하여야 할 것이다.

165 학교정화구역 내 극장시설금지 사건 [위헌, 헌법불합치]
- 2004. 5. 27. 선고 2003헌가1,2004헌가4(병합)

판시사항

1. 학교보건법상 학교 및 극장의 의미
2. 학교 정화구역 내에서의 극장시설 및 영업을 금지하고 있는 학교보건법 제6조 제1항 본문 제2호 중 '극장'부분(이하 '이 사건 법률조항'이라 한다) 중 대학의 정화구역에서도 극장영업을 일반적으로 금지하고 있는 부분이 직업의 자유를 과도하게 침해하여 위헌인지 여부(적극)
3. 유치원 및 초·중·고등학교의 정화구역 중 극장영업을 절대적으로 금지하고 있는 절대금지구역 부분이 극장 영업을 하고자 하는 자의 직업의 자유를 과도하게 침해하여 위헌인지 여부(적극)
4. 학교정화구역내의 극장 시설 및 영업을 금지하고 있는 이 사건 법률조항이 정화구역 내에서 극장업을 하고자 하는 자의 표현의 자유 내지 예술의 자유를 침해하는지 여부(적극)
5. 학교정화구역내의 극장 시설 및 영업을 금지하고 있는 이 사건 법률조항이 학생들의 행복추구권을 침해하는지 여부(적극)
6. 법률조항의 일부분에 대하여는 단순위헌결정을 하면서 입법자에게 위헌적인 상태를 제거할 수 있는 여러 가지의 입법수단 선택의 가능성을 인정할 필요성이 있는 부분에 대하여는 헌법불합치결정을 한 사례

사건의 개요

제청신청인은 1996. 12.경 광주 동구 충장로5가 62에 있는 광주극장을 인수하여 운영하고 있는 사람인바, 위 광주극장은 그곳 정문으로부터 19m 떨어진 곳에 '보문유치원'이란 교육기관이 위치하고 있다. 제청신청인은 동인이 운영하는 위 극장이 위치하는 곳은 학교보건법 소정의 학교환경위생정화구역이므로 극장영업행위 또는 시설을 하여서는 아니되고 기존 시설의 경과조치규정에 의해 이전·폐쇄 유효기간 내에 이전·폐쇄하여야 하는 시설임에도 불구하고 1999. 1. 24.부터 2001. 9. 7.까지 위 극장을 운영하여 영업행위를 하였다는 이유로 기소되어 그 소송이 현재 광주지방법원에 계속 중이다. 제청신청인은 위 소송계속 중 학교보건법 제6조 제1항 제2호 중 '극장' 부분이 헌법 제15조의 직업의 자유 등의 기본권을 침해하는 조항으로서 위헌이라고 주장하면서 위 법원에 위헌심판제청신청을 하였고, 위 법원은 위 신청을 받아들여 2003. 1. 2. 위헌심판제청결정을 하였다.

심판대상조항 및 관련조항

학교보건법

제5조(학교환경위생정화구역의 설정) ① 학교의 보건·위생 및 학습환경을 보호하기 위하여 교육감은 대통령령이 정하는 바에 따라 학교환경위생정화구역을 설정하여야 한다. 이 경우 학교환경위생정화구역은 학교경계선으로부터 200미터를 초과할 수 없다.

② 제1항의 규정에 의한 교육감의 권한은 대통령령이 정하는 바에 따라 교육장에게 위임할 수 있다.

제6조(정화구역 안에서의 금지행위 등) ① 누구든지 학교환경위생정화구역 안에서는 다음 각 호의 1에 해당하는 행위 및 시설을 하여서는 아니 된다. 다만, 대통령령이 정하는 구역 안에서는 제2호, 제4호, 제8호 및 제10호 내지 제14호에 규정한 행위 및 시설 중 교육감 또는 교육감이 위임한 자가 학교환경위생정화위원회의 심의를 거쳐 학습과 학교보건위생에 나쁜 영향을 주지 않는다고 인정하는 행위 및 시설은 제외한다.
1. 대기환경보전법 및 수질환경보전법에 의한 배출허용기준 또는 소음·진동규제법에 의한 규제기준을 초과하여 학습과 학교보건위생에 지장을 주는 행위 및 시설
2. 극장, 총포화약류의 제조장 및 저장소, 고압가스·천연가스·액화석유가스 제조소 및 저장소
3. 도축장, 화장장
4. 폐기물수집장소
5. 내지 13. (생략)
14. 기타 제1호 내지 제13호와 유사한 행위 및 시설과 미풍양속을 해하는 행위 및 시설로서 대통령령으로 정하는 행위 및 시설

제19조(벌칙) 제6조 제1항의 규정에 위반한 자는 1년 이하의 징역 또는 500만원 이하의 벌금에 처한다.

주문

1. 학교보건법 제6조 제1항 본문 제2호 중 '극장' 부분 가운데 고등교육법 제2조에 규정한 각 학교에 관한 부분은 헌법에 위반된다.
2. 학교보건법 제6조 제1항 본문 제2호 중 '극장' 부분 가운데 초·중등교육법 제2조에 규정한 각 학교에 관한 부분은 헌법에 합치하지 아니한다.
   법원 기타 국가기관 및 지방자치단체는 입법자가 개정할 때까지 이 부분 법률조항의 적용을 중지하여야 한다.

1. 우리 헌법상 문화국가원리와 그 실현

가. 우리 헌법상 문화국가원리의 의의

우리나라는 건국헌법 이래 문화국가의 원리를 헌법의 기본원리로 채택하고 있다. 우리 현행 헌법은 전문에서 "문화의 … 영역에 있어서 각인의 기회를 균등히" 할 것을 선언하고 있을 뿐 아니라, 국가에게 전통문화의 계승 발전과 민족문화의 창달을 위하여 노력할 의무를 지우고 있다(제9조).

또한 헌법은 문화국가를 실현하기 위하여 보장되어야 할 정신적 기본권으로 양심과 사상의 자유, 종교의 자유, 언론·출판의 자유, 학문과 예술의 자유 등을 규정하고 있는바, 개별성·고유성·다양성으로 표현되는 문화는 사회의 자율영역을 바탕으로 한다고 할 것이고, 이들 기본권은 견해와 사상의 다양성을 그 본질로 하는 문화국가원리의 불가결의 조건이라고 할 것이다.

나. 문화국가원리의 실현과 문화정책

문화국가원리는 국가의 문화국가실현에 관한 과제 또는 책임을 통하여 실현되는바, 국가의 문화정책과 밀접 불가분의 관계를 맺고 있다. 과거 국가절대주의사상의 국가관이 지배하던 시대에는 국가의 적극적인 문화간섭정책이 당연한 것으로 여겨졌다. 그러나 오늘날에 와서는 국가가 어떤 문화현상에 대하여도 이를 선호하거나, 우대하는 경향을 보이지 않는 불편부당의 원칙이 가장 바람직한 정책으로 평가받고 있다. 오늘날 문화국가에서의 문화정책은 그 초점이 문화 그 자체에 있는 것이 아니라 문화가 생겨날 수 있는 문화풍토를 조성하는 데 두어야 한다.

문화국가원리의 이러한 특성은 문화의 개방성 내지 다원성의 표지와 연결되는데, 국가의 문화육성의 대상에는 원칙적으로 모든 사람에게 문화창조의 기회를 부여한다는 의미에서 모든 문화가 포함된다. 따라서 엘리트문화뿐만 아니라 서민문화, 대중문화도 그 가치를 인정하고 정책적인 배려의 대상으로 하여야 한다.

2. 교육 및 청소년보호에 대한 국가의 책임

헌법 제31조 제1항은 "모든 국민은 능력에 따라 균등하게 교육을 받을 권리를 가진다."라고 규정하여 국민의 교육을 받을 권리를 보장하고 있다. 교육을 받을 권리는 국민이 인간으로서의 존엄과 가치를 가지며 행복을 추구하고(헌법 제10조) 인간다운 생활을 영위하는 데(헌법 제34조 제1항) 필수적인 전제이자 다른 기본권을 의미 있게 행사하기 위한 기초이고, 민주국가에서 교육을 통한 국민의 능력과 자질의 향상은 바로 그 나라의 번영과 발전의 토대가 되는 것이므로, 헌법이 교육을 국가의 중요한 과제로 규정하고 있는 것이다.

헌법 제31조 제6항은 "학교교육 및 평생교육을 포함한 교육제도와 그 운영, 교육재정 및 교원의 지위에 관한 기본적인 사항은 법률로 정한다."고 함으로써 국가에게 학교제도를 통한 교육을 시행하도록 위임하였고, 이로써 국가는 학교제도에 관한 포괄적인 규율권한과 자녀에 대한 학교교육의 책임을 부여받았다. 따라서 국가는 헌법 제31조 제6항에 의하여 모든 학교제도의 조직, 계획, 운영, 감독에 관한 포괄적인 권한 즉, 학교제도에 관한 전반적인 형성권과 규율권을 가지고 있다.

한편, 우리 헌법은 "국가는 …… 청소년의 복지향상을 위한 정책을 실시할 의무를 진다(헌법 제34조 제4항).", "연소자의 근로는 특별한 보호를 받는다(헌법 제32조 제5항)."라고 규정하여 국가의 아동·청소년 보호의무를 개별적으로 규정하고 있다. 따라서 국가는 아동·청소년의 건전한 성장을 위한 정책을 개발하고 실시하여야 한다.

3. 이 사건 법률조항의 위헌여부

가. 이 사건 위헌법률심판에서 문제되는 기본권

1) 이 사건 법률조항은 정화구역 내에서 극장시설 및 영업행위를 금지하고 있는바, 이 사건 위헌법률심판의 쟁점은 우선 이 사건 법률조항이 정화구역 내에서 극장영업을 하고자 하는 자의 직업의 자유를 침해하여 위헌인지 여부이다. 아울러 학생들의 문화향유에 관한 행복추구권도 문제가 된다고 할 것이다.

2) 한편, 극장의 자유로운 운영에 대한 제한은 공연물·영상물이 지니는 표현물, 예술작품으로서의 성격에 기하여 직업의 자유에 대한 제한으로서의 측면 이외에 표현의 자유 및 예술의 자유의 제한과도 관련성을 가지고 있다.

이와 같이 하나의 규제로 인해 여러 기본권이 동시에 제약을 받는 기본권경합의 경우에는 기본권침해를 주장하는 제청신청인과 제청법원의 의도 및 기본권을 제한하는 입법자의 객관적 동기 등을 참작하여 사안과 가장 밀접한 관계에 있고 또 침해의 정도가 큰 주된 기본권을 중심으로 해서 그 제한의 한계를 따져 보아야 할 것이다.

살피건대, 이 사건 법률조항에 의한 표현 및 예술의 자유의 제한은 극장 운영자의 직업의 자유에 대한 제한을 매개로 하여 간접적으로 제약되는 것이라 할 것이고, 입법자의 객관적인 동기 등을 참작하여 볼 때 사안과 가장 밀접한 관계에 있고 또 침해의 정도가 가장 큰 주된 기본권은 직업의 자유라고 할 것이다. 따라서 이하에서는 직업의 자유의 침해여부를 중심으로 살피는 가운데 표현·예술의 자유의 침해여부에 대하여도 부가적으로 살펴보기로 한다.

나. 직업의 자유의 침해여부

1) 직업의 자유의 제한 및 그 한계

가) 헌법 제15조에 의한 직업의 자유는 자신이 원하는 직업을 자유롭게 선택하는 좁은 의미의 직업선택의 자유와 그가 선택한 직업을 자기가 원하는 방식으로 자유롭게 수행할 수 있는 직업수행의 자유를 포함하는 직업의 자유를 뜻한다. 여기서 '직업'이란 생활의 기본적 수요를 충족시키기 위해서 행하는 계속적인 소득활동을 의미하며, 이러한 내용의 활동인 한 그 종류나 성질을 묻지 않는다.

공연장 또는 영화상영관을 의미하는 극장의 운영은 직업을 수행하는 활동임이 명백하며, 이 사건 법률조항은 학교부근에 설정된 정화구역 안에서 극장시설을 금지하여 그 영업을 하지 못하게 하는 것이므로 직업의 자유를 제한하는 것임이 분명하다. 다만, 이 사건 법률조항은 학교부근의 정화구역 내에서의 극장시설 및 그 운영행위를 금지하는 것으로서 학교부근이라는 한정된 지역에서의 극장시설 및 운영행위만을 제한하고 있을 뿐 그 이외의 지역에서의 극장업에 관하여는 아무런 제한을 가하지 않고 있으므로 좁은 의미의 직업선택의 자유를 제한하고 있다고는 볼 수 없고, 영화상영관을 자유롭게 운영할 수 있는 제청신청인 등의 직업수행의 자유를 일부 제한하고 있다고는 할 것이다.

나) 헌법 제37조 제2항에 의하면 국민의 자유와 권리는 국가안전보장, 질서유지 또는 공공복리를 위하여 필요한 경우에 한하여 법률로써 제한할 수 있으며, 그 경우에도 자유와 권리의 본질적인 내용을 침해할 수 없다고 규정하여 국가가 국민의 기본권을 제한하는 내용의 입법을 함에 있어서 준수하여야 할 기본원칙을 천명하고 있다. 따라서 기본권제한입법은 입법목적의 정당성과 그 목적달성을 위한 방법의 적정성, 입법으로 인한 피해의 최소성, 그리고 그 입법에 의해 보호하려는 공익과 침해되는 사익의 균형성을 모두 갖추어야 한다는 것이며, 이를 준수하

지 않은 법률 내지 법률조항은 기본권제한의 입법적 한계를 벗어난 것으로서 헌법에 위반된다.

일반적으로 직업행사의 자유에 대하여는 직업선택의 자유와는 달리 공익목적을 위하여 상대적으로 폭넓은 입법적 규제가 가능한 것이지만, 그렇다고 하더라도 그 수단은 목적달성에 적절한 것이어야 하고 또한 필요한 정도를 넘는 지나친 것이어서는 아니 된다. 살피건대, 이 사건 법률조항에 의하여 제한되는 기본권은 단순히 직업의 자유만이 제한되는 것이 아니라 제한되는 직업의 성질상 표현의 자유 및 예술(예술표현)의 자유에 대한 제한과 불가분적으로 결합되어 있다. 또한 이 사건 법률조항의 제한방법은 일정한 지역에서의 극장영업을 금지하는 방법인바, 극장의 시설은 일정한 규모 이상의 건물시설을 반드시 필요로 하기 때문에 단순한 직업수행의 자유에 대한 제한의 효과를 초과하는 경우가 발생할 수 있다. 결국, 직업의 자유에 대한 이 사건 법률조항의 제한은 헌법 제37조 제2항의 비례의 원칙에 기한 기본권제한의 입법적 한계 심사에 의하여야 할 것이다.

2) 이 사건 법률조항의 입법목적의 정당성 및 방법의 적정성

가) 이 사건 법률조항의 입법목적 및 그 정당성

학교보건법 제1조는 동법의 입법목적을 학교의 보건관리와 환경위생정화에 필요한 사항을 규정하여 학생 및 교직원의 건강을 보호·증진하게 함으로써 학교교육의 능률화를 기하는 데 있는 것으로 밝히고 있다. 결국 학교보건법의 제정목적 및 제정배경에 비추어 볼 때 이 사건 법률조항의 입법목적은 청소년, 특히 그 가운데 대다수를 형성하고 있는 학생들에게 그들의 주요 활동공간인 학교주변의 일정지역이라는 최소한의 범위를 정하여 그 범위 내에서 유해환경을 방지하고 학생들에게 평온하고, 건강한 환경을 마련해 주어 변별력과 의지력이 미약한 청소년학생을 보호하여 궁극적으로 학교교육의 능률화를 기하기 위한 취지라고 할 것이며, 이와 같은 입법목적은 공공복리를 위한 정당한 입법목적이라고 할 것이다.

나) 방법의 적정성

학생들의 생활의 중심이 되는 지역인 학교주변을 정화구역으로 지정하여 그 구역 내에 유해환경을 조성하는 시설의 영업을 금지하는 것은 아동 및 청소년의 건강한 성장을 위한 적정한 방법이라고 할 것이다.

극장시설은 부정적으로 작용할 경우 유해환경으로서의 특성을 갖고 있다. 그렇다면 정화구역 내에서 이와 같은 특성을 갖는 극장시설을 운영하지 못하도록 하는 이 사건 법률조항은 청소년학생들의 생활의 중심이 되는 지역인 학교주변을 평온하고 건강한 환경으로 만들어 변별력과 의지력이 미약한 청소년학생을 보호하여 궁극적으로 학교교육의 능률화를 기하기 위한 입법목적을 달성하기에 적절한 수단이라고 할 것이다.

3) 최소침해성원칙의 위반여부

가) 문화시설로서의 공연장 및 영화상영관

음악·무용·연극·연예·국악 등 대부분의 무대예술을 포괄적으로 지칭하는 '공연'은 예술의 자유의 핵심적 보호대상이 된다고 할 것이며, 문화정책수립의 중요한 대상이라고 할 것이다. 또한 공연장 및 영화상영관 운영자의 자유로운 공연장 등의 운영은 예술의 자유와 직접적으로 관련되어 있다. 예술의 자유는 예술창작의 자유, 예술표현의 자유, 예술적 집회·결사의 자유 등을 그 내용으로 하는바, 그 가운데 자유로운 예술작품의 연주·공연·상영 등을 보장하는 것을 내용으로 하는 예술표현의 자유는 공연장 및 영화상영관의 존재와 자유로운 운영을 그 필수적인 요건으로 한다. 다양하고 자유로운 공연·영상예술은 그와 같은 예술을 관람하는 관객, 그리고 공연할 수 있는 시설을 전제로 하기 때문이다.

한편, 영화의 경우 복사 및 전송이 자유로운 영상매체라는 매체 자체의 특성 및 제작과정에 대규모의 자본이 투여되는 등의 특성으로 인하여 공연물에 비하여 그 상업성 및 오락성이 강한 것이 일반적이다. 하지만, 과거 순수오락물로서 치부되었던 영화는 오늘날 예술의 한 장르인 영상예술로서의 가치를 인정받고 있다. 따라서 이와 같은 영화를 관람할 수 있도록 만들어진 공연장과 영화상영관은 단순한 오락시설로서의 의미 이외에 문화·교육시설로서의 의미를 가지고 있다.

이와 같이 문화시설로서의 특성도 함께 지니고 있는 극장은 비록 아동·청소년에게 유해한 영향을 미치는 환경으로서의 특성도 지니고 있다고 할지라도 이는 절대적이고 보편적인 것이 아니라 상대적인 것이라고 할 것이다. 즉, 극장의 유해환경으로서의 판단기준은 아동·청소년의 연령이나 정신발달의 정도 및 사회적·문화적 환경에 따라 달라질 수 있는 것인데, 각 학교는 교육의 목적·과정이 서로 다를 뿐 아니라, 학생의 연령이나 신체 및 지능의 발달정도에 큰 차이가 있어서 극장이 학교교육에 미치는 영향은 학교의 종류에 따라 크게 다를 수밖에 없다. 그렇다면 이하에서는 각 학교별로 이와 같은 정화구역에서의 극장시설 및 운영금지가 비례의 원칙, 특히 최소침해성원칙을 준수하는 것인지 여부에 관하여 보기로 한다.

나) 학교보건법 제6조 제1항 단서의 예외와 최소침해성원칙의 위반여부

(1) 학교보건법 제6조 제1항 단서의 예외

학교보건법 제6조 제1항 단서는 이 사건 법률조항의 일반적 금지의 예외를 규정하고 있다. 즉, 정화구역 가운데 대통령령이 정하는 구역 안에서는 교육감 또는 교육감이 위임한 자가 학교환경위생정화위원회의 심의를 거쳐 학습과 학교보건위생에 나쁜 영향을 주지 않는다고 인정하는 경우 그 금지가 해제된다. 법 제6조 제1항 단서에서 이와 같은 예외를 인정하는 것은 입법자가 헌법에서 정하고 있는 국가의 교육책임, 아동·청소년의 보호의무를 실현하기 위하여 극장운영자의 직업수행의 자유를 제한하는 경우에도 필요한 최소한의 범위에서 제한하기 위한 취지라고 할 것이다.

(2) 고등교육법 제2조에서 정하고 있는 대학 및 이와 유사한 교육기관의 경우

이 사건 법률조항은 대학 부근 정화구역 내의 극장을 일반적으로 금지하고 있다. 그런데 대학생들은 고등학교를 졸업한 자 또는 법령에 의하여 이와 동등 이상의 학력이 있는 자 중에서 선발되므로 신체적·정신적으로 성숙하여 자신의 판단에 따라 자율적으로 행동하고 책임

을 질 수 있는 시기에 이르렀다고 할 것이다. 이와 같은 대학생의 신체적·정신적 성숙성에 비추어 볼 때 대학생이 영화의 오락성에 탐닉하여 학습을 소홀히 할 가능성이 적으며, 그와 같은 가능성이 있다고 하여도 이는 자율성을 가장 큰 특징으로 하는 대학교육이 용인해야 할 부분이라고 할 것이다. 따라서 대학의 정화구역에 관하여는 학교보건법 제6조 제1항 단서에서 규율하는 바와 같은 예외조항의 유무와 상관없이 극장에 대한 일반적 금지를 둘 필요성을 인정하기 어렵다. 결국, 대학의 정화구역 안에서 극장시설을 금지하는 이 사건 법률조항은 극장운영자의 직업수행의 자유를 필요·최소한 정도의 범위에서 제한한 것이라고 볼 수 없어 최소침해성의 원칙에 반한다.

(3) 초·중등교육법상의 유치원, 초등학교, 중학교, 고등학교 및 이와 유사한 교육기관의 경우

초·중등교육법상의 유치원, 초등학교, 중학교, 고등학교 및 이와 유사한 교육기관에 재학 중인 학생들은 아직 변별력 및 의지력이 미약한 청소년들이다. 따라서 학교주변에 영화상영관 내지 공연장이 있으면 영화 및 공연물의 오락성·상업성 등으로 인하여 이에 자주 출입하면서 학습을 소홀히 할 가능성이 있으며, 극장의 광고물 등으로 인하여 나쁜 영향을 받을 가능성도 있다. 그렇다면 헌법 제31조 제6항에서 정한 국가의 학교제도에 관한 포괄적인 규율권한 및 헌법 제34조 제4항 등의 국가의 아동·청소년 보호의무 등을 구체적으로 실현하여야 할 책임이 있는 입법자가 학습과 학교보건위생에 나쁜 영향을 주지 않는 경우의 예외를 인정하는 전제 하에서 정화구역 내의 극장을 금지하는 것 그 자체는 직업수행의 자유 등을 과도하게 침해하는 것이라고 하기 어렵다.

다) 예외를 허용하지 않는 절대적 금지와 최소침해성

(1) 학교보건법 제6조 제1항의 단서는 예외적 해제가 가능한 구역의 범위를 정화구역 가운데의 일정한 범위의 구역으로 정하고 있기 때문에 결국 이 사건 법률조항은 모든 극장의 영업을 절대적으로 금지하는 일정한 범위의 정화구역(이하 '절대금지구역'이라고 한다)을 예정하고 있는 것이다.

이 사건 법률조항 가운데 대학부근의 정화구역에서 극장을 금지하는 부분은 예외의 허용여부를 불문하고 위헌적이라고 함은 이미 위에서 살펴본 바와 같으므로 아래에서는 초·중등교육법상의 초등학교, 중학교, 고등학교 및 유치원의 경우를 중심으로 하여 살펴보기로 한다.

(2) 초·중등교육법상의 초등학교, 중학교, 고등학교의 경우

이 사건 법률조항은 유치원 및 초·중·고등학교의 정화구역 내의 극장시설 및 영업도 일반적으로 금지하고 있는바, 그 정화구역 중 금지의 예외가 인정되는 구역을 제외한 나머지 구역은 어떠한 경우에도 예외가 인정되지 아니하는 절대금지구역이다. 그런데 국가·지방자치단체 또는 문화재단 등 비영리단체가 운영하는 공연장 및 영화상영관, 순수예술이나 아동·청소년을 위한 전용공연장 등을 포함한 예술적 관람물의 공연을 목적으로 하는 공연법상의 공연장, 순수예술이나 아동·청소년을 위한 영화진흥법상의 전용영화상영관 등의 경우에는 정화구역 내에 위치하더라도 초·중·고등학교 학생들에게 유해한 환경이라고 하기보다는 오히려 학생들의 문화적 성장을 위하여 유익한 시설로서의 성격을 가지고 있어 바람직한 방향으로 활용될 가능성이 높다는 점을 부인하기 어렵다. 그렇다면 정화구역 내의 절대금지구역에서는 이와 같은 유형의 극장에 대한 예외를 허용할 수 있는 가능성을 전혀 인정하지 아니하고 일률적으로 금지하고 있는 이 사건 법률조항은 그 입법목적을 달성하기 위하여 필요한 정도 이상으로 극장운영자의 기본권을 제한하는 법률이다.

4) 법익균형성원칙의 위반여부

이 사건 법률조항은 개별적인 경우 보호법익이 위협을 받는가와 관계없이 특정 장소에서의 극장영업을 전면적으로 금지함으로써 개별적 극장의 유형 및 학교의 종류 등 구체적인 상황을 고려하지 아니하고 있다. 결국, 입법자는 이 사건 법률조항을 입법함에 있어 상충하는 법익간의 조화를 이루려는 노력을 게을리하여 공익에 대하여만 일방적인 우위를 부여함으로써 공익과 사익간의 적정한 균형관계를 달성하지 못하였다.

5) 소 결

결국, 이 사건 법률조항은 입법목적을 달성하기 위하여 필요한 최소한의 정도를 넘어 직업의 자유를 침해하고 있으며, 법익균형성의 원칙도 위배하였다고 할 것이다.

다. 예술의 자유·표현의 자유 등의 침해여부

헌법 제22조는 예술의 자유를 기본권으로 보장하고 있는바, 예술의 자유는 예술창작품을 표현하는 예술표현의 자유를 포함한다. 또한 헌법 제21조 제1항은 모든 국민은 언론·출판의 자유를 가진다고 규정하여 언론·출판의 자유를 보장하고 있는바, 의사표현의 자유는 바로 언론·출판의 자유에 속한다. 의사표현·전파의 자유에 있어서 의사표현 또는 전파의 매개체는 어떠한 형태이건 가능하며 그 제한이 없다고 하는 것이 우리 재판소의 확립된 견해이다. 즉, 담화·연설·토론·연극·방송·음악·영화·가요 등과 문서·소설·시가·도화·사진·조각·서화 등 모든 형상의 의사표현 또는 의사전파의 매개체를 포함한다고 할 것이다.

이 사건 법률조항은 극장운영자의 표현의 자유 및 예술의 자유도 필요한 이상으로 과도하게 침해하고 있으며, 표현·예술의 자유의 보장과 공연장 및 영화상영관 등이 담당하는 문화국가형성의 기능의 중요성을 간과하고 있다. 따라서 이 사건 법률조항은 표현의 자유 및 예술의 자유를 침해하는 위헌적인 규정이다.

라. 대학생 및 초·중·고등학교 학생의 행복추구권 등 침해여부

1) 대학생의 경우

오늘날 영화 및 공연을 중심으로 하는 문화산업은 높은 부가가치를 실현하는 첨단산업으로서의 의미를 가지고 있다. 따라서 직업교육이 날로 강조되는 대학교육에 있어서 문화에의 손쉬운 접근 가능성은 중요한 기본권으로서의 의미를 갖게 된다. 이 사건 법률조항은 대학생의 자유로운 문화 향유에 관한 권리 등 행복추구권을 침해하고 있다.

2) 초·중·고등학교 학생의 경우

아동과 청소년은 되도록 국가의 방해를 받지 아니하고 자신의 인격, 특히 성향이나 능력을 자유롭게 발현할 수 있는 권리가 있다. 아동과 청소년은 인격의 발전을 위하여 어느 정도 부모와 학교의 교사 등 타인에 의한 결정을 필요로 하는 아직 성숙하지 못한 인격체이지만, 부모와 국가에 의한 단순한 보호의 대상이 아닌 독자적인 인격체이며, 그의 인격권은 성인과 마찬가지로 인간의 존엄성 및 행복추구권을 보장하는 헌법 제10조에 의하여 보호된다. 따라서 헌법이 보장하는 인간의 존엄성 및 행복추구권은 국가의 교육권한과 부모의 교육권의 범주 내에서 아동에게도 자신의 교육환경에 관하여 스스로 결정할 권리, 그리고 자유롭게 문화를 향유할 권리를 부여한다고 할 것이다.

이 사건 법률조항은 아동·청소년의 문화향유에 관한 권리 등 인격의 자유로운 발현과 형성을 충분히 고려하고 있지 아니하므로 아동·청소년의 자유로운 문화향유에 관한 권리 등 행복추구권을 침해하고 있다.

4. 결 론(이 사건 법률조항의 일부에 대한 헌법불합치결정과 적용중지명령)

이 사건 법률조항은 극장운영자의 직업의 자유, 표현의 자유, 예술의 자유 등의 기본권, 그리고 대학생 및 아동·청소년의 행복추구권을 침해하는 법률로서 위헌적인 법률조항이다. 하지만, 아래에서 살펴보는 바와 같이 이 사건 법률조항의 일부에 대하여는 단순위헌결정을 하기보다는 헌법불합치결정을 할 필요가 있으므로 이에 관하여 보기로 한다.

헌법불합치결정은 헌법재판소법 제47조 제1항에 정한 위헌결정의 일종으로서, 심판대상이 된 법률조항이 실질적으로는 위헌이라 할지라도 그 법률조항에 대하여 단순위헌결정을 선고하지 아니하고 헌법에 합치하지 아니한다는 선언에 그침으로써 헌법재판소법 제47조 제2항 본문의 효력상실을 제한적으로 적용하는 변형위헌결정의 주문형식이다. 법률이 평등원칙에 위반된 경우가 헌법재판소의 불합치결정을 정당화하는 대표적인 사유라고 할 수 있다. 반면에, 자유권을 침해하는 법률이 위헌이라고 생각되면 무효선언을 통하여 자유권에 대한 침해를 제거함으로써 합헌성이 회복될 수 있고, 이 경우에는 평등원칙위반의 경우와는 달리 헌법재판소가 결정을 내리는 과정에서 고려해야 할 입법자의 형성권은 존재하지 않음이 원칙이다. 그러나 그 경우에도 법률의 합헌부분과 위헌부분의 경계가 불분명하여 헌법재판소의 단순위헌결정으로는 적절하게 구분하여 대처하기가 어렵고, 다른 한편으로는 권력분립의 원칙과 민주주의원칙의 관점에서 입법자에게 위헌적인 상태를 제거할 수 있는 여러 가지의 가능성을 인정할 수 있는 경우에는 자유권의 침해에도 불구하고 예외적으로 입법자의 형성권이 헌법불합치결정을 정당화하는 근거가 될 수 있다.

이 사건 법률조항에 대하여 단순위헌의 판단이 내려진다면 극장에 관한 초·중·고등학교·유치원 정화구역 내 금지가 모두 효력을 잃게 됨으로써 합헌적으로 규율된 새로운 입법이 마련되기 전까지는 학교정화구역 내에도 제한상영관을 제외한 모든 극장이 자유롭게 설치될 수 있게 될 것이다. 그 결과 이와 같이 단순위헌의 결정이 내려진 후 입법을 하는 입법자로서는 이미 자유롭게 설치된 극장에 대하여 신뢰원칙 보호의 필요성 등의 한계로 인하여 새로운 입법수단을 마련하는 데 있어서 제약을 받게 된다. 이는 이 결정의 취지에서 정당한 목적으로서 인정한 공익의 측면에서 비추어 보아도 바람직하지 아니하다. 따라서, 이 사건 법률조항 중 초·중등교육법 제2조에 규정한 각 학교에 관한 부분에 대하여는 단순위헌의 판단을 하기보다는 헌법불합치결정을 하여 입법자에게 위헌적인 상태를 제거할 수 있는 여러 가지의 입법수단 선택의 가능성을 인정할 필요성이 있는 경우라고 할 것이다. 따라서 초·중·고등학교·유치원 정화구역 부분에 관하여는 헌법불합치결정이 타당하다.

다만, 이 사건 법률조항은 학교보건법 제19조와 결합하여 형사처벌조항을 이루고 있으므로 잠정적으로 적용하게 할 경우 위헌성을 담고 있는 이 사건 법률조항에 기하여 형사처벌절차가 진행될 가능성을 부인하기 어려우며 이와 같은 사태가 바람직하지 아니함은 물론이다. 따라서 입법자가 새로운 입법에 의하여 위헌성을 제거할 때까지 법원 기타 국가기관 및 지방자치단체는 헌법불합치결정이 내려진 이 부분 법률조항의 적용을 중지하여야 한다.

166 학교환경위생정화구역 내 당구장시설 금지 사건 [위헌]
— 1997. 3. 27. 선고 94헌마196

판시사항 및 결정요지

학교환경위생정화구역안에서는 당구장시설을 할 수 없도록 규정한 학교보건법 제6조 제1항 제13호 "당구장"부분이 헌법에 위배되는지 여부

학교환경위생정화구역은 유치원부터 대학에 이르기까지 교육의 목적과 과정, 학생의 연령이나 신체·지능의 발달정도에 상당한 차이가 있는 여러 종류의 학교에 설정되므로, 이 구역안에서의 당구장시설 제한으로 인한 기본권침해 여부의 판단도 당구장과의 관련성이나 당구장이 학교교육에 미치는 영향에 따라 학교의 종류별로 각기 판단되어야 한다.

(1) 대학, 교육대학, 사범대학, 전문대학, 기타 이와 유사한 교육기관의 학생들은 변별력과 의지력을 갖춘 성인이어서 당구장을 어떻게 활용할 것인지는 이들의 자율적 판단과 책임에 맡길 일이고, 학교주변의 당구장시설 제한과 같은 타율적 규제를 가하는 것은 대학교육의 목적에도 어긋나고 대학교육의 능률화에도 도움이 되지 않으므로, 위 각 대학 및 이와 유사한 교육기관의 학교환경위생정화구역안에서 당구장시설을 하지 못하도록 기본권을 제한하는 것은 교육목적의 능률화라는 입법목적의 달성을 위하여 필요하고 적정한 방법이라고 할 수 없어 기본권제한의 한계를 벗어난 것이다.

(2) 유치원주변에 당구장시설을 허용한다고 하여도 이로 인하여 유치원생이 학습을 소홀히 하거나 교육적으로 나쁜 영향을 받을 위험성이 있다고 보기 어려우므로, 유치원 및 이와 유사한 교육기관의 학교환경위생정화구역안에서 당구장시설을 하지 못하도록 기본권을 제한하는 것은 입법목적의 달성을 위하여 필요하고도 적정한 방법이라고 할 수 없어 역시 기본권제한의 한계를 벗어난 것이다.

(3) 초등학교, 중학교, 고등학교 기타 이와 유사한 교육기관의 학생들은 아직 변별력 및 의지력이 미약하여 당구의 오락성에 빠져 학습을 소홀히 하고 당구장의 유해환경으로부터 나쁜 영향을 받을 위험성이 크므로 이들을 이러한 위험으로부터 보호할 필요가 있는바, 이를 위하여 위 각 학교 경계선으로부터 200미터 이내에 설정되는 학교환경위생정화구역내에서의 당구장시설을 제한하면서 예외적으로 학습과 학교보건위생에 나쁜 영향을 주지 않는다고 인정하는 경우에 한하여 당구장시설을 허용하도록 하는 것은 기본권제한의 입법목적, 기본권제한의 정도, 입법목적 달성의 효과 등에 비추어 필요한 정도를 넘어 과도하게 직업(행사)의 자유를 침해하는 것이라 할 수 없다.

167 학교정화구역 내 납골시설금지 사건 [합헌]
— 2009. 7. 30. 선고 2008헌가2

판시사항 및 결정요지

1. 학교정화구역 내의 납골시설의 설치·운영을 절대적으로 금지하고 있는 구 학교보건법 제6조 제1항 본문 제3호 중 "납골시설" 부분(이하 '이 사건 법률조항'이라고 한다)**에 의하여 제한되는 기본권**

이 사건 법률조항은 정화구역 내의 납골시설 설치·운영을 일반적으로 금지하고 있다. 종교단체의 납골시설은 사자의 죽음을 추모하고 사후의 평안을 기원하는 종교적 행사를 하기 위한 시설이라고 할 수 있다. 종교단체가 설치·운영하고자 하는 납골시설이 금지되는 경우에는 종교의 자유에 대한 제한 문제가 발생한다. 그리고 개인이 조상이나 가족을 위하여 설치하는 납골시설 또는 문중·종중이 구성원을 위하여 설치하는 납골시설이 금지되는 경우에는 행복추구권 제한의 문제가 발생한다. 납골시설의 설치·운영을 직업으로서 수행하고자 하는 자에게는 이 사건 법률조항이 직업의 자유를 제한하게 된다.

2. 이 사건 법률조항이 종교의 자유 내지 행복추구권·직업의 자유 등 기본권을 침해하는 것인지 여부(소극)

우리 사회는 전통적으로 사망한 사람의 시신이나 무덤을 경원하고 기피하는 풍토와 정서를 가지고 살아왔다. 입법자는 학교 부근의 납골시설이 현실적으로 학생들의 정서교육에 해로운 영향을 끼칠 가능성이 있다고 판단하고 학생들에 대한 정서교육의 환경을 보호하기 위하여 학교 부근의 납골시설을 규제하기로 결정한 것이다. 납골시설을 기피하는 풍토와 정서가 과학적인 합리성이 없다고 하더라도, 그러한 풍토와 정서가 현실적으로 학생들의 정서발달에 해로운 영향을 끼칠 가능성이 있는 이상, 규제하여야 할 필요성과 공익성을 부정하기 어렵다.

학교 정화구역 내에 납골시설을 금지할 필요성은 납골시설의 운영주체가 국가·지방자치단체 등의 공공기관이거나 개인·문중·종교단체·재단법인이든 마찬가지라고 할 것이다. 따라서 납골시설의 유형이나 설치주체를 가리지 아니하고 일률적으로 금지한다고 하여 불합리하거나 교육환경에 관한 입법형성권의 한계를 벗어났다고 보기 어렵다.

3. 대학 주변의 학교정화구역에서도 납골시설의 설치·운영을 금지하고 있는 이 사건 법률조항이 기본권을 침해하는 것인지 여부(소극)

납골시설을 기피하는 정서는 사회의 일반적인 풍토와 문화에서 비롯된 것이어서 대학생이 되면 완전히 벗어나게 된다고 단정하기 어렵다. 대학 부근의 정화구역에서도 납골시설의 설치를 금지하는 것이 불합리하거나 불필요하다고 보기 어렵다. 이 사건 법률조항에 의하여 금지되는 것은 학교 부근 200m 이내의 정화구역 내에 국한되는 것이므로, 그로 인하여 기본권이 침해되는 정도는 크지 않다고 할 수 있다.

결국, 이 사건 법률조항은 입법목적을 달성하기 위하여 필요한 한도를 넘어서 종교의 자유, 행복추구권 및 직업의 자유를 과도하게 제한하여 헌법 제37조 제2항에 위반된다고 보기 어렵다.

168 치과전문의자격시험제도 미실시 사건 [인용(위헌확인), 각하]
― 1998. 7. 16. 선고 96헌마246

판시사항

1. 진정입법부작위에 대한 헌법소원심판청구의 청구기간 및 보충성의 원칙
2. 보건복지부장관이 의료법과 대통령령의 위임에 따라 치과전문의자격시험제도를 실시할 수 있도록 시행규칙을 개정하거나 필요한 조항을 신설하는 등 제도적 조치를 마련하지 아니하는 부작위가 청구인들의 기본권을 침해한 것으로서 헌법에 위반되는지 여부(적극)

사건의 개요

청구인들은 치과의사 면허를 받은 자들로서 치과전문의가 되고자 하는 자들인바, 치과전문의자격시험은 의료법 제55조, 전문의의수련및자격인정등에관한규정 제17조, 전문의의수련및자격인정등에관한규정시행규칙 제11조 제1항, 제12조 제1항에 따라 대한치과의사협회(이하 '협회'라 한다)가 매년 1회 이상 실시하여야 함에도 협회는 관계법령의 미비 등을 이유로 지금까지 단 1회도 치과전문의자격시험을 실시하지 않았고, 보건복지부장관은 의료법 및 위 규정의 위임에 따라 시행규칙의 개정 등 치과전문의자격시험을 실시함에 필요한 제도적 조치를 마련하여야 함에도 치과전문의자격시험을 둘러싸고 협회 내에 의견의 대립이 있다는 이유로 이를 마련하지 않고 있어 청구인들의 헌법상 보장된 행복추구권, 평등권, 직업의 자유, 학문의 자유, 재산권 및 보건권을 침해받고 있다며 1996. 7. 23. 이 사건 헌법소원심판을 청구하였다.

주문

1. 피청구인 보건복지부장관이 의료법과 전문의의수련및자격인정등에관한규정의 위임에 따라 치과전문의자격시험제도를 실시할 수 있는 절차를 마련하지 아니하는 입법부작위는 위헌임을 확인한다.
2. 청구인들의 피청구인 보건복지부장관에 대한 나머지 청구 및 피청구인 대한치과의사협회에 대한 청구를 모두 각하한다.

I 적법요건에 대한 판단

1. 보건복지부장관의 입법부작위에 대한 부분

가. 청구기간

공권력의 불행사로 인한 기본권침해는 그 불행사가 계속되는 한 기본권침해의 부작위가 계속된다고 할 것이므로 공권력의 불행사에 대한 헌법소원심판은 그 불행사가 계속되는 한 기간의 제약 없이 적법하게 청구할 수 있다.

넓은 의미의 입법부작위에는 첫째, 입법자가 헌법상 입법의무가 있는 어떤 사항에 관하여 전혀 입법을 하지 아니함으로써 입법행위의 흠결이 있는 경우(즉, 입법권의 불행사)와 둘째, 입법자가 어떤 사항에 관하여 입법은 하였으나 그 입법의 내용·범위·절차 등이 당해 사항을 불완전·불충분 또는 불공정하게 규율함으로써 입법행위에 결함이 있는 경우(즉, 결함이 있는 입법권의 행사)가 있는데, 일반적으로 전자를 "진정입법부작위", 후자를 "부진정입법부작위"라고 부르고 있다.

피청구인 보건복지부장관에 대한 청구 중 입법부작위 부분은, 보건복지부장관이 의료법 및 위 규정의 위임에 따른 시행규칙을 제정하기는 하였고 이는 입법사항에 관하여 규율은 하였으나 그 내용 등이 불완전·불충분한 경우와 유사한 경우이므로, 위 시행규칙의 관련조항에 대하여(즉, 부진정입법부작위에 대한) 헌법소원심판을 청구하여야 하고 따라서 청구기간의 제한을 받는 것이 아닌가 하는 의문이 있을 수 있다. 그러나 치과전문의제도의 시행을 위하여 필요한 사항 중 일부를 누락함으로써 제도의 시행이 불가능하게 되었다면 그 누락된 부분에 대하여는 진정입법부작위에 해당한다고 보아야 한다. 왜냐하면 치과의사로서 전문의가 되고자 하는 자는 대통령령이 정하는 수련을 거쳐 보건복지부장관의 자격인정을 받아야 하고(의료법 제55조 제1항) 전문의의 자격인정 및 전문과목에 관하여 필요한 사항은 대통령령으로 정하는바(동조 제3항), 위 대통령령인 '규정' 제2조의2 제2호(개정 1995. 1. 28)는 치과전문의의 전문과목을 "구강악안면외과·치과보철과·치과교정과·소아치과·치주과·치과보존과·구강내과·구강악안면방사선과·구강병리과 및 예방치과"로 정하고, 제17조(개정 1994. 12. 23)에서는 전문의자격의 인정에 관하여 "일정한 수련과정을 이수한 자로서 전문의자격시험에 합격"할 것을 요구하고 있는데도, '시행규칙'이 위 규정에 따른 개정입법 및 새로운 입법을 하지 않고 있는 것은 진정입법부작위에 해당하기 때문이다.

그러므로 이 부분에 대한 심판청구는 청구기간의 제한을 받지 않는다고 할 것이고, 따라서 청구기간 경과의 위법은 없다.

나. 보충성

입법부작위에 대한 행정소송의 적법여부에 관하여 대법원은 "행정소송은 구체적 사건에 대한 법률상 분쟁을 법에 의하여 해결함으로써 법적 안정을 기하자는 것이므로 부작위위법확인소송의 대상이 될 수 있는 것은 구체적 권리의무에 관한 분쟁이어야 하고, 추상적인 법령에 관하여 제정의 여부 등은 그 자체로서 국민의 구체적인 권리의무에 직접적 변동을 초래하는 것이 아니어서 행정소송의 대상이 될 수 없다"고 판시하고 있다(91누11261).

그밖에 입법부작위에 대한 국가배상의 청구가 가능한지도 문제되지만, 헌법재판소법 제68조

제1항 단서 소정의 "다른 권리구제절차"라 함은 공권력의 행사 또는 불행사를 직접 대상으로 하여 그 효력을 다툴 수 있는 권리구제절차를 의미하고 사후적·보충적 구제수단을 뜻하는 것은 아니므로, 설사 국가배상청구가 가능하다고 할지라도 이를 사전구제절차로 볼 수는 없다.

따라서 피청구인 보건복지부장관에 대한 청구 중 이 사건 시행규칙에 대한 입법부작위 부분은 다른 구제절차가 없는 경우에 해당한다.

다. 자기관련성

청구인들은 모두 치과대학을 졸업하고 치과의사의 면허를 받은 자들로서 치과전문의자격시험제도의 정비에 따라 수련을 받는다면 치과전문의자격시험에 응시할 수 있는 자들이고, 경우에 따라서는 경과규정에 의하여 치과전문의자격을 취득할 수도 있으므로, 제도의 정비를 하지 않는 입법부작위를 다투는 이 부분 헌법소원에 있어 청구인들은 자기관련성이 있다.

Ⅱ 본안에 대한 판단

1. 행정입법의 작위의무

행정권력의 부작위에 대한 헌법소원은 공권력의 주체에게 헌법에서 유래하는 작위의무가 특별히 구체적으로 규정되어 이에 의거하여 기본권의 주체가 행정행위를 청구할 수 있음에도 공권력의 주체가 그 의무를 해태하는 경우에 허용되고, 특히 행정명령의 제정 또는 개정의 지체가 위법으로 되어 그에 대한 법적 통제가 가능하기 위하여는 첫째, 행정청에게 시행명령을 제정(개정)할 법적 의무가 있어야 하고 둘째, 상당한 기간이 지났음에도 불구하고 셋째, 명령제정(개정)권이 행사되지 않아야 한다.

이 사건에 있어서 보건복지부장관의 작위의무는 의료법 및 위 규정에 의한 위임에 의하여 부여된 것이고 헌법의 명문규정에 의하여 부여된 것은 아니다. 그러나 삼권분립의 원칙, 법치행정의 원칙을 당연한 전제로 하고 있는 우리 헌법하에서 행정권의 행정입법 등 법집행의무는 헌법적 의무라고 보아야 한다. 왜냐하면 행정입법이나 처분의 개입없이도 법률이 집행될 수 있거나 법률의 시행여부나 시행시기까지 행정권에 위임된 경우는 별론으로 하고, 이 사건과 같이 치과전문의제도의 실시를 법률 및 대통령령이 규정하고 있고 그 실시를 위하여 시행규칙의 개정 등이 행해져야 함에도 불구하고 행정권이 법률의 시행에 필요한 행정입법을 하지 아니하는 경우에는 행정권에 의하여 입법권이 침해되는 결과가 되기 때문이다. 따라서 보건복지부장관에게는 헌법에서 유래하는 행정입법의 작위의무가 있다고 할 것이다.

2. 행정입법 지체의 정당화 사유

가. 보건복지부장관은 치과전문의제도의 시행을 위한 최선의 노력을 하였으나 치과의료계의 의견 불일치로 이를 시행하지 못하고 있는 것이므로 보건복지부장관이 위헌적으로 행정입법 등 조치를 하지 않고 있는 것은 아니라고 주장한다.

살피건대, 상위법령을 시행하기 위하여 하위법령을 제정하거나 필요한 조치를 함에 있어서는 상당한 기간을 필요로 하며 합리적인 기간내의 지체를 위헌적인 부작위로 볼 수 없음은 사실이다. 그러나 이 사건의 경우 현행 규정이 제정된 때(1976. 4. 15)로부터 이미 20년 이상이 경과되었음에도 아직 치과전문의제도의 실시를 위한 구체적 조치를 취하고 있지 아니하고 있으므로 합리적 기간내의 지체라고 볼 수 없고, 법률의 시행에 반대하는 여론의 압력이나 이익단체의 반대와 같은 사유는 지체를 정당화하는 사유가 될 수 없으므로 위 주장은 이유없다.

나. 또한 보건복지부장관은 이해당사자인 피청구인 협회의 의견을 무시하고 치과전문의제도를 시행하는 것이 바람직하지 않다고 판단하였기 때문에 그 시행을 위한 구체적 조치를 취하지 아니한 것이므로 이를 위헌이라고 할 수 없다는 취지로 주장하나, 치과전문의제도를 실시할 것인지의 판단문제는 입법재량의 영역에 속하는 것이고 입법부가 일단 그 제도의 실시 여부에 관한 재량의 여지를 행정부에 남기지 아니하고 무조건적 실시를 명한 이상 보건복지부장관은 그 시행을 위한 구체적 조치를 취하여야 할 헌법상의 의무가 있는 것이므로, 보건복지부장관이 주장하는 바와 같은 사유는 행정입법의 지체를 정당화할 만한 사유가 되지 아니한다.

3. 침해되는 기본권

청구인들은 보건복지부장관의 입법부작위로 인하여 직업의 자유, 학문의 자유, 재산권, 보건권, 행복추구권, 평등권을 침해당하였다고 주장한다.

가. 직업의 자유, 행복추구권 및 평등권의 침해

헌법 제15조는 "모든 국민은 직업선택의 자유를 가진다"고 규정하여 직업의 자유를 보장하고 있고, 이러한 직업의 자유는 자신이 원하는 직업 내지 직종을 자유롭게 선택하는 직업선택의 자유와 그가 선택한 직업을 자유롭게 수행할 수 있는 직업수행의 자유를 포함하는 개념이다. 이러한 직업의 선택 혹은 수행의 자유는 각자의 생활의 기본적 수요를 충족시키는 방편이 되고 또한 개성신장의 바탕이 된다는 점에서 행복추구권과도 밀접한 관련을 갖는다. 의사한의사나 치과의사와 같이 국민의 생명과 건강을 다루는 직업의 경우와 변호사변리사나 건축사 등과 같이 전문적 지식과 기술을 가져야만 직업을 원활히 행사할 수 있다고 판단되는 직업에 대해 실시되고 있는 면허제도는 헌법상 보장된 직업선택의 자유를 국회가 제정한 법률로 전면적으로 금지시켜 놓은 다음 일정한 자격을 갖춘 자에 한하여 직업선택의 자유를 회복시켜 주는 것에 해당한다.

청구인들은 치과대학을 졸업하고 국가시험에 합격하여 치과의사 면허를 받았을 뿐만 아니라, 구강악안면외과(청구인 이○철·이○웅·김○래), 소아치과(청구인 이○호·전○선), 치과보철과(청구인 이○용·김○남·안○규·이○봉·허○주), 치과교정과(청구인 장○일) 등의 전공의수련과정을 사실상 마쳤다. 그런데 위에서 본 바와 같이 현행 의료법과 위 규정에 의하면 치과전문의의 전문과목은 10개로 세분화되어 있고, 일반치과의까지 포함하면 11가지의 치과의가 존재할 수 있는데도 이를 시행하기 위한 시행규칙의 미비로 청구인들은 일반치과의로서 존재할 수 밖에 없는 실정이다. 따라서 이로 말미암아 <u>청구인들은 직업으로서 치과전문의를 선택하고 이를 수행할 자유를 침해당하고 있는 것이다.</u>

위와 같이 청구인들은 전공의수련과정을 사실상 마치고도 치과전문의자격시험의 실시를 위한 제도가 미비한 탓에 치과전문의자격을 획득할 수 없었고 이로 인하여 형벌의 위험을 감수하지 않고는 전문과목을 표시할 수 없게 되었으므로(의료법 제55조 제2항, 제69조 참조), 행복추구권을 침해받고 있고, 이 점에서 전공의수련과정을 거치지 않은 일반 치과의사나 전문의시험이 실시되는 다른 의료분야의 전문의에 비하여 불합리한 차별을 받고 있다고 할 수 있다.

나. 기타 기본권의 침해 여부

1) 학문의 자유

청구인들은 치과전문의제도가 실시되지 않음으로 인하여 청구인들이 각 전문분야의 학문을 연구하고 가르칠 학문의 자유가 침해받고 있다고 주장한다.

그러나 치과전문의자격시험이 실시되지 아니하더라도 치과의사가 어느 전문분야에 관하여 전문적인 교육을 받고, 연구를 함에 있어 법률상 또는 현실적으로 특별한 제한이나 불이익을 받고 있다고는 할 수 없으며, 따라서 치과전문의제도의 불시행으로 인하여 청구인들의 학문의 자유가 침해되었다고 할 수는 없다.

2) 재산권

우리 헌법이 보장하고 있는 재산권은 경제적 가치가 있는 모든 공법상·사법상의 권리를 뜻한다. 이러한 재산권의 범위에는 동산·부동산에 대한 모든 종류의 물권은 물론, 재산가치 있는 모든 사법상의 채권과 특별법상의 권리 및 재산가치 있는 공법상의 권리 등이 포함되나, 단순한 기대이익·반사적 이익 또는 경제적인 기회 등은 재산권에 속하지 않는다고 보아야 한다.

청구인들은 치과만 전문의가 없기 때문에 지방공사나 보건소 등에 취직할 경우 일반의사로서의 급료밖에 받을 수 없어 그들의 재산권이 침해되었다고 주장한다. 그러나 급료청구권이나 급료는 재산권이므로 이들 자체를 박탈하는 것은 재산권의 침해라고 할 수 있지만, 전문의자격의 불비로 인하여 급료를 정함에 있어 불이익을 받는 것은 사실적·경제적 기회의 문제에 불과할 뿐 재산권의 침해라고 보기 어렵다.

3) 보건권

청구인들은 국민의 일원으로서 치과전문의제도가 시행되지 않고 있는 한, 치과분야에 있어서 충분한 의료서비스를 제공받지 못하고 의료사고의 위험성 앞에 무방비 상태로 노출되어 보건에 관하여 국가의 보호를 받을 권리, 즉 보건권을 침해받고 있다고 주장한다.

살피건대, 헌법은 "모든 국민은 보건에 관하여 국가의 보호를 받는다"라고 규정하고 있는바(제36조 제3항), 이를 '보건에 관한 권리' 또는 '보건권'으로 부르고, 국가에 대하여 건강한 생활을 침해하지 않도록 요구할 수 있을 뿐만 아니라 보건을 유지하도록 국가에 대하여 적극적으로 요구할 수 있는 권리로 이해한다 하더라도 치과전문의제도를 시행하고 있지 않기 때문에 청구인을 포함한 국민의 보건권이 현재 침해당하고 있다고 보기는 어렵다.

169 전문과목을 표시한 치과의원의 진료범위 제한 규정 위헌확인 사건 [위헌]
— 2015. 5. 28. 선고 2013헌마799

판시사항

1. 전문과목을 표시한 치과의원은 그 표시한 전문과목에 해당하는 환자만을 진료하여야 한다고 규정한 의료법 제77조 제3항(이하 '심판대상조항'이라 한다)이 신뢰보호원칙에 위배되어 청구인들의 직업수행의 자유를 침해하는지 여부(소극)
2. 심판대상조항이 명확성원칙에 위배되어 청구인들의 직업수행의 자유를 침해하는지 여부(소극)
3. 심판대상조항이 과잉금지원칙에 위배되어 청구인들의 직업수행의 자유를 침해하는지 여부(적극)
4. 심판대상조항이 청구인들의 평등권을 침해하는지 여부(적극)

사건의 개요

청구인들은 치과의사전문의(이하 '치과전문의'라 한다)로서 치과의원을 운영하거나, 치과전문의로서 치과병원에서 전임의 또는 봉직의로서 근무하거나, 치과전문의로서 공중보건의사로 근무하거나, 치과의사전공의(이하 '치과전공의'라 한다)로서 2014년 1월 실시된 제7회 치과전문의 자격시험의 응시를 준비하고 있던 사람들이다.

청구인들은 의료법 제77조 제3항이 전문과목을 표시한 치과의원으로 하여금 그 표시한 전문과목에 해당하는 환자만을 진료하도록 함으로써, 치과의원을 개설·운영하였거나 개설·운영하고자 하는 청구인들의 직업의 자유와 평등권 등을 침해한다고 주장하면서, 2013. 11. 26. 이 사건 헌법소원심판을 청구하였다.

심판대상조항 및 관련조항

의료법(2011. 4. 28. 법률 제10609호로 개정된 것)

제77조(전문의) ③ 제2항에 따라 전문과목을 표시한 치과의원은 제15조 제1항에도 불구하고 표시한 전문과목에 해당하는 환자만을 진료하여야 한다. 다만, 응급환자인 경우에는 그러하지 아니하다.

주문

의료법(2011. 4. 28. 법률 제10609호로 개정된 것) 제77조 제3항은 헌법에 위반된다.

1. 제한되는 기본권

1) 심판대상조항에 따라 치과의원이 전문과목을 표시하는 경우에는 그 표시한 전문과목에 해당하는 환자만을 진료하여야 하므로, 심판대상조항은 치과의원을 개설·운영하거나 치과의원에 고용된 치과전문의(이하 '치과의원의 치과전문의'라 한다)의 직업수행의 자유를 제한하는 것이다.

2) 심판대상조항은 전문과목을 표시하더라도 진료범위에 대하여 제한을 받지 않는 의과의 전문의(이하 '의사전문의'라 한다)나 한의사전문의에 비하여 치과전문의를 달리 취급하고 있고, 진료범위의 제한 없이 진료행위를 할 수 있는, 치과병원을 개설·운영하거나 치과병원에 고용된 치과전문의(이하 '치과병원의 치과전문의'라 한다)나 치과일반의에 비하여 치과의원의 치과전문의를 달리 취급하고 있으므로, 평등권의 침해 여부도 문제된다.

3) 청구인들은 심판대상조항이 환자의 자기결정권을 침해한다고 주장한다. 청구인들이 의료인(치과전문의)의 지위와 의료소비자(환자)의 지위를 동시에 갖고 있기는 하나, 이 사건에서는 심판대상조항이 치과전문의의 직업수행의 자유 및 평등권을 침해하는지 여부가 주된 쟁점이고, 의료소비자의 선택권이 제한되는 것은 치과전문의의 진료영역을 제한함에 따라 발생하는 효과이므로, 치과전문의의 직업수행의 자유 및 평등권의 침해 여부를 판단하는 과정에서 이를 함께 고려하는 것으로 충분하다. 따라서 환자의 자기결정권 침해 여부는 별도로 판단하지 아니한다.

2. 직업수행의 자유 침해 여부

가. 신뢰보호원칙 위반 여부

청구인들이 침해당하였다고 주장하는 신뢰는 2014. 1. 1.부터 치과의원에서 전문과목을 표시할 수 있게 되면 모든 전문과목의 진료를 할 수 있을 것이라는 신뢰이다. 그런데 국민들이 국가의 공권력행사에 관하여 가지는 모든 기대 내지 신뢰가 절대적인 권리로서 보호되는 것은 아니며, 헌법적 신뢰보호는 개개의 국민이 어떠한 경우에도 '실망'을 하지 않도록 하여 주는 데까지 미칠 수는 없다. 그 동안 구 의료법 제55조 제2항 단서 및 의료법 제77조 제2항에 따라 치과의원의 전문과목 표시 자체가 금지되어 왔으므로, 청구인들이 주장하는 신뢰는 장래에 위 의료법 제77조 제2항의 유효기간이 종료되어 치과의원의 전문과목 표시가 가능하게 되는 경우의 법적 상황을 청구인들이 미리 일정한 방향으로(즉, 전문과목을 표시한 치과의원이 모든 전문과목의 진료를 할 수 있을 것으로) 예측 내지 기대한 것에 불과하다. 따라서 심판대상조항은 신뢰보호원칙에 위반하여 청구인들의 직업수행의 자유를 침해한다고 볼 수 없다.

나. 명확성원칙 위반 여부

청구인들은 심판대상조항이 치과 전문과목의 개념 및 전문과목 간 진료영역의 경계, 치과에서의 응급환자를 명확하게 정하고 있지 않아서 명확성원칙에 위반된다고 주장한다. 그러나 치과전문의가 되기 위해서는 치과의사 면허를 받은 자가 치과전공의 수련과정을 거쳐 치과전문의 자격시험에 합격해야 하므로, 심판대상조항의 수범자인 치과전문의는 각 전문과목의 진료내용과 진료영역 및 전문과목 간의 차이점 등을 알 수 있다. 따라서 심판대상조항은 명확성원칙에 위배되어 직업수행의 자유를 침해한다고 볼 수 없다.

다. 과잉금지원칙 위반 여부

일반적으로 직업수행의 자유에 대하여는 직업선택의 자유와는 달리 공익목적을 위하여 상대적으로 폭넓은 입법적 규제가 가능한 것이지만, 그렇다고 하더라도 그 수단은 목적달성에 적절한 것이어야 하고 또한 필요한 정도를 넘는 지나친 것이어서는 아니 된다.

심판대상조항은 치과전문의가 1차 의료기관인 치과의원에서 진료하는 것을 가급적 억제하고 그들이 2차 의료기관에서 진료하는 것을 유도함으로써 적정한 치과 의료전달체계를 정립하고, 특정 전문과목에만 치과전문의가 편중되는 현상을 방지함으로써 치과 전문과목 간의 균형 있는 발전을 도모하고자 하는 것인바, 이와 같은 입법목적은 정당하다.

그러나 치과의원의 치과전문의가 자신의 전문과목을 표시하는 경우 그 진료범위를 제한하여 현실적으로 전문과목의 표시를 매우 어렵게 하고 있는바, 이는 치과전문의 자격 자체의 의미를 현저히 감소시키고, 이로 인해 치과의원의 치과전문의들이 대부분 전문과목을 표시하지 않음에 따라 치과전문의 제도를 유명무실하게 만들 위험이 있다. 또한 치과전문의는 표시한 전문과목 이외의 다른 모든 전문과목에 해당하는 환자를 진료할 수 없게 되므로 기본권 제한의 정도가 매우 크다.

1차 의료기관의 전문과목 표시에 대해 불이익을 주어 치과 전문의들이 2차 의료기관에 근무하도록 유도하는 것은 적정한 치과 의료 전달체계의 정립을 위해 적절한 방안이 될 수 없다. 또한 심판대상조항은 자신의 전문과목 환자만 진료해도 충분한 수익을 올릴 수 있는 전문과목에의 편중현상을 심화시킬 수 있다. 따라서 심판대상조항은 수단의 적절성과 침해의 최소성을 갖추지 못하였다.

심판대상조항이 달성하고자 하는 적정한 치과 의료전달체계의 정립 및 치과전문의의 특정 전문과목에의 편중 방지라는 공익은 중요하나, 심판대상조항으로 그러한 공익이 얼마나 달성될 수 있을 것인지 의문인 반면, 치과의원의 치과전문의가 표시한 전문과목 이외의 영역에서 치과일반의로서의 진료도 전혀 하지 못하는 데서 오는 사적인 불이익은 매우 크므로, 심판대상조항은 과잉금지원칙에 위배되어 청구인들의 직업수행의 자유를 침해한다.

3. 평등권 침해 여부

1차 의료기관의 전문과목 표시와 관련하여 의사전문의, 한의사전문의와 치과전문의 사이에 본질적인 차이가 있다고 볼 수 없으므로, 의사전문의, 한의사전문의와 달리 치과전문의의 경우에만 전문과목의 표시를 이유로 진료범위를 제한하는 것은 합리적인 근거를 찾기 어렵고, 치과일반의는 전문과목을 불문하고 모든 치과 환자를 진료할 수 있음에 반하여, 치과전문의는 치과의원에서 전문과목을 표시하였다는 이유로 자신의 전문과목 이외의 다른 모든 전문과목의 환자를 진료할 수 없게 되는바, 이는 보다 상위의 자격을 갖춘 치과의사에게 오히려 훨씬 더 좁은 범위의 진료행위만을 허용하는 것으로서 합리적인 이유를 찾기 어렵다. 따라서 심판대상조항은 청구인들의 평등권을 침해한다.

170 법인의 약국 개설금지 사건 [헌법불합치]
― 2002. 9. 19. 선고 2000헌바84

판시사항

1. "약사 또는 한약사가 아니면 약국을 개설할 수 없다."고 규정한 약사법 제16조 제1항은 법인을 구성하여 약국을 개설·운영하려고 하는 약사들 및 이들 약사들로 구성된 법인의 직업선택의 자유와 결사의 자유를 침해하는지 여부(적극)
2. 위 조항은 다른 전문직과 달리 약사에게만 업무수행을 위한 법인설립을 제한함으로써 평등권을 침해하는지 여부(적극)
3. 위헌적인 법률조항을 존속시킬 때보다 단순위헌의 결정으로 인하여 더욱 헌법적 질서가 멀어지는 헌법적 혼란을 초래할 우려가 있다는 이유 등으로 헌법불합치 결정을 선고한 사례

심판대상조항 및 관련조항

약사법 (2000. 1. 12. 법률 제6153호로 개정된 것)

제16조(약국의 개설등록) ① 약사 또는 한약사가 아니면 약국을 개설할 수 없다.

주문

약사법(2000. 1. 12. 법률 제6153호로 개정된 것) 제16조 제1항은 헌법에 합치하지 아니한다. 이 법률조항은 입법자가 개정할 때까지 계속 적용된다.

1. 재판관 한대현, 재판관 김영일, 재판관 김효종, 재판관 주선회의 헌법불합치 의견

가. 직업선택의 자유에 대한 침해여부

1) 직업의 자유에 대한 제한과 그 한계

헌법 제15조에 의한 직업선택의 자유는 자신이 원하는 직업 내지 직종을 자유롭게 선택하는 직업선택의 자유와 그가 선택한 직업을 자기가 결정한 방식으로 자유롭게 수행할 수 있는 직업수행의 자유를 포함하는 개념이고, 법인도 성질상 법인이 누릴 수 있는 기본권의 주체가 되는데, 직업선택의 자유는 헌법상 법인에게도 인정되는 기본권이며, 또한 법인의 설립은 그 자체가 간접적인 직업선택의 한 방법이기도 하다.

직업의 선택 혹은 수행의 자유는 각자의 생활의 기본적 수요를 충족시키는 방편이 되고, 또한 개성신장의 바탕이 된다는 점에서 주관적 공권의 성격이 두드러진 것이기는 하나, 다른 한편으로는 국민 개개인이 선택한 직업의 수행에 의하여 국가의 사회질서와 경제질서가 형성된다는 점에서 사회적 시장경제질서라고 하는 객관적 법질서의 구성요소이기도 하다. 따라서, 각 개인이 향유하는 직업에 대한 선택 및 수행의 자유는 공동체의 경제사회질서에 직접적인 영향을 미치는 것이기 때문에 공동체의 동화적 통합을 촉진시키기 위하여 필요불가결한 경우에는 헌법 제37조 제2항 전문규정에 따라 이에 대하여 제한을 가할 수 있다. 즉, 국가의 안전보장·질서유지 또는 공공복리를 위한 목적의 정당성이 인정되는 경우에는 그러한 목적을 달성하는데 필요한 범위 내에서 법률로써 국민의 기본권을 제한할 수 있다. 특히 직업결정의 자유나 전직의 자유에 비하여 직업종사(직업수행)의 자유에 대하여서는 공익을 위하여 상대적으로 더욱 넓은 법률상의 규제가 가능하다.

그러나, 직업종사(직업수행)의 자유를 제한할 때에도 그 제한의 방법이 합리적이어야 함은 물론 과잉금지의 원칙에 위배되거나 제한의 한계규정인 헌법 제37조 제2항 후문의 규정에 따라 직업선택의 자유의 본질적인 내용을 침해하는 것이어서는 아니된다.

즉, 기본권인 직업행사의 자유를 제한하는 법률이 헌법에 저촉되지 아니하기 위하여는 그 기본권의 침해가 합리적이고 이성적인 공익상의 이유로 정당화될 수 있어야 한다. 비록 입법자에게 정책목표의 달성을 위하여 광범위한 입법형성권이 부여되지만, 자유로운 직업행사에 대한 침해는 그 침해가 공익상의 충분한 이유로 정당화되고 또한 비례의 원칙을 준수하여야 비로소 직업의 자유와 조화될 수 있다. 입법자가 선택한 수단이 의도하는 입법목적을 달성하기에 적정해야 하고, 입법목적을 달성하기 위하여 똑같이 효율적인 수단 중에서 기본권을 되도록 적게 침해하는 수단을 사용하여야 하며, 침해의 정도와 공익의 비중을 전반적으로 비교형량하여 양자 사이에 적정한 비례관계가 이루어져야 하는 것이다.

2) 이 사건 법률조항에 의한 직업의 자유에 대한 제한

이 사건 법률조항에 의하여 약사가 아닌 자연인 및 이들로 구성된 법인은 물론 약사들로만 구성된 법인의 약국설립 및 경영이라는 직업수행도 제한되고, 따라서, 약사 개인들이 법인을 구성하는 방법으로 그 직업을 수행하는 자유도 제한된다고 하겠다.

3) 기본권 제한에 관한 방법의 적절성 및 합리성

이 사건 법률조항이 위와 같이 직업의 자유를 제한하는 것이 기본권 제한의 수단과 방법 및 그 정도에 있어서 합리성이 있는 것인가를 살펴보기로 한다.

"약사 또는 한약사가 아니면 약국을 개설할 수 없다."고 규정한 약사법 제16조 제1항은 자연인 약사만이 약국을 개설할 수 있도록 함으로써, 약사가 아닌 자연인 및 일반법인은 물론, 약사들로만 구성된 법인의 약국 설립 및 운영도 금지하고 있는바, 국민의 보건을 위해서는 약국에서 실제로 약을 취급하고 판매하는 사람은 반드시 약사이어야 한다는 제한을 둘 필요가 있을 뿐, 약국의 개설 및 운영 자체를 자연인 약사에게만 허용할 합리적 이유는 없다. 입법자가 약국의 개설 및 운영을 일반인에게 개방할 경우에 예상되는 장단점을 고려한 정책적 판단의 결과 약사가 아닌 일반인 및 일반법인에게 약국개설을 허용하지 않는 것으로 결정하는 것은 그 입법형성의 재량권 내의 것으로서 헌법에 위반된다고 볼 수 없지만, 법인의 설립은 그 자체가 간접적인 직업선택의 한

방법으로서 직업수행의 자유의 본질적 부분의 하나이므로, 정당한 이유 없이 본래 약국개설권이 있는 약사들만으로 구성된 법인에게도 약국개설을 금지하는 것은 입법목적을 달성하기 위하여 필요하고 적정한 방법이 아니고, 입법형성권의 범위를 넘어 과도한 제한을 가하는 것으로서, 법인을 구성하여 약국을 개설·운영하려고 하는 약사들 및 이들로 구성된 법인의 직업선택(직업수행)의 자유의 본질적 내용을 침해하는 것이다.

나. 평등권 침해여부

1) 평등의 원칙의 개념 및 심사기준

헌법 제11조 제1항은 "모든 국민은 법 앞에 평등하다. 누구든지 성별·종교 또는 사회적 신분에 의하여 정치적·경제적·사회적·문화적 생활의 모든 영역에 있어서 차별을 받지 아니한다."라고 규정하고 있다. 일반적으로 이러한 평등의 원칙은 일체의 차별적 대우를 부정하는 절대적 평등을 의미하는 것이 아니라, 입법과 법의 적용에 있어서 합리적인 근거가 없는 차별을 하여서는 아니 된다는 상대적 평등을 뜻하고, 따라서, 합리적인 근거가 있는 차별 또는 불평등은 평등의 원칙에 반하는 것이 아니라고 설명된다.

합리적 근거 없는 차별이란 정의에 반하는 자의적인 차별을 의미하는 것으로서, 국민의 기본권에 대한 차별적인 대우를 규정하는 입법은 그 목적이 국가안전보장, 질서유지 또는 공공복리를 위하여 필요하고 또 정당한 것이어야 하고, 나아가 그 수단 또는 방법이 위 목적의 실현을 위하여 실질적인 관계가 있어야 할 뿐만 아니라, 그 정도 또한 적정한 것이어야 하며, 이러한 요건을 갖추지 못한 입법은 헌법 제11조 제1항이 예정하고 있는 평등의 원칙에 반하는 위헌입법이라고 할 것이다.

헌법재판소에서는 평등위반여부를 심사함에 있어 엄격한 심사척도와 완화된 심사척도의 두 가지 척도를 구별하고, 어떤 심사척도를 적용할 것인가를 결정하는 기준으로서 헌법에서 특별히 평등을 요구하고 있는 경우(즉, 헌법이 스스로 차별의 근거로 삼아서는 아니되는 기준을 제시하거나 차별을 특히 금지하고 있는 영역을 제시하고 있는 경우)와 차별적 취급으로 인하여 관련 기본권에 대한 중대한 제한을 초래하게 되는 경우에는 엄격한 심사척도가 적용되어야 하고, 그렇지 않은 경우에는 완화된 심사척도에 의한다는 원칙을 적용하고 있다. 이 경우 엄격한 심사를 한다는 것은 자의금지원칙에 따른 심사 즉, 합리적 이유의 유무를 심사하는 것에 그치지 아니하고 비례성원칙에 따른 심사 즉, 차별취급의 목적과 수단간에 엄격한 비례관계가 성립하는지를 기준으로 한 심사를 행함을 의미하며, 완화된 심사척도 즉, 자의심사의 경우에는 차별을 정당화하는 합리적인 이유가 있는지만을 심사하기 때문에 그에 해당하는 비교대상간의 사실상의 차이나 입법목적(차별목적)을 발견하고 확인하여, 그 차별이 인간의 존엄성 존중이라는 헌법원리에 반하지 아니하면서 정당한 입법목적을 달성하기 위하여 필요하고도 적정한 것인가를 기준으로 판단되어야 한다.

이 사건 법률조항에 관하여 보건대, 이 사건 법률조항은 헌법에서 특별히 평등을 요구하는 부분에 대한 것이 아니고, 직업수행의 자유는 공익을 위하여 상대적으로 넓은 규제가 가능하다고 인정되기 때문에 이 사건 법률조항에 의하여 직업수행의 자유가 일부 제한된다고 하여 관련기본권에 대한 중대한 침해가 있다고 볼 수 없으므로, 완화된 심사기준 즉, 차별기준 내지 방법의 합리성여부가 헌법적 정당성여부의 판단기준이 된다고 하겠다.

2) 약사법상의 다른 직종과의 비교

약사법은 약사와 마찬가지로 국민의 건강문제에 직결되는 의약품을 취급하는 의약품제조업자, 의약품수입자, 의약품도매상 등의 직종에 대하여 약사자격을 요구하지 않으며 필요한 시설을 갖추고 허가를 받으면 그 영업을 할 수 있도록 하되, 다만, 실제로 그 업무를 관리할 약사를 반드시 두도록 하였다. 따라서, 위의 직종들은 법인을 설립하여 그 업무를 수행하는 것도 당연히 허용되고 있다.

이처럼 의약품 등을 취급하는 점에서는 약사의 경우와 본질적으로 다르지 않다고 볼 수 있는 의약품제조업자 등에 대하여는 법인을 설립하여 영업을 할 수 있도록 하면서 약사에 대하여는 법인을 설립하여 약국을 개설하는 것을 허용하지 않고 있으므로, 약사들로 구성된 법인이나 그 구성원인 약사는 그 업무수행의 방법에 있어서 차별을 받고 있다고 하겠다.

3) 다른 전문직종과의 비교

변호사, 공인회계사, 세무사, 건축사, 법무사, 공인노무사, 관세사 등 약사 이외의 다른 전문직의 경우 사회의 발전과 변화에 대응하여 그 업무를 조직적·전문적으로 수행하기 위한 법인의 설립을 허용하고 있는데, 약사에 대하여는 법인의 설립에 의한 직업수행 즉, 약국의 개설과 운영을 금지하고 있으므로 이 점에서 약사들로 구성된 법인 및 그 구성원인 약사 개인들은 차별을 받고 있다고 하겠다.

4) 차별취급의 합리성여부

평등권침해에 관한 완화된 심사기준인 합리성의 심사에 의하여 살펴보더라도, 이 사건 법률조항이 약사에 대하여는 다른 전문직과 달리 법인을 구성하여 직업을 수행하는 것을 금지함으로써 약사로 구성된 법인 또는 그 구성원인 약사를 차별취급하는 것에는 정당한 입법목적을 발견할 수 없고, 약사와 다른 전문직과의 사실상의 차이도 이러한 차별을 정당화해주지 않는다.

그러므로 약사들만으로 구성된 법인 및 그 구성원인 약사들의 헌법상 기본권인 평등권을 침해하고 있다고 할 것이다.

다. 결사의 자유에 대한 침해여부

청구인은 이 사건 법률조항의 위헌성을 주장하면서 결사의 자유에 대하여는 명시적 언급을 하고 있지 않지만, 이 사건 법률조항에 의하여 법인을 설립하여 약국을 운영하려는 약사 개인들 및 이러한 약사들에 의하여 구성된 법인의 결사의 자유가 침해된다고 볼 여지가 있으므로 이 점에 대하여도 살펴보기로 한다.

헌법재판소는 법률의 위헌성을 심사함에 있어서 위헌제청법원이나 헌법소원 청구인이 주장하는 법적 관점에서만 아니라, 심판대상 규범의 법적 효과를 고려하여 모든 헌법적인 관점에서 심사하는 것이기 때문이다.

헌법 제21조가 규정하는 결사의 자유라 함은 다수의 자연인 또는 법인이 공동의 목적을 위하여 단체를 결성할 수 있는 자유를 말하는 것으로, 적극적으로는 ① 단체결성의 자유, ② 단체존속의 자유, ③ 단체활동의 자유, ④ 결사에의 가입·잔류의 자유를, 소극적으로는 기존의 단체로부터 탈퇴할 자유와 결사에 가입하지 아니할 자유를 내용으로 하는바, 위에서 말하는 결사란 자연인 또는 법인의 다수가 상당한 기간 동안 공동목적을 위하여 자유의사에 기하여 결합하고 조직화된 의사형성이 가능한 단체를 말하는 것이다.

그런데, 이 사건과 관련하여서는 단체구성원에게 경제적 이익을 분배하는 것을 목적으로 하는 영리단체도 헌법상 '결사'의 범주에 포함되는 단체인가 하는 것이 문제가 될 수 있다. 결사의 자유는 역사적으로 언론·출판의 자유 및 집회의 자유와 함께 정치적 의견을 형성하고 전파하기 위한 수단으로서 넓은 의미의 표현의 자유 내지 정신적 자유의 하나로 형성·발전되어 왔으므로 그 성질상 영리단체와는 직접 관련이 없다고 볼 여지도 있기 때문이다.

헌법재판소는 결사의 자유에서 말하는 '결사'란 자연인 또는 법인의 다수가 상당한 기간 동안 공동목적을 위하여 자유의사에 기하여 결합하고 조직화된 의사형성이 가능한 단체를 말하는 것이라고 정의하여 공동목적의 범위를 비영리적인 것으로 제한하지는 않았고, 다만, 결사 개념에 공법상의 결사나 법이 특별한 공공목적에 의하여 구성원의 자격을 정하고 있는 특수단체의 조직활동은 해당되지 않는다고 판시한 바 있을 뿐이며, 연혁적 이유 이외에는 달리 영리단체를 결사에서 제외하여야 할 뚜렷한 근거가 없는 터이므로, 영리단체도 헌법상 결사의 자유에 의하여 보호된다고 보아야 할 것이다.

그렇다면, 앞에서 살펴본 바와 같이 이 사건 법률조항은 합리적 이유 없이 모든 법인에 의한 약국의 개설을 금지함으로써 법인을 설립하여 약국을 경영하려는 약사 개인들과 이러한 법인의 단체결성 및 단체활동의 자유를 제한하고 있으므로, 결국 이들의 결사의 자유를 침해하고 있다고 하겠다.

라. 헌법불합치결정을 할 필요성

이 사건 법률조항 중 약사가 아닌 일반인이나 일반인으로 구성된 법인의 약국설립을 금지하는 부분은 헌법에 위반되지 않을 뿐 아니라, 이 사건 법률조항에 대하여 단순위헌을 선고하여 당장 이 사건 법률조항의 효력을 상실시킬 경우에는 약국을 개설할 수 있는 자격에 대한 아무런 제한이 없게 되어 약사가 아닌 일반인이나 일반법인도 약국을 개설할 수 있는 상태가 됨으로써, 입법자가 입법형성권의 범위 내에서 설정한 제약이 무너지게 되고, 위헌적인 이 사건 법률조항을 존속시킬 때보다 단순위헌의 결정으로 인해서 더욱 헌법적 질서와 멀어지는 법적 혼란을 초래할 우려가 있으며, 이 사건 법률조항에 있는 위헌적 요소를 제거하고 합헌적으로 조정하는 데에는 여러 가지 선택가능성이 있을 수 있는데 이는 입법자가 제반사정을 고려하여 결정해야 할 문제이므로, 입법자가 이 사건 법률조항을 대체할 합헌적 법률을 입법할 때까지는 위헌적인 법규정을 존속케하고 또한 잠정적으로 적용하게 할 필요가 있어 헌법불합치결정을 함이 타당하다.

2. 재판관 권성, 재판관 송인준의 단순위헌의견 (생략)

171. 세무사 자격 보유 변호사의 세무대리 금지사건 [헌법불합치]
— 2018. 4. 26. 선고 2015헌가19

판시사항 및 결정요지

세무사 자격 보유 변호사로 하여금 세무사로서 세무사의 업무를 할 수 없도록 규정한 세무사법(2013. 1. 1. 법률 제11610호로 개정된 것) 제6조 제1항 및 세무사법(2009. 1. 30. 법률 제9348호로 개정된 것) 제20조 제1항 본문 중 변호사에 관한 부분(이하 위 두 조항을 합하여 '심판대상조항'이라 한다)이 세무사 자격 보유 변호사의 직업선택의 자유를 침해하는지 여부(적극)

　심판대상조항은 세무사라는 직업을 선택할 수 있는 자유를 제한하는 것이다.
　세무대리의 전문성을 확보하고 부실 세무대리를 방지함으로써 납세자의 권익을 보호하고 세무행정의 원활한 수행 및 납세의무의 적정한 이행을 도모하려는 심판대상조항의 입법목적은 일응 수긍할 수 있다.
　그러나 세무사의 업무에는 세법 및 관련 법령에 대한 전문 지식과 법률에 대한 해석·적용능력이 필수적으로 요구되는 업무가 포함되어 있다. 세법 및 관련 법령에 대한 해석·적용에 있어서는 세무사나 공인회계사보다 변호사에게 오히려 전문성과 능력이 인정됨에도 불구하고, 심판대상조항은 세무사 자격 보유 변호사로 하여금 세무대리를 일체 할 수 없도록 전면적으로 금지하고 있으므로, 수단의 적합성을 인정할 수 없다.
　세무사 자격 보유 변호사는 법률에 의해 세무사의 자격을 부여받은 이상 그 자격에 따른 업무를 수행할 자유를 회복한 것이고, 세무사의 업무 중 세법 및 관련 법령에 대한 해석·적용이 필요한 업무에 대한 전문성과 능력이 인정됨에도 불구하고, 심판대상조항이 세무사 자격 보유 변호사에 대하여 세무사로서의 세무대리를 일체 할 수 없도록 전면 금지하는 것은 세무사 자격 부여의 의미를 상실시키는 것일 뿐만 아니라, 세무사 자격에 기한 직업선택의 자유를 지나치게 제한하는 것이다. 또한 소비자가 세무사, 공인회계사, 변호사 중 가장 적합한 자격사를 선택할 수 있도록 하는 것이 세무대리의 전문성을 확보하고 납세자의 권익을 보호하고자 하는 입법목적에 보다 부합한다. 따라서 심판대상조항은 침해의 최소성에도 반한다.
　세무사로서 세무대리를 일체 할 수 없게 됨으로써 세무사 자격 보유 변호사가 받게 되는 불이익이 심판대상조항으로 달성하려는 공익보다 경미하다고 보기 어려우므로, 심판대상조항은 법익의 균형성도 갖추지 못하였다.
　그렇다면, 심판대상조항은 과잉금지원칙을 위반하여 세무사 자격 보유 변호사의 직업선택의 자유를 침해하므로 헌법에 위반된다.

172 성범죄 의료인 취업제한 사건 [위헌, 기각]
― 2016. 3. 31. 선고 2013헌마585·786, 2013헌바394, 2015헌마199·1034·1107(병합)

판시사항

1. 구 '아동·청소년의 성보호에 관한 법률' 제44조 제1항 제13호 중 '성인대상 성범죄로 형을 선고받아 확정된 자'에 관한 부분, '아동·청소년의 성보호에 관한 법률'(이하 구법과 신법을 모두 '청소년성보호법'이라 한다) 제56조 제1항 제12호 중 '성인대상 성범죄로 형을 선고받아 확정된 자'에 관한 부분(이하 위 두 조항을 합하여 '이 사건 법률조항'이라 한다)에서 "성인대상 성범죄" 부분이 명확성원칙에 위배되는지 여부(소극)
2. 성인대상 성범죄로 형을 선고받아 확정된 자로 하여금 그 형의 집행을 종료한 날부터 10년 동안 의료기관을 개설하거나 의료기관에 취업할 수 없도록 한 이 사건 법률조항이 청구인들의 직업선택의 자유를 침해하는지 여부(적극)
3. 위 취업제한제도를 법 시행 후 형이 확정된 자부터 적용하도록 하는 '아동·청소년의 성보호에 관한 법률' 부칙 제3조(이하 '이 사건 부칙조항'이라 한다)가 청구인들의 기본권을 침해하는지 여부(소극)

심판대상조항 및 관련조항

구 아동·청소년의 성보호에 관한 법률(2012. 2. 1. 법률 제11287호로 개정되고, 2012. 12. 18. 법률 제11572호로 전부개정되기 전의 것)

제44조(아동·청소년 관련 교육기관 등에의 취업제한 등) ① 아동·청소년대상 성범죄 또는 성인대상 성범죄(이하 "성범죄"라 한다)로 형 또는 치료감호를 선고받아 확정된 자는 그 형 또는 치료감호의 전부 또는 일부의 집행을 종료하거나 집행이 유예·면제된 날부터 10년 동안, 가정을 방문하여 아동·청소년에게 직접교육서비스를 제공하는 업무에 종사할 수 없으며 다음 각 호에 따른 시설 또는 기관(이하 "아동·청소년 관련 교육기관 등"이라 한다)을 운영하거나 아동·청소년 관련 교육기관 등에 취업 또는 사실상 노무를 제공할 수 없다. 다만, 제11호의 경우에는 경비업무에 종사하는 사람, 제13호의 경우에는 「의료법」 제2조의 의료인에 한한다.
  13. 「의료법」 제3조의 의료기관

아동·청소년의 성보호에 관한 법률(2012. 12. 18. 법률 제11572호로 전부개정된 것)

제56조(아동·청소년 관련기관 등에의 취업제한 등) ① 아동·청소년대상 성범죄 또는 성인대상 성범죄(이하 "성범죄"라 한다)로 형 또는 치료감호를 선고받아 확정된 자(제11조 제5항에 따라 벌금형을 선고받은 자는 제외한다)는 그 형 또는 치료감호의 전부 또는 일부의 집행을 종료하거나 집행이 유예·면제된 날부터 10년 동안 가정을 방문하여 아동·청소년에게 직접교육서비스를 제공하는 업무에 종사할 수 없으며 다음 각 호에 따른 시설·기관 또는 사업장(이하 "아동·청소년 관련기관 등"이라 한다)을 운영하거나 아동·청소년 관련기관 등에 취업 또는 사실상 노무를 제공할 수 없다. 다만, 제10호 및 제14호 경우에는 경비업무에 종사하는 사람, 제12호의 경우에는 「의료법」 제2조의 의료인에 한한다.
  12. 「의료법」 제3조의 의료기관

아동·청소년의 성보호에 관한 법률 부칙(2012. 2. 1 법률 제11287호)

제3조(아동·청소년 관련 교육기관 등에의 취업제한 등에 관한 적용례) 제44조 및 제45조의 개정규정은 이 법 시행 후 최초로 아동·청소년대상 또는 성인대상 성범죄로 형 또는 치료감호를 선고받아 확정된 사람부터 적용한다.

주문

1. 구 '아동·청소년의 성보호에 관한 법률'(2012. 2. 1. 법률 제11287호로 개정되고, 2012. 12. 18. 법률 제11572호로 전부개정되기 전의 것) 제44조 제1항 제13호 중 '성인대상 성범죄로 형을 선고받아 확정된 자'에 관한 부분, '아동·청소년의 성보호에 관한 법률'(2012. 12. 18. 법률 제11572호로 전부개정된 것) 제56조 제1항 제12호 중 '성인대상 성범죄로 형을 선고받아 확정된 자'에 관한 부분은 헌법에 위반된다.
2. '아동·청소년의 성보호에 관한 법률' 부칙(2012. 2. 1. 법률 제11287호) 제3조는 헌법에 위반되지 아니한다.
3. 청구인 이○섭, 이□섭, 정○진의 나머지 심판청구를 기각한다.

I 판 단

1. 이 사건 법률조항에 대한 판단

가. 쟁 점

청구인들은 이 사건 법률조항이 명확성 원칙에 위반되고, 직업의 자유, 평등권을 침해한다고 주장하므로, 이에 대해 아래에서 판단한다. 청구인 2와 3은, 이에 더하여 이 사건 법률조항이 의료인과 환자의 행복추구권을 침해한다고 주장하나, 환자의 권리는 의료인인 청구인들의 권리가 아니므로 더 나아가 판단하지 아니하고, 행복추구권은 다른 개별적 자유권이 적용되지 않는 경우에 한하여 보충적으로 적용되는 기본권이므로, 직업의 자유가 제한된다고 보는 이상 청구인들의 행복추구권 침해 여부에 대해서는 별도로 판단하지 않는다.

나. 명확성 원칙 위반 여부

1) "아동·청소년대상 성범죄"는 청소년성보호법에서 그 의미를 규정하고 있지만, "성인대상 성범죄"의 의미에 대해서는 법상으로 규정되어 있지 않아, 어떤 범죄가 성인대상 성범죄에 해당하는지가 불명확하여 명확성 원칙에 위배되는지 여부가 문제된다.

2) 명확성 원칙은 법치국가원리의 한 표현으로서 기본권을 제한하는 법규범의 내용은 명확하여야 한다는 헌법상의 원칙이고, 이는 법규범의 의미내용이 불확실하면 법적 안정성과 예측가능성이 확보될 수 없으며, 법집행 당국의 자의적인 법해석과 집행이 가능하게 된다는 것을 근거로 한다.

법규범의 의미내용은 그 문언뿐만 아니라 입법목적이나 입법취지, 입법연혁, 그리고 법규범의 체계적 구조 등을 종합적으로 고려하는 해석방법에 의하여 구체화하게 된다. 따라서 법규범이 명확성 원칙에 위배되는지 여부는 위와 같은 해석방법에 의하여 그 의미내용을 합리적으로 파악할 수 있는 해석기준을 얻을 수 있는지 여부에 달려 있다.

3) "성인대상 성범죄"는 그 문언에 비추어 성인 피해자를 범죄대상으로 한 성에 관련된 범죄로서 타인의 성적 자기결정권을 침해하여 가해지는 위법행위 혹은 성인이 연루되어 있는 사회의 건전한 성풍속을 침해하는 위법행위를 일컫는 것으로 보이고, 이러한 범죄들 중에서도 이 사건 법률조항의 입법목적에 비추어, 의료기관 취업을 제한할 필요가 있는 범죄로 해석된다. 또한, 청소년성보호법에 이미 규정된 "아동·청소년대상 성범죄"의 내용들을 살펴봄으로써 "성인대상 성범죄"의 내용도 "아동·청소년대상 성범죄"와 유사하게 규율될 것임을 어느 정도 예상할 수 있고, 성범죄를 예방하고 피해자를 보호한다는 측면에서 청소년성보호법과 긴밀한 법적 연관성이 있는 '성폭력범죄의 처벌 등에 관한 특례법'의 내용들도 "성인대상 성범죄"의 내용을 파악하는 데에 도움이 된다. 이상의 내용을 종합하면 "성인대상 성범죄" 부분은 불명확하다고 볼 수 없어 헌법상 명확성원칙에 위배되지 않는다.

다. 직업선택의 자유 침해 여부

1) 제한되는 기본권과 심사기준

헌법 제15조는 "모든 국민은 직업선택의 자유를 가진다."고 규정하여, 개인이 원하는 직업을 자유롭게 선택하는 '좁은 의미의 직업선택의 자유'와 그가 선택한 직업을 자기가 원하는 방식으로 자유롭게 수행할 수 있는 '직업수행의 자유'를 보장하고 있다.

청구인들은 이 사건 법률조항에 의하여 형의 집행을 종료한 때부터 10년간 의료기관에 취업할 수 없게 되었는바, 이는 일정한 직업을 선택함에 있어 기본권 주체의 능력과 자질에 따른 제한이므로 이른바 '주관적 요건에 의한 좁은 의미의 직업선택의 자유'에 대한 제한에 해당한다.

직업의 자유도 헌법 제37조 제2항에 따라 국가안전보장, 질서유지 또는 공공복리 등 정당하고 중요한 공공의 목적을 달성하기 위하여 필요한 경우에는 그 본질적 내용을 침해하지 않는 범위 내에서 제한될 수 있지만, 좁은 의미의 직업선택의 자유를 제한하는 것은 인격발현에 대한 침해의 효과가 직업수행의 자유를 제한하는 경우보다 일반적으로 크기 때문에 전자에 대한 제한은 후자에 대한 제한보다 더 엄격한 제약을 받는다.

2) 판 단

가) 목적의 정당성 및 수단의 적합성

이 사건 법률조항은 의료기관의 운영자나 종사자의 자질을 일정 수준으로 담보하도록 함으로써, 아동·청소년을 잠재적 성범죄로부터 보호하고, 의료기관의 윤리성과 신뢰성을 높여 아동·청소년 및 그 보호자가 이들 기관을 믿고 이용하거나 따를 수 있도록 하는 입법목적을 지니는바, 이러한 입법목적은 정당하다. 성범죄로 형을 선고받아 확정된 자에 대하여 일정기간 의료기관에 취업할 수 없도록 하는 것은 위와 같은 입법목적을 달성할 수 있는 하나의 방안이 될 수 있으므로, 수단의 적합성도 인정된다.

나) 침해의 최소성

그러나 이 사건 법률조항이 성범죄 전력만으로 그가 장래에 동일한 유형의 범죄를 다시 저지를 것을 당연시하고, 형의 집행이 종료된 때부터 10년이 경과하기 전에는 결코 재범의 위험성이 소멸하지 않는다고 보며, 각 행위의 죄질에 따른 상이한 제재의 필요성을 간과함으로써, 성범죄 전력자 중 재범의 위험성이 없는 자, 성범죄 전력이 있지만 10년의 기간 안에 재범의 위험성이 해소될 수 있는 자, 범행의 정도가 가볍고 재범의 위험성이 상대적으로 크지 않은 자에게까지 10년 동안 일률적인 취업제한을 부과하고 있는 것은 침해의 최소성 원칙에 위배된다.

다) 법익의 균형성

이 사건 법률조항에 의한 기본권의 제한 정도는 그것이 달성하려는 공익의 무게에도 불구하고 우리 사회가 청구인들에게 감내하도록 요구할 수 있는 수준을 넘어선다고 할 것이다. 따라서 이 사건 법률조항은 법익의 균형성 원칙에도 위반된다.

라) 소 결

이상과 같이 이 사건 법률조항은 그 목적의 정당성, 수단의 적합성이 인정되지만, 침해의 최소성과 법익의 균형성 원칙에 위반되어 청구인들의 직업선택의 자유를 침해한다.

라. 평등권 침해 여부

성범죄를 범한 전과자에게만 취업제한의 제재를 부과함으로써 이들을 다른 범죄를 저지른 전과자와 차별하고 있다는 청구인들의 주장에 대해 살펴보면, 헌법재판소는 <u>성범죄와 보호법익이 다른 그 밖의 범죄를 저지른 자들이 본질적으로 동일한 비교집단이라고 볼 수 없고, 또 최근 성범죄로 인한 사회불안이 증가하여 이에 대한 중점적 대책 마련이 요구되고 있는 점에 비추어 이와 같은 구분기준이 특별히 자의적이라고 보기도 어렵다고 판시한 바 있어</u>(2014헌마340), 청구인들의 주장과 같은 평등권 침해는 인정되지 않는다.

2. 이 사건 부칙조항에 대한 판단

가. 쟁 점

이 사건 부칙조항은 이 사건 구법조항의 시행 이전에 범죄를 행한 자라 하더라도 위 구법조항의 시행 후 형을 선고받아 확정된 자에게는 취업제한의 제재를 부과하도록 규정하였다. 이로 인해 이 사건 부칙조항이 헌법 제13조 제1항 전단의 형벌불소급원칙에 위반되는지 문제되고, 동시에 이 사건 부칙조항이 과도하게 그 적용범위를 소급하여 과잉금지원칙에 반하여 직업선택의 자유를 침해하는지도 문제된다.

나. 형벌불소급 원칙의 위반 여부

헌법 제13조 제1항 전단은 소급적인 범죄구성요건의 제정과 소급적인 형벌의 가중을 엄격히 금하고 있다. 헌법재판소는 이 형벌불소급 원칙을 엄격히 해석하여, 비형벌적 보안처분에는 이 원칙이 적용되지 않는다고 판단해 왔다.

청소년성보호법이 정하고 있는 취업제한제도로 인해 성범죄자에게 일정한 직종에 종사하지 못하는 제재가 부과되기는 하지만, 위 취업제한제도는 형법이 규정하고 있는 형벌에 해당하지 않으므로, 헌법 제13조 제1항 전단의 형벌불소급 원칙이 적용되지 않는다.

다. 과잉금지원칙 위반 여부

성범죄자의 재범의 위험성에 효과적으로 대처하기 위해서는 법 시행 이전에 이미 범죄를 행한 자라 하더라도 그가 위 법 시행 이후에 형을 선고받아 확정된 자라면 장래의 위험성을 고려하여 취업제한의 제재를 가할 필요성이 인정되므로 이 사건 부칙조항은 그 목적이 정당하고 수단 또한 적절하다.

이 사건 부칙조항은 성범죄를 범한 모든 사람에게 취업제한을 소급적으로 적용하는 것이 아니라 그들 중에서도 이 사건 구법조항의 시행 이후 형을 선고받아 확정된 자로 그 대상자를 한정하고 있는 점, 청소년성보호법상 취업제한이 아동·청소년 관련 기관의 공정성과 윤리성, 신뢰성을 유지하기 위해 성범죄자들의 취업을 제한하는 것인 만큼 어떤 사람이 취업제한의 대상자가 되는지 여부는 취업제한의 제약을 받는 시점을 기준으로 판단할 필요가 있는 점 등을 종합하면, 이 사건 부칙조항이 필요한 범위를 넘어 기본권을 제한하고 있다고 볼 수 없으므로 침해의 최소성 원칙에 어긋나지 않는다.

아동·청소년에 대한 성범죄의 발생 억제라는 공익에 비추어 볼 때, 법 시행 이후 형을 선고받아 확정된 자로 그 대상자를 한정한 이 사건 부칙조항으로 인해 초래되는 사익의 제한은 수인할 수 있는 정도라고 할 것이다. 이 사건 부칙조항은 공·사익의 형량을 도외시하였다 할 수 없으므로 법익의 균형성 원칙에도 부합한다.

그렇다면 이 사건 부칙조항은 과잉금지원칙에 위배되어 이 사건 구법조항의 시행 전에 범죄를 행한 사람의 직업의 자유를 침해한다고 볼 수 없다.

II 결 론

그렇다면 이 사건 법률조항은 헌법에 위반되고, 이 사건 부칙조항은 헌법에 위반되지 아니하므로 이 조항에 대한 청구를 기각하기로 하여, 관여 재판관 전원의 일치된 의견으로 주문과 같이 결정한다.

173 대형마트 영업 제한 사건 [합헌]
— 2018. 6. 28. 선고 2016헌바77, 78, 79(병합)

판시사항

1. 특별자치시장·시장·군수·구청장(이하 '특별자치시장 등'이라 한다)으로 하여금 대형마트 등에 대하여 영업시간 제한을 명하거나 의무휴업을 명할 수 있도록 한 유통산업발전법(2013. 1. 23. 법률 제11626호로 개정된 것) 제12조의2 제1항, 제2항, 제3항(이하 '이 사건 심판대상조항'이라 한다)이 명확성원칙에 위배되는지 여부(소극)
2. 심판대상조항이 과잉금지원칙에 위배되어 직업수행의 자유를 침해하는지 여부(소극)
3. 심판대상조항이 평등원칙에 위배되는지 여부(소극)

사건의 개요

1. 청구인들은 인천광역시 중구, 부천시, 청주시에서 유통산업발전법 제2조 제3호에서 정한 대규모점포 중 같은 법 제12조의2의 대형마트 또는 같은 법 제2조 제4호에서 정한 준대규모점포(이하 대형마트와 준대규모점포를 함께 지칭할 경우에는 '대형마트 등'이라 한다)를 운영하는 법인이다.
2. 인천광역시 중구청장은 2013. 7. 25., 부천시장은 2013. 9. 4., 청주시장은 2013. 5. 28. 각 유통산업발전법 제12조의2 및 관련 지방자치단체 조례에 따라 청구인들이 운영하는 대형마트 등에 대하여 매월 둘째 주와 넷째 주 일요일을 의무휴업일로 지정하고, 영업제한시간을 인천광역시 중구청장은 오전 0시부터 오전 8시까지로, 부천시장, 청주시장은 각 오전 0시부터 오전 10시까지로 정하는 각 처분을 하였다(이하 통틀어 '이 사건 각 처분'이라고 한다).
3. 청구인들은 아래와 같이 이 사건 각 처분에 대하여 취소소송을 제기하고, 그 소송계속 중에 유통산업발전법 제12조의2에 대하여 위헌법률심판제청신청을 하였으나, 위 제청신청이 기각되자, 2016. 2. 26. 이 사건 각 헌법소원심판을 청구하였다.

심판대상조항 및 관련조항

청구인들은 유통산업발전법 제12조의2 전부에 대하여 심판청구를 하였으나, 청구인들은 대형마트 등에 대하여 영업시간 제한 및 의무휴업일 지정을 할 수 있는 근거조항의 위헌 여부를 다투고 있고, 이에 해당하는 조항은 유통산업발전법 제12조의2 제1항, 제2항, 제3항이다. 같은 조 제4항은 영업시간 제한 등에 필요한 사항을 지방자치단체의 조례로 정하도록 한 것으로 대형마트 등에 대한 영업규제의 직접적인 근거조항이 아니므로 심판대상에서 제외한다.

따라서 이 사건 심판대상은 유통산업발전법(2013. 1. 23. 법률 제11626호로 개정된 것) 제12조의2 제1항(이하 '영업규제조항'이라 한다), 제2항(이하 '영업시간제한조항'이라 한다), 제3항(이하 '의무휴업조항'이라 하고, 영업규제조항, 영업시간제한조항, 의무휴업조항을 통틀어 '심판대상조항'이라 한다)이 헌법에 위반되는지 여부이다. 심판대상조항은 다음과 같고, 관련조항은 별지 2와 같다.

【심판대상조항】

유통산업발전법(2013. 1. 23. 법률 제11626호로 개정된 것)

제12조의2(대규모점포 등에 대한 영업시간의 제한 등) ① 특별자치시장·시장·군수·구청장은 건전한 유통질서 확립, 근로자의 건강권 및 대규모점포등과 중소유통업의 상생발전(相生發展)을 위하여 필요하다고 인정하는 경우 대형마트(대규모점포에 개설된 점포로서 대형마트의 요건을 갖춘 점포를 포함한다)와 준대규모점포에 대하여 다음 각 호의 영업시간 제한을 명하거나 의무휴업일을 지정하여 의무휴업을 명할 수 있다. 다만, 연간 총매출액 중 「농수산물 유통 및 가격안정에 관한 법률」에 따른 농수산물의 매출액 비중이 55퍼센트 이상인 대규모점포등으로서 해당 지방자치단체의 조례로 정하는 대규모점포등에 대하여는 그러하지 아니하다.
  1. 영업시간 제한
  2. 의무휴업일 지정
② 특별자치시장·시장·군수·구청장은 제1항 제1호에 따라 오전 0시부터 오전 10시까지의 범위에서 영업시간을 제한할 수 있다.
③ 특별자치시장·시장·군수·구청장은 제1항 제2호에 따라 매월 이틀을 의무휴업일로 지정하여야 한다. 이 경우 의무휴업일은 공휴일 중에서 지정하되, 이해당사자와 합의를 거쳐 공휴일이 아닌 날을 의무휴업일로 지정할 수 있다.

주문

유통산업발전법(2013. 1. 23. 법률 제11626호로 개정된 것) 제12조의2 제1항, 제2항, 제3항은 모두 헌법에 위반되지 아니한다.

1. 심판대상조항에 대한 판단

가. 쟁점의 정리

1) 영업규제조항은 대형마트 등에 대한 영업규제 방법으로 영업시간 제한과 의무휴업일 지정을 규정하고 있는데, 두 가지 방법 중 어느 하나만을 선택하여야 하는지 아니면 두 가지 방법을 병행하는 것도 가능한지 그 의미가 분명하지 않아 명확성원칙에 위배되는지 문제된다.

또한 영업규제조항은 '지방자치단체장이 필요한 경우에 의무휴업일을 지정하여 의무휴업을 명할 수 있다'라는 재량행위로 규정하고 있음에 반하여, 의무휴업조항은 '지방자치단체장은 제1항 제2호에 따라 매월 이틀을 의무휴업일로 지정하여야 한다'라는 기속행위로 규정하고 있는바, 두 조항간의 관계에 있어서 지방자치단체장의 의무휴업일 지정 여부 자체가 기속행위인지 분명하지 않아 명확성원칙에 위배되는지 문제된다.

2) 심판대상조항은 대형마트 등에 대하여 영업시간 제한 및 의무휴업을 명할 수 있도록 함으로써 대형마트 등의 운영자가 영업시간이나 영업일수에 제약을 받지 않고 자유로이 영업할 수 있는 자유를 제한하고 있으므로, 대형마트 등의 운영자인 청구인들의 직업수행의 자유를 침해하는지 문제된다.

3) 심판대상조항은 여러 종류 및 형태의 유통업체 중에서 대형마트와 준대규모점포에 대하여만 영업시간 및 영업일수를 제한하는바, 농협 하나로마트 등의 다른 유통업체와 차별 취급함으로써 평등원칙에 위배되는지 문제된다.

4) 청구인들은 심판대상조항이 헌법상 경제질서에 위배된다고 주장하나, 헌법 제119조의 경제질서는 국가의 경제정책에 대한 헌법적 지침으로서 직업의 자유와 같은 경제에 관한 기본권에 의하여 구체화되는 것이다. 따라서 청구인들의 헌법 제119조에 관한 주장 역시 직업수행의 자유 침해 여부에 대하여 심사하는 것으로 충분하므로 별도로 판단하지 않는다.

나. 명확성원칙 위배 여부

1) 법률조항의 문구의 의미가 명확하지 않거나 특정한 상황에 들어맞는 규율을 하고 있는 것인지 애매할 경우에는, 입법목적이나 입법자의 의도를 합리적으로 추정하여 문언의 의미를 보충하여 확정하는 체계적, 합목적적 해석을 하여 법의 흠결을 보충하거나, 심지어 법률의 문언 그대로 구체적 사건에 적용할 경우 터무니없는 결론에 도달하게 되고 입법자가 그런 결과를 의도하였을 리가 없다고 합리적으로 판단되는 경우에는 문언을 약간 수정하여 해석하는 경우도 있을 수 있다.

2) 심판대상조항의 입법경위와 입법취지 및 목적, 영업시간 제한과 의무휴업일 지정이 영업규제 방법으로서 가지는 규제의 범위와 구체적인 효과 면에서 차이가 있어 어느 하나의 방법만을 선택하여야 한다면, 대형마트 등에 대한 영업규제를 도입한 심판대상조항의 입법취지가 크게 퇴색하는 점, 심판대상조항과 관련규정의 체계 등을 종합적으로 감안하면, 심판대상조항은 영업규제 방법으로서 영업시간 제한과 의무휴업일 지정 중 어느 하나만을 선택하도록 한 것이 아니라, 영업규제 필요에 따라 영업시간 제한과 의무휴업일 지정 중 한 가지 방법만을 사용하거나 두 가지 방법 모두를 사용할 수 있도록 한 것이고, 이는 건전한 상식과 통상적인 법감정을 가진 일반인이라면 그 의미를 충분히 파악할 수 있다.

3) 다음으로, 영업규제조항은 지방자치단체장의 영업시간 제한 및 의무휴업일 지정을 재량행위로 규정하고 있는데, 의무휴업조항은 '지방자치단체장은 제1항 제2호에 따라 매월 이틀을 의무휴업일로 지정하여야 한다'라고 하여 매월 이틀의 의무휴업일 지정을 기속행위로 규정하고 있다.

영업규제조항과 의무휴업조항의 내용을 종합하면, 지방자치단체장은 필요하다고 인정할 경우에 재량으로 의무휴업일을 지정하여 의무휴업을 명할 수 있는데, 의무휴업을 명할 경우에는 의무휴업조항에 따라 그 의무휴업일 수를 매월 이틀로 지정하여야 한다는 의미임이 명확하다.

4) 따라서 심판대상조항은 명확성원칙에 위배되지 않는다.

다. 직업수행의 자유 침해 여부

1) 경제질서와 심사기준

직업선택의 자유와 직업수행의 자유는 기본권의 주체에 대한 제한의 효과가 다르기 때문에 제한에 있어 적용되는 기준 또한 다르며, 특히 직업수행의 자유에 대한 제한의 경우 인격발현에 대한 침해의 효과가 일반적으로 직업선택 그 자체에 대한 제한에 비하여 작기 때문에, 그에 대한 제한은 보다 폭넓게 허용된다. 다만 이러한 경우에도 헌법 제37조 제2항의 과잉금지원칙에 위배되어서는 안 된다.

한편, 직업수행의 자유와 같은 경제적 기본권 제한에 대한 위헌심사에 있어서는 헌법 제119조에 규정된 경제질서 조항의 의미를 충분히 고려하여야 한다. 입법자는 경제현실의 역사와 미래에 대한 전망, 목적달성에 소요되는 경제적·사회적 비용, 당해 경제문제에 관한 국민 내지 이해관계인의 인식 등 제반 사정을 두루 감안하여 시장의 지배와 경제력의 남용 방지, 경제의 민주화 달성 등의 경제영역에서의 국가목표를 이루기 위하여 가능한 여러 정책 중 필요하다고 판단되는 경제정책을 선택할 수 있고, 입법자의 그러한 정책판단과 선택은 그것이 현저히 합리성을 결여한 것이라고 볼 수 없는 한 경제에 관한 국가적 규제·조정권한의 행사로서 존중되어야 한다.

2) 목적의 정당성 및 수단의 적합성

심판대상조항은 건전한 유통질서를 확립하고, 대형마트 등과 중소유통업의 상생발전을 도모하며, 대형마트 등에 근무하는 근로자의 건강권을 보호하려는 것을 입법목적으로 하고 있다.

여기에서 "건전한 유통질서 확립"은 소수 대형유통업체 등의 시장 지배와 경제력 남용을 방지하여 공정한 유통시장질서를 확립하고자 하는 것이고, "대규모점포등과 중소유통업의 상생발전"은 유통시장에서 전통시장과 중소유통업자가 대형마트 등과 상생발전하면서 경제의 민주화에 기여할 수 있도록 그 기반을 만들어 주고자 하는 것으로서, 이는 모두 헌법 제119조 제2항의 경제영역에서의 국가목표인 "시장의 지배와 경제력의 남용을 방지하며, 경제주체간의 조화를 통한 경제의 민주화"를 구체화한 것이라고 볼 수 있다. "근로자의 건강권"은 인간의 존엄과 가치의 기초가 되고 국가의 보호의무가 인정되는 기본권이다.

따라서 심판대상조항의 입법목적은 헌법에 규정된 경제영역에서의 국가목표 등을 구체화한 공익으로서 그 정당성이 인정된다.

헌법재판소가 수단의 적합성으로 심사하는 내용은 입법자가 선택한 방법이 최적의 것이었는가 하는 것이 아니고, 그 방법이 입법목적 달성에 유효한 수단인가 하는 점에 한정된다.

심판대상조항은 앞서 본 입법목적을 달성하는 수단으로 유효한 것이므로, 수단의 적합성도 인정된다.

3) 침해의 최소성

자본력 등에 차이가 있는 대형마트 등과 지역 전통시장이나 중소유통업자들의 경쟁을 형식적 자유시장 논리에 따라 그대로 방임한다면, 결국 대기업이 운영주체인 대형마트 등만 시장을 장악하여 유통시장을 독과점하는 한편, 지역 전통시장과 중소유통업자들은 현저히 위축되거나 도태될 개연성이 매우 높다. 이에 따라 유통시장은 소수 대형유통업체 등의 시장지배로 인해 공정한 경쟁질서가 깨어지고, 유통시장에서의 의사결정이 소수 대형유통업체 등에 집중됨으로써 다양한 경제주체간의 견제와 균형을 통한 시장기능의 정상적 작동이 저해되며, 중소상인들의 생존 위협으로 국민생활의 균등한 향상 등 경제영역에서의 사회정의가 훼손될 수 있다. 이러한 결과는 앞서 본 바와 같이 우리 헌법이 지향하는 사회적 시장경제질서에 부합하지 않으므로, 국가는 헌법

제119조 제2항에 따라 대형마트 등이 유통시장을 지배하고 경제력을 남용하는 것을 방지하고, 대형마트 등과 중소유통업체 등의 관련 경제주체간의 부조화를 시정하거나 공존·상생을 도모하기 위해 규제와 조정을 할 수 있다.

현재의 유통시장은 대형마트 등이 출현한 이후 앞서 본 자본력과 경쟁의 우위에 기하여 그 시장지배 확대 및 지역상권 장악이 빠르게 진행되었고, 그와 동시에 전통시장이나 중소유통업자들의 매출감소 및 그로 인한 쇠퇴가 가속화되고 있는 상태이다. 이러한 상황에서는 위와 같은 장기적 지원정책들의 효과가 나타나기도 전에 전통시장이나 중소유통업자들이 시장에서 퇴출되거나 경쟁력의 회복이 매우 어렵게 될 것이므로, 불가피하게 대형마트 등의 영업을 직접적으로 규제함으로써 전통시장이나 중소유통업자들로 하여금 매출을 유지하면서 스스로 경쟁력을 확보할 수 있도록 하는 것이 필요하다는 입법자의 판단이 불합리하다고 볼 수 없다.

심판대상조항은 소비자의 이용빈도가 비교적 낮은 심야시간 및 아침시간에 국한하여 영업시간을 제한하고, 의무휴업일 지정도 매월 이틀을 공휴일 중에서 지정하며, 특별자치시장 등에게 그 지역 유통시장의 구체적 사정을 고려하여 필요에 따라 영업제한 조치를 할 것인지와 그 방법을 정할 수 있도록 한다.

심판대상조항은 대형마트 등에 근무하는 근로자의 건강권 보호도 입법목적으로 하고 있다. 영업시간 제한 및 의무휴업일 지정과 동일한 정도로 대형마트 등에 근무하는 근로자에게 최소한의 휴식을 구체적, 현실적으로 보장함으로써 근로자의 건강권을 보장할 수 있는 다른 방법은 찾기 어렵다.

위와 같은 사정들을 종합하면, 심판대상조항은 그 입법목적을 달성하기 위하여 필요한 범위를 벗어나지는 않았으므로 침해의 최소성 원칙을 충족한다.

4) 법익의 균형성

심판대상조항에 따라 대형마트 등이 경제적 손실을 입고, 소비자가 불편을 겪게 될 수도 있으나, 이는 입법목적을 달성하기 위하여 필요한 최소한의 범위에 그치고 있는 반면, 심판대상조항의 입법목적은 매우 중요하므로, 법익의 균형성도 충족한다. 따라서 심판대상조항은 과잉금지원칙에 위배되어 직업수행의 자유를 침해하지 않는다.

5) 소 결

그러므로 심판대상조항은 과잉금지원칙을 위반하여 청구인들의 직업수행의 자유를 침해하지 않는다.

라. 평등원칙 위반 여부

1) 심사기준

헌법 제11조 제1항이 규정하는 평등원칙은 일체의 차별적 대우를 부정하는 절대적 평등을 의미하는 것이 아니라 입법과 법의 적용에 있어서 합리적 근거가 없는 차별을 배제하는 상대적 평등을 뜻하는 것이므로, 합리적 근거 없이 차별하는 경우에 한하여 평등원칙에 반할 뿐이다.

2) 평등원칙 위배 여부

가) 동일한 비교집단의 범위

　평등원칙 위배 여부를 심사함에 있어서 비교집단이 본질적으로 동일한지 여부는 관련 헌법규정과 당해 법규정의 의미와 목적에 달려 있다. 심판대상조항은 대형마트 등에 대한 영업규제를 통하여 건전한 유통질서를 확립하고, 소속 근로자를 보호하며, 유통시장의 경제주체 사이의 상생을 도모하기 위한 것인바, 대형마트이면서도 영업규제조항의 단서에 따라 농수산물 매출비중을 이유로 영업규제 대상에서 제외되는 하나로마트와 유통산업발전법상의 전문점, 백화점, 쇼핑센터, 복합쇼핑몰 및 기타 대규모점포 등은 심판대상조항이 규율하는 대형마트 등과 같이 강한 자본력과 시장지배력을 가지고 대규모 고용과 영업을 하며, 넓은 지역의 소비자를 대상으로 하는 등 지역상권에 미치는 효과가 크다는 점에서 동일·유사한 비교집단이 된다.

　한편, 홈쇼핑업체나 인터넷쇼핑몰업체는 대형마트 등과는 소비자의 구매형태, 즉 점포에 직접 방문하여 소비를 하는지, 아니면 방송이나 인터넷통신을 통하여 소비하는지 여부 및 그에 따라 잠재적 소비층이 지역적으로 한정되는지 여부에 본질적인 차이가 있으므로 동일한 비교대상으로 보기 어렵다. 편의점의 경우는 개별 점포의 규모, 취급물품 종류의 범위나 물품수량, 주요 소비층의 지역적 범위 등에서 대형마트 등과는 현격한 차이가 있어 그 운영으로 인하여 지역상권에 미치는 영향이 대형마트 등과는 전혀 유사하지 않으므로 의미 있는 비교집단으로 보기 어렵다.

나) 차별취급의 존재와 합리성 여부

　심판대상조항은 영업제한을 받는 대형마트 등과 그러한 제한을 받지 않는 다른 형태의 대규모점포들을 차별 취급하고 있으나, 이는 지역상권에 미치는 영향에 차이가 있음을 고려한 것으로 합리적 이유가 있다. 또, 심판대상조항은 대형마트 중에서 농수산물의 판매 비중이 55% 이상인 대형마트를 그렇지 않은 대형마트와 차별 취급하고 있으나, 이는 농수산물의 특성과 농어업에 대한 국가의 보호의무 등을 고려한 것으로서 합리적 이유가 있다. 따라서 심판대상조항은 평등원칙에 위배되지 않는다.

다) 소 결

　따라서 심판대상조항은 평등원칙에 위배되지 않는다.

174 심야시간대 청소년의 인터넷게임 이용금지 강제적 셧다운제 사건 [기각, 각하]
— 2014. 4. 24. 선고 2011헌마659,683(병합)

판시사항 및 결정요지

1. 처벌조항의 고유한 위헌성을 주장하지 않는 경우 처벌조항에 대한 기본권 침해의 직접성 인정 여부(소극)

벌칙 조항의 전제가 되는 구성요건조항이 별도로 규정되어 있는 경우에 벌칙 조항에 대하여는 청구인들이 그 법정형이 체계정당성에 어긋난다거나 과다하다는 등 그 자체가 위헌임을 주장하지 않는 한 직접성을 인정할 수 없다. 청구인은 심판대상조항 중 처벌조항 부분 자체의 고유한 위헌성을 다투는 것이 아니라, 전제되는 금지조항이 위헌이어서 당연히 위헌이라는 취지로 주장한다. 이러한 경우 구성요건조항과 별도로 규정된 벌칙조항에 대해서는 기본권 침해의 직접성이 인정되지 아니하므로 이 부분 심판청구는 부적법하다.

2. 16세 미만 청소년에게 오전 0시부터 오전 6시까지 인터넷게임의 제공을 금지하는 이른바 '강제적 셧다운제'를 규정한 구 청소년보호법 제23조의3 제1항 및 청소년 보호법 제26조 제1항(이하 이를 합하여 '이 사건 금지조항'이라 한다) 중 '인터넷게임'의 의미가 불명확하여 죄형법정주의 명확성원칙에 위반되는지 여부(소극)

청소년보호법상 '인터넷게임'은 '게임산업진흥에 관한 법률'(이하 '게임산업법'이라 한다)에 따른 게임물 중 정보통신망을 통하여 실시간으로 제공되는 게임물이라고 정의되어 있다. 따라서 게임의 시작 및 실행을 위하여 인터넷이나 네트워크 등 정보통신망에의 접속이 필요한 게임이라면 기기나 종류를 불문하고 모두 인터넷게임에 해당하고, 게임산업법상 게임물이 아니거나 정보통신망에의 접속이 필요 없는 게임은 인터넷게임에 해당하지 않는다는 것은 누구나 쉽게 알 수 있으므로, 이 사건 금지조항에서 '인터넷게임'의 의미는 명확하다. 한편, 청소년보호법 부칙 및 여성가족부고시(제2013-9호)에서, 스마트폰 등 모바일기기를 이용하는 인터넷게임에 대하여 강제적 셧다운제의 적용을 유예하고 있는데, 이로 인하여 이 사건 금지조항에서 정한 '인터넷게임'의 의미가 불명확해진다고 보기는 어려우므로, 이 사건 금지조항은 죄형법정주의의 명확성원칙에 위반되지 않는다.

3. 이 사건 금지조항이 인터넷게임 제공자의 직업수행의 자유, 16세 미만 청소년의 일반적 행동자유권, 부모의 자녀교육권을 침해하는지 여부(소극)

가. 헌법상 청소년 보호의무와 기본권제한의 한계로서의 과잉금지원칙

이 사건 금지조항은 인터넷게임을 제공하는 자의 직업수행의 자유 및 여가 또는 오락 활동의 선택 및 시간 활용에 관한 청소년 개인의 자유로운 결정권과 학교 밖의 영역에서 부모가 자신의 자녀에게 인터넷게임을 허용할지 여부를 결정할 권리를 제한하므로, 개인의 기본권 제한에 있어 헌법 제37조 제2항에 의한 과잉금지원칙을 준수하여야 하는 한계가 있다.

그런데 청소년기는 20대 이후의 사회생활을 대비하고 전 생애에 걸쳐 필요한 지식과 소양을 습득하는 시기이고, 청소년은 미래에 국가발전을 위한 중요한 인적자원이다. 한편, 청소년은 자기행동의 개인적 또는 사회적인 의미에 대한 판단능력과 그 결과에 대한 책임능력이 성인에 비하여 미숙한 존재이다. 따라서 청소년의 건전한 성장과 발달을 위하여 특별한 보호가 필요한바, 헌법도 국가에 대하여 청소년의 복지향상을 위한 정책을 실시할 의무를 부과하고 있다(헌법 제34조 제4항). 이 사건 금지조항은 청소년의 과도한 인터넷게임 이용 및 그 중독 문제가 사회적으로 심각하게 대두되고 있음에도 가정 및 학교 등의 자율적인 노력만으로는 이에 대한 적절한 대처가 어렵다는 인식 하에 도입된 제도로, 국가의 청소년 보호의무의 일환으로 마련된 제도라 할 수 있다. 따라서 이 사건에서 이 사건 금지조항이 과잉금지원칙에 위배되는지 여부를 심사함에 있어서는 이러한 사정도 함께 고려해야 한다.

나. 과잉금지원칙 위반 여부

이 사건 금지조항은 청소년의 건강한 성장과 발달 및 인터넷게임 중독을 예방하려는 것으로, 인터넷게임 자체는 오락 내지 여가활동의 일종으로 부정적이라고 볼 수 없으나, 우리나라 청소년의 높은 인터넷게임 이용률, 인터넷게임에 과몰입되거나 중독될 경우에 나타나는 부정적 결과 및 자발적 중단이 쉽지 않은 인터넷게임의 특성 등을 고려할 때, 16세 미만의 청소년에 한하여 오전 0시부터 오전 6시까지만 인터넷게임을 금지하는 것이 과도한 규제라고 보기 어렵다. 여성가족부장관으로 하여금 2년마다 적절성 여부를 평가하도록 하고, 시험용 또는 교육용 게임물에 대해서 그 적용을 배제하는 등 피해를 최소화하는 장치도 마련되어 있으며, 본인 또는 법정대리인의 자발적 요청을 전제로 하는 게임산업법상 선택적 셧다운제는 그 이용률이 지극히 저조한 점 등에 비추어 대체수단이 되기에는 부족하므로 침해최소성 요건도 충족한다. 나아가 청소년의 건강 보호 및 인터넷게임 중독 예방이라는 공익의 중대성을 고려할 때 법익균형성도 유지하고 있으므로, 이 사건 금지조항이 인터넷게임 제공자의 직업수행의 자유, 여가와 오락 활동에 관한 청소년의 일반적 행동자유권 및 부모의 자녀교육권을 침해한다고 볼 수 없다.

4. 이 사건 금지조항이 다른 게임과 달리 인터넷게임만 규제하고, 해외 게임업체와 달리 국내 게임업체만 규율함으로써 평등권을 침해하는지 여부(소극)

가. 다른 게임 이용자와의 차별에 대한 판단

인터넷게임은 주로 동시 접속자와의 상호교류를 통한 게임 방식을 취하고 있어 중독성이 강한 편이고, 정보통신망서비스가 제공되는 곳이면 언제나 쉽게 접속하여 장시간 이용으로 이어질 가능성이 크다는 점에서, 다른 게임과 달리 인터넷게임에 대해서만 강제적 셧다운제를 적용하는 것에는 합리적 이유가 있다.

한편, 모바일기기를 이용한 인터넷게임에는 이 사건 금지조항이 적용되지 않으므로 PC기반 인터넷게임에 대한 차별취급이 평등권을 침해하는지 문제된다. 살피건대, 이 사건 금지조항의 신설 당시 인터넷게임이 가능한 모바일기기의 보급률이 청소년층에서 높지 않았고, 모바일 어플리케이션의 개발 및 보급도 활발하지 않아 모바일로 이용할 수 있는 게임의 종류나 시간적 이용이 제한적이어서, 그 중독의 우려나 심야시간대의 이용제한 필요성이 상대적으로 낮다고 보고 모바일기기를 이용한 인터넷게임에 대하여 이 사건 금지조항의 적용을 유예하고 있는 것일 뿐, 이 사건 금지조항은 원칙적으로 모바일기기를 이용한 인터넷게임도 그 적용대상으로 하고 있다. 그리고 앞으로 스마트기기의 보급 확산과 PC와 스마트기기에서 동시에 게임이용이 가능한 크로스플랫폼 현상 등 게임 산업을 둘러싼 환경의 변화에 따라 그 적용 여부가 변경될 수 있으므로, 현재 일부 인터넷게임에 대하여 적용이 유예되고 있다는 점만으로 청구인들의 평등권이 침해된다고 보기는 어렵다.

나. 해외 게임업체와의 차별에 대한 판단

전기통신사업법에 따라 부가통신사업자로 신고하고 게임법상 등급분류를 받아 정상적인 방법으로 제공되는 인터넷게임물에 대해서는 그 제공업체가 국내 업체인지 해외 업체인지를 불문하고 강제적 셧다운제가 적용되므로, 일부 해외 서버를 통해 불법 유통되고 있는 게임물에 대하여 적용되지 않는다는 사실만으로 해외 업체에 비하여 국내 업체만을 차별취급한다고 볼 수는 없다.

175 부천시·강남구 담배자동판매기 설치금지조례 사건 [기각]
― 1995. 4. 20. 선고 92헌마264,279

판시사항

1. 조례가 헌법소원의 대상이 될 수 있는지 여부
2. 주민의 권리·의무에 관한 조례제정권에 대한 법률의 위임 정도
3. 담배자동판매기의 설치제한 및 철거를 규정한 조례가 직업수행의 자유를 침해하는지 여부
4. 기존의 담배자동판매기를 조례 시행일로부터 3개월 이내에 철거 하도록 한 조례의 부칙규정이 소급입법에 의한 재산권박탈에 해당하는지 여부

사건의 개요

청구인들은 부천시 및 서울 강남구에서 각 담배자동판매기(이하 "자판기"라 한다)를 이용하여 담배소매업을 하고 있는 사람들이다.

지방자치단체인 부천시와 서울 강남구는 각 지방의회의 의결을 거쳐 부천시 담배자동판매기설치금지조례(부천시 조례 제1197호, 이하 "부천시조례"라 한다)와 강남구 담배자동판매기설치금지조례(강남구 조례 제207호, 이하 "강남구조례"라 한다)를 제정하여, 부천시조례는 1992. 8. 12.자로, 강남구조례는 같은 해 10. 16.자로 공포·시행되었다.

청구인들은 자판기의 설치를 제한하고 설치된 자판기를 철거하도록 한 부천시조례 제4조 및 부칙 제2항과 같은 내용의 강남구조례 제4조 및 부칙 제2항은 위임입법의 한계를 벗어난 무효의 규정으로서 청구인들의 헌법상 보장된 직업선택의 자유 등 기본권을 침해하고 있다고 하여, 각 해당조례에 대하여 헌법재판소에 이 사건 헌법소원심판을 각 청구하였다.

심판대상조항 및 관련조항

(1) 부천시조례

제4조(설치의 제한) 자판기는 부천시 전지역에 설치할 수 없다. 다만, 성인이 출입하는 업소 안에는 제외한다.

부칙 ② (경과조치) 이 조례의 시행 전에 설치된 자판기는 시행일부터 3월 이내에 철거하여야 한다.

(2) 강남구조례

제4조(설치의 제한) 자판기는 서울특별시 강남구 전지역에 설치할 수 없다. 다만, 성인이 출입하는 업소 안에는 제외한다.

부칙 ② (경과조치) 이 조례의 시행 전에 설치된 자판기는 시행일부터 3월 이내에 철거하여야 한다.

주문

청구인들의 심판청구를 모두 기각한다.

1. 심판청구의 적법성

조례는 지방자치단체가 그 자치입법권에 근거하여 자주적으로 지방의회의 의결을 거쳐 제정한 법규이기 때문에 조례 자체로 인하여 기본권을 침해받은 자는 그 권리구제의 수단으로서 조례에 대한 헌법소원을 제기할 수 있다고 할 것이다. 다만 이 경우에 그 적법요건으로서 조례가 별도의 구체적인 집행행위를 기다리지 아니하고 직접 그리고 현재 자기의 기본권을 침해하는 것이어야 함을 요한다.

이 사건 심판대상규정은 담배소매인 지정신청인에게 적용되는 기준일 뿐만 아니라 현재 담배소매업을 하고 있는 청구인들에게도 추가적인 자판기 설치를 금지하고 이미 설치한 자판기마저 철거하도록 하고 있으므로 집행행위를 기다리지 아니하고 바로 자유를 제한하고 의무를 부과하는 규정이어서 자기관련성, 현재성 및 직접성의 요건을 모두 갖추고 있다고 할 것이다.

그리고 이 사건의 경우와 같이 조례 자체에 의한 직접적인 기본권침해가 문제될 때에는 그 조례 자체의 효력을 직접 다투는 것을 소송물로 하여 일반법원에 구제를 구할 수 있는 절차가 있는 경우가 아니어서 다른 구제절차를 거칠 것 없이 바로 헌법소원심판을 청구할 수 있는 것이므로 이 사건 헌법소원심판청구는 보충성의 원칙에 반하지 아니하는 적법한 소원심판청구라 할 것이다.

2. 본안에 관한 판단

가. 법률의 위임과 관련한 헌법위반 여부

헌법 제117조 제1항은 "지방자치단체는 주민의 복리에 관한 사무를 처리하고 재산을 관리하며, 법령의 범위 안에서 자치에 관한 규정을 제정할 수 있다."고 규정하고 있고, 지방자치법 제15조는 이를 구체화하여 "지방자치단체는 법령의 범위 안에서 그 사무에 관하여 조례를 제정할 수 있다. 다만, 주민의 권리제한 또는 의무부과에 관한 사항이나 벌칙을 정할 때에는 법률의 위임이 있어야 한다."고 규정하고 있다.

이 사건 조례들은 담배소매업을 영위하는 주민들에게 자판기 설치를 제한하는 것을 내용으로 하고 있으므로 주민의 직업선택의 자유 특히 직업수행의 자유를 제한하는 것이 되어 지방자치법 제15조 단서 소정의 주민의 권리의무에 관한 사항을 규율하는 조례라고 할 수 있으므로 지방자치단체가 이러한 조례를 제정함에 있어서는 법률의 위임을 필요로 한다.

그런데 조례의 제정권자인 지방의회는 선거를 통해서 그 지역적인 민주적 정당성을 지니고 있는 주민의 대표기관이고, 헌법이 지방자치단체에 대해 포괄적인 자치권을 보장하고 있는 취지로 볼 때 조례제정권에 대한 지나친 제약은 바람직하지 않으므로 조례에 대한 법률의 위임은 법규명령에 대한 법률의 위임과 같이 반드시 구체적으로 범위를 정하여 할 필요가 없으며 포괄적인 것으로 족하다고 할 것이다.

이 사건의 경우를 보면, 담배사업법(법률 제4065호)은 제16조 제4항에서 "소매인의 지정기준 기타 지정에 관하여 필요한 사항은 재무부령으로 정한다."고 규정하고 있고, 재무부령인 담배사업법시행규칙은 제11조 제1항의 별표 2 "제조담배소매인의 지정기준" 중 자동판매기란에서 "1. 자동판매기는 이를 일반소매인 또는 구내소매인으로 보아 소매인 지정기준을 적용한다. (단서 생략) 2. 청소년의 보호를 위하여 지방자치단체가 조례로 정하는 장소에는 자동판매기의 설치를 제한할 수 있다."고 규정하고 있으며, 이 사건 조례들은 위 규정들에 따라 제정된 것이다.

그렇다면 이 사건 조례들은 법률의 위임규정에 근거하여 제정된 것이라고 할 것이며, 이러한 위임에 의하여 자판기의 설치제한 및 철거에 관하여 규정하고 있는 이 사건 심판대상규정 역시 자판기의 전면적인 설치금지를 내용으로 하는 등의 특별한 사정이 없는 이상 위임의 한계를 벗어난 규정이라고 볼 수 없다.

나. 직업선택의 자유의 침해 여부

이 사건 심판대상규정은 담배소매인의 자판기설치를 제한하고 이미 설치한 자판기를 철거하도록 함으로써 자판기를 통한 담배판매라는 담배소매인의 영업수단을 규제하는 것이므로 청구인들을 포함한 담배소매인의 직업선택의 자유 특히 영업의 자유 내지 직업수행의 자유를 제한하는 것이 될 소지가 있다.

직업수행의 자유는 직업결정의 자유에 비하여 상대적으로 그 침해의 정도가 작다고 할 것이므로 이에 대하여는 공공복리 등 공익상의 이유로 비교적 넓은 법률상의 규제가 가능하지만 그 경우에도 헌법 제37조 제2항에서 정한 한계인 과잉금지의 원칙은 지켜져야 할 것이다.

담배는 폐암, 심장병, 호흡기질환 등의 직접적인 원인으로 되는 등 그 유해함은 널리 알려진 사실이지만 육체적·정신적으로 미숙한 청소년의 건강에는 더욱 결정적인 해독을 초래할 뿐만 아니라 청소년의 흡연은 이에 그치지 않고 음주, 약물남용으로 이어지고 다시 청소년 범죄로 옮겨가서 청소년들이 육체적으로나 정신적으로 건강하게 성장하는 것을 방해하고 수많은 비행청소년을 양산해 낼 우려마저 있다고 할 수 있다.

자동판매기를 통한 담배판매는 구입자가 누구인지를 분별하는 것이 곤란하여 청소년의 담배구입을 막기 어렵고, 또 그 특성상 판매자와 대면하지 않는 익명성, 비노출성으로 인하여 청소년으로 하여금 심리적으로 담배구입을 용이하게 하고, 주야를 불문하고 언제라도 담배구입을 가능하게 하며, 청소년이 쉽게 볼 수 있는 장소에 설치됨으로써 청소년에 대한 흡연유발효과도 매우 크다고 아니할 수 없으므로, 청소년의 보호를 위하여 자판기설치의 제한은 반드시 필요하다고 할 것이고, 이로 인하여 담배소매인의 직업수행의 자유가 다소 제한되더라도 법익형량의 원리상 감수되어야 할 것이다.

결국 이 사건 심판대상규정은 기본권제한입법에 있어서 반드시 지켜져야 할 과잉금지의 원칙에 위배하여 헌법 제15조에 의하여 보장된 청구인들의 직업선택의 자유를 침해하였다고 볼 수 없다.

다. 평등권의 침해 여부

조례에 의한 규제가 지역의 여건이나 환경 등 그 특성에 따라 다르게 나타나는 것은 헌법이 지방자치단체의 자치입법권을 인정한 이상 당연히 예상되는 불가피한 결과이므로, 이 사건 심판대상규정으로 인하여 청구인들이 다른 지역의 주민들에 비하여 더한 규제를 받게 되었다 하더라도 이를 두고 헌법 제11조 제1항의 평등권이 침해되었다고 볼 수는 없다.

또한 이 사건 심판대상규정이 담배의 특수성과 이에 따른 청소년 보호의 필요성을 특히 고려하여 담배소매인들에게 다른 판매업 종사자들에 비하여 자판기에 관한 특별한 규제를 하고 있다 하여도 이러한 제한은 합리성이 인정되어 자의적인 차별이라고 할 수 없으므로 이러한 측면에서도 청구인들의 평등권이 침해되었다고는 볼 수 없다.

라. 소급입법에 의한 재산권의 박탈 여부 등

청구인들은 이 사건 조례들의 각 부칙 제2항은 이미 설치되어 있는 자판기마저 시행일로부터 3개월 이내에 철거하도록 하고 있으므로 이는 헌법 제13조 제2항에서 금지하고 있는 소급입법에 의한 재산권의 박탈에 해당한다고 주장한다.

그러나 위 부칙조항은 이 사건 조례들의 시행일 이전까지 계속되었던 자판기의 설치·사용에 대하여는 규율하는 바가 없고, 장래에 향하여 자판기의 존치·사용을 규제할 뿐이므로 그 규정의 법적 효과가 시행일 이전의 시점에까지 미친다고 할 수 없어 헌법 제13조 제2항에서 금지하고 있는 소급입법이라고 볼 수는 없다.

다만 위 부칙조항에서 조례의 시행 전에 청구인들이 적법하게 설치한 자판기에 대하여도 조례의 시행일로부터 3개월 이내에 철거하도록 하는 것이 비록 소급입법에 의한 규제는 아니라고 하더라도 법치주의의 원리에서 파생되는 신뢰보호의 원칙이나 법적안정성의 요구에 어긋나는 것은 아닌가를 살펴보기로 한다.

법규를 새로이 제정하거나 개정함에 있어서는 기존 법질서와의 어느 정도의 마찰은 불가피하다고 할 것인바, 위 부칙조항이 신뢰보호의 원칙에 어긋나는지 여부는 기존 법질서하에서 널리 허용되었던 자판기의 설치·사용에 대한 청구인들의 신뢰를 보호할 필요성 및 법적 안정성의 요청과 조례제정으로 달성하고자 하는 공익목적을 형량하여 판단하여야 할 것이다.

이 사건의 경우 위 부칙조항에서는 자판기의 계속적인 존치·사용을 허용하는 것은 미성년자보호법의 취지를 무색하게 하여 청소년의 보호라는 공익상의 필요에 비추어서 바람직하지 않으므로 자판기를 철거하도록 하되, 3개월의 유예기간을 두어 자판기의 처분경로의 모색 등 경제적 손실을 최소화할 수 있도록 함으로써 이미 자판기를 사용하여 영업을 하고 있는 청구인들을 비롯한 담배소매인에 대하여도 어느 정도의 배려를 하고 있다고 할 것이다. 그렇다면 위 부칙조항에서 이미 설치되어 있는 자판기를 조례의 시행일로부터 3개월 이내에 철거하도록 하였다고 하여 청구인들의 신뢰보호와 법적 안정성을 외면하여 헌법상의 법치주의의 원리에 어긋난 것이라고 볼 수 없다.

한편 청구인들은 법률이 아닌 조례로 재산권을 제한한 것은 위헌이라고 주장하나, 이 사건 조례들의 경우 법률의 위임에 의하여 제정된 것이며 이러한 경우에는 위임의 한계를 벗어나지 아니하는 한 조례로도 재산권을 제한할 수 있다고 할 것이다.

176 백화점 셔틀버스 운행 금지 사건 [기각]
- 2001. 6. 28. 선고 2001헌마132

판시사항 및 결정요지

1. 청구인들 중 백화점 등의 셔틀버스를 이용해 온 소비자들의 경우 이 사건 법률조항에 대한 청구인적격이 인정되는지 여부(소극)

청구인 중 소비자들이 그동안 백화점 등의 셔틀버스를 이용할 수 있었던 것은 백화점 등의 경영자가 셔틀버스를 운행함으로써 누린 반사적인 이익에 불과한 것이므로, 이 사건 법률조항으로 인하여 더 이상 셔틀버스를 이용할 수 없게 되었다 하더라도, 이는 백화점 등에의 접근에 대한 편의성이 감소되었을 뿐이고, 이로 인하여 소비자의 상품선택권이 제한을 받는 것은 아니어서 이들에게는 청구인적격이 인정될 수 없으므로, 이들의 심판청구는 부적법하다.

2. 헌법상 경제조항의 성격

우리 헌법은 전문 및 제119조 이하의 경제에 관한 장에서 균형있는 국민경제의 성장과 안정, 적정한 소득의 분배, 시장의 지배와 경제력남용의 방지, 경제주체간의 조화를 통한 경제의 민주화, 균형있는 지역경제의 육성, 중소기업의 보호육성, 소비자보호 등 경제영역에서의 국가목표를 명시적으로 규정함으로써, 우리 헌법의 경제질서는 사유재산제를 바탕으로 하고 자유경쟁을 존중하는 자유시장 경제질서를 기본으로 하면서도 이에 수반되는 갖가지 모순을 제거하고 사회복지·사회정의를 실현하기 위하여 국가적 규제와 조정을 용인하는 사회적 시장경제질서로서의 성격을 띠고 있다.

3. 이 사건 법률조항이 헌법상 정당한 범위를 넘어 백화점 등의 경영자인 청구인들의 영업의 자유를 침해하는지 여부(소극)

가. 직업의 자유는 기본권제한입법의 한계조항인 헌법 제37조 제2항에 따라 국가안전보장·질서유지 또는 공공복리를 위하여 불가피한 경우에는 이를 제한할 수 있는 것이고, 직업의 자유를 구체적으로 어느 정도까지 제한할 수 있는지에 관하여 헌법재판소는 좁은 의미의 직업선택의 자유에 비하여 직업행사의 자유(영업의 자유)에 대하여는 상대적으로 더욱 폭 넓은 법률상의 규제가 가능하다고 판시하고 있다.

나. 여객자동차운수사업법(이하 "법"이라 한다)은 여객운송사업의 공공성 때문에 여객자동차운송사업을 하고자 하는 자에 대한 면허기준, 운임·요금의 신고 등 엄격한 규제를 가하고 있고, 나아가 운임이나 운행노선을 변경하고자 하는 경우에도 사업의 유형에 따라 중앙정부 내지는 시·도지사와의 협의와 조정을 반드시 거치도록 규정하고 있다. 이에 비하여 청구인들과 같은 백화점이나 대형 할인점 등은 그 기본적인 업태가 '상품의 판매'이지 '고객의 운송'이 아니다. 백화점 등의 무분별한 셔틀버스의 운행으로 말미암아 위와 같이 공공성을 띤 여객운송사업체의 경영에 타격을 줌으로써 건전한 여객운송질서의 확립에 장애를 불러 왔고, 셔틀버스의 운행횟수·노선수·운행거리 등의 제한을

내용으로 하는 자율감축노력은 대도시와 중소도시의 교통환경의 차이, 백화점 등 상호간 또는 기타 유통업체간의 무한경쟁의 특성상 성공하지 못하였다.

다. 법 제73조의 규정에 의하면 자가용자동차의 유상운송은 금지되는 것이 원칙이다. 백화점 등의 셔틀버스운행은 형식상 고객에 대한 무상운행서비스의 제공이지만 이는 결국 모든 상품가격에 전가되게 되어 있으므로, 백화점 등의 셔틀버스운행은 형식상 무상운송이나 실질상은 유상운송으로 보아야 한다. 이 사건 법률조항은 "고객을 유치할 목적으로" "노선을 정하여" 셔틀버스를 운행하는 경우만을 규제하고 있으며, 법 제73조의 2 제1항 제2호는 대중교통수단이 없는 지역 등 대통령령이 정하는 사유에 해당하는 경우로서 시·도지사의 허가를 받은 경우에는 셔틀버스를 계속 운행할 수 있도록 규정하였고, 또한 법 제24조 제1항은 건설교통부장관 또는 시·도지사는 여객의 원활한 운송과 서비스의 개선을 위하여 필요하다고 인정할 때에는 운송사업자에게 "노선의 연장 및 변경", "벽지노선 기타 수익성이 없는 노선의 운행"을 명할 수 있도록 규정함으로써 소비자의 불편을 최소화하는 장치를 마련하고 있다.

라. 요컨대, 이 사건 법률조항은 그 목적의 정당성과 방법의 적합성을 인정할 수 있고, 나아가 피해의 최소성과 법익의 균형성을 갖춘 것이므로, 비록 이로 말미암아 청구인들의 영업의 자유에 제약을 가한 점이 있다 하더라도 그 제약은 헌법상 정당한 범위 내의 제한이라고 할 수 있다.

4. 평등위반심사의 심사척도와 이 사건 법률조항이 청구인들의 평등권을 침해하는지 여부(소극)

이 사건은 헌법재판소가 평등위반심사를 함에 있어 엄격한 심사를 하여야 할 경우로서 제시한 헌법이 차별의 근거로 삼아서는 아니되는 기준 또는 차별을 금지하고 있는 영역을 제시하고 있음에도 그러한 기준을 근거로 한 차별이나 그러한 영역에서의 차별, 차별적 취급으로 인하여 관련 기본권에 대한 중대한 제한을 초래하게 되는 경우의 어디에도 해당하지 않는다. 따라서 이 사건에는 완화된 심사기준, 즉 차별기준 내지 방법의 합리성 여부가 헌법적 정당성 여부의 판단기준이 된다. 이 사건 법률조항에서 예외적으로 셔틀버스운행을 허용하는 "학교, 학원, 유치원, 보육원, 호텔, 교육·문화·예술·체육시설(유통산업발전법 제2조 제3호의 규정에 의한 대규모점포에 부설된 시설은 제외한다), 종교시설, 금융기관 또는 병원의 이용자를 위하여 운행하는 경우"는 그 이용자가 직원, 학생, 교회신도 등 이를 이용할 수 있는 일정한 신분 내지는 자격을 가진 사람에 국한되거나, 그렇지 않다 하더라도 백화점 등의 셔틀버스처럼 불특정 다수인이 이용할 가능성이 상대적으로 적고 또 그 운행횟수나 노선의 거리 등에 있어 현저한 차이를 가지고 있으므로, 이와 같이 구분을 한 입법자의 판단이 명백히 불합리하다거나 자의적인 것으로는 판단되지 않는다.

5. 이 사건 법률조항이 신뢰보호원칙에 위배되는지 여부(소극)

청구인들이 이 사건 법률조항의 입법이 있기까지 관할관청의 묵인하에 그동안 무상셔틀버스를 규제없이 운행해 왔다 하더라도 이는 법규의 미비로 인하여 누려왔던 반사적 이익에 불과하다고 할 것이고, 설사 그렇지 않다 하더라도 청구인들이 갖고 있는 셔틀버스운행에 대한 신뢰보호와 이 사건 법률조항의 입법으로 새로이 달성하려는 공익목적과 비교·형량할 때 공익의 우월성을 인정할 수 있으므로, 사회환경이나 경제여건의 변화에 따라 구법질서가 더 이상 적절하지 아니하다는 입법자의 정책적인 판단에 의한 이 사건 법률조항의 입법으로 말미암아 청구인들이 구법질서에서 누리던 신뢰가 손상되었다 하더라도 이를 일컬어 헌법적 한계를 넘는 위헌적인 공권력행사라고는 평가할 수 없다.

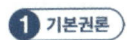

제1종 운전면허 취득요건으로 시력 0.5 이상을 요구하는 사건 [기각]
— 2003. 6. 26.자 2002헌마677

판시사항 및 결정요지

1. 제1종 운전면허의 취득요건으로 양쪽 눈의 시력이 각각 0.5 이상일 것을 요구하는 도로교통법시행령 제45조 제1항 제1호 가목 부분(이하 '이 사건 조문'이라고 한다)이 좁은 의미의 직업선택의 자유를 침해하는지 여부(소극)

　이 사건 조문에서 정한 시력기준에 미달하는 자는 제1종 운전면허를 요구하는 직업에 종사할 수 없게 되어 좁은 의미의 직업선택의 자유에 제한을 받게 된다. 그러나, 이 사건 조문이 낮은 시력으로 인한 교통상의 위험을 방지하여 국민의 생명, 신체 및 재산을 보호하고 안전하고 원활한 도로교통을 확보함을 입법목적으로 하고 있고, 우리 도로교통법이 자동차의 운전에 운전면허의 취득을 그 요건으로 하고 있어 운전면허의 취득단계에서 이를 규제하는 것이 위 입법목적의 달성에 효과적이고 적절하며, 운전면허는 운전업무에 종사하는 자에 대하여 일정한 자격을 설정한 것으로 볼 수 있는데 어떤 자격제도를 만들면서 그 자격요건을 어떻게 설정할 것인가는 원칙적으로 입법형성의 자유에 속하는 것이고 다만 그 자격요건의 설정이 재량의 범위를 넘어 명백히 불합리하게 된 경우에는 기본권 침해 등의 문제가 생길 수 있다고 할 것인바, 한쪽 눈의 시력(교정시력 포함)이 0.5 미만인 경우에는 일반적으로 시야, 원근감, 입체감, 깊이 감각 등의 상실이 발생하고 우발적인 상황에서의 시기능 상실 상태를 초래할 수 있으므로 이 사건 조문상의 기준이 입법형성의 재량의 범위를 넘어 명백히 불합리하게 설정된 것이라고 할 수 없고, 또한 이 사건 조문이 추구하는 질서유지 및 공공복리의 증진이라는 공익은 이로써 제한되는 좁은 의미의 직업선택의 자유라는 사익보다 훨씬 더 크다고 할 것이어서 기본권 제한의 입법한계인 비례의 원칙을 준수하였으므로 이 사건 조문은 좁은 의미의 직업선택의 자유를 침해하지 아니한다.

2. 이 사건 조문이 직업수행의 자유를 침해하는지 여부(소극)

　이 사건 조문에서 정한 시력기준에 미달하는 자는 제1종 운전면허 대상 차량을 자신이 직접 운전하는 방법으로는 자신의 영업에 제공할 수 없게 되어 직업수행의 자유에도 일정한 제한을 받게 된다. 그러나, 이러한 경우에는 제1종 운전면허를 가진 사람을 고용하여 자동차를 운전하게 하는 등의 방법으로 소기의 목적을 달성할 수 있으므로 비록 운전자의 고용 등에 추가적인 경제적 부담이 수반된다 하더라도 이로써 제한되는 직업수행의 자유의 정도는 그리 크지 않은 반면, 이 사건 조문이 추구하는 질서유지 및 공공복리의 증진이라는 공익은 그보다 훨씬 더 크다고 할 것이어서 기본권 제한의 입법한계인 비례의 원칙을 준수하였으므로 이 사건 조문은 직업수행의 자유를 침해하지 아니한다.

3. 이 사건 조문이 행복추구권인 일반적 행동자유권을 침해하는지 여부(소극)

운전은 직업과는 무관하게 이동의 수단 또는 취미생활과 같이 일상 생활의 한 부분으로서 이루어지는 경우도 많은데 이 사건 조문에서 정한 시력기준에 미달하여 제1종 운전면허 대상 차량을 운전하지 못하게 되는 것은 행복추구권인 일반적 행동의 자유에 대한 제한이 될 수 있다. 그러나, 일반적 행동의 자유는 개인의 인격발현과 밀접히 관련되어 있어 최대한 존중되어야 하는 것이지만 헌법 제37조 제2항에 따라 제한될 수 있는 것인바, 이 사건 조문이 추구하는 질서유지 및 공공복리의 증진이라는 공익은 이로써 제한되는 일반적 행동의 자유라는 사익보다 훨씬 더 크다고 할 것이어서 기본권 제한의 입법한계인 비례의 원칙을 준수하였으므로 이 사건 조문은 행복추구권인 일반적 행동자유권을 침해하지 아니한다.

4. 이 사건 조문이 평등원칙에 위반되는지 여부(소극)

자동차의 운전에 있어서 시력은 주변의 교통상황, 위험발생의 가능성 등을 인지할 수 있는 가장 중요한 감각이므로 운전면허를 부여함에 있어 시력이 일정 수준에 미달하는 사람을 일정 수준 이상의 시력을 가진 사람과 달리 취급하는 것은 본질적으로 같은 것을 자의적으로 달리 취급하는 것이라 할 수 없고, 이들을 각기 달리 취급해야 할 합리적인 이유가 충분하므로 이 사건 조문은 평등원칙에 위반되지 아니한다.

178 요양기관 강제지정제 사건 [합헌]
- 2002. 10. 31. 선고 99헌바76, 2000헌마505(병합)

판시사항

1. 요양기관 강제지정제의 입법목적
2. 입법자의 예측판단에 대한 헌법재판소의 심사기준
3. 이 사건의 경우, 입법자의 예측판단에 대하여 '명백성의 통제'에 그치는 이유
4. 계약지정제가 아니라 강제지정제를 택한 것의 최소침해성 위반여부(소극)
5. 강제지정제를 택하면서 예외를 두지 않은 것의 최소침해성 위반여부(소극)
6. 강제지정제가 입법목적을 저해하지 않는 범위 내에서 의료기관의 직업행사의 자유를 배려하는가의 여부 (적극)
7. 강제지정제를 유지하는 경우 수반되는 국가의 의무
8. 의료소비자의 자기결정권의 침해여부(소극)
9. 평등권의 위반여부(소극)

사건의 개요

1. 99헌바76 사건

청구인은 대장항문과 전문의 자격을 가지고 서울에서 외과의원을 개설하여 운영하는 자인데, 의료보험요양기관의 지정신청을 하지 않고 의료보험 피보험자에게 보험수가가 아닌 일반수가로 진료를 하는 등 민원을 야기하자, 의료보험연합회는 1998. 2. 10. 청구인에게 의료보험요양기관 지정신청을 하도록 촉구하였고, 청구인이 이를 거부하자 의료보험연합회는 같은 달 25. 구 의료보험법 제32조에 의하여 청구인에 대하여 의료보험요양기관 지정처분을 하였다. 이에 청구인은 의료보험연합회를 상대로 서울행정법원에 위 요양기관지정처분의 취소를 구하는 소송을 제기하고, 위 행정소송의 진행 중 의료보험요양기관을 강제로 지정할 수 있도록 규정하고 있는 구 의료보험법 제32조 제1항, 제4항, 제5항이 헌법상 보장된 청구인의 직업선택의 자유, 평등권 등을 침해한다고 주장하면서 위 규정에 대한 위헌여부심판의 제청신청을 하였으나, 위 법원이 1999. 7. 28. 이를 기각하자 1999. 8. 23. 이 사건 헌법소원심판을 청구하였다.

한편, 구 의료보험법 제32조가 1999. 2. 8. 개정되어 '요양기관 강제지정제'가 '당연 요양기관제'(의료법에 의하여 개설된 의료기관은 별도의 지정절차 없이 모두 의료보험요양기관이 되도록 하는 제도)로 바뀌게 되자, 청구인은 개정 의료보험법 제32조 제1항도 마찬가지로 헌법에 위반된다는 이유로 이 사건 헌법소원심판의 청구취지에 포함시켰다.

2. 2000헌마505 사건

청구인 김방철은 김방철 산부인과병원을, 노만희는 서울백제병원을, 이송은 서울성심병원을 각 운영하고 있는 의사들이고 한동관은 연세대학교 의과대학 교수로 재직하고 있는 의사이다. 청구인들은 의료법에 의하여 개설된 의료기관을 당연히 요양기관으로 간주하는 국민건강보험법 제40조 제1항이 헌법상 보장된 청구인들의 직업행사의 자유, 평등권 등을 침해한다고 주장하면서 2000. 8. 1. 그 위헌확인을 구하는 이 사건 헌법소원심판을 청구하였다.

심판대상조항 및 관련조항

99헌바76 사건의 경우, 청구인은 헌법소원심판을 청구하면서 개정된 의료보험법 제32조 제1항도 청구취지에 포함시키고 있다. 그러나 위 개정된 조항의 위헌여부에 대하여는 재판의 전제성도 인정되지 아니할 뿐 아니라 청구인이 당해소송법원에 위헌여부심판의 제청신청조차 한 바 없어, 위 조항에 대한 심판청구는 부적법하므로 심판대상에서 제외하기로 한다.

그렇다면 이 사건 심판의 대상은 구 의료보험법(1994. 1. 7. 법률 제4728호로 제정되어 1999. 2. 8. 법률 제5857호로 개정되기 전의 것) 제32조 제1항, 제4항, 제5항 및 국민건강보험법(1999. 2. 28. 법률 제5854호로 제정되어 1999. 12. 31. 법률 제6093호로 개정된 것) 제40조 제1항이고, 그 규정 및 관련규정의 내용은 다음과 같다.

구 의료보험법 제32조(요양기관의 지정) ① 제29조 제2항 제1호의 요양기관은 보건복지부장관이 정하는 바에 따라 보험자 또는 보험자단체가 이를 정한다.
④ 보건복지부장관은 필요하다고 인정할 때에는 보험자 또는 보험자단체에 대하여 요양기관을 지정하게 할 수 있다.
⑤ 제1항 또는 제4항의 규정에 의하여 지정을 받은 의료기관 및 약국은 정당한 이유없이 이를 거부하지 못한다.

국민건강보험법 제40조(요양기관) ① 요양급여(간호 및 이송을 제외한다)는 다음 각호의 요양기관에서 행한다. 이 경우 보건복지부장관은 공익 또는 국가시책상 요양기관으로 적합하지 아니하다고 인정되는 의료기관등으로서 대통령령이 정하는 의료기관등은 요양기관에서 제외할 수 있다.
 1. 의료법에 의하여 개설된 의료기관
 2. 약사법에 의하여 등록된 약국
 3. 지역보건법에 의한 보건소·보건의료원 및 보건지소
 4. 농어촌등보건의료를위한특별조치법에 의하여 설치된 보건진료소

주문

1. 구 의료보험법(1994. 1. 7. 법률 제4728호로 제정되어 1999. 2. 8. 법률 제5857호로 개정되기 전의 것) 제32조 제1항, 제4항, 제5항은 헌법에 위반되지 아니한다.
2. 청구인 2 내지 5의 심판청구를 기각한다.

I 강제지정제와 침해되는 기본권

1. 요양기관 강제지정제의 입법목적

우리 의료보험제도는 법률에 자격이 정해진 자가 보험료를 낼 것을 전제로 하여 보험급여를 하는 사회보험방식을 택하고 있다. 소득재분배와 위험분산의 효과를 거두려는 사회보험의 목표는 임의가입의 형식으로 운영하는 한 달성하기 어려우므로, 피보험자에게 가입의무를 강제로 부과하는 것은 의료보험의 목적을 달성하기 위하여 적합하고도 필요한 조치로써, 이로 인한 피보험자의 기본권에 대한 제한은 원칙적으로 정당화된다.

그런데 우리 의료보험제도는 피보험자인 국민뿐이 아니라 의료공급자도 또한 의료보험체계에 강제로 동원하고 있다. 사회보험의 강제성은 피보험자의 강제가입에 관한 것이므로, 요양기관의 '강제지정제'는 사회보험의 본질적 구성요소에 포함되는 것은 아니다. 사회보험방식을 취하는 선진 외국의 의료보장 운영실태를 살펴보더라도, 요양기관을 강제로 지정하는 제도를 취하고 있는 국가는 없는 것으로 보이며, 모든 국가가 보험자 또는 국가와의 계약을 통하여 보험의(保險醫)를 확보하고 있다.

현행 의료보험제도가 요양기관 강제지정제를 택하고 있는 것은, 우리나라의 의료기관의 대부분이 공공의료기관이 아니라 민간소유이기 때문에 의료보험을 시행함에 있어서 민간의료기관에 대한 의존도가 매우 높다는 특수한 상황에 기인하는 것으로 보인다. 국가가 의료보장의무를 이행하기 위해서는 국민에게 질병·부상에 대하여 적정한 요양급여를 행해야 하며, 이를 위해서는 요양급여를 제공할 수 있는 적정수의 의료기관과 약국을 확보해야 한다. 더욱이 의료보험이 전 국민에게로 확대됨에 따라 의료급여를 제공하는 의료기관의 안정적인 확보를 통하여 의료보험 수급질서가 보장되어야 하는데, 이러한 상황에서 민간의료기관의 전반적인 참여없이는 의료보장체계가 사실상 실현될 수 없는 것이다.

따라서 이 사건 '요양기관 강제지정제'의 목적은 법률에 의하여 모든 의료기관을 국민건강보험체계에 강제로 편입시킴으로써 요양급여에 필요한 의료기관을 확보하고 이를 통하여 피보험자인 전 국민의 의료보험수급권을 보장하고자 하는 것이다.

2. 요양기관 강제지정제에 의하여 제한될 수 있는 기본권

가. 직업의 자유(헌법 제15조)

직업선택의 자유는 선택한 직업을 자신이 원하는 대로 자유롭게 행사할 수 있는 '직업수행의 자유'까지 보장하는 기본권이다. 이 사건 강제지정제에 의하여 의료기관은 의료행위의 질, 범위 등에 관하여 규제를 받고 정해진 의료보수만을 받으므로, 강제지정제는 의료기관의 직업의 자유를 제한하는 규정이다.

나. 평등의 원칙(헌법 제11조)

청구인들의 주장에 의한다면, 이 사건 강제지정제는 개별 의료기관의 시설투자, 능력, 치료기법 등이 다름에도 불구하고 이를 무시하고 모든 의료기관에게 요양급여를 강제하고 획일적인 대가를 지급하고 있다는 것이므로, 강제지정제가 본질적으로 다른 것을 같게 취급할 가능성이 있어 평등의 원칙에 위반될 수 있다.

다. 일반적 행동의 자유(헌법 제10조, 제37조)

'일반적 행동의 자유'는 이른바 보충적 자유권이다. 청구인들은 강제지정제에 의하여 '비요양기관으로서 의료행위를 할' 청구인의 일반적 행동의 자유가 제한된다고 주장하나, 이러한 내용의 자유는 직업의 자유에 의하여 보호되는 내용이다. 따라서 직업의 자유와 같은 개별 기본권이 적용되는 경우에는 일반적 행동의 자유는 제한되는 기본권으로서 고려되지 아니한다.

라. 헌법상 경제질서(헌법 제119조 제1항)

헌법은 제119조에서 개인의 경제적 자유를 보장하면서 사회정의를 실현하기 위한 경제질서를 선언하고 있다. 이 규정은 헌법상 경제질서에 관한 일반조항으로서 국가의 경제정책에 대한 하나의 헌법적 지침이고, 동 조항이 언급하는 '경제적 자유와 창의'는 직업의 자유, 재산권의 보장, 근로3권과 같은 경제에 관한 기본권 및 비례의 원칙과 같은 법치국가원리에 의하여 비로소 헌법적으로 구체화된다. 따라서 이 사건에서 청구인들이 헌법 제119조 제1항과 관련하여 주장하는 내용은 구체화된 헌법적 표현인 경제적 기본권을 기준으로 심사되어야 한다.

마. 재산권(헌법 제23조)

청구인들은 사적 부담으로 의사자격을 취득하고 의료기관을 설립하여 그에 상응하는 수입을 대가로서 기대하였으나, 국민건강보험법규정은 각자의 능력, 투여비용, 시설의 차이를 무시하고 모든 의료기관에게 요양급여를 강제하고 획일적인 대가를 지급하기 때문에 청구인들의 재산권을 침해한다고 주장한다. 그러나 자신이 받은 교육이 장래에 일정한 경제적 결실을 맺으리라는 기대나 시설투자가 일정한 이윤을 가져오리라는 예상 등은 모두 개인의 자유로운 결정과 그에 따른 사적 위험부담에 기인하는 것으로서 헌법상 보장된 재산권의 보호범위에 포함되지 않는다. 따라서 이 사건에서 청구인들이 기대하고 투자한 것 만큼 그에 상응하는 보수를 받지 못한다고 하여 이로 인하여 청구인들의 재산권이 제한되었다고 할 수 없다.

바. 학문의 자유(헌법 제22조)

청구인들은 자신들의 의료기관이 요양기관으로 지정됨으로써 의료인의 능력을 의학의 발전을 위하여 발휘하기보다는 정해진 시간에 다수의 환자를 진료하는데 쓰이기 때문에 의료인으로서의 연구활동이 장애를 받고 있다고 주장한다. 그러나 요양기관 강제지정제가 규율하고자 하는 국민의 생활영역은 의료인의 직업활동일 뿐, 의료인의 학문연구나 학문활동의 내용이나 방식이 아니므로, 이 사건 조항은 헌법 제22조의 학문의 자유를 제한하는 규정이 아니다. 설사 강제지정제가 결과적으로 일부 연구활동에 영향을 미칠 수 있다하더라도 이는 극히 부수적이고 간접적일 뿐이다.

사. 의료소비자의 자기결정권

소비자가 자신의 의사에 따라 자유롭게 상품을 선택하는 소비자의 자기결정권은 헌법 제10조의 행복추구권에 의하여 보호된다. 강제지정제는 모든 의료기관을 요양기관으로 지정함으로써 의료기관으로 하여금 국가가 정하는 기준에 따라 모든 국민에게 원칙적으로 동일한 수준의 의료서비스를 제공하도록 규정하고 있다. 이로써 의료소비자인 국민이 의료행위의 질, 범위, 보수 등을 자유롭게 결정할 수 있는 자유를 제한받으므로, 강제지정제는 헌법 제10조의 행복추구권에서 파생하는 국민의 의료행위 선택권을 제한하는 규정이다.

4. 소결론

그렇다면 이 사건 조항에 의하여 제한되는 기본권은 의료인의 직업의 자유, 의료소비자의 자기결정권 및 평등권이다.

II 판 단

1. 직업의 자유의 침해여부

가. 직업행사의 자유에 대한 제한으로서 '강제지정제'

의료기관을 요양기관으로서 강제로 지정하는 '강제지정제'는 의료인이라는 직업의 선택을 금지하거나 직업에의 접근 자체를 봉쇄하는 규정이 아니라 의료인이라는 직업을 구체적으로 행사하는 방법을 제한하는 규정이다.

즉 의료법에 의하여 의료기관의 개설이 허용되고 이로써 의료인으로서의 직업선택은 허용되지만, 일단 의료인이 된 후에는 보험의(保險醫)로서 국가가 정한 바에 따라 의료보험환자를 진료해야 하는 것 외에는 달리 직업을 행사할 수 있는 방법이 없는 것이다. 따라서 '강제지정제'는 직업의 자유 중 '직업행사의 자유'를 제한하는 규정이다.

나. 위헌성 심사기준으로서의 비례의 원칙

직업의 자유도 다른 기본권과 마찬가지로 절대적으로 보호되는 것이 아니라, 공익상의 이유로 제한될 수 있음은 물론이다. 직업선택의 자유와 직업행사의 자유는 기본권주체에 대한 그 제한의 효과가 다르기 때문에 제한에 있어서 적용되는 기준도 다르며, 특히 직업행사의 자유에 대한 제한은 인격발현에 대한 침해의 효과가 일반적으로 직업선택 그 자체에 대한 제한에 비하여 적기 때문에, 그에 대한 제한은 보다 폭넓게 허용된다고 할 수 있다.

그러나 이 경우에도 개인의 자유가 공익실현을 위해서 과도하게 제한되어서는 아니되며 개인의 기본권은 꼭 필요한 경우에 한하여 필요한 만큼만 제한되어야 한다는 비례의 원칙(헌법 제37조 제2항)을 준수해야 한다.

살피건대 강제지정제는 원칙적으로 모든 의료기관을 요양기관으로 지정함으로써 전 국민에 해당하는 의료보험 피보험자의 의료보험수급권을 보장하고자 하는 것이다. 따라서 강제지정제는 사회보험의 형태로 이루어지는 현 의료보험체계의 기능을 확보하고 피보험자인 전 국민에게 원활한 보험급여를 보장하고자 하는 것으로서, 그 입법목적이 정당하다.

그리고 모든 의료기관을 보험급여의 의무가 있는 요양기관으로 강제지정하는 것이 원칙적으로 위의 입법목적을 달성하는데 크게 기여한다는 점에서, 수단의 적정성도 마찬가지로 인정된다. 문제는 최소침해성의 위반여부이다.

다. 최소침해성의 위반여부

입법자는 의료기관을 사회보험인 의료보험체계에 흡수함에 있어서 의료보험제도의 기능도 확보하면서 동시에 의료기관이란 기본권의 주체가 가능하면 자유로운 직업활동을 통하여 인격의 자유로운 발현이 이루어질 수 있도록 규율해야 한다. 의료보험을 사회보험의 형태로 실시한다고 하더라도 제3자인 의료기관에게 직업수행에 대한 과도한 제한을 부과함으로써 일방적인 희생을 강요할 수는 없기 때문이다. 이러한 관점에서 볼 때, 요양기관 강제지정제가 입법목적을 달성할 수 있는 유효한 수단 중에서 가장 국민의 기본권을 적게 침해하는 수단에 해당하는가 하는 문제는 다음과 같은 몇 가지 헌법적 의문을 제기한다.

1) 계약지정제가 아니라 강제지정제를 택한 것의 최소침해성 위반여부

요양기관 강제지정제가 입법목적을 달성할 수 있는 유효한 수단 중에서 가장 국민의 기본권을 적게 침해하는 수단에 해당하는가 하는 문제가 제기된다. 입법자가 강제지정제를 채택한 것은 첫째, 의료보험의 시행은 인간의 존엄성실현과 인간다운 생활의 보장을 위하여 헌법상 부여된 국가의 사회보장의무의 일환으로서 이를 위한 모든 현실적 여건이 성숙될 때까지 미루어질 수 없는 중요한 과제라는 규범적 인식, 둘째, 우리의 의료기관 중 공공의료기관이 약 10여 %에 불과하기 때문에 민간의료기관을 의료보험체계에 강제로 동원하는 것이 의료보험의 시행을 위해서는 불가피다는 현실적 인식에 기초하고 있는 것으로 보인다. 더욱이 국가는 이미 1977년 계약지정제를 일시적으로 도입한 바 있는데, 그 당시 지역적·진료부문별 의료공백이 크게 발생하였으며 지정수가제 등을 이유로 다수의 의료인이 요양기관으로의 지정을 거부하는 등 부정적인 경험을 하였는 바, 이러한 '현실화 된' 우려가 강제지정제로 전환하는 직접적인 계기로서, 그리고 현재의 상황이 당시의 상황과 근본적으로 달라진 것이 없다는 판단이 제도 유지의 근거로 각 작용한 것으로 보인다. 이러한 관점 등을 고려할 때, 입법자가 계약지정제를 취하는 경우 의료보장이란 공익을 실현할 수 없다는 현실 판단이 잘못되었다고 할 수 없으므로, 강제지정제를 택한 것은 최소침해의 원칙에 위반되지 않는다.

2) 강제지정제를 택하면서 예외를 두지 않은 것의 최소침해성 위반여부

입법자가 강제지정제를 택한 것이 위에서 살펴본 바와 같이 위헌은 아니지만, 예외를 허용하는 법규정으로도 입법목적을 달성할 수 있음에도 예외를 전혀 허용하지 않는다면, 이러한 기본권 제한은 법이 실현하려는 중대한 공익으로도 정당화될 수 없는 과도한 제한이므로, 비례의 원칙에 위반되어 청구인들의 기본권을 과도하게 침해하는 위헌적인 것이다.

그러나 일정 비율의 의료기관에게 일반의(一般醫)로서 진료할 수 있는 예외를 허용한다면, 의료공급시장의 자유경쟁에서 살아 남기 힘든 의료기관은 건강보험에 편입되기를 원할 것이고, 보다 양질의 의료행위를 제공할 수 있는 경쟁력있는 의료기관이나 의료인은 요양기관으로서의 지정에서 벗어나 일반의로서 활동하게 되리라는 점이 쉽게 예상된다. 이렇게 되면 보험진료는 결국 2류 진료로 전락하고, 그 결과 다수의 국민이 고액의 진료비를 지불해야 하는 일반진료를 선호하게 되고, 이는 중산층 이상의 건강보험의 탈퇴요구와 맞물려 자칫 의료보험체계 전반이 흔들릴 위험이 있다. 따라서 강제지정제의 예외를 허용한다면, 의료보장체계의 원활한 기능확보가 보장될 수 없다는 판단이 가능하고, 입법자의 이러한 예측이 명백히 잘못되었다고 할 수 없으므로, 강제지정제에 대한 예외를 허용하지 않은 것은 최소침해의 원칙에 위반되지 않는다.

3) 강제지정제가 입법목적을 저해하지 않는 범위 내에서 의료기관의 직업행사의 자유를 배려하는가의 여부

위와 같은 이유로 국가가 강제지정에 대한 예외를 의료인에게 허용할 수 없다고 판단한다면, 강제지정제로 인하여 발생하는 직업행사의 자유에 대한 다양한 제약은 강제지정제 하에서도 의료행위를 통하여 각자의 직업관·가치관을 실현하고 관철할 수 있는 가능성을 의료인에게 개방함으로써 완화되어야 한다.

살피건대, 요양급여비용의 산정제도가 의료행위의 질과 설비투자의 정도를 상당한 부분 반영하고 있고 의료보험법과 국민건강보험법은 의료행위를 비급여대상으로 제공할 수 있는 가능성을 인정하고 있는 바, 현재의 의료보험수가제도에 미흡한 점이 있다 하더라도, 요양기관 강제지정제도 하에서도 의료인이 의료행위를 통하여 개인의 직업관을 실현하고 인격을 발현할 수 있는 여지를 어느 정도 가지고 있다고 할 것이다. 그렇다면 이 사건 강제지정제는 의료인의 직업의 자유에 대한 포괄적인 제한에도 불구하고 강제지정제의 범주 내에서 가능하면 직업행사의 자유를 고려하고 존중하는 여러 규정을 갖추고 있으므로, 강제지정제는 최소침해의 원칙에 위배되지 아니한다.

라. 법익의 균형성

강제지정제에 의하여 의료인들의 직업행사의 자유가 크게 제약을 받고 있기는 하나 강제지정제를 통하여 달성하려는 공익의 중대함에 비추어 제한을 통하여 얻는 공익적 성과와 제한의 정도가 합리적인 비례관계를 현저하게 일탈하고 있다고 볼 수 없다.

그럼에도, 국가는 요양기관 강제지정제를 유지하는 한, 진료과목별 수가의 불균형 및 동일 진료과목 내 행위별 수가간의 불균형을 시정해야 하고, 의학의 새로운 발전과 기술개발에 부응하는 진료수가의 조정을 통하여 시설규모나 설비투자의 차이, 의료의 질적 수준의 다양함을 보다 정확하게 반영해야 하며, 의료인에게 의료기술발전에 동기부여를 할 수 있는 신 의료기술의 신속한 반영체계를 획기적으로 개선해야 한다. 보다 근본적으로는 강제지정제가 의료인의 기본권을 포괄적으로 제한하는 제도라는 점을 깊게 인식하여 장기적 안목에서 공공의료기관을 확충하거나 보험급여율을 높이는 등의 다양한 방법을 통하여 민간의료기관이 의료보험체계에 자발적으로 참여할 수 있는 환경이 조성될 수 있도록 관계 당국은 노력을 기울여야 할 것이다.

2. 의료소비자의 자기결정권의 침해여부

이 사건 강제지정제로 인하여 의료소비자인 국민은 의료인과의 사적 계약을 통하여 의료행위의 질, 범위, 보수 등을 자유롭게 정할 수 있는 것이 아니라 원칙적으로 법이 정하는 기준에 따른 보험급여를 받게 된다. 그러나 국민은 진료를 받고자 하는 의료기관을 자유롭게 선택할 수 있을 뿐 아니라, 의료보험법과 국민건강보험법은 의료보험에 의하여 보장되는 급여부분 외에 의료소비자의 자율적인 결정에 따라 자신의 부담으로 선택할 수 있는 소위 비급여대상의 의료행위를 함께 제공하고 있다. 따라서 모든 의료기관이 요양기관으로서 법이 정한 기준의 보험급여를 제공하고 이에 따라 의료소비자의 선택권이 제한을 받는다고 하더라도, 이러한 제한은 의료보험의 기능확보라는 중대한 공익의 실현을 위하여 행해지는 것으로서, 의료소비자인 국민의 선택권을 과도하게 침해하는 것이라고 볼 수 없다.

3. 평등권의 위반여부

평등원칙은 입법자에게 본질적으로 같은 것을 자의적으로 다르게, 본질적으로 다른 것을 자의적으로 같게 취급하는 것을 금하고 있다. 그러므로 비교의 대상을 이루는 두 개의 사실관계 사이에 동일한 취급을 정당화할 수 없을 정도의 차이가 있음에도 불구하고 두 사실관계를 서로 같게 취급한다면 자의적인 입법으로써 평등권을 위반하게 된다. 이 사건 강제지정제는 모든 의료기관을 시설·장비·인력·기술 등의 차이와 관계없이 요양기관으로서 지정하면서도 한편으로는 요양급여의 비용산정과 비급여의 가능성 등을 통하여 의료기관 사이의 실질적인 차이를 반영함으로써, 모든 의료기관의 일률적인 강제지정에도 불구하고 본질적으로 다른 것을 다르게 취급하고 있다. 따라서 이 사건 강제지정제는 평등원칙에 위반되지 않는다.

III 결 론

구 의료보험법 제32조 제1항, 제4항, 제5항은 헌법에 위반되지 아니하고, 청구인 2내지 5의 심판청구는 이유없으므로 이를 기각하기로 하여 주문과 같이 결정한다. 이 결정에는 재판관 한대현, 재판관 권성의 반대의견이 있는 외에는 나머지 관여 재판관 전원의 일치된 의견에 의한 것이다.

179 이화여대 로스쿨 사건 [기각, 각하]
— 2013. 5. 30. 선고 2009헌마514

판시사항

1. 사립대학인 학교법인 이화학당의 법학전문대학원 모집요강(이하 '이 사건 모집요강'이라 한다)이 헌법소원심판의 대상인 공권력의 행사에 해당하는지 여부(소극)
2. 교육부장관이 학교법인 이화학당에게 한 법학전문대학원 설치인가 중 여성만을 입학자격요건으로 하는 입학전형계획을 인정한 부분(이하 '이 사건 인가처분'이라 한다)이 남성인 청구인의 직업선택의 자유를 침해하는지 여부(소극)

사건의 개요

청구인 엄○모는 대학교 4학년에 재학 중인 학생, 청구인 황○섭은 대학교를 졸업한 자로서 2010년에 법학전문대학원을 입학하고자 진학을 준비하여 모집요강에 따라 입학지원을 하려던 남성들이다.

피청구인 교육과학기술부장관(현 교육부장관, 이하 '교육부장관'이라 한다)은 2008. 9. 1. 피청구인 학교법인 이화학당에게 법학전문대학원 설치인가를 하면서 학교법인 이화학당이 제출한 입학전형계획 중 여성만을 입학자격요건으로 한 부분을 인정하였고, 학교법인 이화학당은 2010학년도 법학전문대학원 입학모집요강을 발표하면서 여성만을 입학자격요건으로 하였다.

이에 청구인들은 2009. 9. 8. 주위적으로 피청구인 교육부장관이 2008. 9. 1. 학교법인 이화학당에게 한 법학전문대학원 설치인가 중 여성만을 입학자격요건으로 하는 입학전형계획을 인정한 부분 및 피청구인 학교법인 이화학당의 2010학년도 법학전문대학원 모집요강 중 여성만을 입학자격요건으로 한 부분, 예비적으로 피청구인 교육부장관이 학교법인 이화학당의 2010학년도 법학전문대학원 모집요강에서 여성만을 입학자격요건으로 한 부분에 대해 시정조치를 하지 아니한 부작위가 남성인 청구인들의 평등권, 직업의 자유 및 교육을 받을 권리를 침해한다고 주장하면서 이 사건 헌법소원심판을 청구하였다.

심판대상

이 사건 심판의 대상은 주위적으로 ① 교육부장관이 2008. 9. 1. 학교법인 이화학당에게 한 법학전문대학원 설치인가 중 여성만을 입학자격요건으로 하는 입학전형계획을 인정한 부분(이하 '이 사건 인가처분'이라 한다) 및 ② 학교법인 이화학당의 2010학년도 법학전문대학원 모집요강 중 여성만을 입학자격요건으로 한 부분(이하 '이 사건 모집요강'이라 한다), 예비적으로 ③ 교육부장관이 학교법인 이화학당의 2010학년도 법학전문대학원 모집요강에서 여성만을 입학자격요건으로 한 부분에 대해 시정조치를 하지 아니한 부작위(이하 '이 사건 부작위'라 한다)가 청구인들의 기본권을 침해하는지 여부이다.

주문

1. 청구인 엄○모의 교육부장관이 2008. 9. 1. 학교법인 이화학당에게 한 법학전문대학원 설치인가 중 여성만을 입학자격요건으로 하는 입학전형계획을 인정한 부분에 대한 심판청구를 기각한다.
2. 청구인들의 나머지 심판청구를 모두 각하한다.

I 주위적 청구에 대한 판단

1. 적법요건에 대한 판단

가. 이 사건 인가처분에 대한 판단

1) 기본권침해의 자기관련성

헌법소원에 있어서는 원칙적으로 공권력의 행사 또는 불행사의 직접적인 상대방만이 자기관련성이 인정되고, 공권력의 작용에 단지 간접적이나 사실적 또는 경제적인 이해관계가 있을 뿐인 제3자의 경우에는 자기관련성이 인정되지 않는다. 다만 공권력 작용의 직접적인 상대방이 아닌 제3자라고 하더라도 공권력 작용이 그 제3자의 기본권을 직접적이고 법적으로 침해하고 있는 경우에는 예외적으로 그 제3자에게 자기관련성이 있다고 할 것이다.

교육부장관의 이 사건 인가처분은 학교법인 이화학당에 대한 것으로서 청구인들은 이 사건 인가처분의 직접적인 상대방이 아니다. 그런데 '법학전문대학원의 설치·운영에 관한 법률'은 일반대학의 입학정원과 달리 국민에 대한 법률서비스의 원활한 제공 및 법조인의 수급상황 등 제반사정을 고려하여 교육부장관이 법학전문대학원의 총 입학정원을 정하도록 하는 이른바 '총 정원주의'를 규정하고 있다(제7조 제1항). 이와 같이 전체 법학전문대학원의 총 입학정원이 한정되어 있는 상태에서 이 사건 인가처분이 여성만이 진학할 수 있는 여자대학에 법학전문대학원 설치를 인가한 것은, 결국 청구인들과 같은 남성들이 진학할 수 있는 법학전문대학원의 정원이 여성에 비하여 적어지는 결과를 초래하여 청구인들의 직업선택의 자유, 평등권을 침해할 가능성이 있으므로, 이 사건 인가처분의 직접적인 상대방이 아닌 제3자인 청구인들에게도 기본권 침해의 자기관련성이 인정된다.

2) 청구기간

한편, 헌법재판소법 제68조 제1항에 의한 헌법소원심판은 기본권의 침해사유가 있음을 안 날부터 90일 이내에, 그 사유가 있는 날부터 1년 이내에 청구하여야 하는바(헌법재판소법 제69조 제1항), 이 사건 인가처분은 2008. 9. 1. 이루어졌고, 청구인 엄○모는 그로부터 1년이 지나지 아니한 2009. 6. 16. 이 사건 헌법소원심판 청구를 위한 국선대리인 선임신청을 하였으므로 청구기간을 준수하였다고 할 것이다.

한편, 청구인 황○섭은 이 사건 인가처분이 있은 날로부터 1년이 지난 2009. 9. 8. 비로소 이 사건 헌법소원심판을 청구하였으므로, 청구인 황○섭의 이 부분 심판청구는 청구기간을 도과하여 부적법하다.

나. 이 사건 모집요강에 대한 판단

헌법재판소법 제68조 제1항에 의하여 헌법소원의 대상이 되는 행위는 국가기관의 공권력작용에 속하여야 한다. 여기서의 국가기관은 입법·행정·사법 등의 모든 기관을 포함하며, 간접적인 국가행정, 예를 들어 공법상의 사단, 재단 등의 공법인, 국립대학교와 같은 영조물 등의 작용도 헌법소원의 대상이 된다.

학교법인 이화학당의 이 사건 모집요강이 헌법소원의 대상이 되는 공권력의 행사로 볼 수 있느냐 하는 점은, 사립학교법인인 학교법인 이화학당을 공권력의 주체로 볼 수 있느냐 하는 문제와 직결된다.

법학전문대학원은 교육기관으로서의 성격과 함께 법조인 양성이라는 국가의 책무를 일부 위임받은 직업교육기관으로서의 성격을 가지고 있기는 하나, 이화여자대학교는 사립대학으로서 국가기관이나 공법인, 국립대학교와 같은 공법상의 영조물에 해당하지 아니하고, 일반적으로 사립대학과 그 학생과의 관계는 사법상의 계약관계이므로 학교법인 이화학당을 공권력의 주체라거나 그 모집요강을 공권력의 행사라고 볼 수 없다.

따라서 이 사건 모집요강은 헌법소원심판의 대상이 되는 공권력의 행사라고 볼 수 없으므로 이 부분 심판청구는 부적법하다.

2. 이 사건 인가처분에 대한 본안판단

가. 제한되는 기본권

하나의 규제로 인하여 여러 기본권이 동시에 제약을 받는 기본권 경합의 경우에는 기본권 침해를 주장하는 청구인의 의도 및 기본권을 제한하는 입법자의 객관적 동기 등을 참작하여 사안과 가장 밀접한 관계가 있고 또 침해의 정도가 큰 주된 기본권을 중심으로 해서 그 제한의 한계를 따져 보아야 한다.

변호사시험법에 의하면, 법학전문대학원에 입학하여 소정의 교육과정을 마친 사람만이 변호사시험에 응시할 수 있는바(제5조), 이 사건 인가처분은 남성인 청구인 엄○모에 대하여 법학전문대학원에 입학가능한 총 정원을 감소시켜 변호사시험에 응시할 수 있는 자격을 얻기 위한 단계로의 진입을 규제하고 있다. 그 결과 이 사건 인가처분은 청구인 엄○모가 법학전문대학원에 입학하여 종국적으로 변호사시험에 응시할 수 있는 기회를 제한하게 되므로, 이 사건 인가처분으로 인하여 변호사를 직업으로 선택하고자 하는 청구인의 직업선택의 자유가 침해되었는지 여부가 이 사건의 쟁점이다.

청구인 엄○모는 평등권 및 균등하게 교육받을 권리의 침해도 주장하고 있으나, 이 사건 인가처분은 남성에 대한 차별이나 여성에 대한 적극적 평등 실현의 목적으로 이루어진 것이 아니며, 이 사건 인가처분으로 인하여 청구인 엄○모는 이화여자대학교 법학전문대학원에 입학하는 것이 제한될 뿐이지 그 이외의 법학전문대학원에 입학하는 것이 제한되는 것은 아니고, 결국 그로 인한 불이익은 남성이 여성에 비하여 전체 법학전문대학원에 입학할 가능성이 줄어든다는 것이어서, 이에 대한 판단은 청구인 엄○모의 직업선택의 자유가 침해되는 지 여부에 대한 판단과 중복된다.

따라서 이 사건에서는 청구인 엄○모의 직업선택의 자유의 침해 여부를 중심으로 판단하기로 한다.

나. 청구인의 직업선택의 자유와 학교법인 이화학당의 대학의 자율성

교육부장관의 이 사건 인가처분은 학교법인 이화학당이 법학전문대학원 설치인가를 받기 위해 제출한 입학전형계획을 그대로 인정함으로써 청구인 엄○모의 직업선택의 자유를 제한하고 있다.

그러나 한편으로 학교법인 이화학당은 헌법 제31조 제4항의 대학의 자율성의 주체이다. 헌법 제31조 제4항은 "교육의 자주성·전문성·정치적 중립성 및 대학의 자율성은 법률이 정하는 바에 의하여 보장된다"라고 규정하여 교육의 자주성·대학의 자율성을 보장하고 있는데, 교육의 자주성이나 대학의 자율성은 헌법 제22조 제12항이 보장하고 있는 학문의 자유의 확실한 보장수단으로 꼭 필요한 것으로서 이는 대학에게 부여된 헌법상의 기본권이다. 여기서 대학의 자율은 대학시설의 관리·운영만이 아니라 연구와 교육의 내용, 그 방법과 대상, 교과과정의 편성, 학생의 선발, 학생의 전형도 자율의 범위에 속해야 하고 따라서 입학시험제도도 자주적으로 마련될 수 있어야 한다.

학교법인 이화학당의 법학전문대학원 입학전형 계획은 학교법인 이화학당이 학생의 선발 및 입학 전형에 관하여 대학의 자율성을 행사한 것이고, 이 사건 인가처분은 이러한 대학의 자율성 행사를 보장하는 것이다.

따라서 이 사건 인가처분에 의하여 청구인 엄○모의 직업선택의 자유와 사립대학의 자율성이라는 두 기본권이 충돌하게 된다.

다. 이 사건 인가처분이 직업선택의 자유를 침해하는지 여부

교육부장관이 이화여자대학교에 법학전문대학원 설치인가를 한 것은 대학의 교육역량에 대한 객관적인 평가에 따른 것이지 여성 우대를 목적으로 한 것이 아니며, 설치인가를 하면서 이화여자대학교의 이 사건 모집요강 내용을 그대로 인정한 것은 여자대학으로서의 전통을 유지하려는 이화여자대학교의 대학의 자율성을 보장하고자 한 것이므로, 이 사건 인가처분은 그 목적의 정당성과 수단의 적합성이 인정된다.

학생의 선발, 입학의 전형도 사립대학의 자율성의 범위에 속한다는 점, 여성 고등교육기관이라는 이화여자대학교의 정체성에 비추어 여자대학교라는 정책의 유지 여부는 대학 자율성의 본질적인 부분에 속한다는 점, 이 사건 인가처분으로 인하여 남성인 청구인이 받는 불이익이 크지 않다는 점 등을 고려하면, 이 사건 인가처분은 청구인의 직업선택의 자유와 대학의 자율성이라는 두 기본권을 합리적으로 조화시킨 것이며 양 기본권의 제한에 있어 적정한 비례관계를 유지한 것이라고 할 것이다. 따라서 이 사건 인가처분이 청구인의 직업선택의 자유를 침해한다고 할 수 없다.

II 예비적 청구에 대한 판단

'법학전문대학원 설치·운영에 관한 법률' 제38조에 "교육부장관은 …… 시정명령을 할 수 있다."는 규정을 보면, 교육부장관의 시정명령은 그 문언상 재량행위임이 분명하고, 헌법 규정이나 헌법해석상 교육부장관에게 학교법인 이화학당의 법학전문대학원 모집요강과 관련하여 같은 법 제38조에 의한 시정명령을 할 의무가 있다고 보이지 아니한다. 따라서 이 사건 부작위에 대한 심판청구는 헌법에서 유래하는 구체적 작위의무가 인정되는 공권력의 불행사를 대상으로 한 것이 아니므로 부적법하다.

180. 경비업과 그 밖의 업종의 겸영금지를 규정한 경비업법 사건 [위헌]
- 2002. 4. 25. 선고 2001헌마614

판시사항

1. 하나의 규제로 인해 여러 기본권이 동시에 제약을 받는다고 주장하는 경우의 판단방법
2. 당사자의 능력이나 자격과 상관없는 객관적 사유에 의한 직업의 자유의 제한과 심사척도
3. 청구인들과 같이 경비업을 경영하고 있는 자들이나 다른 업종을 경영하면서 새로이 경비업에 진출하고자 하는 자들로 하여금, 경비업을 전문으로 하는 별개의 법인을 설립하지 않는 한 경비업과 그밖의 업종을 겸영하지 못하도록 금지하고 있는 경비업법 제7조 제8항, 제19조 제1항 제3호, 부칙 제4조가 직업의 자유의 제한에 대한 헌법적 한계인 과잉금지원칙을 준수하지 못하여 위헌인지 여부(적극)

사건의 개요

청구인들은 서울지방경찰청장으로부터 경비업 허가를 받은 후 시설경비업, 기계경비업 등을 영위하고 있는 회사들로서, 그동안 경비업을 영위하면서 갖추게 된 사업설비, 경영능력 등을 바탕으로 안전·설비기기판매업, 도난차량회수사업 등 다른 영업을 함께 영위하고 있다. 청구인들은 위와 같은 사업을 영위하는 데 필요한 전기공사업등록, 정보통신공사업허가 등 관련 법령에 의한 인·허가 및 등록을 모두 적법·유효하게 취득 또는 경료하였으며, 위와 같은 사업 이외에도 각종 새로운 사업모델의 개발 및 진출을 계획하고 있다.

그런데 2001. 4. 7. 법률 제6467호로 전문개정된 경비업법 제7조 제8항, 제19조 제1항 제3호, 부칙 제4조는 경비업자에게 경비업 이외의 영업을 금지하고, 이를 위반할 경우 경비업 허가를 취소하도록 하면서, 다만 기존에 경비업 허가를 받은 자에 대하여는 위 법 시행일(부칙 제1조에 의하여 공포후 3월이 경과한 날)부터 1년까지만 종전의 규정에 의하여 다른 영업을 겸영할 수 있도록 하고 있다. 이에 청구인들은 2001. 8. 31. 위 법률조항들로 말미암아 직업의 자유, 재산권 및 평등권 등의 기본권을 침해당하게 되었다고 주장하며 이 사건 헌법소원심판을 청구하였다.

심판대상조항 및 관련조항

경비업법(2001. 4. 7. 법률 제6467호로 전문개정된 것)

제7조(경비업자의 의무) ⑧ 경비업자는 이 법에 의한 경비업외의 영업을 하여서는 아니된다.

제19조(경비업허가의 취소 등) ①허가관청은 경비업자가 제1호 내지 제6호의 1에 해당하는 때에는 그 허가를 취소하고, 제7호에 해당하는 때에는 그 허가를 취소하거나 6월 이내의 기간을 정하여 영업의 전부 또는 일부에 대하여 영업정지를 명할 수 있다.
  3. 제7조 제8항의 규정에 위반하여 경비업외의 영업을 한 때

부칙 제4조(경비업외 다른 영업의 겸영에 관한 경과조치) 이 법 시행당시 종전의 규정에 의한 경비업 허가를 받은 자에 대하여는 제7조 제8항 및 제19조 제1항 제3호의 개정규정에 불구하고 이 법 시행일부터 1년까지는 경비업외의 다른 영업의 겸영에 관하여는 종전의 규정에 의한다.

주문

경비업법(2001. 4. 7. 법률 제6467호로 전문개정된 것) 제7조 제8항, 제19조 제1항 제3호, 부칙 제4조는 헌법에 위반된다.

I 판 단

1. 경비업 일반에 대한 고찰

가. "경비업"의 의의

법 제2조는 경비업이란 "경비업무"의 전부 또는 일부를 도급받아 행하는 영업을 말하며, 경비업무에는 시설경비업무·호송경비업무·신변보호업무·기계경비업무·특수경비업무의 5가지 유형이 있다고 규정하고 있다.

나. 경비업과 관련된 산업

경비업은 단순히 인력에 의한 경비 차원을 넘어 고객 및 경비대상시설의 "안전"을 담당하는 안전산업으로 발전하고 있다. 그러나 이 사건 법률조항에 의하면 경비업과 전혀 관련없는 사업의 겸영은 물론이고, 경비업과 관련은 있지만 직접 경비업이 아닌 사업도 마찬가지로 겸영이 금지된다. (예 : ① 경비장비의 제조·설비·판매업, ② 네트워크를 활용한 정보산업, ③ 시설물 유지관리업, ④ 경비원교육업)

2. 이 사건 법률조항의 위헌성

하나의 규제로 인해 여러 기본권이 동시에 제약을 받는다고 주장하는 경우에는 기본권침해를 주장하는 청구인의 의도 및 기본권을 제한하는 입법자의 객관적 동기 등을 참작하여 먼저 사안과 가장 밀접한 관계에 있고 또 침해의 정도가 큰 주된 기본권을 중심으로 해서 그 제한의 한계를 따져 보아야 한다. 이 사건의 경우 청구인들의 주장취지 및 앞에서 살펴본 입법자의 동기를 고려하면 이 사건 법률조항으로 인한 규제는 직업의 자유와 가장 밀접한 관계에 있다고 할 것이다. 따라서 이 사건 법률조항이 직업의 자유를 제한함에 있어 그 헌법적 한계를 지키고 있는지를 먼저 살핀다.

가. 직업의 자유의 의미와 성격

헌법 제15조는 "모든 국민은 직업선택의 자유를 가진다"고 규정하고 있다. 여기서 규정하는 직업선택의 자유는 자신이 원하는 직업을 자유롭게 선택하는 좁은 의미의 '직업선택의 자유'와 그가 선택한 직업을 자기가 원하는 방식으로 자유롭게 수행할 수 있는 '직업수행의 자유'를 포함하는 "직업의 자유"를 뜻한다. 이러한 직업의 선택 혹은 수행의 자유는 각자의 생활의 기본적 수요를 충족시키는 방편이 되고, 또한 개성신장의 바탕이 된다는 점에서 주관적 공권의 성격이 두드러지고, 한편으로는 국민 개개인이 선택한 직업의 수행에 의하여 국가의 사회질서와 경제질서가 형성된다는 점에서 사회적 시장경제질서라고 하는 객관적 법질서의 구성요소이기도 하다.

나. 직업의 자유의 제한과 심사척도

국민은 누구나 자유롭게 자신이 종사할 직업을 선택하고, 그 직업에 종사하며, 이를 변경할 수 있다. 직업선택의 자유는 삶의 보람이요 생활의 터전인 직업을 개인의 창의와 자유로운 의사에 따라 선택케 함으로써 다양한 인격의 발현, 행복추구에 이바지하는 것이므로, 실로 우리 헌법이 지향하는 자유주의적 경제·사회질서의 본질적 요소가 되는 기본적 인권의 하나가 아닐 수 없다. 따라서 직업의 자유를 최대한 보장하는 것이야말로 우리 헌법을 관류하는 이념 가운데 자리하고 있는 기본정신이다. 이러한 헌법정신에서 볼 때 설혹 이를 제한하는 경우라도 반드시 법률로써 하여야 하고 국가안전보장, 질서유지 또는 공공복리 등 정당하고 중요한 공공의 목적을 달성하기 위하여 필요하고 적정한 수단·방법에 의하여서만 가능한 것이다.

이 사건 법률조항은 청구인들과 같이 경비업을 경영하고 있는 자들이나 다른 업종을 경영하면서 새로이 경비업에 진출하고자 하는 자들로 하여금 경비업을 전문으로 하는 별개의 법인을 설립하지 않는 한 경비업과 그밖의 업종간에 택일하도록 법으로 강제하고 있다. 따라서 이미 선택한 직업을 어떠한 제약아래 수행하느냐의 관점이나 당사자의 능력이나 자격과도 상관없는 객관적 사유에 의한 이러한 제한은 직업의 자유에 대한 제한 중에서도 가장 심각한 제약이 아닐 수 없다. 따라서 이러한 제한은 월등하게 중요한 공익을 위하여 명백하고 확실한 위험을 방지하기 위한 경우에만 정당화될 수 있다고 보아야 한다. 헌법재판소가 이 사건을 심사함에 있어서는 헌법 제37조 제2항이 요구하는바 과잉금지의 원칙, 즉 엄격한 비례의 원칙이 그 심사척도가 된다는 것도 바로 이러한 이유 때문이다.

다. 과잉금지원칙의 위배 여부

1) 목적의 정당성

비전문적인 영세경비업체의 난립을 막고 전문경비업체를 양성하며, 경비원의 자질을 높이고 무자격자를 차단하고자 하는 입법목적 자체는 정당하다고 보여진다.

2) 방법의 적절성

국가가 어떠한 목적을 달성함에 있어서는 어떠한 조치나 수단 하나만으로서 가능하다고 판단할 경우도 있고 다른 여러 가지의 조치나 수단을 병과하여야 가능하다고 판단하는 경우도 있을 수 있으므로 목적달성에 필요한 유일의 수단선택을 요건으로 하는 것이라고 할 수는 없다. 그러나 그렇다고 하더라도, 기본권을 제한하는 방법은 최소한 그 목적의 달성을 위하여 효과적이고 적절하여야 한다.

먼저 "경비업체의 전문화"라는 관점에서 보면, 현대의 첨단기술을 바탕으로 한 소위 디지털시대에 있어서 경비업은 단순한 경비자체만으로는 '전문화'를 이룰 수 없고 오히려 경비장비의 제조·설비·판매업이나 네트워크를 통한 정보산업, 시설물 유지관리, 나아가 경비원교육업 등을 포함하는 '토탈서비스(total service)'를 절실히 요구하고 있는 추세이므로, 이 법에서 규정하고 있는 좁은 의미의 경비업만을 영위하도록 법에서 강제하는 수단으로는 오히려 영세한 경비업체의 난립을 방치하는 역효과를 가져올 수도 있다. 또한 "경비원의 자질을 높이고 무자격자를 차단하여 불법적인 노사분규 개입을 방지하고자"하는 점도, 경비원교육을 강화하거나 자격요건이나 보수 등 근무여건의 향상을 통하여 그 목적을 효과적이고 적절하게 달성할 수 있을지언정 경비업체로 하여금 일체의 겸영을 금지하는 것이 적절한 방법이라고는 볼 수 없다.

3) 피해의 최소성

이 사건 법률조항은 그 입법목적 중 경비업체의 전문화 추구라는 목적달성을 위하여 효과적이거나 적절하지 아니하고 오히려 그 반대의 결과를 가져올 수 있다는 점은 앞에서 본 바와 같고, 다른 입법목적인 경비원의 자질향상과 같은 공익은 이 법의 다른 조항에 의하여도 충분히 달성할 수 있음에도 불구하고 노사분규 개입을 예방한다는 이유로 경비업자의 겸영을 일체 금지하는 접근은 기본권침해의 최소성 원칙에 어긋나는 과도하고 무리한 방법이다.

4) 법익의 균형성

이 사건 법률조항으로 달성하고자 하는 공익인 경비업체의 전문화, 경비원의 불법적인 노사분규 개입 방지 등은 그 실현 여부가 분명하지 않은데 반하여, 경비업자인 청구인들이나 새로이 경비업에 진출하고자 하는 자들이 짊어져야 할 직업의 자유에 대한 기본권침해의 강도는 지나치게 크다고 할 수 있으므로, 이 사건 법률조항은 보호하려는 공익과 기본권침해간의 현저한 불균형으로 법익의 균형성을 잃고 있다.

II 결 론

이 사건 법률조항은 과잉금지원칙을 위배하여 청구인들의 직업의 자유를 침해하는 것이어서 헌법에 위반되므로, 관여재판관 전원의 일치된 의견으로 주문과 같이 결정한다.

제3항 소비자의 권리

 **181** 소비자불매운동에 적용된 업무방해죄 등 위헌소원 사건 [합헌, 각하]
― 2011. 12. 29. 선고 2010헌바54,407(병합)

사건의 개요

1. 2010헌바54 : 청구인들은 광우병 파동으로 시작된 촛불집회에 대하여 부정적으로 보도하는 조선·중앙·동아일보(이하 '조중동'이라 한다)의 보도논조에 불만을 품고 2008. 6.경부터 2008. 9.경까지 사이에 인터넷 포털사이트내 카페인 '조중동폐간 국민캠페인'(2008. 6. 말경 '언론소비자주권국민캠페인'으로 변경됨)을 중심으로 위 카페회원들에게 집단적으로 전화걸기를 하도록 정보를 게시하고 활동을 권유하며 본인도 전화걸기에 직접 참여하는 등의 방식으로 조중동 광고주들에 대한 광고중단압박운동을 전개하였다. 이에 대하여 청구인들은 조중동 3개 신문사와 조중동에 광고를 실어 오던 8개 광고주들에 대한 업무방해의 공동정범으로 기소되었고, 제1심, 제2심에서 청구인들 중 일부는 유죄, 일부는 무죄 판결을 받았으며, 현재 위 사건은 대법원에 계속되어 있다. 청구인들은 위 사건이 항소심에 계속중이던 2009. 8. 18. 형법(1995. 12. 29. 법률 제5057호로 개정된 것) 제314조 제1항, 2009. 8. 21. 형법 제30조에 대하여 각 위헌법률심판제청신청을 하였으나 기각되자, 이 사건 헌법소원 심판을 청구하였다.

2. 2010헌바407 : 청구인은 2008. 12. 27.부터 언론소비자주권국민캠페인의 대표로 선출된 자로서, 2009. 5. 21. 위 카페 게시판에 조중동에 대한 광고중단압박운동을 우선 한 기업에 집중하여 할 것을 권유한 후, 2009. 6. 8. 13:00경 서울 중구 태평로에 있는 조선일보사 앞에서, 불매운동의 첫 대상기업으로 ○○제약을 선정하고 ○○제약이 조중동에 광고를 중단하거나 한겨레신문, 경향신문에 동등하게 광고를 의뢰할 때까지 불매운동에 들어가겠다는 취지의 기자회견을 하였다. 위 기자회견 이후 실제로 ○○제약에 하루 동안 업무에 지장을 초래할 정도로 많은 항의전화가 걸려오자 ○○제약의 실무관계자는 2009. 6. 8. 17:00경 청구인을 만나 청구인의 요구대로 하겠다고 약속한 후 6. 10. 이를 모두 이행하였다. 이에 대하여 청구인은 강요 및 공갈 혐의로 기소되어 제1심, 제2심에서 유죄판결을 받았고, 현재 위 사건은 대법원에 계속되어 있다. 청구인은 위 사건이 항소심에 계속중이던 2010. 8. 16. 형법(1995. 12. 29. 법률 제5057호로 개정된 것) 제324조, 제350조에 대하여 위헌법률심판제청신청을 하였으나 기각, 각하되자, 이 사건 헌법소원 심판을 청구하였다.

판시사항 및 결정요지

1. 형법 제314조 제1항 중 '제313조의 방법 중 기타 위계로써 또는 위력으로써 사람의 업무를 방해한 자' 부분, 제324조 중 '협박으로 사람의 권리행사를 방해하거나 의무없는 일을 하게 한 자' 부분, 제350조, 형법 제30조가 죄형법정주의 명확성원칙에 위배되는지 여부(소극)

    (1) 형법 제314조 제1항에서의 '위계'란 사람을 속이거나 유혹하거나 사람의 착오·부지를 이용하는 일체의 수단을 의미하고, '위력'은 사람의 의사의 자유를 제압, 혼란케 할 만한 유형·무형의 일체의 세력을 의미하며, '업무'란 사람이 그 사회적 지위에 있어서 계속적으로 종사하는 사무 또는 사업을 의미하고, '방해'란 업무에 어떤 지장을 주거나 지장을 줄 위험을 발생하게 하는 것을 뜻한다.

    (2) 형법 제30조에서의 '2인 이상이 공동하여'란 주관적 요건으로서 공동가공의 의사와 객관적 요건으로서 공동의사에 기하여 기능적 행위지배를 통하여 범죄를 실행한 사실이 필요하다. '공동가공의 의사'란 공동의 의사로 특정한 범죄행위를 하기 위하여 일체가 되어 서로 다른 사람의 행위를 이용하여 자기의 의사를 실행에 옮기는 것을 내용으로 하고 비록 전체적인 모의과정이 없었더라도 순차적으로 또는 암묵적으로 상통하여 의사의 결합이 이루어지면 성립할 수 있다. '기능적 행위지배에 의한 범죄의 공동실행'이란 각자가 기능적·분업적 관점에서 분담한 역할과 실행행위가 범죄의 실현에 본질적 기능을 수행한 것으로서 전체 행위를 함께 지배하였다고 평가될 때 인정된다.

    (3) 형법 제324조에서의 '협박'이란 타인의 생명, 신체, 자유 또는 재산 등에 관하여 상대방으로 하여금 공포심을 일으켜 의사결정에 영향을 주기에 충분한 정도의 해악을 고지하는 행위를 말하고, 고지된 해악의 구체적 내용, 고지된 해악과 상대방과의 관계, 상대방의 성별·연령, 고지 당시의 전후상황 등을 종합적으로 고려하여 인정 여부를 판단한다.

    (4) 형법 제350조에서의 '공갈'이란 폭행 또는 협박을 수단으로 하여 상대방으로 하여금 공포심을 일으켜 의사결정에 영향을 주는 행위를 의미하고, 이 경우 협박은 위 형법 제324조에서의 개념과 동일하게 해석하고 있다.

    (5) 위 각 법률조항은 그 의미나 해석에 있어 건전한 상식과 통상적인 법감정을 가진 일반인으로서 능히 인식할 수 있고 법집행기관이나 법원의 해석에 의하여 합리적으로 보충될 수 있으므로, 명확성원칙에 위배되지 아니한다.

2. 헌법이 보장하는 소비자보호운동의 일환으로 행해지는 소비자불매운동이 헌법적 허용한계를 가지는지 여부(적극)

    #### 가. 현행 헌법상 소비자보호운동권 보장의 의의와 내용

    우리 헌법 제124조는 "국가는 건전한 소비행위를 계도하고 생산품의 품질향상을 촉구하기 위한 소비자보호운동을 법률이 정하는 바에 의하여 보장한다."라고 규정하고 있다. 이는 현대 자유시장 경제질서 하에서 생산물품 또는 용역의 가격이나 품질의 결정, 그 유통구조 등의 결정과정이 지나치게 사업자 중심으로 왜곡되어 소비자들이 사회적 약자의 지위에 처하게 되는 결과 구조적 피해를 입을 수 있음을 인식하고, 미약한 소비자들의 역량을 사회적으로 결집시키기 위하여 소비자보호운동을 최대한 보장·촉진하도록 국가에게 요구함으로써, 소비자의 권익을 옹호하고 나아가 시장의 지배와 경제력의 남용을 방지하며 경제주체간의 조화를 통해 균형있는 국민경제의 성장을 도모할 수 있도록 소비자의 권익에 관한 헌법적 보호를 창설한 것이다.

위 헌법 제124조에 의거하여 소비자의 권리를 마련하고 구체적으로 보장하기 위해 제정된 법률은 소비자기본법을 비롯하여, 독점규제 및 공정거래에 관한 법률, 식품위생법, 제조물책임법, 약관의 규제에 관한 법률, 증권거래법, 물가안정에 관한 법률, 농수산물유통 및 가격안정에 관한 법률, 농산물품질관리법 등이 있다.

그 중 소비자기본법은, 소비자의 기본적 권리 실현을 위하여 국가 및 지방자치단체에 대하여 관계법령 및 조례의 제정 및 개폐의무(법 제6조 제1호), 필요한 소비자보호 시책 수립 및 실시의무(제6조 제3호), 소비자의 건전하고 자주적인 조직활동의 지원·육성의무(제6조 제4호)를 부과하고 있고, 사업자에게 소비자보호협력의무(제18조)를 부과하고 있다. 또한, 소비자 역시 권리를 정당하게 행사할 책무가 있다(제5조 제1항)는 전제 하에, 소비자의 기본권 권리로서 ① 물품 또는 용역(이하, '물품등'이라 한다)으로 인한 생명·신체 또는 재산에 대한 위해로부터 보호받을 권리, ② 물품등을 선택함에 있어서 필요한 지식 및 정보를 제공받을 권리, ③ 물품등을 사용함에 있어서 거래상대방·구입장소·가격 및 거래조건 등을 자유로이 선택할 권리, ④ 소비생활에 영향을 주는 국가 및 지방자치단체의 정책과 사업자의 사업활동 등에 대하여 의견을 반영시킬 권리, ⑤ 물품등의 사용으로 인하여 입은 피해에 대하여 신속·공정한 절차에 따라 적절한 보상을 받을 권리, ⑥ 합리적인 소비생활을 위하여 필요한 교육을 받을 권리, ⑦ 소비자 스스로의 권익을 증진하기 위하여 단체를 조직하고 이를 통하여 활동할 수 있는 권리, ⑧ 안전하고 쾌적한 소비생활 환경에서 소비할 권리, 8가지를 보장하고 있다.

결국 현행 헌법이 보장하는 소비자보호운동이란 '공정한 가격으로 양질의 상품 또는 용역을 적절한 유통구조를 통해 적절한 시기에 안전하게 구입하거나 사용할 소비자의 제반 권익을 증진할 목적으로 이루어지는 구체적 활동'을 의미하고, 단체를 조직하고 이를 통하여 활동하는 형태, 즉 근로자의 단결권이나 단체행동권에 유사한 활동뿐만 아니라, 하나 또는 그 이상의 소비자가 동일한 목표로 함께 의사를 합치하여 벌이는 운동이면 모두 이에 포함된다 할 것이다. 이 소비자보호운동이 보장됨으로써 비로소 소비자는 단순한 상품이나 정보의 구매자로서가 아니라 상품의 구매 및 소비과정에서 발생하는 생산자 또는 공급자로부터의 부당한 지배와 횡포를 배제하고 소비자의 이익을 수호하는 소비주체로서의 지위를 누릴 수 있게 된다.

나. 소비자불매운동의 성립요건 및 헌법적 허용한계

1) 소비자불매운동의 성립요건

이렇게 헌법적으로 보장되어 있는 소비자보호운동 가운데서 구매력을 무기로 소비자가 자신의 선호를 시장에 실질적으로 반영하고자 하는 시도로서 소비자불매운동이란, '하나 또는 그 이상의 운동주도세력이 소비자의 권익을 향상시킬 목적으로 개별 소비자들로 하여금 시장에서 특정 상품의 구매를 억지하거나 제3자로 하여금 그렇게 하도록 설득하는 조직화된 행위'를 의미한다.

우선, 개별소비자나 소비자단체가 '운동의 주체'인데, 2인 이상이 의사를 합치하여 조직적 활동을 벌인 것이라면 소비자보호법상 등록된 소비자단체에 한정되지 않으며, 잠재적으로 소비자가 될 가능성이 있다면 누구나 운동의 주체가 될 수 있다. 불매운동의 목표로서의 '소비자의 권익'이란 원칙적으로 사업자가 제공하는 물품이나 용역의 소비생활과 관련된 것으로서 상품의 질이나 가격, 유통구조, 안전성 등 시장적 이익에 국한된다. 또한, '소비자불매운동의 대상'은 물품등을 공급하는 사업자나 공급자를 직접 상대방으로 하는 경우가 대부분이지만, 해당 물품등의 사업자를 고립시키기 위하여 그 사업자의 거래상대방인 제3자에 대하여 사업자와의 거래를 단절하도록 요구하고 이를 관철하기 위하여 사업자의 거래상대방을 대상으로 불매운동을 실행하는 경우도 예상할 수 있다. 한편, 불매운동이 예정하고 있는 '불매행위'에는, 단순히 불매운동을 검토하고 있다는 취지의 의견을 표현하는 행위뿐만 아니라, 다른 소비자들에게 불매운동을 촉구하는 행위, 불매운동 실행을 위한 조직행위, 직접적으로 불매를 실행하는 행위 등이 모두 포괄될 수 있다.

2) 소비자불매운동의 헌법적 허용한계

그러나, 소비자불매운동은 쟁의행위와 마찬가지로 단체가 가지는 집단적인 위력을 이용하여 사업자의 정상적인 운영을 저해하는 활동이 그 일부요소로 되어 있는 본질상, 다수의 참여자에 의하여 장기간 이루어질 경우 단순히 어느 한 기업체의 매출감소나 경제적 수입의 감소, 이미지훼손 차원에 그치는 것이 아니라 기업의 파산이라는 결과를 초래할 수 있는 막대한 영향력을 가지고 있다. 또한 가격인상에 대하여 단순한 형태로 불매운동이 발생하였던 과거와는 달리 소비자권리에 대한 인식과 기대수준이 한층 높아진 실정에서 상품생산과 관련된 요소뿐 아니라 기업의 투자행위, 노무관리행태, 환경경영수준 등 기업활동 전반이 불매운동으로 비화될 수도 있어, 기업의 책임이 아닌 쟁점을 가지고도 불매운동이 이루어질 수 있는 가능성이 있다. 한편, 불매운동이 해당 사업자나 공급자에 대하여 이루어지는 차원을 넘어서 해당 사업자와 다른 경위로 이해관계를 맺고 있는 제3자에 대하여 이루어질 경우는 나아가서 이들의 영업의 자유를 부당하게 침해할 소지도 없지 않다.

따라서, 헌법상 보장되는 소비자보호운동의 일환으로 행해지는 소비자불매운동은 모든 경우에 있어서 그 정당성이 인정될 수는 없고, 헌법이나 법률의 규정에 비추어 정당하다고 평가되는 범위에 해당하는 경우에만 형사책임이나 민사책임이 면제된다고 할 수 있다. 즉, 헌법상 보호되는 소비자불매운동에는 정당하게 보호될 수 있는 영역이 존재하고 넘지 말아야 할 한계가 내재되어 있다는 것이다. 이러한 취지에서 소비자보호법에서도 구체적으로 열거된 소비자의 기본적 권리를 '정당하게' 행사할 것을 요구하고 있다(제5조 제1항).

우선, 소비자불매운동은 객관적으로 진실한 사실을 기초로 행해질 것이 요구된다. 다만, 어느 정도 객관적인 정보원을 통해 수집한 정보로서 진실한 사실로 믿기에 충분한 경우, 전체적인 경위에 비추어 오류의 정도가 크지 않은 경우, 불매운동 참여여부의 의사결정에 직접적인 영향을 미치지 않을 정도의 지엽적인 부분에 오류가 있는 경우 등은 위 요건을 충족한 것으로 볼 수 있다.

다음으로, 소비자불매운동에 참여하는 소비자의 의사결정의 자유가 보장되어야 할 것이다. 불매운동에 참여할 것을 강요한다거나 참여하지 않았음을 이유로 불이익을 가하는 등의 행위가 개재되어 있다면 그 정도에 따라 불매운동 자체의 정당성을 잃은 것으로 평가될 수도 있다.

한편, 불매운동의 목적과 참여가 정당하더라도, 불매운동의 실행과정에서 대상기업의 영업소에 침입하여 기물을 파괴하거나 사업자, 직원, 관련자들에게 폭행·협박을 가하거나 하는 등 위법한 수단이 동원된다면 역시 정당한 불매운동으로 평가받기 어려울 것이다. 이는 정당한 쟁의행위의 영역을 넘어서는 불법적인 행위의 경우 민·형사상 책임에서 벗어날 수 없는 것과 같은 이치이다.

특히 이 사건 청구인들의 경우에서와 같이 소비자불매운동의 대상이 당해 물품등의 공급자나 사업자뿐만 아니라 해당 사업자와 거래를 하는 제3자(광고주, 거래처 또는 후원·협력업체)를 포함하고 있는 경우는, 불매운동의 경위 내지 과정에서 제3자의 영업의 자유 등 권리를 부당하게 침해하지 않을 것이 요구된다.

해당 상품이나 물품등을 공급하는 사업자는 그 물품등을 제조 또는 유통·공급하는 과정에서 반대급부로 소비자들로부터 경제적 이익을 얻는 당사자이므로 해당 물품등과 관련한 소비자의 권익을 보호하기 위하여 정당한 소비자불매운동이 이루어질 경우 경제적 손해가 생기더라도 이를 감내해야 할 당연한 지위에 있다고 할 수 있지만, 위 사업자와 거래를 하거나 기타의 이유로 경제적 이해관계를 맺고 있는 제3자는 자신이 지배하는 영역으로부터 떨어져 있는 해당 물품등에 관한 소비자의 권익을 옹호하기 위하여 벌어지는 소비자불매운동 때문에 자신의 권리가 훼손되어야 할 아무런 이유가 없기 때문이다. 따라서 해당 사업자와 거래하는 제3자의 정당한 영업의 자유 기타 권리를 부당하게 제한하거나 위축시키는 형태의 소비자불매운동은 적법하다고 평가되기 어려울 것이다.

이 경우 제3자의 정당한 영업의 자유 기타 권리를 부당하게 제한하거나 위축시키는지는, 불매운동의 취지나 목적, 성격에 비추어 볼 때, 제3자를 불매운동 대상으로 선택해야 할 필요성이 있었는지, 또한 제3자를 대상으로 이루어진 불매운동의 내용과 그 경위 및 정도와 사이에 긴밀한 상관관계가 존재하는지를 기준으로 결정될 수 있을 것이다.

3. 소비자들이 집단적으로 벌이는 소비자불매운동에 위 법률조항들을 적용하는 것이 헌법이 소비자보호운동을 보장하는 취지에 반하는지 여부(소극)

헌법이 보장하는 소비자보호운동에도 위에서 본 바와 같은 헌법적 허용한계가 분명히 존재하는 이상, 헌법이 보장하는 근로3권의 내재적 한계를 넘어선 쟁의행위가 형사책임 및 민사책임을 면할 수 없는 것과 마찬가지로, 헌법과 법률이 보장하고 있는 한계를 넘어선 소비자불매운동 역시 정당성을 결여한 것으로서 정당행위 기타 다른 이유로 위법성이 조각되지 않는 한 업무방해죄로 형사처벌할 수 있다고 할 것이다. 따라서 집단적으로 이루어진 소비자불매운동 중 정당한 헌법적 허용한계를 벗어나 타인의 업무를 방해하는 결과를 가져오기에 충분한 집단적 행위를 처벌하는 형법 제314조 제1항 중 '제313조의 방법 중 기타 위계 또는 위력으로써 사람의 업무를 방해한 자' 부분, 형법 제30조 자체는 소비자보호운동을 보장하는 헌법의 취지에 반하지 않는다.

마찬가지 이유로, 정당한 헌법적 허용한계를 벗어나 상대방으로 하여금 공포심을 일으켜 의사결정에 영향을 미칠 수 있을 정도의 해악을 고지하여 의무없는 일을 강요하였거나 공갈하여 타인의 재산 또는 재산상의 이익을 취득하였다고 평가하기에 충분한 소비자불매운동행위를 처벌하는 형법 제324조 중 '협박으로 사람의 권리행사를 방해하거나 의무없는 일을 하게 한 자' 부분, 제350조 역시 소비자보호운동을 보장하는 헌법의 취지에 반한다고 할 수 없다.

제5장 정치적 기본권

제1절 총 설

제2절 참정권

182 선고유예를 받은 공무원의 당연퇴직 사건 [위헌]
– 2002. 8. 29. 선고 2001헌마788, 2002헌마173(병합)

판시사항

1. 헌법 제25조 공무담임권의 보호영역
2. 금고 이상의 형의 선고유예를 받은 경우에는 공무원직에서 당연히 퇴직하는 것으로 규정한 지방공무원법 제61조 중 제31조 제5호 부분(이하, "이 사건 법률조항"이라 한다)이 헌법 제25조의 공무담임권을 침해하고 있는 것인지 여부(적극)

사건의 개요

청구인은 1990. 6. 5. 충남 공주군 유구면 지방건축서기보로 임용되어 1996. 4.부터 공주시 문화관광과, 도시건축과 등에서 재직하던 중, 특정범죄가중처벌등에관한법률위반(도주차량) 혐의로 기소된 후 2000. 11. 7. 대전지방법원에서 징역 6월의 선고유예 판결을 받고, 대법원에 상고하였다가 2002. 1. 11. 상고가 기각됨으로써 위 선고유예의 판결이 확정되었다. 청구인은 위 확정판결에 의해 지방공무원법 제61조, 제31조 제5호에 의거 당연퇴직 당하게 되자, 위 규정이 헌법상 보장된 평등권, 공무담임권 등 청구인의 기본권을 침해한다면서 2002. 3. 9. 이 사건 헌법소원심판을 청구하였다.

심판대상조항 및 관련조항

지방공무원법(1966. 4. 30. 법률 제1794호로 개정된 것)

제61조(당연퇴직) 공무원이 제31조 각호의 1에 해당할 때에는 당연히 퇴직한다.

제31조(결격사유) 다음 각호의 1에 해당하는 자는 공무원이 될 수 없다.
  1. 금치산자 및 한정치산자
  2. 파산자로서 복권되지 아니한 자
  3. 금고 이상의 형을 받고 그 집행이 종료되거나, 집행을 받지 아니하기로 확정된 후 5년이 경과하지 아니한 자

4. 금고 이상의 형을 받고 그 집행유예의 기간이 만료된 날로부터 2년을 경과하지 아니한 자
5. 금고 이상의 형의 선고유예를 받은 경우에 그 선고유예기간 중에 있는 자
6. 법원의 판결 또는 다른 법률에 의하여 자격이 상실 또는 정지된 자
7. 징계에 의하여 파면의 처분을 받은 날로부터 5년을 경과하지 아니한 자
8. 징계에 의하여 해임의 처분을 받은 날로부터 3년을 경과하지 아니한 자

주문

지방공무원법 제61조 중 제31조 제5호 부분(1966. 4. 30. 법률 제1794호로 개정된 것)은 헌법에 위반된다.

I 판단

1. 공무담임권의 보호영역

헌법 제25조는 "모든 국민은 법률이 정하는 바에 의하여 공무담임권을 가진다."고 하여 공무담임권을 기본권으로 보장하고 있다. 공무담임권이란 입법부, 집행부, 사법부는 물론 지방자치단체 등 국가, 공공단체의 구성원으로서 그 직무를 담당할 수 있는 권리를 말한다. 여기서 직무를 담당한다는 것은 모든 국민이 현실적으로 그 직무를 담당할 수 있다고 하는 의미가 아니라, 국민이 공무담임에 관한 자의적이지 않고 평등한 기회를 보장받음을 의미하는바, 공무담임권의 보호영역에는 공직취임의 기회의 자의적인 배제 뿐 아니라, 공무원 신분의 부당한 박탈까지 포함되는 것이라고 할 것이다. 왜냐하면, 후자는 전자보다 당해 국민의 법적 지위에 미치는 영향이 더욱 크다고 할 것이므로, 이를 보호영역에서 배제한다면, 기본권 보호체계에 발생하는 공백을 막기 어려울 것이며, 공무담임권을 규정하고 있는 위 헌법 제25조의 문언으로 보아도 현재 공무를 담임하고 있는 자를 그 공무로부터 배제하는 경우에는 적용되지 않는다고 해석할 수 없기 때문이다.

2. 과잉금지 원칙의 위반여부

헌법 제37조 제2항에 의하면, 국민의 자유와 권리는 국가안전보장, 질서유지 또는 공공복리를 위하여 필요한 경우에 한하여 법률로써 제한할 수 있으며, 그 경우에도 자유와 권리의 본질적인 내용을 침해할 수 없다고 규정하여 국가가 국민의 기본권을 제한하는 내용의 입법을 함에 있어서 준수하여야 할 기본원칙을 천명하고 있다. 따라서, 기본권을 제한하는 입법은 입법목적의 정당성과 그 목적달성을 위한 방법의 적정성, 입법으로 인한 피해의 최소성, 그리고 그 입법에 의해 보호하려는 공익과 침해되는 사익의 균형성을 모두 갖추어야 한다는 것이며, 이를 준수하지 않은 법률 내지 법률조항은 기본권제한의 입법적 한계를 벗어난 것으로서 헌법에 위반된다.

헌법 제25조는 "모든 국민은 법률이 정하는 바에 의하여 공무담임권을 갖는다."라고 규정하고 있으므로, 공무담임권의 내용에 관하여는 입법자에게 넓은 입법형성권이 인정된다고 할 것이지만, 그렇다고 하더라도 헌법 제37조 제2항의 기본권제한의 입법적 한계를 넘는 지나친 것이어서는 아

니된다. 그러므로 이 사건 법률조항에 의한 공무담임권이라는 기본권의 제한이 과연 이러한 헌법적 한계 내의 것인지 살펴 보기로 한다.

가. 이 사건 법률조항의 입법목적의 정당성, 방법의 적적성

위에서 살펴본 바와 같이 당연퇴직제도를 두는 입법목적은 임용결격사유에 해당하는 자를 공무원의 직무로부터 배제함으로써 그 직무수행에 대한 국민의 신뢰, 공무원직에 대한 신용 등을 유지하고, 그 직무의 정상적인 운영을 확보하며, 공무원범죄를 사전에 예방하고, 공직사회의 질서를 유지하고자 함에 그 목적이 있는 것이다. 이러한 입법목적은 입법자가 추구할 수 있는 헌법상 정당한 공익이라고 할 것이고, 이러한 공익을 실현하여야 할 현실적 필요성이 존재한다는 것도 명백하다.

또한 공무원이 범죄로 인하여 형사 유죄판결의 일종인 선고유예의 판결을 받은 경우에 공직 전체에 대한 신뢰의 유지라는 공익에 영향을 미치므로, 이 경우 당해 공무원에게 그에 상응하는 신분상의 불이익을 가하는 것은 공익을 위하여 적절한 수단이 될 수 있다.

나. 최소침해성 원칙 위반여부

입법자는 공익실현을 위하여 기본권을 제한하는 경우에도 입법목적을 실현하기에 적합한 여러 수단 중에서 되도록 국민의 기본권을 가장 존중하고 기본권을 최소로 침해하는 수단을 선택해야 한다.

이 사건 법률조항은 공무원이 저지른 범죄의 종류나 내용을 불문하고 범죄행위로 금고 이상의 형의 선고유예를 받게 되면 당연히 공직에서 퇴직하도록 하고 있다. 그런데, 같은 금고 이상의 형의 선고유예를 받은 경우라고 하여도 범죄의 종류, 죄질, 내용이 지극히 다양하므로, 그에 따라 국민의 공직에 대한 신뢰 등에 미치는 영향도 큰 차이가 있다. 또한 일반적으로 선고유예의 판결을 받은 경우는 법정형이 1년 이하의 징역이나 금고 또는 벌금형인 경우로서 개전의 정상이 현저한 경우를 그 요건으로 하여 법원이 재량으로써 특별히 가벼운 제재를 하는 경우이다. 입법자로서는 유죄판결의 확정에 따른 당연퇴직의 사유로서 금고 이상의 형의 선고유예의 판결을 받은 모든 범죄를 포괄하여 규정할 것이 아니라, 입법목적을 달성함에 반드시 필요한 범죄의 유형, 내용 등으로 그 범위를 가급적 한정하여 규정하거나, 혹은 적어도 지방공무원법상에 마련된 징계 등 별도의 제도로써도 입법목적을 충분히 달성할 수 있는 것으로 판단되는 경우를 당연퇴직의 사유에서 제외시켜 규정하였음이 마땅하였으며, 이와 같은 방식으로 규정함이 최소침해성의 원칙에 따른 기본권 제한 방식이라고 할 것이다.

그런데, 이 사건 법률조항은 과실범의 경우마저 당연퇴직의 사유에서 제외하지 않고 있는바, 일반적으로 과실범은 법적인 주의의무를 게을리 한 데 대한 법적인 비난가능성은 존재하지만, 이러한 범죄로 인하여 금고 이상의 형의 선고유예를 받게 되었다고 하더라도 그로 인하여 당연히 그 공무원을 공직에서 퇴직시켜야 할 만큼 그 행위가 공직자로서의 품위를 크게 손상시킨다고 보기는 어려운 측면이 있다. 더욱이 이 사건 법률조항의 제정 당시와는 달리 오늘날에는 자동차 등 위험성이 잠재되어 있는 현대 문명의 이기의 이용이 일상화되고 있기 때문에 공무원이 그와 같은 문명의 이기를 이용하는 과정에서 순간적인 과실로 인하여 범죄를 저지를 수 있는 위험에 노출되어 있는 상황이고, 이러한 위험에 따른 과실범의 문제를 바라보는 일반 국민들의 시각에도 많은 변화가 생겼다는 점도 고려하여야 할 것이다.

다. 법익균형성 원칙의 위반여부

오늘날 사회구조의 변화로 인하여 '모든 범죄로부터 순결한 공직자 집단'이라는 신뢰를 요구하는 것은 지나치게 공익만을 우선한 것이다.

다른 한편, 현대민주주의 국가에 이르러서는 사회국가원리에 입각한 공직제도의 중요성이 특히 강조되고 있는바, 이는 사회적 법치국가이념을 추구하는 자유민주국가에서 공직제도란 사회국가의 실현수단일 뿐 아니라, 그 자체가 사회국가의 대상이며 과제라는 점을 이념적인 기초로 한다. 이는 모든 공무원들에게 보호가치 있는 이익과 권리를 인정해 주고, 공무원에게 자유의 영역이 확대될 수 있도록 공직자의 직무의무를 가능한 선까지 완화하며, 공직자들의 직무환경을 최대한으로 개선해 주고, 공직수행에 상응하는 생활부양을 해 주고, 퇴직 후나 재난, 질병에 대처한 사회보장의 혜택을 마련하는 것 등을 그 내용으로 한다. 그런데, 공무원의 생활보장의 가장 일차적이며 기본적인 수단은 '그 일자리의 보장'이라는 점에서 오늘날 사회국가원리에 입각한 공직제도에서 개개 공무원의 공무담임권 보장의 중요성은 더욱 큰 의미를 가지고 있다고 할 것이다.

이와 같은 공익과 사익의 현대적인 상황 속에서 단지 금고 이상의 선고유예의 판결을 받았다는 이유만으로 예외없이 그 직으로부터 퇴직당하는 것으로 정하고 있는 이 사건 법률조항은 지나치게 공익만을 강조한 입법이라고 아니할 수 없다.

라. 소 결

결국 이 사건 법률조항은 범죄의 종류와 내용을 가리지 않고 모두 당연퇴직사유로 규정함으로써 입법목적을 달성하기 위하여 필요한 최소한의 정도를 넘어 청구인들의 기본권을 과도하게 제한하였고, 공직제도의 신뢰성이라는 공익과 공무원의 기본권이라는 사익을 적절하게 조화시키지 못하고 과도하게 공무담임권을 침해하였다고 할 것이다.

II 결 론

따라서, 이 사건 법률조항은 공무담임권을 과잉금지원칙에 위반하여 제한함으로써 청구인들의 기본권인 공무담임권을 침해하고 있는 것으로 판단된다. 우리재판소가 종전에 1990. 6. 25. 89헌마220 결정에서 이와 견해를 달리하여 이 사건 법률조항이 헌법에 위반되지 아니한다고 판시한 의견은 재판관 한대현을 제외한 나머지 재판관 8인의 찬성으로 이를 변경하기로 한다.

183 5급 공채 공무원시험 응시연령 상한을 32세로 정한 공무원임용시험령 사건
[헌법불합치, 각하]

판시사항

1. 시험응시연령을 대통령령 등 하위규범에 위임한 국가공무원법 제36조 중 '연령' 부분(이하 '이 사건 법률조항'이라 한다)이 기본권 침해의 직접성 요건을 갖추었는지 여부 (소극)
2. 공무원임용시험령 제16조 [별표 4] 중 5급 공개경쟁채용시험의 응시연령 상한을 '32세까지'로 한 부분(이하 '이 사건 시행령조항'이라 한다)이 응시자의 공무담임권을 침해하는지 여부(적극)
3. 재판관 5명이 헌법불합치 의견이고 재판관 3명이 단순위헌 의견인 경우의 주문 표시

사건의 개요

청구인은 1971. 2. 8.생으로서 2008년도 5급 국가공무원 공개경쟁채용시험(이하 "5급 공채시험"이라 한다)을 준비 중인 사람이다. 청구인은 국가공무원법 제36조와 공무원임용시험령 제16조 [별표 4]가 5급 공채시험의 응시연령 상한을 '32세까지'로 제한하고 있어서 헌법상 보장된 청구인의 공무담임권과 평등권을 침해한다며 이 사건 헌법소원심판을 청구하였다.

심판대상조항 및 관련조항

국가공무원법(2004. 3. 11. 법률 제7187호로 개정되고, 2008. 3. 28. 법률 제8996호로 개정되기 전의 것)

제36조(응시자격) 각종 시험에 있어서 담당할 직무수행에 필요한 최소한도의 학력·경력·연령 기타 필요한 자격요건은 국회규칙·대법원규칙·헌법재판소규칙·중앙선거관리위원회규칙 또는 대통령령으로 정한다.

공무원임용시험령(2004. 6. 11. 대통령령 제18424호로 전문개정된 것)

제16조(응시연령) ① 공무원의 채용시험에 응시하고자 하는 자는 최종시험예정일이 속한 연도에 [별표 4]의 응시연령에 해당하여야 한다. 다만, [별표 4]의 응시상한연령을 1세 초과한 자로서 1월 1일 출생자는 응시할 수 있다.

[별표 4] 채용시험응시연령표(제16조 관련) 〈개정 2008. 2. 22.〉		
계급	공개경쟁채용시험	특별채용시험
5급	20세 이상 32세까지	20세부터
6급 및 7급	20세 이상 35세까지	20세부터
8급 및 9급	18세(교정·보호 직렬은 20세)부터 32세까지	18세(교정·보호직렬은 20세)부터
기능직 기능7급 이상	18세부터 40세까지	18세부터
기능직 기능8급 이하	18세부터 35세까지	18세부터

주문

1. 국가공무원법(2004. 3. 11. 법률 제7187호로 개정되고, 2008. 3. 28. 법률 제8996호로 개정되기 전의 것) 제36조 중 '연령' 부분에 대한 심판청구를 각하한다.
2. 공무원임용시험령(2004. 6. 11. 대통령령 제18424호로 전문개정된 것) 제16조 [별표 4] 중 5급 공개경쟁 채용시험의 응시연령 상한 '32세까지' 부분은 헌법에 합치되지 아니한다.
위 조항 부분은 2008. 12. 31.을 시한으로 입법자가 개정할 때까지 계속 적용된다.

I 이 사건 법률조항에 대한 판단

이 사건 법률조항은 공무원시험에서 '연령'에 따른 최소한도의 자격요건을 정할 수 있도록 규정하고 있으나, 그 구체적인 내용은 대통령령에서 정하도록 위임하고 있으므로 이 사건 법률조항의 구체적인 내용은 이 사건 법률조항의 위임을 받은 하위규범에 의해서 정해지게 되고, 그에 따라 기본권 침해 여부도 판단할 수 있게 되므로, 이 사건 법률조항 자체에 의하여 직접 기본권이 침해된다고 볼 수 없다.

이 사건 법률조항에 대한 심판청구 부분은 기본권 침해의 직접성을 인정할 수 없어 부적법하다.

II 이 사건 시행령조항에 대한 판단

1. 재판관 이강국, 재판관 김희옥, 재판관 민형기, 재판관 이동흡, 재판관 송두환의 헌법불합치 의견

이 사건 시행령조항은 직업공무원을 양성하여 직업공무원제도를 구현하는 한편 유능한 인재가 공무원시험에 장기간 매달리지 않고 사회 각 분야의 적재적소에서 활동하도록 유도하려는 것이다. 정년에 임박한 사람을 공무원으로 채용하면 공무수행의 효율성을 확보하기 어려울 것이므로, 공무원으로 새로 채용하는 사람의 연령을 어느 정도 제한할 필요도 수긍할 수 있다. 이 사건 시행령조항은 공공복리를 증진시키기 위한 것으로서 헌법 제37조 제2항이 정하는 기본권 제한 사유로 삼을 수 있다고 할 것이다.

또한 위와 같은 입법목적을 달성하기 위하여 이 사건 시행령조항과 같이 공무원 공개채용시험의 응시연령을 제한하는 방법을 사용하는 것도 부적절하다고 보기 어렵다.

그러나 32세까지는 5급 공무원의 직무수행에 필요한 최소한도의 자격요건을 갖추고, 32세가 넘으면 그러한 자격요건을 상실한다고 보기 어렵다. 이 점은 5급 국가공무원을 특별채용할 경우에는 연령의 상한을 제한하지 않은 점만 보아도 분명하다. 그리고 6급 및 7급 공무원 공채시험의 응시연령 상한을 35세까지로 규정하면서 그 상급자인 5급 공무원의 채용연령을 32세까지로 제한한 것은 합리적이라고 볼 수 없다. 오히려 5급 공무원은 6급 및 7급 공무원의 상급자이므로 더 연장자임이 바람직하다고 할 것이다.

따라서 이 사건 시행령조항이 5급 공채시험 응시연령의 상한을 '32세까지'로 제한하고 있는 것은 기본권 제한을 최소한도에 그치도록 요구하는 헌법 제37조 제2항에 부합된다고 보기 어렵다.

그러나 5급 공무원의 공채시험에서 응시연령의 상한을 제한하는 것이 전면적으로 허용되지 않는다고 보기는 어렵고, 정년제도의 틀 안에서 공무원 채용 및 공무수행의 효율성을 도모하기 위하여 필요한 최소한도의 제한은 허용된다고 할 것인바, 그 한계는 공무원정년제도와 인사정책 및 인력수급의 조절 등 여러 가지 입법정책을 고려하여 입법기관이 결정할 사항이라고 할 것이다.

따라서 이 사건 시행령조항에 대하여 헌법불합치결정을 선언하고, 그 위헌성을 제거하도록 촉구하여야 한다.

2. 재판관 조대현, 재판관 김종대, 재판관 목영준의 위헌 의견

32세가 넘으면 5급공무원의 직무수행에 필요한 자격요건을 상실한다고 볼 수 없다. 따라서 이 사건 시행령조항은 32세가 넘은 사람의 공직취임권을 직접적으로 제한한다. 5급공무원 공채시험의 응시연령 상한을 제한하지 않으면 직업공무원의 양성이나 직업공무원제도의 구현에 지장을 준다고 보기 어렵다. 이 사건 시행령조항의 목적이 정당하다하더라도 5급 공무원 취임권을 불합리하게 제한하는 수단까지 정당화하는 것이라고 볼 수 없다. 이 사건 시행령조항은 헌법 제37조 제2항에 위반하여 32세가 넘은 국민의 공직취임권을 직접적으로 침해한다.

3. 소 결

이처럼 이 사건 시행령조항이 청구인의 공직취임권을 침해하는지 여부에 관하여는 재판관 5인이 헌법불합치의견을 표시하고, 재판관 3인이 위헌의견을 표시하고, 재판관 1인이 합헌의견을 표시하였다. 헌법불합치의견이 헌법소원을 인용하기에 필요한 정족수(재판관 6인 이상의 찬성)에 미치지 못하지만, 단순위헌의견도 헌법불합치의견의 범위 내에서는 헌법불합치의견과 의견을 같이 하는 것이라고 볼 수 있으므로, 이 사건 시행령조항이 헌법에 합치되지 아니한다는 점에 대해서는 재판관 8인이 찬성하였다고 할 것이다.

III 결 론

이 사건 심판청구 중 이 사건 법률조항에 대한 부분은 부적법하므로 관여 재판관 전원의 일치된 의견으로 각하하기로 결정한다.

이 사건 시행령조항에 대한 청구에 관하여는 재판관 이공현을 제외한 관여 재판관 8인의 찬성으로 이 사건 시행령조항이 헌법에 합치되지 아니한다고 결정하고, 입법자가 2008. 12. 31.을 시한으로 개선입법을 할 때까지 계속 적용을 명하기로 한다.

184 총장후보자 지원자에게 기탁금을 납부하도록 한 총장후보자 선정규정에 관한 사건 [위헌, 각하]

판시사항 및 결정요지

1. 총장후보자에 지원하려는 사람에게 후보등록기간 중 발전기금 3,000만 원을 납부하도록 하고, 지원서 접수시 발전기금 납부확인서를 제출하도록 한 구 '전북대학교 총장임용후보자 선정에 관한 규정' 제15조 제1항 제9호, 제16조 제3호(이하 위 두 조항을 합하여 '이 사건 발전기금조항'이라 한다)에 대한 심판청구가 권리보호이익이 인정되는지 여부(소극)

　　이 사건 발전기금조항은 총장후보자 선정규정이 2014. 6. 13. 훈령 제1753호로 개정됨에 따라 삭제되었으므로 이 부분 심판청구는 권리보호이익이 없다. 교육부는 2015. 12. 15. 국립대학 총장 임용제도 보완 방안을 통해 총장후보자의 자격요건으로 발전기금을 요구하도록 하는 제도를 즉시 폐지하겠다고 발표하였으므로 이 사건 발전기금조항을 통한 공무담임권 침해가 반복될 위험이 있다고 단언하기 어렵고, 그에 대한 헌법적 해명의 필요성도 인정하기 어렵다. 이 부분 심판청구는 심판의 이익도 인정할 수 없다. 그렇다면 이 사건 발전기금조항에 대한 심판청구는 부적법하다.

2. 총장후보자에 지원하려는 사람에게 접수시 1,000만 원의 기탁금을 납부하도록 하고, 지원서 접수시 기탁금 납입 영수증을 제출하도록 한 '전북대학교 총장임용후보자 선정에 관한 규정' 제15조 제1항 제9호, '전북대학교 총장임용후보자 선정에 관한 규정' 제15조 제3항(이하 위 두 조항을 합하여 '이 사건 기탁금조항'이라 한다)이 청구인의 공무담임권을 침해하는지 여부(적극)

가. 제한되는 기본권

　　헌법 제25조는 '모든 국민은 법률이 정하는 바에 의하여 공무담임권을 가진다.'고 규정하고 있다. 공무담임권이란 입법부, 집행부, 사법부는 물론 지방자치단체 등 국가, 공공단체의 구성원으로서 그 직무를 담당할 수 있는 권리를 말한다. 여기서 직무를 담당한다는 것은 모든 국민이 현실적으로 그 직무를 담당할 수 있다고 하는 의미가 아니라, 국민이 공무담임에 관해서 자의적이지 않고 평등한 기회를 보장받음을 의미한다. 특히 직업공무원에게는 정치적 중립성과 더불어 효율적으로 업무를 수행할 수 있는 능력이 요구되므로, 직업공무원으로의 공직취임권에 관하여 규율함에 있어서는 임용희망자의 능력·전문성·적성·품성을 기준으로 하는 이른바 능력주의 또는 성과주의를 바탕으로 하여야 한다. 결국 헌법 제25조 공무담임권 조항은 '모든 국민이 누구나 그 능력과 적성에 따라 공직에 취임할 수 있는 균등한 기회를 보장함'을 내용으로 한다.

　　국립대학교 총장은 교육공무원으로서 국가공무원의 신분을 가진다. 이 사건 기탁금조항은 국립대학교인 전북대학교 총장후보자 선정과정에서 후보자에 지원하려는 사람에게 기탁금을 납부하도록 하고, 기탁금을 납입하지 않을 경우 총장후보자에 지원하는 기회가 주어지지 않도록 하고 있다. 따라서 이 사건 기탁금조항은 기탁금을 납입할 수 없거나 그 납입을 거부하는 사람들의 공무담임권을 제한한다.

나. 공무담임권 침해 여부

이 사건 기탁금조항은 총장후보자 지원자들의 무분별한 난립을 방지하고 그 책임성과 성실성을 확보함으로써 선거의 과열을 예방하기 위한 것이므로 목적의 정당성은 인정된다.

총장후보자 지원자들에게 1,000만 원의 기탁금을 납부하게 하는 것은 지원자가 무분별하게 총장후보자에 지원하는 것을 예방하는 데 기여할 수 있으므로 수단의 적합성도 인정된다.

현행 총장후보자 선정규정에 따르면 총장후보자는 간선제 방식에 따라 선출하고, 지원자에게 허용되는 선거운동 방법은 총장후보자 추천위원회(이하 '추천위원회'라 한다) 위원을 대상으로 한 합동연설회밖에 없다. 이러한 현행 간선제 방식 하에서는 지원자들의 무분별한 난립과 선거 과열 문제가 발생할 여지가 적다.

연혁적으로 보더라도 과거 직선제 방식을 취하면서 두었던 기탁금제도가 현행 간선제 방식 하에서 어떠한 필요성에 근거하여 규정된 것인지 이를 명시적으로 설명하고 있는 자료를 찾아보기 어렵다.

총장후보자 지원자들이 난립하여 선거가 과열될 우려가 있다면 현행 총장후보자 선정규정보다 총장후보자의 자격요건을 강화하는 등 지원자의 적격 여부를 보다 엄정하게 심사하여 지원자들의 무분별한 난립을 막을 수 있다. 총장후보자 선정규정상 부정행위 금지 및 이에 대한 제재조항으로 선거의 과열을 방지할 수도 있다. 이러한 방법은 이 사건 기탁금조항에 대한 적절한 대체수단이 될 수 있다.

이 사건 기탁금조항의 1,000만 원 액수는 교원 등 학내 인사뿐만 아니라 일반 국민들 입장에서도 적은 금액이 아니다. 여기에, 추천위원회의 최초 투표만을 기준으로 기탁금 반환 여부가 결정되는 점, 일정한 경우 기탁자 의사와 관계없이 기탁금을 발전기금으로 귀속시키는 점 등을 종합하면, 이 사건 기탁금조항의 1,000만 원이라는 액수는 자력이 부족한 교원 등 학내 인사와 일반 국민으로 하여금 총장후보자에 지원하려는 의사를 단념토록 할 수 있을 정도로 과다한 액수라고 할 수 있다.

이러한 사정들을 종합하면 이 사건 기탁금조항은 침해의 최소성에 반한다.

현행 총장후보자 선정규정에 따른 간선제 방식에서는 이 사건 기탁금조항으로 달성하려는 공익은 제한적이다. 반면 이 사건 기탁금조항으로 인하여 기탁금을 납입할 자력이 없는 교원 등 학내 인사 및 일반 국민들은 총장후보자에 지원하는 것 자체를 단념하게 되므로, 이 사건 기탁금조항으로 제약되는 공무담임권의 정도는 결코 과소평가될 수 없다.

이 사건 기탁금조항으로 달성하려는 공익이 제한되는 공무담임권 정도보다 크다고 단정할 수 없으므로, 이 사건 기탁금조항은 법익의 균형성에도 반한다.

따라서, 이 사건 기탁금조항은 과잉금지원칙에 반하여 청구인의 공무담임권을 침해한다.

185. 총장임용후보자선거에서 후보자가 기탁금을 납부하도록 하고 납부된 기탁금의 일부만을 반환하도록 한 대학 규정에 관한 사건 [위헌, 기각]
― 2021. 12. 23. 선고 2019헌마825

판시사항 및 결정요지

1. 대구교육대학교 총장임용후보자선거에서 후보자가 되려는 사람은 1,000만 원의 기탁금을 납부하도록 규정한 '대구교육대학교 총장임용후보자 선정규정' 제23조 제1항 제2호 및 제24조 제1항(이하 '이 사건 기탁금납부조항'이라 한다)이 과잉금지원칙에 위배되어 후보자가 되려는 청구인의 공무담임권을 침해하는지 여부(소극)

선거 제도는 선거권자 및 피선거권자의 자격, 허용되는 선거운동 및 그 관리 방안 등을 어떻게 설계하느냐에 따라 구체적인 양상에서 큰 차이가 있을 수 있으므로, 선거 관련 기탁금 제도의 필요성은 간선제 또는 직선제와 같은 선거 방식의 큰 분류만이 아닌 개별 제도의 구체적인 내용까지 고려해서 판단하여야 한다.

대구교육대학교는 총장임용후보자선거에서 과거 간선제를 택하였을 때 추천위원회가 지원자 및 참고인 등에 대한 자료 제출 요구 및 열람, 출석 요구 및 진술 청취를 할 수 있도록 규정한 것 외에 지원자로서는 어떤 홍보수단도 활용할 수 없도록 하고 오직 추천위원회의 심의를 통하여 총장임용후보자를 선정한 것과 달리, 현재 직선제하에서는 홈페이지, 연설회 및 토론회, 전화, 문자, 선거벽보, 소형인쇄물, 선거공보, 전자우편 등 다양한 방법의 선거운동을 허용하고 있으므로, 과거에 비해 선거가 과열되거나 혼탁해질 위험성이 증대되었다.

이 사건 기탁금납부조항은 대구교육대학교의 구체적인 현실을 고려하여 교수회의 심의 등을 거쳐 규정된 것이므로, 대학 구성원들의 이러한 판단에도 불구하고 이 사건 기탁금납부조항과 같은 기탁금 제도 없이도 충분히 후보자의 난립을 방지하고 후보자의 성실성을 확보할 수 있다고 단언하기 어렵다.

기탁금 제도를 두는 대신에 피선거권자의 자격 요건을 강화하면 공무담임권이 오히려 더 제한될 소지가 있고, 추천인 요건을 강화하는 경우 사전 선거운동이 과열될 수 있으며, 선거운동 방법의 제한 및 이에 관한 제재를 강화하면 선거운동의 자유가 위축될 염려도 있다.

이 사건 기탁금납부조항은 선거의 과열 방지 및 후보자의 성실성 확보에 기여하는 반면, 이 사건 기탁금납부조항이 규정하는 일천만 원이라는 기탁금액이 후보자가 되려는 사람이 납부할 수 없을 정도로 과다하다거나 입후보 의사를 단념케 할 정도로 과다하다고 할 수 없다.

이를 종합하면, 이 사건 기탁금납부조항은 과잉금지원칙에 위반되지 아니한다.

2. 대구교육대학교 총장임용후보자선거 후보자가 제1차 투표에서 최종 환산득표율의 100분의 15 이상을 득표한 경우에만 기탁금의 반액을 반환하도록 하고 반환하지 않는 기탁금은 대학 발전기금에 귀속되도록 규정한 '대구교육대학교 총장임용후보자 선정규정' 제24조 제2항(이하 '이 사건 기탁금귀속조항'이라 한다)이 과잉금지원칙에 위배되어 청구인의 재산권을 침해하는지 여부(적극)

이 사건 기탁금귀속조항은 총장임용후보자선거의 과열 방지 및 후보자의 성실성 확보를 위하여 기탁금의 반환과 귀속에 관한 원칙을 규정하고 있다.

그런데 이 사건 기탁금귀속조항에 따르면, 선거를 성실하게 완주하여 성실성을 충분히 검증 받은 후보자는 물론, 최다 득표를 하여 총장임용후보자로 선정된 사람조차도 기탁금의 반액은 결코 반환받지 못하게 된다. 이는 난립후보라고 할 수 없는 진지하고 성실한 후보자들을 상대로도 기탁금의 발전기금 귀속을 일률적으로 강요함으로써 대학의 재정을 확충하는 것과 다름없다.

반환되지 않는 기탁금은 대구교육대학교의 선거관리비용과 무관한 발전기금에 귀속되므로, 이렇게 엄격한 기탁금 귀속 제도가 선거의 운영에 반드시 필요하다고 할 수도 없다.

후보자가 총장임용후보자로 선정되거나 일정한 비율의 표를 획득한 경우에는 기탁금 전액을 반환하도록 하는 등, 이 사건 기탁금귀속조항의 기탁금 반환 조건을 현재보다 완화하더라도 충분히 후보자의 난립을 방지하고 후보자의 성실성을 확보할 수 있으므로, 이 사건 기탁금귀속조항은 침해의 최소성을 갖추지 못하였다.

이 사건 기탁금귀속조항은 비록 후보자가 성실하게 선거를 완주하더라도 기탁금의 반액은 돌려받지 못하게 하므로 후보자의 성실성 확보라는 목적에 기여하는 바가 크지 않은 반면, 이 사건 기탁금귀속조항으로 인해 후보자의 재산권은 크게 제한되므로, 이 사건 기탁금귀속조항은 법익의 균형성에도 위반된다.

이와 같이 이 사건 기탁금귀속조항은 후보자가 성실성이나 노력 여하를 막론하고 기탁금의 절반은 반환받을 수 없도록 하고, 나머지 금액의 반환 조건조차 지나치게 까다롭게 규정하고 있으므로, 과잉금지원칙에 위반되어 청구인의 재산권을 침해한다.

심판대상조항 및 관련조항

대구교육대학교 총장임용후보자 선정규정(2019. 5. 8. 대구교육대학교규정 제656호로 전부개정된 것)

제23조(후보자 등록 등) ① 후보자가 되려는 사람은 「위탁선거법」 제18조에 따라 후보자 등록기간(선거기간개시일 전 2일부터 2일 동안)에 다음 각 호의 서류 등을 관할 선관위에 제출하여 후보자 등록을 신청하여야 한다.
  2. 기탁금 영수증

제24조(기탁금의 납부 및 반환) ① 후보자가 되려는 사람은 후보자 등록을 신청할 때 관할 선관위가 정하는 방법에 따라 일천만 원의 기탁금을 납부하여야 한다.
② 관할 선관위는 다음 각 호의 구분에 따른 금액을 선거일 후 10일 이내에 기탁자에게 반환한다. 이 경우 반환하지 아니하는 기탁금은 대구교육대학교 발전기금에 귀속된다.
  1. 후보자가 후보 등록 후 사망한 경우에는 기탁금의 전액을 반환 받는다.
  2. 후보자가 제1차 투표에서 최종 환산득표율의 100분의 15 이상을 득표한 경우에는 기탁금의 100분의 50에 해당하는 금액을 반환 받는다.

주문

1. 대구교육대학교 총장임용후보자 선정규정(2019. 5. 8. 대구교육대학교규정 제656호로 전부개정된 것) 제24조 제2항은 헌법에 위반된다.
2. 청구인의 나머지 심판청구를 모두 기각한다.

186. 교육공무원의 정년을 62세로 단축한 교육공무원법 사건 [기각]
– 2000. 12. 14. 선고 99헌마112·137(병합)

판시사항 및 결정요지

1. 교육공무원법의 정년규정에 대하여 사립학교 교원들에게 기본권침해의 자기관련성이 인정되는지 여부(소극)

교육공무원법 제47조 제1항은 "교육공무원"의 정년을 규정한 것으로서 교육공무원이 아닌 사립학교 교원들에게 적용되거나 준용되는 것이 아니며, 정부가 지급하는 사립학교 재정결함 보조금의 영향으로 사립학교 교원의 정년이 교육공무원의 정년과 연계하여 설정되고 있다 하더라도 그러한 경제적·사실적 관련성만으로는 사립학교 교원들이 위 법률조항으로 인하여 자신들의 기본권을 직접 침해받는다고 보기 어렵다.

2. 대학교원을 제외하고 교육공무원의 정년을 65세에서 62세로 단축한 교육공무원법 제47조 제1항이 교원들의 공무담임권 및 교원들의 평등권을 침해하는지 여부(소극)

1. 이 사건의 쟁점

가. 이 사건 법률조항의 입법절차가 헌법이나 국회법에 위반된다고 하더라도 그와 같은 사유만으로는 이 사건 법률조항으로 인하여 청구인들이 현재, 직접적으로 기본권을 침해받은 것으로 볼 수는 없으므로 헌법소원심판을 청구할 수 없다할 것이다. 따라서 이 사건 법률조항은 그 입법절차에 헌법 또는 국회법 위반의 흠이 있으므로 무효라는 청구인들의 주장은 더 나아가 살필 것 없이 이유 없다.

나. 이 사건 법률조항의 시행으로 인하여 교육공무원들은 62세가 되면 더 이상 교원으로 재직할 수 없게 되는바, 이것이 청구인들과 같은 교육공무원들의 공무담임권을 침해하는 것이 아닌지, 이와 관련하여 이 사건 법률조항이 기존의 교원들에게도 일률적으로 적용됨으로써 신뢰보호원칙에 위반되는 것이 아닌지 문제되고, 한편 초·중등 교원의 경우 정년을 65세로 정한 대학교원과 다른 취급을 받고 있으므로 이로 인한 평등권의 침해가 있는지도 문제된다.

다. 그러나 청구인들이 침해받았다고 주장하는 그 밖의 기본권들인 재산권, 행복추구권, 교육권 등은 별다른 문제가 없으므로 아래에서 보는 외에 특히 따로 판단하지 아니한다.

  1) 재산권은 사적유용성 및 그에 대한 원칙적 처분권을 내포하는 재산가치있는 구체적 권리이므로 구체적인 권리가 아닌 단순한 이익이나 재화의 획득에 관한 기회(단순한 기대이익·반사적이익 또는 경제적인 기회)등은 재산권보장의 대상이 아닌 바, 교원의 정년단축으로 기존 교원이 입는 경제적 불이익은 계속 재직하면서 재화를 획득할 수 있는 기회를 박탈당한다는 것인데 이러한 경제적 기회는 재산권보장의 대상이 아니라는 것이 우리 재판소의 판례이다(95헌바36).

2) 행복추구권은 다른 기본권에 대한 보충적 기본권으로서의 성격을 지니므로, 공무담임권이라는 우선적으로 적용되는 기본권이 존재하여(청구인들이 주장하는 불행이란 결국 교원직 상실에서 연유하는 것에 불과하다) 그 침해여부를 판단하는 이상, 행복추구권 침해 여부를 독자적으로 판단할 필요가 없다.

3) 청구인들은 교원으로서의 교육권(가르칠 권리)을 침해받았다고 주장하면서 이를 헌법 제31조 제1항에서 도출하고 있으나, 동 헌법조항은 "교육을 받을 권리(이른바 수학권)"를 보장하는 것이고, 교원으로서 학문연구의 결과를 가르치는 자유로서의 수업권은 학문의 자유로부터 파생될 수 있다고 할 것이지만, 청구인들이 주장하는 '가르칠 권리'(교육권)라는 것은 이러한 수업권과는 무관하게 결국 교원의 자격을 계속 유지할 권리를 뜻하는 데 지나지 않으므로 이는 역시 공무담임권의 문제로 귀착될 뿐이라 하겠다.

4) 공직의 경우 공무담임권은 직업선택의 자유에 대하여 특별기본권이어서 후자의 적용을 배제하므로, 사립학교 교원의 청구를 부적법한 것으로 보는 한 직업선택의 자유는 문제되지 아니한다.

2. 공무담임권의 침해 여부

오늘날의 국제화된 사회, 고도로 지식정보화가 진행되고 있는 사회는 새로운 지식과 정보의 부단한 획득·창출을 요구하고 있어 이러한 사회변화에 대한 학교교육의 적응력을 제고하기 위하여는 젊고 활기찬 교육분위기를 조성하는 것이 필요하다 할 것인 반면, 교사의 평균연령과 60세이상의 고령교사의 비율은 점차 높아지는 추세에 있는바, 젊고 유능한 교원을 충원, 적절한 세대교체를 통하여 교직사회의 신진대사를 촉진하고, 학교의 교육력을 강화하고자 하는 이 사건 법률조항의 입법목적은 정당한 것이라 하겠다.

공무원이 정년까지 근무할 수 있는 권리는 헌법의 공무원신분보장규정에 의하여 보호되는 기득권으로서 그 침해 내지 제한은 신뢰보호의 원칙에 위배되지 않는 범위내에서만 가능하다고 할 것인 즉 기존의 정년규정을 변경하여 임용 당시의 공무원법상의 정년까지 근무할 수 있다는 기대 내지 신뢰를 합리적 이유없이 박탈하는 것은 위 공무원신분 보장규정에 위배된다 할 것이나, 임용당시의 공무원법상의 정년까지 근무할 수 있다는 기대와 신뢰는 절대적인 권리로서 보호되어야만 하는 것은 아니고 행정조직, 직제의 변경 또는 예산의 감소 등 강한 공익상의 정당한 근거에 의하여 좌우될 수 있는 상대적이고 가변적인 것이라 할 것이므로 입법자에게는 제반사정을 고려하여 합리적인 범위내에서 정년을 조정할 입법형성권이 인정된다.

입법자는 우리나라의 교육여건, 공교육 정상화 등 교육개혁에 대한 국민적 열망 등 여러 가지 사정을 종합할 때, 젊고 활기찬 교육분위기 조성을 위한 교직사회의 신진대사가 필요하고 바람직한 것이라고 보아 초·중등교원의 정년을 3년간 단축하여 62세로 설정하고 있는바, 입법자의 이러한 교육정책적 판단과 결정은 나름대로 합리성이 있는 것으로 인정되고, 우리나라 다른 공무원들의 정년연령에 비교하여 보거나 외국의 교원정년제도와 비교하여 보더라도 교원정년을 62세로 한 것이 입법형성권의 한계를 일탈하여 불합리할 정도로 지나치게 단축한 것이라고 보기 어렵다.

3. 신뢰보호원칙의 위반 여부

이 사건 법률조항은 기존 교원들에게도 일률적으로 적용되는바, 기존의 정년연령인 65세까지 교원으로 근무할 수 있으리라던 구법질서에 대한 기대내지 신뢰를 보호하기 위한 배려를 하고 있는지가 문제되므로 이에 관하여 본다.

신뢰보호원칙의 위반여부는 한편으로 침해받은 신뢰이익의 보호가치, 침해의 중한 정도, 신뢰침해의 방법 등과 다른 한편으로는 새 입법을 통해 실현코자 하는 공익목적을 종합적으로 비교형량하여 판단하여야 한다.

위에서 본 바와 같이 공무원이 임용 당시의 공무원법상의 정년까지 근무할 수 있다는 기대 내지 신뢰는 절대적인 것이 아니라, 상대적이고 가변적인 것에 불과하므로 그 신뢰이익의 보호가치 역시 절대적으로 크다고만 할 수 없다.

개정법 부칙은 기존교원들에 대하여, 명예퇴직수당의 지급대상 및 지급액에 관하여 종전의 정년을 적용토록 함으로써 단축된 정년으로 인한 불이익을 어느 정도 보전할 수 있도록 배려하고 있는바, 이러한 경과조치의 존재, 기존교원에 대한 신뢰이익 침해의 정도, 정년단축을 통해 실현코자 하는 공익목적의 중요성 등을 종합적으로 고려할 때 헌법상의 신뢰보호원칙에 위배되는 것이라 할 수 없다.

4. 평등권의 침해 여부

헌법 제11조에서 규정한 평등원칙은 일체의 차별적 대우를 부정하는 절대적 평등이 아니라, 입법과 법의 적용에 있어서 합리적 근거없는 차별을 하여서는 아니된다는 상대적 평등을 뜻하고, 따라서 합리적 근거있는 차별 내지 불평등은 평등원칙에 반하는 것이 아니다.

대학교원의 임무는 교육외에 연구도 포함되고, 초·중등교원의 자격기준은 대체로 교육대학, 사범대학을 졸업하면 충족되지만, 대학전임강사의 경우만 보더라도 대학을 졸업하고도 2년의 연구실적과 1년의 교육경력이 필요하다.

초·중등교원과 대학교원은 그 임무, 자격기준, 임용과 승진의 과정등의 면에서 차이가 있고, 이로 인하여 대학교원의 경우 그 최초임용시의 연령이 초·중등교원 보다 상대적으로 고령인 데다, 고등교육과 연구라는 업무의 성격상 초·중등교원보다 높은 연령까지 대학교원으로 재직할 필요성을 인정할 수 있는바, 입법자가 이러한 점에 착안하여, 대학교원의 정년을 초·중등교원의 정년보다 3년 높은 65세로 책정한 것은 합리적 근거에 기초한 것이라 할 것이므로 이로 인하여 초·중등교원들의 평등권이 침해된다고 할 수 없다.

제6장 청구권적 기본권

제1절 청구권적 기본권 일반이론

제2절 청원권

 지방의회에 청원을 할 때 지방의회 의원의 소개를 얻도록 한 사건 [기각]
― 1999. 11. 25. 선고 97헌마54

판시사항 및 결정요지

지방의회에 청원을 하고자 할 때에 반드시 지방의회 의원의 소개를 얻도록 한 것이 청원권의 과도한 제한에 해당하는지 여부(소극)

헌법재판소는, 헌법 제26조와 청원법의 규정에 관하여 헌법상 보장된 청원권은 공권력과의 관계에서 일어나는 여러 가지 이해관계, 의견, 희망 등에 관하여 적법한 청원을 한 모든 국민에게, 국가기관이 청원을 수리할 뿐만 아니라, 이를 심사하여 청원자에게 그 처리결과를 통지할 것을 요구할 수 있는 권리를 말한다. 국민이면 누구든지 널리 제기할 수 있는 민중적 청원제도는 재판청구권 기타 준사법적 구제청구와는 그 성질을 달리하므로 청원사항의 처리결과에 심판서나 재결서에 준하여 이유명시를 요구할 수 없다. 청원 소관관서는 청원법이 정하는 절차와 범위 내에서 청원사항을 성실·공정·신속히 심사하고 청원인에게 그 청원을 어떻게 처리하였거나 처리하려 하는 지를 알 수 있을 정도로 결과통지를 함으로써 헌법 및 청원법상의 의무이행을 다하게 되는 권리라는 판시를 한 바 있다(1994. 2. 24. 93헌마213).

헌법 제26조는 "모든 국민은 법률이 정하는 바에 의하여 국가기관에 문서로 청원할 권리를 가진다. 국가는 청원에 대하여 심사할 의무를 진다"고 하여 청원권을 기본권으로 보장하고 있다. 청원권의 구체적 내용은 입법활동에 의하여 형성되며 입법형성에는 폭넓은 재량권이 있으므로 입법자는 지방의회에 제출되는 청원서에 대하여 청원의 내용과 절차는 물론 청원의 심사처리를 공정하고 효율적으로 행할 수 있게 하는 합리적인 수단을 선택할 수 있는 것이다.

이 법률조항이 지방의회에 청원을 할 때에 의원의 소개를 필요적 요건으로 한 것은 단순한 진정(陳情)과는 달리 청원을 할 수 있는 사안에 관하여는 지방의회가 공정하고 신속하게 이를 심사처리하고 그 결과를 청원인에게 통지할 의무를 지는 점(청원법 제9조 제4항, 법 제67조 제3항) 등을 감안하여 청원의 남발을 규제하는 방법으로 의원 중 1인이 미리 청원의 내용을 확인하고 이를 소개하게 함으로써 심사의 효율성을 제고하려는 데에 그 목적이 있다. 그런데 지방의회의원이 청원의 소개의원이 되면 청원서에 소개하는 의원의 의견서를 첨부하여야 하고 (법시행령 제22조), 소관위원회 또는 본회의의 요구가 있는 때에 청원의 취지를 설명하게 되어 있으므로 (법 제67조 제2항), 지방의회의원 모두가 소개의원이 되기를 거절하는 청원은 그 청원내용을 찬성하는 의원이 없다는 것을 의미한다. 이와 같은 청원은 지방의회에서 심사를 해 본들 인용가능성이 없으므로 이러한 실익이 없는 사안까지도 지방의회에서 처리하도록 하는 것은 의결사항만 번잡하게 할 뿐이다 (법 제35조 제1항 제9호). 그리고 지방의회의원이 소개를 주저하는 청원은 진정의 형식을 빌려 어느 정도 청원을 한 것과 같은 목적을 달성할 수도 있다.

　결론적으로, 이 법률조항은 불필요한 청원을 억제하여 청원의 효율적인 심사처리를 제고하는 데 있고, 또 청원의 소개의원은 1인으로 족한 점 등을 감안할 때 그 제한은 헌법 제37조 제2항이 규정한 공공복리를 위한 필요·최소한의 것으로 청원권의 본질적 내용을 침해하는 것이 아니므로 기본권제한의 한계를 벗어나는 위법이 있다고 볼 수 없다.

188 로비제도 금지 사건 [합헌]
- 2005. 11. 24. 선고 2003헌바108

판시사항

1. 공무원의 직무에 속한 사항의 알선에 관하여 금품이나 이익을 수수·요구 또는 약속한 자를 형사처벌하는 특정범죄가중처벌등에관한법률 제3조가 국민의 청원권이나 일반적 행동자유권을 침해하는 것인지 여부(소극)
2. '공무원의 직무에 속한 사항의 알선'이라는 용어의 의미가 너무 광범위하고 포괄적이어서 죄형법정주의의 명확성원칙을 위반하고 있는지 여부(소극)

사건의 개요

청구인은 ○○경영연구소 고문으로 재직중이던 자인바, 주식회사 한국○○ 대표 송○빈으로부터 서울올림픽기념국민체육진흥공단에서 주관하는 체육진흥투표권 발행사업과 관련하여 위 한국○○가 사업자로 선정될 수 있도록 관계기관에 청탁하여 달라는 부탁을 받고 위 회사 주식 등 금품을 수수한 혐의 등으로 특정범죄가중처벌등에관한법률 제3조 위반으로 공소제기되어 서울중앙지방법원에서 징역 1년 6월에 집행유예 2년을 선고받고 서울고등법원에 항소하였으나 2003. 8. 12. 기각되었고, 대법원에 상고하여 소송계속중 위 규정에 대하여 위헌제청신청을 하였으나 2003. 11. 27. 기각되자, 2003. 12. 11. 헌법재판소법 제68조 제2항에 의한 이 사건 헌법소원심판을 청구하였다.

심판대상조항 및 관련조항

특정범죄가중처벌등에관한법률(1990. 12. 31. 법률 제4291호로 개정된 것)

제3조(알선수재) 공무원의 직무에 속한 사항의 알선에 관하여 금품이나 이익을 수수·요구 또는 약속한 자는 5년 이하의 징역 또는 1천만 원 이하의 벌금에 처한다.

주문

특정범죄가중처벌등에관한법률 제3조(1990. 12. 31. 법률 제4291호로 개정된 것)는 헌법에 위반되지 아니한다.

Ⅰ 판 단

1. 기본권 침해 여부

가. 이 사건에서 문제되는 기본권

1) 청구인은 이 사건 규정이 일반적 행동자유권을 침해하고 있다고 주장한다. 우리 헌법 제10조는 행복추구권을 보장하고 있으며, 행복추구권은 그의 구체적인 표현으로서 일반적인 행동자유권과 개성의 자유로운 발현권을 포함하는데, 일반적 행동자유권은 개인이 행위를 할 것인가의 여부에 대하여 자유롭게 결단하는 것을 전제로 하여 이성적이고 책임감 있는 사람이라면 자기에 관한 사항은 스스로 처리할 수 있을 것이라는 생각에서 인정되는 포괄적인 의미의 자유권으로서 일반 조항적인 성격을 가지는 기본권이다. 그런데 이 사건 규정은 공무원의 직무에 속하는 사항의 알선에 관하여 금품 수수 등의 행위를 하지 못하게 함으로써 금품을 대가로 해서는 다른 사람을 중개하거나 대신하여 그 이해관계나 국정에 관한 의견 또는 희망을 해당 기관에 진술할 수 없게 한다는 점에서 일반적 행동자유권 제한 문제를 발생시킨다 할 것이다.

2) 나아가 청구인은 이 사건 규정이 청원권도 침해하고 있다고 주장한다. 청원권은 국민적 관심사를 국가기관에 표명할 수 있는 수단으로서의 성격을 가진 기본권으로 국민은 누구나 형식에 구애됨이 없이 그 관심사를 국가기관에 표명할 수 있다. 우리 헌법은 제26조에서 "모든 국민은 법률이 정하는 바에 의하여 국가기관에 문서로 청원할 권리를 가진다. 국가는 청원에 대하여 심사할 의무를 진다"고 하여 청원권을 기본권으로 보장하고 있다. 따라서 모든 국민은 공권력과의 관계에서 일어나는 여러 가지 이해관계 또는 국정에 관해서 자신의 의견이나 희망을 해당 기관에 진술할 수 있으며, 청원을 수리한 국가기관은 청원에 대하여 심사하여야 할 의무를 지게 된다.

한편, 이러한 청원권의 행사는 자신이 직접 하든 아니면 제3자인 중개인이나 대리인을 통해서 하든 청원권으로서 보호된다. 우리 헌법은 문서로 청원을 하도록 한 것 이외에 그 형식을 제한하고 있지 않으며, 청원권의 행사방법이나 그 절차를 구체화하고 있는 청원법도 제3자를 통해 하는 방식의 청원을 금지하고 있지 않다. 따라서 국민이 여러 가지 이해관계 또는 국정에 관해서 자신의 의견이나 희망을 해당 기관에 직접 진술하는 외에 그 본인을 대리하거나 중개하는 제3자를 통해 진술하더라도 이는 청원권으로서 보호될 것이다.

그런데 이 사건 규정은 공무원의 직무에 속한 사항의 알선 관련 금품 수수행위를 형사처벌하고 있으므로 국회의 입법이나 정부의 정책결정 및 정책집행 등에 관한 로비 내지 알선 행위를 제한하게 되고, 이것은 공권력과의 관계에서 일어나는 여러 가지 이해관계 또는 국정에 관해서 그 의견이나 희망을 해당 기관에 진술할 자유를 제한하게 되므로 이는 청원권 제한 문제를 일으킨다고 할 것이다.

3) 한편, 이 사건 규정에 대한 일반적 행동자유권이나 청원권 침해 주장은 결국 금품 등의 대가를 받는 알선도 의견 진술의 보장이라는 차원에서 헌법상 보호되어야 한다는 주장에 다름 아니므로 구체적 내용 측면에서 보자면 일반적 행동자유권에서 주장하는 것과 청원권에서 주장하는 것이 별 차이가 없다고 할 것이어서 위 두 기본권 침해 여부를 따로 논의할 필요는 없을 것으로 보이고, 따라서 이하에서는 이 사건 규정이 일반적 행동자유권과 청원권을 침해하고 있는지를 함께 본다.

나. 이 사건 규정의 기본권 침해 여부

특정범죄가중처벌등에관한법률 제3조(이하 '이 사건 규정'이라 한다)는 행위자가 공무원의 신분을 가지고 있는지 여부를 불문하고 누구든지 공무원의 직무에 속한 사항에 관해 알선을 명목으로 금품 등을 수수하면 형사처벌을 하고 있다. 그런데 공무원 신분을 가지지 않은 자도 학연이나 지연 또는 개인의 영향력 등을 이용하여 공무원의 직무에 영향력을 미칠 수 있는바, 이러한 자가 공무원의 직무와 관련하여 알선자 내지는 중개자로서 알선을 명목으로 금품 등을 수수하는 등의 행위를 하게 되면, 현실적으로 담당 공무원에게 알선을 주선했는지 여부와 관계없이 공무원의 직무집행의 공정성은 의심받게 될 것이므로 이 사건 규정이 공무의 공정성과 그에 대한 사회의 신뢰성 등을 보호하기 위해 알선 명목의 금품수수행위를 형사처벌하고 있다고 하더라도 이것이 입법의 한계를 일탈한 것이라고 볼 수 없다. 다만, 다원화되고 있는 현대 사회에서 국가기관 등의 정책결정 및 집행과정에 로비스트와 같은 중개자나 알선자를 통해 자신의 의견이나 자료를 제출할 수 있도록 허용한다면, 국민은 언제나 이러한 의견 전달 통로를 이용해 국정에 참여할 수 있을 것이므로 국민주권의 상시화가 이루어질 수 있을 것이다. 그러나 금전적 대가를 받는 알선 내지 로비활동을 합법적으로 보장할 것인지 여부는 그 시대 국민의 법 감정이나 사회적 상황에 따라 입법자가 판단할 사항으로, 우리의 역사에서 로비가 공익이 아닌 특정 개인이나 집단의 사익을 추구하는 도구로 이용되었다는 점이나 건전한 정보제공보다는 비합리적인 의사결정을 하게 하여 시민사회의 발전을 저해하는 요소가 되었다는 점을 감안하여 청원권 등의 구체적인 내용 형성에 폭넓은 재량을 가진 입법부가 대가를 받는 로비제도를 인정하고 있고, 공무원의 직무에 속한 사항의 알선에 관하여 금품 등을 수수하는 모든 행위를 형사처벌하고 있다고 하더라도 이것이 청원권이나 일반적 행동자유권을 침해하는 것으로 볼 수 없다.

2. 명확성원칙 위반 여부

가. 헌법 제12조 및 제13조를 통하여 보장되고 있는 죄형법정주의의 원칙은 범죄와 형벌이 법률로 정하여져야 함을 의미하며, 이러한 죄형법정주의에서 파생되는 명확성의 원칙은 법률이 처벌하고자 하는 행위가 무엇이며 그에 대한 형벌이 어떠한 것인지를 누구나 예견할 수 있고, 그에 따라 자신의 행위를 결정할 수 있도록 구성요건을 명확하게 규정하는 것을 의미한다. 죄형법정주의에서 명확성원칙을 요구하는 것은 국가형벌권의 자의로부터 시민의 자유와 안전을 보장하고 법관에게 독단적인 해석의 가능성을 허용하지 아니함으로써 개개 시민에게 형벌의 예견가능성을 부여하고 규범의 내면화를 꾀하여 책임비난의 기초를 제공하기 위한 것이다.

그러나 처벌법규의 구성요건이 명확하여야 한다고 하여 모든 구성요건을 단순한 서술적 개념으로 규정하여야 하는 것은 아니고, 다소 광범위하여 법관의 보충적인 해석을 필요로 하는 개념을 사용하였다고 하더라도 통상의 해석방법에 의하여 건전한 상식과 통상적인 법감정을 가진 사람이면 당해 처벌법규의 보호법익과 금지된 행위 및 처벌의 종류와 정도를 알 수 있도록 규정하였다면 헌법이 요구하는 처벌법규의 명확성에 배치되는 것이 아니다. 다만 처벌규정에 대한 예측가능성 유무를 판단할 때는 당해 특정조항 하나만을 가지고 판단할 것이 아니고, 관련 법조항 전체를 유기적·체계적으로 종합 판단하여야 하며, 각 대상법률의 성질에 따라 구체적·개별적으로 검토하여야 할 것이다.

나. 이 사건 규정은 '공무원의 직무에 속한 사항'이나 '알선'과 같은 다소 추상적이고 광범위한 의미를 가진 것으로 보이는 용어를 사용하고 있는데, 먼저 '공무원의 직무에 속한 사항'에 관하여 보면, 이 사건 규정이 보호하고자 하는 법익은 공무의 공정성과 이에 대한 사회일반의 신뢰성 및 직무의 불가매수성으로 뇌물 관련 범죄에서 이러한 법익의 침해가 의심되는 경우에는 예외 없이 이를 처벌할 필요성이 인정되므로 이 사건 규정이 공무원의 직무에 속한 사항인 경우에 그 중요성 정도나 법령 등에 정해진 직무인지의 여부를 가리지 않고 모두 처벌할 있도록 수식어로서 어떤 제한도 가하지 않고 단순히 공무원의 직무에 속한 사항이라고만 규정하고 있다고 하더라도 이것이 죄형법정주의의 명확성원칙에 위반하고 있다고 할 수 없다.

또한 '알선'은 '일정한 사항에 관하여 어떤 사람과 그 상대방 사이에 서서 중개하거나 편의를 도모하는 것'으로 청탁한 취지를 상대방에게 전하거나 그 사람을 대신하여 스스로 상대방에게 청탁을 하는 행위도 '알선'행위에 해당한다 할 것이므로 이 부분 규정도 죄형법정주의의 명확성원칙에 위반된다고 할 수 없다.

II 결 론

이상과 같은 이유로 이 사건 규정은 헌법에 위반되지 아니하므로 주문과 같이 결정한다.

1 기본권론

제3절 재판청구권

189 사법보좌관에 의한 소송비용액 확정결정절차 사건 [합헌]
― 2009. 2. 26. 선고 2007헌바8

판시사항 및 결정요지

사법보좌관에 의한 소송비용액 확정결정절차를 규정한 법원조직법 제54조 제2항 제1호 중 "「민사소송법」(동법이 준용되는 경우를 포함한다)상의 소송비용액 확정결정절차에서의 법원의 사무" 부분(이하 '이 사건 조항'이라 한다)이 재판청구권을 규정한 헌법 제27조 제1항에 위반되는지 여부(소극)

1) 헌법 제27조 제1항은 "모든 국민은 헌법과 법률이 정한 법관에 의하여 법률에 의한 재판을 받을 권리를 가진다."라고 규정하고 있는데, 청구인은 이 사건 조항에서 사법보좌관이 소송비용액 확정결정을 하도록 한 것이 법관에 의한 재판을 받을 권리를 침해한다고 주장하고 있으므로, 이 사건 조항에 의하여 소송비용액확정 결정절차를 법관이 아닌 사법보좌관에게 처리하도록 한 것이 헌법 제27조 제1항에서 정한 '헌법과 법률이 정한 법관에 의하여 재판을 받을 권리'를 침해하는지 여부에 관하여 살펴볼 필요가 있다.

헌법 제101조 제1항은 "사법권은 법관으로 구성된 법원에 속한다."고 규정하고 있고, 헌법 제27조 제1항은 "모든 국민은 헌법과 법률이 정한 법관에 의하여 법률에 의한 재판을 받을 권리를 가진다."고 규정하고 있다. 위 규정들을 비롯한 헌법 규정들에 의하면 모든 국민은 헌법과 법률이 정한 자격과 절차에 의하여 임명되고(헌법 제101조 제3항, 제104조, 법원조직법 제41조 내지 제43조), 물적독립(헌법 제103조)과 인적독립(헌법 제106조, 법원조직법 제46조)이 보장된 법관에 의하여 합헌적인 법률이 정한 내용과 절차에 따라 재판을 받을 권리를 보장하고 있다. 그리고 재판이라 함은 구체적 사건에 관하여 사실의 확정과 그에 대한 법률의 해석적용을 그 본질적인 내용으로 하는 일련의 과정이므로 법관에 의한 재판을 받을 권리를 보장한다고 함은 법관이 사실을 확정하고 법률을 해석·적용하는 재판을 받을 권리를 보장한다는 뜻이고, 만일 그러한 보장이 제대로 이루어지지 아니한다면, 헌법상 보장된 재판을 받을 권리의 본질적 내용을 침해하는 것으로서 우리 헌법상 허용되지 아니한다. 나아가 헌법 제27조 제1항이 규정하는 재판청구권을 보장하기 위해서는 입법자에 의한 재판청구권의 구체적 형성이 불가피하므로 입법자의 광범위한 입법재량이 인정된다고 할 것인바, 이 사건의 쟁점은 소송비용액 확정결정절차에 있어서 법관과 사법보좌관 사이의 업무분장 등과 관련된 문제로서 광범위한 입법형성의 영역에 속하는 것이므로, 이하에서는 그와 관련한 입법재량을 현저히 불합리하게 또는 자의적으로 행사하였는지 여부를 기준으로 판단하기로 한다.

2) 법원조직법에서 사법보좌관제도를 도입한 취지는 사법 인력을 보다 효율적으로 운용하기 위한 것으로서 법원의 업무 중 상대적으로 쟁송성이 없거나 희박한 비송적·형식적 절차 업무를 법관

이 아닌 자로서 법원일반직 공무원 중 일정한 자격을 갖춘 사법보좌관에게 맡기는 것이 법관의 업무를 경감시킴과 아울러 전체적인 사법 서비스를 향상시킬 수 있다는 측면에서 바람직하므로 사법보좌관에 의하여 소송비용액 확정결정절차를 처리하게 하는 이 사건 조항은 그 입법목적이 정당하다.

헌법 제27조 제1항의 재판청구권 보장과 관련하여 최소한 법관이 사실을 확정하고 법률을 해석·적용하는 재판을 받을 권리를 보장할 것이 요구되므로 사법보좌관의 처분에 대한 이의절차가 중요하다. 법원조직법 제54조 제3항 등에서는 사법보좌관의 처분에 대한 이의신청을 허용함으로써 동일 심급 내에서 법관으로부터 다시 재판받을 수 있는 권리를 보장하고 있는데, 이 사건 조항에 의한 소송비용액 확정결정절차의 경우에도 이러한 이의절차에 의하여 법관에 의한 판단을 거치도록 함으로써 법관에 의한 사실확정과 법률해석의 기회를 보장하고 있다.

이와 같이 이 사건 조항에 의한 사법보좌관제도는 이의절차 등에 의하여 법관이 사법보좌관의 소송비용액 확정결정절차를 처리할 수 있는 장치를 마련함으로써 적정한 업무처리를 도모함과 아울러 사법보좌관의 처분에 대하여 법관에 의한 사실확정과 법률의 해석적용의 기회를 보장하고 있는바, 이는 한정된 사법 인력을 실질적 쟁송에 집중하도록 하면서 궁극적으로 국민의 재판받을 권리를 실질적으로 보장한다는 입법목적 달성에 기여하는 적절한 수단임을 인정할 수 있다.

따라서 사법보좌관에게 소송비용액 확정결정절차를 처리하도록 한 이 사건 조항이 그 입법재량권을 현저히 불합리하게 또는 자의적으로 행사하였다고 단정할 수 없으므로 헌법 제27조 제1항에 위반된다고 할 수 없다.

190 수용자가 변호사와 접견할 때도 접촉차단시설이 설치된 장소에서 하도록 한 사건 [헌법불합치, 각하]
− 2013. 8. 29. 선고 2011헌마122

판시사항

1. 변호사와 접견하는 경우에도 수용자의 접견은 원칙적으로 접촉차단시설이 설치된 장소에서 하도록 규정하고 있는 형의 집행 및 수용자의 처우에 관한 법률 시행령 제58조 제4항(이하 '이 사건 접견조항'이라 한다)이 재판청구권을 침해하는지 여부(적극)
2. 헌법불합치결정을 하고, 잠정 적용을 명한 사례

사건의 개요

청구인은 2010. 5. 12. 부산고등법원에서 성폭력범죄의 처벌 및 피해자보호 등에 관한 법률위반(강간 등 상해) 등으로 징역 13년을 선고받았고, 위 판결은 2010. 7. 29. 확정되었다. 청구인은 형이 확정된 후 ○○교도소에 수용되었다가 2010. 12. 8. □□교도소로 이송되었으며, 그 후 2011. 7. 13. 부터 △△교도소에 수용 중이다.

청구인은 □□교도소에 수용 중 교도소 측 신체검사의 위헌확인을 구하는 헌법소원(2010헌마775)을 제기하였다. 청구인은 2011. 2. 23. 위 헌법소원 사건의 국선대리인 변호사와 접견하기에 앞서 □□교도소의 담당교도관에게 녹음녹화접견실(구 무인접견실)이 아닌 변호인접견실에서의 접견을 요청하였으나, 미결수용자가 아니라는 이유로 받아들여지지 않았고(이하 '이 사건 거부행위'라 한다), 접촉차단시설이 설치된 녹음녹화접견실에서 변호사 접견이 이루어졌다.

이에 청구인은 2011. 3. 8. 접견 시 녹음, 녹화 등을 규정한 형의 집행 및 수용자의 처우에 관한 법률(이하 '형집행법'이라 한다) 제41조, 형집행법 시행령 제62조, 미결수용자의 변호인과 접견하는 경우를 제외하고는 원칙적으로 접촉차단시설이 설치된 장소에서 접견하도록 한 형집행법 시행령 제58조 및 이 사건 거부행위의 위헌확인을 구하는 이 사건 헌법소원심판을 청구하였다.

심판대상조항 및 관련조항

형의 집행 및 수용자의 처우에 관한 법률(2007. 12. 21. 법률 제8728호로 개정된 것)

제41조(접견) ② 소장은 다음 각 호의 어느 하나에 해당하는 사유가 있으면 교도관으로 하여금 수용자의 접견내용을 청취·기록·녹음 또는 녹화하게 할 수 있다.
    1. 범죄의 증거를 인멸하거나 형사 법령에 저촉되는 행위를 할 우려가 있는 때
    2. 수형자의 교화 또는 건전한 사회복귀를 위하여 필요한 때
    3. 시설의 안전과 질서유지를 위하여 필요한 때
③ 제2항에 따라 녹음·녹화하는 경우에는 사전에 수용자 및 그 상대방에게 그 사실을 알려 주어야 한다.

형의 집행 및 수용자의 처우에 관한 법률 시행령(2008. 10. 29. 대통령령 제21095호로 개정된 것)

제58조(접견) ④ 수용자의 접견은 접촉차단시설이 설치된 장소에서 하게 한다. 다만, 미결수용자가 변호인과 접견하는 경우에는 그러하지 아니하다.

제62조(접견내용의 청취·기록·녹음·녹화) ① 소장은 법 제41조 제2항의 청취·기록을 위하여 교도관에게 변호인과 접견하는 미결수용자를 제외한 수용자의 접견에 참여하게 할 수 있다.
② 소장은 특별한 사정이 없으면 교도관으로 하여금 법 제41조 제3항에 따라 수용자와 그 상대방에게 접견내용의 녹음·녹화 사실을 수용자와 그 상대방이 접견실에 들어가기 전에 미리 말이나 서면 등 적절한 방법으로 알려 주게 하여야 한다.
③ 소장은 법 제41조 제2항에 따라 청취·녹음·녹화한 경우의 접견기록물에 대한 보호·관리를 위하여 접견정보 취급자를 지정하여야 하고, 접견정보 취급자는 직무상 알게 된 접견정보를 누설하거나 권한 없이 처리하거나 다른 사람이 이용하도록 제공하는 등 부당한 목적을 위하여 사용해서는 아니 된다.
④ 소장은 관계기관으로부터 다음 각 호의 어느 하나에 해당하는 사유로 제3항의 접견기록물의 제출을 요청받은 경우에는 기록물을 제공할 수 있다.
　1. 법원의 재판업무 수행을 위하여 필요한 때
　2. 범죄의 수사와 공소의 제기 및 유지에 필요한 때
⑤ 소장은 제4항에 따라 녹음·녹화 기록물을 제공할 경우에는 제3항의 접견정보 취급자로 하여금 녹음·녹화기록물을 요청한 기관의 명칭, 제공받는 목적, 제공 근거, 제공을 요청한 범위, 그 밖에 필요한 사항을 녹음·녹화기록물 관리프로그램에 입력하게 하고, 따로 이동식 저장매체에 옮겨 담아 제공한다.

주문

1. 형의 집행 및 수용자의 처우에 관한 법률(2007. 12. 21. 법률 제8728호로 개정된 것) 제41조 제2항, 제3항, 형의 집행 및 수용자의 처우에 관한 법률 시행령(2008. 10. 29. 대통령령 제21095호로 개정된 것) 제62조에 관한 심판청구를 모두 각하한다.
2. 형의 집행 및 수용자의 처우에 관한 법률 시행령(2008. 10. 29. 대통령령 제21095호로 개정된 것) 제58조 제4항은 헌법에 합치되지 아니한다. 위 조항은 2014. 7. 31. 을 시한으로 개정될 때까지 계속 적용된다.

I. 형집행법 제41조 제2항, 제3항, 형집행법 시행령 제62조(이 사건 녹음·녹화 조항)에 대한 판단

헌법재판소법 제68조 제1항의 헌법소원심판은 공권력의 행사 또는 불행사로 인하여 헌법상 보장된 자기의 기본권을 현재 직접적으로 침해받는 자만이 청구할 수 있는 것이고, 위 규정에 의하여 법령에 대한 헌법소원심판청구를 하려면 별도의 구체적인 집행행위의 매개 없이 법령 그 자체로 인하여 직접적으로 자기의 기본권을 침해당한 경우라야 한다. 여기서 말하는 기본권 침해의 직접성이란 집행행위에 의하지 아니하고 법률 그 자체에 의하여 자유의 제한, 의무의 부과, 권리 또는 법적 지위의 박탈이 생긴 경우를 뜻한다.

살피건대, 형집행법 제41조 제2항은 교도소장이 교도관으로 하여금 수용자의 접견내용을 청취·기록·녹음 또는 녹화할 수 있도록 하고, 같은 조 제3항은 사전에 수용자 및 그 상대방에게 그 사실을 알려주도록 하고 있으며, 형집행법 시행령 제62조는 형집행법 제41조 제2항에 의한 청취·기록·녹음 또는 녹화가 이루어질 때의 구체적인 방법 등을 규정하고 있다. 즉 이 사건 녹음·녹화조항은 일정한 요건에 해당한다고 판단되는 경우에 청취·기록·녹음 또는 녹화를 할 수 있도록 하는 규정으로서 구체적으로 교도소장의 접견내용 청취·기록·녹음 또는 녹화라고 하는 집행행위의 매개를 예정하고 있다.

그렇다면 이 사건 녹음·녹화조항에 의하여 청구인이 다투는 자유의 제한, 권리 또는 법적 지위 박탈의 법적 효과가 생긴다고 하기보다는 이 사건 녹음·녹화조항에 근거한 교도소장의 접견내용 청취·기록·녹음 또는 녹화라는 구체적인 집행행위를 통하여 비로소 청구인의 기본권 침해 문제가 발생한다고 보아야 할 것이다.

따라서 이 사건 녹음·녹화조항에 대한 심판청구 부분은 직접성 요건을 갖추지 못하여 부적법하다.

II 형집행법 시행령 제58조 제4항(이 사건 접견조항)에 대한 판단

1. 제한되는 기본권

청구인은 이 사건 접견조항에 의해 인격권과 행복추구권(헌법 제10조), 변호인의 조력을 받을 권리(헌법 제12조), 재판청구권(헌법 제27조)이 침해되었다고 주장한다.

그러나 인격권과 행복추구권은 다른 기본권에 대한 보충적 기본권으로서의 성격을 지니므로, 아래에서 보는 바와 같이 주된 기본권인 재판청구권 등의 침해 여부를 판단하는 이상 이를 별도로 판단하지 아니한다.

다음으로 변호인의 조력을 받을 권리에 대한 헌법과 법률의 규정 및 취지에 비추어 보면, '형사사건에서 변호인의 조력을 받을 권리'를 의미한다고 보아야 할 것이므로 형사절차가 종료되어 교정시설에 수용 중인 수형자나 미결수용자가 형사사건의 변호인이 아닌 민사재판, 행정재판, 헌법재판 등에서 변호사와 접견할 경우에는 원칙적으로 헌법상 변호인의 조력을 받을 권리의 주체가 될 수 없다. 따라서 이 사건 접견조항에 의하여 헌법상 변호인의 조력을 받을 권리가 제한된다고 볼 수는 없다.

헌법 제27조는 "모든 국민은 헌법과 법률이 정한 법관에 의하여 법률에 의한 재판을 받을 권리를 가진다."고 규정하여 재판청구권을 보장하고 있고 이 때 재판을 받을 권리에는 민사재판, 형사재판, 행정재판뿐 아니라 헌법재판도 포함된다. 헌법 제27조 제1항이 규정하는 '법률에 의한' 재판청구권을 보장하기 위해서는 입법자에 의한 재판청구권의 구체적인 형성이 필요하지만, 이는 상당한 정도로 권리구제의 실효성이 보장되도록 하는 것이어야 한다. 따라서 현대 사회의 복잡다단한 소송에서의 법률전문가의 증대되는 역할, 민사법상 무기 대등의 원칙 실현, 헌법소송의 변호사강제주의 적용 등을 감안할 때 교정시설 내 수용자와 변호사 사이의 접견교통권의 보장은 헌법상 보장되는 재판청구권의 한 내용 또는 그로부터 파생되는 권리로 볼 수 있다.

결국 이 사건 접견조항에 따라 접촉차단시설에서 수용자와 변호사가 접견하도록 하는 것은 재판청구권의 한 내용으로서 법률전문가인 변호사의 도움을 받을 권리에 대한 제한이라고 할 것이다.

2. 과잉금지원칙 위반 여부

가. 목적의 정당성 및 수단의 상당성

교정시설은 다수의 수용자를 집단으로 관리하는 시설로서 구금의 목적을 달성하기 위해서는 수용자의 신체적 구속을 확보하여야 하고 교도소 내의 수용질서 및 규율을 유지하여야 할 필요가 있다. 특히 수형자의 경우에는 교화·갱생을 위하여 접견을 허용하는 것이 필요하더라도, 접견의 자유에는 교정시설의 목적과 특성에 비추어 내재적 한계가 있다고 하지 않을 수 없다.

이 사건 접견조항은 교정시설의 기본적 역할인 수용자의 신체적 구속 확보와 교도소 내의 수용질서 및 규율 유지를 위한 목적으로 도입된 것으로서 목적의 정당성 및 수단의 상당성이 인정된다.

나. 피해의 최소성

헌법상 보장되는 재판청구권이라 하더라도 기본적으로 신체의 자유에 관한 제한을 받고 있는 수용자의 지위상 그로부터 파생하는 자유로운 접촉에 대한 일정한 제한은 감수해야 할 영역이 있다. 특히 자유형의 본질상 수형자에게는 외부와의 자유로운 교통·통신에 대한 제한이 수반되며, 수형자에게 그러한 자유를 구체적으로 어느 정도 인정할 것인가의 기준은 기본적으로 입법권자의 입법정책에 맡겨져 있다고 할 수 있다. 그러나 이때의 제한 역시 교정시설의 목적과 특성, 즉 신체적 구속의 확보, 교도소 내의 수용질서 및 규율을 위해 필요한 최소한도에 그쳐야 함은 당연하다.

접촉차단시설로 인해서 수용자와 변호사는 복잡한 서류 등을 함께 확인하며 효율적인 재판준비를 하는 것이 지극히 곤란하다. 접촉차단시설은 스테인리스 창살을 사이에 두고 양면에 투명강화유리가 설치되어 있는 구조이므로 마이크를 이용한 의사전달 자체가 방해받지는 않지만, 숫자나 도표, 법조문 등 구체적인 해당 부분까지 일일이 맞춰가며 충분한 의사소통을 하기는 매우 힘들다. 더구나 현대 사회의 복잡한 문서의 의미와 내용에 대하여 구두로 전달하기는 쉽지 않고, 법률적 쟁점이 될 사항을 바로 파악하기 힘든 것들이 대부분이다.

또한, 변호사가 관련 자료를 가져와 수용자와 직접 확인을 하게 되면 그 내용이 제3자에게 유출될 염려가 없지만, 수용자의 검토를 위해 관련 자료를 문서 송부나 반입을 하게 될 경우 교정시설의 검열을 의식하지 않을 수 없다. 특히 교정시설의 장의 조치 기타 자기가 받은 처우에 대하여 국가 또는 교정시설을 상대로 소송을 하는 경우 소송의 상대방인 검열자에게 수용자의 소송자료를 그대로 노출하는 것과 동일한 결과가 되고 이는 재판청구권 중 무기대등의 원칙까지 훼손할 수 있다.

변호사는 기본적 인권을 옹호하고 사회정의를 실현함을 사명으로 하며(변호사법 제1조 제1항) 그 사명에 따라 성실히 직무를 수행하고 사회질서 유지와 법률제도 개선에 노력하여야 하는(같은 조 제

2항) 공공성을 지닌 법률전문직으로서(같은 법 제2조), 다른 전문직에 비하여도 더욱 엄격한 직무의 공공성과 고양된 윤리성, 사회적 책임성이 강조되고 있다. 따라서 혹시 발생할지 모르는 금지물품 반입 등에 대한 우려보다는 위와 같은 공공성, 윤리성, 사회적 책임성이 더욱 강조되는 변호사를 신뢰하고, 그 기반 위에서 수용자의 재판청구권 실현을 보장하는 방향이 바람직하다.

이처럼 원칙적으로 수용자가 접촉차단시설이 없는 장소에서 변호사와 접견을 하도록 하고 특별한 사정이 있는 경우에는 예외를 둠으로써 수용자의 재판청구권을 충분히 보장할 수 있음에도, 일률적으로 수용자로 하여금 접촉차단시설이 설치된 장소에서 변호사와 접견하도록 한 이 사건 접견조항은 피해최소성의 원칙에 위배된다.

다. 법익의 균형성

이 사건 접견조항은 수용자가 그의 재판청구권을 행사하기 위하여 다른 전문직에 비하여 직무의 공공성, 고양된 윤리성 및 사회적 책임성이 강조되는 변호사와 접견하는 경우에도 접촉차단시설이 설치된 접견실에서의 접견만을 일률적으로 강제함으로써 수용자의 재판청구권을 지나치게 제한한다고 할 것이다. 반면에 이 사건 접견조항에 의하여 추구되는 공익은 교도소 내의 수용질서 및 규율 유지이나, 이는 앞서 본 바와 같이 변호사의 지위에 비추어 침해될 가능성이 거의 없거나 특별한 사정이 있는 경우 변호사와의 접견을 제한함으로써 충분히 보장될 수 있다. 따라서 수용자와 변호사와의 접견을 접촉차단시설에서 접견하도록 하는 이 사건 접견조항은 법익의 균형성을 갖추지 못하였다.

라. 소 결

결국 이 사건 접견조항은 과잉금지원칙을 위반하여 수용자의 재판청구권을 침해하는 것으로 헌법에 위반된다.

3. 헌법불합치결정과 잠정적용명령

이 사건 접견조항은 재판청구권의 한 내용인 변호사의 도움을 받을 권리를 과도하게 제한하여 헌법에 위반되므로 원칙적으로 위헌결정을 하여야 할 것이나 위 조항의 위헌성은 조항 자체에 있는 것이 아니라, 그 조항이 '수용자가 소송을 위하여 변호사와 접견하는 경우'를 단서의 적용대상으로 규정하지 아니한 불충분한 행정입법(부진정입법부작위)에 있다. 따라서 행정입법자는 이러한 위헌성을 제거하기 위하여 위 조항을 개정하여 수용자가 변호사와 접견하는 경우도 단서의 적용대상이 되도록 추가하여야 할 것이다. 그런데 그런 경우에도 단서의 형식, 추가되는 내용의 범위, 다시 이에 대한 예외를 둘 것인지, 그 범위는 어떠한지 등에 관하여는 일정한 입법적 재량이 인정된다.

한편, 위헌결정으로 위 조항의 효력을 즉시 상실시키거나 그 적용을 중지할 경우에는 수용자 일반을 접촉차단시설이 설치된 장소에서 접견하게 하는 장소 제한의 일반적 근거조항 및 미결수용자가 변호인을 접견하는 경우의 예외 근거조항마저 없어지게 되어 법적 안정성의 관점에서 문제가 될 수 있다. 따라서 행정입법자가 합헌적인 내용으로 위 조항을 개정할 때까지 위 조항을 계속 존속하게 하여 적용되도록 할 필요가 있다.

행정입법자는 이 결정에서 밝힌 위헌이유에 맞추어 늦어도 2014. 7. 31. 까지 개선입법을 하여야 하며, 그때까지 개선입법이 이루어지지 않으면 위 시행령 조항은 2014. 8. 1. 부터 그 효력을 상실한다.

191 수형자와 소송대리인인 변호사간의 접견 시간 및 횟수에 관한 사건
[헌법불합치]
— 2015. 11. 26. 선고 2012헌마858

판시사항

1. 수형자와 소송대리인인 변호사의 접견을 일반 접견에 포함시켜 시간은 30분 이내로, 횟수는 월 4회로 제한한 '형의 집행 및 수용자의 처우에 관한 법률 시행령' 제58조 제2항 중 '수형자'에 관한 부분이 청구인의 재판청구권을 침해하는지 여부(적극)
2. 헌법불합치결정을 하면서 계속 적용을 명한 사례

사건의 개요

청구인은 2012. 9. 27. 사기미수죄로 징역 1년 형이 확정되어 ○○구치소에 수용되어 있던 사람으로서, 2010. 10. 1. 오○진을 상대로 대여금 지급을 구하는 민사소송을 제기하였으나 패소하자 2012. 5. 11. 항소하였는데, 청구인의 소송대리인인 변호사 박○욱이 위 항소심 사건의 상담을 위해서는 일반 접견만으로 충분하지 않다고 생각하여, 항소심 계속 중이던 2012. 10. 16. ○○구치소 변호인 접견실에 접견 신청을 하였으나, 민사소송사건의 대리인인 변호사는 변호인에 해당하지 않는다는 이유로 불허되었다.

이에 청구인은 소송대리인인 변호사와의 접견을 시간은 일반 접견과 동일하게 회당 30분 이내로, 횟수는 다른 일반 접견과 합하여 월 4회로 제한하는 것은 위헌이라고 주장하면서 2012. 10. 23. 이 사건 헌법소원심판을 청구하였다.

심판대상조항 및 관련조항

구 형의 집행 및 수용자의 처우에 관한 법률 시행령(2008. 10. 29. 대통령령 제21095호로 전부개정되고, 2014. 6. 25. 대통령령 제25397호로 개정되기 전의 것)

제58조(접견) ② 변호인과 접견하는 미결수용자를 제외한 수용자의 접견시간은 회당 30분 이내로 한다.

형의 집행 및 수용자의 처우에 관한 법률 시행령(2014. 6. 25. 대통령령 제25397호로 개정된 것)

제58조(접견) ② 변호인(변호인이 되려고 하는 사람을 포함한다. 이하 같다)과 접견하는 미결수용자를 제외한 수용자의 접견시간은 회당 30분 이내로 한다.

형의 집행 및 수용자의 처우에 관한 법률 시행령(2008. 10. 29. 대통령령 제21095호로 전부개정된 것)

제58조(접견) ③ 수형자의 접견 횟수는 매월 4회로 한다.

> **주문**

1. 구 '형의 집행 및 수용자의 처우에 관한 법률 시행령'(2008. 10. 29. 대통령령 제21095호로 전부개정되고, 2014. 6. 25. 대통령령 제25397호로 개정되기 전의 것) 제58조 제2항, '형의 집행 및 수용자의 처우에 관한 법률 시행령'(2014. 6. 25. 대통령령 제25397호로 개정된 것) 제58조 제2항 중 각 '수형자'에 관한 부분 및 '형의 집행 및 수용자의 처우에 관한 법률 시행령'(2008. 10. 29. 대통령령 제21095호로 전부개정된 것) 제58조 제3항은 모두 헌법에 합치되지 아니한다.
2. 위 시행령 조항들은 2016. 6. 30.을 시한으로 개정될 때까지 계속 적용된다.

1. 이 사건의 쟁점

심판대상조항들은 수형자와 소송대리인인 변호사 사이의 접견 시간 및 횟수를 제한하고 있으므로, 이로 인해 수형자인 청구인의 재판청구권이 제한된다. 따라서 심판대상조항들이 과잉금지원칙에 위반하여 청구인의 재판청구권을 침해하는지 여부가 문제된다.

또한 청구인은 심판대상조항들이 청구인과 같은 수형자를 교정시설에 수용되어 있지 않은 일반인과 차별함으로써 청구인의 평등권을 침해한다고 주장하나, 수형자의 접견 횟수 및 시간을 제한하는 것은 수형자에 대한 신체적 구속을 확보하고 교정시설 내의 수용질서 및 규율 등을 유지하기 위한 것이라는 점을 고려하면, 심판대상조항들과의 관계에서 청구인과 같은 수형자와 교정시설 내에 수용되어 있지 않은 일반인 간에는 평등권 침해를 논할 비교집단이 설정되지 않으므로, 이 부분 주장은 더 나아가 살펴볼 필요 없이 이유 없다.

2. 재판청구권 침해 여부

가. 목적의 정당성 및 수단의 적절성

수형자의 접견 시간 및 횟수를 제한하는 것은 교정시설 내의 수용질서 및 규율을 유지하고 수형자의 신체적 구속을 확보하기 위한 것으로서, 목적의 정당성이 인정되고, 소송대리인인 변호사와의 접견을 일반 접견에 포함시켜 그 시간 및 횟수를 제한하는 것은 이러한 입법목적의 달성에 기여하므로 수단의 적절성 또한 인정된다.

나. 침해의 최소성

수형자와 소송대리인인 변호사가 접견 이외에 서신, 전화통화를 통해 소송준비를 하는 것이 가능하다고 하더라도, 서신, 전화통화는 검열, 청취 등을 통해 그 내용이 교정시설 측에 노출되어 상담과정에서 위축되거나 공정한 재판을 받을 권리가 훼손될 가능성이 있으며, 서신은 접견에 비해 의견교환이 효율적이지 않고 전화통화는 시간이 원칙적으로 3분으로 제한되어 있어 소송준비의 주된 수단으로 사용하기에는 한계가 있다. 따라서 수형자의 재판청구권을 실효적으로 보장하기 위해서는 소송대리인인 변호사와의 접견 시간 및 횟수를 적절하게 보장하는 것이 필수적이다.

변호사 접견 시 접견 시간의 최소한을 정하지 않으면 접견실 사정 등 현실적 문제로 실제 접견

시간이 줄어들 가능성이 있고, 변호사와의 접견 횟수와 가족 등과의 접견 횟수를 합산함으로 인하여 수형자가 필요한 시기에 변호사의 조력을 받지 못할 가능성도 높아진다. 접견의 최소시간을 보장하되 이를 보장하기 어려운 특별한 사정이 있는 경우에는 예외적으로 일정한 범위 내에서 이를 단축할 수 있도록 하고, 횟수 또한 별도로 정하면서 이를 적절히 제한한다면, 교정시설 내의 수용질서 및 규율의 유지를 도모하면서도 수형자의 재판청구권을 실효적으로 보장할 수 있을 것이다.

이상의 사정들을 종합하면, 심판대상조항들에서 소송대리인인 변호사와의 접견 시간을 일반 접견과 동일하게 제한하면서, 접견 횟수 또한 일반 접견의 횟수에 포함시키는 것은 그 입법목적을 달성하기 위해 수형자의 재판청구권을 덜 제한하는 방안이 있음에도 필요한 한도를 넘어 과도하게 제한하는 것이므로, 침해최소성의 원칙에 위반된다.

다. 법익의 균형성

비록 심판대상조항들로 인하여 수형자의 신체적 구속 확보와 교정시설 내의 수용질서 및 규율 유지를 보다 효과적으로 도모할 수 있고, 이로 인하여 달성할 수 있는 공익이 중대하기는 하나, 심판대상조항들은 앞서 본 바와 같이 법률전문가인 변호사와의 소송상담의 특수성을 고려하지 않고 소송대리인인 변호사와의 접견을 그 성격이 전혀 다른 일반 접견에 포함시켜 접견 시간 및 횟수를 규정함으로써 수형자의 재판청구권을 지나치게 제한하고 있다. 이와 같이 심판대상조항들로 인해 달성되는 공익보다 침해되는 사익이 훨씬 중대하므로, 심판대상조항들은 법익의 균형성 원칙에도 위반된다.

라. 소 결

결국 심판대상조항들은 과잉금지원칙을 위반하여 수형자인 청구인의 재판청구권을 침해한다. 종전에 헌법재판소가 이와 달리 수형자와 변호사의 접견을 일반 접견에 포함시켜 월 4회로 접견 횟수를 제한하는 것은 수형자의 재판청구권을 침해하지 않는다고 판시한 헌재 2004. 12. 16. 2002헌마478 결정은 이 결정의 견해와 저촉되는 범위 내에서 이를 변경하기로 한다.

3. 헌법불합치결정과 잠정적용 명령

심판대상조항들의 위헌성은 수형자의 일반 접견에 대해 시간 및 횟수를 제한하는 것 자체에 있는 것이 아니라, 소송대리인인 변호사와의 접견 시간 및 횟수에 대한 별도의 규정을 두지 않은 것에 있다. 만약 심판대상조항들에 대하여 단순위헌결정을 하여 바로 그 효력을 상실시킬 경우, 수형자의 다른 일반 접견의 시간 및 횟수를 제한할 수 있는 근거 조항까지 없어지게 되어 법적 공백으로 인한 혼란이 발생할 우려가 있으므로, 헌법불합치결정을 하되 심판대상조항들은 행정입법자가 개정할 때까지 계속 적용하기로 한다.

192. 수형자의 사복착용에 관한 사건 [헌법불합치, 기각]
— 2015. 12. 23. 선고 2013헌마712

판시사항

1. '형의 집행 및 수용자의 처우에 관한 법률'(이하 '형집행법'이라 한다) 제88조가 형사재판의 피고인으로 출석하는 수형자에 대하여, 사복착용을 허용하는 형집행법 제82조를 준용하지 아니한 것이 공정한 재판을 받을 권리, 인격권, 행복추구권을 침해하는지 여부(적극)
2. 형집행법 제88조가 민사재판의 당사자로 출석하는 수형자에 대하여, 사복착용을 허용하는 형집행법 제82조를 준용하지 아니한 것이 공정한 재판을 받을 권리, 인격권, 행복추구권을 침해하는지 여부(소극)

사건의 개요

청구인은 무고 등의 혐의로 기소되어 2013. 9. 12. 징역 3년의 유죄판결이 확정되었다(대법원 2013도6114). 청구인은 ○○구치소에 수용되어 있을 당시 자신이 피고인인 별건 형사재판과 원고인 민사재판과 관련하여, 위 대법원 판결이 확정되기 전까지는 '형의 집행 및 수용자의 처우에 관한 법률'(이하 '형집행법'이라 한다) 제82조에 의하여 사복을 착용하고 법정에 출석할 수 있었으나, 판결이 확정된 이후에는 미결수용자가 아니라는 이유로 사복착용이 불허되었다.

이에 청구인은 2013. 10. 21. 주위적으로 위 법률조항의 위헌확인을 구하고, 예비적으로 위 사복착용 불허행위의 위헌확인을 구하는 이 사건 헌법소원심판을 청구하였다.

심판대상조항 및 관련조항

청구인은 주위적으로 형집행법 제82조의 위헌확인을 구하나, 수형자인 청구인이 형사재판의 피고인과 민사재판의 당사자로 법정에 출석할 때 사복착용이 불허된 것은 형집행법 제88조가 위와 같은 경우에 형집행법 제82조를 준용하지 아니한 것에 기인하므로, 이 사건 심판대상을 형집행법(2008. 12. 11. 법률 제9136호로 개정된 것) 제88조(이하 '심판대상조항'이라 한다)가 청구인의 기본권을 침해하는지 여부로 변경한다.

청구인이 예비적으로 위헌확인을 구하는 ○○구치소장이 2013. 10. 22., 2013. 11. 6., 2013. 12. 4., 2013. 12. 18. 형사재판 또는 민사재판에 출석하는 청구인의 사복착용을 각 불허한 행위는 형집행법 제88조에 따라 재량의 여지없이 이루어지는 집행행위이고, 그 근거가 된 법률조항을 심판대상으로 판단하므로, 위 각 행위에 대해서는 별도로 판단할 필요가 없어 이를 심판대상에서 제외한다.

【심판대상조항】
형의 집행 및 수용자의 처우에 관한 법률(2008. 12. 11. 법률 제9136호로 개정된 것)

제88조(준용규정) 형사사건으로 수사 또는 재판을 받고 있는 수형자와 사형확정자에 대하여는 제84조 및 제85조를 준용한다.

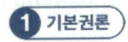

【관련조항】
형의 집행 및 수용자의 처우에 관한 법률(2007. 12. 21. 법률 제8728호로 전부개정된 것)

제82조(사복착용) 미결수용자는 수사·재판·국정감사 또는 법률로 정하는 조사에 참석할 때에는 사복을 착용할 수 있다. 다만, 소장은 도주우려가 크거나 특히 부적당한 사유가 있다고 인정하면 교정시설에서 지급하는 의류를 입게 할 수 있다.

주문

1. 형의 집행 및 수용자의 처우에 관한 법률(2008. 12. 11. 법률 제9136호로 개정된 것) 제88조가 형사재판의 피고인으로 출석하는 수형자에 대하여 같은 법 제82조를 준용하지 아니한 것은 헌법에 합치되지 아니한다. 위 제88조는 2016. 12. 31.을 시한으로 개정될 때까지 계속 적용한다.
2. 청구인의 나머지 청구를 기각한다.

1. 문제되는 기본권

심판대상조항이 형사재판의 피고인 및 민사재판의 당사자로 출석하는 수형자에 대하여 형집행법 제82조를 준용하지 아니함으로써 청구인은 재소자용 의류를 입고 일반에게 공개된 재판에 출석하여야 하는데, 이로 인하여 청구인의 공정한 재판을 받을 권리, 인격권 및 행복추구권이 침해되는지 여부가 문제된다.

2. 형사재판에 피고인으로 출석하는 수형자에 대하여 사복착용을 불허하는 것의 기본권 침해 여부

가. 목적의 정당성 및 수단의 적합성

수형자가 재소자용 의류가 아닌 사복을 입고 법정에 출석하게 되면 일반 방청객들과 구별이 어려워 도주할 우려가 있고, 실제 도주를 하면 일반인과 구별이 어려워 이를 제지하거나 체포하는 데에도 어려움이 있다. 수형자가 형사재판의 피고인으로 출석할 경우 재소자용 의류를 입게 하는 것은 이와 같은 도주예방과 교정사고 방지에 필요하고도 유용한 수단이므로, 그 목적의 정당성과 수단의 적합성은 인정된다.

나. 침해의 최소성

국가형벌권은 국가권력 중에서 가장 강력하고 그 대상자에게 가혹한 강제력을 수반하며, 형사재판은 이러한 형벌권의 적정한 실현을 목적으로 하는 절차로서 대등한 주체 사이의 민사적 분쟁해결을 목적으로 하는 민사소송 등 다른 소송절차와는 그 목적과 수단 등에 있어 본질적인 차이가 있다.

비록 수형자라 하더라도 확정되지 않은 별도의 형사재판에서만큼은 미결수용자와 같은 지위에 있는 것이므로, 그를 죄 있는 자에 준하여 취급함으로써 법률적·사실적 측면에서 유형·무형의 불이익을 주어서는 아니 된다. 그런데 이러한 수형자로 하여금 형사재판 출석 시 아무런 예외 없이 사복착용을 금지하고 재소자용 의류를 입도록 하여 인격적인 모욕감과 수치심 속에서 재판을 받도록 하는 것은, 그 재판과 관련하여 미결수용자의 지위임에도 이미 유죄의 확정판결을 받은 수형자와 같은 외관을 형성하게 함으로써 재판부나 검사 등 소송관계자들에게 유죄의 선입견을 줄 수 있는 등 무죄추정의 원칙에 위배될 소지가 크다.

수형자의 경우에도 기본권 제한은 형의 집행과 도주의 방지라는 구금의 목적과 관련한 신체의 자유와 거주이전의 자유 등 일부 기본권에 한정되어야 하며, 그 역시 필요한 범위를 벗어날 수 없다. 수형자도 미결인 형사재판과 관련해서는 변호인과의 자유로운 접견 및 서신수수를 할 수 있고, 징벌대상자로서 조사를 받거나 징벌 집행 중에도 소송서류의 작성, 변호인과의 접견·서신수수, 그 밖의 수사 및 재판 과정에서의 권리행사를 할 수 있는 것처럼, 미결인 형사재판에 출석한 상황에서만큼은 어디까지나 미결수용자와 동일한 지위에 있으므로, 도주 및 교정사고의 방지를 위해 불가피하지 않는 한 미결수용자와 같이 사복을 착용할 수 있도록 하는 것이 형사소송에서 당사자 대등주의에도 부합하고 공정한 재판을 받을 권리를 보다 충실히 보장하는 길이다.

그런데 헌법재판소가 1999. 5. 27. 미결수용자의 재판 출석 시 사복착용금지가 위헌임을 확인한 이후(97헌마137등), 미결수용자는 형사재판에 참석할 때 사복을 착용할 수 있게 되었는바(형집행법 제82조), 형사재판에 피고인으로 출석하는 수형자의 사복착용을 추가로 허용함으로써 통상의 미결수용자와 구별되는 별도의 계호상의 문제점이 발생된다고 보기 어렵다. 설령 사복착용의 허용으로 계호상의 부담이 증가한다 하더라도, 이동 중에는 재소자용 의류를 입고 형사재판 출석을 위하여 구치감에서 대기할 때 사복으로 갈아입도록 하는 등 다른 수단도 충분히 가능하다.

나아가 형집행법 제82조 단서와 같이 도주우려가 크거나 특히 부적당한 사유가 있는 경우에는 사복착용을 제한함으로써 도주 및 교정사고의 위험을 줄일 수 있으므로 형사재판과 같이 피고인의 방어권 보장이 절실한 경우조차 아무런 예외 없이 일률적으로 사복착용을 금지하는 것은 침해의 최소성 원칙에 위배된다.

다. 법익의 균형성

심판대상조항을 통한 도주예방 및 교정사고 방지라는 공익보다는 수형자가 열악한 지위에서 형사재판을 받으면서 재소자용 의류를 착용함으로써 입는 인격적 모욕감과 수치심은 매우 크다고 할 것이고, 이를 통해 방어권 행사를 제대로 할 수 없고 무기대등의 원칙이 훼손될 위험도 있으므로 심판대상조항은 법익의 균형성 원칙에도 위배된다.

라. 소 결

따라서 심판대상조항이 형사재판의 피고인으로 출석하는 수형자에 대하여 형집행법 제82조를 준용하지 아니한 것은 과잉금지원칙에 위반되어 청구인의 공정한 재판을 받을 권리, 인격권, 행복추구권을 침해한다.

3. 민사재판에 당사자로 출석하는 수형자에 대하여 사복착용을 불허하는 것의 기본권 침해 여부

가. 공정한 재판을 받을 권리 침해 여부

민사재판에서 법관이 당사자의 복장에 따라 불리한 심증을 갖거나 불공정한 재판진행을 하게 되는 것은 아니므로, 심판대상조항이 민사재판의 당사자로 출석하는 수형자에 대하여 사복착용을 불허하는 것으로 공정한 재판을 받을 권리가 침해되는 것은 아니다.

나. 인격권과 행복추구권 침해 여부

수형자가 민사법정에 출석하기까지 교도관이 반드시 동행하여야 하므로 수용자의 신분이 드러나게 되어 있어 재소자용 의류를 입었다는 이유로 인격권과 행복추구권이 제한되는 정도는 제한적이고, 형사법정 이외의 법정 출입 방식은 미결수용자와 교도관 전용 통로 및 시설이 존재하는 형사재판과 다르며, 계호의 방식과 정도도 확연히 다르다. 따라서 심판대상조항이 민사재판에 출석하는 수형자에 대하여 사복착용을 허용하지 아니한 것은 청구인의 인격권과 행복추구권을 침해하지 아니한다.

4. 헌법불합치결정과 잠정적용명령

심판대상조항은 헌법에 위반되므로 원칙적으로 위헌결정을 하여야 할 것이나, 심판대상조항의 위헌성은 형사재판의 피고인으로 출석하는 수형자에 대하여 형집행법 제82조를 준용하지 아니한 불충분한 입법에 있다. 그런데 심판대상조항이 위헌결정으로 즉시 효력을 상실할 경우 형사사건으로 수사 또는 재판을 받고 있는 수형자와 사형확정자에 대하여 제84조(변호인과의 접견 및 서신수수) 및 제85조(조사 등에서의 특칙)를 준용할 수 없게 되어 용인하기 어려운 법적 공백이 생기게 된다.

입법자는 위와 같은 위헌성을 제거하기 위하여 심판대상조항을 개정하여 형사재판의 피고인으로 출석하는 수형자에 대하여 형집행법 제82조를 준용할 수 있는 적절한 규정을 마련함으로써 기본권 침해를 최소화하는 방안을 강구하여야 할 것이다. 이때 구체적으로 어떠한 입법형식을 취할 것인지에 대하여는 원칙적으로 입법자의 재량의 영역에 속한다.

따라서 심판대상조항에 대하여 헌법불합치결정을 선고하되, 다만 입법자의 개선입법이 있을 때까지 계속적용을 명하기로 한다. 입법자는 가능한 한 빠른 시일 내에 개선입법을 해야 할 의무가 있으므로, 늦어도 2016. 12. 31.까지 개선입법을 이행하여야 하고, 그때까지 개선입법이 이루어지지 않으면 심판대상조항은 2017. 1. 1.부터 효력을 상실한다.

193 디엔에이감식시료채취 영장 발부 절차 사건 [헌법불합치, 기각, 각하]
― 2018. 8. 30. 선고 2016헌마344·2017헌마630(병합)

판시사항

1. 헌법재판소법 제68조 제1항 중 '법원의 재판을 제외하고는' 부분(이하 '이 사건 헌법재판소법 조항'이라 한다)이 청구인들의 재판청구권, 평등권을 침해하는지 여부(소극)
2. 판사의 디엔에이감식시료채취영장 발부(이하 '이 사건 영장 발부'라 한다)가 헌법소원의 대상이 되는지 여부(소극)
3. 디엔에이감식시료 채취의 근거조항인 구 '디엔에이신원확인정보의 이용 및 보호에 관한 법률' 제5조 제1항 제4호의2 중 다중의 위력을 보여 범한 형법 제320조의 주거침입죄와 경합된 죄에 대하여 형의 선고를 받아 확정된 사람에 관한 부분(이하 '이 사건 채취 조항'이라 한다)이 청구인들의 신체의 자유를 침해하는지 여부(소극)
4. 디엔에이감식시료채취영장 발부 과정에서 채취대상자에게 자신의 의견을 밝히거나 영장 발부 후 불복할 수 있는 절차 등에 관하여 규정하지 아니한 '디엔에이신원확인정보의 이용 및 보호에 관한 법률' 제8조(이하 '이 사건 영장절차 조항'이라 한다)가 청구인들의 재판청구권을 침해하는지 여부(적극)
5. 이 사건 영장절차 조항에 대하여 단순위헌결정을 하는 대신 헌법불합치 결정을 선고하되, 입법자의 개선입법이 이루어질 때까지 계속 적용을 명한 사례
6. 채취대상자가 사망할 때까지 디엔에이신원확인정보를 데이터베이스에 수록, 관리할 수 있도록 규정한 '디엔에이신원확인정보의 이용 및 보호에 관한 법률' 제13조 제3항 중 수형인등에 관한 부분(이하 '이 사건 삭제 조항'이라 한다)이 청구인들의 개인정보자기결정권을 침해하는지 여부(소극)

사건의 개요

1. 2016헌마344

청구인들은 주식회사 ○○(이하 '○○'라 한다)의 직원으로서 전국민주노동조합총연맹 금속노조 경북본부 구미지구 산하의 ○○노동조합(이하 '○○지회'라 한다) 조합원들이다. 청구인들은 2010. 10. 30.경 구미시 ○○동에 있는 ○○ 공장을 점거하고 파업하는 과정에서 ○○지회에 소속된 다른 조합원들과 함께 직장폐쇄로 출입금지된 ○○ 소유·관리의 공장을 점거하는 등 다중의 위력으로써 타인의 건조물에 침입하였다는 등의 범죄사실로 2011. 2. 11. 기소되었고, 위 사건의 항소심에서 청구인들에 대하여 유죄판결이 선고되었다.

청구인들은 위 유죄판결 확정 이후인 2015. 4. 15.경 및 2015. 9. 9.경 대구지방검찰청 김천지청 소속 검사로부터 '디엔에이신원확인정보의 이용 및 보호에 관한 법률'(이하 '디엔에이법'이라 한다)에 따라 디엔에이감식시료를 채취하려고 하니 출석해달라는 요구를 받았다. 청구인들이 위와 같은 요구를 거부하고 디엔에이감식시료 채취에 응하지 않자, 위 검사는 대구지방법원 김천지원 판사로부터 영장을 발부받아 2015. 11. 15.부터 2016. 3. 초경 사이에 청구인들의 디엔에이감식시료를 채취하였다.

청구인들은 ① 헌법재판소법 제68조 제1항 중 '법원의 재판을 제외하고는' 부분, ② 청구인들에 대한 대구지방법원 김천지원 판사의 디엔에이감식시료채취영장 발부, ③ 디엔에이감식시료채취영장에 대한 불복절차를 규정하지 아니한 입법부작위, ④ 디엔에이법 제8조, ⑤ 디엔에이법 제13조가 자신들의 기본권을 침해한다고 주장하면서 2016. 4. 25. 이 사건 헌법소원심판청구를 하였다.

2. 2017헌마630

청구인 김○진은 민주노점상전국연합(이하 '민주노련'이라 한다) 중앙위원장, 청구인 최○찬은 민주노련 중앙조직국장, 청구인 최○기는 민주노련 중앙사무처장이다. 청구인들은 2013. 8.경 서울 금천구 □□동 소재 □□아울렛 매장 부근에 노점 추가 설치를 요구하는 과정에서 매장 직원들의 제지에도 불구하고 수십명의 민주노련 회원들과 함께 다중의 위력으로써 □□아울렛 매장 안에 침입하였다[폭력행위등처벌에관한법률위반(집단·흉기등주거침입)]는 등의 범죄사실로 2014. 8. 13. 기소되었고(서울남부지방법원 2014고단2934), 2015. 10. 28. 위 폭력행위등처벌에관한법률위반(집단·흉기등주거침입)의 점을 포함한 범죄사실에 대하여 유죄판결이 선고되었다. 청구인들은 위 유죄판결 확정 이후인 2017. 2. 6.경 서울남부지방검찰청 소속 검사로부터 디엔에이법에 따라 디엔에이감식시료를 채취하려고 하니 출석해달라는 요구를 받았으나 이에 응하지 않았다. 위 검찰청은 2017. 3. 9.경 청구인들에게 디엔에이감식시료채취영장이 발부된 사실을 통보하였고, 청구인 최○기, 최○찬에 대하여는 2017. 3. 24.경, 청구인 김○진에 대하여는 2017. 3. 27.경 각각 영장이 집행되어 이들의 디엔에이감식시료가 채취되었다.

청구인들은 ① 구 디엔에이법 제5조, ② 디엔에이법 제8조, ③ 디엔에이법 제13조, ④ 검찰총장의 디엔에이감식시료 채취행위가 자신들의 기본권을 침해한다고 주장하면서 2017. 6. 5. 이 사건 헌법소원심판청구를 하였다.

심판대상조항 및 관련조항

1. 2016헌마344

가. 청구인들은 디엔에이감식시료채취영장 발부에 대한 불복절차를 규정하지 아니한 입법부작위가 자신들의 기본권을 침해한다고 주장하는바, 이는 디엔에이법(2010. 1. 25. 법률 제9944호로 제정된 것) 제8조에 관한 주장과 실질적으로 동일하므로, 위 입법부작위는 심판대상에서 제외한다.

나. 청구인들은 디엔에이감식시료채취영장 발부 과정에서 자신들의 입장을 밝히거나 그 위법성을 다툴 기회가 봉쇄되어 있다는 이유로, 디엔에이법(2010. 1. 25. 법률 제9944호로 제정된 것) 제8조가 자신들의 기본권을 침해한다고 주장한다. 청구인들의 위 주장은 입법자가 어떤 사항에 관하여 입법은 하였으나 그 입법의 내용, 범위, 절차 등이 당해 사항을 불완전·불충분하게 규율함으로써 입법행위에 결함이 있다는 의미이다(이른바 '부진정입법부작위'). 이러한 경우 헌법소원을 청구하려면 결함이 있는 당해 입법규정 그 자체를 대상으로 하여 적극적인 헌법소원을 청구하여야 한다. 그리고 청구인들에게는 위 법률조항 가운데 '제5조 중 수형인등'에 관한 부분이 적용되나, 청구인들이 위 법률조항 전부에 대하여 헌법소원심판청구를 하고 있고, 위 법률조항 전부에 대하여 동일한 심사척도가 적용될 수 있다. 따라서 위 법률조항 전부로 심판대상을 확장한다.

다. 청구인들은 디엔에이법(2010. 1. 25. 법률 제9944호로 제정된 것) 제13조 전부를 심판대상으로 삼고 있으나, 청구인들의 주장은 위 법률조항에 근거하여 디엔에이신원확인정보를 사망할 때까지 보유·관리함으로써 자신들의 기본권이 침해당하고 있다는 것이므로, 청구인들에게 적용되는 위 법률 제13조 제3항 중 '수형인등'에 관한 부분으로 심판대상을 한정한다.

2. 2017헌마630

가. 청구인들은 구 디엔에이법(2016. 1. 6. 법률 제13718호로 개정되고, 2016. 1. 6. 법률 제13722호로 개정되어 2017. 7. 7. 시행되기 전의 것) 제5조 전부를 심판대상으로 삼고 있으나, 청구인들에게 적용되는 조항은 위 법률 제5조 제1항 제4호의2이며, 그 중에서도 청구인들과 관련된 부분으로 심판대상을 한정한다.

나. 디엔에이법(2010. 1. 25. 법률 제9944호로 제정된 것) 제8조에 관한 청구인들의 주장은, 영장 발부 과정에 심문절차가 없고 이에 대하여 불복하는 절차가 마련되어 있지 않다는 것이다. 이는 입법자가 어떤 사항에 관하여 입법은 하였으나 그 입법의 내용, 범위, 절차 등이 당해 사항을 불완전·불충분하게 규율함으로써 입법행위에 결함이 있다는 의미이므로(이른바 '부진정입법부작위'), 위에서 본 바와 같은 이유로 위 법률조항 전부로 심판대상을 확장한다.

다. 청구인들은 디엔에이법(2010. 1. 25. 법률 제9944호로 제정된 것) 제13조 전부를 심판대상으로 삼고 있으나, 청구인들에게 적용되는 위 법률 제13조 제3항 중 '수형인등'에 관한 부분으로 심판대상을 한정한다.

라. 청구인들은 디엔에이감식시료 채취행위에 관련하여, 그 근거가 된 디엔에이감식시료채취영장에 관한 법률조항이 헌법에 위반되고, 합리적 이유 없이 강력범죄자와 자신들을 같게 취급하며, 형사사건에서 자신들에게 적용된 '폭력행위 등 처벌에 관한 법률 제3조 제1항, 제2조 제1항 제1호, 형법 제319조 제1항'이 2016. 1. 6. 법률 제13718호로 개정되어 삭제되었으므로, 이들에 기초하여 이루어진 디엔에이감식시료 채취행위가 헌법에 위반된다는 취지로 주장한다. 디엔에이감식시료 채취행위가 디엔에이감식시료채취영장에 기초하여 이루어졌다는 점에 비추어 볼 때, 청구인들의 위 주장은 결국 디엔에이감식시료채취영장의 근거가 된 위 디엔에이법 제5조, 제8조 및 법원의 청구인들에 대한 디엔에이감식시료채취영장 발부가 헌법에 위반되므로 이들에 기초하여 이루어진 디엔에이감식시료 채취행위 역시 헌법에 위반된다는 취지이다.

따라서 청구인들의 위 주장 중 위 디엔에이법 제5조, 제8조에 관련된 부분은 이들에 의한 기본권 침해 여부를 판단하면서 함께 살펴보면 충분하고, 법원의 청구인들에 대한 디엔에이감식시료채취영장 발부에 관련된 부분은 이 영장 발부가 뒤에서 보는 바와 같이 '법원의 재판'에 해당하여 헌법소원의 대상이 될 수 없으므로 이를 받아들일 수 없다.

결국 디엔에이감식시료 채취행위는 별도로 심판대상으로 삼을 필요나 실익이 없으므로 심판대상에서 제외한다.

3. 소 결

이상을 종합하여 보면, 이 사건 심판대상은

① 헌법재판소법(2011. 4. 5. 법률 제10546호로 개정된 것) 제68조 제1항 중 '법원의 재판을 제외하고는' 부분(이하 '이 사건 헌법재판소법 조항'이라 한다)(2016헌마344),

② 2016헌마344 사건의 청구인들에 대한 대구지방법원 김천지원 판사의 디엔에이감식시료채취영장 발부(이하 '이 사건 영장 발부'라 한다)(2016헌마344),

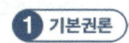

③ 구 디엔에이법(2016. 1. 6. 법률 제13718호로 개정되고, 2016. 1. 6. 법률 제13722호로 개정되어 2017. 7. 7. 시행되기 전의 것) 제5조 제1항 제4호의2 중 '다중의 위력을 보여 범한 형법 제320조의 주거침입죄와 경합된 죄에 대하여 형의 선고를 받아 확정된 사람'에 관한 부분(이하 '이 사건 채취 조항'이라 한다)(2017헌마630),

④ 디엔에이감식시료채취영장 발부 과정에서 자신들의 입장을 밝히거나 이에 대하여 불복하는 등의 절차를 두지 아니한 디엔에이법(2010. 1. 25. 법률 제9944호로 제정된 것) 제8조(이하 '이 사건 영장절차 조항'이라 한다)(2016헌마344, 2017헌마630),

⑤ 디엔에이법(2010. 1. 25. 법률 제9944호로 제정된 것) 제13조 제3항 중 '수형인등'에 관한 부분(이하 '이 사건 삭제 조항'이라 한다)(2016헌마344, 2017헌마630)이 청구인들의 기본권을 침해하는지 여부이다.

【심판대상조항】

헌법재판소법(2011. 4. 5. 법률 제10546호로 개정된 것)

제68조(청구 사유) ① 공권력의 행사 또는 불행사(不行使)로 인하여 헌법상 보장된 기본권을 침해받은 자는 법원의 재판을 제외하고는 헌법재판소에 헌법소원심판을 청구할 수 있다. 다만, 다른 법률에 구제절차가 있는 경우에는 그 절차를 모두 거친 후에 청구할 수 있다.

구 '디엔에이신원확인정보의 이용 및 보호에 관한 법률'(2016. 1. 6. 법률 제13718호로 개정되고, 2016. 1. 6. 법률 제13722호로 개정되어 2017. 7. 7. 시행되기 전의 것)

제5조(수형인등으로부터의 디엔에이감식시료 채취) ① 검사(군검찰관을 포함한다. 이하 같다)는 다음 각 호의 어느 하나에 해당하는 죄 또는 이와 경합된 죄에 대하여 형의 선고, 「형법」 제59조의2에 따른 보호관찰명령, 「치료감호법」에 따른 치료감호선고, 「소년법」 제32조 제1항 제9호 또는 제10호에 해당하는 보호처분결정을 받아 확정된 사람(이하 "수형인등"이라 한다)으로부터 디엔에이감식시료를 채취할 수 있다. 다만, 제6조에 따라 디엔에이감식시료를 채취하여 디엔에이신원확인정보가 이미 수록되어 있는 경우는 제외한다.
4의2. 「형법」 제2편 제36장 주거침입의 죄 중 제320조, 제322조(제320조의 미수범에 한정한다)의 죄

디엔에이신원확인정보의 이용 및 보호에 관한 법률(2010. 1. 25. 법률 제9944호로 제정된 것)

제8조(디엔에이감식시료채취영장) ① 검사는 관할 지방법원 판사(군판사를 포함한다. 이하 같다)에게 청구하여 발부받은 영장에 의하여 제5조 또는 제6조에 따른 디엔에이감식시료의 채취대상자로부터 디엔에이감식시료를 채취할 수 있다.
② 사법경찰관은 검사에게 신청하여 검사의 청구로 관할 지방법원판사가 발부한 영장에 의하여 제6조에 따른 디엔에이감식시료의 채취대상자로부터 디엔에이감식시료를 채취할 수 있다.
③ 제1항과 제2항의 채취대상자가 동의하는 경우에는 영장 없이 디엔에이감식시료를 채취할 수 있다. 이 경우 미리 채취대상자에게 채취를 거부할 수 있음을 고지하고 서면으로 동의를 받아야 한다.
④ 제1항 및 제2항에 따라 디엔에이감식시료를 채취하기 위한 영장(이하 "디엔에이감식시료채취영장"이라 한다)을 청구할 때에는 채취대상자의 성명, 주소, 청구이유, 채취할 시료의 종류 및 방법, 채취할 장소 등을 기재한 청구서를 제출하여야 하며, 청구이유에 대한 소명자료를 첨부하여야 한다.
⑤ 디엔에이감식시료채취영장에는 대상자의 성명, 주소, 채취할 시료의 종류 및 방법, 채취할 장소, 유효기간과 그 기간을 경과하면 집행에 착수하지 못하며 영장을 반환하여야 한다는 취지를 적고 지방

법원판사가 서명날인하여야 한다.
⑥ 디엔에이감식시료채취영장은 검사의 지휘에 의하여 사법경찰관리가 집행한다. 다만, 수용기관에 수용되어 있는 사람에 대한 디엔에이감식시료채취영장은 검사의 지휘에 의하여 수용기관 소속 공무원이 행할 수 있다.
⑦ 검사는 필요에 따라 관할구역 밖에서 디엔에이감식시료채취영장의 집행을 직접 지휘하거나 해당 관할구역의 검사에게 집행지휘를 촉탁할 수 있다.
⑧ 디엔에이감식시료를 채취할 때에는 채취대상자에게 미리 디엔에이감식시료의 채취 이유, 채취할 시료의 종류 및 방법을 고지하여야 한다.
⑨ 디엔에이감식시료채취영장에 의한 디엔에이감식시료의 채취에 관하여는「형사소송법」제116조, 제118조, 제124조부터 제126조까지 및 제131조를 준용한다.

제13조(디엔에이신원확인정보의 삭제) ③ 디엔에이신원확인정보담당자는 수형인등 또는 구속피의자등이 사망한 경우에는 제5조 또는 제6조에 따라 채취되어 데이터베이스에 수록된 디엔에이신원확인정보를 직권 또는 친족의 신청에 의하여 삭제하여야 한다.

주문

1. 2016헌마344 사건 청구인들의 대구지방법원 김천지원 판사의 디엔에이감식시료채취영장 발부에 대한 심판청구를 모두 각하한다.
2. '디엔에이신원확인정보의 이용 및 보호에 관한 법률'(2010. 1. 25. 법률 제9944호로 제정된 것) 제8조는 헌법에 합치되지 아니한다. 위 법률조항은 2019. 12. 31.을 시한으로 입법자가 개정할 때까지 계속 적용된다.
3. 청구인들의 나머지 심판청구를 모두 기각한다.

I 이 사건 헌법재판소법 조항에 대한 판단

헌법재판소는 이 사건 헌법재판소법 조항에 대하여, '법원의 재판'에 헌법재판소가 위헌으로 결정한 법령을 적용함으로써 국민의 기본권을 침해한 재판이 포함되는 것으로 해석하는 한도 안에서 헌법에 위반된다는 한정위헌결정을 선고함으로써(2016헌마33), 그 위헌 부분을 제거하는 한편 그 나머지 부분이 합헌임을 밝힌 바 있다.

이에 따라 이 사건 헌법재판소법 조항은 위헌 부분이 제거된 나머지 부분으로 이미 그 내용이 축소되었고, 이에 관하여는 이를 합헌이라고 판단한 위 선례와 달리 판단하여야 할 아무런 사정변경이나 필요성이 인정되지 아니한다.

따라서 이 사건 헌법재판소법 조항이 청구인들의 재판청구권 등 기본권을 침해한다고 볼 수 없다.

II 이 사건 영장 발부에 대한 판단

위에서 본 바와 같이 '법원의 재판'은 헌법재판소가 위헌으로 결정한 법령을 적용함으로써 국민의 기본권을 침해한 재판에 해당하지 않는 한 헌법소원심판의 대상이 될 수 없다. 여기서 '법원의 재판'이란 사건을 종국적으로 해결하기 위한 종국판결 외에 본안전 소송판결 및 중간판결이 모두 포함되고, 기타 소송절차의 파생적·부수적인 사항에 대한 공권적 판단도 포함된다.

그런데 이 사건 영장 발부는 검사의 청구에 따라 판사가 디엔에이감식시료채취의 필요성이 있다고 판단하여 이루어진 재판으로서, 헌법소원심판의 대상이 될 수 있는 예외적인 재판에 해당하지 아니함이 명백하다.

따라서 2016헌마344 사건 청구인들의 이 부분 심판청구는 모두 부적법하다.

III 이 사건 채취 조항에 대한 판단

1. 신체의 자유 침해 여부

헌법 제12조 제1항의 신체의 자유는, 신체의 안정성이 외부로부터의 물리적인 힘이나 정신적인 위험으로부터 침해당하지 아니할 자유와 신체활동을 임의적이고 자율적으로 할 수 있는 자유를 말한다. 디엔에이감식시료 채취의 구체적인 방법은 구강점막 또는 모근을 포함한 모발을 채취하는 방법으로 하고, 위 방법들에 의한 채취가 불가능하거나 현저히 곤란한 경우에는 분비물, 체액을 채취하는 방법으로 한다(디엔에이법 시행령 제8조 제1항). 그러므로 디엔에이감식시료의 채취행위는 신체의 안정성을 해한다고 볼 수 있으므로 이 사건 채취 조항은 신체의 자유를 제한한다.

이 사건 채취 조항은 특정범죄를 저지른 사람의 디엔에이신원확인정보를 확보하여 데이터베이스로 관리함으로써, 범죄 수사 및 예방의 효과를 높이기 위한 것으로 입법목적의 정당성 및 수단의 적합성이 인정된다. 이 사건 채취 조항의 대상범죄인 형법 제320조의 특수주거침입죄는 그 행위 태양, 수법 등에서 다른 범죄에 비하여 위험성이 높을 뿐만 아니라 다른 강력범죄로 이어질 가능성이 상당한 점, 판사가 채취영장을 발부하는 단계에서 채취의 필요성과 상당성을 판단하면서 재범의 위험성도 충분히 고려할 수 있다. 나아가 디엔에이법은 디엔에이감식시료를 채취하는 경우 채취를 거부할 수 있음을 사전에 고지하고 서면으로 동의를 받도록 하고 있고(제8조 제3항), 디엔에이감식시료를 채취할 때에는 대상자에게 채취 이유, 채취할 시료의 종류 및 방법을 고지하도록 하고 있으며(제8조 제8항), 디엔에이감식시료는 우선적으로 구강점막 또는 모근을 포함한 모발에서 채취하고 위의 방법이 불가능하거나 현저히 곤란한 경우에 한하여 그 밖에 디엔에이감식시료를 채취할 수 있는 신체부분, 분비물, 체액의 채취를 하게 하는 등 채취대상자의 신체나 명예에 대한 침해를 최소화하는 방법을 사용하도록 하고 있다(제9조, 시행령 제8조). 이상을 종합하면, 이 사건 채취 조항은 침해의 최소성도 인정된다.

이 사건 채취 조항에 의하여 제한되는 신체의 자유의 정도는 일상생활 중에서도 경험할 수 있는 정도의 미약한 것으로서 외상이나 생리적 기능의 저하를 수반하지 아니한다는 점에서, 범죄수사 및 범죄예방 등에 기여하고자 하는 공익에 비하여 크다고 할 수 없다. 따라서 이 사건 채취 조항은 법익의 균형성도 인정된다.

따라서 이 사건 채취 조항이 과잉금지원칙을 위반하여 청구인들의 신체의 자유를 침해한다고 볼 수 없다.

2. 평등권 침해 여부

이 사건 채취 조항의 대상범죄인 특수주거침입죄는 디엔에이감식시료 채취의 대상이 아닌 범죄에 비하여 범행의 방법 및 수단의 위험성으로 인하여 가중처벌되는 범죄이고, 절도, 강도, 성범죄 등 재범의 가능성이 높은 범죄로까지 이어질 가능성이 높으므로, 이러한 범죄를 저지른 자에 대해서 장래 범죄수사 및 범죄예방 등을 위하여 디엔에이감식시료의 채취대상자군으로 삼은 것에는 합리적인 이유가 있다.

따라서 이 사건 채취 조항이 청구인들의 평등권을 침해한다고 볼 수도 없다.

3. 무죄추정의 원칙 위반 여부

청구인들은 이미 유죄의 확정판결을 받은 사람들인바, 앞서 본 바와 같이 이 사건 채취 조항이 청구인들과 관련성이 있는 디엔에이법 제5조 제1항 제4호의2 중 '다중의 위력을 보여 범한 형법 제320조의 주거침입죄와 경합된 죄에 대하여 형의 선고를 받아 확정된 사람'에 관한 부분으로 한정된 이상, 이 사건 채취 조항은 유죄의 확정판결을 받은 사람으로부터 디엔에이감식시료를 채취하도록 하는 것으로서 무죄추정원칙에 위반된다고 볼 수도 없다.

Ⅳ 이 사건 영장절차 조항에 대한 판단

1. 제한되는 기본권

청구인들은 이 사건 영장절차 조항으로 인하여 재판청구권, 인간으로서의 존엄과 가치, 행복추구권, 개인정보자기결정권을 침해당하였다고 주장하는바, 위 조항과 직접 관계되는 기본권은 재판청구권이므로 재판청구권의 침해 여부에 대하여 살펴보기로 한다.

청구인들은 이 사건 영장절차 조항이 적법절차원리에도 위반된다고 주장한다. 그러나 형사소송절차에서의 적법절차원리는 형사소송절차의 전반을 기본권 보장의 측면에서 규율하여야 한다는 기본원리를 천명하고 있는 것으로 이해하여야 하므로, 결국 포괄적, 절차적 기본권으로 파악되고 있는 재판청구권의 보호영역과 사실상 중복되는 것이어서, 공정한 재판을 받을 권리의 침해 여부에 대한 판단 속에는 적법절차원리 위반 여부에 대한 판단까지 포함되어 있다. 따라서 이 사건 영장절차 조항이 적법절차원리에 위반되는지 여부는 별도로 살펴보지 아니한다.

2. 재판청구권 침해 여부

이 사건 영장절차 조항은 이와 같이 신체의 자유를 제한하는 디엔에이감식시료 채취 과정에서 중립적인 법관이 구체적 판단을 거쳐 발부한 영장에 의하도록 함으로써 법관의 사법적 통제가 가능하도록 한 것이므로, 그 목적의 정당성 및 수단의 적합성은 인정된다.

디엔에이감식시료채취영장 발부 여부는 채취대상자에게 자신의 디엔에이감식시료가 강제로 채취당하고 그 정보가 영구히 보관·관리됨으로써 자신의 신체의 자유, 개인정보자기결정권 등의 기본권이 제한될 것인지 여부가 결정되는 중대한 문제이다. 그럼에도 불구하고 이 사건 영장절차 조항은 채취대상자에게 디엔에이감식시료채취영장 발부 과정에서 자신의 의견을 진술할 수 있는 기회를 절차적으로 보장하고 있지 않을 뿐만 아니라, 발부 후 그 영장 발부에 대하여 불복할 수 있는 기회를 주거나 채취행위의 위법성 확인을 청구할 수 있도록 하는 구제절차마저 마련하고 있지 않다. 위와 같은 입법상의 불비가 있는 이 사건 영장절차 조항은 채취대상자인 청구인들의 재판청구권을 과도하게 제한하므로, 침해의 최소성 원칙에 위반된다.

이 사건 영장절차 조항에 따라 발부된 영장에 의하여 디엔에이신원확인정보를 확보할 수 있고, 이로써 장래 범죄수사 및 범죄예방 등에 기여하는 공익적 측면이 있으나, 이 사건 영장절차 조항의 불완전·불충분한 입법으로 인하여 채취대상자의 재판청구권이 형해화되고 채취대상자가 범죄수사 및 범죄예방의 객체로만 취급받게 된다는 점에서, 양자 사이에 법익의 균형성이 인정된다고 볼 수도 없다.

따라서 이 사건 영장절차 조항은 과잉금지원칙을 위반하여 청구인들의 재판청구권을 침해한다.

3. 헌법불합치 결정 및 계속 적용 명령

입법자가 이 사건 영장절차 조항의 입법상 불비를 개선함에 있어서, 채취대상자의 의견 진술절차를 마련하는 데에 그칠 것인지, 영장 발부에 대한 불복절차도 마련할 것인지, 나아가 채취행위에 대한 위법성 확인 청구절차까지 마련할 것인지, 이들 절차를 구체적으로 어떠한 내용과 방법으로 만들 것인지 등에 관하여는 이를 입법자의 판단에 맡기는 것이 바람직하다. 위와 같은 입법상의 불비는 개선입법을 함으로써 제거될 수 있음에도, 이 사건 영장절차 조항에 대하여 단순위헌결정을 하여 그 효력을 즉시 상실시킨다면, 디엔에이감식시료 채취를 허용할 법률적 근거가 사라지는 심각한 법적 공백 상태가 발생하게 된다. 그러므로 이 사건 영장절차 조항에 대하여 단순위헌결정을 하는 대신 헌법불합치 결정을 선고하되, 입법자의 개선입법이 이루어질 때까지 계속 적용을 명하기로 한다.

V 이 사건 삭제 조항에 대한 판단

1. 헌법재판소는 2014. 8. 28. 2011헌마28등 결정에서 이 사건 삭제 조항이 개인정보자기결정권을 침해하지 아니한다고 판단하였는바, 그 이유의 요지는 다음과 같다.

『데이터베이스에 수록된 디엔에이신원확인정보를 수형인등이 사망할 때까지 관리하여 범죄수사 및 범죄예방에 이바지하고자 하는 이 사건 삭제 조항은 입법 목적의 정당성과 수단의 적합성이 인정된다. 디엔에이법 제3조 제2항은 데이터베이스에 수록되는 디엔에이신원확인정보에 개인식별을 위하여 필요한 사항 외의 정보 또는 인적 사항이 포함되어서는 아니 된다고 규정하여, 개인식별을 위한 최소한의 필요정보만을 수록하도록 하고 있고, 그 외에도 디엔에이법 및 그 시행령에 디엔에이 관련 자료 및 정보의 삭제에 관한 규정과 데이터베이스의 운영에 있어서 개인정보보호에 관한 규정을 두고 있으므로, 이 사건 삭제 조항이 디엔에이신원확인정보를 수형인등이 사망할 때까지 데이터베이스에 수록하도록 규정하더라도, 침해의 최소성 원칙에 반한다고 보기 어렵다. 이 사건 삭제 조항에 의하여 청구인의 디엔에이신원확인정보를 평생토록 데이터베이스에 수록하더라도,

그로 인하여 청구인이 현실적으로 입게 되는 불이익은 크다고 보기 어려운 반면에, 디엔에이신원확인정보를 장래의 범죄수사 등에 신원확인을 위하여 이용함으로써 달성할 수 있게 되는 공익은 중요하고, 그로 인한 청구인의 불이익에 비하여 더 크다고 보아야 할 것이므로, 법익균형성 원칙에도 위반되지 않는다. 그러므로 이 사건 삭제 조항은 과잉금지원칙을 위반하여 디엔에이신원확인정보 수록 대상자의 개인정보자기결정권을 침해한다고 볼 수 없다.』

2. 헌법재판소의 위와 같은 견해는 여전히 타당하고 이 사건에서 이와 달리 판단해야 할 아무런 사정변경이 없으므로, 이를 그대로 유지하기로 한다.

VI. 결 론

그렇다면 2016헌마344 사건 청구인들의 이 사건 영장 발부에 대한 헌법소원심판청구는 모두 부적법하여 각하하고, 이 사건 영장절차 조항은 헌법에 합치되지 아니하나 2019. 12. 31.을 시한으로 입법자의 개선입법이 이루어질 때까지 계속 적용을 명하며, 나머지 심판청구는 모두 이유 없으므로 이를 기각하기로 하여 주문과 같이 결정한다.

194 과거사 민주화보상법 '재판상 화해 간주' 사건 [위헌, 각하]
— 2018. 8. 30. 선고 2014헌바180 등 (병합)

판시사항

1. '민주화운동 관련자 명예회복 및 보상 심의 위원회'(이하 '위원회'라 한다)의 보상금 등 지급결정에 동의한 경우 "민주화운동과 관련하여 입은 피해"에 대해 재판상 화해가 성립된 것으로 간주하는 구 '민주화운동 관련자 명예회복 및 보상 등에 관한 법률' 제18조 제2항(이하 '심판대상조항'이라 한다)의 의미 내용이 불분명하여 명확성원칙에 위반되는지 여부(소극)
2. 위원회의 보상금 등 지급결정에 동의한 때 재판상 화해의 성립을 간주함으로써 법관에 의하여 법률에 의한 재판을 받을 권리를 제한하는 심판대상조항이 재판청구권을 침해하는지 여부(소극)
3. 보상금 등의 지급결정에 동의한 때 "민주화운동과 관련하여 입은 피해"에 대해 재판상 화해의 성립을 간주하는 심판대상조항이 정신적 손해에 대한 국가배상청구권을 침해하는지 여부(적극)

사건의 개요

제청신청인들은 대통령의 긴급조치 제1호, 제4호, 제9호를 위반하였다는 범죄사실로 1974년 내지 1979년경 징역형을 선고받아 그 판결이 확정된 사람들 본인 또는 그 유족이다. '민주화운동 관련자 명예회복 및 보상 등에 관한 법률'(이하 '민주화보상법'이라 한다)에 따라 구성된 '민주화운동 관련자 명예회복 및 보상 심의 위원회'(이하 '위원회'라 한다)는 위와 같은 사실을 인정하여 제청신청인 본인 또는 그 피상속인을 민주화운동 관련자로 심의·결정한 후 2004년 내지 2008년경 보상금 등을 지급하는 결정을 하였고, 제청신청인들은 그 무렵 위 지급결정에 동의한 다음 보상금 등을 지급받았다.

헌법재판소는 긴급조치 제1호, 제2호, 제9호를 위헌으로 결정하였고(2010헌바70), 대법원은 긴급조치 제1호, 제4호, 제9호를 위헌으로 판단하였다(2010도5986). 그 결과 긴급조치 위반을 이유로 한 기존 유죄판결은 재심절차에서 취소되고 무죄판결이 선고되었다.

제청신청인들은 대한민국을 상대로 불법 체포·구금·고문 등의 가혹행위, 출소 이후에도 계속된 감시, 위헌·무효인 긴급조치에 근거한 유죄판결의 선고 등으로 인해 발생한 정신적 손해 등의 배상을 청구하는 소송을 법원에 제기하였고, 그 소송 계속 중 구 민주화보상법 제18조 제2항에 대한 위헌법률심판제청을 신청하였다. 이에 당해 사건 법원은 그 신청을 받아들여 이 사건 위헌법률심판을 제청하였다.

심판대상조항 및 관련조항

구 '민주화운동 관련자 명예회복 및 보상 등에 관한 법률'(2000. 1. 12. 법률 제6123호로 제정되고, 2015. 5. 18. 법률 제13289호로 개정되기 전의 것)

제18조(다른 법률에 의한 보상 등과의 관계 등) ② 이 법에 의한 보상금 등의 지급결정은 신청인이 동의한 때에는 민주화운동과 관련하여 입은 피해에 대하여 민사소송법의 규정에 의한 재판상 화해가 성립된 것으로 본다.

> **주문**

1. 구 '민주화운동 관련자 명예회복 및 보상 등에 관한 법률'(2000. 1. 12. 법률 제6123호로 제정되고, 2015. 5. 18. 법률 제13289호로 개정되기 전의 것) 제18조 제2항의 '민주화운동과 관련하여 입은 피해' 중 불법행위로 인한 정신적 손해에 관한 부분은 헌법에 위반된다.
2. 청구인 김○숙, 조○순, 김○철, 방○석, 정○순의 심판청구를 모두 각하한다.

I 적법요건에 관한 판단 (생략)

II 본안에 관한 판단

1. 명확성원칙 위반 여부

가. 쟁점 및 심사기준

명확성원칙은 기본권을 제한하는 법규범의 내용은 명확하여야 한다는 헌법상 원칙인데, 명확성원칙을 요구하는 이유는 만일 법규범의 의미 내용이 불확실하다면 법적 안정성과 예측가능성을 확보할 수 없고 법집행 당국의 자의적인 법해석과 집행이 가능해지기 때문이다. 다만 법규범의 문언은 어느 정도 일반적·규범적 개념을 사용하지 않을 수 없기 때문에 기본적으로 최대한이 아닌 최소한의 명확성을 요구할 수밖에 없으므로, 법문언이 법관의 보충적 해석을 통해서 그 의미 내용을 확인할 수 있고 그러한 보충적 해석이 해석자의 개인적인 취향에 따라 좌우될 가능성이 없다면 명확성원칙에 반한다고 할 수 없다. 이 경우 법규범의 의미 내용은 법규범의 문언뿐만 아니라 입법목적, 입법연혁, 그리고 체계적 구조 등을 종합적으로 고려하는 해석방법에 의하여 구체화하게 되므로, 결국 당해 법률조항이 명확성원칙에 위반되는지 여부는 위와 같은 해석방법에 의하여 의미 내용을 합리적으로 파악할 수 있는 해석기준을 얻을 수 있는지 여부에 달려 있다.

나. 판 단

민주화보상법의 입법취지, 관련 규정의 내용, 신청인이 작성·제출하는 동의 및 청구서의 기재내용 등을 종합하면, 심판대상조항의 "민주화운동과 관련하여 입은 피해"란 공무원의 직무상 불법행위로 인한 정신적 손해를 포함하여 그가 보상금 등을 지급받은 민주화운동과 관련하여 입은 피해 일체를 의미하는 것으로 합리적으로 파악할 수 있다. 따라서 심판대상조항은 명확성원칙에 위반되지 아니한다.

2. 재판청구권 침해 여부

가. 쟁점 및 심사기준

심판대상조항은 신청인이 위원회의 보상금 등 지급결정에 동의한 때 재판상 화해의 성립을 간주하는바, 재판상 화해에는 확정판결과 같은 효력이 있고 당사자 간에 기판력을 발생시켜 특별한 사정이 없는 한 당사자는 향후 재판절차에서 그 화해의 취지에 반하는 주장을 할 수 없게 되므로, 결국 신청인의 법관에 의하여 재판을 받을 권리를 제한한다.

그런데 헌법 제27조 제1항에서 "모든 국민은 헌법과 법률이 정한 법관에 의하여 법률에 의한 재판을 받을 권리를 가진다."라고 규정하여 법관에 의하여 재판을 받을 권리를 보장하고 있는바, 이러한 재판청구권의 실현은 재판권을 행사하는 법원의 조직과 소송절차에 관한 입법에 의존하고 있기 때문에 입법자에 의한 구체적 형성이 불가피하므로, 입법자는 소송요건과 관련하여 소송의 주체·방식·절차·시기·비용 등에 관하여 규율할 수 있다. 그러나 헌법 제27조 제1항은 권리구제절차에 관한 구체적 형성을 완전히 입법자의 형성권에 맡기지는 않는다. 입법자가 단지 법원에 제소할 수 있는 형식적인 권리나 이론적인 가능성만을 제공할 뿐, 권리구제의 실효성이 보장되지 않는다면 권리구제절차의 개설은 사실상 무의미할 수 있기 때문이다. 그러므로 재판청구권은 법적 분쟁의 해결을 가능하게 하는 적어도 한번의 권리구제절차가 개설될 것을 요청할 뿐만 아니라, 그를 넘어서 소송절차의 형성에 있어서 실효성 있는 권리보호를 제공하기 위하여 그에 필요한 절차적 요건을 갖출 것을 요청한다. 비록 재판절차가 국민에게 개설되어 있다 하더라도, 절차적 규정들에 의하여 법원에의 접근이 합리적인 이유로 정당화될 수 없는 방법으로 어렵게 된다면, 재판청구권은 사실상 형해화될 수 있으므로, 바로 여기에 입법형성권의 한계가 있다.

나. 판 단

민주화보상법은 관련자 및 그 유족에 대한 명예회복과 보상금 등을 심의·결정하기 위하여 국무총리 소속으로 위원회를 두면서, 민주화운동에 대한 경험이나 학식이 풍부한 사람 중에서 국회의장이 추천한 사람 3명과 대법원장이 추천한 사람 3명을 포함하여 총 9명의 위원으로 구성하고, 대통령이 위원을 임명하며(민주화보상법 제4조 제1항, 제5조 제1항, 제2항, 같은 법 시행령 제4조 제1항), 위원장이 되기 위해 혹은 연임을 위해 사회적 분위기에 편승하거나 본인의 소신에 반하는 결정을 하는 것을 방지하기 위하여 위원장은 위원 중에서 호선하고, 위원장과 위원의 임기를 2년으로 정하되 한 차례만 연임할 수 있도록 규정하고 있으며(민주화보상법 제5조 제2항, 제3항), 국무총리의 위원회에 대한 지휘·감독권이나 위원에 대한 징계권 등에 관한 규정을 두고 있지 아니하는 등 위원회의 구성 및 활동에 있어 중립성과 독립성을 보장하고 있다.

… 그리고 민주화보상법은 위원회가 결정한 보상금 등의 지급 여부와 금액에 대해 다투고자 하는 신청인은 위원회의 결정서를 송달받은 날부터 30일 이내에 위원회에 재심의를 신청할 수 있고, 결정서 정본 또는 재심의결정서 정본을 송달받은 날부터 60일 이내에 소송을 제기할 수 있도록 규정하고 있어(민주화보상법 제13조, 제17조), 신청인이 충분히 생각하고 검토할 시간을 보장하고 있으며, 재심의 신청 및 소송 제기 절차를 통해 위원회의 결정에 대한 동의 또는 불복 여부를 신청인이 자유롭게 선택하도록 규정하는 한편, 보상결정서 정본을 송달받은 신청인이 보상금 등을 지급받고자 할 때에는 지체 없이 그 결정에 대한 동의서를 첨부하여 위원회에 보상금 등의 지급을 청구하도록 하면서(민주화보상법 제14조), 그 과정에서 위원회의 보상금 등 지급결정에 동의할 경우 더 이상 민주화운동과 관련한 피해의 배상을 청구할 수 없다는 점도 '동의 및 청구서'를 통하여 신청인에게 고지하도록 규정하고 있다.

위와 같이 민주화보상법은 위원회의 중립성·독립성을 보장하고 있고, 심의절차에 전문성·공정성을 제고하고 있으며, 신청인에게 지급결정 동의의 법적효과를 안내하면서 검토할 시간을 보장하여 이를 통해 그 동의 여부를 자유롭게 선택하도록 하고 있으므로, 심판대상조항이 입법형성권의 한계를 일탈하여 재판청구권을 침해한다고 볼 수도 없다.

3. 국가배상청구권 침해 여부

가. 쟁점 및 심사기준

헌법은 제23조 제1항에서 일반적 재산권을 규정하고 있으나, 제29조 제1항에서 국가배상청구권을 별도로 규정함으로써, 공무원의 직무상 불법행위로 손해를 받은 경우 국민이 국가에 대해 재산적·정신적 손해에 대한 정당한 배상을 청구할 수 있는 권리를 특별히 보장하고 있다. 이러한 국가배상청구권은 일반적인 재산권으로서의 보호 필요성뿐만 아니라, 공무원의 직무상 불법행위로 인한 국민의 손해를 사후적으로 구제함으로써 관련 기본권의 보호를 강화하는 데 그 목적이 있다.

심판대상조항은 신청인이 위원회의 보상금 등 지급결정에 동의한 때 민주화운동과 관련하여 입은 피해 일체에 대해 재판상 화해가 성립된 것으로 간주함으로써, 향후 민주화운동과 관련된 모든 손해에 대한 국가배상청구권 행사를 금지하고 있는바, 이는 국가배상청구권의 내용을 구체적으로 형성하는 것이 아니라, 국가배상법의 제정을 통해 이미 형성된 국가배상청구권의 행사를 제한하는 것에 해당한다. 그러므로 심판대상조항의 국가배상청구권 침해 여부를 판단함에 있어서는, 심판대상조항이 기본권 제한 입법의 한계인 헌법 제37조 제2항을 준수하였는지 여부, 즉 과잉금지원칙을 준수하고 있는지 여부를 살펴보아야 한다.

나. 판 단

민주화보상법은 1999. 12. 28. 여·야의 합의에 따라 만장일치의 의견으로 국회 본회의에서 심의·의결되었는바, 이는 자신의 생명·신체에 대한 위험 등을 감수하고 헌법에 보장된 국민의 기본권을 침해한 권위주의적 통치에 항거함으로써 민주헌정질서의 확립에 기여하고 현재 우리가 보장받고 있는 자유와 권리를 회복·신장시킨 사람과 유족에 대한 국가의 보상의무를 회피하는 것이 부당하다는 사회적 공감대에 근거하여 제정된 것이다. 이러한 맥락에서 심판대상조항은 민주화운동을 위해 희생을 감수한 관련자와 유족에 대한 적절한 명예회복 및 보상이 사회정의를 실현하는 첫 걸음이란 전제에서, 관련자와 그 유족이 위원회의 지급결정에 동의하여 적절한 보상을 받은 경우 보상금 등 지급절차를 신속하게 이행·종결시킴으로써 이들을 신속히 구제하고 보상금 등 지급결정에 안정성을 부여하기 위하여 도입된 것이므로, 그 입법목적의 정당성 및 수단의 적합성은 인정된다.

심판대상조항의 "민주화운동과 관련하여 입은 피해"에는 적법한 행위로 발생한 '손실'과 위법한 행위로 발생한 '손해'가 모두 포함되므로, 민주화보상법상 보상금 등에는 '손실보상'의 성격뿐만 아니라 '손해배상'의 성격도 포함되어 있다. 그리고 민주화보상법 및 같은 법 시행령에 규정되어 있는 보상금 등의 지급대상과 그 유형별 지급액 산정기준 등에 의하면, 민주화보상법상 보상금, 의료지원금, 생활지원금은 적극적·소극적 손해 내지 손실에 대한 배·보상 및 사회보장적 목적으로 지급되는 금원에 해당된다.

이를 전제로 먼저 심판대상조항 중 적극적·소극적 손해에 관한 부분이 국가배상청구권을 침해하는지 여부를 본다. 앞서 본 바와 같이 민주화보상법상 보상금 등에는 적극적·소극적 손해에 대한 배상의 성격이 포함되어 있는바, 관련자와 유족이 위원회의 보상금 등 지급결정이 일응 적절한 배상에 해당된다고 판단하여 이에 동의하고 보상금 등을 수령한 경우 보상금 등의 성격과 중첩되는 적극적·소극적 손해에 대한 국가배상청구권의 추가적 행사를 제한하는 것은, 동일한 사실관계와 손해를 바탕으로 이미 적절한 배상을 받았음에도 불구하고 다시 동일한 내용의 손해배상청구를 금지하는 것이므로, 이를 지나치게 과도한 제한으로 볼 수 없다.

다음 심판대상조항 중 정신적 손해에 관한 부분이 국가배상청구권을 침해하는지 여부를 본다. 앞서 본 바와 같이 민주화보상법상 보상금 등에는 정신적 손해에 대한 배상이 포함되어 있지 않은바, 이처럼 정신적 손해에 대해 적절한 배상이 이루어지지 않은 상태에서 적극적·소극적 손해에 상응하는 배상이 이루어졌다는 사정만으로 정신적 손해에 대한 국가배상청구마저 금지하는 것은, 해당 손해에 대한 적절한 배상이 이루어졌음을 전제로 하여 국가배상청구권 행사를 제한하려 한 민주화보상법의 입법목적에도 부합하지 않으며, 국가의 기본권 보호의무를 규정한 헌법 제10조 제2문의 취지에도 반하는 것으로서, 국가배상청구권에 대한 지나치게 과도한 제한에 해당한다. 따라서 심판대상조항 중 정신적 손해에 관한 부분은 민주화운동 관련자와 유족의 국가배상청구권을 침해한다.

Ⅲ 결 론

그렇다면 청구인 김○숙, 조○순, 김○철, 방○석, 정성순의 심판청구는 모두 부적법하여 각하하고, 심판대상조항의 '민주화운동과 관련하여 입은 피해' 중 불법행위로 인한 정신적 손해에 관한 부분은 헌법에 위반되므로 주문과 같이 결정한다.

195. 소청심사위원회 재심결정에 대한 학교법인의 불복금지 규정 사건 [위헌]
- 2006. 2. 23. 선고 2005헌가7, 2005헌마1163(병합)

판시사항 및 결정요지

1. 교원징계재심위원회(이하 '재심위원회'라고 한다)**의 재심결정에 대한 불복절차를 형성하는 입법형성권의 범위와 그 한계**

헌법 제27조 제1항은 "모든 국민은 …… 법률에 의한 재판을 받을 권리를 가진다."라고 규정하여 법원이 법률에 기속된다는 당연한 법치국가적 원칙을 확인하고, '법률에 의한 재판, 즉 절차법이 정한 절차에 따라 실체법이 정한 내용대로 재판을 받을 권리'를 보장하고 있다. 그런데 이러한 재판청구권의 실현은 재판권을 행사하는 법원의 조직과 소송절차에 관한 입법에 의존하고 있기 때문에 입법자에 의한 재판청구권의 구체적 형성은 불가피하며, 따라서 입법자는 소송요건과 관련하여 소송의 주체·방식·절차·시기·비용 등에 관하여 규율할 수 있다. 그러나 헌법 제27조 제1항은 권리구제절차에 관한 구체적 형성을 완전히 입법자의 형성권에 맡기지는 않는다. 입법자가 단지 법원에 제소할 수 있는 형식적인 권리나 이론적인 가능성만을 제공할 뿐, 권리구제의 실효성이 보장되지 않는다면 권리구제절차의 개설은 사실상 무의미할 수 있기 때문이다. 그러므로 재판청구권은 법적 분쟁의 해결을 가능하게 하는 적어도 한번의 권리구제절차가 개설될 것을 요청할 뿐 아니라 그를 넘어서 소송절차의 형성에 있어서 실효성 있는 권리보호를 제공하기 위하여 그에 필요한 절차적 요건을 갖출 것을 요청한다. 비록 재판절차가 국민에게 개설되어 있다 하더라도 절차적 규정들에 의하여 법원에의 접근이 합리적인 이유로 정당화될 수 없는 방법으로 어렵게 된다면 재판청구권은 사실상 형해화될 수 있으므로 바로 여기에 입법형성권의 한계가 있다.

2. 학교법인과 그 소속 교원의 법률관계 및 징계 등 불리한 처분의 법적 성격

사립학교 교원은 학교법인과의 사법상 고용계약에 의하여 임면되고, 학생을 교육하는 대가로서 학교법인으로부터 임금을 지급받으므로 학교법인과 교원의 관계는 원칙적으로 사법적 법률관계에 기초하고 있다. 비록 학교법인에 대하여 국가의 광범위한 감독 및 통제가 행해지고, 사립학교 교원의 자격, 복무 및 신분보장을 공무원인 국·공립학교 교원과 동일하게 보장하고 있지만, 이 역시 이들 사이의 법률관계가 사법관계임을 전제로 그 신분 등을 교육공무원의 그것과 동일하게 보장한다는 취지에 다름 아니다. 따라서 학교법인의 사립학교 교원에 대한 인사권의 행사로서 징계 등 불리한 처분 또한 사법적 법률행위로서의 성격을 가진다.

3. 사립학교 교원이 당사자인 재심절차 및 재심결정의 법적 성격

행정심판이라 함은 행정청의 처분 등으로 인하여 침해된 국민의 기본권 등 권익을 구제하고, 행정의 자기통제 및 자기감독을 실현함으로써 행정의 적법성을 보장하는 권리구제절차이므로 학교법인과 그 소속 교원 사이의 사법적 고용관계에 기초한 교원에 대한 징계 등 불리한 처분을 그 심판대상으로 삼을 수는 없는 것이다. 따라서 재심위원회를 교육인적자원부 산하의 행정기관으로 설치하는 등의 교원지위법 규정에도 불구하고 여전히 재심절차는 학교법인과 그 교원 사이의 사법적 분쟁을 해결하기 위한 간이분쟁해결절차로서의 성격을 갖는다고 할 것이므로, 재심결정은 특정한 법률관계에 대하여 의문이 있거나 다툼이 있는 경우에 행정청이 공적 권위를 가지고 판단·확정하는 행정처분에 해당한다고 봄이 상당하다.

4. 재심결정에 대하여 교원에게만 행정소송을 제기할 수 있도록 하고 학교법인에게는 이를 금지한 교원지위향상을위한특별법 제10조 제3항이 헌법에 위배되는지 여부(적극)

이 사건 법률조항은 국가의 학교법인에 대한 감독권 행사의 실효성을 보장하고, 재심결정에 불복하는 경우 사립학교 교원에게 행정소송을 제기할 수 있게 함으로써 사립학교 교원의 신분보장과 지위향상에 그 입법목적이 있다고 할 것이므로 그 정당성을 긍정할 수 있고, 재심절차에서 교원의 청구가 인용되는 경우 교원은 확정적·최종적으로 징계 등 불리한 처분에서 벗어나게 되므로 그 수단의 적절성도 인정된다. 그리고 교원이 그 선택에 따라 징계 등 불리한 처분의 효력유무를 다투는 민사소송을 제기하는 경우 학교법인은 이에 대하여 응소하거나 또는 그 소송의 피고로서 재판절차에 참여함으로써 자신의 침해된 권익을 구제받을 수 있고, 나아가 적극적으로 학교법인이 징계 등 처분이 유효함을 전제로 교원지위부존재확인 등 민사소송을 제기하는 방법으로 재심결정의 대상인 불리한 처분을 다툴 수도 있다.

그러나 교원이 제기한 민사소송에 대하여 응소하거나 피고로서 재판절차에 참여함으로써 자신의 권리를 주장하는 것은 어디까지나 상대방인 교원이 교원지위법이 정하는 재심절차와 행정소송절차를 포기하고 민사소송을 제기하는 경우에 비로소 가능한 것이므로 이를 들어 학교법인에게 자신의 침해된 권익을 구제받을 수 있는 실효적인 권리구제절차가 제공되었다고 볼 수 없고, 교원지위부존재확인 등 민사소송절차도 교원이 처분의 취소를 구하는 재심을 따로 청구하거나 또는 재심결정에 불복하여 행정소송을 제기하는 경우에는 민사소송의 판결과 재심결정 또는 행정소송의 판결이 서로 모순·저촉될 가능성이 상존하므로 이 역시 간접적이고 우회적인 권리구제수단에 불과하다. 그리고 학교법인에게 재심결정에 불복할 제소권한을 부여한다고 하여 이 사건 법률조항이 추구하는 사립학교 교원의 신분보장에 특별한 장애사유가 생긴다든가 그 권리구제에 공백이 발생하는 것도 아니므로 이 사건 법률조항은 분쟁의 당사자이자 재심절차의 피청구인인 학교법인의 재판청구권을 침해한다.

또한 학교법인은 그 소속 교원과 사법상의 고용계약관계에 있고 재심절차에서 그 결정의 효력을 받는 일방 당사자의 지위에 있음에도 불구하고 이 사건 법률조항은 합리적인 이유 없이 학교법인의 제소권한을 부인함으로써 헌법 제11조의 평등원칙에 위배되고, 사립학교 교원에 대한 징계 등 불리한 처분의 적법여부에 관하여 재심위원회의 재심결정이 최종적인 것이 되는 결과 일체의 법률적 쟁송에 대한 재판권능을 법원에 부여한 헌법 제101조 제1항에도 위배되며, 행정처분인 재심결정의 적법여부에 관하여 대법원을 최종심으로 하는 법원의 심사를 박탈함으로써 헌법 제107조 제2항에도 아울러 위배된다.

5. 이 사건 법률조항의 위헌 여부에 관한 우리 재판소의 종전 견해를 변경한 사례

이 사건 법률조항은 헌법에 위반되므로, 우리 재판소가 종전의 1998. 7. 16. 95헌바19등 결정에서 이와 견해를 달리하여 이 사건 법률조항이 헌법에 위반되지 아니한다고 판시한 의견은 이를 변경하기로 한다.

사건의 개요

청구인은 청구외 손○남을 2003. 9. 1. 청구인 소속의 ○○대학교 자연과학대학 컴퓨터공학과 전임강사로 임용하였으나, 위 손○남이 저서 및 연구논문의 부정사용행위를 하였다는 이유로 법령과 정관이 정한 절차에 따라 2005. 6. 24. 해임처분을 하였다.

이에 위 손○남은 교원지위향상을위한특별법에 근거하여 교원인적자원부 교원소청심사위원회에 위 해임처분에 대한 소청심사를 청구하였고, 위 위원회는 위 손○남에 대한 징계를 정직 3월로 변경하는 결정을 하였다.

그러자 청구인은 같은 해 11. 29. 교원소청심사위원회의 결정에 대한 제소권한을 교원으로 한정하고 학교법인은 위 결정에 기속되어 이에 불복할 수 없도록 한 위 특별법 제10조 제2항 및 제3항이 위헌이라고 주장하면서 그 위헌확인을 구하는 이 사건 헌법소원심판을 청구하였다.

심판대상조항 및 관련조항

교원지위향상을위한특별법(2001. 1. 29. 법률 제6400호로 개정된 것)

제10조(재심결정) ① 재심위원회는 재심청구를 접수한 날부터 60일 이내에 이에 대한 결정을 하여야 한다. 다만, 재심위원회가 불가피하다고 인정하는 경우에는 그 의결로 30일을 연장할 수 있다.
② 재심위원회의 결정은 처분권자를 기속한다.
③ 교원은 재심위원회의 결정에 대하여 그 결정서의 송달을 받은 날부터 60일 이내에 행정소송법이 정하는 바에 의하여 소송을 제기할 수 있다.
④ 재심의 청구심사 및 결정 등 재심절차에 관하여 필요한 사항은 대통령령으로 정한다.

교원지위법(2005. 1. 27. 법률 제7354로 개정된 것)

제10조 ③ 교원은 심사위원회의 결정에 대하여 그 결정서의 송달을 받은 날부터 60일 이내에 행정소송법이 정하는 바에 의하여 소송을 제기할 수 있다.

주문

교원지위향상을위한특별법(2001. 1. 29. 법률 제6400호 및 2005. 1. 27. 법률 제7354호로 개정된 것) 제10조 제3항은 각 헌법에 위반된다.

196 지방세 부과처분에 대한 필수적 전치주의 규정 사건 [위헌, 각하]
— 2001. 6. 28. 선고 2000헌바30

판시사항 및 결정요지

1. 행정심판에 관한 헌법 제107조 제3항의 의미

헌법 제107조 제3항은 "재판의 전심절차로서 행정심판을 할 수 있다. 행정심판의 절차는 법률로 정하되, 사법절차가 준용되어야 한다"고 규정하고 있다. 이 헌법조항은 행정심판절차의 구체적 형성을 입법자에게 맡기고 있지만, 행정심판은 어디까지나 재판의 전심절차로서만 기능하여야 한다는 점과 행정심판절차에 사법절차가 준용되어야 한다는 점은 헌법이 직접 요구하고 있으므로 여기에 입법적 형성의 한계가 있다. 따라서 입법자가 행정심판을 전심절차가 아니라 종심절차로 규정함으로써 정식재판의 기회를 배제하거나, 어떤 행정심판을 필요적 전심절차로 규정하면서도 그 절차에 사법절차가 준용되지 않는다면 이는 헌법 제107조 제3항, 나아가 재판청구권을 보장하고 있는 헌법 제27조에도 위반된다 할 것이다. 반면 어떤 행정심판절차에 사법절차가 준용되지 않는다 하더라도 임의적 전치제도로 규정함에 그치고 있다면 위 헌법조항에 위반된다 할 수 없다. 그러한 행정심판을 거치지 아니하고 곧바로 행정소송을 제기할 수 있는 선택권이 보장되어 있기 때문이다.

2. 이의신청 및 심사청구를 거치지 아니하고서는 지방세 부과처분에 대하여 행정소송을 제기할 수 없도록 한 지방세법 제78조 제2항이, 행정심판에 사법절차를 준용하도록 한 헌법 제107조 제3항 및 재판청구권을 보장하는 헌법 제27조에 위반되는지 여부(적극)

지방세 부과처분에 대한 이의신청 및 심사청구의 심의·의결기관인 지방세심의위원회는 그 구성과 운영에 있어서 심의·의결의 독립성과 공정성을 객관적으로 신뢰할 수 있는 토대를 충분히 갖추고 있다고 보기 어려운 점, 이의신청 및 심사청구의 심리절차에 사법절차적 요소가 매우 미흡하고 당사자의 절차적 권리보장의 본질적 요소가 결여되어 있다는 점에서 지방세법상의 이의신청·심사청구제도는 헌법 제107조 제3항에서 요구하는 "사법절차 준용"의 요청을 외면하고 있다고 할 것인데, 지방세법 제78조 제2항은 이러한 이의신청 및 심사청구라는 2중의 행정심판을 거치지 아니하고서는 행정소송을 제기하지 못하도록 하고 있으므로 위 헌법조항에 위반될 뿐만 아니라, 재판청구권을 보장하고 있는 헌법 제27조 제3항에도 위반된다 할 것이며, 나아가 필요적 행정심판전치주의의 예외사유를 규정한 행정소송법 제18조 제2항, 제3항에 해당하는 사유가 있어 행정심판제도의 본래의 취지를 살릴 수 없는 경우에까지 그러한 전심절차를 거치도록 강요한다는 점에서도 국민의 재판청구권을 침해한다 할 것이다.

3. 심판대상조항이 위헌선언으로 그 효력을 상실하게 되면 독립하여 존속할 아무런 의미가 없다고 보아 관련조항에 대하여 아울러 위헌선언을 한 사례

지방세법 제81조는 동법 제78조 제2항의 규정에 의한 필요적 행정심판전치를 전제로 하여 지방세 부과처분에 대하여는 심사결정의 통지를 받은 날부터 90일이내에 행정소송을 제기하도록 하고 있는데, 위 제78조 제2항이 위헌선언으로 그 효력을 상실하게 되면 제81조는 독립하여 존속할 아무런 의미가 없을 뿐만 아니라, 그 문언해석상 제78조 제2항의 효력 유무와 관계없이 여전히 심사결정의 통지를 받지 않고서는 행정소송을 제기할 수 없는 것으로 이해할 소지가 전혀 없는 것이 아니어서 지방세 부과처분의 불복방법에 관하여 불필요한 법적 혼란을 야기할 수도 있으므로 제81조에 대하여도 아울러 위헌선언을 한다.

심판대상조항 및 관련조항

지방세법 (1998. 12. 31. 법률 제5615호로 개정되기 전의 것)

제74조(심사청구) ① 심사청구를 하고자 할 때에는 이의신청에 대한 결정의 통지를 받은 날로부터 60일 이내에 도지사의 결정에 대하여는 내무부장관에게, 시장·군수의 결정에 대하여는 도지사 또는 내무부장관에게 각각 심사청구를 하여야 한다.

제78조(다른 법률과의 관계) ② 제72조 제1항에 규정된 위법한 처분 등에 대한 행정소송은 행정소송법 제18조 제1항 본문·제2항 및 제3항의 규정에 불구하고 이 법에 의한 심사청구와 그에 대한 결정을 거치지 아니하면 이를 제기할 수 없다.

제81조(행정소송) ① 제72조 제1항에 규정된 위법한 처분등에 대한 행정소송을 제기하고자 할 때에는 제74조 및 제80조의 규정에 의한 심사결정의 통지를 받은 날부터 90일 이내에 처분청을 당사자로 하여 행정소송을 제기하여야 한다.
② 제77조의 규정에 의한 결정기간내에 결정의 통지를 받지 못한 경우에는 결정의 통지를 받기 전이라도 제1항의 규정에 불구하고 그 결정기간이 경과한 날부터 행정소송을 제기할 수 있다.

주문

1. 지방세법 제74조 제1항(1998. 12. 31. 법률 제5615호로 개정되기 전의 것)에 대한 심판청구를 각하한다.
2. 지방세법 제78조 제2항 및 제81조는 헌법에 위반된다.

함께 보는 판례

❶ 국가배상법상 배상결정전치주의가 법관에 의한 재판을 받을 권리, 신속한 재판을 받을 권리를 제한하여 국민의 재판청구권을 침해하는지 여부(소극) 및 평등권을 침해하는지 여부(소극) (2000. 2. 24. 99헌바17·18·19(병합))

가. 국가배상법에 의한 손해배상청구에 관한 시간, 노력, 비용의 절감을 도모하여 배상사무의 원활을 기하며 피해자로서도 신속, 간편한 절차에 의하여 배상금을 지급받을 수 있도록 하는 한편, 국고손실을 절감하도록 하기 위한 이 사건 법률조항에 의해 달성되는 공익과, 배상절차의 합리성 및 적정성의 정도, 그리고 한편으로는 배상신청을 하는 국민이 치루어야 하는 수고나 시간의 소모를 비교하여볼 때, 이 사건 법률조항이 헌법 제37조의 기본권제한의 한계에 관한 규정을 위배하여 국민의 재판청구권을 침해하는 정도에는 이르지 않는다.

나. 국가등의 사경제적 작용에 대해서는 국가배상법이 적용되지 않는 것으로 보는 것이 학설과 판례의 일치된 입장이고, 연혁적으로도 세계 각국에서 국가배상책임이 인정되게 된 것은 일반 민사

상 손해배상책임이 인정된 것과 그 배경 및 시기를 달리하는 등 국가배상사건은 그 성격에 있어서 일반 민간인, 민간단체를 상대로 하는 손해배상청구사건과는 다르므로 이 사건 법률조항이 국가나 지방자치단체를 상대로 하는 국가배상법 제2조, 제5조에 의한 손해배상소송을 제기하기 위해서는 배상결정을 필요적으로 거치도록 규정하였다고 하더라도 이를 가리켜 본질적으로 같은 것을 자의적으로 다르게 취급함으로써 국민의 평등권을 침해하는 것이라고는 할 수 없다.

❷ 산업재해보상보험법상의 보험급여결정에 대한 행정소송을 제기하기 위하여 심사청구·재심사청구의 행정심판을 거치도록 한 것이 헌법 제107조 제3항에 위반되는지 여부(소극) 및 재판청구권을 침해하는지 여부(소극) (2000. 6. 1. 선고 98헌바8)

가. 헌법 제107조 제3항은 "재판의 전심절차로서 행정심판을 할 수 있다. 행정심판의 절차는 법률로 정하되, 사법절차가 준용되어야 한다"고 규정하고 있으므로, 입법자가 행정심판을 전심절차가 아니라 종심절차로 규정함으로써 정식재판의 기회를 배제하거나, 어떤 행정심판을 필요적 전심절차로 규정하면서도 그 절차에 사법절차가 준용되지 않는다면 이는 헌법 제107조 제3항, 나아가 재판청구권을 보장하고 있는 헌법 제27조에도 위반된다. 여기서 말하는 "사법절차"를 특징지우는 요소로는 판단기관의 독립성·공정성, 대심적(對審的) 심리구조, 당사자의 절차적 권리보장 등을 들 수 있으나, 위 헌법조항은 행정심판에 사법절차가 "준용"될 것만을 요구하고 있으므로 위와 같은 사법절차적 요소를 엄격히 갖춰야 할 필요는 없다고 할지라도, 적어도 사법절차의 본질적 요소를 전혀 구비하지 아니하고 있다면 "준용"의 요구에마저 위반된다.

나. 산업재해보상보험법이 규정하고 있는 심사청구·재심사청구의 절차와 여기에 보완적으로 적용되는 행정심판법의 심리절차까지 고려하여 살펴보면, 심사청구·재심사청구의 절차는 전체적으로 대심주의 구조에 가깝도록 배려되어 있다고 할 수 있고, 증거조사신청권 등 당사자의 절차적 권리가 상당히 보장되어 있으며, 재결의 절차와 방식, 재결의 효력 등의 면에서도 사법절차를 준용하고 있다. 재결기관의 독립성·공정성에 관하여 보건대, 재심사청구의 재결기관인 산업재해보상보험심사위원회는 그 구성과 운영에 있어서 심의·재결의 독립성과 공정성을 객관적으로 신뢰할 수 있을만 하고, 심사청구의 경우에도 근로복지공단이 그 재결기관으로 되어 있다는 점만으로 심의·재결의 독립성과 공정성이 본질적으로 배제되어 있다고 하기 어려우며 심사청구에 관한 결정에 불복이 있는 자는 재심사청구의 기회가 보장되어 있다. 그렇다면 전체적으로 볼 때 위 법에서 규정한 심사청구·재심사청구제도는 헌법 제107조 제3항에 위반된다고 할 수 없다.

다. 헌법 제107조 제3항은 행정심판의 절차를 법률로 정하도록 하고 있으므로 입법자는 행정심판을 통한 권리구제의 효율성, 행정청에 의한 자기시정의 개연성, 문제되는 행정심판사항의 특성 등 여러 가지 요소를 감안하여 입법정책적으로 행정심판절차의 구체적 모습을 형성할 수 있다. 산업재해보상업무에는 업무와 재해간의 의학적 인과관계, 신체장해의 정도, 요양의 필요성 등 고도의 의학적·법학적·보험정책적 전문성과 기술성이 요구되어 이에 관한 행정기관의 전문성을 충분히 살릴 필요가 크므로 다른 일반의 행정처분과는 달리 특수한 전심절차를 둔 것에 합리성을 인정할 수 있고, 심사청구·재심사청구제도는 통상의 소송절차에 비하여 간편한 절차에 의해 시간과 비용을 절약하는 가운데 신속하고도 효율적인 권리구제를 꾀할 수 있다는 장점이 있으며, 비록 국민의 재판청구권을 제약하는 측면이 있는 것도 사실이나, 심사청구·재심사청구의 전치로 인한 노고와 시간, 즉 재판청구권의 제약의 정도는 경미한 데 비하여 그로 인하여 달성되는 공익은 매우 크다고 할 것이므로, 심사청구·재심사청구제도가 행정심판절차 형성에 관한 입법형성권의 한계를 벗어나 국민의 재판청구권을 침해하는 제도라고 할 수 없다.

197 대한변호사협회 징계를 받은 변호사의 즉시항고 규정 사건 [위헌]
― 2002. 2. 28. 선고 2001헌가18

판시사항 및 결정요지

1. 법관에 의한 재판을 받을 권리의 의미

법관에 의한 재판을 받을 권리를 보장한다고 함은 법관이 사실을 확정하고 법률을 해석·적용하는 재판을 받을 권리를 보장한다는 뜻이고, 그와 같은 법관에 의한 사실확정과 법률의 해석적용의 기회에 접근하기 어렵도록 제약이나 장벽을 쌓아서는 아니되며, 만일 그러한 보장이 제대로 이루어지지 아니한다면 헌법상 보장된 재판을 받을 권리의 본질적 내용을 침해하는 것으로서 우리 헌법상 허용되지 아니한다.

2. 대한변호사협회징계위원회에서 징계를 받은 변호사는 법무부변호사징계위원회에서의 이의절차를 밟은 후 곧바로 대법원에 즉시항고하도록 하고 있는 변호사법 제100조 제4항 내지 제6항이, 법관에 의한 재판을 받을 권리를 침해하는 것인지 여부(적극)

대한변호사협회변호사징계위원회나 법무부변호사징계위원회의 징계에 관한 결정은 비록 그 징계위원 중 일부로 법관이 참여한다고 하더라도 이를 헌법과 법률이 정한 법관에 의한 재판이라고 볼 수 없으므로, 법무부변호사징계위원회의 결정이 법률에 위반된 것을 이유로 하는 경우에 한하여 법률심인 대법원에 즉시항고할 수 있도록 한 변호사법 제100조 제4항 내지 제6항은, 법관에 의한 사실확정 및 법률적용의 기회를 박탈한 것으로서 헌법상 국민에게 보장된 "법관에 의한" 재판을 받을 권리를 침해하는 위헌규정이다.

3. 위 법률조항들이, 전심절차로서 기능하여야 할 법무부변호사징계위원회를 최종적인 사실심으로 기능하게 함으로써, 일체의 법률적 쟁송에 대한 재판기능을 대법원을 최고법원으로 하는 법원에 속하도록 규정하고 있는 헌법 제101조 제1항 및 제107조 제3항에 위반되는지 여부(적극)

변호사법 제100조 제4항 내지 제6항은 행정심판에 불과한 법무부변호사징계위원회의 결정에 대하여 법원의 사실적 측면과 법률적 측면에 대한 심사를 배제하고 대법원으로 하여금 변호사징계사건의 최종심 및 법률심으로서 단지 법률적 측면의 심사만을 할 수 있도록 하고 재판의 전심절차로서만 기능해야 할 법무부변호사징계위원회를 사실확정에 관한 한 사실상 최종심으로 기능하게 하고 있으므로, 일체의 법률적 쟁송에 대한 재판기능을 대법원을 최고법원으로 하는 법원에 속하도록 규정하고 있는 헌법 제101조 제1항 및 재판의 전심절차로서 행정심판을 두도록 하는 헌법 제107조 제3항에 위반된다.

4. 위 법률조항들이 의사·공인회계사·세무사·건축사 등 여타 전문직 종사자들에 비하여 합리적 근거 없이 변호사를 차별하는 것인지 여부(적극)

변호사법 제100조 제4항 내지 제6항은 변호사징계사건에 대하여는 법원에 의한 사실심리의 기회를 배제함으로써, 징계처분을 다투는 의사·공인회계사·세무사·건축사 등 다른 전문자격종사자에 비교하여 변호사를 차별대우하고 있는데, 변호사의 자유성·공공성·단체자치성·자율성 등 두드러진 직업적 특성들을 감안하더라도 이러한 차별을 합리화할 정당한 목적이 있다고 할 수 없다.

198 특허청의 항고심판결정에 대하여 곧바로 대법원 상고를 규정한 특허법 사건 [헌법불합치]
― 1995. 9. 28. 선고 92헌가11, 93헌가8·9·10(병합)

판시사항 및 결정요지

1. 특허쟁송절차와 법관에 의한 재판을 받을 권리 - 특허청의 항고심판의 심결 또는 각하결정에 대하여는 곧바로 대법원에 상고하도록 되어있는 현행 특허사건(의장사건 포함, 이하 같다)의 상고제도를 규정한 특허법 규정의 위헌여부(적극)

특허청의 심판절차에 의한 심결이나 보정각하결정은 특허청의 행정공무원에 의한 것으로서 이를 헌법과 법률이 정한 법관에 의한 재판이라고 볼 수 없으므로 특허법 제186조 제1항은 법관에 의한 사실확정 및 법률적용의 기회를 박탈한 것으로서 헌법상 국민에게 보장된 "법관에 의한" 재판을 받을 권리의 본질적 내용을 침해하는 위헌규정이다.

2. 특허쟁송절차와 사법국가주의

특허법 제186조 제1항이 행정심판임이 분명한 특허청의항고심판심결이나 결정에 대한 법원의 사실적 측면과 법률적 측면에 대한 심사를 배제하고 대법원으로 하여금 특허사건의 최종심 및 법률심으로서 단지 법률적 측면의 심사만을 할 수 있도록 하고 재판의 전심절차로서만 기능하게 하고 있는 것은, 앞서 본 바와 같이 일체의 법률적 쟁송에 대한 재판기능을 대법원을 최고법원으로 하는 법원에 속하도록 규정하고 있는 헌법 제101조 제1항 및 제107조 제3항에 위반된다.

3. 심판대상법률조항이 법정선고전에 합헌적으로 개정된 경우의 헌법불합치선언

헌법재판소는 특허쟁송제도와 관련된 강한 법적 안정성의 요구와 이미 확인된 입법자의 합헌적인 의사를 존중하여 입법자가 마련한 합헌적인 제도가 유효하게 시행될 수 있을 때까지는 비록 위헌성이 내포되어 있기는 하나 현행제도를 그대로 유지하는 것이 오히려 여러가지 충격과 혼란을 방지하고 과학기술자들의 권리를 두텁게 보호하는 효과적인 방안이 될 것이라고 판단되므로 심판대상 법률조항에 대하여 헌법불합치를 선언함에 그친다.

4. 헌법불합치선언과 법적용명령에 의한 당해효의 배제

이 사건의 당해사건과 이 사건 결정이 선고되는 시점에 법원에 계속중인 모든 특허 및 의장쟁송 사건에 대하여 심판대상 법률조항의 적용이 배제되고 행정소송법의 규정에 따른 절차가 진행되어야 한다면 현실적으로 재판을 담당할 준비를 갖추지 못한 일반법원에 대하여 재판의 담당을 강제하는 결과로 되어 버릴 우려가 있다.

그러므로 헌법재판소는, 심판대상 법률조항이 헌법에 불합치함을 선언하면서도, 합헌적인 개정법률이 시행될 때까지는 이를 잠정적으로 그대로 계속 적용할 것을 명한다.

199 심리불속행제도 사건 [합헌]
— 1997. 10. 30. 선고 97헌바37, 95헌마142·215, 96헌마95(병합)

판시사항

심리불속행 제도를 규정하고 있는 상고심절차에관한특례법 제4조 제1항 및 제3항과 제5조 제1항 및 제2항의 위헌 여부(소극)

심판대상조항 및 관련조항

상고심절차에관한특례법(1994. 7. 27. 법률 제4769호)

제4조(심리의 불속행) ① 대법원은 상고이유에 관한 주장이 다음 각호의 1의 사유를 포함하지 아니한다고 인정되는 때에는 더 나아가 심리를 하지 아니하고 판결로 상고를 기각한다.
  1. 원심판결이 헌법에 위반하거나 헌법을 부당하게 해석한 때
  2. 원심판결이 명령·규칙 또는 처분의 법률위반 여부에 대하여 부당하게 판단한 때
  3. 원심판결이 법률·명령·규칙 또는 처분에 대하여 대법원판례와 상반되게 해석한 때
  4. 법률·명령·규칙 또는 처분에 대한 해석에 관하여 대법원판례가 없거나 대법원 판례를 변경할 필요가 있는 때
  5. 제1호 내지 제4호 외에 중대한 법령위반에 관한 사항이 있는 때
  6. 민사소송법 제394조 제1항 제1호 내지 제5호의 사유가 있는 때
③ 상고이유에 관한 주장이 제1항 각호의 사유(……)를 포함하는 경우에도 다음 각호의 1에 해당하는 때에는 제1항의 예에 의한다.
  1. 그 주장자체로 보아 이유가 없는 때
  2. 원심판결과 관계가 없거나 원심판결에 영향을 미치지 아니하는 때

제5조(판결의 특례) ① 제4조……에 의한 판결에는 이유를 기재하지 아니할 수 있다.
② 제1항의 판결은 선고를 요하지 아니하며, 상고인에게 송달됨으로써 그 효력이 생긴다.

주문

1. 상고심절차에관한특례법(1994. 7. 27. 법률 제4769호) 제4조 제1항과 같은 조 제3항 중 괄호부분을 제외한 나머지 부분은 헌법에 위반되지 아니한다.
2. 청구인 이○두, 여○경, 장○수, 주○괄, 김○순, 김○락, 임○형, 김○식, 김○언, 송○례, 권○영, 김○규, 김○성, 임○희, 이○용, 이○배의 심판청구를 각 기각한다.

1. 이 사건 법률조항의 내용

상고인이 주장하는 상고이유 중에서 민사소송법 제393조에 정해진 법률상의 상고이유, 즉 판결에 영향을 미친 헌법·법률·명령 또는 규칙의 위반에 관한 사항이 실질적으로 포함되어 있지 아니한 사건의 경우까지 다른 상고사건과 동등하게 취급하는 것은 상고심절차를 지연시키는 부당한 결과를 초래하므로 상고심의 초기단계에서 이러한 무익한 상고에 해당하는지 여부를 신속히 판단함으로써 상고로서의 의미가 없거나 나아가 상대방의 권리실현을 부당하게 저지하려는 의도가 담긴 남상고를 제한하려는 제도이다.

대법원은 원심법원으로부터 송부받은 소송기록 등을 검토한 뒤 상고심의 심리를 속행할 필요가 없다고 인정되는 사건의 경우에는 심리불속행의 재판을 한다. 결론적으로 <u>심리불속행재판은 상고각하의 형식판단과 상고이유를 심리한 결과 이유없다고 인정되는 경우에 내려지는 상고기각의 실체판단과의 중간적 지위를 가진 재판이라 할 것이다.</u>

2. 이 사건 법률조항의 위헌 여부

가. 헌법 제101조 제2항은 "법원은 최고법원인 대법원과 각급 법원으로 조직된다"고 규정하고 제102조 제3항은 "대법원과 각급 법원의 조직은 법률로 정한다"고 규정하여 대법원을 최고법원으로 하고 그 아래에 심급을 달리 하여 각급 법원을 두도록 하고 있다. <u>헌법이 위와 같이 대법원을 최고법원으로 규정하였다고 하여 대법원이 곧바로 모든 사건을 상고심으로서 관할하여야 한다는 결론이 당연히 도출되는 것은 아니다.</u> 헌법 제102조 제3항에 따라 법률로 정할 "대법원과 각급 법원의 조직"에는 그 관할에 관한 사항도 포함되며, 따라서 대법원이 어떤 사건을 제1심으로서 또는 상고심으로서 관할할 것인지는 법률로 정할 수 있는 것으로 보아야 하기 때문이다.

다만, 헌법 제110조 제2항이 군사법원의 상고심을 대법원이 관할하도록 정하고 같은 조 제4항이 군사법원에서의 단심재판을 제한하도록 규정하고 있고, 헌법 제107조 제2항이 명령·규칙 또는 처분의 위헌·위법 여부에 대한 최종적 심사권이 대법원에 있음을 규정하고 있으므로 그 범위내에서는 대법원에서의 재판을 받을 권리가 헌법상 보장되지만, 그 이외의 다른 모든 경우에도 심급제도를 인정하여야 한다거나 대법원을 상고심으로 하는 것이 헌법상 요구된다고 할 수는 없다.

나. 헌법 제27조 제1항은 "모든 국민은 헌법과 법률이 정한 법관에 의하여 법률에 의한 재판을 받을 권리를 가진다"라고 규정하고 있으므로 국민은 법률에 의한 정당한 재판을 받을 권리가 있고, 하급심에서 잘못된 재판을 하였을 때에는 상소심으로 하여금 이를 바로 잡게 하는 것이 재판청구권을 실질적으로 보장하는 방법이 된다는 의미에서 심급제도는 재판청구권을 보장하기 위한 하나의 수단으로 이해할 수 있다.

그러나 여기에서 말하는 <u>"헌법과 법률이 정하는 법관에 의하여 법률에 의한 재판을 받을 권리"가 사건의 경중을 가리지 아니하고 모든 사건에 대하여 대법원을 구성하는 법관에 의한 균등한 재판을 받을 권리를 의미한다거나 또는 상고심재판을 받을 권리를 의미하는 것이라고 할 수는 없다.</u> 왜냐하면 상고제도의 목적을 법질서의 통일과 법발견 또는 법창조에 관한 공익의 추구에 둘 것인지, 아니면 구체적인 사건의 적정한 판단에 의한 당사자의 권리구제에 둘 것인지, 또는 양자를 다 같이 고려할 것인지는 역시 입법자의 형성의 자유에 속하는 사항이고, 그 중 어느 하나를 더 우위에 두었다고 하여 헌법에 위반되는 것은 아니기 때문이다. 다시 말하면, 심급제도는 사법에 의한 권리보호에 관하여 한정된 법 발견차원의 합리적인 분배의 문제인 동시에 재판의 적정과 신속이라는 서로 상반되는 두가지의 요청을 어떻게 조화시키느냐의 문제로 돌아가므로 원칙적으로 입법자의 형성의 자유에 속하는 사항이다.

다. 이 사건 법률조항이 비록 국민의 재판청구권을 제약하고 있기는 하지만 위와 같은 심급제도와 대법원의 기능에 비추어 볼 때 이 사건 법률조항은 그 합리성을 인정할 수 있으므로 헌법에 어긋나는 것이라고 할 수 없다. 즉, 앞에서 본 이 사건 법률조항의 내용은 상고제도에 의한 법질서의 통일과 구체적 사건에서의 권리구제와도 조화를 이루고 있기 때문이다.

만일, 법이 심리불속행의 사유(또는 그 예외사유)를 재판부의 업무부담 등 예측할 수 없는 사정을 그 기준으로 규정하였다면 이는 법치국가에서 용인될 수 없는 법적 불안을 야기시키는 것이고 평등의 원칙에도 위배된다고 할 것이나, 이 사건 법률조항은 법 제4조 제1항 각호에서 심리불속행의 예외사유를 객관적이고 구체적으로 규정하여 구체적 사건의 상고이유와 관계없는 우연한 사정이나 법원의 자의에 의한 결정을 배제하고 있다.

또한 이 사건 법률조항 중 법 제5조 제1항·제2항 중 각 법 제4조에 관한 부분은 단지 법 제4조에 의한 판결의 보다 신속한 확정을 목적으로 한 것에 지나지 아니한 것이므로 법 제4조가 헌법에 위반되지 아니한 터에 이를 헌법에 위반되는 것으로 볼 수 없다.

그러므로 이사건 법률조항은 헌법이 요구하는 대법원의 최고법원성을 존중하면서 민사, 가사, 행정, 특허 등 소송사건에 있어서 상고심 재판을 받을 수 있는 객관적인 기준을 정함에 있어 개별적 사건에서의 권리구제보다 법령해석의 통일을 더 우위에 둔 규정으로서 그 합리성이 있다고 할 것이므로 헌법에 위반되지 아니한다.

함께 보는 판례

❶ 소액사건의 상고를 제한한 소액사건심판법의 위헌여부(소극) (1992. 6. 26. 선고 90헌바25)

"헌법과 법률이 정한 법관에 의하여"재판을 받을 권리라 함은 생각건대 헌법과 법률이 정한 자격과 절차에 의하여 임명되고(헌법 제104조, 법원조직법 제41조 내지 제43조), 물적독립(헌법 제103조)과 인적독립(헌법 제106조, 법원조직법 제46조)이 보장된 법관에 의한 재판을 받을 권리를 의미하는 것이라 봄이 상당할 것이고, 대법원을 구성하는 법관에 의한 재판을 받을 권리이거나 더구나 사건의 경중을 가리지 않고 모든 사건에 대하여 대법원을 구성하는 법관에 의한 균등한 재판을 받을 권리라고는 보여지지 않는다.

소액사건에 관하여 일반사건에 비하여 상고 및 재항고를 제한하고 있는 소액사건심판법 제3조는 헌법 제27조의 재판을 받을 권리를 침해하는 것이 아니고, 상고제도라고 한다면 산만하게 이용되기 보다 좀 더 크고 국민의 법률생활의 중요한 영역의 문제를 해결하는데 집중적으로 투입 활용되어야 할 공익상의 요청과 신속·간편·저렴하게 처리되어야 할 소액사건절차 특유의 요청 등을 고려할 때 현행 소액사건상고제한 제도가 결코 위헌적인 차별대우라 할 수 없으며, 소액사건심판법 제3조는 대법원에 상고할 수 있는 기회를 제한하는 것이지 근본적으로 박탈하고 있는 것이 아니므로, 결국 위 법률조항은 헌법에 위반되지 아니한다.

❷ **상고이유 제한 및 상고허가제를 규정한 구 소송촉진등에관한특례법(1990.1.13. 법률 제4203호로 개정되기 전의 것) 제11조 및 제12조의 위헌 여부(소극)** (1995. 1. 20. 선고 90헌바1)

심급제도는 사법에 의한 권리보호에 관하여 한정된 법발견자원의 합리적인 분배의 문제인 동시에 재판의 적정과 신속이라는 서로 상반되는 두가지의 요청을 어떻게 조화시키느냐의 문제로 돌아가므로 기본적으로 입법자의 형성의 자유에 속하는 사항이다. 그리고 상고허용 여부의 객관적 기준은 상고제도를 어떠한 목적으로 운용할 것인가에 따라 달라지게 된다. 상고제도의 목적을 법질서의 통일과 법발전 또는 법창조에 관한 공익의 추구에 둘 것인지, 아니면 구체적 사건의 적정한 판단에 의한 당사자의 권리구제에 둘 것인지, 아니면 양자를 다 같이 고려할 것인지는 역시 입법자의 형성의 자유에 속하는 사항이고, 그 중 어느 하나를 더 우위에 두었다 하여 헌법에 위반되는 것은 아니다. 위와 같은 관점에서 개정 전 특례법 제11조 및 제12조 소정의 상고제한제도를 볼 때 이는 합리성을 인정할 수 있으므로 헌법에 어긋나는 것이라고 할 수 없다. 권리상고에 관한 개정 전 특례법 제11조는 그 권리상고의 이유로서 제1항 제1호 및 제2호에서 헌법위반 및 헌법해석의 부당과 명령·규칙 또는 처분의 법률위반 여부를 규정하여 헌법 제107조 제2항의 취지에 부합하고 있으며, 제1항 제3호에서는 법률·명령·규칙 또는 처분의 해석에 대한 대법원 판례와의 저촉을 규정함으로써 상고제도에 의한 법질서의 통일을 도모하고 제2항에서 그 경우에도 종전의 대법원판례를 변경하여 원심판결을 유지함이 상당하다고 인정할 때에는 상고를 기각하도록 하여 법의 발전이나 구체적 사건에서의 권리구제와도 조화를 이루도록 하고 있는 것이다. 위 특례법 제11조 및 제12조는 헌법이 요구하는 대법원의 최고법원성을 존중하면서 다른 한편, 대법원의 민사소송사건에 있어서 상고심 재판을 받을 수 있는 객관적인 기준으로서 법질서의 통일 및 법의 발전을 구체적 사건에서의 적정한 판단에 의한 당사자의 권리구제보다 더 우위에 둔 규정으로서 합리성이 있다고 할 것이므로 헌법에 위반되지 아니한다.

❸ **특별항고사유를 한정하고 있는 민사소송법 제449조 제1항이 청구인의 재판청구권을 침해하는 것인지 여부(소극)** (2007. 11. 29. 선고 2005헌바12)

특별항고제도는 통상의 방법에 의해서는 불복할 수 없어 확정된 결정 또는 명령에 대하여 법이 정하는 특별한 이유가 있는 경우에 대법원에 불복을 신청할 수 있도록 마련된 비상적인 불복수단으로서, 비록 통상의 불복방법이 없어 확정된 결정 또는 명령이라고 하여도 위헌성 여부의 판단을 위해 필요한 경우에는 예외적으로 대법원에 불복할 수 있도록 하려는 데 그 취지가 있다.

어떤 사유를 특별항고사유로 정하여 특별항고를 허용할 것인가는 기본적으로 입법자가 법적 안정성과 법원의 업무부담 등을 고려하여 결정하여야 할 입법정책의 문제라고 할 것인바, 민사소송법 제449조 제1항에서 특별항고사유를 일정 범위로 한정하고 있기는 하지만, 이는 확정된 결정이나 명령의 법적 안정성을 유지하고, 소송의 지연 등을 목적으로 하는 불필요한 특별항고를 방지함과 아울러 법원의 업무부담을 경감하기 위한 것으로서 그 정당성을 인정할 수 있을 뿐만 아니라, 그 제한 범위도 입법자에게 주어진 합리적 재량의 범위 내의 것으로 보이고, 달리 입법자가 자의적으로 입법재량권을 행사하였다고 볼 만한 사정도 없다.

200 범죄인인도심사를 서울고등법원의 전속관할로 한 사건 [합헌]
― 2003. 1. 30. 선고 2001헌바95

판시사항 및 결정요지

범죄인인도법 제3조(이하, '이 사건 법률조항'이라 한다)가 법원의 범죄인인도심사를 서울고등법원의 전속관할로 하고 그 심사결정에 대한 불복절차를 인정하지 않은 것이 적법절차원칙에 위배하거나, 재판청구권 등을 침해한 여부(소극)

법원의 범죄인인도결정은 신체의 자유에 밀접하게 관련된 문제이므로 범죄인인도심사에 있어서 적법절차가 준수되어야 한다. 그런데 심급제도는 사법에 의한 권리보호에 관하여 한정된 법발견, 자원의 합리적인 분배의 문제인 동시에 재판의 적정과 신속이라는 서로 상반되는 두 가지의 요청을 어떻게 조화시키느냐의 문제이므로 기본적으로 입법자의 형성의 자유에 속하는 사항이다. 한편 법원에 의한 범죄인인도심사는 국가형벌권의 확정을 목적으로 하는 형사절차와 같은 전형적인 사법절차의 대상에 해당되는 것은 아니며, 법률(범죄인인도법)에 의하여 인정된 특별한 절차라 볼 것이다.

그렇다면 심급제도에 대한 입법재량의 범위와 범죄인인도심사의 법적 성격, 그리고 범죄인인도법에서의 심사절차에 관한 규정 등을 종합할 때, 이 사건 법률조항이 범죄인인도심사를 서울고등법원의 단심제로 하고 있다고 해서 적법절차원칙에서 요구되는 합리성과 정당성을 결여한 것이라 볼 수 없다.

헌법 제27조의 재판을 받을 권리는 모든 사건에 대해 상소심 절차에 의한 재판을 받을 권리까지도 당연히 포함된다고 단정할 수 없는 것이며, 상소할 수 있는지, 상소이유를 어떻게 규정하는지는 특단의 사정이 없는 한 입법정책의 문제로 보아야 한다는 것이 헌법재판소의 판례이다.

이 사건에서 설사 범죄인인도를 형사처벌과 유사한 것이라 본다고 하더라도, 이 사건 법률조항이 적어도 법관과 법률에 의한 한 번의 재판을 보장하고 있고, 그에 대한 상소를 불허한 것이 적법절차원칙이 요구하는 합리성과 정당성을 벗어난 것이 아닌 이상, 그러한 상소 불허 입법이 입법재량의 범위를 벗어난 것으로서 재판청구권을 과잉 제한하는 것이라고 보기는 어렵다.

201 영상물에 수록된 19세 미만 성폭력범죄 피해자 진술에 관한 증거능력 특례조항 사건 [위헌]
- 2021. 12. 23. 선고 2018헌바524

판시사항 및 결정요지

1. 제한되는 기본권

헌법 제27조 공정한 재판을 받을 권리 속에는 신속하고 공개된 법정의 법관 면전에서 모든 증거자료가 조사·진술되고 이에 대하여 피고인이 공격·방어할 수 있는 기회가 보장되는 재판, 즉 원칙적으로 당사자주의와 구두변론주의가 보장되어 당사자에게 공소사실에 대한 답변과 입증 및 반증의 기회가 부여되는 등 공격·방어권이 충분히 보장되는 재판을 받을 권리가 포함되어 있다. 이에 더하여 무죄추정의 원칙을 규정하고 있는 헌법 제27조 제4항을 종합하면, 형사피고인은 형사소송절차에서 단순한 처벌대상이 아니라 절차를 형성·유지하는 절차의 당사자로서, 검사에 대하여 '무기대등의 원칙'이 보장되는 절차를 향유할 헌법적 권리를 가진다.

헌법은 피고인의 반대신문권을 미국이나 일본과 같이 헌법상의 기본권으로까지 규정하고 있지는 않다. 그러나 형사소송법은 제161조의2에서 상대 당사자의 반대신문을 전제로 한 교호신문제도를 규정하고 있고, 제310조의2에서 법관의 면전에서 진술되지 아니하고 피고인에 대한 반대신문의 기회가 부여되지 아니한 진술에 대하여는 원칙적으로 증거능력을 부여하지 아니하는 내용을 규정하고 있으며, 제312조 제4항, 제5항에서 피고인 또는 변호인이 공판준비 내지 공판기일에서 원진술자를 신문할 수 있는 때에 한하여 피고인 아닌 자의 진술을 기재한 조서나 진술서의 증거능력을 인정하도록 규정함으로써 피고인에게 불리한 증거에 대하여 반대신문할 수 있는 권리를 인정하고 있는바, 이는 공정한 재판을 받을 권리를 형사소송절차에서 구현하고자 한 것이다.

심판대상조항은 영상물에 수록된 미성년 피해자의 진술에 대하여 원진술자의 법정진술 없이도 증거능력이 부여될 수 있도록 정함으로써 피고인의 반대신문권 행사를 제한하고 있다. 이는 헌법 제27조에서 보장하는 공정한 재판을 받을 권리를 제한하는 것이므로, 이러한 제한이 헌법적 한계를 벗어난 것인지 여부가 문제된다.

나. 과잉금지원칙 위반 여부
1) 목적의 정당성 및 수단의 적합성

심판대상조항의 목적은 '19세 미만 성폭력범죄 피해자'(이하 '미성년 피해자'라 한다)가 증언과정에서 받을 수 있는 2차 피해를 막기 위한 것으로 그 정당성이 인정된다. 그리고 심판대상조항이 조사과정에 동석하였던 신뢰관계인 등의 성립인정 진술이 있는 경우에도 영상물에 수록된 미성년 피해자 진술의 증거능력이 인정될 수 있도록 하여 위 피해자에 대한 법정에서의 조사와 신문을 최소화할 수 있도록 한 것은, 일응 이러한 목적 달성에 기여할 수 있다 할 것이므로, 수단의 적합성도 인정된다.

2) 피해의 최소성

미성년 피해자가 받을 수 있는 2차 피해를 방지하는 것은, 성폭력범죄에 관한 형사절차를 형성함에 있어 결코 포기할 수 없는 중요한 가치라 할 것이나 그 과정에서 피고인의 공정한 재판을 받을 권리 역시 보장되어야 한다. 따라서 형사절차에서 미성년 피해자 보호를 위한 규정을 마련함에 있어서는, 피고인에게 공격·방어 방법을 적절히 보장하면서도 미성년 피해자의 2차 피해를 방지할 수 있는 조화적인 방법을 강구할 때에만 비로소 기본권 제한입법에 요구되는 피해의 최소성 요건에 부합할 수 있을 것이다.

자기에게 불리하게 진술한 증인에 대하여 반대신문의 기회를 부여하여야 한다는 절차적 권리의 보장은 '공정한 재판을 받을 권리'의 핵심적인 내용을 이루는 것이다. 나아가, 절차적 정의의 측면에서도, 피고인이 자신에게 불리한 진술을 한 원진술자를 반대신문할 기회를 가질 경우, 이는 피고인이 단순한 형사절차의 객체로 취급되지 아니하고 재판에 대한 형성과 참여를 보장받게 된다는 점에서, 그 불리한 진술을 기초로 한 형사처벌을 수용할 수 있는 절차적 정당성이 확보될 수 있다

그런데 성폭력범죄의 특성상 영상물에 수록된 미성년 피해자 진술이 사건의 핵심 증거인 경우가 적지 않고, 이러한 진술증거에 대한 탄핵의 필요성이 인정됨에도 심판대상조항은 그러한 주요 진술증거의 왜곡이나 오류를 탄핵할 수 있는 효과적인 방법인 피고인의 반대신문권을 보장하지 않고 있으며, 이를 대체할 만한 수단도 마련하고 있지 못하다.

즉, 영상물에 수록된 미성년 피해자의 진술은, 범행 과정 등을 촬영한 영상증거가 아니라, 수사과정에서 피고인의 참여 없이 이루어진 미성년 피해자의 답변을 녹화한 진술증거이다. 그러므로 영상물이 제공할 수 있는 제한적인 정보 및 그 형성과정 등을 고려할 때, 영상물이 미성년 피해자의 진술 장면을 그대로 재현할 수 있다 하더라도, 그러한 사정만으로 위 증거가 반대신문을 통한 검증의 필요성이 적은 증거방법이라 할 수 없고, 위 영상물의 내용을 바탕으로 한 탄핵만으로 피고인의 반대신문권의 역할을 대체하기에도 일정한 한계가 존재할 수밖에 없다. 또한, 조사 과정에 동석하였던 신뢰관계인 등은 범행 과정 등을 직접 경험하거나 목격한 사람이 아니므로, 그에 대한 반대신문은 원진술자에 대한 반대신문을 대체하는 수단으로는 제대로 기능할 수 없다. 나아가 심판대상조항에도 불구하고, 법원이 제반 사정을 고려하여 피고인 등의 신청이나 직권으로 미성년 피해자를 증인으로 소환할 여지가 있기는 하다. 그러나 이러한 증인신청이 반드시 받아들여진다거나 이미 자신의 진술에 증거능력을 부여받은 미성년 피해자가 법정에 출석하리라는 보장이 없으므로, 피고인은 여전히 자신이 탄핵하지 못한 진술증거에 의하여 유죄를 인정받을 위험에 놓이게 된다. 따라서 위와 같은 사정을 근거로 피고인의 반대신문권이 보장되고 있다고 볼 수는 없다.

위에서 본 사정을 종합할 때, 심판대상조항에 의하여 피고인은 사건의 핵심적인 진술증거에 관하여 충분히 탄핵할 기회를 갖지 못한 채 유죄 판결을 받을 수 있게 되므로, 그로 인한 피고인의 방어권 제한의 정도는 매우 중대하다.

그에 비하여, 다음에서 살피는 바와 같이 미성년 피해자에 대한 피고인의 반대신문권을 보장하면서도 증언과정에서 발생할 수 있는 미성년 피해자의 2차 피해를 방지할 수 있는 조화적인 방법을 적극적으로 활용함으로써 심판대상조항의 목적을 충분히 달성할 수 있다.

우선, 미성년 피해자는 증언과정에서 고통스러운 범죄 경험에 대한 반복적 회상과 진술로 인하여 2차 피해를 받을 수 있는데, 성폭력범죄 사건 수사의 초기단계에서부터 증거보전절차를 적극적으로 실시함으로써 피고인에게 반대신문 기회를 부여하면서도 미성년 피해자의 반복진술로 인한 2차 피해를 적절히 방지할 수 있다. 즉, 미성년 피해자는 자신의 피해사실과 피의자(피고인) 측의 반대신문

등에 관하여 사건 초기에 '증언'함으로써 법원의 판단에 필요한 증거를 충분히 제공할 수 있다. 이를 통해 미성년 피해자는 공판단계에서 증거능력이나 피고인의 탄핵에 대한 답변 등을 위해 갑작스레 증인으로 소환되어 반복진술해야 하는 불필요한 위험을 피할 수 있고, 수사단계에서도 피의자(피고인)의 주장을 확인하기 위하여 자칫 반복적인 조사를 받게 되는 어려움을 최소화할 수 있다.

또한, 입법자는 증언과정에서 미성년 피해자에게 발생할 수 있는 다양한 2차 피해를 고려하여, 피고인의 반대신문권을 보장하면서도 이를 방지할 수 있는 여러 증인지원제도들을 마련하고 있다. 즉, 신상정보나 사생활 노출 위험 방지를 위해 심리의 비공개, 피해자의 신상정보의 누설 방지 등을 위한 제도를 두고 있고, 법정 환경 및 피고인과의 대면 등으로 인한 충격 등을 방지하기 위하여 피고인의 퇴정, 비디오 등 중계장치에 의한 증인신문제도 등을 마련하고 있다. 특히, 비디오 등 중계장치에 의한 증인신문제도의 경우, 피해자가 법정 외에 마련된 증언실에 출석하여 중계장치를 통해 증언하게 되므로, 나이 어린 피해자가 법정에 출석하거나 피고인을 직접 대면할 필요도 없게 된다. 나아가, 피해자가 반대신문 과정에서 받을 수 있는 고통을 방지하기 위하여, 신뢰관계인 동석제도, 진술조력인제도, 피해자 변호사제도 등도 마련하고 있다. 피고인 측이 정당한 방어권의 범위를 넘어 피해자를 위협하고 괴롭히거나 인격적으로 모욕하는 등의 반대신문은 금지되며, 재판장은 구체적 신문 과정에서 증인을 보호하기 위해 소송지휘권을 행사할 수 있다.

심판대상조항처럼 피고인의 원진술자에 대한 반대신문권 행사 자체를 배제하는 방식으로 미성년 피해자를 보호하는 것은 그 재판결과를 피고인에게 설득할 수 없을 뿐만 아니라, 실체적 진실의 발견도 위협할 수 있다. 이러한 점을 고려할 때, 피고인의 반대신문권 배제로 인한 문제에서 자유로울 수 없는 심판대상조항에 안주하기 보다는 앞서 살핀 제도들을 적극 활용하고 그 역량을 강화해 나가는 것이 미성년 피해자에 대한 공백 없는 보호를 위해서도 더 나은 대안이 될 수 있다.

위와 같은 사정들을 종합할 때, 피고인의 반대신문권을 보장하면서도 미성년 피해자를 보호할 수 있는 조화적인 방법을 상정할 수 있음에도, 영상물의 원진술자인 미성년 피해자에 대한 피고인의 반대신문권을 실질적으로 배제하여 피고인의 방어권을 과도하게 제한하는 심판대상조항은 피해의 최소성 요건을 갖추지 못하였다.

3) 법익의 균형성

우리 사회에서 성폭력범죄의 피해자가 겪게 되는 심각한 피해를 고려할 때 신체적·정신적으로 성인에 비하여 취약할 수 있는 미성년 피해자의 2차 피해를 방지하는 것이 중요한 공익에 해당함에는 의문의 여지가 없다. 그러나 심판대상조항으로 인하여 피고인의 방어권이 제한되는 정도가 중대하고, 미성년 피해자의 2차 피해를 방지할 수 있는 여러 조화적인 대안들이 존재함은 앞서 살핀 바와 같다. 이러한 점들을 고려할 때, 심판대상조항이 달성하려는 공익이 제한되는 피고인의 사익보다 우월하다고 쉽게 단정하기는 어렵다. 따라서 심판대상조항은 법익의 균형성 요건도 갖추지 못하였다.

4) 결 론

심판대상조항은 과잉금지원칙을 위반하여 청구인의 공정한 재판을 받을 권리를 침해한다.

주문

성폭력범죄의 처벌 등에 관한 특례법(2012. 12. 18. 법률 제11556호로 전부개정된 것) 제30조 제6항 중 '제1항에 따라 촬영한 영상물에 수록된 피해자의 진술은 공판준비기일 또는 공판기일에 조사 과정에 동석하였던 신뢰관계에 있는 사람 또는 진술조력인의 진술에 의하여 그 성립의 진정함이 인정된 경우에 증거로 할 수 있다' 부분 가운데 19세 미만 성폭력범죄 피해자에 관한 부분은 헌법에 위반된다.

심판대상조항 및 관련조항

【심판대상조항】

성폭력범죄의 처벌 등에 관한 특례법(2012. 12. 18. 법률 제11556호로 전부개정된 것) **제30조(영상물의 촬영·보존 등)** ⑥ 제1항에 따라 촬영한 영상물에 수록된 피해자의 진술은 공판준비기일 또는 공판기일에 피해자나 조사 과정에 동석하였던 신뢰관계에 있는 사람 또는 진술조력인의 진술에 의하여 그 성립의 진정함이 인정된 경우에 증거로 할 수 있다.

【관련조항】

성폭력범죄의 처벌 등에 관한 특례법(2012. 12. 18. 법률 제11556호로 전부개정된 것) **제30조(영상물의 촬영·보존 등)** ① 성폭력범죄의 피해자가 19세 미만이거나 신체적인 또는 정신적인 장애로 사물을 변별하거나 의사를 결정할 능력이 미약한 경우에는 피해자의 진술 내용과 조사 과정을 비디오녹화기 등 영상물 녹화장치로 촬영·보존하여야 한다.

202. 현역병의 군대 입대 전 범죄에 대한 군사법원의 재판권 규정 사건

[합헌, 각하]
― 2009. 7. 30. 선고 2008헌바162

판시사항

현역병의 군대 입대 전 범죄에 대한 군사법원의 재판권을 규정하고 있는 군사법원법 제2조 제2항 중 제1항 제1호의 '군형법 제1조 제2항의 현역에 복무하는 병' 부분(이하 '이 사건 법률조항'이라 한다)이 재판청구권을 침해하여 헌법에 위반되는지 여부(소극)

사건의 개요

청구인은 2007. 9. 11. 현역병으로 입대하여 군복무 중인 자로서, 군 입대 전 청구외 피해자를 강간하였다는 이유로 '성폭력범죄의 처벌 및 피해자보호 등에 관한 법률 위반'(13세 미만 미성년자강간 등)으로 2008. 4. 2. 기소되어 같은 해 9. 9. 청구인의 소속부대인 육군 제5보병사단 보통군사법원으로부터 징역 3년에 집행유예 5년을 선고 받았다. 청구인은 이에 항소하면서, 군 입대 전 저지른 범죄에 대하여 군사법원의 재판권을 인정하고 있는 군사법원법 제2조 제2항이 청구인의 평등권 및 적법절차에 의한 형사재판을 받을 권리 등을 침해하여 위헌이라고 주장하면서 위헌법률심판제청을 신청하였으나 기각되자, 2008. 12. 19. 이 사건 헌법소원심판을 청구하였다.

한편, 청구인은 2008. 3. 14. 위 제5사단 군사법원이 발부한 영장에 의하여 구속되었는데, 영장을 집행한 제5사단 검찰부 검찰관이 같은 날 청구인의 비변호인과의 접견교통권을 금지하고 변호인과도 접견이 아닌 면회만 허용함으로써 청구인의 접견교통권을 침해하였다고 주장하며 제5사단 검찰관의 2008. 3. 14.자 접견제한행위의 위헌확인을 구하는 심판청구를 아울러 하였다.

심판대상

이 사건 심판의 대상은 군사법원법 제2조 제2항 중 제1항 제1호의 '군형법 제1조 제2항의 현역에 복무하는 병' 부분(이하 '이 사건 법률조항'이라 한다)의 위헌 여부 및 육군 제5보병사단 검찰부 검찰관의 2008. 3. 14.자 접견제한행위(이하 '이 사건 접견제한행위'라 한다)가 청구인의 기본권을 침해하는지 여부이며, 이 사건 법률조항 및 관련규정의 내용은 다음과 같다.

【심판대상조항】

군사법원법 제2조(신분적 재판권) ② 군사법원은 제1항 제1호에 해당하는 자가 그 신분취득 전에 범한 죄에 대하여 재판권을 가진다.

> **주문**

1. 이 사건 심판청구 중 육군 제5보병사단 검찰부 검찰관의 2008. 3. 14.자 접견제한행위에 대한 심판청구를 각하한다.
2. 군사법원법 제2조 제2항 중 제1항 제1호의 '군형법 제1조 제2항의 현역에 복무하는 병' 부분은 헌법에 위반되지 아니한다.

I 이 사건 접견제한행위에 대한 판단 (청구기간 도과)

II 이 사건 법률조항에 대한 판단

1. 헌법상 군사법원의 설치근거 및 헌법적 한계

헌법 제101조는 사법권은 법관으로 구성된 법원에 속하고(제1항) 법원은 최고법원인 대법원과 각급 법원으로 조직되며(제2항) 법관의 자격은 법률로 정한다(제3항)고 규정하고, 헌법 제102조 제3항은 대법원과 각급법원의 조직은 법률로 정한다고 규정하여 사법권과 일반법원의 조직 및 법관의 자격에 관하여 규정하고 있다.

한편, 헌법 제110조는 군사재판을 관할하기 위하여 특별법원으로서 군사법원을 둘 수 있고(제1항) 군사법원의 상고심은 대법원에서 관할하며(제2항) 군사법원의 조직·권한 및 재판관의 자격은 법률로 정한다(제3항)고 규정하여 헌법에 직접 특별법원으로서 군사법원을 설치할 수 있는 근거를 두고 있다.

그런데 헌법 제110조 제1항에서 "특별법원으로서 군사법원을 둘 수 있다."는 의미는 군사법원을 일반법원과 조직·권한 및 재판관의 자격을 달리하여 특별법원으로 설치할 수 있다는 뜻으로 해석되므로, 법률로 군사법원을 설치함에 있어서 군사재판의 특수성을 고려하여 그 조직·권한 및 재판관의 자격을 일반법원과 달리 정하는 것이 헌법상 허용된다.

그러나 아무리 군사법원의 조직·권한 및 재판관의 자격을 일반법원과 달리 정할 수 있다고 하여도 그것이 아무런 한계 없이 입법자의 자의에 맡겨질 수는 없는 것이고 사법권의 독립 등 헌법의 근본원리에 위반되거나 헌법 제27조 제1항의 재판청구권, 헌법 제11조 제1항의 평등권, 헌법 제12조의 신체의 자유 등 기본권의 본질적 내용을 침해하여서는 안 될 헌법적 한계가 있다고 할 것이다.

2. 이 사건 법률조항의 위헌 여부

가. 기본권의 제한 (헌법 제27조 제1항에 의한 재판청구권 침해 여부)

헌법 제27조 제1항은 적극적으로 "모든 국민은 헌법과 법률이 정한 법관에 의하여 법률에 의한 재판을 받을 권리를 가진다."고 규정함으로써 모든 국민은 헌법과 법률이 정한 자격과 절차에 의하여 임명되고(헌법 제101조 제3항, 제104조, 법원조직법 제41조 내지 제43조), 물적독립(헌법 제103조)과 인적독립(헌법 제106조, 법원조직법 제46조)이 보장된 법관에 의하여 합헌적인 법률이 정한 내용과 절차에 따라 재판을 받을 권리를 보장하고 있다.

한편, 헌법 제27조 제2항은 소극적으로 "군인·군무원을 제외한 모든 국민은 대한민국의 영역 안에서는 중대한 군사상 기밀·초병·초소·유독음식물공급·포로·군용물에 관한 죄 중 법률이 정한 경우와 비상계엄이 선포된 경우를 제외하고는 군사법원의 재판을 받지 않을 권리를 가진다."고 규정하고 있다.

즉 헌법은 제27조 제1항에서 모든 국민에 대해 원칙적으로 일반법원에서 재판을 받을 권리가 있음을 적극적으로 선언하고 있으므로 설사 동조 제2항에서 군사재판을 받을 경우가 예외적으로 허용되고 있다고 하더라도 헌법 제27조 제2항이 '직접적으로' 군인은 어떤 경우에도 일반법원의 재판을 받는 것을 금지하는 것으로 단정하기는 어렵고 따라서 군인 신분취득 전에 범한 '일반형사범죄'에 대한 군사법원의 재판권이 헌법상 당연히 용인되어야 한다고 보기는 어렵다.

그러므로 이 사건 법률조항은 헌법 제110조 제3항의 법률유보에 따라 특별법원인 군사법원의 신분적 재판권한의 범위를 현역병이 그 신분취득 전에 범한 죄에 대하여 미치게 했고, 이에 따라 그에 대한 일반법원에서의 재판의 독립에 관한 제규정들이 적용되지 아니하게 됨으로써 청구인의 헌법 제27조 제1항의 재판을 받을 권리를 제한하고 있다.

나. 심사기준

재판청구권과 같은 절차적 기본권은 원칙적으로 제도적 보장의 성격이 강하기 때문에, 자유권적 기본권 등 다른 기본권의 경우와 비교하여 볼 때 상대적으로 광범위한 입법형성권이 인정되므로, 관련 법률에 대한 위헌심사기준은 합리성원칙 내지 자의금지원칙이 적용된다.

다. 판 단

군대는 각종 훈련 및 작전수행 등으로 인해 근무시간이 정해져 있지 않고 집단적 병영(兵營) 생활 및 작전위수(衛戍)구역으로 인한 생활공간적인 제약 등, 군대의 특수성으로 인하여 일단 군인 신분을 취득한 군인이 군대 외부의 일반법원에서 재판을 받는 것은 군대 조직의 효율적인 운영을 저해하고, 현실적으로도 군인이 수감 중인 상태에서 일반법원의 재판을 받기 위해서는 상당한 비용·인력 및 시간이 소요되므로 이러한 군의 특수성 및 전문성을 고려할 때 군인신분 취득 전에 범한 죄에 대하여 군사법원에서 재판을 받도록 하는 것은 합리적인 이유가 있다. 또한, 형사재판에 있어 범죄사실의 확정과 책임은 행위 시를 기준으로 하지만, 재판권 유무는 원칙적으로 재판 시점을 기준으로 해야 하며, 형사재판은 유죄인정과 양형이 복합되어 있는데 양형은 일반적으로 재판받을 당시, 즉 선고시점의 피고인의 군인신분을 주요 고려 요소로 해 군의 특수성을 반영할 수 있어야 하므로, 이러한 양형은 군사법원에서 담당하도록 하는 것이 타당하다. 나아가 군사법원의 상고심은 대법원에서 관할하고 군사법원에 관한 내부규율을 정함에 있어서도 대법원이 종국적인 관여를 하고 있으므로 이 사건 법률조항이 군사법원의 재판권과 군인의 재판청구권을 형성함에 있어 그 재량의 헌법적 한계를 벗어났다고 볼 수 없다.

| 형사피해자의 재판절차진술권 |

 **업무상과실 또는 중대한 과실로 인한 교통사고로 말미암아 피해자로 하여금 상해에 이르게 한 경우 공소를 제기할 수 없도록 한 교통사고처리특례법 사건**
[위헌]

판시사항

1. 교통사고처리특례법 제4조 제1항 본문 중 업무상과실 또는 중대한 과실로 인한 교통사고로 말미암아 피해자로 하여금 상해에 이르게 한 경우 공소를 제기할 수 없도록 한 부분(이하, '이 사건 법률조항'이라 한다)이 교통사고 피해자의 재판절차진술권을 침해하는지 여부(일부 적극)
2. 이 사건 법률조항이 교통사고 피해자의 평등권을 침해하는지 여부(일부 적극)
3. 이 사건 법률조항이 교통사고 피해자에 대한 국가의 기본권보호의무에 위반하는지 여부(소극)
4. 구 교통사고처리특례법 제4조 제1항에 대해 합헌결정을 하였던 것을 판례 변경한 사례

사건의 개요

1. 2005헌마764 사건

청구인은 대학생으로 2004. 9. 5. 12:59경 서울 강남구 도곡동 467 소재 타워팰리스 E동 아파트 앞 3차선 도로를 횡단하던 중 청구외 이○주 운전의 승용차 왼쪽 앞 휀더 및 유리창 부분에 부딪혀 약 12주간의 치료를 요하는 폐쇄성두개천장골절 등의 상해를 입었다. 그 이후 청구인은 뇌손상으로 인한 좌측 편마비와 안면마비가 오는 등 심각한 교통사고 후유증을 앓게 되었고, 결국 학업마저 중단하였다.

위 교통사고를 담당한 검사는 2004. 12. 13. 교통사고처리특례법 제4조 제1항 규정에 따라 가해 운전자에 대하여 공소권 없음 결정을 하였고, 이에 청구인은 교통사고처리특례법 제4조 제1항이 국가의 기본권보호의무에 관한 과소보호금지원칙에 위배되고, 청구인의 평등권 및 재판절차진술권을 침해하였다고 주장하면서 2005. 8. 16. 이 사건 헌법소원심판을 청구하였다.

2. 2008헌마118 사건

청구인 송○문은 2007. 12. 14. 12:50경 처 황○희, 친구인 청구인 김○경과 그의 처 정○신을 태우고 자신의 소나타 승용차를 운전하여 제천시 금성면 포전리 소재 중앙고속도로 271.2km지점을 춘천방면에서 대구 방면으로 3차로를 따라 진행하던 중, 뒤따라오면서 졸음운전을 한 청구외 손○원 운전의 5톤 대형화물차에 추돌당하여 위 황○희, 정○신은 모두 하악골 개방성 골절 또는 두개골 골절 등으로 사망하고, 청구인 송○문은 목디스크, 두정부 두피 열상 등을, 청구인 김○경은 늑골 골절, 다발성 두피 열상 등의 상해를 입었다. 그 이후 청구인들은 외상성 스트레스 증후군이나 불면증과 같은 심각한 교통사고 후유증을 앓게 되었다.

위 교통사고사건을 담당한 검사는 교통사고처리특례법 제4조 제1항 규정에 따라 2007. 12. 28.

가해운전자에 대하여 공소권 없음 결정을 하였고(사망사고 부분에 관하여는 같은 날 구속 기소되었다), 이에 청구인들은 교통사고처리특례법 제4조 제1항이 국가의 기본권보호의무에 관한 과소보호금지원칙에 위배되고, 청구인들의 평등권 및 재판절차진술권을 침해하였다고 주장하면서 2008. 1. 24. 이 사건 헌법소원심판을 청구하였다.

심판대상조항 및 관련조항

교통사고처리특례법(2003. 5. 29. 법률 제6891호로 개정된 것)

제4조(보험 등에 가입된 경우의 특례) ① 교통사고를 일으킨 차가 보험업법 제4조 및 제126조 내지 제128조, 육운진흥법 제8조 또는 화물자동차운수사업법 제36조의 규정에 의하여 보험 또는 공제에 가입된 경우에는 제3조 제2항 본문에 규정된 죄를 범한 당해 차의 운전자에 대하여 공소를 제기할 수 없다. 다만, 제3조 제2항 단서에 해당하는 경우나 보험계약 또는 공제 계약이 무효 또는 해지되거나 계약상의 면책규정 등으로 인하여 보험사업자 또는 공제사업자의 보험금 또는 공제금 지급의무가 없게 된 경우에는 그러하지 아니하다.

주문

교통사고처리특례법(2003. 5. 29. 법률 제6891호로 개정된 것) 제4조 제1항 본문 중 업무상 과실 또는 중대한 과실로 인한 교통사고로 말미암아 피해자로 하여금 중상해에 이르게 한 경우에 공소를 제기할 수 없도록 규정한 부분은 헌법에 위반된다.

I. 적법요건에 대한 판단

1. 자기관련성, 현재성, 직접성

이 사건 법률조항은 교특법 제3조 제2항 단서조항(이하 '단서조항'이라고만 한다)에 해당되는 사고가 아닌 한 가해자가 보험업법 제4조 및 제126조 내지 제128조, 육운진흥법 제8조 또는 화물자동차운수사업법 제36조의 규정에 의하여 보험 또는 공제에 가입된 경우(이하 '종합보험 등'이라고만 한다) 공소제기를 하지 못하도록 하고 있어 가해운전자에 대하여 검사의 불기소처분이 내려졌고, 이는 이 사건 법률조항이 재량의 여지없이 기계적으로 적용된 결과이므로, 청구인들에 대하여 자기관련성과 기본권 침해의 현재성, 직접성이 모두 인정된다.

2. 권리보호이익

헌법재판소법 제47조 제2항은 "위헌으로 결정된 법률 또는 법률조항은 그 결정이 있는 날로부터 효력을 상실한다. 다만, 형벌에 관한 법률 또는 법률의 조항은 소급하여 그 효력을 상실한다."라고 규정하고 있다. 그런데 이 사건 법률조항은 비록 형벌에 관한 것이기는 하지만 불처벌의 특례를 규정한 것이어서 위헌결정의 소급효를 인정할 경우 오히려 그 조항에 의거하여 형사처벌을 받지 않았던 자들에게 형사상의 불이익이 미치게 되므로 이와 같은 경우까지 헌법재판소법 제47조 제2항 단서의 적용범위에 포함시키는 것은 법적 안정성과 이미 면책받은 가해자의 신뢰보호의 이익을 크게 해치게 되므로 그 규정취지에 반한다.

따라서 이 사건 법률조항에 대하여 위헌선언을 하더라도 그 소급효는 인정되지 아니하므로, 가해자인 피의자들에 대한 불기소처분을 취소하고 그들을 처벌할 수는 없어 이 사건 심판청구는 주관적인 권리보호이익을 결여하고 있다.

그러나 헌법소원은 개인의 주관적 권리구제 기능뿐 아니라 객관적인 헌법질서의 보장기능도 수행하기 때문에 주관적 권리구제에 도움이 되지 않는 경우에도 그러한 침해행위가 앞으로도 반복될 위험이 있거나 당해분쟁의 해결이 헌법질서의 수호·유지를 위하여 긴요한 사항이어서 그 해명이 헌법적으로 중대한 의미를 지니고 있는 경우에는 헌법소원의 이익을 인정할 수 있는바, 이 사건 법률조항에 대하여 위헌성이 엿보이는 경우에도 주관적 권리보호이익이 없다는 이유로 헌법적 해명을 하지 아니한다면 향후 교통사고 피해자는 헌법소원을 제기할 수 없고, 위헌적인 법률조항에 의한 불기소처분이 반복될 우려가 있으므로 헌법재판소로서는 이 사건 법률조항에 대하여 예외적으로 심판을 할 이익 내지는 필요성이 인정된다.

II 본안에 대한 판단

1. 관련 기본권

이 사건의 쟁점은 이 사건 법률조항이 재판절차진술권 및 평등권을 침해한 것인지의 여부, 그리고 생명·신체의 안전에 관한 국가의 기본권보호의무를 위반한 것인지 여부이다.

이하에서는 각 기본권 침해 여부를 판단함에 있어 업무상 과실 또는 중대한 과실로 인한 교통사고로 말미암아 피해자가 중상해를 입은 경우와 그 이외의 경우로 나누어 살펴보기로 한다.

2. 재판절차진술권의 침해 여부

가. 업무상 과실 또는 중대한 과실로 인하여 중상해를 입은 경우

헌법 제27조 제5항에 의한 형사피해자의 재판절차에서의 진술권은 피해자 등에 의한 사인소추를 전면 배제하고 형사소추권을 검사에게 독점시키고 있는 현행 기소독점주의의 형사소송체계 아래에서 형사피해자로 하여금 당해 사건의 형사재판절차에 참여하여 증언하는 이외에 형사사건에 관한 의견진술을 할 수 있는 청문의 기회를 부여함으로써 형사사법의 절차적 적정성을 확보하기 위하여 이를 기본권으로 보장하는 것이다.

피해자가 교통사고로 인하여 생명에 대한 위험이 발생하거나 또는 불구 또는 불치나 난치의 질병에 이르게 된 경우, 즉 중상해를 입은 경우에도 그 교통사고가 단서조항에 해당하지 않는다면, 검사로서는 이 사건 법률조항으로 말미암아 교통사고를 발생시킨 차량의 운전자에 대하여 기계적으로 공소권없음을 이유로 불기소처분을 하지 않을 수 없는데, 이때 교통사고로 중상해를 입은 피해자는 직장을 잃거나 학업을 중단하게 되는 등 정상적 생활기반이 무너지고 평생 불구의 몸으로 또는 질병의 고통 속에서 살아가야 하는 육체적, 정신적 고통이 매우 크고, 가족 등 주변인이 받아야 하는 정신적·경제적 고통도 심대하여 사망의 경우에 비견될 정도인데도, 이 사건 법률조항으로 인하여 형사재판절차에서 그 피해에 대하여 진술할 기회조차 가지지 못하게 된다.

따라서, 이 사건 법률조항 중 업무상 과실 또는 중대한 과실로 인한 교통사고로 피해자가 중상해를 입은 경우에 공소를 제기할 수 없도록 한 부분이 과잉금지의 원칙에 위반하여 재판절차진술권을 침해한 것인지 여부를 살펴보기로 한다.

1) 목적의 정당성 및 수단의 적절성

이 사건 법률조항은 자동차 수의 증가 및 자가운전 확대에 즈음하여 운전자들의 종합보험 가입을 유도하여 교통사고 피해자의 손해를 신속하고 적절하게 구제하고, 교통사고로 인한 전과자 양산을 방지하기 위하여 추진된 것이라 할 수 있어 그 목적의 정당성이 인정되며, 그 이후 자동차종합보험가입률이 꾸준히 증가하여 2005년 현재 전체 등록차량의 87%에 이르는 점 및 2005년 기준 교통사고사건의 기소율이 34.2%에 불과한 점 등으로 보아 이 사건 법률조항이 그 입법목적에 부응하는 역할을 하였음을 알 수 있으므로 수단의 적절성도 인정된다고 하겠다.

2) 피해의 최소침해성 및 법익의 균형성

그러나 교통사고로 인하여 피해자에게 중상해를 입힌 경우에도 사고의 발생 경위, 피해자의 특이성(노약자 등)과 사고발생에 관련된 피해자의 과실 유무 및 정도 등을 살펴 정식 기소 이외에도 약식기소 또는 기소유예 등 다양한 처분이 가능하고 정식 기소된 경우에는 피해자의 재판절차진술권을 행사할 수 있게 하여야 함에도, 종합보험 등에 가입하였다는 이유로 단서조항에 해당하지 않는 한 무조건 면책되도록 한 것은 최소침해성에 위반된다고 아니할 수 없다.

우리나라의 심각한 교통사고율에도 불구하고, 사망사고나 단서조항에 해당하지 않는 한 교통사고 가해자들을 종합보험 등의 가입을 이유로 형사처벌을 무조건적으로 면책하여 주는바, 이와 같이 교통사고를 야기한 차량이 종합보험 등에 가입되어 있다는 이유만으로 그 차량의 운전자에 대하여 공소제기를 하지 못하도록 한 입법례는 선진 각국의 사례에서 찾아보기 힘들다. 또한 교통사고발생 후에도 대부분 사고관련자들은 보험사에만 사고발생사실을 알려 사건을 해결하고 경찰에는 신고하지 아니하여 보험사의 교통사고 통계가 경찰의 그것과 현저히 차이가 나며 현재에도 교통사고는 계속 증가하고 있다는 주장이 제기되고 있다.

가해자는 단서조항에 해당하는 과실만 범하지 않는다면 교통사고를 내더라도 종합보험 등에 가입함으로써 처벌을 면할 수 있으므로 자칫 사소한 교통법규위반을 대수롭지 않게 생각하여 운전자로서 요구되는 안전운전에 대한 주의의무를 해태하기 쉽고, 교통사고를 내고 피해자가 중상해를 입은 경우에도 보험금 지급 등 사고처리는 보험사에 맡기고 피해자의 실질적 피해회복에 성실히 임하지 않는 풍조가 있음을 부인할 수 없다.

그러한 측면에서 이 사건 법률조항에 의하여 중상해를 입은 피해자의 재판절차진술권의 행사가 근본적으로 봉쇄됨으로써 교통사고의 신속한 처리 또는 전과자의 양산 방지라는 공익을 위하여 위 피해자의 사익이 현저히 경시된 것이므로 법익의 균형성을 위반하고 있다고 할 것이다.

나. 업무상 과실 또는 중대한 과실로 인하여 중상해가 아닌 상해를 입은 경우

그러나 이 사건 법률조항이 교통사고로 인한 피해자에게 중상해가 아닌 상해의 결과만을 야기한 경우 가해 운전자에 대하여 가해차량이 종합보험 등에 가입되어 있음을 이유로 공소를 제기하지 못하도록 규정한 한도 내에서는, 그 제정목적인 교통사고로 인한 피해의 신속한 회복을 촉진하고 국민생활의 편익을 도모하려는 공익과 동 법률조항으로 인하여 침해되는 피해자의 재판절차에서의 진술권과 비교할 때 상당한 정도 균형을 유지하고 있으며, 단서조항에 해당하지 않는 교통사고의 경우에는 대부분 가해 운전자의 주의의무태만에 대한 비난가능성이 높지 아니하고, 경미한 교통사고 피의자에 대하여는 비형벌화하려는 세계적인 추세 등에 비추어도 위와 같은 목적의 정당성, 방법의 적절성, 피해의 최소성, 이익의 균형성을 갖추었으므로 과잉금지의 원칙 내지 비례의 원칙에도 반하지 않는다고 할 것이다.

다. 소 결

따라서 이 사건 법률조항은 과잉금지원칙에 위반하여 업무상 과실 또는 중대한 과실에 의한 교통사고로 중상해를 입은 피해자의 재판절차진술권을 침해한 것이라고 할 것이다.

3. 평등권 침해 여부

교통사고에 의하여 피해자가 사망하였는지의 여부 및 교통사고가 단서조항에 해당하는지의 여부에 따라 교통사고로 인한 피해자들 사이에 재판절차진술권을 행사함에 있어 차별이 발생하게 되는바, 이러한 차별이 헌법적으로 정당한지가 문제된다.

가. 업무상 과실 또는 중대한 과실로 인하여 중상해를 입은 경우

이 사건 법률조항으로 인하여 단서조항에 해당하지 않는 교통사고로 중상해를 입은 피해자를 단서조항에 해당하는 교통사고의 중상해 피해자 및 사망사고의 피해자와 재판절차진술권의 행사에 있어서 달리 취급한 것이 평등권을 침해하였는지의 여부를 살펴보기로 한다.

1) 심사기준

일반적으로 차별에 대한 정당성 여부에 대해서는 자의성 여부를 심사하지만, 헌법에서 특별히 평등을 요구하고 있는 경우나 차별적 취급으로 인하여 관련 기본권에 대한 중대한 제한을 초래하게 된다면 입법형성권은 축소되어 보다 엄격한 심사척도가 적용된다.

자의심사의 경우에는 차별을 정당화하는 합리적인 이유가 있는지만을 심사하기 때문에 그에 해당하는 비교대상간의 사실상의 차이나 입법목적(차별목적)의 발견·확인에 그치는 반면에, 비례심사의 경우에는 단순히 합리적인 이유의 존부 문제가 아니라 차별을 정당화하는 이유와 차별 간의 상관관계에 대한 심사, 즉 비교대상 간의 사실상의 차이의 성질과 비중 또는 입법목적(차별목적)의 비중과 차별의 정도에 적정한 균형관계가 이루어져 있는가를 심사한다.

국민의 생명·신체의 안전은 다른 모든 기본권의 전제가 되며, 인간의 존엄성에 직결되는 것이므로, 단서조항에 해당하지 않는 교통사고로 중상해를 입은 피해자와 단서조항에 해당하는 교통사고의 중상해 피해자 및 사망사고 피해자 사이의 차별 문제는 단지 자의성이 있었느냐의 점을 넘어서 입법목적과 차별 간에 비례성을 갖추었는지 여부를 더 엄격하게 심사하는 것이 바람직하고, 교통사고 운전자의 기소 여부에 따라 피해자의 헌법상 보장된 재판절차진술권이 행사될 수 있는지 여부가 결정되어 이는 기본권 행사에 있어서 중대한 제한을 구성하기 때문에, 이 사건에 대하여는 엄격한 심사기준에 의하여 판단하기로 한다.

2) 판 단

이 사건 법률조항에 따르면 교통사고로 인하여 피해자가 중상해를 입은 경우에도, 가해 운전자가 어떠한 태양의 주의의무를 위반하였느냐에 따라 기소 여부가 달라진다. 즉 단서조항에 해당하는 교통사고라면 가해 운전자는 기소될 것이고, 단서조항에 해당하지 않으면 종합보험 등에 가입한 조건으로 면책된다. 이 때 단서조항에 해당하지 않는 교통사고로 인하여 중상해를 입은 피해자는, 자신에게 발생한 교통사고의 유형이 단서조항에 해당하지 않는다는 우연한 사정에 의하여 형사재판절차에서의 진술권을 전혀 행사하지 못하게 되는바, 이는 역시 우연하게도 단서조항에 해당하는 교통사고를 당한 중상해 피해자가 재판절차진술권을 행사하게 되는 것과 비교할 때 합리적인 이유 없이 차별취급을 당하는 것이다.

한편, 교특법은 피해자가 사망한 경우에는 단서조항에 해당하는 사고인지의 여부와 관계없이 기소하게 되어 있고, 이는 사고관련자들의 주의의무 위반의 정도나 태양이 어떠하든 간에 생명권의 침해라는 크나큰 불법적 요소 때문이라 할 것이다. 그런데 교통사고로 인하여 중상해를 입은 결과, 식물인간이 되거나 평생 심각한 불구 또는 난치의 질병을 안고 살아가야 하는 피해자도 비록 생명권이 침해된 것은 아니지만 이에 비견될 정도의 육체적, 정신적 고통을 받게 되고, 정상적인 생활이 불가능해짐에 따라 가족 등 주변인들의 정신적, 경제적 고통도 이루 말할 수 없는 것이므로, 그 결과의 불법성이 사망사고보다 결코 작다고 단정할 수 없다. 따라서 교통사고로 인하여 피해자가 사망한 경우와 달리 중상해를 입은 경우 가해 운전자를 기소하지 않음으로써 그 피해자의 재판절차진술권을 제한하는 것 또한 합리적인 이유가 없는 차별취급이라고 할 것이다.

그리고 위와 같은 중상해 피해자 간 및 사망사고 피해자와의 차별취급은 중상해 피해자의 재판절차진술권 행사를 사고관련자들의 주의의무의 위반 정도 및 결과의 불법성의 크기 등에 관계없이, 사고유형이 단서조항에 해당하는지의 여부만으로 달리 취급하는 것이므로 신속한 피해회복이라는 이 사건 법률조항의 입법목적이라는 측면에서 보아도 그 차별의 정도에 적정한 균형관계를 이루고 있다고 보기 어렵다.

나. 업무상 과실 또는 중대한 과실로 인하여 중상해가 아닌 상해를 입은 경우

업무상 과실 또는 중대한 과실로 인한 교통사고로 피해자에게 중상해가 아닌 상해의 결과만을 야기한 경우에는, 위 2. 나. 부분에서 살펴본 바와 같은 이유로 재판절차진술권의 행사에 있어 중상해 피해자와 비교하여 달리 취급할 만한 정당한 사유가 있다 할 것이므로 피해자 보호 및 가해운전자의 처벌에 있어서 평등의 원칙에 반하지 아니한다고 할 것이다.

다. 소 결

이 사건 법률조항으로 인하여 단서조항에 해당하지 아니하는 교통사고로 중상해를 입은 피해자를 단서조항에 해당하는 교통사고의 중상해 피해자 및 사망사고의 피해자와 재판절차진술권의 행사에 있어서 달리 취급한 것은, 단서조항에 해당하지 아니하는 교통사고로 중상해를 입은 피해자들의 평등권을 침해하는 것이라 할 것이다.

4. 기본권보호의무 위반 여부

가. 의의 및 심사기준

기본권 보호의무란 기본권적 법익을 기본권 주체인 사인에 의한 위법한 침해 또는 침해의 위험으로부터 보호하여야 하는 국가의 의무를 말하며, 주로 사인인 제3자에 의한 개인의 생명이나 신체의 훼손에서 문제되는데, 이는 타인에 의하여 개인의 신체나 생명 등 법익이 국가의 보호의무 없이는 무력화될 정도의 상황에서만 적용될 수 있다.

이 사건에서는 교통사고를 방지하는 다른 보호조치에도 불구하고 국가가 형벌권이란 최종적인 수단을 사용하여야만 가장 효율적으로 국민의 생명과 신체권을 보호할 수 있는가가 문제된다. 만일 형벌이 법익을 가장 효율적으로 보호할 수 있는 유일한 방법임에도 불구하고 국가가 형벌권을 포기한 것이라면 국가는 기본권보호의무를 위반함으로써 생명·신체의 안전과 같은 청구인들의 중요한 기본권을 침해한 것이 될 것이다.

그런데 국가가 국민의 생명·신체의 안전을 보호할 의무를 진다 하더라도 국가의 보호의무를 입법자 또는 그로부터 위임받은 집행자가 어떻게 실현하여야 할 것인가 하는 문제는 원칙적으로 권력분립과 민주주의의 원칙에 따라 국민에 의하여 직접 민주적 정당성을 부여받고 자신의 결정에 대하여 정치적 책임을 지는 입법자의 책임범위에 속하므로, 헌법재판소는 단지 제한적으로만 입법자 또는 그로부터 위임받은 집행자에 의한 보호의무의 이행을 심사할 수 있는 것이다.

따라서 국가가 국민의 생명·신체의 안전에 대한 보호의무를 다하지 않았는지 여부를 헌법재판소가 심사할 때에는 국가가 이를 보호하기 위하여 적어도 적절하고 효율적인 최소한의 보호조치를 취하였는가 하는 이른바 '과소보호금지원칙'의 위반 여부를 기준으로 삼아, 국민의 생명·신체의 안전을 보호하기 위한 조치가 필요한 상황인데도 국가가 아무런 보호조치를 취하지 않았든지 아니면 취한 조치가 법익을 보호하기에 전적으로 부적합하거나 매우 불충분한 것임이 명백한 경우에 한하여 국가의 보호의무의 위반을 확인하여야 하는 것이다.

나. 과소보호금지원칙 위반 여부

국가의 신체와 생명에 대한 보호의무는 교통과실범의 경우 발생한 침해에 대한 사후처벌뿐이 아니라, 무엇보다도 우선적으로 운전면허취득에 관한 법규 등 전반적인 교통관련법규의 정비, 운전자와 일반국민에 대한 지속적인 계몽과 교육, 교통안전에 관한 시설의 유지 및 확충, 교통사고 피해자에 대한 보상제도 등 여러가지 사전적·사후적 조치를 함께 취함으로써 이행된다. 그렇다면 이 사건에서는 교통사고를 방지하는 다른 보호조치에도 불구하고 국가가 형벌권이란 최종적인 수단을 사용하여야만 가장 효율적으로 국민의 생명과 신체권을 보호할 수 있는가가 문제된다. 이를 위하여는 무엇보다도 우선적으로 형벌권의 행사가 곧 법익의 보호로 직결된다는 양자 간의 확연하고도 직접적인 인과관계와 긴밀한 내적인 연관관계가 요구되고, 형벌이 법익을 가장 효율적으로 보호할 수 있는 유일한 방법인 경우, 국가가 형벌권을 포기한다면 국가는 그의 보호의무를 위반하게 된다.

그러나 교통과실범에 대한 국가형벌권의 범위를 확대한다고 해서 형벌권의 행사가 곧 확실하고도 효율적인 법익의 보호로 이어지는 것은 아니다. 형벌의 일반예방효과와 범죄억제기능을 어느 정도 감안한다 하더라도 형벌을 통한 국민의 생명·신체의 안전이라는 법익의 보호효과는 그다지 확실한 것이 아니며, 결국 이 경우 형벌은 국가가 취할 수 있는 유효적절한 수많은 수단 중의 하나일 뿐이지, 결코 형벌까지 동원해야만 보호법익을 유효적절하게 보호할 수 있다는 의미의 최종적인 유일한 수단이 될 수는 없는 것이다.

그러므로 이 사건 법률조항을 두고 국가가 일정한 교통사고범죄에 대하여 형벌권을 행사하지 않음으로써 도로교통의 전반적인 위험으로부터 국민의 생명과 신체를 적절하고 유효하게 보호하는 아무런 조치를 취하지 않았다든지, 아니면 국가가 취한 현재의 제반 조치가 명백하게 부적합하거나 부족하여 그 보호의무를 명백히 위반한 것이라고 할 수 없다.

III. 결 론

이상의 이유로 이 사건 법률조항 중 업무상과실 또는 중대한 과실로 인한 교통사고로 말미암아 피해자로 하여금 중상해에 이르게 한 경우에 공소를 제기할 수 없도록 규정한 부분은 청구인들의 재판절차진술권 및 평등권을 침해하여 헌법에 위반되는바, 종전에 헌법재판소가 이 결정과 견해를 달리하여 구 교통사고처리특례법(1984. 8. 4. 법률 제3744호로 개정되고, 1997. 8. 30. 법률 제5480호로 개정되기 전의 것) 제4조 제1항이 헌법에 위반되지 아니한다고 판시한 1997. 1. 16. 90헌마110 등 결정은 이 결정과 저촉되는 범위 내에서 이를 변경하기로 하여 주문과 같이 결정한다.

이 결정에는 재판관 조대현, 재판관 민형기의 반대의견(합헌의견)이 있는 외에는 나머지 관여 재판관들의 의견이 일치되었다.

제4절 국가배상청구권

 **과거사 국가배상청구 '소멸시효' 사건**
- 2018. 8. 30. 선고 2014헌바148·162·219·466, 2015헌바50·440(병합);
  2014헌바223·290, 2016헌바419(병합)

판시사항

1. 민법 제166조 제1항, 제766조, 국가재정법 제96조 제2항, 구 예산회계법 제96조 제2항(이하 '심판대상조항들'이라 한다)이 일반적인 공무원의 직무상 불법행위로 손해를 받은 국민의 손해배상청구에 관한 소멸시효 기산점과 시효기간을 정하고 있는 것이 국가배상청구권을 침해하여 위헌인지 여부(소극)
2. 민법 제166조 제1항, 제766조 제2항 중 '진실·화해를 위한 과거사정리 기본법'(이하 '과거사정리법'이라 한다) 제2조 제1항 제3호의 '민간인 집단 희생사건', 제4호의 '중대한 인권침해사건·조작의혹사건'에 적용되는 부분이 국가배상청구권을 침해하여 위헌인지 여부(적극)

사건의 개요

청구인들은 국가보안법위반 등의 범죄사실로 징역형 등을 선고받아 1982년 내지 1986년경 그 판결이 확정된 사람과 그 가족이다. 2005년 제정된 '진실·화해를 위한 과거사정리 기본법'에 의하여 설치된 '진실·화해를 위한 과거사정리 위원회'는 2006년 내지 2009년경 위사건들에관하여진실규명결정을하였다. 이후 2009년 내지 2011년경 재심절차에서 기존 유죄판결은 취소되고 무죄로 확정되었으며, 2009년 내지 2011년경 형사보상절차에서 형사보상금 지급결정이 확정되어 청구인들은 그 무렵 보상금을 지급받았다. 청구인들은 위 형사보상금이 재산적·정신적 손해를 전보하기에 부족하다고 보아 2010년 내지 2012년경 대한민국을 상대로 손해배상을 청구하는 소를 법원에 제기하였고, 그 소송 계속 중 법원에 민법 제166조 제1항, 제766조, 국가재정법 제96조 제2항, 구 예산회계법 제96조 제2항에 대한 위헌법률심판제청신청을 하였으나 기각·각하되었다. 이에 청구인들은 헌법재판소법 제68조 제2항에 의한 이 사건 헌법소원심판을 청구하였다.

심판대상조항 및 관련조항

민법(1958. 2. 22. 법률 제471호로 제정된 것)

제166조(소멸시효의 기산점) ① 소멸시효는 권리를 행사할 수 있는 때로부터 진행한다.

제766조(손해배상청구권의 소멸시효) ① 불법행위로 인한 손해배상의 청구권은 피해자나 그 법정대리인이 그 손해 및 가해자를 안 날로부터 3년간 이를 행사하지 아니하면 시효로 인하여 소멸한다.
② 불법행위를 한 날로부터 10년을 경과한 때에도 전항과 같다.

국가재정법(2006. 10. 4. 법률 제8050호로 제정된 것)

제96조(금전채권·채무의 소멸시효) ② 국가에 대한 권리로서 금전의 급부를 목적으로 하는 것도 또한 제1항과 같다.

구 예산회계법(1989. 3. 31. 법률 제4102호로 전부개정되어, 2006. 10. 4. 법률 제8050호로 폐지되기 전의 것)

제96조(금전채권과 채무의 소멸시효) ② 국가에 대한 권리로서 금전의 급부를 목적으로 하는 것도 또한 제1항과 같다.

주문

1. 민법(1958. 2. 22. 법률 제471호로 제정된 것) 제166조 제1항, 제766조 제2항 중 '진실·화해를 위한 과거사정리 기본법' 제2조 제1항 제3호, 제4호에 규정된 사건에 적용되는 부분은 헌법에 위반된다.
2. 민법(1958. 2. 22. 법률 제471호로 제정된 것) 제766조 제1항, 국가재정법(2006. 10. 4. 법률 제8050호로 제정된 것) 제96조 제2항, 구 예산회계법(1989. 3. 31. 법률 제4102호로 전부개정되어, 2006. 10. 4. 법률 제8050호로 폐지되기 전의 것) 제96조 제2항은 헌법에 위반되지 아니한다.

I 본안에 관한 판단

1. 이 사건의 쟁점

헌법은 제23조 제1항에서 국민의 재산권을 일반적으로 규정하고 있으나, 제28조와 제29조 제1항에서 그 특칙으로 형사보상청구권 및 국가배상청구권을 규정함으로써, 형사피의자·피고인으로 구금되어 있었으나 불기소처분·무죄판결을 받은 경우 및 공무원의 직무상 불법행위로 손해를 받은 경우에 국민이 국가에 대하여 물질적·정신적 피해에 대한 정당한 보상 및 배상을 청구할 수 있는 권리를 보장하고 있다. 이러한 형사보상청구권과 국가배상청구권은 일반적인 재산권으로서의 보호 필요성뿐만 아니라, 국가의 형사사법작용 및 공권력행사로 인하여 신체의 자유 등이 침해된 국민의 구제를 헌법상 권리로 인정함으로써 관련 기본권의 보호를 강화하는 데 그 목적이 있다.

헌법 제28조, 제29조 제1항은 형사보상청구권 및 국가배상청구권의 내용을 법률에 의해 구체화하도록 규정하고 있으므로, 그 구체적인 내용은 입법자가 형성할 수 있다. 그러나 국가의 형사사법절차 및 공권력행사에 내재하는 불가피한 위험에 의해 국민의 신체의 자유 등에 피해가 발생한 경우 국가가 이에 대하여 보상 및 배상을 할 것을 헌법에서 명문으로 선언하고 있으므로, 형사보상 및 국가배상의 구체적 절차에 관한 입법은 단지 그 보상 및 배상을 청구할 수 있는 형식적인 권리나 이론적인 가능성만을 허용하는 것이어서는 아니되고, 권리구제의 실효성이 상당한 정도로 보장되도록 하여야 한다.

심판대상조항들은 공무원의 직무상 불법행위로 손해를 받은 국민의 손해배상청구권에 적용되는 소멸시효의 기산점과 시효기간을 정하고 있다. 국가배상청구권에 적용되는 소멸시효의 기산점과 시효기간을 어떻게 정할 것인가의 문제는 원칙적으로 입법자의 형성재량에 맡겨져 있는 것이지만,

그것이 지나치게 단기간이거나 불합리하여 국민의 국가배상청구를 현저히 곤란하게 만들거나 사실상 불가능하게 한다면 이는 입법형성의 한계를 넘어선 것으로서 위헌이라 하지 않을 수 없다.

이하에서는 심판대상조항들이 입법형성의 한계를 일탈하여 헌법이 보장한 국가배상청구권을 침해함으로써 위헌인지 여부를 살펴본다.

2. 심판대상조항들의 원칙적 합헌성

국가배상법 제8조에 따라, 심판대상조항들은 국가배상청구권의 소멸시효 기산점을 피해자나 법정대리인이 그 손해 및 가해자를 안 날(주관적 기산점, 민법 제766조 제1항) 및 불법행위를 한 날(객관적 기산점, 민법 제166조 제1항, 제766조 제2항)로 정하되, 그 시효기간을 주관적 기산점으로부터 3년(단기소멸시효기간, 민법 제766조 제1항) 및 객관적 기산점으로부터 5년(장기소멸시효기간, 국가재정법 제96조 제2항, 구 예산회계법 제96조 제2항)으로 정하고 있다.

민법상 소멸시효제도의 일반적인 존재이유는 '법적 안정성의 보호, 채무자의 이중변제 방지, 채권자의 권리불행사에 대한 제재 및 채무자의 정당한 신뢰 보호'에 있다. 이와 같은 민법상 소멸시효제도의 존재 이유는 국가배상청구권의 경우에도 일반적으로 타당하고, 특히 국가의 채무관계를 조기에 확정하여 예산수립의 불안정성을 제거하기 위해서는 국가채무에 대해 단기소멸시효를 정할 필요성도 있다. 그러므로 심판대상조항들이 일반적인 공무원의 직무상 불법행위로 손해를 받은 국민의 국가배상청구권에 관한 소멸시효 기산점과 시효기간을 정하고 있는 것은 합리적인 이유가 있다.

3. 민법 제166조 제1항, 제766조 제2항의 '진실·화해를 위한 과거사정리 기본법' 제2조 제1항 제3호, 제4호에 규정된 사건에 관한 예외적 위헌성

그러나 일반적인 국가배상청구권에 적용되는 소멸시효 기산점과 시효기간에 합리적 이유가 인정된다 하더라도, 과거사정리법 제2조 제1항 제3호에 규정된 '민간인 집단희생사건', 제4호에 규정된 '중대한 인권침해·조작의혹사건'의 특수성을 고려하지 아니한 채 민법 제166조 제1항, 제766조 제2항의 '객관적 기산점'이 그대로 적용되도록 규정하는 것은 국가배상청구권에 관한 입법형성의 한계를 일탈한 것인데, 그 이유는 다음과 같다.

민간인 집단희생사건과 중대한 인권침해·조작의혹사건은 국가기관이 국민에게 누명을 씌워 불법행위를 자행하고, 소속 공무원들이 조직적으로 관여하였으며, 사후에도 조작·은폐함으로써 오랜 기간 진실규명이 불가능한 경우가 많아 일반적인 소멸시효 법리로 타당한 결론을 도출하기 어려운 문제들이 발생하였다. 이에 2005년 여·야의 합의로 과거사정리법이 제정되었고, 그 제정 경위 및 취지에 비추어볼 때 위와 같은 사건들은 사인간 불법행위 내지 일반적인 국가배상 사건과 근본적 다른 유형에 해당됨을 알 수 있다.

이와 같은 특성으로 인하여 과거사정리법에 규정된 위 사건 유형에 대해 일반적인 소멸시효를 그대로 적용하기는 부적합하다. 왜냐하면 위 사건 유형은 국가가 현재까지 피해자들에게 손해배상채무를 변제하지 않은 것이 명백한 사안이므로, '채무자의 이중변제 방지'라는 입법취지가 국가배상청구권 제한의 근거가 되기 어렵기 때문이다. 또한 국가가 소속 공무원을 조직적으로 동원하여 불법행위를 저지르고 그에 관한 조작·은폐를 통해 피해자의 권리를 장기간 저해한 사안이므로, '채권자의 권리불행사에 대한 제재 및 채무자의 보호가치 있는 신뢰 보호'라는 입법취지도 그 제한의 근거가 되기 어렵기 때문이다. 따라서 위와 같은 사건 유형에서는 '법적 안정성'이란 입법취지만 남게 된다. 그러나 국가배상청구권은 단순한 재산권 보장의 의미를 넘어 헌법 제29조 제1항에서 특별히 보장한 기본권으로서, 헌법 제10조 제2문에 따라 개인이 가지는 기본권을 보장할 의무를 지는 국가가 오히려 국민에 대해 불법행위를 저지른 경우 이를 사후적으로 회복·구제하기 위해 마련된 특별한 기본권인 점을 고려할 때, 국가배상청구권의 시효소멸을 통한 법적 안정성의 요청이 헌법 제10조의 국가의 기본권 보호의무와 헌법 제29조 제1항의 국가배상청구권 보장 필요성을 완전히 희생시킬 정도로 중요한 것이라 보기 어렵다.

구체적으로 살펴보면, 불법행위의 피해자가 '손해 및 가해자를 인식하게 된 때'로부터 3년 이내에 손해배상을 청구하도록 하는 것은 불법행위로 인한 손해배상청구에 있어 피해자와 가해자 보호의 균형을 도모하기 위한 것이므로, 과거사정리법 제2조 제1항 제3, 4호에 규정된 사건에 민법 제766조 제1항의 '주관적 기산점'이 적용되도록 하는 것은 합리적 이유가 인정된다. 그러나, 국가가 소속 공무원들의 조직적 관여를 통해 불법적으로 민간인을 집단 희생시키거나 장기간의 불법구금·고문 등에 의한 허위자백으로 유죄판결을 하고 사후에도 조작·은폐를 통해 진상규명을 저해하였음에도 불구하고, 그 불법행위 시점을 소멸시효의 기산점으로 삼는 것은 피해자와 가해자 보호의 균형을 도모하는 것으로 보기 어렵고, 발생한 손해의 공평·타당한 분담이라는 손해배상제도의 지도원리에도 부합하지 않는다. 그러므로 과거사정리법 제2조 제1항 제3, 4호에 규정된 사건에 민법 제166조 제1항, 제766조 제2항의 '객관적 기산점'이 적용되도록 하는 것은 합리적 이유가 인정되지 않는다.

결국, 민법 제166조 제1항, 제766조 제2항의 객관적 기산점을 과거사정리법 제2조 제1항 제3, 4호의 민간인 집단희생사건, 중대한 인권침해·조작의혹사건에 적용하도록 규정하는 것은, 소멸시효제도를 통한 법적 안정성과 가해자 보호만을 지나치게 중시한 나머지 합리적 이유 없이 위 사건 유형에 관한 국가배상청구권 보장 필요성을 외면한 것으로서 입법형성의 한계를 일탈하여 청구인들의 국가배상청구권을 침해한다.

II 결 론

그렇다면 민법 제166조 제1항, 제766조 제2항 중 과거사정리법 제2조 제1항 제3호,제4호에 규정된 사건에 적용되는 부분은 헌법에 위반되고, 민법 제766조 제1항, 국가재정법 제96조 제2항, 구 예산회계법 제96조 제2항은 헌법에 위반되지 아니하므로 주문과 같이 결정한다.

이 결정은 재판관 김창종, 재판관 서기석, 재판관 조용호의 반대의견이 있는 외에는 관여 재판관들의 일치된 의견에 의한 것이다.

205 헌법 규정에 대한 헌법소원심판청구 사건 [합헌, 각하]
— 1996. 6. 13. 선고 94헌바20

판시사항 및 결정요지

1. 헌법의 개별규정이 헌법재판소법 제68조 제2항에 의한 헌법소원심판대상이 되는지 여부

헌법 제111조 제1항 제1호, 제5호 및 헌법재판소법 제41조 제1항, 제68조 제2항은 위헌심사의 대상이 되는 규범을 '법률'로 명시하고 있으며, 여기서 '법률'이라고 함은 국회의 의결을 거쳐 제정된 이른바 형식적 의미의 법률을 의미하므로 헌법의 개별규정 자체는 헌법소원에 의한 위헌심사의 대상이 아니다.

2. 헌법의 개별규정간의 논리적 우열관계와 효력상의 차등문제

헌법은 전문과 각 개별조항이 서로 밀접한 관련을 맺으면서 하나의 통일된 가치체계를 이루고 있는 것으로서, 헌법의 제규정 가운데는 헌법의 근본가치를 보다 추상적으로 선언한 것도 있고, 이를 보다 구체적으로 표현한 것도 있으므로 이념적·논리적으로는 헌법규범상호간의 우열을 인정할 수 있는 것이 사실이다. 그러나 이때 인정되는 헌법규범상호간의 우열은 추상적 가치규범의 구체화에 따른 것으로서 헌법의 통일적 해석에 있어서는 유용할 것이지만, 그것이 헌법의 어느 특정규정이 다른 규정의 효력을 전면적으로 부인할 수 있을 정도의 개별적 헌법규정 상호간에 효력상의 차등을 의미하는 것이라고는 볼 수 없다.

3. 국가배상법 제2조 제1항 단서 중 '향토예비군대원' 부분의 위헌 여부

향토예비군의 직무는 그것이 비록 개별 향토예비군대원이 상시로 수행하여야 하는 것이 아니라 법령에 의하여 동원되거나 소집된 때에 한시적으로 수행하게 되는 것이라 하더라도 그 성질상 고도의 위험성을 내포하는 공공적 성격의 직무이므로, 국가배상법 제2조 제1항 단서가 그러한 직무에 종사하는 향토예비군대원에 대하여 다른 법령의 규정에 의한 사회보장적 보상제도를 전제로 이중보상으로 인한 일반인들과의 불균형을 제거하고 국가재정의 지출을 절감하기 위하여 임무수행 중 상해를 입거나 사망한 개별 향토예비군대원의 국가배상청구권을 금지하고 있는 데에는 그 목적의 정당성, 수단의 상당성 및 침해의 최소성, 법익의 균형성이 인정되어 기본권제한규정으로서 헌법상 요청되는 과잉금지의 원칙에 반한다고 할 수 없고, 나아가 그 자체로서 평등의 원리에 반한다거나 향토예비군대원의 재산권의 본질적인 내용을 침해하는 위헌규정이라고 할 수 없다.

206 국가배상법상 이중배상금지규정 사건 [한정위헌]
— 1994. 12. 29. 선고 93헌바21

판시사항

국가배상법 제2조 제1항 단서 중 군인에 관련되는 부분의 위헌 여부

사건의 개요

1986.11.12. 19:30경 경기 남양주군 미금읍 일패리 743 앞 국도상에서, 청구외 甲 소유의 승용차를 운전하던 청구외 乙의 자동차운전자로서의 과실과 직무를 집행하던 육군중사인 청구외 丙을 뒷좌석에 태우고 90㏄ 오토바이를 운전하여 직무를 집행하던 육군 중사인 청구외 丁의 오토바이 운전자로서의 과실이 경합하여 교통사고가 발생하여, 위 丙에게 전치 약 8주를 필요로 하는 우슬관절내측부인대파열 및 전방십자인대파열 등의 상해를 입었다. 청구인은 위 甲에 대한 자동차종합보험 보험자로서 위 甲을 대위하여 위 丙에게 그로 인한 손해배상을 하였다.

청구인은 위 丁의 과실로 인한 손해배상부담부분에 관하여 그 사용자인 대한민국을 상대로 서울민사지방법원에 구상금청구소송을 제기하였으나 청구가 기각되었고, 항소한 결과 서울고등법원은 국가와 제3자가 직무집행 중인 군인 등 공무원에게 공동하여 불법행위를 한 경우 피해자인 군인 등은 동 법조의 규정상 국가와의 사이에서는 국가에 대한 손해배상청구권이 면제되어 직접 손해배상청구를 할 수 없는 것이지만 이는 그들 사이에서만 상대적으로 효력이 있을 뿐 그에게 손해를 배상한 공동불법행위자인 제3자는 동 규정과 관계없이 국가에 대하여 구상권을 행사할 수 있는 것이라고 해석함이 상당하다고 판단하여 청구인의 청구를 일부 인용하는 판결을 선고하였다.

그러나 대한민국이 상고한 결과(91다12738) 대법원은 국가배상법 제2조 제1항 단서는 헌법 제29조 제2항에 근거를 둔 규정으로서 군인·군무원 등 위 법률규정에 열거된 자가 전투·훈련 기타 직무집행과 관련하여 공상을 입은 데 대하여 재해보상금·유족연금·상이연금 등 별도의 보상제도가 마련되어 있는 경우에는 이중배상의 금지를 위하여 이들의 국가에 대한 국가배상법 또는 민법상의 손해배상청구권 자체를 절대적으로 배제하고 있는 규정이므로 이들이 직접 국가에 대하여 손해배상청구권을 행사할 수 없음은 물론 국가와 공동불법행위의 책임이 있는 자가 그 배상채무를 이행하였음을 이유로 국가에 대하여 구상권을 행사하는 것도 허용되지 아니한다는 이유로 사건을 원심으로 환송하였다. 위 소송이 서울고등법원에 계속중 청구인은 국가배상법 제2조 제1항 단서에 의하여 청구인이 국가에 대하여 구상권을 행사할 수 없다고 해석하는 한 국가배상법 제2조 제1항 단서는 헌법에 위반된다고 주장하여 위헌제청신청을 하였으나, 서울고등법원은 1993.5.25. 이를 기각하는 결정을 하였고, 청구인은 같은 해 6.1. 그 결정의 정본을 송달받고 6.9. 이 사건 헌법소원심판을 청구하였다.

한편 서울고등법원은 위 소송에서 1993.12.1. 청구인의 청구를 모두 기각하는 판결을 선고하였고, 청구인이 상고하였지만 대법원은 1994.5.27. 청구인의 상고를 기각하는 판결(94다6741)을 선고하였다.

심판대상

그러므로 이 사건 심판의 대상은 국가배상법(1967.3.3. 법률 제1899호로 제정되어 1981.12.17. 법률 제3464호로 개정된 것) 제2조 제1항 단서 중 "군인……이……직무집행과 관련하여……공상을 입은 경우에 본인 또는 그 유족이 다른 법령의 규정에 의하여 재해보상금·유족연금·상이연금 등의 보상을 지급받을 수 있을 때에는 이 법 및 민법의 규정에 의한 손해배상을 청구할 수 없다"는 부분(이하 "이 사건 심판대상부분"이라 한다)이다.

주문

국가배상법 제2조 제1항 단서 중 "군인…… 이…… 직무집행과 관련하여…… 공상을 입은 경우에 본인 또는 그 유족이 다른 법령의 규정에 의하여 재해보상금·유족연금·상이연금 등의 보상을 지급받을 수 있을 때에는 이 법 및 민법의 규정에 의한 손해배상을 청구할 수 없다"는 부분은, 일반국민이 직무집행 중인 군인과의 공동불법행위로 직무집행 중인 다른 군인에게 공상을 입혀 그 피해자에게 공동의 불법행위로 인한 손해를 배상한 다음 공동불법행위자인 군인의 부담부분에 관하여 국가에 대하여 구상권을 행사하는 것을 허용하지 아니한다고 해석하는 한, 헌법에 위반된다.

I 판단

이 사건에서는 일반국민이 직무집행 중인 군인과의 공동불법행위로 직무집행 중인 다른 군인에게 공상을 입혀 그 피해군인에게 공동의 불법행위로 인한 손해를 전부 배상한 다음 공동불법행위자인 군인의 부담부분에 관하여 그 군인의 사용자인 국가에 대하여 구상권을 행사하는 것이 이 사건 심판대상부분에 의하여 허용되지 아니한다고 해석하는 경우 이 사건 심판대상 부분이 헌법에 위반되는지 여부가 쟁점이다.

이 사건 심판대상 부분의 헌법상 근거는 헌법 제29조 제2항이므로 먼저 헌법 제29조 제2항이 위와 같은 경우 구상권의 행사를 배제하고 있는지 여부를 살펴본 다음, 이 사건 심판대상 부분의 위헌여부를 살펴보기로 한다.

1. 헌법 제29조 제2항의 구상권행사 배제 여부에 관하여

헌법 제29조 제1항은 "공무원의 직무상 불법행위로 손해를 받은 국민은 법률이 정하는 바에 의하여 국가 또는 공공단체에 정당한 배상을 청구할 수 있다. 이 경우 공무원 자신의 책임은 면제되지 아니한다"고 규정하면서, 같은 조 제2항에서 "군인·군무원·경찰공무원 기타 법률이 정하는 자가 전투·훈련 등 직무집행과 관련하여 받은 손해에 대하여는 법률이 정하는 보상 외에 국가 또는 공공단체에 공무원의 직무상 불법행위로 인한 배상은 청구할 수 없다"고 규정하여, 국가배상청구권이 인정되는 국민 중에서 군인 등에 한하여 국가배상청구권을 제한하고 있다. 따라서 문리해석상 헌법 제29조 제2항은, 공무원의 직무상 불법행위로 직무집행과 관련하여 손해를 입은 군인 등이 법률이 정하는 보상을 지급받을 수 있을 때에는 직접 국가 또는 공공단체에 대하여 손해배상청구권을 행사하는 것을 허용하지 아니한 것은 명백하다. 그러나 위 규정이 이 사건과 같은 사안에서 일반국민이 국가에 대하여 구상권을 행사하는 것까지 허용하지 아니하는가 여부는 분명하지 아니하다. 그렇다면 이 문제는 위 규정의 입법목적과 헌법의 일반원칙에 따라 해석하여야 할 것이다.

가. 일반국민이 직무집행 중인 군인과의 공동불법행위로 직무집행 중인 다른 군인에게 공상을 입힌 경우 그 일반국민은 피해군인이 법률로 정하는 보상을 지급받는 것과는 별도로 공동불법행위이론에 의하여 공동불법행위자인 군인의 부담부분을 포함한 전부의 손해를 배상할 책임을 지게 된다.

그런데 헌법 제29조 제2항을 피해군인 등에게 발생한 국가에 대한 손해배상청구권을 그 군인 등과 국가 사이에서만 상대적으로 소멸시키는 규정으로 해석한다면, 일반국민은 공동불법행위자인 군인의 부담부분에 관하여 국가에 대하여 구상권을 행사할 수 있게 된다. 이리하여 일반국민은 다른 공동불법행위로 인한 손해배상사건에서와 마찬가지로 자신의 부담부분에 한하여만 손해를 배상하고 국가도 공동불법행위자인 군인의 사용자로서의 책임을 부담하는 결과가 되어 형평의 원칙에 부합하게 된다. 이와 반대로 헌법 제29조 제2항을 국가의 불법행위책임 자체를 절대적으로 배제하는 규정으로 해석한다면, 이 사건과 같은 사안에서 일반국민은 공동불법행위자인 군인의 부담부분에 관하여 국가에 대하여 구상권을 행사할 수 없게 되고, 설사 공동불법행위자인 군인 개인에 대하여 구상권을 행사할 수 있다고 하더라도 그 군인 자신에게 변제할 자력이 없을 경우에는 일반국민은 현실적으로 구상을 받을 수 없게 된다. 그 결과 국가는 공동불법행위자인 군인의 사용자로서 그 군인의 불법행위로 인한 손해배상책임을 전혀 지지 아니하고 그 부담부분을 일반국민에게 전가시키거나 전가시키는 결과가 되어 형평의 원칙에 위배되고 아울러 법률에 근거 없이 일반국민에게 재산상의 의무를 부과하는 것으로 국민의 재산권을 침해하게 된다.

국가는 국민의 기본권을 보장할 의무가 있고, 헌법 제29조 제2항은 제1항 의하여 보장되는 국가배상청구권을 헌법내재적으로 제한하는 규정이므로 그 적용범위에 대하여는 엄격하고도 제한적으로 해석하여야 할 것이다. 그러므로 헌법 제29조 제2항의 입법목적은, 피해자인 군인 등이 법률이 정하는 보상 외에 국가에 대하여 직접 손해배상청구권을 행사하지 못하게 하는 범위 내에서, 즉 일반국민에게 경제적 부담을 전가시키지 아니하는 범위 내에서 군인 등의 국가에 대한 손해배상청구권을 상대적으로 소멸시킴으로써 군인 등에 대한 이중배상을 금지하여 국가의 재정적 부담을 줄인다고 하는 의미로 제한하여 이해하여야 할 것이다.

그러므로 헌법 제29조 제2항은 이 사건의 쟁점이 되고 있는 사안에서와 같이 일반국민이 직무집행 중인 군인과 공동불법행위를 한 경우에는 일반국민의 국가에 대한 구상권의 행사를 허용하지 아니한다고 해석하여서는 아니될 것이다.

더욱이 이 사건과 같은 교통사고의 경우 위 승용차의 운전자는 위 오토바이의 승객이 누구인지 전혀 알 수 없는 상태에서 사고를 일으켰는데, 위 오토바이의 승객이 일반국민이면 국가가 구상책임을 지고, 군인 등이면 국가가 구상책임을 지지 아니한다고 한다면 위 승용차의 운전자는 우연한 사정에 의하여 그 손해배상의 부담부분이 크게 달라지게 되어 법적 안정성을 해하게 된다.

2. 이 사건 심판대상 부분의 위헌여부에 대하여

이 사건 심판대상 부분은 그 규정의 내용이 헌법상 근거규정인 헌법 제29조 제2항과 동일하므로 위 가항에서 살펴본 바와 같이 일반국민의 국가에 대한 구상권의 행사를 허용하지 아니한다고 해석되지 아니한다. 그런데 법원은 이 사건 심판대상 부분을 근거로 일반국민의 국가에 대한 구상권의 행사를 허용하지 아니한다고 해석하고 있으므로 그와 같이 해석하는 경우 이 사건 심판대상 부분이 헌법에 위반되는지 여부를 살펴보기로 한다.

가. 이 사건 심판대상 부분의 입법목적은 헌법 제29조 제2항의 입법목적과 동일하다고 할 수 있다. 그 입법목적의 정당성 여부는 헌법 제29조 제2항에 의하여 헌법적으로 해결되어 있다고 하더라도 헌법상 보장되는 일반국민의 국가배상청구권을 제한하는 범위와 정도는 헌법 제37조 제2항에 의한 기본권제한의 한계 내에서만 가능한 것이다. 앞서 일반국민의 국가에 대한 구상권의 행사가 인정되는지 여부를 검토하면서 살펴본 바와 같이, 이 사건 심판대상 부분이 일반국민의 국가에 대한 구상권의 행사를 허용하지 아니한다고 해석한다면, 이는 국가가 공동불법행위자인 군인의 사용자로서 그 군인의 불법행위로 인한 손해배상책임을 합리적인 이유 없이 일반국민에게 전가시키거나 전가시키는 결과가 되어, 입법목적을 달성하기 위한 정당한 입법수단의 한계를 벗어나는 것이 된다고 할 것이다.

이상과 같은 이유로 이 사건 심판대상 부분에 의하여 이 사건의 쟁점이 되고 있는 사안에서 일반국민이 공동불법행위자인 군인의 부담부분에 관하여 국가에 대하여 구상권을 행사할 수 없다고 해석한다면, 이는 이 사건 심판대상 부분의 헌법상 근거규정인 헌법 제29조가 구상권의 행사를 배제하지 아니하는데도 이를 배제하는 것으로 해석하는 것으로서 합리적인 이유 없이 일반국민을 국가에 대하여 지나치게 차별하는 경우에 해당하므로 헌법 제11조, 제29조에 위반된다. 또한 국가에 대한 구상권은 헌법 제23조 제1항에 의하여 보장되는 재산권이고 위와 같은 해석은 그러한 재산권의 제한에 해당하며 재산권의 제한은 헌법 제37조 제2항에 의한 기본권 제한의 한계 내에서만 가능한데, 위와 같은 해석은 헌법 제37조 제2항에 의하여 기본권을 제한할 때 요구되는 비례의 원칙에 위배하여 일반국민의 재산권을 과잉 제한하는 경우에 해당하여 헌법 제23조 제1항 및 제37조 제2항에도 위반된다고 할 것이다.

Ⅱ 결 론

그렇다면, 이 사건 심판대상 부분은, 일반국민이 직무집행 중인 군인과의 공동불법행위로 직무집행 중인 다른 군인에게 공상을 입혀 그 피해자에게 공동의 불법행위로 인한 손해를 배상한 다음 공동불법행위자인 군인의 부담부분에 관하여 국가에 대하여 구상권을 행사하는 것을 허용하지 아니한다고 해석하는 한, 헌법 제117조, 제23조 제1항, 제29조 및 제37조 제2항에 위반되어 위헌이므로 주문과 같이 결정한다.

이 결정은 관여재판관 전원의 의견일치에 의한 것이다.

207 한센병 환자의 국가배상청구 사건
— 대법원 2017. 2. 15. 선고 2014다230535

판시사항 및 결정요지

1. 수술과 같이 신체를 침해하는 의료행위를 하는 경우, 환자로부터 의료행위에 대한 동의 내지 승낙을 받아야 하는지 여부(적극) 및 동의 등의 전제로서 환자에게 설명하여야 할 사항 / 의료행위 주체가 설명의무를 소홀히 하여 환자로 하여금 자기결정권을 실질적으로 행사할 수 없게 한 경우, 불법행위가 성립할 수 있는지 여부(적극)

    환자는 헌법 제10조에서 규정한 개인의 인격권과 행복추구권에 의하여 생명과 신체의 기능을 어떻게 유지할 것인지에 대하여 스스로 결정하고 의료행위를 선택할 권리를 보유한다. 따라서 수술과 같이 신체를 침해하는 의료행위를 하는 경우 환자로부터 그 의료행위에 대한 동의 내지 승낙을 받아야 하고, 그 동의 등의 전제로서 질병의 증상, 치료방법의 내용 및 필요성, 발생이 예상되는 위험 등에 관하여 당시의 의료수준에 비추어 상당하다고 생각되는 사항을 설명하여 당해 환자가 그 필요성이나 위험성을 충분히 비교해 보고 그 의료행위를 받을 것인지의 여부를 선택할 수 있도록 하여야 한다. 만일 의료행위 주체가 위와 같은 설명의무를 소홀히 하여 환자로 하여금 자기결정권을 실질적으로 행사할 수 없게 하였다면 그 자체만으로도 불법행위가 성립할 수 있다.

2. 국가가 한센병 환자의 치료 및 격리수용을 위하여 운영·통제해 온 국립 소록도병원 등에 소속된 의사 등이 한센인들에게 시행한 정관절제수술과 임신중절수술을 정당한 공권력의 행사라고 인정하기 위한 요건 및 국가가 요건을 갖추지 아니한 채 한센인들을 상대로 정관절제수술이나 임신중절수술을 시행한 경우, 민사상 불법행위가 성립하는지 여부(적극)

    국가가 한센병 환자의 치료 및 격리수용을 위하여 운영·통제해 온 국립 소록도병원 등에 소속된 의사나 간호사 또는 의료보조원 등이 한센인들에게 시행한 정관절제수술과 임신중절수술은 신체에 대한 직접적인 침해행위로서 그에 관한 동의 내지 승낙을 받지 아니하였다면 헌법상 신체를 훼손당하지 아니할 권리와 태아의 생명권 등을 침해하는 행위이다. 또한 한센인들의 임신과 출산을 사실상 금지함으로써 자손을 낳고 단란한 가정을 이루어 행복을 추구할 권리는 물론이거니와 인간으로서의 존엄과 가치, 인격권 및 자기결정권, 내밀한 사생활의 비밀 등을 침해하거나 제한하는 행위임이 분명하다. 더욱이 위와 같은 침해행위가 정부의 정책에 따른 정당한 공권력의 행사라고 인정받으려면 법률에 그에 관한 명시적인 근거가 있어야 하고, 과잉금지의 원칙에 위배되지 아니하여야 하며, 침해행위의 상대방인 한센인들로부터 '사전에 이루어진 설명에 기한 동의(prior informed consent)'가 있어야 한다. 만일 국가가 위와 같은 요건을 갖추지 아니한 채 한센인들을 상대로 정관절제수술이나 임신중절수술을 시행하였다면 설령 이러한 조치가 정부의 보건정책이나 산아제한정책을 수행하기 위한 것이었다고 하더라도 이는 위법한 공권력의 행사로서 민사상 불법행위가 성립한다.

3. 한센병을 앓은 적이 있는 갑 등이 국가가 한센병 환자의 치료 및 격리수용을 위하여 운영·통제해 온 국립 소록도병원 등에 입원해 있다가 위 병원 등에 소속된 의사 등으로부터 정관절제수술 또는 임신중절수술을 받았음을 이유로 국가를 상대로 손해배상을 구한 사안에서, 국가배상책임을 인정한 사례

한센병을 앓은 적이 있는 갑 등이 국가가 한센병 환자의 치료 및 격리수용을 위하여 운영·통제해 온 국립 소록도병원 등에 입원해 있다가 위 병원 등에 소속된 의사 등으로부터 정관절제수술 또는 임신중절수술을 받았음을 이유로 국가를 상대로 손해배상을 구한 사안에서, 의사 등이 한센인인 갑 등에 대하여 시행한 정관절제수술과 임신중절수술은 법률상 근거가 없거나 적법 요건을 갖추었다고 볼 수 없는 점, 수술이 행해진 시점에서 의학적으로 밝혀진 한센병의 유전위험성과 전염위험성, 치료가능성 등을 고려해 볼 때 한센병 예방이라는 보건정책 목적을 고려하더라도 수단의 적정성이나 피해의 최소성을 인정하기 어려운 점, 갑 등이 수술에 동의 내지 승낙하였다 할지라도, 갑 등은 한센병이 유전되는지, 자녀에게 감염될 가능성이 어느 정도인지, 치료가 가능한지 등에 관하여 충분히 설명을 받지 못한 상태에서 한센인에 대한 사회적 편견과 차별, 열악한 사회·교육·경제적 여건 등으로 어쩔 수 없이 동의 내지 승낙한 것으로 보일 뿐 자유롭고 진정한 의사에 기한 것으로 볼 수 없는 점 등을 종합해 보면, 국가는 소속 의사 등이 행한 위와 같은 행위로 갑 등이 입은 손해에 대하여 국가배상책임을 부담한다고 한 사례.

4. 채무자가 소멸시효의 완성을 주장하는 것이 신의성실의 원칙에 반하여 권리남용으로서 허용될 수 없는 경우 / 장애사유가 소멸한 때로부터 '상당한 기간' 내에 채권자의 권리행사가 있었는지 판단하는 기준 및 불법행위로 인한 손해배상청구의 경우 '상당한 기간'의 범위

소멸시효를 이유로 한 항변권의 행사도 민법의 대원칙인 신의성실의 원칙과 권리남용금지의 원칙의 지배를 받는 것이어서, 채무자가 시효완성 전에 채권자의 권리행사나 시효중단을 불가능 또는 현저히 곤란하게 하였거나, 그러한 조치가 불필요하다고 믿게 하는 행동을 하였거나, 객관적으로 채권자가 권리를 행사할 수 없는 장애사유가 있었거나, 또는 일단 시효완성 후에 채무자가 시효를 원용하지 아니할 것 같은 태도를 보여 권리자로 하여금 그와 같이 신뢰하게 하였거나, 채권자보호의 필요성이 크고 같은 조건의 다른 채권자가 채무의 변제를 수령하는 등의 사정이 있어 채무이행의 거절을 인정함이 현저히 부당하거나 불공평하게 되는 등의 특별한 사정이 있는 경우에는 채무자가 소멸시효의 완성을 주장하는 것이 신의성실의 원칙에 반하여 권리남용으로서 허용될 수 없다.

한편 채권자에게 위와 같은 장애사유가 있었던 경우에도 채권자는 장애사유가 소멸한 때로부터 상당한 기간 내에 권리를 행사하여야만 채무자의 소멸시효 항변을 저지할 수 있다. 여기에서 '상당한 기간' 내에 권리행사가 있었는지는 채권자와 채무자 사이의 관계, 손해배상청구권의 발생원인, 채권자의 권리행사가 지연된 사유 및 손해배상청구의 소를 제기하기까지의 경과 등 여러 사정을 종합적으로 고려하여 판단하여야 하나, 소멸시효 제도는 법적 안정성의 달성 및 증명 곤란의 구제 등을 이념으로 하는 것이므로 적용요건에 해당함에도 신의성실의 원칙을 들어 시효 완성의 효력을 부정하는 것은 매우 예외적인 제한에 그쳐야 한다. 따라서 권리행사의 '상당한 기간'은 특별한 사정이 없는 한 민법상 시효정지의 경우에 준하여 단기간으로 제한되어야 하고, 특히 불법행위로 인한 손해배상청구 사건에서는 매우 특수한 개별 사정이 있어 기간을 연장하여 인정하는 것이 부득이한 경우에도 민법 제766조 제1항이 규정한 단기소멸시효기간인 3년을 넘을 수는 없다.

제5절 형사보상청구권

208. 형사보상금 액수제한 및 형사보상결정에 대한 불복금지 사건 [위헌, 기각]
― 2010. 10. 28. 선고 2008헌마514, 2010헌마220(병합)

판시사항

1. 형사보상금을 일정한 범위 내로 한정하고 있는 형사보상법 제4조 제1항(이하 '이 사건 보상금조항'이라 한다)과 형사보상법시행령 제2조(이하 '이 사건 보상금시행령조항'이라 한다)이 청구인들의 형사보상청구권을 침해하는지 여부(소극)
2. 형사보상의 청구에 대하여 한 보상의 결정에 대하여는 불복을 신청할 수 없도록 하여 형사보상의 결정을 단심재판으로 규정한 형사보상법 제19조 제1항(이하 '이 사건 불복금지조항'이라 한다)이 청구인들의 형사보상청구권 및 재판청구권을 침해하는지 여부(적극)

사건의 개요

청구인 김○혁은 2007. 10. 29. 야간주거침입절도 혐의로 구속되어 기소되었으나 2008. 1. 24. 무죄판결을 선고받아 석방된후, 2008. 7. 24. 상고가 기각되어 무죄판결이 확정되었다.

위 청구인은 2008. 7. 28. 위 구금에 관한 형사보상을 청구하여 2010. 2. 4. 보상의 결정을 받았는데, 위 형사보상청구 후 보상의 내용을 규정한 형사보상법 제4조 제1항 및 형사보상법 시행령 제2조가 위 청구인의 형사보상청구권 등을 침해하고, 보상의 결정에 대하여 불복을 신청할 수 없도록 규정한 형사보상법 제19조 제1항이 위 청구인의 재판청구권 등을 침해하는 것이라고 주장하면서 2008. 8. 5. 이 사건 헌법소원심판을 청구하였다.

심판대상조항 및 관련조항

형사보상법(1987. 11. 28. 법률 제3956호로 개정된 것)

제4조(보상의 내용) ① 구금에 대한 보상에 있어서는 그 일수에 따라 1일 5천 원 이상 대통령령이 정하는 금액 이하의 비율에 의한 보상금을 지급한다.

형사보상법 시행령(1991. 6. 19. 대통령령 제13386호로 개정된 것)

제2조(보상의 상한) 법 제4조 제1항의 규정에 의한 구금에 대한 보상금의 상한은 1일 보상청구의 원인이 발생한 연도의 최저임금법상 일급최저임금액의 5배로 한다.

형사보상법(1958. 8. 13. 법률 제494호로 제정된 것)

제19조(불복신청) ① 보상의 결정에 대하여는 불복을 신청할 수 없다.

> **주문**

1. 형사보상법(1958. 8. 13. 법률 제494호로 제정된 것) 제19조 제1항은 헌법에 위반된다.
2. 형사보상법(1987. 11. 28. 법률 제3956호로 개정된 것) 제4조 제1항 및 형사보상법시행령(1991. 6. 19. 대통령령 제13386호로 개정된 것) 제2조에 대한 심판청구를 기각한다.

1. 이 사건 보상금조항 및 이 사건 보상금시행령조항에 대한 판단

가. 형사보상청구권과 입법재량의 한계

헌법 제28조는 "형사피의자 또는 형사피고인으로서 구금되었던 자가 법률이 정하는 불기소처분을 받거나 무죄판결을 받은 때에는 법률이 정하는 바에 의하여 국가에 정당한 보상을 청구할 수 있다."고 규정함으로써, 형사피의자 또는 형사피고인(이하 '형사피고인 등'이라 한다)으로서 구금되었던 자가 무죄판결 등을 받은 경우에 국가에 대하여 물질적·정신적 피해에 대한 정당한 보상을 청구할 수 있는 권리를 보장하고 있다.

국가의 형사사법절차는 법률이 규정하는 바에 따라 구체적 사건에서 범죄의 성립 여부에 관한 수사 및 재판절차를 진행하고, 법원의 심리, 판단 결과 범죄의 성립이 인정되는 경우 그에 대한 형의 양정을 하고 그 형을 집행하는 절차인바, 범죄의 혐의를 받은 피의자가 수사기관의 조사를 받고 법원에 기소되었다 하더라도 심리결과 무죄로 판명되는 경우가 발생할 수 있다. 이렇게 최종적으로 무죄 판단을 받은 피의자 또는 피고인이 수사 및 재판과정에서 상당한 기간 동안 구금되었던 경우가 있을 수 있는바, 이는 형사사법절차에 불가피하게 내재되어 있는 위험이라 할 것이다.

그런데, 이러한 위험이 형사사법절차에 불가피하게 내재된 것이라 하더라도 그 위험으로 인한 부담을 무죄판결을 선고받은 자 개인에게 지워서는 아니 되고, 이러한 형사사법절차를 운영하는 국가는 이러한 위험에 의하여 발생되는 손해에 대응한 보상을 하지 않으면 안된다. 헌법 제28조는 이러한 권리를 구체적으로 보장함으로써 국민의 기본권 보호를 강화하고 있다.

그러나 형사보상청구권이라 하여도 '법률이 정하는 바에 의하여' 행사되므로(헌법 제28조) 그 내용은 법률에 의하여 정해지는바, 이 과정에서 입법자에게 일정한 입법재량이 부여될 수 있고, 따라서 형사보상의 구체적 내용과 금액 및 절차에 관한 사항은 입법자가 정하여야 할 사항이라 할 것이다.

그러나 이러한 입법을 함에 있어서는 비록 완화된 의미일지언정 헌법 제37조 제2항의 비례의 원칙이 준수되어야 한다. 형사보상청구권은 국가가 형사사법절차를 운영함에 있어 결과적으로 무고한 사람을 구금한 것으로 밝혀진 경우 구금당한 개인에게 인정되는 권리이고, 헌법 제28조는 이에 대하여 '정당한 보상'을 명문으로 보장하고 있으므로, 따라서 법률에 의하여 제한되는 경우에도 이러한 본질적인 내용은 침해되어서는 아니되기 때문이다.

나. 과잉금지원칙 위배 여부

1) 형사보상은 과실책임의 원리에 의하여 고의·과실로 인한 위법행위와 인과관계 있는 모든 손해를 배상하는 손해배상과는 달리, 형사사법절차에 내재하는 불가피한 위험에 대하여 형사사법기관의 귀책사유를 따지지 않고 형사보상청구권자가 입은 손실을 보상하는 것이다. 그런데 형사피고인 등으로서 구금되었던 자가 무죄판결 등을 받았다고 하더라도, 형사피고인 등이 구속된 사유나 무죄판결을 선고받게 된 이유는 매우 다양하므로, 그 모든 경우에 국가의 형사사법작용인 구금이 위법·부당한 것이었다고 단정할 수는 없다.

따라서 형사피고인 등으로서 적법하게 구금되었다가 후에 무죄판결 등을 받음으로써 발생하는 신체의 자유 제한에 대한 보상은 형사사법절차에 내재하는 불가피한 위험으로 인한 피해에 대한 보상으로서, 국가의 위법·부당한 행위를 전제로 하는 국가배상과는 그 취지 자체가 상이한 것이고, 따라서 그 보상 범위도 손해배상의 범위와 동일하여야 하는 것이 아니다. 국가의 형사사법행위가 고의·과실로 인한 것으로 인정되는 경우에는 국가배상청구 등 별개의 절차에 의하여 인과관계 있는 모든 손해를 배상받을 수 있으므로, 형사보상절차로써 인과관계 있는 모든 손해를 보상하지 않는다고 하여 반드시 부당하다고 할 수는 없을 것이다.

2) 형사보상은 형사피고인 등의 신체의 자유를 제한한 것에 대하여 사후적으로 그 손해를 보상하는 것인바, 구금으로 인하여 침해되는 가치는 객관적으로 평가하기 어려운 것이므로, 그에 대한 보상을 어떻게 할 것인지는 국가의 경제적, 사회적, 정책적 사정들을 참작하여 입법재량으로 결정할 수 있는 사항이라 할 것이다.

이러한 점에서 헌법 제28조에서 규정하는 '정당한 보상'은 헌법 제23조 제3항에서 재산권의 침해에 대하여 규정하는 '정당한 보상'과는 차이가 있다 할 것이다. 헌법 제23조 제3항에서 규정하는 '정당한 보상'이란 원칙적으로 피수용재산의 객관적 재산가치를 완전하게 보상하는 것이어야 하는바, 토지수용 등과 같은 재산권의 제한은 물질적 가치에 대한 제한이므로 제한되는 가치의 범위가 객관적으로 산정될 수 있어 이에 대한 완전한 보상이 가능하다. 그런데 헌법 제28조에서 문제되는 신체의 자유에 대한 제한인 구금으로 인하여 침해되는 가치는 객관적으로 산정할 수 없으므로, 일단 침해된 신체의 자유에 대하여 어느 정도의 보상을 하여야 완전한 보상을 하였다고 할 것인지 단언하기 어렵다. 헌법 제23조 제3항에 '보상을 하여야 한다.'라고 규정하는 반면, 헌법 제28조는 '법률이 정하는 바에 의하여 …… 보상을 청구할 수 있다.'라고 규정하고 있는 것은 이러한 점을 반영하는 것이라 할 수 있다.

3) 보상금액의 구체화·개별화를 추구할 경우에는 개별적인 보상금액을 산정하는 데 상당한 기간의 소요 및 절차의 지연을 초래하여 형사보상제도의 취지에 반하는 결과가 될 위험이 크고, 나아가 그로 인하여 청구권자간에 형사보상금의 액수에 지나친 차등이 발생하여 오히려 공평의 관념을 저해할 우려도 있다.

4) 따라서 이 사건 보상금조항 및 이 사건 보상금시행령조항은 헌법 제28조 및 헌법 제37조 제2항에 위반된다고 볼 수 없다.

2. 이 사건 불복금지조항에 대한 판단

가. 재판청구권과 입법형성권

재판이 몇 개의 심급으로 형성되어야 하는가에 관한 심급제도의 문제는 사법에 의한 권리보호에 관하여 한정된 사법자원의 합리적 분배의 문제인 동시에 재판의 적정과 신속이라는 서로 상반되는 두 가지의 요청을 어떻게 조화시키느냐의 문제로 돌아가므로 기본적으로 입법자의 형성의 자유에 속하는 사항이라고 할 것이다.

그런데 헌법 제28조의 형사보상청구권은 국가의 형사사법작용에 의하여 신체의 자유가 침해된 국민에게 그 구제를 인정하여 국민의 기본권 보호를 강화하는 데 그 목적이 있고, 형사보상청구권은 이미 신체의 자유를 침해받은 자에 대하여 사후적으로 구제해 주는 기본권이므로, 그 실효적인 구제를 요청할 수 있는 권리가 충분히 보장되지 않는다면 헌법상 천명된 기본권보장의 정신은 요원해질 수 있다. 나아가 형사소송절차에서 상소(上訴)는 미확정의 재판에 대하여 상급법원에 구제를 구하는 불복신청제도로서, 오판으로 말미암아 불이익을 받는 당사자를 구제하기 위하여 없어서는 안 될 제도이며 하급심에서 잘못된 재판을 하였을 때에는 상소심으로 하여금 이를 바로잡게 하는 것이 재판청구권을 실질적으로 보장하는 방법이 된다는 의미에서 심급제도는 재판청구권을 보장하기 위한 수단이다.

따라서 이 사건에 있어서 형사보상의 결정에 대한 불복을 금지하는 것이 분쟁의 신속한 해결을 통한 법적 안정성의 확보에만 매몰되어 재판의 적정성이라는 법치주의의 또 다른 이념을 현저히 희생함으로써 형사보상청구권의 실현을 위한 기본권으로서의 재판청구권의 본질을 심각하게 훼손하는 등 입법형성권의 한계를 일탈한 것이 아닌지를 검토할 필요가 있다.

나. 이 사건 불복금지조항의 위헌 여부

보상액의 산정에 기초되는 사실인정이나 보상액에 관한 판단에서 오류나 불합리성이 발견되는 경우에도 그 시정을 구하는 불복신청을 할 수 없도록 하는 것은 형사보상청구권 및 그 실현을 위한 기본권으로서의 재판청구권의 본질적 내용을 침해하는 것이라 할 것이고, 나아가 법적안정성만을 지나치게 강조함으로써 재판의 적정성과 정의를 추구하는 사법제도의 본질에 부합하지 아니하는 것이다. 또한, 불복을 허용하더라도 즉시항고는 절차가 신속히 진행될 수 있고 사건수도 과다하지 아니한데다 그 재판내용도 비교적 단순하므로 불복을 허용한다고 하여 상급심에 과도한 부담을 줄 가능성은 별로 없다.

따라서 이 사건 불복금지조항은 헌법이 보장하는 형사보상청구권 및 그 실현을 위한 기본권인 재판청구권의 본질적 내용을 침해하는 것으로서 헌법에 위반된다 할 것이다.

제6절 범죄피해자구조청구권

제7장 사회적 기본권

제1절 사회적 기본권의 일반론

제2절 인간다운 생활을 할 권리

 **2002년도 국민기초생활보장 최저생계비 고시 사건** [기각]
― 2004. 10. 28. 선고 2002헌마328

판시사항

보건복지부장관이 2002년도 최저생계비를 고시함에 있어 장애로 인한 추가지출비용을 반영한 별도의 최저생계비를 결정하지 않은 채 가구별 인원수만을 기준으로 최저생계비를 결정한 2002년도 최저생계비고시가 생활능력 없는 장애인가구 구성원의 인간의 존엄과 가치 및 행복추구권, 인간다운 생활을 할 권리, 평등권을 침해하였는지 여부(소극)

사건의 개요

청구인 박○자, 이○연은 각 정신지체 1급 장애자이고, 청구인 이○열은 박○자의 남편이자 이○연의 아버지로서 비장애자인바, 청구인들은 1가구를 이루어 함께 거주하면서 2000. 10. 5. 국민기초생활보장법에 따른 생계급여 수급자로 선정되어 그 무렵부터 생계급여를 지급받고 있다. 보건복지부장관은 2001. 12. 1. 보건복지부고시 제2001-63호로 2002년도 국민기초생활보장법(이하 '보장법'이라 한다)상의 최저생계비를 결정·공표하였다. 청구인들은 2002. 5. 14. 위 최저생계비 고시가 청구인들의 인간으로서의 존엄과 가치 및 행복추구권, 인간다운 생활을 할 권리 및 평등권을 침해하는 것이라고 주장하면서 이 사건 헌법소원심판을 청구하였다.

1. 인간다운 생활을 할 권리의 침해 여부

가. 생활능력 없는 장애인의 인간다운 생활을 할 권리에 관한 헌법규정

우리 헌법은 사회국가원리를 명문으로 규정하지 않고, 헌법 전문, 인간다운 생활을 할 권리를 비롯한 사회적 기본권의 보장(헌법 제31조 내지 제36조), 경제 영역에서 적극적으로 계획하고 유도하고 재분배하여야 할 국가의 의무를 규정하는 경제에 관한 조항(헌법 제119조 제2항 이하) 등을 통하여 간접적으로 사회국가원리를 수용하고 있다. 사회국가란 사회정의의 이념을 헌법에 수용한 국가, 사회현상에 대하여 방관적인 국가가 아니라 경제·사회·문화의 모든 영역에서 정의로운 사회질서의 형성을 위하여 사회현상에 관여하고 간섭하고 분배하고 조정하는 국가이며, 궁극적으로는 국민 각자가 실제로 자유를 행사할 수 있는 그 실질적 조건을 마련해 줄 의무가 있는 국가를 의미한다.

헌법 제34조 제1항은 "모든 국민은 인간다운 생활을 할 권리를 가진다"고 규정하면서, 제34조 제2항에서 "국가는 사회보장·사회복지의 증진에 노력할 의무를 진다"고 규정함과 아울러 제34조 제5항에서 "신체장애자 및 질병·노령 기타의 사유로 생활능력이 없는 국민은 법률이 정하는 바에 의하여 국가의 보호를 받는다"고 규정하고 있는바, 이러한 헌법규정들은 생활능력 없는 신체장애자에게 인간다운 생활을 할 권리가 있고, 이에 대응하여 국가에게 생활능력 없는 장애인을 보호할 헌법적 의무가 있음을 명시하고 있다.

나. 인간다운 생활을 할 권리의 의의와 법적 성격

헌법 제34조 제1항이 보장하는 인간다운 생활을 할 권리는 사회권적 기본권의 일종으로서 인간의 존엄에 상응하는 최소한의 물질적인 생활의 유지에 필요한 급부를 요구할 수 있는 권리를 의미하는데, 이러한 권리는 국가가 재정형편 등 여러 가지 상황들을 종합적으로 감안하여 법률을 통하여 구체화할 때에 비로소 인정되는 법률적 권리라고 할 것이다.

나아가 모든 국민은 인간다운 생활을 할 권리를 가지며 국가는 생활능력 없는 국민을 보호할 의무가 있다는 헌법의 규정은 모든 국가기관을 기속하지만 그 기속의 의미는 동일하지 아니한데, 입법부나 행정부에 대하여는 국민소득, 국가의 재정능력과 정책 등을 고려하여 가능한 범위 안에서 최대한으로 모든 국민이 물질적인 최저생활을 넘어서 인간의 존엄성에 맞는 건강하고 문화적인 생활을 누릴 수 있도록 하여야 한다는 행위의 지침, 즉 행위규범으로서 작용하지만, 헌법재판에 있어서는 다른 국가기관, 즉 입법부나 행정부가 국민으로 하여금 인간다운 생활을 영위하도록 하기 위하여 객관적으로 필요한 최소한의 조치를 취할 의무를 다하였는지를 기준으로 국가기관의 행위의 합헌성을 심사하여야 한다는 통제규범으로 작용하는 것이다.

또한, 국가가 행하는 생계보호가 헌법이 요구하는 객관적인 최소한도의 내용을 실현하고 있는지 여부는 결국 국가가 국민의 '인간다운 생활'을 보장함에 필요한 최소한도의 조치를 취하였는가의 여부에 달려있다고 할 것인데 생계보호의 구체적 수준을 결정하는 것은 입법부 또는 입법에 의하여 다시 위임을 받은 행정부 등 해당기관의 광범위한 재량에 맡겨져 있다고 보아야 할 것이므로, 국가가 인간다운 생활을 보장하기 위한 헌법적 의무를 다하였는지의 여부가 사법적 심사의 대상이 된 경우에는, 국가가 생계보호에 관한 입법을 전혀 하지 아니하였다든가 그 내용이 현저히 불합리하여 헌법상 용인될 수 있는 재량의 범위를 명백히 일탈한 경우에 한하여 인간다운 생활을 할 권리를 보장한 헌법에 위반된다고 할 수 있다.

다. 이 사건 고시와 생계급여

보건복지부장관은 2001년도 최저생계비를 3.5% 인상하여 가구별 인원수를 기준으로 2002년도 최저생계비를 결정하여 이 사건 고시를 하였는데, 당시 가구유형(성, 연령, 장애여부, 질병여부 등)을 고려한 최저생계비를 계측할 수 있는 모형개발이 미흡했고, 예산상의 이유로 가구유형별 최저생계비를 계측하기 위한 충분한 표본수를 확보할 수 없었음을 이유로 장애인가구의 추가지출비용을 반영한 장애인가구용 최저생계비는 따로 결정하지 아니하였다.

보장법에 근거하여 고시된 최저생계비와 개별가구의 소득평가액 등의 차액으로 액수가 결정되어 지급되는 생계급여는 수급자에게 의복·음식물 및 연료비와 기타 일상생활에 기본적으로 필요한 금품으로서(제8조) 사회부조의 한 형태이다.

라. 이 사건 고시가 인간다운 생활을 할 권리를 침해하였는지 여부

국가가 행하는 보장법상의 "생활능력 없는 장애인에 대한 최저생활보장을 위한 생계급여 지급"이 헌법이 요구하는 객관적인 최소한도의 내용을 실현하고 있는지의 여부는 국가가 인간다운 생활을 보장함에 필요한 최소한도의 조치를 취하였는가의 여부에 달려있다고 할 것인바, "인간다운 생활"이란 그 자체가 추상적이고 상대적인 개념으로서 그 나라의 문화의 발달, 역사적·사회적·경제적 여건에 따라 어느 정도는 달라질 수 있는 것이고, "최소한도의 조치" 역시 국민의 사회의식의 변화, 사회·경제적 상황의 변화에 따라 가변적인 것이므로, 국가가 인간다운 생활을 보장하기 위한 생계급여의 수준을 구체적으로 결정함에 있어서는 국민 전체의 소득수준과 생활수준, 국가의 재정규모와 정책, 국민 각 계층의 상충하는 갖가지 이해관계 등 복잡 다양한 요소를 함께 고려해야 한다. 따라서, 생활이 어려운 장애인의 최저생활보장의 구체적 수준을 결정하는 것은 입법부 또는 입법에 의하여 다시 위임을 받은 행정부 등 해당기관의 광범위한 재량에 맡겨져 있다고 보아야 한다.

그러므로 국가가 인간다운 생활을 보장하기 위한 헌법적 의무를 다하였는지의 여부가 사법적 심사의 대상이 된 경우에는, 국가가 최저생활보장에 관한 입법을 전혀 하지 아니하였다든가 그 내용이 현저히 불합리하여 헌법상 용인될 수 있는 재량의 범위를 명백히 일탈한 경우에 한하여 헌법에 위반된다고 할 수 있다.

한편, 국가가 생활능력 없는 장애인의 인간다운 생활을 보장하기 위하여 행하는 사회부조에는 보장법에 의한 생계급여 지급을 통한 최저생활보장 외에 다른 법령에 의하여 행하여지는 것도 있으므로, 국가가 행하는 최저생활보장 수준이 그 재량의 범위를 명백히 일탈하였는지 여부, 즉 인간다운 생활을 보장하기 위한 객관적 내용의 최소한을 보장하고 있는지 여부는 보장법에 의한 생계급여만을 가지고 판단하여서는 아니되고, 그 외의 법령에 의거하여 국가가 최저생활보장을 위하여 지급하는 각종 급여나 각종 부담의 감면 등을 총괄한 수준으로 판단하여야 한다.

보건복지부장관이 2002년도 최저생계비를 고시함에 있어서 장애인가구의 추가지출비용을 반영한 최저생계비를 별도로 정하지 아니한 채 가구별 인원수를 기준으로 한 최저생계비만을 결정·공표함으로써 장애인가구의 추가지출비용이 반영되지 않은 최저생계비에 따라 장애인가구의 생계급여 액수가 결정되었다 하더라도 그 생계급여액수는 최저생계비와 동일한 액수로 결정되는 것이 아니라 최저생계비에서 개별가구의 소득평가액 등을 공제한 차액으로 지급되기 때문에 장애인가구와 비장애인가구에게 지급되는 생계급여까지 동일한 액수가 되는 것은 아니라는 점, 이 때 공제되는 개별가구의 소득평가액은 장애인가구의 실제소득에서 장애인가구의 특성에 따른 지출요인을 반영한 금품인 장애인복지법에 의한 장애수당, 장애아동부양수당 및 보호수당, 만성질환 등의 치료·요양재활로 인하여 6개월 이상 지속적으로 지출하는 의료비를 공제하여 산정하므로 결과적으로 장애인가구는 비장애인가구에 비교하여 볼 때 최저생계비에 장애로 인한 추가비용을 반영하여 생계급여액을 상향조정함과 비슷한 효과를 나타내고 있는 점, 장애인가구는 비장애인가구와 비교하여 각종 법령 및 정부시책에 따른 각종 급여 및 부담감면으로 인하여 최저생계비의 비목에 포함되는 보건의료비, 교통·통신비, 교육비, 교양·오락비, 비소비지출비를 추가적으로 보전 받고 있는 점을 고려할 때, 그것만으로 국가가 생활능력 없는 장애인의 인간다운 생활을 보장하기 위한 조치를 취함에 있어서 국가가 실현해야 할 객관적 내용의 최소한도의 보장에도 이르지 못하였다거나 헌법상 용인될 수 있는 재량의 범위를 명백히 일탈하였다고는 보기 어렵다 할 것이어서 이 사건 고시로 인하여 생활능력 없는 장애인가구 구성원의 인간다운 생활을 할 권리가 침해되었다고 할 수 없다.

2. 인간의 존엄과 가치 및 행복추구권의 침해 여부

헌법 제10조에서 규정한 인간의 존엄과 가치는 '헌법이념의 핵심'으로 국가는 헌법에 규정된 개별적 기본권을 비롯하여 헌법에 열거되지 아니한 자유와 권리까지도 이를 보장하여야 하며, 이를 통하여 개별 국민이 가지는 인간으로서의 존엄과 가치를 존중하고 확보하여야 한다는 헌법의 기본원리를 선언한 조항이다. 따라서 자유와 권리의 보장은 1차적으로 헌법상 개별적 기본권규정을 매개로 이루어지지만, 기본권제한에 있어서 인간의 존엄과 가치를 침해한다거나 기본권형성에 있어서 최소한의 필요한 보장조차 규정하지 않음으로써 결과적으로 인간으로서의 존엄과 가치를 훼손한다면 헌법 제10조에서 규정한 인간의 존엄과 가치에 위반된다고 할 것이다.

이 사건 고시는 앞서 보았듯이 생활능력 없는 장애인가구의 최저생활보장을 위한 생계급여지급과 관련하여 인간다운 생활을 할 권리를 형성하는 성질을 가지고 있으나 그 내용상 최소한의 필요한 보장수준을 제시하지 아니하여 인간으로서의 인격이나 본질적 가치가 훼손된다고 볼 수 없으므로 인간의 존엄과 가치 및 행복추구권을 침해하는 규정이라고 할 수 없다.

3. 평등권의 침해 여부

가. 헌법 규정

헌법 제11조는 "모든 국민은 법 앞에 평등하다. 누구든지 성별·종교·사회적 신분에 의하여 정치적·경제적·사회적·문화적 생활의 모든 영역에 있어서 차별을 받지 아니한다"라고 규정하여 모든 국민에게 평등권을 보장하고 있다. 이는 국가권력이 본질적으로 같은 것은 같게, 본질적으로 다른 것은 다르게 취급해야 한다는 것을 의미하지만, 합리적 근거에 의한 차별까지 금지하는 것은 아니다.

나. 평등권의 침해 여부

1) 차별의 대상

이 사건 고시는 장애인가구의 추가지출비용을 반영한 별도의 최저생계비를 결정하지 않은 채 일률적으로 가구별 인원수만을 기준으로 한 최저생계비를 결정함으로써 사회부조의 일종인 보장법상의 생계급여를 지급받을 자격을 갖춘 생활능력 없는 장애인가구와 비장애인가구에게 동일한 최저생계비를 기준으로 하여 생계급여를 지급받게 하였다는 점에서 본질적으로 다른 것을 같게 취급하는 상황을 초래하였다고 볼 수 있다.

2) 심사의 기준

평등위반 여부를 심사함에 있어 엄격심사에 의할 것인지, 완화된 심사에 의할 것인지는 입법자 내지 입법의 위임을 받은 행정부에게 인정되는 형성의 자유 정도에 따라 달라진다 할 것인데, 이 사건 고시로 인한 장애인가구와 비장애인가구의 차별취급은 헌법에서 특별히 평등을 요구하는 경우 내지 차별대우로 인하여 자유권의 행사에 중대한 제한을 받는 경우에 해당한다고 볼 수 없는 점, 국가가 국민의 인간다운 생활을 보장하기 위하여 행하는 사회부조에 관하여는 입법부 내지 입법에 의하여 위임을 받은 행정부에게 사회보장, 사회복지의 이념에 명백히 어긋나지 않는 한 광범위한 형성의 자유가 부여된다는 점을 고려하면, 이 사건 고시로 인한 장애인가구와 비장애인가구의 차별취급이 평등위반인지 여부를 심사함에 있어서는 완화된 심사기준인 자의금지원칙을 적용함이 상당하다.

3) 침해 여부

장애인가구와 비장애인가구에게 일률적으로 이 사건 고시상의 최저생계비를 적용한다고 하더라도 보장법상의 생계급여 액수가 최저생계비와 동일한 액수로 결정되는 것이 아니라 앞서 본 바와 같이 최저생계비에서 개별가구의 소득평가액 등을 공제한 차액으로 지급되기 때문에 장애인가구와 비장애인가구에게 지급되는 생계급여까지 동일한 액수가 되는 것은 아니라는 점, 이때 공제되는 개별가구의 소득평가액은 장애인가구의 실제소득에서 장애인가구의 특성에 따른 지출요인을 반영한 금품인 장애인복지법에 의한 장애수당, 장애아동부양수당 및 보호수당, 만성질환 등의 치료·요양·재활로 인하여 6개월 이상 지속적으로 지출하는 의료비를 공제하여 산정하므로 결과적으로 장애인가구는 비장애인가구에 비교하여 볼 때 최저생계비에 장애로 인한 추가비용을 반영하여 생계급여액을 상향조정함과 비슷한 효과를 받고 있는 점, 장애인가구는 비장애인가구와 비교하여 앞서 본 바와 같이 각종 법령 및 정부시책에 따른 각종 급여 및 부담감면으로 인하여 최저생계비의 비목에 포함되는 보건의료비, 교통·통신비, 교육비, 교양·오락비, 비소비지출비를 추가적으로 보전 받고 있는 점을 고려할 때, 비록 이 사건 고시를 장애인가구와 비장애인가구에게 일률적으로 적용하였다 하더라도 그러한 취급에는 합리성이 있다 할 것이고 이를 자의적인 것이라고 할 수는 없다 할 것이다. 따라서, 이 사건 고시가 생활능력 없는 장애인가구 구성원의 평등권을 침해한다고 할 수 없다.

210 국민의료보험법상 보험급여 제한사유 사건 [한정위헌]
— 2003. 12. 18. 선고 2002헌바1

판시사항

1. 구 국민의료보험법상의 의료보험수급권이 재산권으로서의 성질을 가지는지 여부(적극)
2. 구 국민의료보험법 제41조 제1항(이하 '이 사건 법률조항'이라 한다)의 보험급여 제한 사유에 고의와 중과실에 의한 범죄행위 이외에 경과실에 의한 범죄행위까지 포함되는 것으로 해석하는 것이 재산권에 대한 과도한 제한으로서 재산권을 침해하는지 여부(적극)
3. 경과실에 의한 범죄행위에 기인하는 보험사고에 대하여 의료보험급여를 제한하는 것이 사회적 기본권으로서의 의료보험수급권의 본질을 침해하는지 여부(적극)

사건의 개요

청구인은 1999. 11. 6. 23:35경 자신의 승용차를 운전하다가 마주오던 청구외 박준규 운전의 택시와 충돌하여 그에게 상해를 입히고 자신도 경추골절로 인한 하반신불구의 부상을 입고 치료를 받았다. 국민건강보험공단은 청구인에게 위 부상에 대한 보험금 8,001,170원을 지급하였다가 청구인의 부상이 혈중알콜농도 0.130%의 음주상태에서 운전하다가 중앙선을 침범한 자신의 범죄행위에 기인한 것이므로 보험금을 지급할 수 없는 경우에 해당한다는 이유로 2000. 5. 4. 청구인으로부터 위 보험금 상당액을 환수한다는 처분을 하였다.

청구인은 자신의 행위가 고의나 중과실에 의한 것임을 부인하면서 국민건강보험공단 울산지사장을 상대로 울산지방법원에 위 처분의 취소를 구하는 소를 제기하고 그 계속 중 위 처분의 근거가 된 심판대상 법조항에 대하여 위헌심판제청을 신청하였으나 이것이 기각되자 2002. 1. 4. 헌법소원을 제기하였다.

심판대상조항 및 관련조항

구 국민의료보험법(1999. 12. 31. 법률 제6093호로 개정된 국민건강보험법 부칙 제2조에 의하여 2000. 7. 1.자로 폐지되기 전의 것)

제41조(급여의 제한) ① 보험자는 보험급여를 받을 자가 자신의 범죄행위에 기인하거나 또는 고의로 사고를 발생시켰을 때에는 당해 보험급여를 하지 아니한다.

주문

구 국민의료보험법(1999. 12. 31. 법률 제6093호로 개정된 국민건강보험법 부칙 제2조에 의하여 2000. 7. 1.자로 폐지되기 전의 것) 제41조 제1항의 "범죄행위"에 고의와 중과실에 의한 범죄행위 이외에 경과실에 의한 범죄행위가 포함되는 것으로 해석하는 한 이는 헌법에 위반된다.

1. 의료보험수급권의 법적 성질

의료보험제도는 피보험자인 국민이 납부하는 기여금 형태의 보험료와 국고부담을 재원으로 하여, 국민에게 발생하는 질병·상해·분만·사망 등 상당한 재산상 부담이 되는 사회적 위험을 보험방식에 의하여 대처하는 사회보험제도(사회보장기본법 제3조 제2호, 구 국민의료보험법 제1조)이므로 이 제도에 따른 의료보험수급권은 이른바 사회보장수급권의 하나에 속한다. 이러한 사회보장수급권은 헌법 제34조 제1항에 의한 인간다운 생활을 보장하기 위한 사회적 기본권 중의 핵심적인 것이고 의료보험수급권은 바로 이러한 사회적 기본권에 속한다.

그런데 이와 같이 사회적 기본권의 성격을 가지는 의료보험수급권은 국가에 대하여 적극적으로 급부를 요구하는 것이므로 헌법규정만으로는 이를 실현할 수 없고 법률에 의한 형성을 필요로 한다. 의료보험수급권의 구체적 내용 즉, 수급요건·수급권자의 범위·급여금액 등은 법률에 의하여 비로소 확정된다. 구 국민의료보험법은 제4장에서 보험급여의 내용을 구체적으로 규정하고 있는바 피보험자 및 피부양자의 질병, 부상, 분만에 대하여 보험급여를 한다고 규정하고 그 내용, 의료보험의 개시시기, 비용의 일부부담에 대하여 규정하고 있다. 따라서 의료보험수급권은 법률에 의하여 이미 형성된 구체적인 권리라고 할 것이다. 헌법재판소는 구 의료보험법 제31조 제1항이 규정하는 "이른바 분만급여청구권은 위와 같은 사회보장제도 중 사회보험으로서의 의료보험급여의 일종으로 의료보험법이라는 입법에 의하여 구체적으로 형성된 권리이다."라고 판시한 바 있다.

한편 의료보험법상의 보험급여는 가입자가 기여금의 형태로 납부한 보험료에 대한 반대급부의 성질을 갖는 것이고 본질상, 보험사고로 초래되는 가입자의 재산상의 부담을 전보하여 주는 경제적 유용성을 가지므로 의료보험수급권은 재산권의 성질을 갖는다. 법률에 의하여 구체적으로 형성된 의료보험수급권에 대하여 헌법재판소는 이를 재산권의 보장을 받는 공법상의 권리로서 헌법상의 사회적 기본권의 성격과 재산권의 성격을 아울러 지니고 있다고 보므로 보험급여를 받을 수 있는 가입자가 만일 계쟁조항에 의하여 보험급여를 받을 수 없게 된다면 이것은 헌법상의 재산권과 사회적 기본권에 대한 제한이 된다.

2. 재산권의 침해 여부

의료보험수급권은 재산권으로 보장을 받는 공법상의 권리이지만 헌법 제37조 제2항의 공공복리를 위하여 제한될 수 있는 것이다. 그러나 만일 그 제한이 과도하여 의료보험수급권의 본질을 침해한다면 이는 위헌이 된다. 재산권의 본질을 침해하는지 여부를 검토함에 있어서는 보험급여 제한의 목적이 정당한지, 수단이 상당한지, 그 제한이 필요한 최소한의 범위에 그치는 것인지, 그리고 법익간의 균형을 유지하고 있는지 등을 살펴보아야 할 것이다.

만일 가입자가 저지른 범죄행위로 인한 사고에 대하여도 보험급여를 실시한다면 선량한 주의의무로 사고와 질병을 방지하고 예방하는 등 보험공동체에 대하여 성실하게 책임을 다하는 국민에게 그 부담을 전가하게 되는 불합리한 결과를 가져오고 가입자의 공동체의식을 약화시키게 된다. 그러므로 가입자의 범죄행위에 기인하는 질병·부상 등에 대하여는 가입자가 고의로 이들을 발생시킨 경우와 마찬가지로 보험급여를 제한할 필요가 있게 된다. 따라서 '범죄행위'라고 하는 보험공동체에 대한 위해행위로 인하여 발생한 질병·부상 등에 대하여 계쟁조항이 보험급여를 제한하고 이로써 의료보험의 공공성을 지키고자 하는 것은 그 입법목적의 정당성을 인정할 수 있다.

범죄행위에 기인한 의료보험사고에 대하여 계쟁조항이 보험급여를 제한하는 것은 의료보험의 공공성을 확보하기 위한 적합한 수단이라고 할 것이다.

문제는 범죄행위의 종류를 묻지 않는 데서 발생한다. 이 사건 법률조항은 보험급여의 제한 사유인 '범죄행위'에 고의나 중과실에 의한 것 이외에 경과실에 의한 것까지 포함하고 있는바, 고의·중과실을 제외한 경과실범의 경우에는 그 비난가능성이 상대적으로 낮으며 우연히 발생한 경과실에 의한 범죄행위에 기인한 보험사고에 대하여 보험급여를 하는 것이 의료보험의 공공성에 위반된다고 보기 어렵다. 보험재정의 공공성을 유지하기 위하여 범죄행위에 기인한 보험사고에 대하여 보험급여를 하지 않는 것은 고의범과 중과실범의 경우로 한정하면 충분하므로, 여기에서 더 나아가 경과실범에 의한 보험사고의 경우에까지 의료보험수급권을 부정하는 것은 기본권 제한에 있어서의 최소침해의 원칙에 어긋나며, 나아가 보호되는 공익에 비하여 침해되는 사익이 현저히 커서 법익균형의 원칙에도 어긋나므로 이는 재산권에 대한 과도한 제한으로서 헌법에 위반된다.

3. 사회적 기본권의 침해

의료보험수급권은 법률에 의하여 구체적으로 형성되는 권리이고 의회는 그 형성에 있어서 넓은 재량을 갖는다. 그러나 그 재량은 제도의 본질을 침해하여서는 안된다는 헌법상의 한계를 갖는 것이고 만일 이러한 재량의 한계를 현저히 일탈할 경우에는 그 법률은 위헌이 된다. 더구나 헌법 제34조 제2항은 국가는 사회보장과 사회복지의 증진에 노력할 의무를 진다고 규정하고 있으므로 의회의 입법재량이 이러한 헌법상의 의무에 역행하는 방향으로 행사되어서는 안될 것이다.

따라서 의료보험수급권을 법률로 형성함에 있어서 의회가 비록 폭넓은 재량권을 가진다는 점을 고려한다고 하더라도 계쟁조항이 경과실의 범죄행위에 기인한 보험사고의 경우에까지 의료보험의 수급권을 부정하는 것은 우연한 사고로 인한 위험으로부터 다수의 국민을 보호하고자 하는 사회보장제도로서의 의료보험의 본질에 반하고, 의료보험을 절실히 필요로 하는 다수 국민의 우연한 위험에 대하여 그 보호를 거절하는 것이 되어 사회보장의 증진에 노력할 국가의 책임에 역행하는 것이므로 이러한 입법은 재량의 범위를 현저히 일탈하여 위헌이라고 할 것이다.

요컨대 범죄행위로 인하여 발생한 보험사고에 대하여 보험급여를 하지 않는다고 규정한 계쟁조항의 '범죄행위'에 경과실에 의한 범죄까지 포함된다고 해석하는 경우에는, 경과실에 의하여 우연히 발생한 보험사고에 대한 보험급여를 부정하게 되는데, 이것은 의료보험수급권이라는 재산권을 과도하게 제한하여 헌법에 위반된다. 뿐만 아니라 이것은 사회적 기본권으로서의 의료보험수급권의 본질을 침해하여 역시 헌법에 위반된다.

211 산업재해보상보험법 적용제외사업 사건 [합헌, 각하]
— 2003. 7. 24. 선고 2002헌바51

판시사항 및 결정요지

1. 시행령조항에 대한 헌법재판소법 제68조 제2항에 기한 헌법소원청구의 적법 여부(소극)

헌법재판소법 제68조 제2항의 규정에 의한 헌법소원심판청구는 법률이 헌법에 위반되는지 여부가 재판의 전제가 되는 때에 당사자가 위헌제청신청을 하였음에도 불구하고 법원이 이를 배척하였을 경우에 법원의 제청에 갈음하여 당사자가 직접 헌법재판소에 헌법소원의 형태로써 심판청구를 하는 것이므로, 그 심판의 대상은 재판의 전제가 되는 형식적 의미의 법률 및 그와 동일한 효력을 가진 명령이므로, 대통령령, 부령, 규칙 또는 조례 등을 대상으로 한 위 제68조 제2항의 헌법소원심판청구는 부적법하다.

2. 일정 범위의 사업을 산업재해보상보험법의 적용 대상에서 제외하면서 그 적용제외사업을 대통령령으로 정하도록 규정한 산업재해보상보험법 제5조 단서(이하, "이 사건 법률조항"이라 한다)가 위임입법의 명확성을 구비하고 있는지 여부(적극)

1) 입법위임의 필요성과 한계기준

현대 사회복지국가에 있어서는 사회현상이 복잡·다기해지고 전문적, 기술적 행정기능이 요구됨에 따라 그때 그때의 사회경제적 상황의 변화에 대하여 신속하고 적절히 대응할 필요성이 커지는 반면, 국회의 기술적·전문적 능력이나 시간적 적응능력에는 한계가 있기 때문에 국민의 권리·의무에 관한 것이라 하여 모든 사항을 국회에서 제정한 법률만으로 규정하는 것은 불가능하므로, 일정 사항에 관하여는 행정부에 입법권을 위임하는 것이 불가피하다.

그러나 입법권의 위임은 반드시 한정적으로 행해져야 하는바, 만일 일반적이고 포괄적인 위임을 한다면 이는 사실상 입법권을 백지위임하는 것이나 다름없어 의회입법의 원칙이나 법치주의를 부인하는 결과가 되고, 행정권에 의한 자의적인 기본권 침해를 초래할 위험이 있다. 우리 헌법 제75조는 "대통령은 법률에서 구체적으로 범위를 정하여 위임받은 사항 …… 에 관하여 대통령령을 발할 수 있다"고 규정하여 위임입법의 근거와 아울러 위임의 구체성·명확성을 요구하고 있다. 여기에서 위임의 구체성·명확성이라 함은, 법률에 이미 대통령령으로 규정될 내용 및 범위의 기본사항이 구체적으로 규정되어 있어서 누구라도 당해 법률로부터 대통령령에 규정될 내용의 대강을 예측할 수 있어야 함을 뜻하고, 그러한 예측가능성의 유무를 판단함에 있어서는 당해 특정조항 하나만을 가지고 판단할 것이 아니고 관련 법조항 전체를 유기적·체계적으로 종합판단하여야 하며, 각 대상법률의 성질에 따라 구체적·개별적으로 검토하여야 하는바, 특히 수익적 급부행정영역 또는 다양한 사실관계를 규율하거나 사실관계가 수시로 변화될 것이 예상되는 경우에는 위임의 명확성에 대한 요구가 보다 완화된다 할 것이다.

2) 이 사건 사안의 검토

　산업재해보상보험법 제5조 단서는 예외적으로 산업재해보상보험법이 강제적용되지 않는 사업을 대통령령으로 정하도록 위임하는 것으로서 그 규율의 범위가 쉽게 한정될 뿐 아니라, 행정부가 대통령령으로 적용제외사업을 규정함에 있어 '위험률·규모 및 사업장소 등'을 참작하도록 함으로써 그 위임에 따라 대통령령에 규정될 내용과 범위에 관한 기본적 사항이 구체적으로 규정하고 있어서 산업재해보상보험의 보험료 부담을 감당하기 어렵거나 그 부담으로 인하여 사업 수행에 악영향을 받을 수 있는 영세사업 또는 재해발생률이 낮아서 산업재해보상보험을 강제로 시행하지 않아도 근로자 보호에 지장이 없는 사업 등이 대통령령에 적용제외사업으로 규정되리라는 것을 충분히 예측할 수 있으므로, 이 사건 법률조항은 위임입법의 명확성을 갖추고 있다.

3. 이 사건 법률조항이 헌법상의 평등원칙에 위배되는지 여부(소극)

　1) 산재보험법은 헌법상의 사회국가원리 내지 사회적 기본권으로부터 요구되는 국가의 의무를 이행하기 위한 사회보장제도에 관한 법률로서 그 입법에 있어 국가의 재정부담능력, 전체적인 사회보장수준과 국민감정 등 사회정책적인 측면 및 보험기술적 측면과 같은 제도 자체의 특성 등 여러 가지 요소를 고려할 필요에서 입법자에게 광범위한 입법형성의 자유가 주어진 영역이다. 뿐만 아니라 산재보험법 제5조는 급부 형성의 기초가 되는 법의 적용범위를 획정하는 규정일 뿐 직접적으로 사업주나 근로자의 권리에 제약을 가져오는 규정이라고 보기 어렵다. 따라서 이 사건에 있어서는 자의금지의 원칙에 입각하여 비교의 대상이 되는 적용대상사업에 속하는 사업군과 적용제외사업에 속하는 사업군 사이에 산재보험의 적용과 관련하여 어떠한 차이가 있고, 산재보험의 적용 여부에 관한 차별취급에 합리적 이유가 있는지 여부가 평등침해 여부의 관건이 된다 할 것이다.

　2) 이 사건 법률조항으로써 산업재해보상보험의 적용제외사업을 정한 것은 산업재해보상보험법의 적용 확대를 위한 지속적인 노력을 기울이는 과정에서 근로자 보호라는 입법목적과 사업의 종류·규모에 따라 재해발생률, 보험비용의 부담 정도, 보험비용의 부담이 사업에 미치는 영향이 각기 다르다는 산업재해보상보험의 원리 내지 특성 및 산업재해보상보험의 운영주체인 국가의 관장력에도 한계가 있다는 현실을 비교형량하여 나온 입법정책적 결정으로서 거기에 나름대로 합리적인 이유가 있다고 할 수 있고, 따라서 비록 현 단계에서 일정 범위의 사업이 산업재해보상보험법의 적용을 받지 못하여 그 소속 근로자의 보호의 면에서 다소간 차별이 생긴다 하더라도 이는 점진적 제도개선으로 해결하여야 할 부득이한 것이므로, 이를 두고 객관적으로 정의와 형평에 반한다거나 자의적인 것이어서 평등원칙에 위배된다고 할 수 없다.

4. 이 사건 법률조항이 인간다운 생활을 할 권리 등을 규정한 헌법 제34조에 위반되는지 여부(소극)

　1) 헌법은 제34조 제1항에서 국민에게 인간다운 생활을 할 권리를 보장하는 한편, 동조 제2항에서는 국가의 사회보장 및 사회복지 증진의무를 천명하고 있으며, 동조 제6항에서는 국가에게 재해예방 및 그 위험으로부터 국민을 보호하기 위해 노력할 의무가 있음을 선언하고 있다. 그런데 인간다운 생활을 할 권리의 법적 성질에 비추어 볼 때 그 법규범력이 미치는 범위는 '최소한의 물질적 생존'의 보장에 필요한 급부에의 요구권으로 한정될 뿐, 그것으로부터 그 이상의 급부를 내용으로 하는 구체적 권리가 직접 도출되어 나오는 것은 아니라고 할 수 있고, 한편 헌법 제34조 제2항, 제6

항을 보더라도 이들 규정은 단지 사회보장·사회복지의 증진 등과 같은 국가활동의 목표를 제시하거나 이를 위한 객관적 의무만을 국가에 부과하고 있을 뿐, 개인에게 국가에 대하여 사회보장·사회복지 또는 재해 예방 등과 관련한 적극적 급부의 청구권을 부여하고 있다거나 그것에 관한 입법적 위임을 하고 있다고 보기 어렵다. 결국 최소한의 수준을 넘는 사회복지·사회보장에 따른 급부의 실현은 이에 필요한 사회경제적 여건에 의존하는 것으로서, 국가가 재정능력, 국민 전체의 소득과 생활 수준 내지 전체적인 사회보장수준과 국민감정 등의 사정, 사회보장제도의 특성 등 여러 가지 요소를 합리적으로 고려한 입법을 통하여 해결할 사항이라 할 것인데, 주어진 가용자원이 한정되고 상충하는 여러 공익이나 국가과제의 조정이 필요한 상황 하에서는 입법자에게 광범위한 입법재량이 부여되지 않을 수 없다.

요컨대 사회보장수급권은 헌법 제34조 제1항 및 제2항 등으로부터 개인에게 직접 주어지는 헌법적 차원의 권리라거나 사회적 기본권의 하나라고 볼 수는 없고, 다만 위와 같은 사회보장·사회복지 증진의무를 포섭하는 이념적 지표로서의 인간다운 생활을 할 권리를 실현하기 위하여 입법자가 입법재량권을 행사하여 제정하는 사회보장입법에 그 수급요건, 수급자의 범위, 수급액 등 구체적인 사항이 규정될 때 비로소 형성되는 법률적 차원의 권리에 불과하다 할 것이다.

2) 이렇게 볼 때 국가가 헌법 제34조 제1항과 제2항 등에 기하여 어떠한 내용의 산재보험제도를 언제, 어떠한 범위에서, 어떠한 방법으로 시행할 것인지의 문제 역시 입법자의 재량영역에 속하는 문제라 할 것이고, 따라서 근로자에게 인정되는 산재보험금 수급권 역시 산재보험법에 의하여 비로소 구체화되는 법률상의 권리라고 볼 것이다.

그렇다면 처음부터 위 법의 적용범위에서 제외되어 소정의 자격을 갖추지 못한 청구인으로서는 헌법상의 인간다운 생활을 할 권리는 물론 산재보험법에 기한 권리를 내세워 국가에 대하여 산재보험법의 적용대상사업 획정과 관련한 적극적 행위를 요구할 지위에 있다고 볼 수 없고, 그밖에 이 사건 법률조항이 헌법상의 인간다운 생활을 할 권리에 의하여 보장되는 최소한의 객관적 내용에 상응한 입법적 조치를 결여한 입법부작위 또는 명백히 불충분한 입법을 한 경우에 해당한다고 볼 만한 자료도 없다.

따라서 산재보험법의 적용제외사업에 관한 규정인 이 사건 법률조항이 헌법 제34조에 위반하여 위헌이라고 볼 소지는 없다 할 것이다.

5. 이 사건 법률조항이 근로조건의 기준에 관한 헌법 제32조 제3항에 위반되는지 여부(소극)

1) 헌법 제32조 제3항은 "근로조건의 기준은 인간의 존엄성을 보장하도록 법률로 정한다"고 규정하고 있다. 근로조건이라 함은 임금과 그 지불방법, 취업시간과 휴식시간, 안전시설과 위생시설, 재해보상 등 근로계약에 의하여 근로자가 근로를 제공하고 임금을 수령하는데 관한 조건들로서, 근로조건에 관한 기준을 법률로써 정한다는 것은 근로조건에 관하여 법률이 최저한의 제한을 설정한다는 의미이다. 이처럼 헌법이 근로조건의 기준을 법률로 정하도록 한 것은 인간의 존엄에 상응하는 근로조건에 관한 기준의 확보가 사용자에 비하여 경제적·사회적으로 열등한 지위에 있는 개별 근로자의 인간존엄성의 실현에 중요한 사항일 뿐만 아니라, 근로자와 그 사용자들 사이에 이해관계가 첨예하게 대립될 수 있는 사항이어서 사회적 평화를 위해서도 민주적으로 정당성이 있는 입법자가 이를 법률로 정할 필요성이 있으며, 인간의 존엄성에 관한 판단기준도 사회·경제적 상황에 따라 변화하는 상대적 성격을 띠는 만큼 그에 상응하는 근로조건에 관한 기준도 시대상황에 부합하게 탄력

적으로 구체화하도록 법률에 유보한 것이다. 한편 입법자는 헌법 제32조 제3항에 의거하여 근로조건의 최저기준을 근로기준법에 규정하고 있다.

2) 산업재해를 입은 근로자에 대한 보상을 어떻게 할 것인가의 문제도 헌법 제32조 제3항이 의미하는 근로조건에 관한 기준의 한 문제로 볼 수 있다. 산재보험법은 앞서 본 바와 같이 모든 근로자의 업무상 재해를 신속하고 공정하게 보상하여 근로자의 보호에 기여하는 것을 그 이상으로 하고 있지만 보험기술적인 측면에서 실제로 어떠한 범위의 사업을 강제적용대상으로 할 것인지, 또는 어떠한 범위의 사업을 적용제외대상으로 할 것인지는 입법자가 가지는 입법재량의 영역에 속하는 문제로서 그 기준이 현저하게 불합리하지 않는 한 헌법에 위반된다고 할 수 없다. 특히 이 사건 법률조항에 의하여 일정 범위의 사업을 적용대상에서 제외한 것은 위에서 본 산재보험의 특성상 사업규모와 산재발생률 등을 참작하여 현 단계에서 강제적 보험관계를 통한 재해보상 등의 필요성이 크지 않다는 합리적 판단에 기인한 것이라고 볼 수 있다.

따라서 이 사건 법률조항은 헌법 제32조 제3항의 규정에 위반된다고 볼 수 없다.

212 출퇴근 재해 사건 [헌법불합치, 각하]
― 2016. 9. 29. 선고 2014헌바254

판시사항

1. 산업재해보상보험법 시행령 제29조에 대한 헌법재판소법 제68조 제2항에 의한 헌법소원심판청구의 적법 여부(소극)
2. 근로자가 사업주의 지배관리 아래 출퇴근하던 중 발생한 사고로 부상 등이 발생한 경우만 업무상 재해로 인정하는 산업재해보상보험법 제37조 제1항 제1호 다목(이하 '심판대상조항'이라 한다)이 평등원칙에 위배되는지 여부(적극)
3. 헌법불합치결정을 하면서 계속 적용을 명한 사례

사건의 개요

아파트 관리사무소에서 전기기사로 근무하던 청구인은 2011. 11. 11. 자전거를 타고 퇴근하다가 넘어지면서 버스 뒷바퀴에 왼손이 깔려 왼손 둘째, 셋째 손가락이 부러지는 상처를 입었다. 청구인은 근로복지공단에 산업재해보상보험법이 정한 요양급여를 신청하였으나, 근로복지공단은 2011. 12. 14. 청구인이 입은 부상이 업무상 재해에 해당하지 않는다는 이유로 요양불승인처분을 하였다.

청구인은 근로복지공단을 상대로 요양불승인처분 취소를 구하는 소송을 제기하였고, 그 소송 계속 중 처분의 근거가 된 산업재해보상보험법 제37조 제1항 제1호 다목이 헌법에 위반된다고 주장하며 위헌법률심판제청신청을 하였다. 그러나 법원은 청구인의 요양불승인처분 취소청구와 위헌법률심판제청신청을 모두 기각하였다. 청구인은 2014. 6. 9. 산업재해보상보험법 제37조 제1항 제1호 다목과 산업재해보상보험법 시행령 제29조가 헌법에 위반된다고 주장하면서 이 사건 헌법소원심판을 청구하였다.

심판대상조항 및 관련조항

산업재해보상보험법(2007. 12. 14. 법률 제8694호로 전부개정된 것)

제37조(업무상의 재해의 인정 기준) ① 근로자가 다음 각 호의 어느 하나에 해당하는 사유로 부상·질병 또는 장해가 발생하거나 사망하면 업무상의 재해로 본다. 다만, 업무와 재해 사이에 상당인과관계(相當因果關係)가 없는 경우에는 그러하지 아니하다.
  1. 업무상 사고
   다. 사업주가 제공한 교통수단이나 그에 준하는 교통수단을 이용하는 등 사업주의 지배관리하에서 출퇴근 중 발생한 사고

> **주문**

1. 산업재해보상보험법(2007. 12. 14. 법률 제8694호로 전부개정된 것) 제37조 제1항 제1호 다목은 헌법에 합치되지 아니한다.
2. 위 법률조항은 2017. 12. 31.을 시한으로 입법자가 개정할 때까지 계속 적용한다.
3. 청구인의 나머지 심판청구를 각하한다.

I 적법요건에 대한 판단

이 사건 심판청구 중 산업재해보상보험법 시행령 제29조에 관한 부분은 헌법재판소법 제68조 제2항 헌법소원심판의 대상이 될 수 없는 대통령령에 관한 것이므로 부적법하다.

II 본안에 대한 판단

1. 이 사건의 쟁점

산업재해보상보험법(다음부터 '산재보험법'이라 한다) 제37조 제1항 제1호 다목(다음부터 '심판대상조항'이라 한다)은 근로자가 사업주의 지배관리 아래 출퇴근하던 중 발생한 사고로 부상 등이 발생한 경우만 업무상 재해로 인정하고 있다. 심판대상조항이 사업주의 지배관리 아래 있다고 볼 수 없는 통상적 경로와 방법으로 출퇴근하던 중에 발생한 재해(다음부터 '통상의 출퇴근 재해'라 한다)를 업무상 재해로 인정하지 아니하는 것이 평등원칙에 위배되는지 문제된다.

청구인은 심판대상조항이 사회보장·사회복지 증진에 노력할 국가의 의무를 게을리한 것이어서 헌법 제34조 제2항에 위배되고, 산재보험에서 불평등한 결과를 가져옴으로써 공정한 재판을 받을 권리와 행복추구권을 침해한다는 주장도 한다. 그러나 청구인 주장의 실질적 취지는 결국 심판대상조항이 평등원칙에 위배된다는 내용과 다름없으므로 이 부분은 별도로 판단하지 아니한다.

2. 평등원칙 위배 여부

가. 헌법재판소 선례

헌법재판소는 2013. 9. 26. 2012헌가16 결정 등에서 심판대상조항이 통상의 출퇴근 재해를 산재보험법상 업무상 재해로 인정하지 아니한 것은 입법자의 입법형성 한계를 벗어난 자의적 차별이라고 볼 수 없다는 이유로 평등원칙에 위배되지 않는다고 판단한 바 있다. 이 결정에서는 심판대상조항이 통상의 출퇴근 재해를 당한 근로자를 합리적 이유 없이 차별하는 것이어서 평등원칙에 위배된다는 헌법불합치의견이 다수였으나, 위헌선언에 필요한 정족수 6인에 미달하여 합헌결정을 하였다. 그러나 이 사건에서는 다음과 같이 심판대상조항이 헌법에 합치되지 아니한다는 데 6인의 재판관이 의견을 같이 하여 선례를 변경하기로 한다.

나. 차별취급의 존재

　도보나 자기 소유 교통수단 또는 대중교통수단 등을 이용하여 통상의 출퇴근을 하는 산재보험 가입 근로자(다음부터 '비혜택근로자'라 한다)는 사업주가 제공하거나 그에 준하는 교통수단을 이용하여 출퇴근하는 산재보험 가입 근로자(다음부터 '혜택근로자'라 한다)와 같은 근로자인데도 통상의 출퇴근 재해를 업무상 재해로 인정받지 못한다는 점에서 차별취급이 존재한다.

다. 차별취급에 합리성이 있는지 여부

　산재보험수급권은 이른바 '사회보장수급권'의 하나로서 국가에 대하여 적극적으로 급부를 요구하는 것이지만 국가가 재정부담능력과 전체적 사회보장 수준 등을 고려하여 그 내용과 범위를 정하는 것이므로 입법부에 폭넓은 입법형성의 자유가 인정된다. 따라서 심판대상조항이 비혜택근로자를 혜택근로자와 차별 취급하는 것을 정당화할 수 있는 합리적 이유가 있다면 평등원칙에 위배된다고 볼 수 없지만 그렇지 않다면 평등원칙에 위배된다고 보아야 한다.

　산업재해보상보험제도(다음부터 '산재보험제도'라 한다)는 피재근로자와 그 가족의 생활을 보장하기 위하여 국가가 책임을 지는 의무보험으로, 원래 사업주의 근로기준법상 재해보상책임을 보장하기 위하여 국가가 사업주로부터 보험료를 받아 그 재원으로 사업주를 대신하여 피재근로자에게 보상해주는 제도이다. 이처럼 산재보험제도는 사업주의 무과실배상책임을 전보하는 기능도 있지만, 오늘날 산업재해는 이미 개별 기업차원의 안전위생시설의 기술적 개량만으로는 방지할 수 없는 경우가 적지 않고 재해의 위험을 모두 개별 사업주에 귀속시키는 것도 불가능하게 됨에 따라, 산업재해로부터 피재근로자와 그 가족의 생활을 보장하는 기능의 중요성이 더 커지고 있다. 그런데 근로자의 출퇴근 행위는 업무의 전 단계로서 업무와 밀접·불가분의 관계에 있고, 사실상 사업주가 정한 출퇴근 시각 및 근무지에 기속된다. 대법원은 출장행위 중 발생한 재해를 사업주의 지배관리 아래 발생한 업무상 재해로 인정하고 있는데, 이러한 출장행위도 이동방법이나 경로 선택이 근로자에게 맡겨져 있다는 점에서 통상의 출퇴근행위와 다를 바 없다. 따라서 통상의 출퇴근 중 발생한 재해를 업무상 재해로 인정하여 근로자를 보호해 주는 것이 산재보험의 생활보장적 성격에 부합한다.

　심판대상조항은 '사업주가 제공한 교통수단이나 그에 준하는 교통수단을 이용하는 등 사업주의 지배관리하에서 출퇴근 중 발생한 사고'만을 업무상 재해로 본다고 명시적으로 규정하여, 혜택근로자만 한정하여 보호하는 것을 명백히 밝히고 있다. 그 결과 사업장의 규모나 재정여건의 부족 또는 사업주의 일방적 의사나 개인 사정 등으로 출퇴근용 차량을 제공받지 못하거나 그에 준하는 교통수단을 지원받지 못하는 비혜택근로자는 산재보험에 가입되어 있다 하더라도 출퇴근 재해에 대하여 보상을 받을 수 없는데, 이러한 차별을 정당화할 수 있는 합리적 근거를 찾기 어렵다.

　국제노동기구(ILO)는 1964년 제121호 '업무상 상해 급부 협약'에서 통상의 출퇴근 재해를 산업재해에 포함하도록 권고하였다.

　통상의 출퇴근 중 재해를 입은 비혜택근로자가 가해자를 상대로 불법행위 책임을 물어도 대부분 고의·과실 등 입증책임의 어려움, 엄격한 인과관계의 요구, 손해배상액의 제한, 구제기간의 장기화 등으로 충분한 구제를 받지 못하는 것이 현실이다. 특히, 가해자의 경제적 능력이나 보험가입 여부 및 가입 보험의 보장 정도 등과 같은 우연한 상황 때문에 현실적 보상의 정도가 크게 달라진다. 이러한 사정을 고려하면, 심판대상조항으로 초래되는 비혜택근로자와 그 가족의 정신적·신체적 혹은 경제적 불이익은 매우 중대하다.

이상과 같이 통상의 출퇴근 재해에 대한 보상에 있어 혜택근로자와 비혜택근로자를 구별하여 취급할 합리적 근거가 없는데도, 혜택근로자의 출퇴근 재해만 업무상 재해로 인정하는 심판대상조항은 합리적 이유 없이 비혜택근로자에게 경제적 불이익을 주어 이들을 자의적으로 차별하는 것이므로, 헌법상 평등원칙에 위배된다.

라. 결 론

심판대상조항은 합리적 이유 없이 비혜택근로자를 혜택근로자와 차별하는 것이므로 평등원칙에 위배된다.

Ⅲ 헌법불합치결정과 잠정적용명령

법률이 헌법에 위반되는 경우 헌법의 규범성을 보장하기 위하여 원칙적으로 그 법률에 대하여 위헌결정을 하여야 하지만, 위헌결정을 통하여 법률조항을 법질서에서 제거하는 것이 법적 공백이나 혼란을 초래할 우려가 있는 경우에는 위헌조항의 잠정 적용을 명하는 헌법불합치결정을 할 수 있다. 심판대상조항의 위헌성은 사업주의 지배관리 아래 출퇴근 중 발생한 사고를 업무상 재해로 인정하는 것 자체에 있는 것이 아니라, 그러한 사고만으로 한정하여 업무상 재해를 인정하는 것이 비혜택근로자를 보호하는 데 부족하고 평등원칙에 위배된다는 데 있다. 만약 심판대상조항을 단순위헌으로 선언하는 경우 출퇴근 재해를 업무상 재해로 인정하는 최소한의 법적 근거마저도 상실되는 부당한 법적 공백상태와 혼란이 발생할 우려가 있다. 그러므로 심판대상조항에 대하여 헌법불합치결정을 선고하되, 입법자의 개선입법이 있을 때까지 잠정적용을 명하기로 한다. 입법자는 늦어도 2017. 12. 31.까지 개선입법을 하여야 하며, 그때까지 개선입법이 이루어지지 않으면 심판대상조항은 2018. 1. 1.부터 그 효력을 상실한다.

Ⅳ 결 론

산업재해보상보험법 시행령 제29조에 대한 심판청구는 부적법하므로 이를 각하하고, 심판대상조항은 헌법에 합치되지 아니하나 2017. 12. 31.을 시한으로 입법자의 개선입법이 이루어질 때까지 잠정적으로 적용하기로 하여 주문과 같이 결정한다. 종래 이와 견해를 달리하여 심판대상조항이 헌법에 위반되지 아니한다고 판시한 우리 재판소결정들은 이 결정 취지와 저촉되는 범위 안에서 변경하기로 한다. 이 결정은 재판관 김창종, 재판관 서기석, 재판관 조용호의 반대의견과 재판관 안창호의 법정의견에 대한 보충의견이 있는 외에는 관여 재판관 전원의 일치된 의견에 의한 것이다.

213 고엽제후유증환자로 등록신청을 하지 않고 사망한 경우 유족등록신청자격부인 사건 [헌법불합치, 각하]
- 2001. 6. 28. 선고 99헌마516

판시사항 및 결정요지

1. 월남전에 참전한 자가 생전에 고엽제후유증환자로 등록신청을 하지 아니하고 사망한 경우 그 유족에게 유족등록신청자격을 부인하는 것이 재산권을 침해하는 것인지 여부(소극)

   이 사건 법률조항이 청구인들의 기본권을 침해하는 위헌적인 것인지 여부를 판단하기 위해서는, 고엽제법 제8조 제1항이 규정하고 있는 유족의 보상수급권의 법적 성격을 검토할 필요가 있다.
   헌법 제32조 제6항은 "국가유공자·상이군경 및 전몰군경의 유가족은 법률이 정하는 바에 의하여 우선적으로 근로의 기회를 부여받는다"고 규정하고 있는바, 이 규정이 언급하는 근로의 기회 제공은 국가유공자 등에 대한 보훈의 한 방법을 구체적으로 예시한 것일 뿐이고 전체로서의 이 규정이 가지는 의미는 국가가 국가유공자 등을 예우할 포괄적인 의무를 지고 있음을 선언하는 데 있다고 해석된다. 다만, 구체적인 보훈의 내용은 입법자가 국가의 경제수준, 재정능력, 국민감정 등을 종합적으로 고려하여 결정해야 하는 입법정책의 문제이므로 국가유공자가 받게 될 보훈은 법률에 규정됨으로써 비로소 구체적인 법적 권리로 형성된다고 할 것이다. 고엽제법에 의한 고엽제후유증환자 및 그 유족의 보상수급권도 바로 이러한 경우에 해당된다고 할 것이다.
   위와 같이 보상수급권은 법률에 의하여 비로소 인정되는 권리로서 재산권적 성질을 갖는 것이긴 하지만 그 발생에 필요한 요건이 법정되어 있는 이상 이러한 요건을 갖추기 전에는 헌법이 보장하는 재산권이라고 할 수 없다.
   결국 이 사건 법률조항은 고엽제후유증환자의 유족이 보상수급권을 취득하기 위한 요건을 규정한 것인데 청구인들은 이러한 요건을 충족하지 못하였기 때문에 보상수급권이라고 하는 재산권을 현재로서는 취득하지 못하였다고 할 것이다. 그렇다면 이 사건 법률조항이 후술하는 평등원칙을 위반하였는지 여부는 별론으로 하고 청구인들이 이미 취득한 재산권을 침해한다고는 할 수 없다.

2. 월남전에 참전한 자가 생전에 고엽제후유증환자로 등록신청을 하지 아니하고 사망한 경우 그 유족에게 유족등록신청자격을 부인하는 것이 평등원칙을 위반하는 것인지 여부(적극)

   평등의 원칙은 본질적으로 같은 것은 같게, 본질적으로 다른 것은 다르게 취급할 것을 요구한다. 그렇지만 이러한 평등은 일체의 차별적 대우를 부정하는 절대적 평등을 의미하는 것이 아니라 입법과 법의 적용에 있어서 합리적인 근거가 없는 차별을 배제하는 상대적 평등을 뜻하고 따라서 합리적 근거가 있는 차별은 평등의 원칙에 반하는 것이 아니다.
   고엽제법 제8조 제1항은 월남전에 참전하고 전역된 자로서 고엽제후유증으로 인하여 사망한 자들이 ① 고엽제법 시행 전에 사망한 경우 ② 고엽제법 시행 후 생전에 등록신청을 하였지만 고엽제법 적용대상자인지의 여부가 결정되기 전에 사망한 경우 ③ 고엽제법 시행 후 생전에 등록신청을 하지 아니한 채 사망한 경우로 구분하여 전자의 두 가지 경우만을 각각 제1호와 제2호로 규정하여 그 유족에게 유족등록신청의 기회를 부여하고 있다. 따라서 ①과 ③의 사이에, 그리고 ②와 ③의 사이에 차별취급이 존재한다.

고엽제후유증환자 및 그 유족에 대한 국가의 보상은 이들에 대한 국가의 단순한 은혜적 시혜가 아니라 그들이 월남전에 참전하여 국가를 위하여 바친 고귀한 희생에 대한 정당한 보상의 일환이라고 보아야 하므로, 국가로서는 사정이 허락하는 한 고엽제후유증으로 판명된 환자 및 그 유족에 대하여 빠짐없이 지속적으로 최대한의 보상을 하는 것이 국가유공자 등의 유가족에 대한 우선적인 보상의무를 규정한 것으로 볼 수 있는 헌법 제32조 제6항의 정신에 부합한다. 그렇다면 고엽제후유증환자의 유족에 대한 보상을 행함에 있어서는 환자 본인의 사망원인이 된 질병이 월남전의 참전중에 고엽제 살포에 노출되어 이환된 질병인지 여부를 가리는 것이 가장 본질적인 문제가 되는 것이지 환자가 죽기 전에 등록신청을 하였는지 여부는 본질적인 문제가 아니다. 그렇다면 고엽제법 제8조 제1항 제2호는 월남전에 참전하여 고엽제후유증에 이환되었다가 그로 인하여 사망하였다는 점에서 본질적으로 동일한 사람들 중 생전에 등록신청을 하지 않은 일부 사람에 대하여는 그들이 고엽제후유증으로 사망한 것인지 여부를 판정받을 기회마저 배제하는 것이 되고 이는 우연한 사정에 의하여 좌우되는 환자의 사망시기 또는 사망 전에 등록신청을 하였는지 여부 등에 의하여 보상을 위한 등록신청의 자격유무를 구별하는 중요한 차별을 행하는 것이 되어 불합리하고 결국 위헌적인 법률이라고 할 것이다.

제3절 교육을 받을 권리

214 교육대학교 등 수시모집 입시요강 위헌확인 사건 [인용(위헌확인)]
― 2017. 12. 28. 선고 2016헌마649

판시사항

검정고시로 고등학교 졸업학력을 취득한 사람들(이하 '검정고시 출신자'라 한다)의 수시모집 지원을 제한하는 내용의 피청구인 국립교육대학교 등의 '2017학년도 신입생 수시모집 입시요강'(이하 '이 사건 수시모집요강'이라 한다)이 청구인들의 균등하게 교육을 받을 권리를 침해하는지 여부(적극)

사건의 개요

청구인들은 용인시 소재 비인가 대안학교인 ○○중고등학교에 재학 중인 학생들로서, 2016년도 제2회 고등학교 졸업학력 검정고시(2016. 8. 3. 시행)에 합격하여 고등학교 졸업학력을 취득하였다.

서울교육대학교, 경인교육대학교, 춘천교육대학교, 청주교육대학교, 공주교육대학교, 전주교육대학교, 광주교육대학교, 대구교육대학교, 진주교육대학교, 부산교육대학교는 초등학교 교원을 양성하기 위하여 설립된 국립대학이고, 한국교원대학교는 종합교원양성을 목적으로 설립된 국립대학이고, 피청구인들은 위 국립대학의 총장들이다(이하 위 학교들을 통칭하여 '피청구인들 대학'이라 한다).

피청구인들 대학은 2016. 5.경 '2017학년도 수시모집 신입생 모집요강'을 공표하였는데, 장애인, 기초생활수급자 또는 차상위계층 등을 대상으로 하는 일부 특별전형을 제외하고 대부분의 전형에 있어 고등학교 졸업자 또는 졸업예정자로 지원자격을 한정하였다. 이에 따라 검정고시로 고등학교 졸업학력을 취득한 사람(이하 '검정고시 출신자'라 한다)은, 일부 특별전형의 대상에 해당되지 않는 이상, 피청구인들 대학의 수시모집에 지원할 수 없게 되었다.

청구인들은 이러한 피청구인들 대학의 '2017학년도 수시모집 신입생 모집요강'이 검정고시 출신으로 피청구인들 대학에 진학하여 초등학교 교사가 되고자 하는 청구인들의 교육받을 권리 등을 침해하고 있다고 주장하면서 2016. 8. 4. 이 사건 헌법소원심판을 청구하였다.

심판대상

이 사건 심판대상은 피청구인들이 '2017학년도 신입생 수시모집 입시요강'에서 [별지3] 목록 기재와 같이 지원자격을 정함으로써 검정고시로 고등학교 졸업학력을 취득한 사람들의 수시모집 지원을 제한하는 것(이하 '이 사건 수시모집요강'이라 한다)이 청구인들의 기본권을 침해하는지 여부이다. (별지 생략)

주문

피청구인들이 '2017학년도 신입생 수시모집 입시요강'에서 [별지3] 목록 기재와 같이 지원자격을 정함으로써 검정고시로 고등학교 졸업학력을 취득한 사람들의 수시모집 지원을 제한하는 것은 청구인들의 교육을 받을 권리를 침해한 것으로 위헌임을 확인한다.

I 판단

1. 쟁점

가. 헌법 제31조 제1항은 "모든 국민은 능력에 따라 균등하게 교육을 받을 권리를 가진다."고 규정함으로써 모든 국민의 교육의 기회균등을 보장하고 있는바, 이 때 교육의 기회균등이란 국민 누구나가 교육에 대한 접근 기회 즉 취학의 기회가 균등하게 보장되어야 함을 뜻한다.

고졸 검정고시에 합격한 사람은 초·중등교육법 제27조의2 제1항 및 초·중등교육법 시행령 제98조 제1항 제1호에 따라 상급학교 진학 시 고등학교를 졸업한 사람과 같은 수준의 학력이 있다고 인정되므로, 고등학교를 졸업한 사람과 마찬가지로 대학에 입학할 수 있는 자격을 갖는다(고등교육법 제33조 제1항).

그런데 피청구인들 대학은 대학입학 전형을 수시모집과 정시모집으로 구분하여 신입생을 선발하면서 수시모집 전형에 있어서는 검정고시 출신자의 지원을 제한함으로써, 대학입학의 기회에 있어 고등학교를 졸업한 사람과 검정고시 출신자를 차별하여 취급하고 있다.

따라서 이 사건의 쟁점은 이 사건 수시모집요강이 헌법 제31조 제1항에서 보장하는 균등하게 교육을 받을 권리를 침해하는지 여부이다.

나. 청구인들은 이 사건 수시모집요강이 청구인들의 직업선택의 자유를 침해한다고도 주장한다. 이 사건에서 청구인들이 직접적으로 문제삼는 것은 직업선택에 필요한 자격요건의 제한이 아니라 대학입학 자격요건의 제한이어서 이 사건 수시모집요강과 관련하여 직접적으로 관련된 기본권은 교육을 받을 권리라 할 것이므로, 직업선택의 자유에 관하여는 별도로 판단하지 않는다.

2. 교육을 받을 권리의 침해 여부

가. 헌법은 제31조 제1항에서 "능력에 따라 균등하게"라고 하여 교육영역에서 평등원칙을 구체화하고 있다. 헌법 제31조 제1항은 헌법 제11조의 일반적 평등조항에 대한 특별규정으로서 교육의 영역에서 평등원칙을 실현하고자 하는 것이다. 평등권으로서 교육을 받을 권리는 '취학의 기회균등', 즉 각자의 능력에 상응하는 교육을 받을 수 있도록 학교 입학에 있어서 자의적 차별이 금지되어야 한다는 차별금지원칙을 의미한다. 헌법 제31조 제1항은 취학의 기회에 있어서 고려될 수 있는 차별기준으로 '능력'을 제시함으로써, 능력 이외의 다른 요소에 의한 차별을 원칙적으로 제한하고 있다. 여기서 '능력'이란 '수학능력'을 의미하고 교육제도에서 '수학능력'은 개인의 인격발현과

밀접한 관계에 있는 인격적 요소이며, 학교 입학에 있어서 고려될 수 있는 합리적인 차별기준을 의미한다.

헌법 제22조 제1항이 보장하고 있는 학문의 자유와 헌법 제31조 제4항에서 보장하고 있는 대학의 자율성에 따라 대학이 학생의 선발 및 전형 등 대학입시제도를 자율적으로 마련할 수 있다 하더라도, 이러한 대학의 자율적 학생 선발권을 내세워 국민의 '균등하게 교육을 받을 권리'를 침해할 수 없으며, 이를 위해 대학의 자율권은 일정부분 제약을 받을 수 있다.

나. 현행 대입입시제도 중 수시모집은 대학수학능력시험 점수를 기준으로 획일적으로 학생을 선발하는 것을 지양하고, 각 대학별로 다양한 전형방법을 통하여 대학의 독자적 특성이나 목표 등에 맞추어 다양한 경력과 소질 등이 있는 자를 선발하고자 하는 것이다. 수시모집은 과거 정시모집의 예외로서 그 비중이 그리 크지 않았으나 점차 그 비중이 확대되어, 정시모집과 같거나 오히려 더 큰 비중을 차지하는 입시전형의 형태로 자리 잡고 있다. 이러한 상황에서는 수시모집의 경우라 하더라도 응시자들에게 동등한 입학 기회가 주어질 필요가 있다. 그런데 이 사건 수시모집요강은 기초생활수급자·차상위계층, 장애인 등을 대상으로 하는 일부 특별전형에만 검정고시 출신자의 지원을 허용하고 있을 뿐 수시모집에서의 검정고시 출신자의 지원을 일률적으로 제한함으로써 실질적으로 검정고시 출신자의 대학입학 기회의 박탈이라는 결과를 초래하고 있다. 수시모집의 학생선발 방법이 정시모집과 동일할 수는 없으나, 이는 수시모집에서 응시자의 수학능력이나 그 정도를 평가하는 방법이 정시모집과 다른 것을 의미할 뿐, 수학능력이 있는 자들에게 동등한 기회를 주고 합리적인 선발 기준에 따라 학생을 선발하여야 한다는 점은 정시모집과 다르지 않다. 따라서 수시모집에서 검정고시 출신자에게 수학능력이 있는지 여부를 평가받을 기회를 부여하지 아니하고 이를 박탈한다는 것은 수학능력에 따른 합리적인 차별이라고 보기 어렵다. 피청구인들은 정규 고등학교 학교생활기록부가 있는지 여부, 공교육 정상화, 비교내신 문제 등을 차별의 이유로 제시하고 있으나 이러한 사유가 차별취급에 대한 합리적인 이유가 된다고 보기 어렵다.

그렇다면 이 사건 수시모집요강은 검정고시 출신자인 청구인들을 합리적인 이유 없이 차별함으로써 청구인들의 균등하게 교육을 받을 권리를 침해한다.

Ⅱ 결 론

이 사건 수시모집요강은 청구인들의 교육을 받을 권리를 침해하여 헌법에 위반되므로 취소하여야 하나, 이 사건 수시모집요강에 따른 2017년도 신입생 합격자 발표가 이미 종료되었으므로 선언적 의미에서 그에 대한 위헌확인을 하기로 하여 주문과 같이 결정한다. 이 결정은 재판관 안창호, 재판관 이선애의 보충의견이 있는 외에는 관여 재판관의 일치된 의견에 따른 것이다.

215. 검정고시 합격자의 재응시 제한 사건 [인용(위헌확인), 각하]
― 2012. 5. 31. 선고 2010헌마139,157,408,409,423(병합)

판시사항 및 결정요지

1. '고등학교 졸업학력 검정고시'(이하 '고졸검정고시'라 한다)에 관하여 필요한 사항은 교육과학기술부령으로 정하도록 하는 초·중등교육법 시행령 제98조 제2항(이하 '이 사건 시행령 조항'이라 한다)이 고졸검정고시 기존 합격자의 고졸검정고시 응시자격을 직접적으로 제한하는지 여부(소극)

   이 사건 시행령조항은 고졸검정고시 합격자의 고졸검정고시 응시자격을 직접 제한하는 것은 아니므로 이 부분 심판청구는 기본권침해의 직접성이 없다.

2. 고졸검정고시 또는 '고등학교 입학자격 검정고시'(이하 '고입검정고시'라 한다)에 합격했던 자는 해당 검정고시에 다시 응시할 수 없도록 응시자격을 제한한 전라남도 교육청 공고 제2010-67호(2010. 2. 1.) 및 제2010-155호(2010. 6. 2., 이하 '이 사건 공고'라 한다) 중 해당 검정고시 합격자 응시자격 제한 부분(이하 '이 사건 응시제한'이라 한다)이 헌법소원의 대상이 되는 공권력의 행사에 해당하는지 여부(적극)

   이 사건 고졸(입)검정고시 시행계획 공고의 근거가 되는 고졸(입) 검정고시 규칙은 고시의 시행 전에 고시의 기일·장소·원서접수 기타 고시시행에 관한 사항을 공고하여야 한다고만 각각 정하고 있을 뿐, 구체적인 고시의 시행에 대하여는 정하고 있지 아니하고, 2010년도 제1회, 제2회 고졸(입)검정고시의 구체적인 시행은 이 사건 공고에 따라 비로소 확정되므로, 이 사건 공고 및 그 일부분인 이 사건 응시제한은 헌법소원의 대상이 되는 공권력의 행사에 해당한다.

3. 이 사건 응시제한이 법률유보원칙을 위반하여 청구인들의 교육을 받을 권리를 침해하는지 여부(적극)

   우리나라 검정고시제도는 기본적으로 학력인정을 위한 것이면서, 실질적으로 상급학교 진학에 있어서 평가 자료로 활용될 수 있는 평가시험으로서도 기능하고 있다. 그렇다면, 이 사건 응시제한은 청구인들이 상급학교 진학을 위하여 취득하여야 할 평가자료의 형성을 제약함으로써 청구인들의 상급학교 진학의 가능성에 영향을 미칠 수 있으므로 교육을 받을 권리를 제한한다 할 것이다.
   일반적으로 기본권침해 관련 영역에서는 급부행정 영역에서보다 위임의 구체성의 요구가 강화된다는 점, 이 사건 응시제한이 검정고시 응시자에게 미치는 영향은 응시자격의 영구적인 박탈인 만큼 중대하다고 할 수 있는 점 등에 비추어 보다 엄격한 기준으로 법률유보원칙의 준수 여부를 심사하여야 할 것이다.
   고졸검정고시규칙은 제10조 제1항에서 검정고시 응시자격이 있는 자를 나열하면서 응시자격이 제한되는 자를 '고등학교 졸업자, 고등학교 재학 중인 자, 초·중등교육법시행령 제98조 제1항 제2호의 학교를 졸업하였거나 동 학교에 재학 중인 자, 고등학교에서 퇴학된 날로부터 6월이 지나지 아니한 자'로 특정하여 정하고 있으며, 이 밖에 응시자격 제한에 관한 일반규정을 두거나 범위를 정하여 하위 법규에 위임한 바가 없다. 고입검정고시규칙도 제5조의2 제1항에서 고입검정고시 응시자격이 있는 자를 나열하면서 응시자격이 제한되는 자를 '중학교 졸업자, 중학교 재학 중인 자, 초·중등교육법시행령 제97조 제1항 제2호의 학교를 졸업하였거나 동 학교에 재학 중인 자'로 특정하여 정하고 있으며, 이 이외에 응시자격 제한에 관한 일반규정을 두거나 범위를 정하여 위임한 바 없다.

단지 '고시의 기일·장소·원서접수 기타 고시시행에 관한 사항' 또는 '고시 일시와 장소, 원서접수기간과 그 접수처 기타 고시시행에 관하여 필요한 사항'과 같이 고시시행에 관한 기술적·절차적인 사항만을 위임하였을 뿐, 특히 '검정고시에 합격한 자'에 대하여만 응시자격 제한을 공고에 위임했다고 볼 근거도 없으므로, 이 사건 응시제한은 위임받은 바 없는 응시자격의 제한을 새로이 설정한 것으로서 기본권 제한의 법률유보원칙에 위배하여 청구인의 교육을 받을 권리 등을 침해한다.

4. 이 사건 응시제한이 과잉금지원칙을 위반하여 청구인들의 교육을 받을 권리를 침해하는지 여부(적극)

헌법 제31조 제1항의 교육을 받을 권리는, 국민이 능력에 따라 균등하게 교육받을 것을 공권력에 의하여 부당하게 침해받지 않을 권리와, 국민이 능력에 따라 균등하게 교육받을 수 있도록 국가가 적극적으로 배려하여 줄 것을 요구할 수 있는 권리로 구성되는바, 전자는 자유권적 기본권의 성격이, 후자는 사회권적 기본권의 성격이 강하다고 할 수 있다.

그런데 검정고시 응시자격을 제한하는 것은, 국민의 교육받을 권리 중 그 의사와 능력에 따라 균등하게 교육받을 것을 국가로부터 방해받지 않을 권리, 즉 자유권적 기본권을 제한하는 것이므로, 그 제한에 대하여는 헌법 제37조 제2항의 비례원칙에 의한 심사, 즉 과잉금지원칙에 따른 심사를 받아야 할 것이다.

따라서, 국민의 기본권을 제한하려는 입법목적이 헌법 및 법률의 체제상 그 정당성이 인정되어야 하고(목적의 정당성), 그 목적의 달성을 위하여 방법이 효과적이고 적절하여야 하며(방법의 적정성), 입법권자가 선택한 기본권 제한의 조치가 입법목적의 달성을 위하여 설사 적절하다 할지라도 보다 완화된 형태나 방법을 모색함으로써 기본권의 제한은 필요한 최소한도에 그치도록 하여야 하고(피해의 최소성), 그 입법에 의하여 보호하려는 공익과 침해되는 사익을 비교형량할 때 보호되는 공익이 더 커야 한다(법익의 균형성)는 과잉금지원칙이 지켜져야 하므로, 이 사건 응시제한이 이러한 과잉금지 원칙을 위반하였는지 검토한다.

가. 이 사건 응시제한의 입법목적의 정당성

이 사건 응시제한의 목적은 정규 교육과정의 학생이 검정고시제도를 입시전략에 활용하는 것을 방치함으로써 발생할 수 있는 공교육의 붕괴를 막고, 상급학교 진학 시 검정고시 출신자와 정규학교 출신자 간의 형평성을 도모하고자 하는바, 이러한 입법목적은 그 정당성을 인정할 수 있다.

나. 수단의 적합성
1) 이 사건 고졸검정고시 응시제한

대학입학전형을 전반적으로 살펴보면, 이 사건 고졸검정고시 응시제한은 입법목적의 달성에 실질적인 관련이 없다고 볼 수 있다. 우선, 수학능력시험과 내신 성적(내신 성적이 없는 경우에는 수학능력시험성적을 기준으로 한 비교 내신 성적)으로 신입생을 선발하는 대부분의 대학입학전형에서는 검정고시 성적이 개입할 여지가 없어 이 사건 고졸검정고시 응시제한은 위와 같은 입법목적의 달성과는 전혀 무관하다.

또한, 최근의 검정고시 응시자 가운데 점점 증가하고 있는 10대 청소년은, 앞서 본 바와 같이 내신관리를 위한 특목고 등 정규 학교 자퇴자 보다는 주로 학교부적응으로 인한 중퇴자가 많은 비중을 차지하고 있는바, 이러한 상황에서, 검정고시 합격 후 성적 향상을 위하여 재응시할 가능성이 매우 적은 일부 특목고 등 자퇴자들을 겨냥하여 재응시를 금지하는 것은 합리적인 수단이라고 보기 어렵다.

2) 이 사건 고입검정고시 응시제한

이 사건 고입검정고시 응시제한은 상기와 같은 대학입시에서의 내신관리를 위한 자퇴 및 고등학교 출신자에 대한 역차별 방지라는 목적과는 전혀 관련이 없으나, 특목고 등 선발시험제도를 실시하고 있는 고등학교 입학전형의 경우 고입검정고시 시험성적이 내신 성적으로 환산 적용될 수 있는데 그 외에 별다른 평가요소가 없다는 점에서 고졸검정고시의 경우와 차이가 있다고 볼 수 있고, 이러한 경우 고입검정고시 합격자의 재응시를 제한하는 것은 특수목적 고등학교 등 선발시험제도를 실시하고 있는 일부 고등학교에 진학하기 위하여 고입검정고시제도를 활용하는 것을 억제시키는 데 효과적일 수도 있으므로, 이러한 점에서 수단의 적합성을 인정할 수 있다.

다. 피해의 최소성

이 사건 응시제한이 추구하는 목적, 즉 내신 성적 관리를 위한 정규 학교 이탈로 인한 공교육 붕괴를 방지하고 나아가 검정고시 출신자와 정규 학교 출신자와의 형평성을 도모하기 위하여는, 상급학교 진학시 내신 성적 반영방식의 검토, 내신관리를 위한 정규 학교 자퇴자의 내신 성적 산출방식의 재검토 등 보다 근본적인 대책의 검토가 선행되어야 하고, 또한 검정고시 합격자의 재응시를 제한하는 경우에도 오랜 기간 동안 재응시가 허용되었던 점을 고려하여 일정한 경과조치를 취하거나, 또는 일정한 기간 동안만 재응시를 금지하고 그 이후에는 재응시를 허용하는 등 덜 기본권 침해적인 방법을 모색할 수 있다 할 것이다.

그럼에도 불구하고, 이 사건 응시제한은 2009년도 검정고시 시행 시까지 허용되어온 합격자의 재응시를, 아무런 사전 예고나 경과 규정 없이 일시에 전면적으로 금지함으로써 종래의 제도를 신뢰하고 검정고시를 준비했던 청구인들과 같은 응시생의 응시기회를 단번에 박탈하고 있을 뿐만 아니라, 영구적으로 박탈하고 있다. 이러한 점들에 비추어 볼 때, 이 사건 응시제한은 기본권 제한에 있어서의 피해최소성원칙에 어긋난다고 할 것이다.

라. 법익의 균형성

청구인들과 같은 고졸(입)검정고시 합격자는 아무런 시간적 제약도 없이 영구히 검정고시 응시자격을 박탈당하는 중대한 불이익을 받는 반면, 이 사건 응시제한을 통해 달성할 수 있는 공익은 불분명하거나 또는 상대적으로 크지 않다고 보이므로, 이 사건 응시제한으로 인한 기본권제한은 법익의 균형성을 상실하였다고 할 것이다.

마. 소 결

이 사건 응시제한은 과잉금지원칙에 위반되어 청구인들의 교육을 받을 권리를 침해한다 할 것이다.

216 고교평준화 사건 [기각]
– 2012. 11. 29. 선고 2011헌마827

판시사항

1. 고등학교의 입학방법과 절차 등을 대통령령으로 정하도록 위임한 초·중등교육법 제47조 제2항(이하 '이 사건 법률조항'이라 한다)이 교육제도 법정주의 또는 포괄위임입법금지의 원칙에 위반하여 청구인들의 학교선택권을 침해하는지 여부(소극)
2. 고등학교를 교육감이 추첨에 의하여 배정하도록 한 초·중등교육법 시행령 제84조 제2항(이하 '이 사건 시행령조항'이라 한다)이 과잉금지원칙에 위반하여 청구인들의 학교선택권을 침해하는지 여부(소극)
3. 광명시를 교육감이 추첨에 의하여 고등학교를 배정하는 지역에 포함시킨 '경기도교육감이 고등학교의 입학전형을 실시하는 지역에 관한 조례' 제2조 제9호(이하 '이 사건 조례조항'이라 한다)가 신뢰보호의 원칙에 위반하여 청구인들의 학교선택권을 침해하는지 여부(소극)

사건의 개요

1. 청구인 임○민, 인○온은 이 사건 심판청구 당시 광명시에 거주하면서 광명시에 있는 중학교에 재학 중인 학생들로서, 2013년 3월 광명시에 있는 고등학교에 진학할 예정이고, 청구인 이○희, 이○자는 그 어머니들이다.
2. 경기도에서는 구 초·중등교육법 제47조 제2항 및 같은 법 시행령 제84조 제2항에 근거하여, 2011. 8. 8. 수원시, 성남시, 안양시 등 8개 지역에서 경기도교육감이 고등학교의 입학전형을 실시하기로 하는 내용의 '경기도교육감이 고등학교의 입학전형을 실시하는 지역에 관한 조례'가 제정·공포되어 위 각 지역에서 고교평준화정책이 시행되어 오다가, 2011. 9. 30. 고교평준화정책 시행 지역에 광명시 등을 추가하는 내용의 '경기도교육감이 고등학교의 입학전형을 실시하는 지역에 관한 조례 일부개정조례안'이 입법예고 되었고, 2011. 12. 16. 경기도의회에서 위 개정조례안이 의결되었다.
3. 이에 청구인들은 위 각 법령조항 및 개정조례안이 학생인 청구인 임○민과 인○온의 학교선택권, 교육받을 권리 및 행복추구권과, 청구인 이○희와 이○자의 자녀학교선택권과 자녀교육권, 행복추구권을 침해하여 위헌이라고 주장하면서, 2011. 12. 20. 이 사건 헌법소원심판을 청구하였다.

심판대상조항 및 관련조항

초·중등교육법(2012. 3. 21. 법률 제11384호로 개정된 것)

제47조(입학자격 등) ② 그 밖에 고등학교의 입학방법과 절차 등에 필요한 사항은 대통령령으로 정한다.

초·중등교육법 시행령(2011. 3. 18. 대통령령 제22712호로 개정된 것)

제84조(후기학교의 신입생 선발 및 배정방법) ② 제77조 제2항에 따라 시·도 조례로 정하는 지역의 후기학교 주간부 신입생은 고등학교 학교군별로 추첨에 의하여 교육감이 각 고등학교에 배정하되, 제81조 제5항의 규정에 의하여 2 이상의 학교를 선택하여 지원한 경우에는 그 입학지원자 중에서 추첨에 의하여 당해 학교정원의 전부 또는 일부를 배정할 수 있다.

경기도교육감이 고등학교의 입학전형을 실시하는 지역에 관한 조례(2012. 1. 2. 경기도 조례 제4319호로 개정된 것)

제2조(경기도교육감이 고등학교의 입학전형을 실시하는 지역) '초·중등교육법 시행령' 제77조 제2항에 따라 경기도교육감(이하 "교육감"이라 한다)이 고등학교의 입학전형을 실시하는 지역은 다음 각 호와 같다.
  9. 광명시

주문

이 사건 심판청구를 모두 기각한다.

I. 적법요건에 관한 판단 – 직접성

법령조항 자체가 헌법소원의 대상이 될 수 있으려면 그 법령조항에 의하여 구체적인 집행행위를 기다리지 아니하고 직접 기본권을 침해받아야 한다. 그런데 집행행위에는 입법행위도 포함되므로 법령규정이 그 규정의 구체화를 위하여 하위규범의 시행을 예정하고 있는 경우에는 당해 법령의 직접성은 부인된다.

먼저 이 사건 시행령조항에 관하여 보건대, 이는 교육감의 추천에 의한 고등학교 배정 제도를 직접 설정하면서 그 시행 지역만을 조례에 위임하고 있는 것이어서, 그 직접성이 인정된다.

이 사건 법률조항의 경우 고등학교의 입학방법 및 절차 전부를 대통령령에 위임함으로써, 하위규정에 그 규정의 구체화를 위임하고 있어 직접성 요건의 충족 여부가 문제되는바, 청구인들은 이 사건 법률조항의 의회유보의 원칙 위반 또는 포괄위임입법금지의 원칙 위반 여부를 다투고 있는데, 의회유보의 원칙 위반 등의 문제는 위 법률조항에 의하여 시원적으로 발생하는 것이어서 결국 위 법률조항의 위헌성 여부가 적법한 심판대상인 이 사건 시행령조항에 영향을 미치게 되므로 그 위헌성을 심사할 수 있다고 보아야 할 것이다.

II. 본안에 관한 판단

1. 제한되는 기본권의 내용과 근거

가. 학생의 학교선택권

헌법 제10조에 의하여 보장되는 행복추구권은 일반적인 행동의 자유와 인격의 자유로운 발현권을 포함하는바, 학생은 교육을 받음에 있어서 자신의 인격, 특히 성향이나 능력을 자유롭게 발현할 수 있는 권리가 있다. 학생은 인격의 발전을 위하여 어느 정도는 부모와 학교의 교사 등 타인에 의한 결정을 필요로 하는 아직 성숙하지 못한 인격체이지만, 부모와 국가에 의한 교육의 단순한 대상이 아닌 독자적인 인격체이며, 그의 인격은 성인과 마찬가지로 보호되어야 하기 때문이다.

따라서 헌법은 국가의 교육권한과 부모의 교육권의 범주 내에서 학생에게도 자신의 교육에 관하여 스스로 결정할 권리, 즉 자유롭게 교육을 받을 권리를 부여하고, 학생은 국가의 간섭을 받지 아니하고 자신의 능력과 개성, 적성에 맞는 학교를 자유롭게 선택할 권리를 가진다.

그렇다면 이 사건 법령조항 및 조례조항에 의하여 학생인 청구인 임○민, 인○온에 대하여는 헌법 제10조에 의하여 인정되는, 자신의 능력과 개성, 적성에 맞는 학교를 선택할 권리가 제한된다.

나. 학부모의 학교선택권

'부모의 자녀에 대한 교육권'은 비록 헌법에 명문으로 규정되어 있지는 아니하지만, 이는 모든 인간이 국적과 관계없이 누리는 양도할 수 없는 불가침의 인권으로서 혼인과 가족생활을 보장하는 헌법 제36조 제1항, 행복추구권을 보장하는 헌법 제10조 및 '국민의 자유와 권리는 헌법에 열거되지 아니한 이유로 경시되지 아니한다'고 규정하는 헌법 제37조 제1항에서 나오는 중요한 기본권이다. 이러한 부모의 자녀교육권은 학교영역에서는 부모가 자녀의 개성과 능력을 고려하여 자녀의 학교교육에 관한 전반적 계획을 세운다는 것에 기초하고 있으며, 자녀 개성의 자유로운 발현을 위하여 그에 상응한 교육과정을 선택할 권리, 즉 자녀의 교육진로에 관한 결정권 내지는 자녀가 다닐 학교를 선택하는 권리로 구체화된다.

따라서 이 사건 법령조항 및 조례조항에 의하여 학부모인 청구인 이○희, 이○자에 대하여는 헌법 제36조 제1항, 제10조 및 제37조 제1항에 의하여 인정되는, 자녀 교육을 위하여 자녀의 능력과 개성, 적성에 맞는 학교를 선택할 권리가 제한된다.

2. 이 사건 법률조항의 청구인들의 기본권 침해 여부

가. 교육제도 법정주의 위반 여부

1) 의회유보의 원칙과 교육제도 법정주의

헌법은 법치주의를 그 기본원리의 하나로 하고 있고, 법치주의는 법률유보원칙, 즉 행정작용에는 국회가 제정한 형식적 법률의 근거가 요청된다는 원칙을 그 핵심적 내용으로 하고 있다.

나아가 오늘날의 법률유보원칙은 단순히 행정작용이 법률에 근거를 두기만 하면 충분한 것이 아니라, 국가공동체와 그 구성원에게 기본적이고도 중요한 의미를 갖는 영역, 특히 국민의 기본권 실현에 관련된 영역에 있어서는 행정에 맡길 것이 아니라 국민의 대표자인 입법자 스스로 그 본질적 사항에 대하여 결정하여야 한다는 요구, 즉 의회유보 원칙까지 내포하는 것으로 이해되고 있다. 이때 입법자가 형식적 법률로 스스로 규율하여야 하는 사항이 어떤 것인가는 일률적으로 획정할 수 없고 구체적인 사례에서 관련된 이익 내지 가치의 중요성, 규제 내지 침해의 정도와 방법 등을 고려하여 개별적으로 결정할 수 있을 뿐이나 적어도 헌법상 보장된 국민의 자유나 권리를 제한한 때에는 그 제한의 본질적인 사항에 관한 한 입법자가 법률로써 스스로 규율하여야 한다.

한편, 헌법 제31조 제6항은 "학교교육 및 평생교육을 포함한 교육제도와 그 운영, 교육재정 및 교원의 지위에 관한 기본적인 사항은 법률로 정한다."라고 하여 교육제도 법정주의를 규정하고 있는바, 교육제도 법정주의는 소극적으로는 교육의 영역에서 본질적이고 중요한 결정은 입법자에게 유보되어야 한다는 의회유보의 원칙을 규정한 것이지만, 한편 적극적으로는 헌법이 국가에 학교제도를 통한 교육을 시행하도록 위임하고 있다는 점에서 학교제도에 관한 포괄적인 국가의 규율권한을 부여한 것이기도 하다.

2) 판 단

학교교육은 본질적으로 급부적 성격이 강한 국가행정의 영역이므로, 국가는 학교교육과 관련하여 교육제도를 형성할 광범위한 권한을 가진다고 할 것이다.

이에 따라 법은 고등학교 교육제도와 그 운영에 관하여 교육의 목적(제45조), 수업연한(제46조), 입학자격(제47조), 학과와 교과 및 교육과정(제48조) 등 기본적인 사항을 이미 규정하고 있고, 다만 입학방법과 절차 등 입학전형에 관한 사항은 각 지역과 시점에 따라 달라지는 고등학교 교육에 대한 수요 및 공급의 상황과, 학생과 학부모를 포함한 지역 주민들의 의사를 적절하게 반영하여야 할 필요성으로 인하여 행정입법에 위임하고 있을 뿐이다.

이와 같은 사정을 종합해 보면, 고등학교 교육제도의 내용 중에서 입학방법과 절차에 관한 사항을 반드시 법률의 형식으로만 정해야 하는 것으로 보기는 어려우므로, 이 사건 법률조항은 교육제도 법정주의에 위반되지 아니하며 청구인들의 학교선택권을 침해한다고 할 수 없다.

나. 포괄위임입법금지의 원칙 위반 여부

이 사건 법률조항이 고등학교 입학방법 및 절차를 대통령령으로 정하도록 위임함에 있어 포괄위임입법금지의 원칙을 위반하였는지 여부를 살펴본다.

이 사건 법률조항이 고등학교의 입학방법 등을 대통령령에 위임한 것은 학생들의 수요에 능동적으로 대처하고, 학생과 학부모의 의사와 각 지역의 실정을 적절하게 반영하기 위한 것으로서 위임의 필요성이 인정된다.

또한 규율대상이 급부행정의 영역으로서 사실관계가 다양할 뿐만 아니라 수시로 변화할 것이 예상되어 위임의 구체성·명확성의 요구가 약한 경우인 점과, 교육의 공공성과 지방교육의 자치를 규정한 관련 법률의 취지 및 완전한 자유경쟁제도를 채택하지 않는 이상 추첨 배정이 불가피한 점 등에 비추어 보면, 중학교 졸업생 수와 고등학교 입학 정원이 균형을 이루는 등 객관적 조건이 갖춰지고, 학생·학부모 등 지역 주민의 의사가 이를 뒷받침하는 지역에서 교육감이 학교군별로 고등학교를 추첨 배정할 것이라는 점을 충분히 예측할 수 있으므로, 이 사건 법률조항은 포괄위임입법금지의 원칙에 위반되지 아니하며 청구인들의 학교선택권을 침해한다고 할 수 없다.

3. 이 사건 시행령조항의 과잉금지원칙 위반 여부

고등학교 교육 기회의 균등 제공, 고등학교 입시의 폐지로 인한 중학교 교육의 정상화라고 하는 공익은 정당한 입법목적이다. 그리고 교육감에 의한 입학전형 및 학교군별 추첨에 의한 배정방식을 취하는 이 사건 시행령조항은 고등학교 과열입시경쟁을 해소함으로써 중학교 교육의 정상화, 학교·지역 간 격차 해소와 같은 입법목적의 달성에 기여한다고 할 것이므로 수단의 적절성도 인정된다.

추첨 배정을 받기 전에 학교를 선택 지원할 수 있는 기회가 대폭 확대되고, 고교평준화정책 시행 지역을 결정함에 있어서 객관적 타당성 및 민주적 정당성이 제고된 상황 등을 고려하면, 중학교 교육의 정상화 및 학교·지역 간 격차 해소 등 입법목적을 달성하는데 적합한 다른 대체수단이 존재한다고 보기도 어렵고 또한 고교평준화제도를 통하여 달성하고자 하는 위와 같은 공익이 침해되는 청구인들의 학교선택권보다 크다고 할 것이다.

따라서 이 사건 시행령조항은 과잉금지원칙에 위반되지 아니하며 청구인들의 학교선택권을 침해한다고 할 수 없다.

4. 이 사건 조례조항의 신뢰보호의 원칙 위반 여부

가. 신뢰보호의 원칙

신뢰보호의 원칙은 헌법상 법치국가의 원칙으로부터 도출되는데, 그 내용은 법률의 제정이나 개정 시 구법질서에 대한 당사자의 신뢰가 합리적이고도 정당하며 법률의 제정이나 개정으로 야기되는 당사자의 손해가 극심하여 새로운 입법으로 달성하고자 하는 공익적 목적이 그러한 당사자의 신뢰의 파괴를 정당화할 수 없다면, 그러한 새로운 입법은 신뢰보호의 원칙상 허용될 수 없다는 것이다. 그러나 사회 환경이나 경제여건의 변화에 따른 필요성에 의하여 법률은 신축적으로 변할 수밖에 없고 변경된 새로운 법질서와 기존의 법질서 사이에는 이해관계의 상충이 불가피하므로, 국민이 가지는 모든 기대 내지 신뢰가 헌법상 권리로서 보호되는 것은 아니다.

따라서 신뢰보호의 원칙 위반 여부는 한편으로는 침해받은 신뢰이익의 보호가치, 침해의 중한 정도, 신뢰가 손상된 정도, 신뢰침해의 방법 등과 다른 한편으로는 새로운 입법을 통해 실현하고자 하는 공익적 목적을 종합적으로 비교·형량하여 판단하여야 한다.

나. 판 단

한 지역의 고교평준화 여부는 그 지역의 실정과 주민의 의사에 따라 탄력적으로 운용할 필요성이 있어 광명시가 비평준화 지역으로 남아 있을 것이라는 청구인들의 신뢰는 헌법상 보호하여야 할 가치나 필요성이 있다고 보기 어렵고, 고등학교 지원을 시·도 단위로 하도록 하고 광명시 등 일부 도시를 비평준화 지역으로 유지시킬 경우 경기도 내에서 중학교 교육의 정상화나 학교 간 격차 해소 등 고교평준화정책의 목적을 실질적으로 달성하기가 어려운 점을 감안하면 청구인들의 신뢰가 공익보다 크다고 볼 수도 없으므로, 이 사건 조례조항은 신뢰보호의 원칙에 위반되지 아니하며 청구인들의 학교선택권을 침해한다고 할 수 없다.

217 학교폭력 가해학생에 대한 재심 제한 사건 [기각, 각하]
— 2013. 10. 24. 선고 2012헌마832

판시사항 및 결정요지

1. 가해학생에 대한 학교장의 긴급조치를 거부하는 경우 징계하도록 한 학교폭력예방 및 대책에 관한 법률 제17조 제7항의 가해학생에 대한 기본권 침해의 자기관련성 여부(소극)

청구인 가해학생에 대한 학교장의 이 사건 조치는 학교장이 긴급성을 인정하여 우선적으로 행한 조치가 아니므로 학교장의 긴급조치와 관련한 징계조항은 자기관련성이 없다.

2. 가해학생에 대해 자치위원회가 추가 조치를 요구할 수 있도록 한 학교폭력예방법 제17조 제11항(이하 '추가조치요구 규정'이라 한다)의 기본권 침해에 대한 직접성 여부(소극)

가해학생에 대한 자치위원회의 추가조치 요구 규정은 가해학생이 해당 조치에 대해 거부하는 경우 자치위원회가 학교장에게 추가조치를 요청할 수 있다는 규정으로, 이는 구체적인 집행행위를 필요로 하는 규정으로서 조항 자체가 직접 기본권을 침해한다고 볼 수 없다.

3. 학교폭력과 관련하여 가해학생에 대한 조치 중 전학과 퇴학을 제외한 나머지 조치에 대해 재심을 제한하는 학교폭력예방법 제17조의2 제2항(이하 '재심규정'이라 한다)에 의해 제한되는 기본권

청구인들은 학교폭력예방법 제17조의2 제2항(다음부터 '재심규정'이라고 한다) 이 공정한 재판을 받을 권리를 침해한다고 주장한다. 그런데 여기에서의 재심은 자치위원회의 결정을 거쳐 학교장에 의해 내려진 조치들에 대하여 행정심판의 전심인 시·도학생징계조정위원회의 심사를 받는 것을 의미하는 것으로, 이는 사법절차에 해당하지 아니하므로 재판을 받을 권리의 침해 문제를 발생시킨다고 볼 수 없다.

한편, 청구인들은 재심규정이 행복추구권을 침해한다고 주장하는데, 가해학생에 내려진 불이익조치에 대해 재심을 제한함으로써 가해학생 보호자의 의견 진술 기회가 제한되는 것은 행복추구권 등에 근거한 학부모의 자녀교육권 침해 문제를 발생시킨다. 또 피해학생측과 달리 가해학생측에는 전학과 퇴학의 경우에만 재심을 허용하고 있다는 점에서 평등권 침해 여부가 문제될 수 있다. 나아가 학교폭력예방법 제17조 제9항(다음부터 '특별교육이수규정'이라고 한다)은 가해학생에 취해지는 조치가 특별교육일 경우 그 학생의 보호자에게도 함께 교육을 받도록 의무화하는 규정으로, 이는 행복추구권에서 파생되는 일반적 행동자유권 침해 문제를 발생시킨다.

4. 재심규정이 가해학생 보호자의 자녀교육권을 침해하는지 여부(소극)

자녀의 양육과 교육은 가족생활의 핵심적 요소로서 일차적으로 부모의 천부적인 권리인 동시에 부모에게 부과된 의무이기도 하다. 부모의 자녀에 대한 교육권은 모든 인간이 누리는 양도할 수 없는 불가침의 인권으로서 혼인과 가족생활을 보장하는 헌법 제36조 제1항, 행복추구권을 보장하는 헌법 제10조 및 열거되지 아니한 자유와 권리의 보장에 관한 헌법 제37조 제1항에서 나온다.

부모는 자녀의 교육에 관하여 전반적인 계획을 세우고 자신의 인생관·사회관·교육관에 따라 자녀의 교육을 자유롭게 형성할 권리를 가지고, 아직 성숙하지 못한 초·중·고등학생인 자녀의 교육과정에 참여할 권리를 가진다. 따라서 학교가 학생에 대해 불이익 조치를 할 경우 해당 학생의 학부모가 의견을 제시할 권리는 자녀교육권의 일환으로 보호된다. 학교폭력예방법 제17조 제5항이 학교폭력 가해학생에 대한 조치 전에 자녀교육권의 일환으로 그 보호자에게 의견 진술의 기회를 부여하는 것처럼, 가해학생에 대해 일정한 조치가 내려졌을 경우 그 조치가 적절하였는지 여부에 대해 의견을 제시할 수 있는 권리 또한 그 연장선상에서 학부모의 자녀교육권의 내용에 포함된다.

다만, 공교육제도 틀 안에서는 국가의 교육과제 달성 및 학교에서 공동으로 이루어지는 집단교육의 특성상 학부모의 다양한 견해와 가치관을 완전하게 반영하여 수용할 수 없는 현실적 제약이 따르고, 학교교육에 관한 한 국가는 헌법 제31조에 따라 부모의 교육권으로부터 독립된 독자적인 교육권한을 부여받고 있다. 그러므로 학교의 학생교육이나 훈육방법과 관련하여 학부모의 관여를 제한하는 입법에는 광범위한 입법형성권이 부여된다.

학교폭력예방법이 가해학생 측에 전학과 퇴학처럼 중한 조치에 대해서만 재심을 허용하는 것은 이에 대해 보다 신중한 판단을 할 수 있도록 하기 위함이고, 전학과 퇴학 이외의 조치들에 대해 재심을 불허하는 것은 학교폭력으로 인한 갈등 상황을 신속히 종결하여 관련 학생들의 보호와 치료·선도·교육을 조속히 시행함으로써 해당 학생 모두가 빨리 정상적인 학교생활에 복귀할 수 있도록 하기 위함인바, 재심에 보통 45일의 시간이 소요되는 것을 감안하면, 신중한 판단이 필요한 전학과 퇴학 이외의 가벼운 조치들에 대해서까지 모두 재심을 허용해서는 신속한 피해 구제와 빠른 학교생활로의 복귀를 어렵게 할 것이므로, 재심규정은 학부모의 자녀교육권을 지나치게 제한한다고 볼 수 없다.

5. 재심규정의 재심 제한이 가해학생과 그 보호자의 평등권을 침해하는지 여부(소극)

학교폭력에 대해 가해학생에게 내려진 조치는 피해학생에게도 중대한 영향을 미치는데, 가해학생은 자신에 대한 모든 조치에 대해 당사자로서 소송을 제기할 수 있지만, 피해학생은 그 조치의 당사자가 아니므로 결과에 불만이 있더라도 소송을 통한 권리 구제를 도모할 수 없다. 따라서 가해학생에 대한 모든 조치에 대해 피해학생 측에는 재심을 허용하면서, 소송으로 다툴 수 있는 가해학생 측에는 퇴학과 전학의 경우에만 재심을 허용하고 나머지 조치에 대해서는 재심을 허용하지 않더라도 가해학생과 그 보호자의 평등권을 침해한다고 볼 수 없다.

6. 가해학생이 특별교육을 이수할 경우 그 보호자도 함께 특별교육을 이수하도록 하는 학교폭력예방법 제17조 제9항(이하 '특별교육이수규정'이라 한다)이 가해학생 보호자의 일반적 행동자유권을 침해하는지 여부(소극)

학교폭력예방법에서 가해학생과 함께 그 보호자도 특별교육을 이수하도록 의무화한 것은 교육의 주체인 보호자의 참여를 통해 학교폭력 문제를 보다 근본적으로 해결하기 위한 것이다. 가해학생이 학교폭력에 이르게 된 원인을 발견하여 이를 근본적으로 치유하기 위해서는 가족 공동체의 일원으로서 가해학생과 밀접 불가분의 유기적 관계를 형성하고 있는 보호자의 교육 참여가 요구된다. 따라서 특별교육이수규정이 가해학생 보호자의 일반적 행동자유권을 침해한다고 볼 수 없다.

218 의무교육인 중학교 학생을 대상으로 학교급식비를 징수하도록 한 학교급식법 사건 [합헌]
— 2012. 4. 24. 선고 2010헌바164

판시사항

의무교육 대상인 중학생의 학부모에게 급식관련비용 일부를 부담하도록 하는 구 학교급식법 제8조 제1항 후단 및 제2항 전단 중 초·중등교육법 제2조의 중학교에 관한 부분(이하 '이 사건 법률조항들'이라 한다)이 의무교육의 무상원칙을 위반하였는지 여부(소극)

사건의 개요

청구인 신○희는 급식비를 납부한 학생이고, 청구인 신○섭과 손○진은 그 부모로서 2003. 3. 3.부터 2006. 2. 16.까지 위 신○희가 경기도 안양시 ○○중학교에 재학할 당시 급식비 명목으로 1학년 때 336,000원, 2학년 때 359,200원, 3학년 때 371,800원을 각 납부하였는데, 이는 의무교육은 무상으로 한다는 헌법규정에 위배된다며 대한민국과 경기도, 안양시를 상대로 부당이득반환청구의 소를 제기하였다. 그리고 위 소송 계속중 학교급식법 제8조 제1항 후단 및 제2항 전단 중 초·중등교육법 제2조의 중학교에 관한 부분(이하 '이 사건 법률조항들'이라 한다)에 대하여 위헌법률심판제청신청을 하였으나 기각되자, 2010. 4. 12. 이 사건 헌법소원심판을 청구하였다.

심판대상조항 및 관련조항

구 학교급식법(1996. 12. 30. 법률 제5236호로 개정되고, 2006. 7. 19. 법률 제7962호로 개정되기 전의 것)

제8조(경비부담) ① 학교급식 실시에 필요한 시설·설비에 요하는 경비와 학교급식의 운영에 필요한 경비 중 대통령령으로 정하는 경비는 당해 학교의 설립경영자 부담을 원칙으로 하되, 대통령령이 정하는 바에 따라 후원회 또는 학부모가 그 경비의 일부를 부담할 수 있다.
② 제1항에 규정된 경비 이외의 급식에 관한 경비는 대통령령이 정하는 바에 따라 학부모 부담을 원칙으로 하되, 필요한 경우에는 국가 또는 지방자치단체가 지원할 수 있다.

주문

구 학교급식법(1996. 12. 30. 법률 제5236호로 개정되고, 2006. 7. 19. 법률 제7962호로 개정되기 전의 것) 제8조 제1항 후단 및 제2항 전단 중 초·중등교육법 제2조의 중학교에 관한 부분은 헌법에 위반되지 아니한다.

I. 판 단

1. 이 사건의 쟁점

청구인들은 의무교육으로 정해진 중학교 과정에서 급식비를 학부모에게 부담하도록 하는 이 사건 법률조항들이 헌법 제11조의 평등의 원칙에 위배되고, 헌법 제31조 제1항에 규정된 균등하게 교육을 받을 권리 및 같은 조 제3항에 규정된 무상으로 의무교육을 받을 권리를 침해한다고 주장한다.

그런데 헌법 제31조 제1항에 규정된 균등하게 교육을 받을 권리란 국민 누구나가 취학의 기회를 균등하게 향유하는 교육의 기회균등을 의미하고, 이는 헌법 제11조가 천명하고 있는 평등원칙을 교육 면에서 실현하기 위한 것이므로, 이 사건에서 헌법 제11조의 평등원칙 위반 여부는 별도로 판단하지 아니한다.

한편, 헌법 제31조 제3항에 규정된 의무교육의 무상원칙은 같은 조 제1항에 규정된 균등하게 교육을 받을 권리를 실효성 있게 보장하기 위하여 우리 헌법이 인정하고 있는 것으로 두 조항은 유기적으로 연결되어 있으며, 이 사건의 쟁점은 의무교육인 중학교 과정에서 무상으로 제공되어야 하는 교육의 범위에 학교급식이 포함되어야 하는지의 여부이므로, 이하에서는 이와 가장 밀접한 관련이 있는 의무교육의 무상원칙을 중심으로 급식비의 일부를 학부모에게 부담하도록 하는 이 사건 법률조항들의 위헌 여부를 살펴보기로 한다.

2. 의무교육의 무상원칙 및 무상의 범위

가. 의무교육의 무상원칙

헌법 제31조는 제1항에서 "모든 국민은 능력에 따라 균등하게 교육을 받을 권리를 가진다."고 규정하여 국민의 교육을 받을 권리를 보장하고 있는 한편, 이러한 국민의 교육을 받을 권리를 현실적으로 보장하기 위한 수단의 하나로서 같은 조 제2항에서 "모든 국민은 그 보호하는 자녀에게 적어도 초등교육과 법률이 정하는 교육을 받게 할 의무를 진다."라고 하여 국민에게 교육의 의무를 부과하였고, 이에 따라 교육기본법은 의무교육을 6년의 초등교육과 3년의 중등교육으로 한다고 규정하여 의무교육의 범위를 중학교까지로 정하였다(교육기본법 제8조 제1항). 나아가 국가는 학부모가 경제적 여건에 관계없이 교육의 의무를 이행할 수 있도록 헌법 제31조 제3항에서 의무교육은 무상으로 할 것을 원칙으로 천명하여 국가에게 의무교육을 실시할 수 있는 인적·물적 여건을 마련할 의무를 부과하고 있다.

나. 의무교육 무상의 범위

의무교육 무상의 범위에 있어서 학교 교육에 필요한 모든 부분을 무상으로 제공하는 것이 바람직한 방향이라고 하겠으나, 균등한 교육을 받을 권리와 같은 사회적 기본권을 실현하는 데는 국가의 재정상황 역시 도외시할 수 없으므로, 원칙적으로 의무교육 무상의 범위는 헌법상 교육의 기회균등을 실현하기 위해 필수불가결한 비용, 즉 모든 학생들이 의무교육을 받음에 있어서 경제적인 차별 없이 수학하는 데 반드시 필요한 비용에 한한다고 할 것이다.

따라서, 의무교육에 있어서 무상의 범위에는 의무교육이 실질적이고 균등하게 이루어지기 위한 본질적 항목으로, 수업료나 입학금의 면제, 학교와 교사 등 인적·물적 시설 및 그 시설을 유지하기 위한 인건비와 시설유지비, 신규시설투자비 등의 재원 부담으로부터의 면제가 포함된다 할 것이며, 그 외에도 의무교육을 받는 과정에 수반하는 비용으로서 의무교육의 실질적인 균등보장을 위해 필수불가결한 비용은 무상의 범위에 포함된다. 한편, 의무교육에 있어서 본질적이고 필수불가결한 비용 이외의 비용을 무상의 범위에 포함시킬 것인지는 국가의 재정상황과 국민의 소득수준, 학부모들의 경제적 수준 및 사회적 합의 등을 고려하여 입법자가 입법정책적으로 해결해야 할 문제이다.

3. 의무교육의 무상원칙 위반 여부

학교급식은 학생들에게 한 끼 식사를 제공하는 영양공급 차원을 넘어 교육적인 성격을 가지고 있지만, 이러한 교육적 측면은 기본적이고 필수적인 학교 교육 이외에 부가적으로 이루어지는 식생활 및 인성교육으로서의 보충적 성격을 가지므로 의무교육의 실질적인 균등보장을 위한 본질적이고 핵심적인 부분이라고까지는 할 수 없다.

이 사건 법률조항들은 비록 중학생의 학부모들에게 급식관련 비용의 일부를 부담하도록 하고 있지만, 학부모에게 급식에 필요한 경비의 일부를 부담시키는 경우에 있어서도 학교급식 실시의 기본적 인프라가 되는 부분은 배제하고 있으며, 국가나 지방자치단체의 지원으로 학부모의 급식비 부담을 경감하는 조항이 마련되어 있고, 특히 저소득층 학생들을 위한 지원방안이 마련되어 있다는 점 등을 고려해 보면, 이 사건 법률조항들이 입법형성권의 범위를 넘어 헌법상 의무교육의 무상원칙에 반하는 것으로 보기는 어렵다.

II 결 론

그렇다면 이 사건 법률조항들은 헌법에 위반되지 않으므로 관여 재판관 전원의 일치된 의견으로 주문과 같이 결정한다.

219 중학교 학생으로부터의 학교운영지원비 징수 사건 [위헌, 각하]
— 2012. 8. 23. 선고 2010헌바220

사건의 개요

청구인들은 공립 및 사립 중학교에 재학 중이거나 졸업한 자녀를 두고 있는 부모로서 자녀가 재학 중이던 중학교에 학교운영지원비를 납부하였다. 청구인들은 위와 같이 납부한 학교운영지원비가 의무교육의 무상원칙에 반하는 것이라고 주장하며, 대한민국, 서울특별시, 경기도, 경상북도, 광주광역시, 전라북도를 상대로 부당이득반환청구의 소를 제기하였으나 2009. 6. 17. 청구가 기각되자, 이에 항소하였다.

청구인들은 위 항소심 계속 중 학교운영지원비를 학교회계 세입항목에 포함시키고 학교운영지원비의 조성·운용 및 사용에 관한 사항을 학교운영위원회가 심의하도록 규정하고 있는 구 초·중등교육법 제30조의2 제2항 제2호 및 제32조 제1항 제7호에 대하여 위헌법률심판제청을 신청하였으나 기각되자, 2010. 6. 4. 이 사건 헌법소원심판을 청구하였다.

판시사항 및 결정요지

1. 학교운영지원비의 조성·운용 및 사용에 관한 사항을 학교운영위원회가 심의하도록 하는 구 초·중등교육법 제32조 제1항 제7호 중 중학교에 관한 부분(이하 '이 사건 심의조항'이라 한다)에 대한 헌법소원심판청구가 적법한지 여부(소극)

헌법재판소법 제68조 제2항에 의한 헌법소원에 있어서는 법률이 헌법에 위반되는지 여부가 당해 사건의 재판의 전제로 되어야 하고, 이 경우 재판의 전제가 된다고 하려면 그 법률이 당해 사건의 재판에서 적용되는 법률이어야 하며, 그 법률의 위헌 여부에 따라 재판의 주문이 달라지거나, 재판의 내용과 효력에 관한 법률적 의미가 달라져야 한다.

그런데 이 사건 심의조항은 국·공립중학교에 두는 학교운영위원회가 심의하는 사항들 중의 하나로서 학교운영지원비의 조성·운용 및 사용에 관한 사항을 포함시키고 있을 뿐이어서, 이를 학교운영지원비를 징수할 수 있는 근거가 되는 조항으로 볼 것은 아니므로 당해 사건의 재판에 적용되는 법률이라 할 수 없다.

또한, 설사 이 사건 심의조항에 대해 위헌결정이 내려진다 하더라도 국·공립중학교의 학교운영위원회가 학교운영지원비의 조성·운용 및 사용에 관한 사항을 심의할 수 없게 되는 결과만이 도출될 뿐, 학교운영지원비를 징수하는 것 자체가 위헌이 되는 것은 아니므로 이 사건 심의조항의 위헌 여부에 따라 당해 사건 재판의 주문이 달라지거나 재판의 내용과 효력에 관한 법률적 의미가 달라지는 경우에 해당한다고 볼 수도 없다.

따라서, 청구인들의 이 사건 심의조항에 대한 심판청구는 재판의 전제성을 갖추지 못하여 부적법하다.

2. 학교운영지원비를 학교회계 세입항목에 포함시키도록 하는 구 초·중등교육법 제30조의2 제2항 제2호 중 중학교 학생으로부터 징수하는 것에 관한 부분(이하 '이 사건 세입조항'이라 한다)에 대한 사립중학교 학부모들의 헌법소원심판청구가 적법한지 여부(소극)

초·중등교육법 제30조의2 제1항은 국·공립의 중학교 등에 학교회계를 설치하도록 규정하고 있다. 그러므로 이 사건 세입조항은 '국·공립중학교'에만 적용되는 것이지, '사립중학교'에서 징수하는 학교운영지원비에 대해서는 적용되는 것이 아니다. 따라서, 사립중학교 학부모인 [별지 1] 기재 청구인들의 청구 부분은 재판의 전제성을 갖추지 못하여 부적법하다.

3. 이 사건 세입조항이 헌법 제31조 제3항에 규정되어 있는 의무교육 무상의 원칙에 위배되는지 여부(적극)

학교운영지원비는 그 운영상 교원연구비와 같은 교사의 인건비 일부와 학교회계직원의 인건비 일부 등 의무교육과정의 인적기반을 유지하기 위한 비용을 충당하는데 사용되고 있다는 점, 학교회계의 세입상 현재 의무교육기관에서는 국고지원을 받고 있는 입학금, 수업료와 함께 같은 항에 속하여 분류되고 있음에도 불구하고 학교운영지원비에 대해서만 학생과 학부모의 부담으로 남아있다.

교수 및 학습에 있어서 기본이 되는 부분이라면 교육을 받는 데 있어서 반드시 필요한 학교건물과 같은 물적 시설, 교사를 비롯한 수업과 학교 운영에 필요한 인적 기반 등이 있겠고, 기본적 교육수입(또는 등록금)은 이러한 교수 및 학습에 필요한 물적·인적 기반을 위해 필요한 경비라는 의미일 것이다. 그렇다면, 의무교육을 실시하는 학교에 있어서 의무교육대상자의 수요를 충족시킬 수 있는 물적·인적 기반을 구비하기 위한 재원을 확보할 의무는 헌법 제31조 제3항에 의하여 국가나 지방자치단체에 부과되어 있다고 할 것이므로, 기본적 교육수입(또는 등록금)으로 분류된 학교운영지원비를 의무교육 대상자인 중학생으로부터 징수하는 것은 의무교육의 무상원칙에 부합하지 아니한다.

또한, 학교운영지원비는 기본적으로 학부모의 자율협찬금의 외양을 갖고 있지만, 현실적으로는 해당 학교의 재정여건이나 지역의 현실을 반영하여 자율적으로 결정되기보다는 지역별 학교장협의회의 협의안에 따라 일률적으로 결정되어 징수되는 경우도 있고, 학교운영지원비의 납부에 있어서도 일반적으로 스쿨뱅킹을 통해 학부모의 CMS 계좌에서 급식비나 방과 후 학습비 등의 수익자부담금과 함께 일괄적으로 자동이체되고 있어, 납부의 자율성이 완전히 보장되고 있다고 볼 수도 없다.

이런 점에서 볼 때, 학교운영지원비는 그 조성이나 징수 측면에서도 기본적이고 필수적인 학교 교육에 필요한 비용에 가깝게 운영되고 있다고 볼 것이다.

따라서 이 사건 세입조항은 헌법 제31조 제3항에 규정되어 있는 의무교육의 무상원칙에 위배된다.

220 공동주택 수분양자들에게 학교용지부담금을 부과하도록 규정한 사건
[위헌]
- 2005. 3. 31. 선고 2003헌가20

판시사항

1. 학교용지확보를 위하여 공동주택 수분양자들에게 학교용지부담금을 부과할 수 있도록 하고 있는 구 학교용지확보에관한특례법 제2조 제2호, 제5조 제1항 중 제2조 제2호가 정한 주택건설촉진법에 의하여 시행하는 개발사업지역에서 공동주택을 분양받은 자에게 학교용지확보를 위하여 부담금을 부과징수할 수 있다는 부분(이하 '이 사건 법률조항'이라 한다)이 헌법상 의무교육의 무상원칙에 반하는지 여부(적극)
2. 이 사건 법률조항이 평등원칙에 반하는지 여부(적극)

사건의 개요

제청신청인들은 인천 서구 검암2지구 11블록 1, 2롯트 상의 검암2차 ○○아파트(718세대), 위 검암2지구 30블록 2롯트 상의 검암3차 □□아파트(341세대), 위 검암2지구 37블록 1롯트 상의 검암2차 ○○아파트(325세대), 인천 부평구 삼산1택지개발지구 6, 7블록 상의 ○○아파트(2098세대)의 수분양자들 중 일부이다.

인천광역시 서구청장과 부평구청장은, 위 각 아파트 단지의 개발사업시행자들이 학교용지확보에관한특례법시행령(이하 '특례법시행령'이라고 한다) 제5조의2 제1항의 규정에 따라 제청신청인들이 포함된 분양계약자 내역을 제출하자 제청신청인들에게 학교용지확보에관한특례법(이하 '특례법'이라고 한다) 제5조 제1항에 의하여 학교용지부담금을 부과하였다.

이에 제청신청인들은 인천지방법원 2002구합3878호로 위 부담금부과처분의 취소를 구하는 소송을 제기함과 아울러 특례법 제2조 제2호 및 제5조 제1항에 관하여 위헌법률심판제청신청을 하였고, 위 법원은 이를 받아들여 위헌법률심판제청을 하였다.

심판대상조항 및 관련조항

학교용지확보에관한특례법(2000. 1. 28. 법률 제6219호로 개정되어 2002. 12. 5. 법률 제6744호로 개정되기 전의 것)

제5조(부담금의 부과징수) ① 시·도지사는 학교용지의 확보를 위하여 개발사업지역에서 단독주택 건축을 위한 토지(공공용지취득및손실보상에관한특례법에 의한 이주용 택지로 분양받은 토지를 제외한다) 또는 공동주택(임대주택을 제외한다) 등을 분양받는 자에게 부담금을 부과징수할 수 있다.

주문

구 학교용지확보에관한특례법(2000. 1. 28. 법률 제6219호로 개정되어 2002. 12. 5. 법률 제6744호로 개정되기 전의 것) 제5조 제1항 중 제2조 제2호가 정한 주택건설촉진법에 의하여 시행하는 개발사업지역에서

…… 공동주택을 분양받은 자에게 학교용지확보를 위하여 부담금을 부과·징수할 수 있다는 부분은 헌법에 위반된다.

I 학교용지부담금의 성질

학교용지부담금은 300세대 규모 이상의 주택건설로 인하여 늘어나는 공익시설에 대한 수요 중에서 초, 중, 고등학교의 학교용지의 확보에 대한 수요를 충족시키기 위하여 부과되는 것이므로 부과원인에 따른 분류에 의하면 원인자부담금의 하나에 해당한다. 그리고 학교시설의 건립이라는 특정한 공익사업을 시행함으로 인하여 주택수분양자들은 그의 자녀들이 근거리에서 교육을 받을 수 있는 특별한 이익을 얻게 되기 때문에 수익자부담금으로서의 성격도 가지고 있다.

한편 부담금의 성질에 따른 분류에 의하면, 학교용지부담금은 재정조달목적의 부담금이라고 볼 수 있다. 왜냐하면 학교용지부담금은 기본적으로 필요한 학교시설의 확보에 있어서 소요되는 재정을 충당하기 위한 것이고, 부담금을 부과함으로써 택지개발, 주택공급 등을 제한하거나 금지하기 등의 정책적, 유도적 성격은 희박하기 때문이다.

II 학교용지부담금의 위헌 여부

1. 일반론

재정조달목적의 부담금의 경우 특정한 반대급부 없이 부과될 수 있다는 점에서 조세와 매우 유사하므로, 헌법 제38조가 정한 조세법률주의, 헌법 제11조 제1항이 정한 법 앞의 평등원칙에서 파생되는 공과금 부담의 형평성, 헌법 제54조 제1항이 정한 국회의 예산심의·확정권에 의한 재정감독권과의 관계에서 오는 한계를 고려해야 하고, 나아가 일반적인 기본권 제한의 한계(비례성 원칙) 및 특히 학교용지부담금의 경우 여기에 덧붙여 헌법 제31조 제3항의 의무교육의 무상성과의 관계를 고려하여야 한다.

정책실현목적의 부담금의 경우 헌법의 기본적 재정질서와는 별개의 문제로 개별행위에 대한 명령·금지와 같은 직접적인 규제수단을 사용하는 대신 부담금이라는 금전적 부담의 부과를 통하여 간접적으로 국민의 행위를 유도하고 조정함으로써 사회적·경제적 정책목적을 달성하고자 하는 것이고, 이를 이용하는 것이 보다 효과적인 경우가 많기 때문에 부담금을 사회적·경제적 정책을 실현하는 수단으로 이용하는 것 자체가 곧바로 헌법에 위반되는 것은 아니다. 그러나 적어도 정책실현목적의 부담금이 사회적·정책적 목적을 실현하는 데 적절한 수단이 되어야 함은 물론이고 법 앞의 평등원칙에서 파생되는 공과금 부담의 형평성을 벗어나서는 안 될 것이다.

학교용지부담금의 경우 앞서 본 바와 같이 원인자부담금에 가깝고, 재정조달목적의 부담금에 해당하므로 이를 중심으로 그 헌법적 허용성과 이 사건 법률조항의 위헌 여부를 살펴보기로 한다.

2. 헌법상 의무교육의 무상원칙과 부담금의 정당성 요건의 검토

가. 헌법은, 모든 국민은 그 보호하는 자녀에게 적어도 초등교육과 법률이 정하는 교육을 받게 할 의무를 지고(헌법 제31조 제2항), 의무교육은 무상으로 한다(헌법 제31조 제3항)고 규정하고 있다. 이에 따라 교육기본법 제8조 제1항은, 의무교육은 6년의 초등교육 및 3년의 중등교육으로 하고, 다만 3년의 중등교육에 대한 의무교육은 국가의 재정여건을 고려하여 대통령령이 정하는 바에 의하여 순차적으로 실시한다고 규정하고 있다. 우리 헌법은, 국민에게 교육의 의무를 부과하면서 동시에 국가에 대하여 피교육아동이 교육을 받을 수 있도록 편의를 도모해 주고 경제적으로 어려운 학부모의 교육의무이행을 가능하도록 하기 위하여 무상의 의무교육을 천명하고 있다. 이러한 의무교육제도는 국민에 대하여 보호하는 자녀들을 취학시키도록 한다는 의무부과의 면보다는 국가에 대하여 인적·물적 교육시설을 정비하고 교육환경을 개선하여야 한다는 의무부과의 측면이 보다 더 중요한 의미를 갖는다.

의무교육에 필요한 학교시설은 국가의 일반적 과제이고, 학교용지는 의무교육을 시행하기 위한 물적 기반으로서 필수조건임은 말할 필요도 없다. 따라서 이를 달성하기 위한 비용은 국가의 일반 재정으로 충당하여야 한다. 헌법 제31조 제6항은 교육재정에 관한 기본적인 사항을 법률로 정하도록 하고 있는바, 이는 무상에 의한 교육을 받을 권리의 실효성을 보장하기 위한 최소한의 국가적 책무를 헌법에 정한 것으로서 무상의 의무교육제도가 국민보다는 국가에 대한 의무부과의 측면이 더 강하다는 점을 고려하면, 확보되거나 확보할 일반재정 중 다른 부분을 희생해서라도 헌법과 법률이 정한 의무교육의 무상원칙을 달성하여야 한다는 국가의 의무를 밝힌 것이라고 보아야 한다. 그렇다면, 적어도 의무교육에 관한 한 일반재정이 아닌 부담금과 같은 별도의 재정수단을 동원하여 특정한 집단으로부터 그 비용을 추가로 징수하여 충당하는 것은 의무교육의 무상성을 선언한 헌법에 반한다고 할 것이다.

그리고 의무교육이 아닌 중등교육에 관한 교육재정과 관련하여 재정조달목적의 부담금을 징수할 수 있다고 하더라도 이는 일반적인 재정조달목적의 부담금이 갖추어야 할 요건을 동일하게 갖춘 경우에 한하여 허용될 수 있다고 할 것이다.

나. 헌법재판소는 재정조달목적의 부담금이 헌법적 정당성을 인정받기 위해서는, 부담금은 조세에 대한 관계에서 예외적으로만 인정되어야 하며 일반적 공익사업을 수행하는 데 사용할 목적이라면 부담금을 남용하여서는 안 되고, 부담금 납부의무자는 일반국민에 비해 '특별히 밀접한 관련성'을 가져야 하고, 부담금이 장기적으로 유지되는 경우에 있어서는 그 징수의 타당성이나 적정성이 입법자에 의해 지속적으로 심사되어야 한다고 밝힌 바 있다. 다만, 위 부담금의 정당화 요건은 기본권 제한의 한계를 심사함으로써 자연히 고려될 수 있다. 따라서 재산권이나 실질적 조세평등의 원칙을 해할 수 있는 학교용지부담금 제도의 위헌 여부는 헌법상 평등원칙, 과잉금지원칙의 위반 여부에 달려 있다고 하겠다.

3. 평등원칙 위반 여부

가. 서 론

부담금의 정당화 요건은 일반적으로 헌법상 평등원칙과 밀접한 관련이 있다. 부담금은 국민의 재산권을 제한하여 일반 국민이 아닌 특별한 의무자집단에 대하여 부과되는 특별한 재정책임이므로, 납부의무자들을 일반 국민들과 달리 취급하여 이들을 불리하게 대우함에 있어서 합리적인 이유가 있어야 하며 자의적인 차별은 납부의무자들의 평등권을 침해하기 때문이다. 학교용지부담금도 일반적인 부담금과 마찬가지로 평등원칙을 준수하여야 하므로, 이하에서는 이 사건 법률조항이 학교용지부담금 부과와 그 부과대상자의 선정에 있어서 부담금의 정당화 근거로서 제시되는 특별한 공익사업에 대한 부담금 부과 여부, 의무자집단의 동질성 여부, 의무자집단의 위 공익사업과의 특별한 관련성 여부 등에 있어서 평등원칙을 준수하고 있는지에 관하여 살펴본다.

나. 특별한 공익사업 여부

헌법 제31조는, 일반 국민은 교육을 받을 권리가 있다고 하면서 이에 대한 국가의 의무로 의무교육의 무상실시, 평생교육의 진흥, 교육제도 및 운영, 교육재정 등에 관한 법률제정을 규정하고 있다. 학교용지의 확보는 의무교육을 비롯한 일반적인 정규교육기관의 설립 및 운영의 가장 기초적인 물적 기반이므로 이는 국가의 교육에 관한 의무 중 국민 모두를 대상으로 하는 가장 기본적이고 일반적인 공익사업이라는 점을 쉽게 알 수 있고, 따라서 그 비용은 일반재정인 조세에 의하여 충당되어야 함이 원칙이다. 다만 일정한 지역에 주택 공급의 급증으로 학교시설에 대한 수요가 급격히 증가할 경우 이에 따라 필요하게 되는 학교용지의 확보는 일부 지역의 '특별한' 공익사업에 해당될 여지도 있다.

그러나 특례법은 의무교육의 대상이 되는 초등학교 및 교육기본법이 정한 일부 중학교의 신축을 위한 학교용지의 확보비용도 학교용지부담금으로 충당하는 것이 가능하도록 하고 있다. 의무교육은 국가의 일반적 과제 중 다른 부분을 희생해서라도 달성하여야 할 과제이고, 다른 한편으로는 모든 국민이 보호하는 자녀에 대하여 의무교육을 시킬 책무를 부담하고 있는 점을 고려하면, 일반적인 납세의무를 부담하고 있는 국민이 일정한 지역에서 주택을 분양받아 의무교육시설 확보의 필요성을 야기하였다고 하더라도 이로 인하여 의무교육시설의 확보가 곧바로 특별한 공익사업으로서 전환된다고 볼 수 없다.

한편 납부의무자의 입장에서 보면, 징수된 학교용지부담금은 지방자치단체(특별시, 광역시, 도)별로 운영되기 때문에 반드시 수분양자들의 자녀들이 다니게 될 학교의 용지확보를 위하여 사용된다고 볼 수도 없다. 특히 초등학교와 중학교의 경우 학교배정 단위지역보다 부담금 부과 단위지역이 훨씬 넓기 때문에 지방자치단체 단위의 학교용지의 확보는 납부의무자 입장에서 사실상 일반적인 공익사업으로서의 성격을 강하게 띨 수밖에 없다.

결국 학교용지부담금은 일반적 공익사업이거나 일반적 공익사업으로서의 성격을 함께 가지고 있는 공익사업을 위한 재정확보수단이고, 학교용지부담금 중 일부는 사실상 일반적 공익사업을 위한 재정에 충당되는 것과 동일한 결과를 낳고 있으므로, 이는 특정한 공익사업에 한하여 그 사업에 충당할 목적으로만 부담금을 부과할 수 있다는 부담금의 정당성 요건을 충분히 만족시키지 못하는 것이 된다.

다. 의무자집단의 동질성 여부

납부의무자들 사이에서는 일정한 동질성을 지니고 있어야만 의무자집단 전체에 대하여 공익사업과의 집단적 관련성 및 나아가 특별한 집단적 책임성 여부의 인정 여부를 검토할 수 있을 것이다. 동질성 요건은 의무자집단이 동질적 요소에 의하여 일반 국민과 구별되어야 할 뿐만 아니라 의무자집단 내부의 납부의무자들 사이에서도 동질성의 정도가 서로 유사하게 유지되어야 한다는 것을 의미한다.

납부의무자들이 신규의 주택을 분양받았다는 점에서 형식적으로 일반 국민과 구별되는 동질성을 가지고 있다고 할 수 있다. 그러나 이 사건 법률조항은 공동주택의 수분양자들에게 학교용지부담금을 부과하는 근거조항이므로 수분양자들 사이의 동질성의 핵심이 되어야 할 내용은 학교용지확보 필요성의 야기 여부이다. 그런데 수분양자들은 공동주택을 동시에 분양받았다는 사실 이외에 주택의 준공 후 실제 거주할 것인지 여부, 초·중등학교에 다니는 자녀가 없는 경우에서부터 초등학교와 중학교에 다니는 자녀만 있는 경우, 고등학교에 다니는 자녀만 있는 경우, 양자 모두 있는 경우, 그리고 각 학교에 다니는 자녀의 수 또한 서로 상이한 경우에 이르기까지 구체적인 사정에 따라 학교용지확보에 관한 이해관계가 서로 다르다. 그리고 일반적으로도 300세대 이상의 개발사업의 공동주택 수분양자들이 학교용지확보에 관하여 유사한 수준의 동질성을 갖출 가능성, 다시 말하면 동일한 수의 학생을 자녀로 둘 가능성은 극히 희박하다.

그렇다면 수분양자 개인의 입장에서 보면, 학교용지확보 필요성에 있어서 수분양자들의 구체적 사정을 거의 고려하지 않은 채 수분양자 모두를 일괄적으로 동일한 의무자집단에 포함시켜 동일한 학교용지부담금을 부과하는 것은 합리적 근거가 없는 차별에 해당하고, 의무자집단 전체의 입장에서 보더라도 일반 국민, 특히 다른 개발사업에 의한 수분양자집단과 사회적으로 구별되는 집단적 동질성을 갖추고 있다고 할 수 없으므로 이 사건 법률조항에 의한 개발사업의 수분양자집단에 대하여만 학교용지부담금을 부과하는 것은 위 집단의 각 구성원들의 평등권을 침해한다고 할 것이다.

라. 밀접한 관련성 여부

납부의무자는 재정조달 대상인 특정한 공익사업에 대하여 일반국민에 비해 특별히 '밀접한 관련성'을 가져야 한다. 그런데 국민이라면 누구라도 의무교육의 혜택을 받을 권리가 헌법상 보장되므로 우연한 사정으로 인하여 의무교육의 수요를 유발하거나 상대적으로 양호한 조건 하에서 의무교육을 받게 되었다고 하더라도 이들을 의무교육시설의 신설과 관련하여 특별한 관련성을 가지고 있다고 보기는 어렵다.

한편 부담금관리기본법은 부담금을 재화 또는 용역의 제공과 관계없이 특정 공익사업과 관련한 조세 외의 금전지급의무라고 규정하고 있으므로(부담금관리기본법 제2조), 부담금의 개념요소에 반드시 반대급부의 보장이 요구되는 것은 아니다. 따라서 부담금의 수입이 반드시 납부의무자의 집단적 이익을 위하여 사용되어야 한다고는 볼 수 없다. 그러나 납부의무자의 집단적 이익을 위하여 사용되는 경우에는 부담금부과의 정당성이 제고됨은 말할 필요가 없다.

그런데 이 사건 법률조항에 의하여 확보된 학교용지부담금은 지방자치단체(특별시, 광역시, 도)별로 운영되기 때문에 반드시 수분양자들의 자녀들이 다니게 될 학교의 용지확보를 위하여 사용된다고 볼 수도 없다. 특히 초등학교와 중학교의 경우 학교배정 단위지역보다 부담금 부과 단위지역이 훨씬 넓기 때문에 학교용지확보사업과 납부의무자들의 집단적 이익의 관련성은 더욱 약해진다.

결국, 신규 주택의 수분양자들이 위 공익사업에 대하여 일반 국민들에 비하여 밀접한 관련성을 갖는다고 보기 어려움에도 불구하고 신규 주택의 수분양자들에게만 학교용지확보를 위한 부담금을 부과하는 것은 합리적인 이유가 없는 차별에 해당한다.

마. 따라서 이 사건 법률조항은 평등원칙에 반한다.

4. 비례원칙 위반 여부

가. 목적의 정당성

학교용지부담금 제도는 학교용지확보를 통한 공공복리의 달성이라는 정당한 목적을 가지고 있다.

나. 방법의 적정성

이 사건 법률조항은 납부의무자에 학교용지확보의 원인제공자가 아닌 자들도 포함시켜 부담금을 부과하고 있고, 의무교육을 위한 시설과 그 이외의 교육시설을 위한 비용을 구별하지 않고 있으며, 징수된 부담금도 형식적으로는 학교용지확보를 위하여 사용되고 있으나 사실상 이를 이용하여 일반교육재정으로 달성해야 할 과제를 동시에 수행하면서 양자를 엄격히 구분하지 않고 있다.

또한 학교용지부담금 부과대상자는 개발된 공동주택의 규모 및 1세대당 분양면적에 관계없이 개발사업으로 공급된 주택의 세대수(300세대)만을 기준으로 결정된다. 즉 개발사업의 규모가 300세대 이상이면 모든 수분양자에 대하여 학교용지부담금을 부과하고, 300세대 미만이면 모든 수분양자에게 이를 부과하지 않는다. 그런데 이와 같은 기준은 299세대 이하인 공동주택의 수분양자와 300세대인 공동주택의 수분양자의 경우에 있어서, 학교용지의 필요성에 대한 원인제공이라는 측면에서 볼 때 실질적으로 중대한 차이가 있다고 보기 어렵다. 나아가 299세대 이하이면서 넓은 평형의 공동주택을 개발하는 사업과 300세대 이상이면서 좁은 평형의 공동주택을 개발하는 사업과 비교할 경우, 납부의무자의 부담능력에 반하는 더욱더 불합리한 방법으로 학교용지부담금을 부과하는 결과에 이르게 된다. 따라서 학교용지부담금 부과기준과 방법이 기본적으로 입법재량의 영역에 속한다고 하더라도, 학교용지부담금 부과에 있어서 형평의 측면을 더 고려하고, 부담금 부과요건을 회피하기 위한 개발사업을 방지하기 위해서 일정 세대수를 부담금 면제대상으로 정하여 나머지에 대하여만 총액 단위로 부과하는 방식 등 다른 방법을 고려해야 할 것이다.

그렇다면, 학교용지부담금은 납부의무자의 선정이나 부과대상 사업의 선정, 부과기준, 징수된 부담금의 사용 등 여러 가지 면에서 납부의무자들과 관련성을 고려하지 않거나 형평을 고려하지 않은 부적절한 방법을 채택하고 있다고 할 것이다.

다. 피해의 최소성 및 법익의 균형성

나아가 학교용지부담금이 피해의 최소성과 법익의 균형성을 갖추고 있는지 여부에 관하여 살펴본다. 부담금의 구체적 수액이나 비율이 어느 정도이어야 합리적인지 또는 법익의 균형성을 넘지 않는 것인지 여부를 결정하는 것은 쉬운 문제가 아니다. 그러나 부담금은 조세 외적인 금전지급의무이므로 조세에 비하여 더욱 예외적이고 최소한으로 허용되어야 할 것이므로 보다 엄격한 피해의 최소성과 법익의 균형성을 갖추어야 할 것이다. 부담금관리기본법 제5조도 부담금부과의 원칙에 관하여, "부담금은 설치목적을 달성하기 위하여 필요한 최소한의 범위 안에서 공정성 및 투명성이 확보되도록 부과되어야 하며, 특별한 사유가 없는 한 동일한 부과대상에 대하여 이중의 부담금이 부과되어서는 아니 된다."라고 규정하고 있다.

국가가 학교시설 확보라는 공익사업을 시행하기 위하여 목적세로 교육세를, 일반 조세로 취득세, 등록세를, 개발사업으로 인한 수익자부담금으로 개발부담금을 각 부과하며, 이와 동일한 목적 달성을 위하여 다시 학교용지부담금을 부과하는 것은 사실상 이중과세나 이중의 부담금부과에 해당한다고 볼 여지도 있다. 또한 확보된 부담금이 전부 납부의무자들이나 그 자녀들의 통학거리에 위치한 학교용지의 확보를 위하여 활용된다고 보기도 어려운 점에 대하여는 앞서 본 바와 같다. 그렇다면 학교용지부담금은 피해의 최소성 요건을 충족하고 있다고 볼 수 없다.

그리고 이 사건 법률조항이 달성하고자 하는 공익사업은 교육시설의 확보라는 매우 중요한 것이기는 하지만, 초등학교와 중학교에 대한 무상의 의무교육이 실시되고 있는 점과 고등학교의 경우 납부의무자의 공익사업과의 관련성이 미약한 상태에서 일반재정부담으로 교육시설의 확보를 위한 교육세, 취득세, 등록세를 부담하고 있음에도 불구하고 다시 추가적인 학교용지부담금을 부과하는 것은 공익사업의 달성과 관련하여 형평에 맞는 몫 이상의 부담이라는 의심이 강하게 들게 하므로 법익의 균형성 요건도 완전히 갖추고 있다고 보기 어렵다.

결국, 이 사건 법률조항은 학교용지부담금 부과에 있어서 방법의 적정성, 피해의 최소성 및 법익균형성을 충실히 갖추지 못함으로써, 헌법 제37조 제2항의 비례의 원칙에 위배된다고 하겠다.

III 결 론

그렇다면, 이 사건 법률조항은 헌법에 위반되므로 관여재판관 전원의 일치된 의견으로 주문과 같이 결정한다.

221 개발사업자에게 학교용지부담금을 부과하도록 규정한 사건 [합헌]
— 2008. 9. 25. 선고 2007헌가1

판시사항

1. 수분양자가 아닌 개발사업자를 부과대상으로 하는 구 '학교용지 확보 등에 관한 특례법' 제2조 제2호, 제5조 제1항 본문(이하 '이 사건 법률조항'이라 한다)이 헌법 제31조 제3항의 의무교육 무상원칙에 위배되는지 여부(소극)
2. 이 사건 법률조항이 평등원칙에 위배되는지 여부(소극)
3. 이 사건 법률조항이 납부의무자인 개발사업자의 재산권을 침해하는지 여부(소극)
4. 구 '학교용지 확보 등에 관한 특례법'이 소급입법에 해당하여 개발사업자의 재산권을 침해하는지 여부(소극)

사건의 개요

제청신청인은 2003. 2. 7. 부산광역시 북구청장으로부터 부산 북구 만덕동 토지에 지하 3층, 지상 11~15층 규모의 공동주택(아파트) 11개 동 882세대 및 기타 부대복리시설을 건축하는 내용의 주택건설사업계획 승인을 얻은 후, 신축공사를 시행하여 2006. 6. 30.까지 총 548세대를 분양하였다.

이에 부산광역시 북구청장은 구 '학교용지 확보 등에 관한 특례법' 제2조 제2호, 제5조 제1항 및 부칙 제1항, 제3항에 따라 학교용지부담금을 부과하기로 하고, 신청인에게 2006. 1. 23. 69세대분에 대한 학교용지부담금 37,132,000원을, 2006. 4. 27. 105세대분에 대한 학교용지부담금 58,344,000원을, 2006. 7. 31. 255세대분에 대한 학교용지부담금 137,708,000원을 각각 부과하였다.

신청인은 이 사건 처분에 불복하여 부산광역시 북구청장을 상대로 부산지방법원 2006구합2924호로 그 취소를 구하는 행정소송을 제기하는 한편, 특례법 제2조 제2호, 제5조 제1항 본문, 제5조의2, 특례법 부칙 제1항, 제3항에 대하여 위헌법률심판제청신청을 하였고 법원은 재판의 전제성이 없다고 판단된 특례법 제5조의2를 제외하고 이를 받아들여 위헌법률심판제청을 하였다.

심판대상조항 및 관련조항

구 학교용지 확보 등에 관한 특례법(2005. 3. 24. 법률 제7397호로 개정되고 2007. 12. 14. 법률 제8679호로 개정되기 전의 것)

제2조(정의) 이 법에서 사용하는 용어의 정의는 다음과 같다.
　2. "개발사업"이라 함은「건축법」,「도시개발법」,「도시 및 주거환경정비법」,「주택법」,「택지개발촉진법」및「산업입지 및 개발에 관한 법률」에 의하여 시행하는 사업 중 100세대 규모 이상의 주택건설용 토지를 조성·개발하거나 공동주택을 건설하는 사업을 말한다.

제5조(부담금의 부과·징수) ① 시·도지사는 개발사업지역에서 단독주택 건축을 위한 토지를 개발하여 분양하거나 공동주택을 분양하는 자에게 부담금을 부과·징수할 수 있다. (단서 생략)

구 학교용지 확보 등에 관한 특례법(2005. 3. 24. 법률 제7397호로 개정된 것)

부칙
① (시행일) 이 법은 공포한 날부터 시행한다. (단서 생략)
③ (부담금 부과징수에 관한 적용례) 제5조 및 제5조의2의 개정규정은 이 법 시행 후 분양공고 승인된 개발사업분(사업계획변경에 의하여 이 법 적용대상이 된 경우를 포함한다)부터 적용한다.

주문

구 '학교용지 확보 등에 관한 특례법'(2005. 3. 24. 법률 제7397호로 개정되고 2007. 12. 14. 법률 제8679호로 개정되기 전의 것) 제2조 제2호, 제5조 제1항 본문 및 구 '학교용지 확보 등에 관한 특례법'(2005. 3. 24. 법률 제7397호로 개정된 것) 부칙 제1항 본문, 제3항은 헌법에 위반되지 아니한다.

I 판 단

1. 개정 학교용지부담금의 성격

이 사건 학교용지부담금은 '학교용지를 확보하거나, 학교용지를 확보할 수 없는 경우 가까운 곳에 있는 학교를 증축하기 위하여' 개발사업을 시행하는 자에게 징수하는 경비이며, 납부된 부담금은 학교 시설의 신설에 필요한 용지 매입비 및 감정평가수수료 등의 비용, 학교용지부담금의 부과징수에 소요되는 비용 및 기존 건물의 증축비용 등으로 사용된다. 이처럼 학교용지부담금은 기본적으로 필요한 학교시설의 확보에 있어서 소요되는 재정을 충당하기 위한 것이고, 부담금을 부과함으로써 택지개발이나 주택공급 등을 제한하거나 금지하기 위한 성격은 매우 희박하므로 '순수한 재정조달목적 부담금'에 해당한다.

2. 이 사건 법률조항의 위헌 여부

가. 헌법상 의무교육의 무상원칙과의 관계

헌법재판소는 2005. 3. 31. 선고한 2003헌가20 결정에서 수분양자에게 학교용지부담금을 부과하도록 한 구 '학교용지 확보에 관한 특례법'(2000. 1. 28. 법률 제6219호로 개정되고 2002. 12. 5. 법률 제6744호로 개정되기 전의 것) 제5조 제1항, 제2조 제2호의 위헌성을 심사하면서 다음과 같이 판시한 바 있다.

"…… 의무교육에 필요한 학교시설은 국가의 일반적 과제이고, 학교용지는 의무교육을 시행하기 위한 물적 기반으로서 필수조건임은 말할 필요도 없다. 따라서 이를 달성하기 위한 비용은 국가의 일반재정으로 충당하여야 한다. …… 그렇다면, 적어도 의무교육에 관한 한 일반재정이 아닌 부담금과 같은 별도의 재정수단을 동원하여 특정한 집단으로부터 그 비용을 추가로 징수하여 충당하는 것은 의무교육의 무상성을 선언한 헌법에 반한다고 할 것이다. ……"

그러나 수분양자를 부과대상으로 하는 구 학교용지부담금제도가 의무교육의 무상성에 반한다는 위와 같은 설시는 의무교육의 대상인 학령아동의 보호자(친권자 또는 후견인)로부터 의무교육의 비용을 징수해서는 안된다는 취지에 불과하다. 즉 의무교육무상에 관한 헌법 제31조 제3항은 교육을 받을 권리를 보다 실효성 있게 보장하기 위하여 의무교육 비용을 학령아동의 보호자 개개인의 직접적 부담에서 공동체 전체의 부담으로 이전하라는 명령일 뿐이고 의무교육의 비용을 오로지 국가 또는 지방자치단체의 예산, 즉 조세로 해결해야 함을 의미하는 것은 아니다.

따라서 의무교육의 대상인 수분양자가 아닌 개발사업자에게 학교용지부담금을 부과하고 그 재원으로 의무교육시설을 마련하도록 하는 이 사건 법률조항은 더 이상 헌법 제31조 제3항의 의무교육의 무상성과는 관계가 없다.

나. 재정조달목적 부담금의 헌법적 정당화 요건

헌법재판소는 재정조달목적 부담금의 위헌여부를 판단함에 있어, ① 부담금은 조세에 대한 관계에서 예외적으로만 인정되어야 하며 일반적 공익사업을 수행하는 데 사용할 목적이라면 부담금을 남용하여서는 아니되고, ② 부담금납부의무자는 일반국민에 비해 '특별히 밀접한 관련성'을 가져야 하며, ③ 부담금이 장기적으로 유지되는 경우에 있어서는 그 징수의 타당성이나 적정성이 입법자에 의해 지속적으로 심사되어야 한다는 세 가지 기준을 제시한 바 있다. 그리고 이 중에서 '특별히 밀접한 관련성' 요건은 납부의무자들이 일반인과 구별되는 동질성을 지니고 있고 이들 집단에게 당해 과제에 관한 특별한 재정책임이 인정되며 주로 그 부담금 수입이 납부의무자 집단에게 유용하게 사용될 때 용이하게 인정될 수 있다고 보고 있다.

또한 부담금은 국민의 재산권을 제한하는 성격을 가지고 있으므로 부담금을 부과함에 있어서도 평등원칙이나 비례성원칙과 같은 재산권 제한 입법의 한계 역시 준수되어야 한다.

다. 평등원칙 위반 여부

1) 특별한 공익사업인지 여부

학교시설은 의무교육을 비롯한 일반적인 정규교육기관의 설립 및 운영의 가장 기초적인 물적 기반이기는 하나, 개발사업이 진행되는 지역에서 단기간에 형성된 학교 신설 수요에 부응하기 위한 학교신설 및 증축은 일반적 공익사업으로서의 교육시설 확보와는 그 성격이 다르다. 개발지역에서 학교시설을 확보하는 데 소요되는 비용은 '국민 모두의 수요를 충족시킬 수 있는 인적·물적 시설과 자원을 온 나라에 걸쳐 골고루 구비해야 한다.'는 일반적 공익사업으로서의 교육시설 확보를 위한 비용과는 그 성격이 다르며, 오히려 개발지역의 기반시설을 확보하기 위한 비용의 성격을 가지고 있다고 할 것이다. 따라서 개발지역에서의 학교용지 확보는 특별한 공익사업으로서의 성격을 가진다.

2) 특별히 밀접한 관련성 여부

가) 특별히 밀접한 관련성을 판단하는 기준 중 하나인 '의무자 집단의 동질성'이란 의무자 집단이 동질적 요소에 의하여 일반 국민과 구별되어야 할 뿐만 아니라 의무자집단 내부의 납부의무자들 사이에서도 동질성의 정도가 서로 유사하여야 한다는 것을 의미한다.

개발사업자들은 '개발사업지역에서 100가구 규모 이상의 주택건설용 토지를 조성·개발하여 분양하거나 공동주택을 건설하여 분양하여 학교용지확보의 필요성을 야기시켰다는 점'에서 형식적으로 일반 국민과 구별되는 동질성을 가지고 있다. 또한 학교신설의 필요성을 야기하지 아니하는 개발사업자는 부담금 부과대상에서 제외되기 때문에 납부의무자들은 내부적으로도 위 공익사업과 관련하여 동일한 정도의 동질적인 특정요소를 가지고 있다.

나) 학교용지부담금의 부과를 통하여 수행하고자 하는 과제는 '학교용지의 확보 및 학교의 증축'이다. 개발사업자는 개발 사업을 통해서 이익을 창출함과 동시에 학교신설의 필요성을 야기한 자로 학교용지확보라는 공적 과제와 객관적으로 밀접한 관련성을 가지고 있다. 뿐만 아니라 앞서 살펴본 바와 같이 개발사업 지역에서의 학교신설 비용은 교육수요의 충족을 위한 비용의 성격과 함께 개발사업 지역의 기반을 형성하는 비용으로서의 성격도 가지고 있기 때문에 개발사업자는 학교용지확보라는 과제의 달성에 관하여 조세외적으로 부담을 져야 할 책임을 가지고 있다 할 것이다.

다) 또한 자녀 교육에 대한 열의가 남다른 우리나라의 현실에서 학교의 신설이 담보될 경우 개발사업자는 분양에 있어서의 편의와 분양가격 상승이라는 이익을 얻을 수 있게 될 것이고 따라서 개정 학교용지부담금제도는 일정부분 납부의무자의 집단적 이익에도 기여한다.

3) 지속적인 심사의 존재

부담금관리기본법 제7조에 의하면 기획재정부장관은 매년 부담금의 부과 실적 및 사용명세 등이 포함된 부담금운용종합보고서를 작성하여 국회에 제출하도록 되어 있다. 이에 비추어 볼 때 개정 학교용지부담금 징수의 타당성과 적정성에 대하여는 매년 입법자의 지속적인 심사가 이루어지고 있다 할 것이다.

4) 소 결

이상의 제 요소를 고려해 볼 때, 이 사건 법률조항이 개발사업지역에서 단독주택 건축을 위한 토지를 개발, 분양하거나 공동주택을 분양하는 사업자를 일반 국민과 달리 취급하여 이들에게 개정 학교용지부담금을 부과·징수할 수 있도록 한 것은 합당한 이유가 있다고 할 것이며, 이 사건 법률조항은 헌법상 평등원칙에 위배되지 아니한다.

라. 재산권의 제한에 있어 비례의 원칙 위반 여부

1) 목적의 정당성

'학교용지 확보를 위한 새로운 재원의 마련'이라는 입법목적은 공공복리 달성이라는 측면에서 정당하다.

2) 수단의 적절성

개발사업자는 학교신설 및 학급증설에 대한 필요성을 야기한 원인제공자이다. 따라서 개발사업자에게 학교시설설치 비용의 일부를 부담하도록 하는 것은 지역의 개발사업에 따른 학교신설의 책임을 교육청이 전담하는 불합리를 방지하면서도 학교용지 확보에 필요한 재원을 효과적으로 마련할 수 있도록 하는 적절한 수단이다.

3) 피해의 최소성

학교용지부담금은 국가교육의 근간이 되는 학교용지를 확보하기 위한 비용을 마련하기 위한 것인바, 입법자는 이러한 공익목적과 국민의 사익을 적절히 형량하여 합리적이라고 판단되는 부과율을 책정할 수 있다 할 것이다. 2005. 3. 24. 개정 당시 학교용지부담금의 부과율은 공동주택의 경우에는 세대별 공동주택 분양가격의 4/1000, 토지의 경우에는 단독주택지 분양가격의 7/1000로 하향 조정되었는바, 이러한 개정으로 인하여 납부의무자의 부담이 상당히 경감된 이상 부과율 자체가 현저히 불합리하다고 판단되지는 않는다.

또한 학교용지부담금의 부과대상이 수분양자에게서 개발사업자로 변경됨에 따라 교육세 등의 부과로 말미암은 이중부담의 위험 역시 더 이상 존재하지 아니한다할 것이다.

4) 법익의 균형성

학교용지부담금을 부과하지 아니한 채 국가가 개발사업지역의 학교신설비용을 전적으로 부담할 경우 개발사업이 활발한 지역에 예산지원이 편중되어 오히려 모든 학생을 위해 고르게 사용되어야 할 교육재정이 특정지역의 이익을 위해 투입되는 불합리한 결과가 초래될 가능성이 생길 수 있다. 따라서 개발사업자에게 학교용지부담금을 납부하도록 하는 것은 교육의 기회균등이라는 이념과 사인의 이익을 적절하게 형량한 결과라고 할 것이다.

5)
그렇다면 이 사건 법률조항이 납부의무자인 개발사업자의 재산권을 과도하게 침해하였다고 볼 수는 없다고 할 것이다.

3. 이 사건 부칙조항의 위헌 여부

개정 학교용지부담금은 개발 계획 승인이 아니라 분양에 의하여 그 부과요건이 완성된다고 할 것이고, 그 부과기준시점과 부과기준액 산정시점이 모두 분양 시이기 때문에 개발사업에 대한 허가 또는 승인을 받은 것만으로 학교용지부담금의 부과요건사실이 진행 중에 있다고 할 수도 없다. 따라서 이 사건 부칙조항은 헌법 제13조 제2항이 금지하는 소급입법에 해당하지 아니한다.

뿐만 아니라 개발 계획 승인 당시에 학교용지부담금을 부과당하지 아니할 것으로 신뢰하였다고 하더라도 이것은 단순한 기대에 불과할 뿐 헌법 제23조가 보장하는 재산권이라고 할 수 없으며 이러한 기대가 충족되지 아니한 것을 재산권의 박탈이라고 할 수도 없다.

222 국정교과서제도 사건 [기각]
― 1992. 11. 12. 선고 89헌마88

판시사항 및 결정요지

1. 법령에 대한 헌법소원에 있어서 직접·자기·현재관련성이 구비되어 있는 사례

이 사건 청구인은 중학교 국어교과서를 저작·발행·공급할 것을 희망하는 자이고, 교육법 제157조 및 교과서규정 제4조, 제5조에 의하면 중학교 국어교과서의 편찬은 교육부가 직접 또는 위탁하여 편찬하게 되어 있어 일반 사인은 물론 국어교사라 할지라도 이를 저작·발행·공급할 수 있는 길이 봉쇄되어 있다. 따라서 교육법 및 교과서규정의 위 조항이 존속하는 한 중학교 국어교과서를 청구인이 저작·발행·공급하는 행위는 원천적으로 금지되고 달리 위 조항의 집행을 위한 매개행위가 따로 있어야 할 여지가 없다.

청구인이 중학교 국어교사 겸 "국어교육을 위한 교사모임"의 구성원으로 활동하면서 새로운 중학교 국어교과서의 제작·발행에 착수하고자 하였다면 위 조항에 대한 헌법소원심판청구에 직접관련성, 자기관련성, 현재관련성이 구비되어 있다.

2. 법령에 대한 헌법소원의 청구기간

이 사건 헌법소원심판청구는 법령에 대한 것인데, 법령이 기본권을 침해하는 것일 때에는 그 법령의 시행과 동시에 침해가 시작되는 것이므로 헌법소원의 심판청구는 원칙적으로 그 법률이 시행된 사실을 안 날로부터 60일 이내에, 법률이 시행된 날로부터 180일 이내에 하여야 할 것이지만, 법률이 시행된 후에 비로소 그 법률에 해당하는 사유가 발생하여 기본권의 침해를 받게 된 경우에는 그 사유가 발생하였음을 안 날로부터 60일 이내에 그 사유가 발생한 날로부터 180일 이내에 헌법소원을 청구하면 되는 것이다. 여기서 "사유가 발생한 날"이라는 것은 당해 법령이 청구인의 기본권을 명백히 구체적으로 현실 침해하였거나 그 침해가 확실히 예상되는 등 실체적 제요건이 성숙하여 헌법판단에 적합하게 된 때를 말한다고 할 것이다.

3. 중학교 국어교과서를 1종도서로 정하여 교육부가 저작, 발행, 공급하도록 규정고 있는 교육법 제157조와 대통령령인 교과용도서에 관한 규정 제5조(이하 이를 "교과서규정"이라 한다)**가 청구인의 헌법상 보장된 기본권을 침해하여 위헌인지 여부**

가. 교육에 대한 헌법의 이념 및 원리

1) 교육제도 법률주의

헌법 제31조 제1항은 "모든 국민은 능력에 따라 균등하게 교육을 받을 권리를 가진다."고 규정하여 국민의 교육을 받을 권리(이하 "수학권"이라 약칭한다)를 보장하고 있는데, 그 권리는 통상 국가에 의한 교육조건의 개선·정비와 교육기회의 균등한 보장을 적극적으로 요구할 수 있는 권리로 이해되고 있다. 수학권의 보장은 국민이 인간으로서 존엄과 가치를 가지며 행복을 추구하고(헌법 제10조

전문) 인간다운 생활을 영위하는데(헌법 제34조 제1항) 필수적인 조건이자 대전제이며, 헌법 제31조 제2항 내지 제6항에서 규정하고 있는 교육을 받게 할 의무, 의무교육의 무상, 교육의 자주성·전문성·중립성보장, 평생교육진흥, 교육제도 및 교육재정, 교원지위 법률주의 등은 국민의 수학권의 효율적인 보장을 위한 규정이라고 해도 과언이 아니다.

국정제(國定制)는 국가가 직접 저작하거나 위탁하여 저작한 교과서 이외의 교재를 인정하지 않는 제도이고, 검정제는 국가가 사인(私人)이 저작한 도서에 대하여 교과서로서의 적부를 심사확인하여 교과서로서 사용될 수 있게 하는 제도이며, 인정제는 사인이 발행한 도서의 내용을 심사하여 그 사용을 허용하는 제도인데 세계 각국은 그 나라의 형편과 사정에 따라 이들 중 어떤 제도를 전용하거나 병용하고 있으며 교과서의 자유발행제를 채택하고 있는 국가도 있는 것이다. 우리나라는 초·중·고등학교 교재에 대하여서는 국정제·검정제·인정제를 병용하고 있으며 대학의 교재에 대하여서만 자유발행제를 채택하고 있다.

나. 기본권의 침해여부

1) 학문의 자유 침해 여부

가) 헌법 제22조는 "모든 국민은 학문과 예술의 자유를 가진다. 저작자·발명가·과학기술자와 예술가의 권리는 법률로서 보호한다."고 규정하고 있는데 위 헌법의 규정에 의하여 청구인은 중학교 국어과목에 대한 연구의 자유를 당연히 가지며 중학교 국어교과에 관하여 연구의 과제·대상·방법을 자유로이 선정할 수 있음은 물론, 연구한 결과를 책자로서 자유로이 발간할 수도 있는 것이다. 현행의 중학교 국어교과서 국정제도는 청구인이 헌법상 가지는 이러한 학문의 자유를 향유하는데 있어서 아무런 장애가 되지 않는다.

나) 학문의 자유라 함은 진리를 탐구하는 자유를 의미하는데, 그것은 단순히 진리탐구의 자유에 그치지 않고 탐구한 결과에 대한 발표의 자유 내지 가르치는 자유(편의상 대학의 교수의 자유와 구분하여 수업(授業)의 자유로 한다) 등을 포함하는것이라 할 수 있다. 다만, 진리탐구의 자유와 결과발표 내지 수업의 자유는 같은 차원에서 거론하기가 어려우며, 전자는 신앙의 자유·양심의 자유처럼 절대적인 자유라고 할 수 있으나, 후자는 표현의 자유와도 밀접한 관련이 있는 것으로서 경우에 따라 헌법 제21조 제4항은 물론 제37조 제2항에 따른 제약이 있을 수 있는 것이다. 물론 수업의 자유는 두텁게 보호되어야 합당하겠지만 그것은 대학에서의 교수의 자유와 완전히 동일할 수는 없을 것이며 대학에서는 교수의 자유가 더욱 보장되어야하는 반면, 초·중·고교에서의 수업의 자유는 후술하는 바와 같이 제약이 있을 수 있다고 봐야 할 것이다.

학교교육에 있어서 교사의 가르치는 권리를 수업권이라고 한다면 그것은 자연법적으로는 학부모에게 속하는 자녀에 대한 교육권을 신탁받은 것이고, 실정법상으로는 공교육의 책임이 있은 국가의 위임에 의한 것이다. 그것은 교사의 지위에서 생기는 학생에 대한 일차적인 교육상의 직무권한(직권)이지만, 학생의 수학권의 실현을 위하여 인정되는 것으로서 양자는 상호협력관계에 있다고 하겠으나, 수학권은 헌법상 보장된 기본권의 하나로서 보다 존중되어야 하며, 그것이 왜곡되지 않고 올바로 행사될 수 있게 하기 위한 범위내에서는 수업권도 어느 정도의 범위내에서 제약을 받지 않으면 안될 것이다. 그러므로 보통교육의 단계에서 학교교재 내지 교육용 도서에 대하여 국가가 어떠한 형태로 간여하여 영향력을 행사하는 것은 부득이 한 것이며 각급 학교·학년과 학과에 따라 국정 또는 검·인정제도의 제약을 가하거나 자유발행제를 허용하거나 할 수 있는 재량권을 갖는다고 할 것이다.

다) 교사 개개인이 저술한 도서가 내용의 여하에 관계없이 교과서가 될 수 있다거나 교사 개개인이 자신의 학문적 소신에 따라 교과서 내용과 전혀 판이한 내용의 수업을 학생들에게 아무런 제약없이 행할 수 있다고 한다면, 보통교육의 과정에 있는 학생들의 특성에 비추어 보건대 그들의 전인적 성장을 위한 요구는 충족될 수 없을 것이다.

따라서 수업의 자유는 무제한 보호되기는 어려우며 초·중고등학교의 교사는 자신이 연구한 결과에 대하여 스스로 확신을 갖고 있다고 하더라도 그것을 학회에서 보고하거나 학술지에 기고하거나 스스로 저술하여 책자를 발행하는 것은 별론 수업의 자유를 내세워 함부로 학생들에게 여과(濾過)없이 전파할 수는 없다고 할 것이고, 나아가 헌법과 법률이 지향하고 있는 자유민주적 기본질서를 침해할 수 없음은 물론 사회상규나 윤리도덕을 일탈할 수 없으며, 따라서 가치편향적이거나 반도덕적인 내용의 교육은 할 수 없는 것이라고 할 것이다.

라) 교사의 수업권은 전술과 같이 교사의 지위에서 생겨나는 직권인데, 그것이 헌법상 보장되는 기본권이라고 할 수 있느냐에 대하여서는 이를 부정적으로 보는 견해가 많으며, 설사 헌법상 보장되고 있는 학문의 자유 또는 교육을 받을 권리의 규정에서 교사의 수업권이 파생되는 것으로 해석하여 기본권에 준하는 것으로 간주하더라도 수업권을 내세워 수학권을 침해할 수는 없으며 국민의 수학권의 보장을 위하여 교사의 수업권은 일정범위 내에서 제약을 받을 수밖에 없는 것이다.

2) 언론·출판의 자유 침해 여부

헌법 제21조의 규정에 의하여 모든 국민은 언론·출판의 자유 내지 표현의 자유가 보장되며 언론·출판에 대한 허가나 검열은 인정되지 않는다. 언론·출판의 자유는 종교의 자유, 양심의 자유, 학문과 예술의 자유와 표리관계에 있다고 할 수 있는데 그러한 정신적인 자유를 외부적으로 표현하는 자유가 언론·출판의 자유라고 할 수 있다.

검열이라 함은 개인이 정보와 사상을 발표하기 이전에 국가기관이 미리 그 내용을 심사선별하여 일정한 범위내에서 발표를 저지하는 것을 의미하므로 자신이 연구한 결과를 얼마든지 책자로서 발표할 수 있는 이 사건 교과서 문제와는 직접 관련이 없는 것이다. 그리고 교과서에 관련된 국정 또는 검·인정제도의 법적성질은 인간의 자연적 자유의 제한에 대한 해제인 허가의 성질을 갖는다기 보다는 어떠한 책자에 대하여 교과서라는 특수한 지위를 부여하거나 인정하는 제도이기 때문에 가치창설적인 형성적 행위로서 특허의 성질을 갖는 것으로 보아야 할 것이며, 그렇게 본다면 국가가 그에 대한 재량권을 갖는 것은 당연하다고 할 것이다.

교과용도서는 교육법이 정하는 교육목적 달성을 위하여 중요한 수단이 되는 것이므로 어떠한 도서가 교과용도서로서 적합한가의 여부를 판가름하는 것은 학생의 건전한 성장발달을 보장하고 사회공공의 복리를 증진하기 위하여 필요한 제도라고 할 수 있는 것이며 그러한 필요성을 인정하는 전제에서 본다면 어떠한 교과과목에 대하여 이를 국정제로 하느냐 자유발행제로 하느냐 아니면 검·인정제로 하느냐의 기준설정은 공교육제도하에서 국가가 이를 수행할 수밖에 없는 것이다.

청구인이 중학교 국어교과의 내용으로 합당하다고 연구한것이 있다면 그 내용을 정리하여 일반 저작물로 출판할 수 있는것은 헌법 제21조 제1항의 출판의 자유에 의해 보장되고 있고, 그 점은 현행 국어교과서 국정제도에 의해 아무런 영향을 받지 아니한다. 다만, 중학교 국어교과서의 공급을 교육부가 전담함으로 인하여 청구인이 저작·출판하게 될 저작물에 대하여 "국어교과서"라는 표제를 부착할 수 없어 그 때문에 일반시중에서 판매·보급하는데 있어 사실상 애로가 있다는 점을 문제삼아 이것을 다루고 있는 취지라면 그것은 청구인의 출판의 자유와는 별개의 문제라고 할 것이며, 출판의 자유에는 모든 사람이 스스로 저술한 책자가 교과서가 될 수 있도록 주장할 수 있는 권리까지 포함되어 있는 것은 아니라고 할 것이다.

3) 교육의 자주성·전문성·정치적 중립성과의 관계

헌법 제31조 제4항은 "교육의 자주성·전문성·정치적 중립성(및 대학의 자율성)은 법률이 정하는 바에 의하여 보장된다."고 규정하고 있는데, 이는 "교육제도와 그 운영에 관한 기본적인 사항은 법률로 정한다."(헌법 제31조 제6항)는 규정과 마찬가지로 넓은 의미의 교육제도 법률주의를 규정한 것이지만, 각 보호하고자 하는 이념과 가치는 서로 다르기 때문에 합리적인 해석이 필요한 것이다.

교육의 자주성·전문성·정치적 중립성을 헌법이 보장하고 있는 이유는 교육이 국가의 백년대계의 기초인만큼 국가의 안정적인 성장 발전을 도모하기 위해서는 교육이 외부세력의 부당한 간섭에 영향받지 않도록 교육자 내지 교육전문가에 의하여 주도되고 관할되어야 할 필요가 있다는 데서 비롯된 것이라고 할 것이다. 그러기 위해서는 교육에 관한 제반정책의 수립 및 시행이 교육자에 의하여 전담되거나 적어도 그의 적극적인 참여하에 이루어져야 함은 물론 교육방법이나 교육내용이 종교적 종파성과 당파적 편향성에 의하여 부당하게 침해 또는 간섭당하지 않고 가치중립적인 진리교육이 보장되어야 할 것이다. 특히 교육의 자주성이 보장되기 위하여서는 교육행정기관에 의한 교육내용에 대한 부당한 권력적 개입이 배제되어야 할 이치인데, 그것은 대의정치, 정당정치 하에서 다수결의 원리가 지배하는 국정상의 의사결정방법은 당파적인 정치적 관념이나 이해관계라든가 특수한 사회적 요인에 의하여 좌우되는 경우가 많기 때문이다. 인간의 내면적 가치증진에 관련되는 교육문화 관련분야에 있어서는 다수결의 원리가 그대로 적용되는 것이 바람직하지 않다는 의미에서 국가의 교육내용에 대한 권력적 개입은 가급적 억제되는 것이 온당하다고 본다면, 국정 교과서제도는 교육부에 의하여 교과서 편찬이 주도될 뿐만 아니라 그 교과서만이 교재로 허용되고 있다는 점에서 정부의 행정관료에 의하여 교과내용 내지 교육내용이 영향을 받을 소지가 있다는 점에서 교육의 자주성을 보장하고 있는 위 헌법의 규정과 모순될 수 있는 것이다.

국민의 수학권과 교사의 수업의 자유는 다 같이 보호되어야 하겠지만 그 중에서도 국민의 수학권이 더 우선적으로 보호되어야 한다.

국정교과서제도는 교과서라는 형태의 도서에 대하여 국가가 이를 독점하는 것이지만, 국민의 수학권의 보호라는 차원에서 학년과 학과에 따라 어떤 교과용 도서에 대하여 이를 자유발행제로 하는 것이 온당하지 못한 경우가 있을 수 있고 그러한 경우 국가가 관여할 수밖에 없다는 것과 관여할 수 있는 헌법적 근거가 있다는 것을 인정한다면 그 인정의 범위내에서 국가가 이를 검·인정제로 할 것인가 또는 국정제로 할 것인가에 대하여 재량권을 갖는다고 할 것이다. 따라서 중학교의 국어교과서에 관한 한, 교과용도서의 국정제는 학문의 자유나 언론·출판의 자유를 침해하는 제도가 아님은 물론 교육의 자주성·전문성·정치적 중립성과도 무조건 양립되지 않는 것이라 하기 어렵다.

임용기간이 만료한 대학교원에 관한 사건 [헌법불합치]
— 2003. 2. 27. 선고 2000헌바26

판시사항 및 결정요지

1. 교육의 중요성과 헌법 제31조 제6항 교원지위법정주의의 의미

교육은 개인의 잠재적인 능력을 계발하여 줌으로써 개인이 각 생활영역에서 개성을 신장할 수 있도록 해 주며, 국민으로 하여금 민주시민의 자질을 길러줌으로써 민주주의가 원활히 기능하기 위한 정치문화의 기반을 조성할 뿐만 아니라, 학문연구결과 등의 전수의 장이 됨으로써 우리 헌법이 지향하고 있는 문화국가의 실현을 위한 기본적 수단이다. 교육이 수행하는 이와 같은 중요한 기능에 비추어 우리 헌법은 제31조에서 학교교육 및 평생교육을 포함한 교육제도와 그 운영, 교육재정 및 교원의 지위에 관한 기본적 사항을 법률로 정하도록(제6항) 한 것이다. 국·공립대학의 교원뿐만 아니라, 사립대학의 교원도 헌법 제31조 제6항이 의미하는 교원의 개념에 포함됨은 물론이다. 또한 교원의 '지위'라 함은 교원의 직무의 중요성 및 그 직무수행능력에 대한 인식의 정도에 따라서 그들에게 주어지는 사회적 대우 또는 근무조건·신분보장·보수 및 그 밖의 물적 급부 등을 모두 포함하는 것이다.

교원의 지위에 관한 '기본적인 사항'은 다른 직종의 종사자들의 지위에 비하여 특별히 교원의 지위를 법률로 정하도록 한 헌법규정의 취지나 교원이 수행하는 교육이라는 직무상의 특성에 비추어 볼 때 교원이 자주적·전문적·중립적으로 학생을 교육하기 위하여 필요한 중요한 사항이라고 보아야 한다. 그러므로 입법자가 법률로 정하여야 할 기본적인 사항에는 무엇보다도 교원의 신분이 부당하게 박탈되지 않도록 하는 최소한의 보호의무에 관한 사항이 포함된다.

2. 대학교육기관의 교원은 당해 학교법인의 정관이 정하는 바에 따라 기간을 정하여 임면할 수 있다고 규정한 구 사립학교법 제53조의2 제3항(1990. 4. 7. 법률 제4226호로 개정되고, 1997. 1. 13. 법률 제5274호로 개정되기 전의 것, 이하 '이 사건 법률조항'이라 한다)이 교원지위법정주의에 위반되는지 여부(적극)

이 사건 법률조항은 임용기간이 만료되는 교원을 별다른 하자가 없는 한 다시 임용하여야 하는지의 여부 및 재임용대상으로부터 배제하는 기준이나 요건 및 그 사유의 사전통지 절차에 관하여 아무런 지침을 포함하고 있지 않을 뿐만 아니라, 부당한 재임용거부의 구제에 관한 절차에 대해서도 아무런 규정을 두고 있지 않다. 그렇기 때문에 이 사건 법률조항은, 정년보장으로 인한 대학교원의 무사안일을 타파하고 연구분위기를 제고하는 동시에 대학교육의 질도 향상시킨다는 기간임용제 본연의 입법목적에서 벗어나, 사학재단에 비판적인 교원을 배제하거나 기타 임면권자 개인의 주관적 목적을 위하여 악용될 위험성이 다분히 존재한다. 첫째, 재임용 여부에 관한 결정은 인사에 관한 중요사항이므로 교원인사위원회의 심의를 받아야 하나, 교원인사위원회의 심의과정을 거치지 않거나 형식적인 절차만 거친 경우가 많았고 심지어는 교원인사위원회에서는 재임용 동의가 있었음에도 불구하고 특별한 이유없이 최종 임면권자에 의해 재임용이 거부되기도 하였다. 둘째, 이 사건 법률조항이 재임용의 거부사유 및 구제절차에 대하여 아무런 언급을 하지 않고 있기 때문에 사립대학의 정관이 교원의 연구실적, 교수능력과 같은 비교적 객관적인 기준을 재임용 거부사유로 정하지 아니하고 자의가 개입될 수 있는 막연한 기준에 의하여 재임용을 거부하는 경우에는 피해 교원을 실질적으로 구제할 수 있는 대책이 없다. 셋째, 절대적이고 통제받지 않는 자유재량은 남용을 불러온다는 것이 인류역사의 경험이라는 점에서 볼 때, 자의적인 재임용거부로부터 대학교원을 보호할 수 있도록 구제수단을 마련해 주는 것은 국가의 최소한의 보호의무에 해당한다. 즉, 임면권자가 대학교원을 왜 재임용하지 않으려 하는지 이유를 밝히고 그 이유에 대하여 당해 교원이 해명할 기회를 주는 것은 적법절차의 최소한의 요청인 것이다. 넷째, 재임용심사의 과정에서 임면권자에 의한 자의적인 평가를 배제하기 위하여 객관적인 기준의 재임용 거부사유와 재임용에서 탈락하게 되는 교원에게 자신의 입장을 진술하고 평가결과에 이의를 제기할 수 있는 기회를 주는 것은 임면권자에게 지나친 부담이 아니라고 할 것이며, 나아가 재임용이 거부되는 경우에 이의 위법 여부를 다툴 수 있는 구제절차를 마련하는 것은 대학교원에 대한 기간임용제를 통하여 추구하려는 입법목적을 달성하는 데에도 아무런 장애가 되지 않는다고 할 것이다.

　　나. 이상 본 바와 같이 객관적인 기준의 재임용 거부사유와 재임용에서 탈락하게 되는 교원이 자신의 입장을 진술할 수 있는 기회 그리고 재임용거부를 사전에 통지하는 규정 등이 없으며, 나아가 재임용이 거부되었을 경우 사후에 그에 대해 다툴 수 있는 제도적 장치를 전혀 마련하지 않고 있는 이 사건 법률조항은, 현대사회에서 대학교육이 갖는 중요한 기능과 그 교육을 담당하고 있는 대학교원의 신분의 부당한 박탈에 대한 최소한의 보호요청에 비추어 볼 때 헌법 제31조 제6항에서 정하고 있는 교원지위법정주의에 위반된다고 볼 수밖에 없다.

3. 이 사건 법률조항을 단순위헌선언하는 경우 기간임용제 자체를 위헌으로 선언하는 결과가 초래한다는 이유로 헌법불합치결정을 한 사례

　　이 사건 법률조항의 위헌성은 위에서 본 바와 같이 기간임용제 그 자체에 있는 것이 아니라 재임용 거부사유 및 그 사전구제절차, 그리고 부당한 재임용거부에 대하여 다툴 수 있는 사후의 구제절차에 관하여 아무런 규정을 하지 아니함으로써 재임용을 거부당한 교원이 구제를 받을 수 있는 길을 완전히 차단한 데 있다. 그런데 이 사건 법률조항에 대하여 단순위헌을 선언하는 경우에는 기간임용제 자체까지도 위헌으로 선언하는 결과를 초래하게 되므로, 단순위헌결정 대신 헌법불합치결정을 하는 것이다. 입법자는 되도록 빠른 시일내에 이 사건 법률조항 소정의 기간임용제에 의하여 임용되었다가 그 임용기간이 만료되는 대학교원이 재임용거부되는 경우에 그 사전절차 및 그에 대해 다툴 수 있는 구제절차규정을 마련하여 이 사건 법률조항의 위헌적 상태를 제거하여야 할 것이다.

제4절 근로의 권리

224 해고예고수당 청구 사건 [위헌]
– 2015. 12. 23. 선고 2014헌바3

판시사항

월급근로자로서 6개월이 되지 못한 자를 해고예고제도의 적용예외 사유로 규정하고 있는 근로기준법 제35조 제3호(이하 '이 사건 법률조항'이라 한다)가 근무기간이 6개월 미만인 월급근로자의 근로의 권리를 침해하고, 평등원칙에 위배되는지 여부(적극)

사건의 개요

청구인은 송○실이 운영하는 학원에서 2009. 5. 21.부터 영어강사로 근무하던 중 2009. 7. 6. 예고 없이 해고되었다. 청구인은 송○실을 상대로 해고예고수당의 지급을 구하는 소송을 제기하였으나 패소하였고, 항소한 뒤 "월급근로자로서 6개월이 되지 못한 자"를 해고예고제도의 적용예외 사유로 규정하고 있는 근로기준법 제35조 제3호에 대한 위헌법률심판제청을 신청하였다. 그러나 2013. 9. 25. 청구인의 항소 및 신청이 모두 기각되자, 청구인은 2014. 1. 2. 이 사건 헌법소원심판을 청구하였다.

심판대상조항 및 관련조항

근로기준법(2007. 4. 11. 법률 제8372호로 전부개정된 것)

제35조(예고해고의 적용 예외) 제26조는 다음 각 호의 어느 하나에 해당하는 근로자에게는 적용하지 아니한다.
  1. 일용근로자로서 3개월을 계속 근무하지 아니한 자
  2. 2개월 이내의 기간을 정하여 사용된 자
  3. 월급근로자로서 6개월이 되지 못한 자
  4. 계절적 업무에 6개월 이내의 기간을 정하여 사용된 자
  5. 수습 사용 중인 근로자

주문

근로기준법(2007. 4. 11. 법률 제8372호로 전부개정된 것) 제35조 제3호는 헌법에 위반된다.

I. 판 단

1. 해고예고제도

근로기준법 제26조는, 사용자가 근로자를 해고하려면 적어도 30일 전에 예고를 하여야 하고, 30일 전에 예고를 하지 아니하였을 때에는 30일분 이상의 통상임금을 지급하여야 한다고 규정하고 있다. 이러한 해고예고제도는, 사용자가 갑자기 근로자를 해고하면 근로자의 생활에 어려움이 있을 수 있으므로, 새 일자리를 구할 수 있는 시간적 여유를 주거나 그렇지 않으면 그 기간 동안의 생계비를 보장하여 해고로 인한 근로자의 어려움을 덜어주는 데 그 취지가 있다.

2. 근로의 권리 침해 여부

가. 헌법이 보장하는 근로의 권리에는 '일할 자리에 관한 권리'뿐만 아니라 '일할 환경에 관한 권리'도 포함되는데, 일할 환경에 관한 권리는 인간의 존엄성에 대한 침해를 막기 위한 권리로서 건강한 작업환경, 정당한 보수, 합리적 근로조건의 보장 등을 요구할 수 있는 권리를 포함한다. 근로의 권리를 담보하기 위하여 헌법 제32조 제3항은 "근로조건의 기준은 인간의 존엄성을 보장하도록 법률로 정한다."고 하여 근로조건 법정주의를 규정하고 있다.

근로기준법에 마련된 해고예고제도는 근로조건의 핵심적 부분인 해고와 관련된 사항일 뿐만 아니라, 근로자가 갑자기 직장을 잃어 생활이 곤란해지는 것을 막는 데 목적이 있으므로, 근로자의 인간 존엄성을 보장하기 위한 합리적 근로조건에 해당한다. 따라서 근로관계 종료 전 사용자로 하여금 근로자에게 해고예고를 하도록 하는 것은 개별 근로자의 인간 존엄성을 보장하기 위한 최소한의 근로조건 가운데 하나에 해당하므로, 해고예고에 관한 권리는 근로의 권리의 내용에 포함된다.

근로관계 종료 전 사용자로 하여금 해고예고를 하도록 하는 것이 근로의 권리의 내용에 포함된다 하더라도, 그 구체적 내용인 적용대상 근로자의 범위를 어떻게 정할 것인지 또 예고기간을 어느 정도로 정할 것인지 여부 등에 대해서는 입법자에게 입법형성의 재량이 주어져 있다. 하지만 이러한 입법형성의 재량에도 한계가 있고, 근로조건의 기준은 인간의 존엄성을 보장하도록 법률로 정하도록 규정한 헌법 제32조 제3항에 위반되어서는 안 된다. 따라서 심판대상조항이 청구인의 근로의 권리를 침해하는지 여부는, 입법자가 해고예고제도를 형성함에 있어 해고로부터 근로자를 보호할 의무를 전혀 이행하지 아니하거나 그 내용이 현저히 불합리하여 헌법상 용인될 수 있는 재량의 범위를 벗어난 것인지 여부에 달려 있다.

나. 해고예고제도의 입법 취지와 근로기준법 제26조 단서에서 규정하고 있는 해고예고 적용배제 사유를 종합하여 보면, 원칙적으로 해고예고 적용배제사유로 허용될 수 있는 경우는 근로계약의 성질상 근로관계 계속에 대한 근로자의 기대가능성이 적은 경우로 한정되어야 한다.

그런데 월급근로자로서 6개월이 되지 못한 사람은 대체로 기간의 정함이 없는 근로계약을 체결한 사람들로서 근로계약의 계속성에 대한 기대가 크다고 볼 수 있으므로, 이들에 대한 해고는 근로기준법 제35조의 다른 사유들과 달리 예상하기 어려운 돌발적 해고에 해당한다.

근무기간이 6개월 미만인 월급근로자의 경우 해고예고제도 적용대상에서 제외되면 전형적 상용근로자임에도 불구하고 단지 근무기간이 6개월이 되지 아니하였다는 이유만으로 아무런 예고 없이 직장을 상실하게 될 수 있다. 그렇다면 "월급근로자로서 6개월이 되지 못한 자"를 해고예고제도의 적용대상에서 배제하고 있는 심판대상조항은, 입법자가 근로자에 대한 보호의무에서 요구되는 최소한의 절차적 규율마저 하지 아니한 것으로 입법재량권의 행사에 있어 헌법상 용인될 수 있는 재량의 범위를 벗어난 것이라고 보아야 한다.

결론적으로 헌법상 허용되는 재량의 범위를 현저히 벗어나 합리적 이유 없이 "월급근로자로서 6개월이 되지 못한 자"를 해고예고제도의 적용에서 제외하고 있는 심판대상조항은, 청구인의 근로의 권리를 침해하여 헌법에 위반된다.

3. 평등원칙 위반 여부

가. 계약기간의 정함이 없는 상용근로자에 대한 해고는 근로기간이 6개월 미만이거나 그 이상이거나 예기치 못한 돌발적 해고에 해당한다는 점에서는 차이가 없으므로, 근로계약에 별도의 정함이 없는 이상 근무기간이 6개월 미만인 근로자나 그 이상인 근로자나 근로계약의계속성에 대한기대에는 본질적 차이가 있다고 보기 어렵다. 또 6개월 미만 근로한 월급근로자도 전직을 위한 시간적 여유가 필요하고 실직으로 인한 경제적 곤란으로부터 보호받아야 할 필요성이 있고, 이러한 필요성이 6개월 이상 근무한 월급근로자보다 적다고 볼 수도 없다. 그렇다면 심판대상조항이 같은 월급근로자임에도 불구하고 해고예고제도를 적용할 때 근무기간 6개월 미만 월급근로자를 그 이상 근무한 월급근로자와 달리 취급하도록 하고 있는 것은 합리적 근거 없는 차별에 해당한다.

나. 근로기준법은 사용자의 지휘·명령을 받으며 사실상 종속관계에서 임금을 목적으로 노무를 제공하는 사람을 근로자로 보고, 이들의 근로조건이나 생활을 보장하려는 목적을 가진 법이다. 월급근로자도 시급이나 일급·주급 등 다른 형태로 보수를 받는 근로자와 마찬가지로 사용자에 종속되어 임금을 목적으로 근로하는 사람이므로, 단순히 월급제로 임금을 받는다는 것만으로 이들을 다른 방식으로 임금을 받는 근로자와 차별해서는 안 된다. 근로기준법은 심판대상조항을 제외한 다른 조항에서는 월급근로자를 주급·일급 또는 시간제 근로자와 동일하게 보호하고 있다. 그런데 유독 해고예고제도의 적용에 있어서만 월급근로자를 주급·일급 또는 시간급 근로자와 달리 취급하고 있는데, 이러한 차별에도 아무런 합리적 근거를 찾을 수 없다.

다. 결국, 심판대상조항은 근무기간 6개월 미만인 월급근로자를 근무기간 6개월 이상인 월급근로자나 월급제 이외의 형태로 보수를 받는 근로자와 합리적 근거 없이 차별 취급을 하고 있으므로, 헌법 제11조의 평등원칙에 위반된다.

II 결론

심판대상조항은 헌법에 위반되므로 관여 재판관 전원의 일치된 의견으로 주문과 같이 결정한다. 한편 종전의 선례(헌재 2001. 7. 19. 99헌마663 결정)는 이 결정과 저촉되는 범위에서 이를 변경한다.

225 외국인근로자 출국만기보험금 지급시기 제한 사건 [기각]
— 2016. 3. 31. 선고 2014헌마367

판시사항

1. 외국인에게 근로의 권리에 관한 기본권 주체성이 인정되는지 여부(적극)
2. 고용 허가를 받아 국내에 입국한 외국인근로자의 출국만기보험금을 출국 후 14일 이내에 지급하도록 한 '외국인근로자의 고용 등에 관한 법률' 제13조 제3항 중 '피보험자등이 출국한 때부터 14일 이내' 부분이 청구인들의 근로의 권리를 침해하는지 여부(소극)
3. 위 심판대상조항이 청구인들의 평등권을 침해하는지 여부(소극)

사건의 개요

청구인들은 비전문취업(E-9) 비자를 받고 대한민국에 입국한 네팔 또는 우즈베키스탄 국적의 외국인근로자들이다. 구 '외국인근로자의 고용 등에 관한 법률'에 따르면, 외국인근로자는 사업장을 이탈하지 아니한 채 1년 이상 근무하고 기간 만료로 출국하거나 사업장을 변경하는 경우 출국만기보험금을 지급받을 수 있었다. 그런데 국회는 2014. 1. 28. 외국인근로자들이 근로계약기간이 만료되어 출국만기보험금을 수령하고도 본국으로 귀국하지 않아 불법체류자가 급증하고 있다는 이유로, '외국인근로자의 고용 등에 관한 법률'을 개정하여 출국만기보험금의 지급시기를 '피보험자등이 출국한 때로부터 14일 이내'로 제한하는 내용을 추가하였다.

청구인들은 출국만기보험금의 지급시기를 출국 후 14일 이내로 제한하고 있는 '외국인근로자의 고용 등에 관한 법률' 제13조 제3항이 청구인들의 기본권을 침해한다고 주장하면서 2014. 5. 8. 이 사건 헌법소원심판을 청구하였다.

심판대상조항 및 관련조항

외국인근로자의 고용 등에 관한 법률(2014. 1. 28. 법률 제12371호로 개정된 것)

제13조(출국만기보험·신탁) ③ 출국만기보험등의 가입대상 사용자, 가입방법·내용·관리 및 지급 등에 필요한 사항은 대통령령으로 정하되, 지급시기는 피보험자등이 출국한 때부터 14일(체류자격의 변경, 사망 등에 따라 신청하거나 출국일 이후에 신청하는 경우에는 신청일부터 14일) 이내로 한다.

주문

이 사건 심판청구를 기각한다.

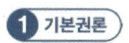

I 적법요건

1. 외국인의 기본권 주체성

근로의 권리 중 인간의 존엄성 보장에 필요한 최소한의 근로조건을 요구할 수 있는 '일할 환경에 관한 권리' 역시 외국인에게 보장되고, 고용허가를 받아 우리 사회에서 정당한 노동인력으로서 지위를 부여받은 외국인들의 직장선택의 자유도 인간의 권리로서 보장된다.

2. 출국만기보험금과 외국인의 기본권 주체성

청구인들은 국내 기업에 취업함을 목적으로 외국인고용법상 고용허가를 받아 입국하여 우리 사회에서 정당한 노동인력으로 그 지위를 인정받았으므로, 청구인들이 선택한 직업분야에서 취득한 임금이나 퇴직금 등의 채권을 지급 받을 권리는 기본권으로 보호될 수 있다. 임금이란 사용자가 근로의 대가로 근로자에게 임금, 봉급, 그 밖에 어떠한 명칭으로든지 지급하는 일체의 금품(근로기준법 제2조 제1항 제5호)으로 사회적으로는 근로자와 그 가족의 생계의 기초가 되고, 퇴직금 역시 후불임금으로서, 특히 '정년퇴직하는 근로자의 노후생활 보장' 및 '중간 퇴직하는 근로자의 실업보험'의 기능을 하므로 생활의 기본적 수요를 충족시키는 방편이 됨과 동시에 인간 생존의 기초가 된다는 점에서 이를 지급받을 권리는 인간의 권리로서 보호된다.

한편, 헌법 제32조는 근로의 권리를 보장하고 있고, 근로의 권리는 '일할 자리에 관한 권리'만이 아니라 '일할 환경에 관한 권리'도 보장되어야 한다. '일할 환경에 관한 권리'는 인간의 존엄성에 대한 침해를 방어하기 위한 권리로서 외국인에게도 인정되며, 건강한 작업환경, 일에 대한 정당한 보수, 합리적인 근로조건의 보장 등을 요구할 수 있는 권리 등을 포함한다. 여기서의 근로조건은 임금과 그 지불방법, 취업시간과 휴식시간 등 근로계약에 의하여 근로자가 근로를 제공하고 임금을 수령하는 데 관한 조건들이고, 이 사건 출국만기보험금은 퇴직금의 성질을 가지고 있어서 그 지급시기에 관한 것은 근로조건의 문제이므로 외국인인 청구인들에게도 기본권 주체성이 인정된다.

II 판 단

1. 근로의 권리 침해 여부

가. 이 사건 출국만기보험금 등의 지급시기, 다시 말해 외국인근로자의 퇴직금 지급시기와 같은 근로조건에 관한 문제는 근로의 권리 중 '일할 환경에 관한 권리'에 포함되어 외국인이라 하더라도 보호되어야 한다.

그런데 퇴직금의 지급시기와 같은 근로조건을 정함에 있어 입법자는 여러 가지 사회적·경제적 여건 등을 함께 고려할 필요성이 있으므로 그 시기를 언제로 할 것인지에 대해서는 폭넓은 입법재량이 있다. 따라서 구체적 입법이 헌법상 용인될 수 있는 재량의 범위를 명백히 일탈하여 근로의 권리에 관한 국가의 최소한의 의무를 불이행한 경우가 아닌 한, 헌법위반 문제가 발생한다고 보기 어렵다. 즉, 헌법 제32조 제3항에서 "근로조건의 기준은 인간의 존엄성을 보장하도록 법률로 정한다."고 규정하고 있는 취지에 비추어 입법 내용이 인간의 존엄을 유지하기 위한 최소한 합리성을 담보하고 있으면 위헌이라고 볼 수 없다.

결국 이 사건 출국만기보험금의 지급시기를 출국 후 14일 이내로 함으로써 청구인들의 근로의 권리가 침해되었는지 여부는 이러한 입법이 헌법상 용인될 수 있는 재량의 범위를 명백히 일탈한 것인지 여부에 달려 있다.

한편, 기본권 주체성의 인정 문제와 기본권 제한의 정도는 별개의 문제이므로 외국인에게 근로의 권리에 대한 기본권 주체성을 인정한다는 것이 곧바로 우리 국민과 동일한 수준의 보장을 한다는 것을 의미하는 것은 아니다. 다만 근로관계에서 발생한 임금이나 퇴직금은 그것이 신속하게 지급되지 않으면 퇴직 근로자 및 그 가족의 생활을 곤란하게 하여 인간으로서의 최소한의 생존권을 위협할 수 있다는 점에서 이러한 점을 감안한 판단이 요구된다.

나. 심판대상조항은 외국인근로자의 불법체류를 방지하기 위해 신설되었다. 불법체류자는 임금체불이나 폭행 등 각종 범죄에 노출될 위험이 있고, 그 신분의 취약성으로 인해 강제 근로와 같은 인권침해의 우려가 높으며, 행정관청의 관리 감독의 사각지대에 놓이게 됨으로써 안전사고 등 각종 사회적 문제를 일으킬 가능성이 있다. 또한 단순기능직 외국인근로자의 불법체류를 통한 국내 정주는 일반적으로 사회통합 비용을 증가시키고 국내 고용 상황에 부정적 영향을 미칠 수 있다.

따라서 이 사건 출국만기보험금이 근로자의 퇴직 후 생계 보호를 위한 퇴직금의 성격을 가진다고 하더라도 불법체류가 초래하는 여러 가지 문제를 고려할 때 불법체류 방지를 위해 그 지급시기를 출국과 연계시키는 것은 불가피하므로 심판대상조항이 청구인들의 근로의 권리를 침해한다고 보기 어렵다.

2. 평등권 침해 여부

가. 고용허가를 받고 입국한 외국인근로자도 근로기준법의 적용을 받는 근로자이므로, 퇴직금 지급 시기와 관련해서도 근로기준법의 적용을 받아야 하지만, 퇴직금의 성격을 가진 이 사건 출국만기보험금은 내국인근로자와 달리 출국 후에만 지급받을 수 있다. 그러므로 심판대상조항으로 인해 외국인근로자와 내국인근로자 사이에는 차별이 발생한다.

그런데 외국인근로자의 경우 체류기간 만료가 퇴직과 직결되고, 체류기간이 만료되면 출국한다는 것을 전제로 고용허가를 받았다는 점에서 출국만기보험금의 지급시기를 출국 후 14일 이내로 정한 것이 근로자퇴직급여보장법이나 근로기준법상의 퇴직금 지급시기와 다르게 정한 것이라고 보기 어렵다. 즉, 심판대상조항에서 출국만기보험금의 지급시기를 출국 후 14일 이내로 한 것은 고용허가를 받아 국내에 들어온 외국인근로자의 특수한 지위에서 기인하는 것이다. 출국만기보험금을 내국인근로자와 동일한 기준으로 지급하게 되면, 사업장을 변경하는 외국인근로자들에 대해 출국을 담보할 수 있는 수단이 사라지게 된다. 따라서 체류기간이 만료되면 출국을 해야만 하는 지위에 있는 외국인근로자에게 출국만기보험금의 지급과 출국을 연계시키는 것은 불가피하다고 볼 수 있다.

따라서 심판대상조항이 외국인근로자에 대하여 내국인근로자와 달리 규정하였다고 하여 청구인들의 평등권을 침해한다고 볼 수 없다.

제5절 근로3권

 **노조전임자 및 근로시간 면제 제도(타임오프제) 사건** [기각, 각하]
― 2014. 5. 29. 선고 2010헌마606

판시사항 및 결정요지

1. 노조전임자제도와 근로시간면제제도

가. 노조전임자 제도

노조전임자란 사용자에게 근로계약상의 근로를 제공하지 아니하고 노동조합의 업무만 담당하는 근로자를 말한다. 노조전임자는 사용자에게 근로계약상의 근로의무를 제공하지 않기 때문에 원칙적으로 사용자로부터 급여를 지급받을 수 없고, 사용자가 노조전임자에게 급여를 지원하는 행위는 부당노동행위에 해당한다. 노동조합은 이를 위반하여 노조전임자에 대한 급여 지급을 요구하고 이를 관철할 목적으로 쟁의행위를 할 수 없으며, 그 위반 시 형사처벌의 대상이 된다.

나. 근로시간 면제 제도

노조법은 노조전임자가 사용자로부터 급여를 지급받는 것을 원칙적으로 금지하면서, 다만 단체협약으로 정하거나 사용자의 동의가 있는 경우에는 사업 또는 사업장별로 조합원 수 등을 고려하여 근로시간 면제 한도를 초과하지 아니하는 범위에서 근로자는 임금의 손실 없이 사용자와의 협의·교섭, 고충처리, 산업안전 활동 등의 업무와 건전한 노사관계 발전을 위한 노동조합의 유지·관리업무를 할 수 있도록 하고 있다(제24조 제4항). 이는 기존의 노조전임자와는 별도로 또는 기존의 노조전임자의 노동조합 활동에 대하여 일부 유급 처리가 가능하도록 하는 근로시간 면제 제도를 정한 것으로, 그동안 노조전임자의 급여를 사용자가 전적으로 부담하는 관행을 시정함과 동시에 기업별 노사관계의 전통이 강한 우리나라에서 개별 사업장을 위한 노동조합 활동은 일정 한도 내에서 계속 보장하기 위한 것이다.

한편, 노조법은 구체적인 근로시간 면제 한도를 근심위가 심의·의결한 바에 따라 고용노동부장관이 최종 고시하도록 하고 있고, 유급 처리가 가능한 근로시간 면제의 허용 한도를 총량으로 사전에 제한하는 방식을 채택하여, 그 한도 내에서 노사가 자유로이 근로시간 면제의 범위를 정할 수 있지만, 노동조합이 근로시간 면제 한도를 초과하는 요구를 하고 이를 관철할 목적으로 쟁의행위를 하는 것은 금지되고, 그 위반 시 형사처벌의 대상이 된다(제24조 제4항, 제5항 및 제92조 제1호).

2. '노동조합 및 노동관계조정법'(이하 '노조법'이라 한다) 제24조 제4항의 '근로시간 면제 한도'를 근로시간면제심의위원회(이하 '근심위'라 한다)에서 심의·의결하여 고용노동부장관 고시로 정하도록 한 것이 죄형법정주의에 위배되는지 여부(소극)

구체적인 근로시간 면제 한도는 단순히 조합원 수뿐만 아니라, 산업현장에서 노동조합 활동을 수행하는 데 소요되는 시간과 사용인원 등의 한도를 파악하는 등 전문가들의 지식을 활용할 필요성이 큰 행정분야이고, 구체적 한도의 설정은 노사 간 이해관계의 원만한 조정이 요청되는 분야이다. 따라서 이를 법에서 직접 정하기보다는 노사현실을 제대로 반영하고 노사의 이해관계를 조정하여 탄력적이고 전문적인 해결이 가능하도록 할 필요성이 인정된다. 그런데 근심위는 노동계, 경영계, 정부에서 추천하는 각 5인의 위원으로 구성되어 있어 노사 양측의 이해관계 및 전문가적 입장이 실질적으로 반영되므로, 근로시간 면제 한도의 구체적 내용을 근심위의 심의·의결을 거쳐 고용노동부 고시로 정하도록 한 입법자의 판단에는 합리적 이유가 인정된다.

나아가 노조법 제24조 제4항은 고용노동부장관 고시로 정해질 근로시간 면제 한도의 구체적 내용이 각 사업(장)별 조합원수 등을 기준으로 하여 각종 노동조합이 업무를 처리함에 있어 통상적으로 필요한 '시간' 및 적정한 사용인원 정도가 될 것임을 충분히 예상할 수 있게 규정하고 있다. 따라서 노조법 제24조 제4항 중 '근로시간 면제 한도' 부분은 죄형법정주의에 위배되지 않는다.

3. 노조전임자 급여 금지에 관한 노조법 제24조 제2항, '근로시간 면제 제도'에 관한 노조법 제24조 제4항, 노동조합이 이를 위반하여 급여 지급을 요구하고 이를 관철할 목적의 쟁의행위를 하는 것을 금지하는 노조법 제24조 제5항(이하 '이 사건 노조법 조항들'이라 한다)이 청구인들의 단체교섭권 및 단체행동권을 침해하는지 여부(소극)

이 사건 노조법 조항들은 노조전임자에 대한 비용을 원칙적으로 노동조합 스스로 부담하도록 함으로써 노동조합의 자주성 및 독립성 확보에 기여하는 한편, 사업장 내에서의 노동조합 활동을 일정 수준 계속 보호·지원하기 위한 것이다.

이 사건 노조법 조항들이 노조전임자의 급여 수령을 일절 금지하고, 근로시간 면제 한도를 초과하는 요구 등을 금지하고 있지만, 기존의 노조전임자는 새로 도입된 근로시간 면제 제도를 통하여 노동조합 활동을 일정 수준 계속 보장받을 수 있다.

한편, 법에서 근로시간 면제 범위의 최소한을 보장하고 이를 초과하는 범위에 대해서는 노사의 자율적 결정에 맡기는 것이 바람직한 방안일 수 있으나, 이는 기업별 노동조합이 주를 이루어왔고 노조전임자의 급여를 사용자가 부담해 온 오랜 관행을 시정하기 위한 입법취지를 무색하게 할 우려가 있다.

또한 이 사건 노조법 조항들은 근로시간 면제 한도를 초과하는 노동조합의 활동에 대한 유급 처리에 한해서만 단체교섭권 및 단체행동권을 제한한다.

따라서 이 사건 노조법 조항들이 과잉금지원칙에 위반되어 노사자치의 원칙 또는 청구인들의 단체교섭권 및 단체행동권을 침해한다고 볼 수 없다.

4. 이 사건 노조법 조항들이 헌법 제6조 제1항의 국제법 존중주의에 위배되는지 여부(소극)

국제노동기구협약제135호 '기업의근로자대표에게제공되는보호및편의에관한협약' 제2조 제1항은 "근로자대표에 대하여 그 지위나 활동을 이유로 불리한 조치를 할 수 없고, 근로자대표가 직무를 신속능률적으로 수행할 수 있도록 기업으로부터 적절할 편의가 제공되어야 한다."고 정하고 있는데, 노조전임자에 대한 급여 지급 금지에 대한 절충안으로 근로시간 면제 제도가 도입된 이상, 이 사건 노조법 조항들이 위 협약에 배치된다고 보기 어렵다.

227 노동조합 운영비 원조 부당노동행위 금지조항 사건 [헌법불합치, 각하]
– 2018. 5. 31. 선고 2012헌바90

판시사항

사용자가 노동조합의 운영비를 원조하는 행위를 부당노동행위로 금지하는 '노동조합 및 노동관계조정법' 제81조 제4호 중 '노동조합의 운영비를 원조하는 행위'에 관한 부분(이하 '운영비원조금지조항'이라 한다)이 노동조합의 단체교섭권을 침해하는지 여부(적극)

사건의 개요

청구인은 산업별 노동조합으로서, 2010. 6. 18.부터 2010. 6. 30.까지 사이에 7개 회사와 단체협약을 체결하였는데(이하 '이 사건 단체협약'이라 한다), 이 사건 단체협약에는 '회사는 조합사무실과 집기, 비품을 제공하며 조합사무실 관리유지비(전기료, 수도료, 냉난방비, 영선비) 기타 일체를 부담한다.', '회사는 노동조합에 차량을 제공한다(주유비, 각종 세금 및 수리비용을 지급한다).'는 등의 노동조합에 시설·편의를 제공하는 조항(이하 '시설·편의제공 조항'이라 한다)이 포함되어 있었다.

OO지방고용노동청 OO지청장은 이 사건 단체협약 중 시설·편의제공 조항은 '노동조합 및 노동관계조정법'(이하 '노동조합법'이라 한다) 제81조 제4호를 위반하였다는 등의 이유로 2010. 11. 11. 청구인에 대하여 노동조합법 제31조 제3항에 따라 시정명령(이하 '이 사건 시정명령'이라 한다)을 내렸다.

청구인은 이 사건 시정명령의 취소를 구하는 소를 제기하고, 그 소송 계속 중 위 노동조합법 조항에 대한 위헌법률심판제청신청을 하였으나, 법원이 이 신청을 각하하자 2012. 3. 7. 이 사건 헌법소원심판을 청구하였다.

심판대상조항 및 관련조항

노동조합 및 노동관계조정법(2010. 1. 1. 법률 제9930호로 개정된 것)

제24조(노동조합의 전임자) ② 제1항의 규정에 의하여 노동조합의 업무에만 종사하는 자(이하 "전임자"라 한다)는 그 전임기간동안 사용자로부터 어떠한 급여도 지급받아서는 아니된다.
④ 제2항에도 불구하고 단체협약으로 정하거나 사용자가 동의하는 경우에는 사업 또는 사업장별로 조합원 수 등을 고려하여 제24조의2에 따라 결정된 근로시간 면제 한도(이하 "근로시간 면제 한도"라 한다)를 초과하지 아니하는 범위에서 근로자는 임금의 손실 없이 사용자와의 협의·교섭, 고충처리, 산업안전 활동 등 이 법 또는 다른 법률에서 정하는 업무와 건전한 노사관계 발전을 위한 노동조합의 유지·관리업무를 할 수 있다.
⑤ 노동조합은 제2항과 제4항을 위반하는 급여 지급을 요구하고 이를 관철할 목적으로 쟁의행위를 하여서는 아니 된다.

제81조(부당노동행위) 사용자는 다음 각 호의 어느 하나에 해당하는 행위(이하 "부당노동행위"라 한다)를 할 수 없다.

    4. 근로자가 노동조합을 조직 또는 운영하는 것을 지배하거나 이에 개입하는 행위와 노동조합의 전임자에게 급여를 지원하거나 노동조합의 운영비를 원조하는 행위. 다만, 근로자가 근로시간 중에 제24조 제4항에 따른 활동을 하는 것을 사용자가 허용함은 무방하며, 또한 근로자의 후생자금 또는 경제상의 불행 기타 재액의 방지와 구제등을 위한 기금의 기부와 최소한의 규모의 노동조합사무소의 제공은 예외로 한다.

제92조(벌칙) 다음 각호의 1에 해당하는 자는 1천만원 이하의 벌금에 처한다.
    1. 제24조 제5항을 위반한 자

주문

1. '노동조합 및 노동관계조정법'(2010. 1. 1. 법률 제9930호로 개정된 것) 제81조 제4호 중 '노동조합의 운영비를 원조하는 행위'에 관한 부분은 헌법에 합치되지 아니한다. 위 법률조항은 2019. 12. 31.을 시한으로 개정될 때까지 계속 적용된다.
2. 나머지 심판청구를 모두 각하한다.

I. 적법요건에 관한 판단

1. 노동조합법 제24조 제5항, 제81조 제4호 중 '근로자가 노동조합을 조직 또는 운영하는 것을 지배하거나 이에 개입하는 행위'에 관한 부분, 제92조 제1호(1) 헌법재판소법 제68조 제2항의 헌법소원심판청구가 적법하기 위해서는 당해 사건에 적용될 법률이 헌법에 위반되는지 여부가 재판의 전제가 되어야 하고, 여기에서 재판의 전제가 된다는 것은 그 법률이 당해 사건에 적용될 법률이어야 하고 그 위헌 여부에 따라 재판의 주문이 달라지거나 재판의 내용과 효력에 관한 법률적 의미가 달라지는 것을 말한다.

2. 노동조합법 제24조 제2항과 제4항을 위반하는 급여 지급을 요구하고 이를 관철할 목적으로 쟁의행위를 하는 것을 금지하고, 이를 위반하여 쟁의행위를 한 자를 형사처벌하는 노동조합법 제24조 제5항, 제92조 제1호는 단체협약에 대한 시정명령의 취소를 구하는 당해 사건에 적용되지 않으므로, 이 부분 심판청구는 재판의 전제성이 인정되지 않는다.

3. 이 사건 시정명령 중 노동조합법 제81조 제4호와 관련된 부분은 '노동조합의 전임자에게 급여를 지원하는 행위'에 관한 부분을 적용한 전임자 등 처우 조항에 대한 시정명령과 '노동조합의 운영비를 원조하는 행위'에 관한 부분을 적용한 시설·편의제공 조항에 대한 시정명령이다. 노동조합법 제81조 제4호 중 '근로자가 노동조합을 조직 또는 운영하는 것을 지배하거나 이에 개입하는 행위'에 관한 부분을 위반하였다는 점은 이 사건 시정명령 사유에 포함되어 있지 않으므로, 이 부분은 이 사건 시정명령의 취소를 구하는 당해 사건에 적용되지 않는다. 따라서 이 부분 심판청구는 재판의 전제성이 인정되지 않는다.

4. 노동조합법 제24조 제2항, 제4항, 제81조 제4호 중 '노동조합의 전임자에게 급여를 지원하는 행위'에 관한 부분

앞서 본 바와 같이 전임자 등 처우 조항에 대한 시정명령에 관하여는 이를 취소하여 청구인이 승소한 당해 사건 판결이 확정되었으므로, 위 시정명령에 적용된 노동조합법 제24조 제2항, 제4항, 제81조 제4호 중 '노동조합의 전임자에게 급여를 지원하는 행위'에 관한 부분에 대하여 헌법재판소가 위헌결정을 하더라도 당해 사건 재판의 결론이나 주문에 영향을 미치지 않는다. 따라서 이 부분 심판청구는 재판의 전제성이 인정되지 않는다.

5. 소 결

이하에서는 노동조합법 제81조 제4호 중 '노동조합의 운영비를 원조하는 행위'에 관한 부분(이하 '운영비원조금지조항'이라 한다)에 대하여만 본안 판단에 나아간다.

II 본안에 관한 판단

1. 부당노동행위 제도와 운영비원조금지조항의 내용

가. 부당노동행위 제도

헌법 제33조 제1항은 "근로자는 근로조건의 향상을 위하여 자주적인 단결권·단체교섭권 및 단체행동권을 가진다."라고 하여 근로3권을 보장한다. 자유권적 성격과 사회권적 성격을 함께 갖는 근로3권은 국가가 근로자의 단결권을 존중하고 부당한 침해를 하지 아니함으로써 보장되는 자유권적 측면인 국가로부터의 자유뿐만 아니라, 근로자의 권리행사의 실질적 조건을 형성하고 유지해야 할 국가의 적극적인 활동, 즉 적정한 입법조치를 필요로 한다. 부당노동행위 제도는 노사 간의 세력균형을 이루고 근로자의 근로3권이 실질적으로 기능할 수 있도록 하기 위하여 입법자가 취한 적극적인 입법조치의 대표적인 예로서, 근로자 또는 노동조합이 근로3권을 실현하는 활동에 대하여 사용자가 행하는 침해 내지 간섭행위를 금지하는 것이다.

구체적으로 살펴보면, 노동조합법 제81조는 사용자를 부당노동행위의 주체로 규정하면서, 노동조합 가입 등을 이유로 해고 등 근로자에게 불이익을 주는 행위(제1호), 노동조합 불가입·탈퇴 또는 특정노동조합 가입을 고용조건으로 하는 행위(제2호), 단체교섭의 거부 또는 해태(제3호), 근로자의 노동조합 조직·운영을 지배·개입하는 행위, 전임자에게 급여를 지원하는 행위, 노동조합의 운영비를 원조하는 행위(제4호), 단체행위 참가, 부당노동행위 신고 등을 이유로 해고 등 근로자에게 불이익을 주는 행위(제5호)를 부당노동행위로 금지하고 있다. 부당노동행위를 한 사용자는 노동위원회의 구제명령(노동조합법 제82조 내지 제86조)과 형사처벌을 받을 수 있다(노동조합법 제90조).

나. 운영비원조금지조항

헌법 제33조 제1항이 근로자에게 근로3권을 기본권으로 보장하는 뜻은 근로자가 사용자와 대등한 지위에서 단체교섭을 통하여 자율적으로 임금 등 근로조건에 관한 단체협약을 체결할 수 있도록 하기 위한 것이다. 이러한 노사 간 실질적 자치라는 목적을 달성하기 위해서는 무엇보다도 노동조합의 자주성이라는 전제가 필요하다.

그런데 사용자가 대항적 관계에 있는 노동조합에 그 운영비를 원조하는 경우 노동조합에 영향력을 행사하여 노동조합의 자주성을 저해할 우려가 있으므로, 운영비원조금지조항은 노동조합의 자주성을 확보하기 위해서 운영비 원조 행위를 부당노동행위로 규정한 것이다.

2. 운영비원조금지조항의 위헌 여부

가. 쟁 점

근로3권의 헌법적 의의는 근로자단체라는 사용자에 반대되는 세력의 창출을 가능하게 함으로써 노사관계의 형성에 있어서 사회적 균형을 이루어 근로조건에 관한 협상에 있어 노사 간의 실질적 자치를 보장하려는 데 있다. 근로3권은 다른 기본권과 달리 자기 목적적이지 않고 내재적으로 '근로조건의 유지·개선과 근로자의 경제적·사회적 지위의 향상'을 목적으로 하는 기본권으로, 이러한 집단적 자치영역에 대한 국가의 부당한 침해를 배제하는 것을 목적으로 한다.

사용자의 노동조합에 대한 운영비 원조는 특정 근로자의 개인적 근로조건에 관한 문제가 아니라 전체 조합원들의 이해와 관련된 집단적 노사관계에 관한 사항으로, 근로3권의 행사목적인 '근로조건의 유지·개선과 근로자의 경제적·사회적 지위의 향상'에 관한 사항에 해당한다. 그런데 운영비원조금지조항은 운영비 원조 행위를 금지함으로써 운영비 원조에 관하여 노사가 자율적으로 결정할 수 없도록 규정하고 있으므로, 청구인의 단체교섭권을 제한한다.

따라서 운영비원조금지조항이 헌법 제37조 제2항의 과잉금지원칙을 위반하여 청구인의 단체교섭권을 침해하여 헌법에 위반되는지 여부를 살펴본다.

나. 단체교섭권 침해 여부

운영비원조금지조항은 사용자로부터 노동조합의 자주성을 확보하여 궁극적으로 근로3권의 실질적인 행사를 보장하기 위한 것으로서 그 입법목적이 정당하다.

운영비 원조 행위가 노동조합의 자주성을 저해할 위험이 없는 경우에는 이를 금지하더라도 위와 같은 입법목적의 달성에 아무런 도움이 되지 않는다. 그런데 운영비원조금지조항은 단서에서 정한 두 가지 예외를 제외한 일체의 운영비 원조 행위를 금지함으로써 노동조합의 자주성을 저해할 위험이 없는 경우까지 금지하고 있으므로, 입법목적 달성을 위한 적합한 수단이라고 볼 수 없다.

사용자의 노동조합에 대한 운영비 원조에 관한 사항은 대등한 지위에 있는 노사가 자율적으로 협의하여 정하는 것이 근로3권을 보장하는 취지에 가장 부합한다. 따라서 운영비 원조 행위에 대한 제한은 실질적으로 노동조합의 자주성이 저해되었거나 저해될 위험이 현저한 경우에 한하여 이루어져야 한다.

그럼에도 불구하고 운영비원조금지조항은 단서에서 정한 두 가지 예외를 제외한 일체의 운영비 원조 행위를 금지하고 있으므로, 그 입법목적 달성을 위해서 필요한 범위를 넘어서 노동조합의 단체교섭권을 과도하게 제한한다. 운영비원조금지조항으로 인하여 오히려 노동조합의 활동이 위축되거나 노동조합과 사용자가 우호적이고 협력적인 관계를 맺기 위해서 대등한 지위에서 운영비 원조를 협의할 수 없게 되는데, 이는 실질적 노사자치를 구현하고자 하는 근로3권의 취지에도 반한다.

노동조합법은 복수 노동조합이 존재하는 경우 공정대표의무를 부과하면서 그 위반에 대하여 부당노동행위 구제절차를 준용하고 있고, 사용자가 선호하는 특정 노동조합에만 운영비를 원조하는 행위는 '근로자가 노동조합을 조직 또는 운영하는 것을 지배하거나 이에 개입하는 행위'로서 부당노동행위에 해당하므로, 복수 노동조합을 고려하더라도 운영비 원조 행위를 일률적으로 금지할 필요성을 인정할 수 없다.

헌법재판소는 2014. 5. 29. 2010헌마606 결정에서 전임자 급여 지급 금지 등에 관한 노동조합법 제24조 제2항, 제4항, 제5항이 단체교섭권 등을 침해하지 않는다고 판단하였다. 전임자급여 지원 행위와는 달리 운영비 원조 행위에 대해서는 노동조합법 제81조 제4호에서 사용자의 부당노동행위로서 금지하고 있을 뿐, 노동조합이 운영비 원조를 받는 것 자체를 금지하거나 제한하는 별도의 규정이 없고, 금지의 취지와 규정의 내용, 예외의 인정 범위 등이 다르므로, 노동조합의 단체교섭권을 침해하는지 여부를 판단하면서 운영비 원조 행위를 전임자급여 지원 행위와 동일하게 볼 수 없다.

이상의 내용을 종합하여 보면, 운영비원조금지조항이 단서에서 정한 두 가지 예외를 제외한 운영비 원조 행위를 일률적으로 부당노동행위로 간주하여 금지하는 것은 침해의 최소성에 반한다.

노동조합의 자주성을 저해하거나 저해할 위험이 현저하지 않은 운영비 원조 행위를 부당노동행위로 규제하는 것은 입법목적 달성에 기여하는 바가 전혀 없는 반면, 운영비원조금지조항으로 인하여 청구인은 사용자로부터 운영비를 원조받을 수 없을 뿐만 아니라 궁극적으로 노사자치의 원칙을 실현할 수 없게 되므로, 운영비원조금지조항은 법익의 균형성에도 반한다.

따라서 운영비원조금지조항은 과잉금지원칙을 위반하여 청구인의 단체교섭권을 침해하므로 헌법에 위반된다.

3. 헌법불합치결정과 잠정적용명령

운영비원조금지조항은 위와 같이 헌법에 위반되므로 원칙적으로 위헌결정을 하여야 할 것이지만, 운영비원조금지조항에 대하여 단순위헌결정을 하게 되면, 노동조합의 자주성을 저해하거나 저해할 현저한 위험이 있는 운영비 원조 행위를 부당노동행위로 규제할 수 있는 근거조항 자체가 사라지게 되는 법적 공백상태가 발생한다. 따라서 운영비원조금지조항에 대하여 단순위헌결정을 하는 대신 헌법불합치 결정을 선고하되, 입법자의 개선입법이 이루어질 때까지 계속 적용을 명하기로 한다.

입법자는 되도록 빠른 시일 내에, 늦어도 2019. 12. 31.까지는 이와 같은 결정의 취지에 맞추어 개선입법을 하여야 할 것이고, 그때까지 개선입법이 이루어지지 않으면 운영비원조금지조항은 2020. 1. 1.부터 그 효력을 상실한다.

228 특수경비원의 쟁의행위 금지 사건 [기각, 각하]
– 2009. 10. 29. 선고 2007헌마1359

판시사항 및 결정요지

1. 행위금지조항만의 위헌성을 다투는 경우 벌칙조항으로 인한 기본권 침해의 직접성을 부인한 사례

경비업법 제28조 제4항 제2호는 그 전제인 행위금지조항(제15조 제3항)이 따로 있고 이를 위반하는 경우에 형벌을 부과하는 벌칙조항인데 청구인은 위 벌칙조항의 법정형이 체계정당성에 어긋난다거나 과다하다는 등 그 자체의 고유한 위헌성을 다투는 것이 아니라 전제되는 행위금지조항이 위헌이어서 그 제재조항도 당연히 위헌이라는 취지로 주장하는 것이므로 행위금지조항과 별도로 규정된 위 벌칙조항은 기본권 침해의 직접성이 인정되지 아니한다.

2. 공항·항만 등 국가중요시설의 경비업무를 담당하는 특수경비원에게 경비업무의 정상적인 운영을 저해하는 일체의 쟁의행위를 금지하는 경비업법 제15조 제3항(이하 '이 사건 법률조항'이라 한다)이 특수경비원의 단체행동권을 박탈하여 헌법 제33조 제1항에 위배되는지 여부(소극)

헌법 제33조 제1항에서는 근로자의 단결권·단체교섭권 및 단체행동권을 보장하고 있는바, 현행 헌법에서 공무원 및 법률이 정하는 주요방위산업체에 종사하는 근로자와는 달리 특수경비원에 대해서는 단체행동권 등 근로3권의 제한에 관한 개별적 제한규정을 두고 있지 않다고 하더라도, 헌법 제37조 제2항의 일반유보조항에 따른 기본권제한의 원칙에 의하여 특수경비원의 근로3권 중 하나인 단체행동권을 제한할 수 있다

3. 이 사건 법률조항이 과잉금지원칙을 위반하여 특수경비원의 단체행동권을 침해하는지 여부(소극)

이 사건 법률조항은 특수경비원들이 관리하는 국가 중요시설의 안전을 도모하고 방호혼란을 방지하려고 하는 것이므로 그 목적의 정당성을 인정할 수 있고, 특수경비원의 쟁의행위를 금지함으로써 위와 같은 입법목적에 기여할 수 있다 할 것이므로 수단의 적합성도 인정할 수 있다.

특수경비원 업무의 강한 공공성과 특히 특수경비원은 소총과 권총 등 무기를 휴대한 상태로 근무할 수 있는 특수성 등을 감안할 때, 특수경비원의 신분이 공무원이 아닌 일반근로자라는 점에만 치중하여 특수경비원에게 근로3권 즉 단결권, 단체교섭권, 단체행동권 모두를 인정하여야 한다고 보기는 어렵고, 적어도 특수경비원에 대하여 단결권, 단체교섭권에 대한 제한은 전혀 두지 아니하면서 단체행동권 중 '경비업무의 정상적인 운영을 저해하는 일체의 쟁위행위'만을 금지하는 것은 입법목적 달성에 필요불가결한 최소한의 수단이라고 할 것이어서 침해의 최소성 원칙에 위배되지 아니한다.

이 사건 법률조항으로 인하여 특수경비원의 단체행동권이 제한되는 불이익을 받게 되는 것을 부정할 수는 없으나 국가나 사회의 중추를 이루는 중요시설 운영에 안정을 기함으로써 얻게 되는 국가안전보장, 질서유지, 공공복리 등의 공익이 매우 크다고 할 것이므로, 이 사건 법률조항에 의한 기본권제한은 법익의 균형성 원칙에 위배되지 아니한다. 따라서 이 사건 법률조항은 과잉금지원칙에 위배되지 아니하므로 헌법에 위반되지 아니한다.

229 청원경찰 근로3권 전면 제한 사건 [헌법불합치, 각하]
― 2017. 9. 28. 선고 2015헌마653

판시사항

1. 청원경찰의 복무에 관하여 국가공무원법 제66조 제1항을 준용함으로써 노동운동을 금지하는 청원경찰법 제5조 제4항 중 국가공무원법 제66조 제1항 가운데 '노동운동' 부분을 준용하는 부분(이하 '심판대상조항'이라 한다)이 국가기관이나 지방자치단체 이외의 곳에서 근무하는 청원경찰인 청구인들의 근로3권을 침해하는지 여부(적극)
2. 헌법불합치결정을 하되 계속 적용을 명한 사례

사건의 개요

1. 청구인들은 한국수력원자력 주식회사의 청원경찰로 임용되어, 월성원자력본부, 고리원자력본부, 한울원자력본부, 한빛원자력본부에서 청원경찰로 근무하고 있는 사람들이다. [별지 1(생략)] 기재 청구인들은 2014. 6. 30. 청원경찰로 임용되었고, [별지 2(생략)] 기재 청구인들은 2013. 9. 2. 이전에 청원경찰로 임용되었다.

2. 청구인들은 청원경찰의 복무에 관하여 국가공무원법 제66조 제1항을 준용함으로써 노동운동을 금지하는 청원경찰법 제5조 제4항 및 위 조항에 따라 준용되는 국가공무원법 제66조 제1항을 위반한 사람에 대하여 처벌하도록 규정한 청원경찰법 제11조가 청구인들의 근로3권과 평등권을 침해한다고 주장하며, 2015. 6. 19. 이 사건 헌법소원심판을 청구하였다.

심판대상조항 및 관련조항

청구인들은 청원경찰법 제5조 제4항 전부에 대해 헌법소원심판을 청구하였으나, 청구인들의 주장취지는 위 조항이 국가공무원법 제66조 제1항을 준용해 청원경찰로 하여금 근로3권을 행사할 수 없게 한 부분의 위헌성을 다투는 것이므로, 심판대상을 이와 관련된 부분으로 한정한다. 청원경찰법 제11조는 그 전제가 되는 구성요건조항인 제5호 제4항이 따로 있고 이를 위반하는 경우에 벌칙을 부과하는 벌칙조항인데, 청구인은 위 벌칙조항 자체의 고유한 위헌성을 다투는 것이 아니라 전제되는 구성요건조항이 위헌이어서 그 제재조항도 당연히 위헌이라는 취지로 주장하고 있을 뿐이므로, 청원경찰법 제11조는 심판대상으로 삼지 않는다.

따라서 이 사건 심판대상은 청원경찰법(2010. 2. 4. 법률 제10013호로 개정된 것) 제5조 제4항 중 국가공무원법 제66조 제1항 가운데 '노동운동' 부분을 준용하는 부분(이하 '심판대상조항'이라 한다)이 청구인들의 기본권을 침해하는지 여부이다. 심판대상조항 및 관련조항은 다음과 같다.

【심판대상조항】
청원경찰법(2010. 2. 4. 법률 제10013호로 개정된 것)

제5조(청원경찰의임용등) ④ 청원경찰의복무에 관하여는 「국가공무원법」 제57조, 제58조 제1항, 제60조, 제66조 제1항 및 「경찰공무원법」 제18조를 준용한다.

【관련조항】
국가공무원법(2008. 3. 28. 법률 제8996호로 개정된 것)

제66조(집단 행위의 금지) ① 공무원은 노동운동이나 그 밖에 공무 외의 일을 위한 집단 행위를 하여서는 아니 된다. 다만, 사실상 노무에 종사하는 공무원은 예외로 한다.

주문

1. 청원경찰법(2010. 2. 4. 법률 제10013호로 개정된 것) 제5조 제4항 중 국가공무원법 제66조 제1항 가운데 '노동운동' 부분을 준용하는 부분은 헌법에 합치되지 아니한다. 위 법률조항은 2018. 12. 31.을 시한으로 개정될 때까지 계속 적용한다.
2. [별지 2] 기재 청구인들의 심판청구를 모두 각하한다.

I 적법요건에 대한 판단 – [별지2기재] 청구인들의 청구기간 도과

II 본안에 대한 판단

1. 쟁점의 정리

헌법 제33조 제1항은 "근로자는 근로조건의 향상을 위하여 자주적인 단결권·단체교섭권 및 단체행동권을 가진다."고 하여 근로3권을 보장한다. 근로3권은 사회적 보호기능을 담당하는 자유권 또는 사회권적 성격을 띤 자유권이라고 할 수 있다. 자유권적 성격과 사회권적 성격을 함께 갖는 근로3권은, 국가가 근로자의 단결권을 존중하고 부당한 침해를 하지 아니함으로써 보장되는 자유권적 측면인 국가로부터의 자유뿐만 아니라, 근로자의 권리행사의 실질적 조건을 형성하고 유지해야 할 국가의 적극적인 활동을 필요로 한다. 심판대상조항은 청원경찰의 복무에 관하여 국가공무원법 제66조 제1항을 준용하여 노동운동을 금지하고 있으므로, 자유권적 측면의 근로3권과 관련이 깊다.

2. 근로3권 침해 여부

가. 목적의 정당성 및 수단의 적합성

심판대상조항은 청원경찰의 근로3권을 제한함으로써 청원경찰이 관리하는 중요시설의 안전을 도모하려는 것이므로 목적의 정당성이 인정될 수 있고, 근로3권의 제한은 위와 같은 목적달성에 기여할 수 있으므로 수단의 적합성도 인정될 수 있다.

나. 침해의 최소성

1) 헌법 제33조 제1항이 근로3권을 인정한 취지는 근로조건의 향상을 위하여 경제적 약자인 근로자가 사용자와 대등한 입장에서 단체협약을 체결할 수 있게 하자는 데 있다. 근로자단체의 단결된 힘에 의해서 비로소 노사관계에 있어서 실질적 평등이 실현되며, 근로자는 이를 바탕으로 근로조건의 향상을 꾀할 수 있기 때문이다.

공무원은 그 임용주체가 궁극에는 주권자인 국민이기 때문에 국민전체에 대하여 봉사하고 책임을 져야 하는 특별한 지위에 있다. 또한, 공무원은 담당업무가 국가 또는 공공단체의 공적인 일이고 그 직무를 수행함에 있어서 공공성·공정성·성실성 및 중립성이 요구된다. 헌법은 제7조 제1항, 제2항에서 공무원은 국민전체에 대한 봉사자이고 국민에 대하여 책임을 지며, 그 신분과 정치적 중립성은 법률이 정하는 바에 의하여 보장된다고 규정하고 있고, 제33조 제2항에서 근로3권에 관하여 공무원에 대한 특별규정을 두고 있다.

그런데 청원경찰은 사용자인 청원주와의 고용계약에 의한 근로자일 뿐, 국민전체에 대한 봉사자로서 국민에 대하여 책임을 지며 그 신분과 정치적 중립성이 법률에 의해 보장되는 공무원 신분이 아니다. 법률이 정하는 바에 따라 근로3권이 제한적으로만 인정되는 헌법 제33조 제2항의 공무원으로 볼 수는 없는 이상, 일반근로자인 청원경찰에게는 기본적으로 헌법 제33조 제1항에 따라 근로3권이 보장되어야 한다.

2) 청원경찰에게 근로3권이 보장된다고 하더라도 헌법 제37조 제2항에 따라 국가안전보장, 질서유지 또는 공공복리를 위하여 근로3권이 제한될 수 있다. 청원경찰은 중요시설·사업장등의 경비를 담당하므로(청원경찰법 제2조), 이러한 청원경찰 업무의 공공성은 청원경찰의 근로3권을 제한하는 근거가 될 수 있다. 그러나 이러한 제한은 그 목적 달성에 필요한 최소한의 범위 내에서 이루어져야 한다.

3) 청원경찰은 경찰 등과 달리 청원주의 감독을 받으면서 제한된 구역만의 경비를 목적으로 필요한 범위에서 경찰관의 직무를 수행할 뿐이다. 청원경찰의 근무지역은 제한된 특정 경비구역에 국한되고, 그 권한 역시 경비구역의 경비에 필요한 범위로 엄격하게 한정된다.

그리고 청원경찰은 보수 등에 있어서 법적으로 일정한 보장을 받고 있으나, 이런 보장이 공무원과 동일하다고 할 수 없다. 청원주는 청원경찰이 배치된 시설이 폐쇄 또는 축소되는 경우 필요하다고 인정될 때에는 청원경찰의 배치를 폐지하거나 인원을 감축할 수 있고 이로써 청원경찰은 당연히 퇴직하게 되는 등 청원경찰의 신분보장은 공무원에 비해 취약하다.

따라서 심판대상조항이 청원경찰 업무의 공공성을 이유로 하여 일반근로자인 청원경찰의 근로3권 전부를 쉽사리 제한해서는 아니 된다.

위에서 본 바와 같이 청원경찰의 신분보장 수준은 일반적인 공무원에 비하여 낮으며, 이를 쉽게 공무원의 경우와 동일시할 수는 없다. 더욱이 국가기관이나 지방자치단체 이외의 곳에서 근무하는 청원경찰은 근로조건에 관하여 공무원뿐만 아니라 국가기관이나 지방자치단체에 근무하는 청원경찰에 비해서도 낮은 수준의 법적 보장을 받고 있다. 이들에 대해서는 근로3권이 허용되어야 할 필요성이 더욱 크다.

국가기관이나 지방자치단체에 근무하는 청원경찰의 근로조건은 국가나 지방자치단체가 그 비용을 부담하므로 공무원과 마찬가지로 국가 등의 예산상황과 조화될 수 있는 범위에서 정해질 필요가 있으나, 그 외의 곳에서 근무하는 청원경찰의 근로조건은 이러한 제한을 받지 아니하고 사인인 청원주와의 합의에 따라 정해진다. 국가기관이나 지방자치단체 이외의 곳에서 근무하는 청원경찰이 청원주와 실질적으로 동등한 지위에서 근로조건을 결정하기 위해서는, 근로3권이 일률적으로 부정되어서는 아니 된다.

그럼에도 심판대상조항은 근로조건이나 신분보장을 고려하지 않고 모든 청원경찰의 근로3권을 전면적으로 제한하고 있다.

청원경찰에 대하여 직접행동을 수반하지 않는 단결권과 단체교섭권을 인정하더라도 시설의 안전 유지에 지장이 된다고 단정할 수 없다. 헌법은 주요방위산업체 근로자들의 경우에도 단체행동권만을 제한하고 있고, 경비업법은 무기를 휴대하고 국가중요시설의 경비 업무를 수행하는 특수경비원의 경우에도 쟁의행위를 금지할 뿐이다.

청원경찰은 특정 경비구역에서 근무하며 그 구역의 경비에 필요한 한정된 권한만을 행사하므로, 청원경찰의 업무가 가지는 공공성이나 사회적 파급력은 군인이나 경찰의 그것과는 비교하여 견주기 어렵다. 그럼에도 심판대상조항은 군인이나 경찰과 마찬가지로 모든 청원경찰의 근로3권을 획일적으로 제한하고 있다.

이상을 종합하여 보면, 심판대상조항이 모든 청원경찰의 근로3권을 전면적으로 제한하는 것은 입법목적 달성을 위해 필요한 범위를 넘어선 것이므로, 심판대상조항은 침해의 최소성 원칙에 위배된다.

다. 법익의 균형성

심판대상조항으로 말미암아 청원경찰이 경비하는 중요시설의 안전을 도모할 수 있음은 분명하나, 이로 인해 받는 불이익은 모든 청원경찰에 대한 근로3권의 전면적 박탈이라는 점에서, 심판대상조항은 법익의 균형성도 인정되지 아니한다.

라. 소 결

심판대상조항은 과잉금지원칙을 위반하여 [별지 1] 기재 청구인들의 근로3권을 침해한다.

Ⅲ 결 론

심판대상조항은 헌법에 합치되지 아니하나 2018. 12. 31.을 시한으로 입법자의 개선입법이 이루어질 때까지 잠정적으로 적용하기로 하여 관여 재판관 전원의 일치된 의견에 따라 주문과 같이 결정한다. 종래 이와 견해를 달리하여 심판대상조항이 헌법에 위반되지 아니한다고 판시한 우리 재판소결정(헌재 2008. 7. 31. 2004헌바9)은, 이 결정 취지와 저촉되는 범위 안에서 변경하기로 한다.

 **230** 노동조합설립신고제 사건 [합헌]
— 2012. 3. 29. 선고 2011헌바53

판시사항

1. 노동조합을 설립할 때 행정관청에 설립신고서를 제출하게 하고 그 요건을 충족하지 못하는 경우 설립신고서를 반려하도록 하고 있는 '노동조합 및 노동관계조정법'(2010. 6. 4. 법률 제10339호로 개정되기 전의 것) 제12조 제3항 제1호(이하 '이 사건 법률조항'이라 한다)가 헌법상 금지된 단체결성에 대한 허가제에 해당하는지 여부(소극)
2. 이 사건 법률조항이 과잉금지원칙을 위반하여 근로자의 단결권을 침해하고 있는지 여부(소극)

사건의 개요

청구인 전국공무원노동조합은 구 전국공무원노동조합, 전국민주공무원노동조합, 법원공무원노동조합이 합병 결의를 통해 전국 공무원을 조직대상으로 하여 결성한 노동조합으로서 2010. 2. 25. 고용노동부장관(당시 노동부장관)에게 노동조합 설립신고서를 제출하였다.

고용노동부장관은 2010. 3. 3. 위 노동조합 설립신고서에는 구 전국공무원노동조합 소속 조합원이던 해직자 82명이 조합원으로 포함되어 있고, 청구인 산하 조직 대표자 중 8명은 노동조합 가입이 금지되는 부서 내 다른 공무원의 업무수행을 지휘·감독하거나 총괄하는 업무에 주로 종사하는 공무원에 해당된다는 등의 사유로 '공무원의 노동조합 설립 및 운영에 관한 법률' 제2조, 제6조, '노동조합 및 노동관계조정법' 제2조 제4호에 위반된다고 하여 이를 반려하는 처분을 하였다(이하 '이 사건 처분'이라 한다).

청구인은 2010. 3. 9. 고용노동부장관을 상대로 서울행정법원에 이 사건 처분의 취소를 구하는 소를 제기하였으나 기각되자, 항소하여 그 항소심 계속 중이던 2011. 1. 18. 이 사건 처분의 근거가 되는 '노동조합 및 노동관계조정법' 제12조 제3항에 대하여 위헌법률심판제청을 신청하였고, 2011. 2. 16. 기각된 '노동조합 및 노동관계조정법' 제12조 제3항 제1호에 대해 2011. 3. 16. 이 사건 헌법소원심판을 청구하였다.

심판대상조항 및 관련조항

이 사건의 심판대상은 '노동조합 및 노동관계조정법'(2010. 6. 4. 법률 제10339호로 개정되기 전의 것, 이하 '노동조합법'이라 한다) 제12조 제3항 제1호(이하 '이 사건 규정'이라 한다)의 위헌 여부이며, 그 내용은 다음과 같다.

【심판대상조항】
노동조합 및 노동관계조정법(2010. 6. 4. 법률 제10339호로 개정되기 전의 것)
제12조(신고증의 교부) ③ 행정관청은 설립하고자 하는 노동조합이 다음 각 호의 1에 해당하는 경우에는 설립신고서를 반려하여야 한다.

1. 제2조 제4호 각 목의 1에 해당하는 경우

【관련조항】

노동조합 및 노동관계조정법(2010. 6. 4. 법률 제10339호로 개정되기 전의 것)
제2조(정의) 이 법에서 사용하는 용어의 정의는 다음과 같다.
    4. "노동조합"이라 함은 근로자가 주체가 되어 자주적으로 단결하여 근로조건의 유지·개선 기타 근로자의 경제적·사회적 지위의 향상을 도모함을 목적으로 조직하는 단체 또는 그 연합단체를 말한다. 다만, 다음 각 목의 1에 해당하는 경우에는 노동조합으로 보지 아니한다.
      가. 사용자 또는 항상 그의 이익을 대표하여 행동하는 자의 참가를 허용하는 경우
      나. 경비의 주된 부분을 사용자로부터 원조받는 경우
      다. 공제·수양 기타 복리사업만을 목적으로 하는 경우
      라. 근로자가 아닌 자의 가입을 허용하는 경우. 다만, 해고된 자가 노동위원회에 부당노동행위의 구제신청을 한 경우에는 중앙노동위원회의 재심판정이 있을 때까지는 근로자가 아닌 자로 해석하여서는 아니된다.
      마. 주로 정치운동을 목적으로 하는 경우

주문

노동조합 및 노동관계조정법(2010. 6. 4. 법률 제10339호로 개정되기 전의 것) 제12조 제3항 제1호는 헌법에 위반되지 아니한다.

I 판 단

1. 이 사건의 쟁점

이 사건 규정은 노동조합이 사용자 또는 항상 그의 이익을 대표하여 행동하는 자의 참가를 허용하는 경우, 경비의 주된 부분을 사용자로부터 원조 받는 경우, 공제·수양 기타 복리사업만을 목적으로 하는 경우, 근로자가 아닌 자의 가입을 허용하는 경우, 주로 정치운동을 목적으로 하는 경우에 노동조합 설립신고서를 반려하도록 규정하고 있다.

위와 같이 노동조합 설립신고서를 반려하도록 하는 내용의 노동조합 설립신고 제도와 관련하여, 이것이 헌법상 금지된 결사에 대한 허가제로서 헌법 제21조를 위반하는지 여부가 문제된다.

한편, 이 사건 규정의 노동조합 설립신고서 반려제도는 노동조합 설립신고 단계에서 실질적인 심사를 통하여 일정한 요건을 충족하지 못하는 경우 설립신고서를 반려하도록 하고 있으므로 이에 대해서는 과잉금지원칙을 위반하여 근로자의 단결권을 침해하는 것이 아닌가 하는 의문이 제기된다.

따라서 이하에서는 위 문제들에 대해 살펴본다.

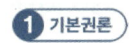

2. 노동조합 설립신고제도가 허가제에 해당하는지 여부

가. 헌법상 결사의 자유 및 노동조합 설립의 자유의 관계

1) 헌법 제21조 제1항은 "모든 국민은 언론·출판의 자유와 집회·결사의 자유를 가진다.", 제2항은 "언론·출판에 대한 허가나 검열과 집회·결사에 대한 허가는 인정되지 아니한다."라고 규정하고 있다. 결사의 자유는 견해 표명과 정보유통을 집단적으로 구현시켜 사회연대를 촉진하고 국가로부터 사회의 민주성과 자율성을 구현하는 자유로서, 공동의 목적을 가진 다수인이 자발적으로 계속적인 단체를 조직할 수 있는 자유를 말한다. 그리고 결사는 개인이 타인과 더불어 단체를 조직하고 견해를 같이하는 자들끼리 일정한 기간 동안 결합함으로써 공동의 목적을 추구하고 단체의 사를 형성하며, 그 조직의 한 구성원으로서 그 단체의사에 복종하는 사회공동체의 기본적인 조직원리이고, 이러한 결사의 자유에는 ① 단체결성의 자유, ② 단체존속의 자유, ③ 단체활동의 자유, ④ 결사에의 가입·잔류의 자유와 같은 적극적인 자유는 물론, 기존의 단체로부터 탈퇴할 자유와 결사에 가입하지 아니할 소극적인 자유도 포함된다.

2) 한편, 헌법 제33조 제1항은 "근로자는 근로조건의 향상을 위하여 자주적인 단결권, 단체교섭권 및 단체행동권을 가진다."라고 하여 근로자의 노동3권을 규정하면서, 제2항에서 공무원의 노동3권에 관하여 "공무원인 근로자는 법률이 정하는 자에 한하여 단결권, 단체교섭권 및 단체행동권을 가진다."라고 규정하고 있다. 이러한 노동3권 중 근로자의 단결권은 결사의 자유가 근로의 영역에서 구체화된 것으로서, 근로자의 단결권에 대해서는 헌법 제33조가 우선적으로 적용된다. 근로자의 단결권도 국민의 결사의 자유 속에 포함되나, 헌법이 노동3권과 같은 특별 규정을 두어 별도로 단결권을 보장하는 것은 근로자의 단결에 대해서는 일반 결사의 경우와 다르게 특별한 보장을 해준다는 뜻으로 해석된다. 즉, 근로자의 단결을 침해하는 사용자의 행위를 적극적으로 규제하여 근로자가 단결권을 실질적으로 자유롭게 행사할 수 있도록 해준다는 것을 의미한다.

3) 따라서 근로자의 단결권이 근로자 단결체로서 사용자와의 관계에서 특별한 보호를 받아야 할 경우에는 헌법 제33조가 우선적으로 적용되지만, 그렇지 않은 통상의 결사 일반에 대한 문제일 경우에는 헌법 제21조 제2항이 적용되므로 노동조합에도 헌법 제21조 제2항의 결사에 대한 허가제금지원칙이 적용된다.

나. 허가제 해당 여부

1) 헌법상 결사에 대한 허가 금지의 의미

헌법 제21조 제2항 후단의 결사에 대한 허가제 금지에서의 '허가'의 의미 역시 같은 조항상의 표현에 대한 '검열'이나 '허가', 집회에 대한 '허가'의 의미와 다르지 아니하며, 따라서 결사의 자유에 대한 '허가제'란 행정권이 주체가 되어 예방적 조치로서 단체의 설립 여부를 사전에 심사하여 일반적인 단체 결성의 금지를 특정한 경우에 한하여 해제함으로써 단체를 설립할 수 있게 하는 제도, 즉 사전 허가를 받지 아니한 단체 결성을 금지하는 제도라고 할 것이다.

2) 판 단

이 사건 법률조항은 노동조합 설립에 있어 노동조합법상의 요건 충족 여부를 사전에 심사하도록 하는 구조를 취하고 있으나, 이 경우 노동조합법상 요구되는 요건만 충족되면 그 설립이 자유롭다는 점에서 일반적인 금지를 특정한 경우에 해제하는 허가와는 개념적으로 구분되고, 더욱이 행정관청의 설립신고서 수리 여부에 대한 결정은 재량 사항이 아니라 의무 사항으로 그 요건 충족이 확인되면 설립신고서를 수리하고 그 신고증을 교부하여야 한다는 점에서 단체의 설립 여부 자체를 사전에 심사하여 특정한 경우에 한해서만 그 설립을 허용하는 '허가'와는 다르다. 따라서 이 사건 법률조항의 노동조합 설립신고서 반려제도가 헌법 제21조 제2항 후단에서 금지하는 결사에 대한 허가제라고 볼 수 없다.

3. 노동조합 설립신고제도가 근로자의 단결권을 침해하는지 여부

헌법 제33조 제1항은 근로자는 근로조건의 향상을 위하여 자주적인 단결권·단체교섭권 및 단체행동권을 가진다고 하여 근로자의 노동3권을 보호하고 있다. 그런데 이 사건 규정은 노동조합의 설립 시 설립신고서를 제출하도록 하면서 당해 노동조합이 일정한 요건을 충족하지 못하는 경우에는 설립신고서를 반려하도록 하여 근로자의 단결권을 제한하고 있는바, 이와 같이 근로자의 단결권을 제한하는 법률규정이 헌법에 위배되지 않기 위해서는 헌법 제37조 제2항에서 정하고 있는 기본권제한 입법 활동의 한계인 과잉금지의 원칙을 준수하여야 한다.

가. 목적의 정당성과 수단의 적합성

노동조합법이 노동조합의 설립에 관하여 신고주의를 채택하고 있는 것은 소관 행정관청으로 하여금 노동조합의 조직체계에 대한 효율적인 정비·관리를 통하여 노동조합이 자주성과 민주성을 갖춘 조직으로 존속할 수 있도록 보호·육성하고 그 지도·감독에 철저를 기하기 위함이고, 노동조합 설립신고에 대한 심사는 단순히 행정관청에 신고하는 것만으로 그 설립을 허용할 경우 민주성 및 자주성이라는 실질적인 요건조차 갖추지 못한 노동조합이 난립하는 것을 허용함으로써 노동조합이 어용조합이 되거나 조합 내부의 민주성을 침해할 우려가 있으므로 이를 방지하여 근로자들이 자주적이고 민주적인 단결권을 행사하도록 하는 데 그 취지가 있다. 따라서 이 사건 규정의 입법목적의 정당성은 인정된다.

한편, 이 사건 규정에서 노동조합 설립 시 행정관청으로 하여금 심사하도록 하고 있는 노동조합법 제2조 제4호의 내용 중 노동조합이 공제·수양 기타 복리사업만을 목적으로 하는 경우나 근로자가 아닌 자의 가입을 허용하는 경우, 나아가 주로 정치운동을 목적으로 하는 경우는 그 자체로 노동조합의 개념에 반하므로 노동조합 설립신고서를 반려하도록 한 것이고, 노동조합이 사용자 또는 항상 그의 이익을 대표하여 행동하는 자의 참가를 허용하거나 노동조합의 경비의 주된 부분을 사용자로부터 원조받는 경우 등은 노동조합의 자주성 등을 확보하도록 하기 위하여 그 설립신고서를 반려하도록 한 것이므로 이와 같은 경우에 노동조합 설립신고서를 반려하게 되면 노동조합의 개념에 부합하지 않거나 자주성 등을 갖추지 못한 노동조합의 설립을 미연에 방지할 수 있다는 점에서 그 입법목적을 달성하는 적절한 수단이 된다.

나. 최소침해성 및 법익균형성

노동조합은 다른 단체와 달리 근로조건 등에 관하여 사용자 또는 사용자단체와 단체협약을 체결할 수 있는 등 여러 가지 특권이 부여되어 있는바, 이 사건 규정은 노동조합이 노동조합법상 정하고 있는 특권을 누리기 위한 전제로 노동조합법에서 정하고 있는 요건을 충족할 것과 그 설립신고서를 행정관청에 제출하여 신고증을 교부받을 것을 요구하고 있다.

앞서 본 바와 같이 노동조합은 그 본질상 사용자로부터 독립하여 사용자에 대항하는 조직이고 사용자를 상대방으로 하는 교섭단체의 주체이기 때문에 그 불가결한 요소로서 사용자로부터의 자주성과 민주성이 확보되어야 한다. 따라서 노동조합의 본질적 요소인 자주성과 민주성의 충족 여부에 대한 심사는 노동조합 설립 시에 요구되는 당연한 절차라고 볼 수 있다.

만약 청구인의 주장처럼 노동조합의 설립단계에서는 단순한 신고나 등록 또는 보고로써 족하도록 하고, 노동조합에 요구되는 자주성 등의 요건들에 대해서는 이를 사후적으로 차단하는 제도만을 두게 된다면, 노동조합으로 인정될 수 없는 단체를 일단 노동조합으로 인정하게 되어 노동조합법상의 특권을 누릴 수 없는 자들에게까지 특권을 부여하는 결과를 야기하게 될 뿐만 아니라 노동조합의 실체를 갖추지 못한 노동조합들이 난립하는 사태를 방지할 수 없게 된다. 따라서 노동조합이 그 설립 당시부터 노동조합으로서 자주성 등을 갖추고 있는지를 미리 심사하여 이를 갖추지 못한 단체의 설립신고서를 반려하도록 함으로써 노동조합법상의 노동조합으로 보호하지 않는 것이 기본권제한의 최소침해성원칙을 위반하고 있다고 볼 수 없다.

또한 노동조합 설립신고제도는 법상 요건을 갖춘 노동조합에 한하여 노동위원회에 노동쟁의의 조정 및 부당노동행위의 구제를 신청할 수 있도록 하는 등 일정한 보호의 대상으로 삼기 위한 것이므로 비록 설립신고증을 교부받지 아니한 근로자 단체라 하더라도 노동조합법상 인정되는 보호의 대상에서 제외될 뿐이고, 노동기본권의 주체에게 인정되어야 하는 일반적인 권리까지 보장받을 수 없는 것은 아니다. 따라서 이러한 점에서도 이 사건 규정이 기본권제한의 최소침해성원칙에 위반된다고 볼 수 없다.

한편, 이 사건 노동조합 설립신고서 반려제도는 자주성 등의 실질적인 요건조차 갖추지 못한 노동조합의 난립을 방지할 수 있고, 노동조합법상 노동조합의 명칭을 사용하는 단결체는 법이 정한 요건을 모두 갖춘 노동조합이라는 공신력을 줄 수 있어 근로자들의 단결권을 강화하는 효과도 있다는 점에서 이로 인해 달성할 수 있는 공익은 매우 크다. 이에 비하여 이로 인해 제한되는 근로자의 이익은 노동조합법상 인정되는 보호대상에서 제외될 뿐 노동기본권의 주체로서 인정되어야 하는 일반적인 권리는 보장된다는 점에서 법익균형성도 갖추었다고 할 것이다.

그렇다면 이 사건 규정은 과잉금지의 원칙을 위반하여 근로자의 단결권을 침해한다고 할 수 없다.

Ⅱ 결 론

이상에서 본 바와 같이 노동조합 및 노동관계조정법(2010. 6. 4. 법률 제10339호로 개정되기 전의 것) 제12조 제3항 제1호는 헌법에 위반되지 아니하므로 관여 재판관 전원의 일치된 의견으로 주문과 같이 결정한다.

231 전국교수노동조합 사건 [헌법불합치]
― 2018. 8. 30. 선고 2015헌가38

판시사항

1. '교원의 노동조합 설립 및 운영 등에 관한 법률'의 적용대상을 초·중등교육법 제19조 제1항의 교원이라고 규정함으로써, 고등교육법에서 규율하는 대학 교원들의 단결권을 인정하지 않는 '교원의 노동조합 설립 및 운영 등에 관한 법률'(이하 '교원노조법'이라 한다) 제2조 본문(이하 '심판대상조항'이라 한다)이 헌법에 위반되는지 여부(적극)
2. 헌법불합치결정을 하면서 잠정적용을 명한 사례

사건의 개요

제청신청인은 고등교육법상의 학교에 근무하는 교원들을 조합원으로 하는 전국 단위의 노동조합으로서, 2015. 4. 20. 고용노동부장관에게 노동조합설립신고서를 제출하였다. 고용노동부장관은 2015. 4. 23. 위 노동조합설립신고를 반려하면서, 그 이유로 '노동조합 및 노동관계조정법'(이하 '노동조합법'이라 한다) 제5조 단서, '교원의 노동조합 설립 및 운영 등에 관한 법률'(이하 '교원노조법'이라 한다) 제2조 본문이 교원 노동조합의 가입범위를 초·중등교육법 제19조 제1항의 교원으로 제한하고 있으므로 고등교육법상의 교원을 조직대상으로 하는 노동조합은 현행법상 설립이 허용되지 않기 때문이라고 하였다(이하 '이 사건 처분'이라 한다).

제청신청인은 이 사건 처분에 불복하여 고용노동부장관을 상대로 위 처분의 취소를 구하는 행정소송을 제기하는 한편, 그 소송 계속 중 교원노조법 제2조에 대하여 위헌제청신청을 하였고, 제청법원은 2015. 12. 30. 이 사건 위헌법률심판제청을 하였다.

심판대상조항 및 관련조항

교원의 노동조합 설립 및 운영 등에 관한 법률(2010. 3. 17. 법률 제10132호로 개정된 것)
제2조(정의) 이 법에서 "교원"이란 「초·중등교육법」 제19조 제1항에서 규정하고 있는 교원을 말한다.

주문

교원의 노동조합 설립 및 운영 등에 관한 법률(2010. 3. 17. 법률 제10132호로 개정된 것) 제2조 본문은 헌법에 합치되지 아니한다. 위 법률조항은 2020. 3. 31.을 시한으로 개정될 때까지 계속 적용한다.

1. 쟁점 및 심사기준

가. 이 사건의 쟁점

'근로자'라 함은 직업의 종류를 불문하고 임금·급료 기타 이에 준하는 수입에 의하여 생활하는 자(노동조합법 제2조 제1호) 즉 '임금생활자'를 의미하고, 교원도 학생들에 대한 지도·교육이라는 노무에 종사하고 그 대가로 받는 임금·급료 그 밖에 이에 준하는 수입으로 생활하는 사람이므로 근로자에 해당한다. 그런데 헌법 제33조 제2항은 "공무원인 근로자는 법률이 정하는 자에 한하여 단결권·단체교섭권 및 단체행동권을 가진다."고 규정한다. 이에 헌법에 의한 근로자의 단결권·단체교섭권 및 단체행동권을 보장하기 위하여 마련된 노동조합법 제5조 본문은 "근로자는 자유로이 노동조합을 조직하거나 이에 가입할 수 있다."고 규정하면서, 같은 조 단서에서 공무원과 교원에 대하여는 따로 법률로 정한다고 규정함으로써 이들에 대한 노동조합법의 적용을 배제하고 있다.

이 사건의 쟁점은 근로기본권의 핵심적인 권리인 단결권조차 인정되지 아니하는 대학 교원에 대한 기본권의 제한이 헌법적으로 정당화될 수 있는지 여부이다.

나. 심사기준

이 사건에서는 대학 교원을 교육공무원 아닌 대학 교원과 교육공무원인 대학 교원으로 나누어, 각각의 단결권에 대한 제한이 헌법에 위배되는지 여부에 관하여 살펴보기로 하되, 교육공무원 아닌 대학 교원에 대해서는 과잉금지원칙 위배 여부를 기준으로, 교육공무원인 대학 교원에 대해서는 입법형성의 범위를 일탈하였는지 여부를 기준으로 나누어 심사하기로 한다.

2. 교육공무원이 아닌 대학 교원의 단결권 침해 여부

가. 단결권의 의의 및 그 제한의 요건

근로3권은 사회적 보호기능을 담당하는 자유권 또는 사회권적 성격을 띤 자유권이라고 할 수 있다. 자유권적 성격과 사회권적 성격을 함께 갖는 근로3권은, 국가가 근로자의 단결권을 존중하고 부당한 침해를 하지 아니함으로써 보장되는 자유권적 측면인 국가로부터의 자유뿐만 아니라, 근로자의 권리행사의 실질적 조건을 형성하고 유지해야 할 국가의 적극적인 활동을 필요로 한다. 심판대상조항은 교육공무원 아닌 대학 교원에 대하여 교원노조법의 적용을 배제함으로써 단결권을 비롯한 일체의 근로3권을 인정하지 않으므로, 자유권적 측면의 근로3권과 관련이 깊다. 또 단결권은 근로자의 다른 권리들을 진정한 권리로 만들어주는 근로기본권의 핵심으로서, 단결의 자유를 통해 노조의 조직·운영 및 제반 단결활동을 보장하는 권리라는 점에서도 자유권적인 성격이 강하다. 그러므로 이러한 단결권에 대한 제한이 헌법 제37조 제2항에서 정한 기본권제한 입법의 한계 내에 있기 위해서는 정당한 입법목적을 위한 필요 최소한의 제한이 되어야 한다.

나. 과잉금지원칙 위반 여부

심판대상조항으로 인하여 교육공무원 아닌 대학 교원들이 향유하지 못하는 단결권은 헌법이 보장하고 있는 근로3권의 핵심적이고 본질적인 권리이다. 심판대상조항의 입법목적이 재직 중인 초·중등교원에 대하여 교원노조를 인정해 줌으로써 교원노조의 자주성과 주체성을 확보한다는 측면에서는 그 정당성을 인정할 수 있을 것이나, 교원노조를 설립하거나 가입하여 활동할 수 있는 자격을 초·중등교원으로 한정함으로써 교육공무원이 아닌 대학 교원에 대해서는 근로기본권의 핵심인 단결권조차 전면적으로 부정한 측면에 대해서는 그 입법목적의 정당성을 인정하기 어렵고, 수단의 적합성 역시 인정할 수 없다.

헌법 제31조 제4항이 보장하는 대학의 자율성은 헌법 제22조 제1항이 보장하고 있는 학문의 자유의 확실한 보장수단으로서 꼭 필요한 것이며, 교수나 교수회는 대학의 장에 의한 학문의 자유 침해, 국가에 의한 대학의 자율성 침해 등의 경우에 있어 대학의 자치의 주체가 될 수 있다. 그런데 대학의 자율성을 보장하는 취지는 대학 구성원들이 학문의 연구와 교육이라는 대학의 기능을 달성하는 데 필요한 사항을 자주적으로 결정하도록 제도적으로 보장하는 것이며, 연구와 교육에 관한 중요한 의사결정 과정에 대학 구성원들이 참여할 수 있도록 하는 것이다. 이에 따라 학문의 자유를 향유하는 대학 교원은 대학자치의 주체로서 어느 정도 대학의 운영에 적극적으로 참여할 수 있는 길이 보장되어 있으나, 임금, 근무조건, 후생복지 등 교원의 경제적·사회적 지위향상에 대해서까지 대학 구성원들이 대학의 자율성을 근거로 그 의사결정 과정에 참여할 수 있다고 보기는 어렵다.

이러한 사정들에 비추어 보아도, 교육공무원 아닌 대학 교원의 단결권을 전면적으로 제한하는 것은 필요 이상의 과도한 제한이다.

최근 들어 대학 사회가 다층적으로 변화하면서 대학 교원의 사회·경제적 지위의 향상을 위한 요구가 높아지고 있는 사회적 상황에 비추어 볼 때 교육공무원이 아닌 대학 교원이 단결권을 행사하지 못한 채 개별적으로만 근로조건의 향상을 도모해야 하는 불이익은 중대한 것이므로, 심판대상조항은 법익균형성도 갖추지 못한 것이다.

그러므로 심판대상조항은 과잉금지원칙에 위배되어 교육공무원 아닌 대학 교원의 단결권을 침해한다.

3. 교육공무원인 대학 교원의 단결권 침해 여부

가. 입법형성권의 한계

앞서 본 바와 같이 대학 교원 가운데에는 교육공무원 신분인 교원이 있으며, 공무원은 헌법 제33조 제2항에 의하여 법률이 정하는 자에 한하여 근로3권을 가진다. 헌법 제33조 제2항에 의하여 입법자는 어느 범위의 공무원에게 근로3권을 인정할 것인지에 관하여 광범위한 입법형성권을 가지나, 입법재량이 무제한적인 것은 아니다. 입법권자가 헌법 제33조 제2항의 규정에 따라 근로3권의 주체가 될 수 있는 공무원의 범위를 정함에 있어서는 근로3권을 보장하고 있는 헌법의 정신이 존중되어야 함은 물론 국제사회에 있어서의 노동관계 법규 등도 고려되어야 하는 한편, 근로자인 공무원의 직위와 직급, 직무의 성질, 그 시대의 국가사회적 상황 등도 아울러 고려하여 합리적으로 결정하여야 한다.

그러므로 교육공무원인 대학 교원의 단결권을 전면적으로 부정하는 심판대상조항이 입법형성권을 합리적으로 행사한 것인지를 살펴본다.

나. 구체적 판단

교육공무원은 교육을 통해 국민 전체에게 봉사하는 공무원의 지위를 가지고 있기는 하지만, 그 직무수행은 '교육'이라는 근로를 제공하여 교육을 받을 권리를 향유하는 국민들의 수요를 충족시킴으로써 국민의 복리를 증진시키는 특수성을 가지고 있는 것이고, 직업공무원관계의 특성인 공법상의 근무·충성 관계에 입각하여 국민과 국가의 관계 형성에 관하여 중요하고 독자적인 결정권한을 갖는다고 볼 수는 없다. 이러한 교육공무원의 직무수행의 특성과 헌법 제33조 제1항 및 제2항의 정신을 종합해 볼 때, 교육공무원에게 근로3권을 일체 허용하지 않고 전면적으로 부정하는 입법형성은 합리성을 상실한 과도한 것으로 허용되지 않는다.

한편 초·중등교원은 의무교육의 주체로서 의무교육성, 표준성 등을 특징으로 하는 반면, 대학 교원은 헌법에서 보장하는 대학의 자율성 및 학문의 주체가 된다. 그러나 대학의 자율성 보장이나 학칙에 의한 교수협의회 등은 연구와 교육에 관한 중요한 의사결정 과정에 대학 구성원들이 참여할 수 있도록 하는 제도라는 점에서 그 취지가 있는 것이고, 단지 위와 같은 제도가 있다는 이유만으로 교육공무원인 대학 교원의 임금, 근무조건, 후생복지 등 교원의 경제적·사회적 지위 향상을 위한 단결의 필요성을 전면적으로 부인하는 것이 합리화 되지는 않는다.

이러한 점들을 종합할 때, 교육공무원인 대학 교원의 단결권을 전면적으로 부정하고 있는 심판대상조항은 입법형성의 범위를 벗어난 입법이다.

그러므로 교육공무원인 대학 교원에게 노동조합을 조직하고 가입할 권리인 단결권을 전혀 인정하지 않는 심판대상조항은 입법형성권의 범위를 벗어난 것으로서 헌법에 위반된다.

4. 헌법불합치결정과 잠정적용 명령의 필요성

법률이 헌법에 위반되는 경우, 헌법의 규범성을 보장하기 위하여 원칙적으로 그 법률에 대하여 위헌결정을 하여야 하는 것이지만, 위헌결정을 통하여 법률조항을 법질서에서 제거하는 것이 법적 공백이나 혼란을 초래할 우려가 있는 경우에는 위헌조항의 잠정적 적용을 명하는 헌법불합치결정을 할 수 있다. 심판대상조항은 대학 교원의 단결권을 침해하여 헌법에 위반되지만, 단순위헌결정을 하여 당장 그 효력을 상실시킬 경우에는 초·중등교육법 제19조 제1항에 의한 교원들에 대한 교원노조 설립의 근거가 사라지게 되어 재직 중인 초·중등교원에 대하여 교원노조를 인정해 줌으로써 이들의 교원노조의 자주성과 주체성을 확보하는 데 기여하는 입법목적을 달성하기 어려운 법적 공백 상태가 발생할 수 있다. 따라서 입법자가 합헌적인 방향으로 법률을 개선할 때까지 그 효력을 존속하게 하여 이를 적용할 필요가 있다.

232 전국교직원노동조합 사건 [기각, 각하]
― 2015. 5. 28. 선고 2013헌마671,2014헌가21(병합)

판시사항

1. 별도의 집행행위를 예정하고 있어 법령에 대한 헌법소원심판청구에서 기본권 침해의 직접성을 부인한 사례
2. 다른 불복절차를 거치지 아니하여 보충성 요건을 흠결한 것으로 본 사례
3. '교원의 노동조합 설립 및 운영 등에 관한 법률'의 적용을 받는 교원의 범위를 초·중등학교에 재직 중인 교원으로 한정하고 있는 '교원의 노동조합 설립 및 운영 등에 관한 법률'(2010. 3. 17. 법률 제10132호로 개정된 것, 이하 '교원노조법'이라 한다) 제2조(이하 '이 사건 법률조항'이라 한다)가 청구인 전국교직원노동조합 및 해직 교원들의 단결권을 침해하는지 여부(소극)

사건의 개요

청구인 전국교직원노동조합('전교조')은 '교원의 노동조합 설립 및 운영 등에 관한 법률'('교원노조법')에 따라 1999. 7. 1. 설립된 전국 단위 '교원의 노동조합'('교원노조')이고, 나머지 청구인들은 전교조 소속 조합원들로서 소속 학교로부터 당연퇴직 등을 이유로 해고된 교원들이다. 고용노동부 장관('피청구인')은 2013. 9. 23. 전교조에 대하여, 해고된 교원도 조합원 자격을 유지한다는 내용의 규약을 교원노조법 제2조에 맞게 시정하고 해고된 교원 9인의 전교조 가입·활동을 금지하도록 하면서, 불응시 법외노조통보 예정이라는 내용의 시정요구를 하였다. 이에 청구인들은 교원노조법 제2조, '노동조합 및 노동관계조정법'('노조법') 시행령 제9조 제2항 및 위 시정요구가 청구인들의 단결권 등 기본권을 침해한다고 주장하면서 이 사건 헌법소원심판을 청구하였다(2013헌마671).

고용노동부장관은 2013. 10. 24. 전교조에 대하여 위 시정요구 불이행을 이유로 법외노조통보('이 사건 법외노조통보')를 하였고, 전교조가 그에 대한 취소 소송의 항소심에서 교원노조법 제2조에 대하여 위헌법률심판제청을 신청하자, 서울고등법원이 이를 받아들여 이 사건 위헌법률심판을 제청하였다(2014헌가21).

심판대상조항 및 관련조항

2013헌마671 사건의 심판대상은 (1) '교원의 노동조합 설립 및 운영 등에 관한 법률'(2010. 3. 17. 법률 제10132호로 개정된 것, 다음부터 '교원노조법'이라 한다) 제2조(다음부터 '이 사건 법률조항'이라 한다), (2) 교원노조법 시행령(2013. 3. 23. 대통령령 제24447호로 개정된 것) 제9조 제1항 중 '노동조합 및 노동관계조정법 시행령' 제9조 제2항에 관한 부분(다음부터 '법외노조통보 조항'이라 한다), (3) 피청구인의 청구인 전교조에 대한 2013. 9. 23. 자 시정요구(다음부터 '이 사건 시정요구'라 한다)가 청구인들의 기본권을 침해하는지 여부이다. 한편, 2014헌가21 사건의 심판대상은 이 사건 법률조항이 헌법에 위반되는지 여부

이다. 이 사건 심판대상은 다음과 같다.

【심판대상조항】

교원의 노동조합 설립 및 운영 등에 관한 법률(2010. 3. 17. 법률 제10132호로 개정된 것)

제2조(정의) 이 법에서 "교원"이란 초·중등교육법 제19조 제1항에서 규정하고 있는 교원을 말한다. 다만, 해고된 사람으로서 '노동조합 및 노동관계조정법' 제82조 제1항에 따라 노동위원회에 부당노동행위의 구제신청을 한 사람은 노동위원회법 제2조에 따른 중앙노동위원회(이하 "중앙노동위원회"라 한다)의 재심판정이 있을 때까지 교원으로 본다.

교원의 노동조합 설립 및 운영 등에 관한 법률 시행령(2013. 3. 23. 대통령령 제24447호로 개정된 것)

제9조(다른 시행령과의 관계) ① 교원에게 적용할 노동조합 및 노동관계조정에 관하여 이 영에서 정하지 아니한 사항에 관하여는 제2항에서 정하는 경우를 제외하고는 '노동조합 및 노동관계조정법 시행령'에서 정하는 바에 따른다.

피청구인의 청구인 전교조에 대한 2013. 9. 23. 자 시정요구서

○ 시정기한 2013. 10. 23.
○ 시정요구사항
-귀 노동조합의 규약 부칙 제5조는 해직교원에 대하여 노동위원회에 대한 부당노동행위 구제신청 등 여부를 묻지 않고 조합원으로 인정하고 있어 강행규정인 '교원의 노동조합 설립 및 운영 등에 관한 법률' 제2조에 위반되므로 동 규정에 맞게 시정하기 바람
-붙임 명단의 해직자는 '교원의 노동조합 설립 및 운영에 관한 법률' 제2조에 의한 조합원 자격이 없는 자에 해당하므로 귀 노동조합에 가입·활동하지 않도록 조치하기 바람
※ 붙임 : 전교조 활동 해직자 명단
'교원의 노동조합 설립 및 운영 등에 관한 법률' 제14조 및 동법 시행령 제9조, '노동조합 및 노동관계조정법' 제12조 제3항 및 동법 시행령 제9조 제2항의 규정에 따라 위와 같이 시정을 요구합니다.
※ 위 시정기한 내 시정결과를 보고하지 않는 경우에는 '교원의 노동조합 설립 및 운영에 관한 법률'에 따른 노동조합으로 보지 않음을 알려드립니다.

【관련조항】

노동조합 및 노동관계조정법 시행령

제9조(설립신고서의 보완요구 등) ② 노동조합이 설립신고증을 교부받은 후 법 제12조 제3항 제1호에 해당하는 설립신고서의 반려사유가 발생한 경우에는 행정관청은 30일의 기간을 정하여 시정을 요구하고 그 기간 내에 이를 이행하지 아니하는 경우에는 당해 노동조합에 대하여 이 법에 의한 노동조합으로 보지 아니함을 통보하여야 한다.

주문

1. '교원의 노동조합 설립 및 운영 등에 관한 법률 시행령'(2013. 3. 23. 대통령령 제24447호로 개정된 것) 제9조 제1항 중 '노동조합 및 노동관계조정법 시행령' 제9조 제2항에 관한 부분 및 피청구인 고용

노동부장관의 청구인 전국교직원노동조합에 대한 2013. 9. 23. 자 시정요구에 대한 심판청구는 각하하고, 나머지 심판청구는 기각한다.
2. '교원의 노동조합 설립 및 운영 등에 관한 법률'(2010. 3. 17. 법률 제10132호로 개정된 것) 제2조는 헌법에 위반되지 아니한다.

I 적법요건에 대한 판단

1. 법외노조통보 조항 부분

법령 자체가 헌법소원의 대상이 될 수 있으려면 그 법령에 의하여 직접 구체적인 집행행위를 기다리지 아니하고 자유의 제한, 의무의 부과, 권리 또는 법적 지위의 박탈이 발생해야 한다. 따라서 법규범이 집행행위를 예정하고 있는 경우는 원칙적으로 기본권 침해의 직접성을 인정할 수 없다.

법외노조통보 조항은 교원노조가 설립신고증을 받은 뒤 노동조합법 제12조 제3항 제1호에 해당하는 사유가 발생한 경우 행정관청이 30일의 기간을 정하여 교원노조에 그 시정을 요구하고, 이에 응하지 아니하면 교원노조법에 의한 노동조합으로 보지 아니함을 통보하여야 한다고 정하고 있어, 법외노조통보라는 별도의 집행행위를 예정하고 있다. 이 사건에서도 피청구인이 법외노조통보 조항에 따라 전교조를 상대로 이 사건 시정요구를 하고, 그에 응하지 않자 법외노조통보를 하였고, 전교조는 법외노조통보에 따라 비로소 교원노조법상의 노동조합의 지위를 잃게 되었다. 이와 같이 법외노조통보 조항은 시정요구 및 법외노조통보라는 별도의 집행행위를 예정하고 있으므로, 법외노조통보 조항에 대한 헌법소원은 기본권 침해의 직접성이 인정되지 아니한다. 따라서 법외노조통보 조항에 대한 심판청구 부분은 부적법하다.

2. 이 사건 시정요구 부분

이 사건 법외노조통보 조항은 교원노조가 시정요구에 따라 30일 이내에 스스로 위법 사유를 시정하지 않으면 법외노조통보를 받게 된다고 정하고 있다. 따라서 이 사건 시정요구로 인하여 청구인 전교조는 해직 교원을 조합원에서 배제하고 관련 규약을 시정할 의무를 지게 되므로, 이 사건 시정요구는 청구인 전교조의 권리·의무에 변동을 일으키는 행정행위에 해당한다. 그런데 청구인 전교조는 이 사건 시정요구에 대하여 다른 불복절차를 거치지 아니하고 곧바로 헌법소원심판을 청구하였으므로, 이 사건 시정요구에 대한 헌법소원은 보충성 요건을 결하였다. 따라서 이 사건 시정요구에 대한 심판청구 부분도 부적법하다.

II 본안 판단

1. 제한되는 기본권

근로3권 중 단결권에는 개별 근로자가 노동조합 등 근로자단체를 조직하거나 그에 가입하여 활동할 수 있는 개별적 단결권뿐만 아니라 근로자단체가 존립하고 활동할 수 있는 집단적 단결권도 포함된다. 이 사건 법률조항은 교원의 근로조건에 관하여 정부 등을 상대로 단체교섭 및 단체협약을 체결할 권한을 가진 교원노조를 설립하거나 그에 가입하여 활동할 수 있는 자격을 초·중등학교에 재직 중인 교원으로 한정하고 있으므로, 해직 교원이나 실업·구직 중에 있는 교원 및 이들을 조합원으로 하여 교원노조를 조직·구성하려고 하는 교원노조의 단결권을 제한한다.

한편, 국제노동기구(ILO)의 '결사의 자유 위원회', 경제협력개발기구(OECD)의 '노동조합자문위원회' 등이 우리나라에 대하여 재직 중인 교사들만이 노동조합에 참여할 수 있도록 허용하는 것은 결사의 자유를 침해하는 것이므로 이를 국제기준에 맞추어 개선하도록 권고한 바 있다. 하지만 이러한 국제기구의 권고를 위헌심사의 척도로 삼을 수는 없고, 국제기구의 권고를 따르지 않았다는 이유만으로 이 사건 법률조항이 헌법에 위반된다고 볼 수 없다.

2. 이 사건 법률조항의 위헌 여부

가. 심사기준

헌법 제33조 제1항은 "근로자는 근로조건의 향상을 위하여 자주적인 단결권·단체교섭권 및 단체행동권을 가진다."고 하여 근로자의 근로3권을 보호하고 있다. 교원도 학생들에 대한 지도·교육이라는 노무에 종사하고 그 대가로 받는 임금·급료 그 밖에 이에 준하는 수입으로 생활하는 사람이므로 근로자에 해당한다. 따라서 교원의 단결권을 제한하는 법률이 헌법에 위배되지 않기 위해서는 헌법 제37조 제2항에서 정하고 있는 기본권제한 입법의 한계인 과잉금지원칙을 준수하여야 한다.

다만, 오늘날 교육은 조직화·제도화된 학교교육이 중심을 이루고 있고 학교교육을 수행하는 사람이 교원이라는 점에서, 교원은 사용자에 고용되어 근로를 제공하고 임금 등 반대급부를 받는 일반근로자와 다른 특성이 있다. 이에 교육기본법, 교육공무원법, 교원지위법 및 이를 준용하는 사립학교법 등 교육관계법령에서는 공·사립학교를 불문하고 교원에게 보수, 연수, 신분보장 등 모든 면에서 통상적인 근로자에 비하여 특별한 대우 및 특혜를 부여하고 있다. 또한, 교원의 보수 수준 등 근로조건 향상을 위한 재정적 부담은 실질적으로 국민 전체가 지게 되므로, 이 사건 법률조항이 청구인들의 단결권을 침해하는지 여부를 판단함에 있어서는 이러한 교원의 직무 및 근로관계의 특수성을 고려할 필요가 있다.

한편, 이 사건 법률조항에 따라 단결권을 제한받는 사람들은 해고된 교원 또는 교사자격증을 가지고 있으나 정식으로 임용되지 않은 단계에 있는 사람들로 국·공립학교나 사립학교 중 어느 한 곳에 소속된 교원이 아니다. 또 교원노조법도 국·공립학교 교원과 사립학교 교원의 노동조합 구성 및 활동을 분리하여 규율하고 있지 않으므로, 이 사건 법률조항이 헌법에 위반되는지 여부를 판단함에 있어서 국·공립학교 교원과 사립학교 교원의 경우를 나누어 판단하지 아니한다.

나. 과잉금지원칙 위반여부

헌법 제33조 제1항이 근로자에게 근로3권을 기본권으로 보장하는 뜻은 근로자가 사용자와 대등한 지위에서 단체교섭을 통하여 자율적으로 임금 등 근로조건에 관한 단체협약을 체결할 수 있도록 하기 위한 것이다. 이러한 노사 간 실질적 자치라는 목적을 달성하기 위해서는 무엇보다도 노동조합의 자주성이라는 전제가 필요하다. 노동조합은 근로자들이 스스로 '근로조건의 유지·개선 기타 근로자의 경제적·사회적 지위 향상'을 위하여 국가와 사용자에 대항하여 자주적으로 단결한 조직이므로, 노동조합은 국가나 사용자 등으로부터 자주성을 확보해야 한다.

이 사건 법률조항은 대내외적으로 교원노조의 자주성과 주체성을 확보하여 교원의 실질적 근로조건 향상에 기여한다는 데 그 입법목적이 있는 것으로 그 목적이 정당하고, 교원노조의 조합원을 재직 중인 교원으로 한정하는 것은 이와 같은 목적을 달성하기 위한 적절한 수단이라 할 수 있다.

교원노조는 교원을 대표하여 단체교섭권을 행사하는 등 교원의 근로조건에 직접적이고 중대한 영향력을 행사하고, 교원의 근로조건의 대부분은 법령이나 조례 등으로 정해지므로 교원의 근로조건과 직접 관련이 없는 교원이 아닌 사람을 교원노조의 조합원 자격에서 배제하는 것이 단결권의 지나친 제한이라고 볼 수 없고, 교원으로 취업하기를 희망하는 사람들이 '노동조합 및 노동관계조정법'(이하 '노동조합법'이라 한다)에 따라 노동조합을 설립하거나 그에 가입하는 데에는 아무런 제한이 없으므로 이들의 단결권이 박탈되는 것도 아니다.

이 사건 법률조항 단서는 교원의 노동조합 활동이 임면권자에 의하여 부당하게 제한되는 것을 방지함으로써 교원의 노동조합 활동을 보호하기 위한 것이고, 해직 교원에게도 교원노조의 조합원 자격을 유지하도록 할 경우 개인적인 해고의 부당성을 다투는 데 교원노조의 활동을 이용할 우려가 있으므로, 해고된 사람의 교원노조 조합원 자격을 제한하는 데에는 합리적 이유가 인정된다.

한편, 교원이 아닌 사람이 교원노조에 일부 포함되어 있다는 이유로 이미 설립신고를 마치고 활동 중인 노동조합을 법외노조로 할 것인지 여부는 법외노조통보 조항이 정하고 있고, 법원은 법외노조통보 조항에 따른 행정당국의 판단이 적법한 재량의 범위 안에 있는 것인지 충분히 판단할 수 있으므로, 이미 설립신고를 마친 교원노조의 법상 지위를 박탈할 것인지 여부는 이 사건 법외노조통보 조항의 해석 내지 법 집행의 운용에 달린 문제라 할 것이다. 따라서 이 사건 법률조항은 침해의 최소성에도 위반되지 않는다.

이 사건 법률조항으로 인하여 교원 노조 및 해직 교원의 단결권 자체가 박탈된다고 할 수는 없는 반면, 교원이 아닌 자가 교원노조의 조합원 자격을 가질 경우 교원노조의 자주성에 대한 침해는 중대할 것이어서 법익의 균형성도 갖추었다.

이 사건 법률조항은 과잉금지원칙에 어긋나지 아니한다.

233 법외노조통보처분 취소 전원합의체 판결
— 대법원 2020. 9. 3. 선고 2016두32992

판시사항 및 결정요지

1. 헌법상 법치주의의 핵심적 내용인 법률유보원칙에 내포된 의회유보원칙에서 어떠한 사안이 국회가 형식적 법률로 스스로 규정하여야 하는 본질적 사항에 해당하는지 결정하는 방법 / 국민의 권리·의무에 관한 기본적이고 본질적인 사항 및 헌법상 보장된 국민의 자유나 권리를 제한할 때 그 제한의 본질적인 사항에 관하여 국회가 법률로써 스스로 규율하여야 하는지 여부(적극)

헌법 제37조 제2항은 "국민의 모든 자유와 권리는 국가안전보장·질서유지 또는 공공복리를 위하여 필요한 경우에 한하여 법률로써 제한할 수 있으며, 제한하는 경우에도 자유와 권리의 본질적인 내용을 침해할 수 없다."라고 규정하고 있다. 헌법상 법치주의는 법률유보원칙, 즉 행정작용에는 국회가 제정한 형식적 법률의 근거가 요청된다는 원칙을 핵심적 내용으로 한다. 나아가 오늘날의 법률유보원칙은 단순히 행정작용이 법률에 근거를 두기만 하면 충분한 것이 아니라, 국가공동체와 그 구성원에게 기본적이고도 중요한 의미를 갖는 영역, 특히 국민의 기본권 실현에 관련된 영역에 있어서는 행정에 맡길 것이 아니고 국민의 대표자인 입법자 스스로 그 본질적 사항에 대하여 결정하여야 한다는 요구, 즉 의회유보원칙까지 내포하는 것으로 이해되고 있다. 여기서 어떠한 사안이 국회가 형식적 법률로 스스로 규정하여야 하는 본질적 사항에 해당되는지는, 구체적 사례에서 관련된 이익 내지 가치의 중요성, 규제 또는 침해의 정도와 방법 등을 고려하여 개별적으로 결정하여야 하지만, 규율대상이 국민의 기본권과 관련한 중요성을 가질수록 그리고 그에 관한 공개적 토론의 필요성 또는 상충하는 이익 사이의 조정 필요성이 클수록, 그것이 국회의 법률에 의하여 직접 규율될 필요성은 더 중대된다. 따라서 국민의 권리·의무에 관한 기본적이고 본질적인 사항은 국회가 정하여야 하고, 헌법상 보장된 국민의 자유나 권리를 제한할 때에는 적어도 그 제한의 본질적인 사항에 관하여 국회가 법률로써 스스로 규율하여야 한다.

2. 법률의 시행령이 법률에 의한 위임 없이 법률이 규정한 개인의 권리·의무에 관한 내용을 변경·보충하거나 법률에 규정되지 아니한 새로운 내용을 규정할 수 있는지 여부(소극)

헌법 제75조는 "대통령은 법률에서 구체적으로 범위를 정하여 위임받은 사항과 법률을 집행하기 위하여 필요한 사항에 관하여 대통령령을 발할 수 있다."라고 규정하고 있다. 따라서 대통령은 법률에서 구체적으로 범위를 정하여 위임받은 사항과 법률을 집행하기 위하여 필요한 사항에 관하여만 대통령령을 발할 수 있으므로, 법률의 시행령은 모법인 법률에 의하여 위임받은 사항이나 법률이 규정한 범위 내에서 법률을 현실적으로 집행하는 데 필요한 세부적인 사항만을 규정할 수 있을 뿐, 법률에 의한 위임이 없는 한 법률이 규정한 개인의 권리·의무에 관한 내용을 변경·보충하거나 법률에 규정되지 아니한 새로운 내용을 규정할 수는 없다.

3. 노동조합 및 노동관계조정법 시행령 제9조 제2항이 법률의 위임 없이 법률이 정하지 아니한 법외노조 통보에 관하여 규정함으로써 헌법상 노동3권을 본질적으로 제한하여 그 자체로 무효인지 여부(적극)

[다수의견] 법외노조 통보는 적법하게 설립된 노동조합의 법적 지위를 박탈하는 중대한 침익적 처분으로서 원칙적으로 국민의 대표자인 입법자가 스스로 형식적 법률로써 규정하여야 할 사항이고, 행정입법으로 이를 규정하기 위하여는 반드시 법률의 명시적이고 구체적인 위임이 있어야 한다. 그런데 이 사건 시행령 조항은 법률의 위임 없이 법률이 정하지 아니한 법외노조 통보에 관하여 규정함으로써 헌법상 노동3권을 본질적으로 제한하고 있으므로 그 자체로 무효이다. 구체적인 이유는 아래와 같다.

가. 법외노조 통보는 적법하게 설립되어 활동 중인 노동조합에 대하여 더 이상 노동조합법상 노동조합이 아님을 확정하는 형성적 행정처분이라고 보아야 한다. 노동조합법은 노동조합에 관한 설립신고 제도를 두고 있고, 법상 노동조합이 되려면 법이 정한 설립요건을 갖추는 외에 설립신고도 함께 구비하여야 하므로, 노동조합법상 노동조합은 설립신고서를 소관 행정관청에 제출하고 그 행정관청으로부터 그에 대한 신고증을 교부받음으로써 성립한다. 예컨대, 근로자가 아닌 자의 가입을 허용하지 않는다고 하여 곧바로 법상 노동조합의 지위를 가진다거나 근로자가 아닌 자의 가입을 허용한다고 하여 그 즉시 법상 노동조합이 아니라고 볼 수는 없다. 이 사건 법률 규정의 '노동조합으로 보지 아니한다'는 규정은 그 자체로 법률효과를 가지는 것이 아니라 노동조합법에 의한 노동조합인지에 관한 판단기준을 밝히고 있을 뿐이다.

행정관청은 법상 설립요건을 갖추지 못한 단체의 설립신고서를 반려하는데, 이러한 반려는 설립신고의 수리를 거부하는 것이므로 해당 단체의 법적 지위에 직접적인 영향을 미치는 행정처분이다. 즉 결격사유가 있는 단체는 이 사건 법률 규정에 따라 노동조합으로 보지 아니하나, 그러한 법적 효과는 위와 같은 설립신고서의 반려를 통하여 비로소 실현된다.

법외노조 통보는 이와 같은 절차를 거쳐 적법하게 설립되어 활동 중인 노동조합에 대하여 행정관청이 더 이상 노동조합법상 노동조합이 아님을 고권적으로 확정하는 행정처분으로서, 단순히 법률에 의하여 이미 법외노조가 된 것을 사후적으로 고지하거나 확인하는 행위가 아니라 그 통보로써 법외노조가 되도록 하는 형성적 행위이다. 즉 법상 노동조합에 결격사유가 발생한 경우, 이 사건 법률 규정에 의하여 곧바로 법외노조가 되는 것이 아니라, 이를 이유로 한 법외노조 통보가 있을 때 비로소 법외노조가 된다.

나. 법외노조 통보를 받은 노동조합은 더 이상 노동조합이라는 명칭을 사용할 수 없고, 사용자가 단체교섭을 거부하는 등 부당노동행위를 하더라도 적절히 대응할 수 없게 되는 등 노동조합으로서의 활동에 지장을 받게 된다. 물론 법외노조가 되더라도 노동조합으로서의 지위 자체를 상실하는 것은 아니므로 노동3권의 일반적인 행사는 가능하다고 볼 수 있으나, 그렇다 하더라도 현실적인 제약과 불이익을 피할 수는 없다. 노동3권은 노동조합을 통하여 비로소 실질적으로 보장될 수 있는데, '노동조합'이라는 명칭조차 사용할 수 없는 단체가 노동3권을 실효적으로 행사할 수 있다고 기대하기는 어렵기 때문이다. 결국 법외노조 통보는 형식적으로는 노동조합법에 의한 특별한 보호만을 제거하는 것처럼 보이지만 실질적으로는 헌법이 보장하는 노동3권을 본질적으로 제약하는 결과를 초래한다.

헌법 제33조 제1항은 "근로자는 근로조건의 향상을 위하여 자주적인 단결권·단체교섭권 및 단체행동권을 가진다."라고 규정함으로써 노동3권을 기본권으로 보장하고 있다. 노동3권은 법률의 제정이라는 국가의 개입을 통하여 비로소 실현될 수 있는 권리가 아니라, 법률이 없더라도 헌법의 규정만으로 직접 법규범으로서 효력을 발휘할 수 있는 구체적 권리라고 보아야 한다. 특히 노동3권 중 단결권은 결사의 자유가 근로의 영역에서 구체화된 것으로서 연혁적·개념적으로 자유권으로서의 본질을 가지고 있으므로, '국가에 의한 자유'가 아니라 '국가로부터의 자유'가 보다 강조되어야 한다. 따라서 노동관계법령을 입법할 때에는 이러한 노동3권, 특히 단결권의 헌법적 의미와 직접적 규범력을 존중하여야 하고, 이렇게 입법된 법령의 집행과 해석에 있어서도 단결권의 본질과 가치가 훼손되지 않도록 하여야 한다.

한편, 헌법은 위 제33조 제1항과 달리 제2항에서 "공무원인 근로자는 법률이 정하는 자에 한하여 단결권·단체교섭권 및 단체행동권을 가진다."라고 규정하고 있고, 교육공무원인 국·공립학교 교원은 물론 사립학교 교원 역시 노동3권의 행사가 제한된다. 이에 노동조합법 제5조는 본문에서 "근로자는 자유로이 노동조합을 조직하거나 이에 가입할 수 있다."라고 규정하면서도, 단서에서 "다만, 공무원과 교원에 대하여는 따로 법률로 정한다."라고 규정하고 있다. 결국 교원의 노동3권은 법률에 특별한 규정이 있는 경우에 비로소 실질적으로 보장될 수 있고, 이에 관한 법률이 바로 교원노조법이다. 교원노조법은 제1조에서 "이 법은 「국가공무원법」 제66조 제1항 및 「사립학교법」 제55조에도 불구하고 「노동조합 및 노동관계조정법」 제5조 단서에 따라 교원의 노동조합 설립에 관한 사항을 정하고 교원에 적용할 「노동조합 및 노동관계조정법」에 대한 특례를 규정함을 목적으로 한다."라고 규정하고 있다. 따라서 교원 노동조합에 대하여 '교원노조법에 의한 노동조합으로 보지 아니함'을 통보하는 것은 단순히 '법상 노동조합'의 지위를 박탈하는 것이 아니라 사실상 '노동조합'으로서의 존재 자체를 부정하는 것이 될 수 있다.

다. 이와 같이 노동조합법상 노동조합으로 인정되는지 여부는 헌법상 노동3권의 실질적인 행사를 위한 필수적 전제가 되고, 이미 적법한 절차를 거쳐 설립된 노동조합에 대한 법외노조 통보는 아직 법상 노동조합이 아닌 단체에 대한 설립신고서 반려에 비하여 그 침익성이 더욱 크다. 따라서 이처럼 강력한 기본권 관련성을 가지는 법외노조 통보에 관하여는 법률에 분명한 근거가 있어야 한다고 보는 것이 헌법상 법률유보원칙에 부합한다. 그런데 현행 노동조합법은 그 제정 당시부터 현재까지 설립신고서 반려에 관하여는 이를 직접 규정하면서도 그보다 더 침익적인 법외노조 통보에 관하여는 아무런 규정을 두고 있지 않고, 이를 시행령에서 규정하도록 위임하고 있지도 않다.

원래 구 「노동조합법」(1953. 3. 9. 법률 제280호로 제정되고, 1996. 12. 31. 법률 제5244호로 폐지된 것)은 제32조에서 행정관청이 규약의 취소, 변경명령을 내린 후 이를 이행하지 아니한 노동조합에 대하여 노동위원회의 의결을 얻어 그 해산을 명할 수 있도록 하는 노동조합 해산명령 제도를 규정하고 있었다(제정 당시에는 '노동위원회의 의결'만을 제한조건으로 하였다가, 1986. 12. 31. 개정을 통하여 '규약의 취소, 변경명령 불이행'이라는 제한조건을 부가하였다). 그러나 이미 적법하게 설립되어 활동 중인 노동조합을 행정관청이 임의로 해산시킬 수 있도록 하는 것은 근로자의 단결권과 노동조합의 자주성을 침해한다는 이유에서 1987. 11. 28. 위 제도는 폐지되었다(법률 제3966호).

그런데 위와 같은 노동조합 해산명령 제도의 폐지 이후 불과 약 5개월 만인 1988. 4. 15. 법정요건을 결여한 노동조합이 존립할 수 없도록 한다는 이유에서 구 「노동조합법 시행령」(1953. 4. 20. 대통령령 제782호로 제정되고, 1997. 3. 27. 대통령령 제15321호로 폐지된 것) 제8조 제2항으로 법외노조 통보 제도가 새로이 도입되었고(대통령령 제12429호), 이 제도가 바로 이 사건 시행령 조항을 통하여 현재까지도 그대로 유지되고 있다. 그러나 이러한 법외노조 통보 제도는 행정관청이 규약의 시정을 요구하고 이를 이행하지 아니한 노동조합에 대하여 법외노조 통보를 함으로써 법상 노동조합으로서의 지위를 박탈할 수 있도록 한다는 점에서 사실상 노동조합 해산명령 제도와 그 주체, 대상, 절차 및 효과 등이 모두 동일하다. 오히려 구법과 달리 노동위원회의 의결 절차를 두지 않음으로써 행정 내부적 통제의 가능성이 축소되어 행정관청의 자의가 개입될 여지가 확대되었을 뿐이다.

즉 법외노조 통보 제도는 본래 법률에 규정되어 있던 것으로서 국민의 대표자인 입법자의 결단에 따라 폐지된 노동조합 해산명령 제도를 행정부가 법률상 근거 내지 위임 없이 행정입법으로 부활시킨 것이다. 이 사건 시행령 조항의 위헌성을 판단함에 있어서는 위와 같은 제도의 연혁을 마땅히 고려하여야 한다.

라. 요컨대, 법외노조 통보는 이미 법률에 의하여 법외노조가 된 것을 사후적으로 고지하거나 확인하는 행위가 아니라 그 통보로써 비로소 법외노조가 되도록 하는 형성적 행정처분이다. 이러한 법외노조 통보는 단순히 노동조합에 대한 법률상 보호만을 제거하는 것에 그치지 않고 헌법상 노동3권을 실질적으로 제약한다. 그런데 노동조합법은 법상 설립요건을 갖추지 못한 단체의 노동조합 설립신고서를 반려하도록 규정하면서도, 그보다 더 침익적인 설립 후 활동 중인 노동조합에 대한 법외노조 통보에 관하여는 아무런 규정을 두고 있지 않고, 이를 시행령에 위임하는 명문의 규정도 두고 있지 않다. 더욱이 법외노조 통보 제도는 입법자가 반성적 고려에서 폐지한 노동조합 해산명령 제도와 실질적으로 다를 바 없다. 결국 이 사건 시행령 조항은 법률이 정하고 있지 아니한 사항에 관하여, 법률의 구체적이고 명시적인 위임도 없이 헌법이 보장하는 노동3권에 대한 본질적인 제한을 규정한 것으로서 법률유보원칙에 반한다.

4. 고용노동부장관이 전국의 국공립학교와 사립학교 교원을 조합원으로 하여 설립된 갑 노동조합의 노동조합 설립신고를 수리하고 신고증을 교부하였는데, 그 후 갑 노동조합에 대하여 '두 차례에 걸쳐 해직자의 조합원 가입을 허용하는 규약을 시정하도록 명하였으나 이행하지 않았고, 실제로 해직자가 조합원으로 가입하여 활동하고 있는 것으로 파악된다'는 이유로 해당 규약 조항의 시정 등의 조치를 요구하였으나 갑 노동조합이 이를 이행하지 않자 교원의 노동조합 설립 및 운영 등에 관한 법률 제14조 제1항, 노동조합 및 노동관계조정법 제12조 제3항 제1호, 제2조 제4호 (라)목 및 교원의 노동조합 설립 및 운영 등에 관한 법률 시행령 제9조 제1항, 노동조합 및 노동관계조정법 시행령 제9조 제2항에 따라 갑 노동조합을 '교원의 노동조합 설립 및 운영 등에 관한 법률에 의한 노동조합으로 보지 아니함'을 통보한 사안에서, 노동조합 및 노동관계조정법 시행령 제9조 제2항은 법률의 구체적이고 명시적인 위임 없이 법률이 정하고 있지 아니한 법외노조 통보에 관하여 규정함으로써 헌법이 보장하는 노동3권을 본질적으로 제한하는 것으로 법률유보의 원칙에 위반되어 그 자체로 무효이므로 그에 기초한 위 법외노조 통보는 법적 근거를 상실하여 위법하다고 한 사례.

심판대상조항 및 관련조항

노동조합 및 노동관계조정법

제2조(정의) 이 법에서 사용하는 용어의 정의는 다음과 같다.
  4. "노동조합"이라 함은 근로자가 주체가 되어 자주적으로 단결하여 근로조건의 유지·개선 기타 근로자의 경제적·사회적 지위의 향상을 도모함을 목적으로 조직하는 단체 또는 그 연합단체를 말한다. 다만, 다음 각목의 1에 해당하는 경우에는 노동조합으로 보지 아니한다.
    라. 근로자가 아닌 자의 가입을 허용하는 경우. 다만, 해고된 자가 노동위원회에 부당노동행위의 구제신청을 한 경우에는 중앙노동위원회의 재심판정이 있을 때까지는 근로자가 아닌 자로 해석하여서는 아니된다.

제12조(신고증의 교부) ③ 행정관청은 설립하고자 하는 노동조합이 다음 각호의 1에 해당하는 경우에는 설립신고서를 반려하여야 한다.
  1. 제2조 제4호 각목의 1에 해당하는 경우
  2. 제2항의 규정에 의하여 보완을 요구하였음에도 불구하고 그 기간내에 보완을 하지 아니하는 경우

노동조합 및 노동관계조정법 시행령

제9조(설립신고서의 보완요구 등) ① 고용노동부장관, 특별시장·광역시장·도지사·특별자치도지사, 시장·군수 또는 자치구의 구청장(이하 "행정관청"이라 한다)은 법 제12조제2항에 따라 노동조합의 설립신고가 다음 각 호의 어느 하나에 해당하는 경우에는 보완을 요구하여야 한다.
  1. 설립신고서에 규약이 첨부되어 있지 아니하거나 설립신고서 또는 규약의 기재사항 중 누락 또는 허위사실이 있는 경우
  2. 임원의 선거 또는 규약의 제정절차가 법 제16조제2항부터 제4항까지 또는 법 제23조제1항에 위반되는 경우

② 노동조합이 설립신고증을 교부받은 후 법 제12조 제3항 제1호에 해당하는 설립신고서의 반려사유가 발생한 경우에는 행정관청은 30일의 기간을 정하여 시정을 요구하고 그 기간 내에 이를 이행하지 아니하는 경우에는 당해 노동조합에 대하여 이 법에 의한 노동조합으로 보지 아니함을 통보하여야 한다.

234. 공무원의 노동조합 설립 및 운영 등에 관한 법률 사건 [기각]
― 2008. 12. 26. 선고 2005헌마971,1193,2006헌마198(병합)

판시사항

1. 헌법 제33조 제2항에 따라 공무원인 근로자에게 단결권·단체교섭권·단체행동권을 인정할 것인가의 여부, 어떤 형태의 행위를 어느 범위에서 인정할 것인가 등에 대하여 국회가 광범위한 입법형성권을 가지는지 여부(적극)

2. 5급 이상 공무원의 노동조합가입을 금지하고, 나아가 6급 이하의 공무원 중에서도 '지휘·감독권 행사자', '업무 총괄자', '인사·보수 등 행정기관의 입장에 서는 자', '노동관계의 조정·감독 등 업무 종사자' 등의 가입을 금지하는 '공무원의 노동조합 설립 및 운영 등에 관한 법률'(2005. 1. 27. 법률 제7380호로 제정된 것, 이하 '공노법'이라 한다) 제6조가 공무원인 청구인들의 단결권을 과도하게 제한하며, 5급 및 6급 공무원을 합리적 이유 없이 7급 이하 공무원인 공무원들과 차별하여 평등권을 침해하는지 여부(소극)

3. '법령 등에 의하여 국가 또는 지방자치단체가 그 권한으로 행하는 정책결정에 관한 사항, 임용권의 행사 등 그 기관의 관리·운영에 관한 사항으로서 근무조건과 직접 관련되지 아니하는 사항'에 대해서는 단체교섭을 할 수 없도록 규정하고 있는 공노법 제8조 제1항 단서가 청구인들의 단체교섭권을 침해하는지 여부(소극)

4. 노동조합이 2 이상인 경우 노동조합이 정부교섭대표의 교섭창구 단일화요구에 응하지 않는 경우에는 정부교섭대표로 하여금 교섭창구가 단일화될 때까지 교섭을 거부할 수 있도록 한 공노법 제9조 제4항이 청구인들의 단체교섭권을 침해하는지 여부(소극)

5. '법령·조례·예산 및 하위규정'과 다른 내용으로 체결되는 단체협약에 대하여 효력을 발생하지 않도록 한 공노법 제10조 제1항이 국회의 입법 재량권의 한계를 일탈하여 청구인들의 단체교섭권을 침해하는지 여부(소극)

6. 공무원에 대하여 일체의 쟁의행위를 금지한 공노법 제11조가 청구인들의 단체행동권을 침해하는지 여부(소극)

7. 공노법 제11조를 위반하여 파업·태업 그 밖에 업무의 정상적인 운영을 저해하는 행위를 한 공무원을 형사처벌하는 공노법 제18조가 죄형법정주의 원칙 중 명확성의 원칙에 반하거나 입법재량의 한계를 일탈한 과중한 처벌로서 헌법에 위배되는지 여부(소극)

8. 노동조합 및 노동관계조정법상 단체교섭 거부, 단체협약 불이행 및 구제명령 불이행에 대한 형사처벌 조항의 적용을 배제하고 있는 공노법 제17조 제3항 중 '제89조 2호', '제90조 중 제81조' 부분이 헌법이 부여한 입법재량권의 한계를 일탈하여 공무원노동조합의 단체교섭권을 침해하고, 일반 노동조합에 비하여 공무원 노동조합을 합리적 이유 없이 차별함으로써 헌법 제11조 소정의 평등의 원칙에 위배되는지 여부(소극)

I. 청구인 지식경제부 공무원노동조합의 이 사건 심판청구의 적법 여부

헌법재판소법 제68조 제1항에 의하면 헌법소원은 공권력의 행사 또는 불행사로 인하여 헌법상 보장된 기본권을 침해받은 자가 그 심판을 구하는 제도로서, 이 경우 심판을 구하는 자는 심판의 대상인 공권력의 행사 또는 불행사로 인하여 자기의 기본권이 현재 그리고 직접적으로 침해받고 있는 자여야 한다. 그리고 법률에 의하여 기본권을 침해받은 경우에는 법률에 의하여 자신의 기본권을 직접적으로 침해당하고 있는 자만이 헌법소원 심판청구를 할 수 있으며, 법률의 직접적인 규율당사자가 아닌 제3자는 기본권침해에 직접 관련되었다고 볼 수 없어서 심판청구를 할 수 없다.

이와 관련하여, 2006헌마198 사건의 청구인 2. 지식경제부 공무원노동조합이 공노법 제6조에 의하여 자기의 기본권을 침해받았다고 주장할 수 있는지가 문제된다. 공노법상 공무원노조의 설립 최소단위는 행정부로서(공노법 제5조 제1항 참조), 위 청구인은 행정부 공무원노조의 지부에 불과하므로, 과연 독자적으로 단결권의 주체가 될 수 있는지를 먼저 검토할 필요가 있다.

살피건대, 공노법상 단결권, 단체교섭권, 단체행동권의 주체가 될 수 있는 노동조합은 설립 최소단위인 단위노조와 노동조합 및 노동관계조정법(이하 '노조법'이라 한다)이 인정하고 있는 단위노조의 연합단체일 뿐이므로(노조법 제10조, 공노법 제17조 제1항 참조), 위 청구인은 독자적으로 단결권의 주체가 될 수 없다 할 것이다.

가사 지식경제부 내에 국한되는 문제로 단체교섭을 하는 경우에 위 청구인이 행정부 공무원노조의 내부위임에 따라 구체적인 협상을 하고 단체협약을 대행하는 경우가 있을 수 있으나, 그 경우에도 위 청구인이 단체교섭을 할 수 있는 권한은 행정부노조의 내부위임에 의하여 비로소 발생하는 것이고, 단체협약의 당사자는 행정부 공무원노조라고 볼 것이다.

그렇다면, 공무원노조의 지부에 불과한 위 청구인의 이 사건 심판청구는 기본권 침해의 자기관련성이 없어 부적법하다.

II. 심판대상조항들의 기본권 침해 여부

1. 공무원의 노동3권에 관한 헌법 제33조 제2항의 의미

우리 헌법은 제33조 제1항에서 "근로자는 근로조건의 향상을 위하여 자주적인 단결권·단체교섭권 및 단체행동권을 가진다."라고 규정하여 근로자의 자주적인 노동3권을 보장하고 있으면서도, 같은 조 제2항에서는 "공무원인 근로자는 법률이 정하는 자에 한하여 단결권·단체교섭권 및 단체행동권을 가진다."고 규정하여 공무원인 근로자에 대하여는 일정한 범위의 공무원에 한하여서만 노동3권을 향유할 수 있도록 함으로써 기본권의 주체에 관한 제한을 두고 있다.

공무원인 근로자 중 법률이 정하는 자 이외의 공무원에게는 그 권리행사의 제한뿐만 아니라 금지까지도 할 수 있는 법률제정의 가능성을 헌법에서 직접 규정하고 있다는 점에서 헌법 제33조 제2항은 특별한 의미가 있다. 헌법 제33조 제2항이 규정되지 아니하였다면 공무원인 근로자도 헌법 제33조 제1항에 따라 노동3권을 가진다 할 것이고, 이 경우에 공무원인 근로자의 단결권·단체교섭권·단체행동권을 제한하는 법률에 대해서는 헌법 제37조 제2항에 따른 기본권제한의 한계를 준수하였는가 하는 점에 대한 심사를 하는 것이 헌법원리로서 상당할 것이나, 헌법 제33조 제2항이 직접 '법률이 정하는 자'만이 노동3권을 향유할 수 있다고 규정하고 있어서 '법률이 정하는 자' 이외의 공무원은 노동3권의 주체가 되지 못하므로, 노동3권이 인정됨을 전제로 하는 헌법 제37조 제2항의 과잉금지원칙은 적용이 없는 것으로 보아야 할 것이다.

헌법 제33조 제2항이 공무원의 노동3권을 제한하면서 노동3권이 보장되는 주체의 범위를 법률이 정하도록 위임한 것은, 첫째, 입법권이 국가사회공동체의 역사문화에 따라 형성된 공무원제도의 유지·발전과 공무원제도의 다른 쪽 당사자로서 주권자인 전체 국민의 복리를 고려하고, 헌법상 보장된 공무원제도 자체의 기본틀을 해하지 않는 범위 내에서 그 제도에 관련된 여러 이해관계인의 권익을 서로 조화하면서 공공복리의 목적 아래 통합·조정할 수 있음을 의미하고, 둘째, 공무원은 국민 전체에 대한 봉사자이며, 그 담당직무의 성질상 공공성·공정성·성실성 및 중립성이 보장되어야 한다는 특수한 사정이 있다는 점을 고려하여, 전체 국민의 합의를 바탕으로 입법자의 구체적인 입법에 의하여 공적이고 객관적인 질서에 이바지하는 공무원제도를 보장·보호할 수 있는 입법재량을 부여한 것이다.

그렇다면, 국회는 헌법 제33조 제2항에 따라 공무원인 근로자에게 단결권·단체교섭권·단체행동권을 인정할 것인가의 여부, 어떤 형태의 행위를 어느 범위에서 인정할 것인가 등에 대하여 광범위한 입법형성의 자유를 가진다 할 것이다.

2. 노조 가입범위에 관한 공노법 제6조의 위헌 여부

가. 노동기본권의 침해 여부

노동조합 가입범위에 관한 공노법 제6조는 통상 5급 이상의 공무원이 제반 주요정책을 결정하고 그 소속 하위직급자들을 지휘·명령하여 분장사무를 처리하는 역할을 하는 공무원의 업무수행현실, 6급 이하의 공무원 중에서도 '지휘감독권 행사자' 등은 '항상 사용자의 이익을 대표하는 자'의 입장에 있거나 그 업무의 공공성·공익성이 큰 점 등을 고려하여 위 공무원들을 노동조합 가입대상에서 제외한 것으로, 헌법 제33조 제2항이 입법자에게 부여하고 있는 형성적 재량권의 범위를 일탈하여 청구인들의 단결권을 침해한다고 볼 수 없다.

나. 평등권의 침해 여부

이 사안은 헌법 제33조 제2항에 의하여 입법자에게 광범한 입법형성권이 부여되는 경우이므로, 평등의 원칙에 위반되었는지를 판단함에 있어서는 차별에 합리성이 있는지의 완화된 심사척도에 따라야 할 것이다.

특정 사업장의 근로자 중에서 어느 범위까지 노조 가입을 허용할 것인가의 문제는 노조가 규약을 통해 자율적으로 규율하는 것이 원칙이며, 노조의 자율성 보장을 위해 사용자가 노조를 부당하게 지배·개입할 소지를 봉쇄할 필요성에 따라 노조법상 일반원칙인 '항상 사용자의 이익을 대표하여 행동하는 자'(노조법 제2조 제4호 가목)는 배제하게 된다. 또 노조법에 따라 사용자의 개념에 포함되는 '근로자에 관한 사항에 대하여 사업주를 위하여 행동하는 자'도 노조가입이 허용되지 않는다. 그리고 공무원의 경우 직무의 성격상 노동운동이 허용되기 어려운 직무가 무엇인가에 따라 일정 범위의 공무원에 대하여는 노조가입이 금지될 수 있다.

공무원의 업무수행 등과 관련한 현실을 살펴보면, 계급제 성격이 강한 우리나라 공무원제도의 특성상 5급 이상 공무원은 제반 주요정책의 결정에 직접 참여하거나, 그 소속 하위직급자들을 지휘·명령하여 분장사무를 처리하는 역할을 수행하고 있는 것이 일반적이다.

이러한 여러 사정을 종합하여 보면, 위 법률조항이 일반직공무원을 기준으로 5급 이상의 공무원에 대하여는 단결권, 단체교섭권을 부여하지 아니하고, 원칙적으로 6급 이하 공무원에게만 이를 보장하여 양자를 달리 취급하는 것은 헌법 제33조 제2항에 그 근거를 두고 있을 뿐만 아니라, 위에서 본 바와 같은 합리적인 이유 또한 있다 할 것이므로, 헌법 제11조 제1항에 정한 평등의 원칙에 위반되지 아니한다.

3. 단체교섭권에 관한 조항들의 위헌 여부

가. 공노법 제8조 제1항 단서의 위헌 여부

"정책결정에 관한 사항, 임용권의 행사 등 그 기관의 관리·운영에 관한 사항으로서 근무조건과 직접 관련되지 아니하는 사항"을 단체교섭의 대상에서 제외시킨 공노법 제8조 제1항 단서는 정부의 정책결정 및 관리운영사항은 교섭대상사항이 아니라고 본 것으로, 정책결정 및 관리운영사항 일체를 교섭대상에서 제외시킨 것이 아니고, 정부의 정책결정 및 관리운영사항 중에서도 근무조건과 직접 관련되는 사항에 대하여는 단체교섭을 허용하고 있으므로, 합리적 근거 없이 입법형성권의 범위를 일탈하여 청구인들의 단체교섭권을 침해하는 것으로 볼 수 없다.

나. 공노법 제9조 제4항의 위헌 여부

단체교섭을 요구하는 노동조합이 2 이상인 경우 정부교섭대표에게 당해 노동조합에 대하여 교섭창구를 단일화하도록 요청할 수 있고, 교섭창구가 단일화될 때까지 교섭을 거부할 수 있도록 한 공노법 제9조 제4항은, 복수노조 허용에 따라 예상되는 단체교섭의 혼란 및 단체협약 적용상의 어려움, 과다한 교섭비용을 줄이기 위하여, 단체교섭에 있어 관련된 노동조합에게 원칙적으로 단체교섭권의 행사를 보장하면서 노동조합 간의 자율적인 교섭창구 단일화를 규정한 것으로 합리적인 근거가 있으므로, 위 조항이 입법재량권의 범위를 일탈하여 청구인들의 단체교섭권을 침해하는 것으로는 보이지 아니한다.

다. 공노법 제10조 제1항의 위헌 여부

공노법 제10조 제1항은 공무원노조에게 단체협약체결권을 인정하면서도 단체협약의 내용 중 법령·조례·예산 등에 위배되는 내용에 대하여는 단체협약의 효력을 부정하고 있는바, 공무원의 경우 민간부문과 달리 근무조건의 대부분은 헌법상 국민전체의 의사를 대표하는 국회에서 법률, 예산의 형태로 결정되는 것으로서, 그 범위 내에 속하는 한 정부와 공무원노동단체 간의 자유로운 단체교섭에 의하여 결정될 사항이라 할 수 없다. 따라서 노사 간 합의로 체결된 단체협약이라 하더라도 법률·예산 및 그의 위임에 따르거나 그 집행을 위한 명령·규칙에 규정되는 내용보다 우선하는 효력을 인정할 수는 없으며, 조례는 지방의회가 제정하는 것으로 해당 지방자치단체와 그 공무원을 기속하므로, 단체협약에 대하여 조례에 우선하는 효력을 부여할 수도 없다.

한편, 위 조항은 법령·조례 또는 예산 등과 저촉되는 부분에 한하여 단체협약으로서의 효력만 부인할 뿐, 교섭 자체를 할 수 없게 하거나 단체협약의 체결을 금지하지는 않고, 공노법 제10조 제2항은 정부교섭대표에게 그 내용이 이행될 수 있도록 성실히 노력할 의무를 부과하고 있으므로, 공노법 제10조 제1항이 국회의 입법재량권의 한계를 일탈하여 청구인들의 단체협약체결권을 침해한다고 보기 어렵다.

4. 단체행동권에 관한 조항들의 위헌 여부

가. 공노법 제11조의 위헌 여부

공무원이 쟁의행위를 통하여 공무원 집단의 이익을 대변하는 것은 국민전체에 대한 봉사자로서의 공무원의 지위와 특성에 반하고 국민전체의 이익추구에 장애가 되며, 공무원의 보수 등 근무조건은 국회에서 결정되고 그 비용은 최종적으로 국민이 부담하는바, 공무원의 파업으로 행정서비스가 중단되면 국가기능이 마비될 우려가 크고 그 손해는 고스란히 국민이 부담하게 되며, 공공업무의 속성상 공무원의 파업에 대한 정부의 대응수단을 찾기 어려워 노사 간 힘의 균형을 확보하기 어렵다.

따라서, 공무원에 대하여 일체의 쟁의행위를 금지한 공노법 제11조는 헌법 제33조 제2항에 따른 입법형성권의 범위 내에 있어, 헌법에 위배되지 아니한다.

나. 공노법 제18조의 위헌 여부

헌법 제12조 및 제13조를 통하여 보장되고 있는 죄형법정주의의 원칙은 범죄와 형벌이 법률로 정하여져야 함을 의미하고, 이러한 죄형법정주의에서 파생되는 명확성의 원칙은 법률이 처벌하고자 하는 행위가 무엇이며 그에 대한 형벌이 어떠한 것인지를 누구나 예견할 수 있게 하여, 그에 따라 자신의 행위를 결정할 수 있도록 구성요건을 명확하게 규정할 것을 요구하고 있는 것이다.

그러나 처벌법규의 구성요건이 명확하여야 한다고 하여 모든 구성요건을 단순한 서술적 개념으로 규정하여야 하는 것은 아니고, 다소 광범위하여 법관의 보충적인 해석을 필요로 하는 개념을 사용하였다고 하더라도 통상의 해석방법에 의하여 건전한 상식과 통상적인 법 감정을 가진 사람이면 당해 처벌법규의 보호법익과 금지된 행위 및 처벌의 종류와 정도를 알 수 있도록 규정하였다면 헌법이 요구하는 처벌법규의 명확성에 배치되는 것이 아니다. 처벌법규의 구성요건이 어느 정도 명확하여야 하는가는 일률적으로 정할 수 없고, 각 구성요건의 특수성과 그러한 법적 규제의 원인이 된 여건이나 처벌의 정도 등을 고려하여 종합적으로 판단하여야 한다.

어떤 행위를 범죄로 규정하고 이에 대하여 어떠한 형벌을 과할 것인가 하는 문제는 원칙적으로 입법자가 우리의 역사와 문화, 입법 당시의 시대적 상황과 국민일반의 가치관 내지 법 감정, 범죄의 실태와 죄질 및 보호법익 그리고 범죄예방효과 등을 종합적으로 고려하여 결정하여야 할 국가의 입법정책에 관한 사항으로서 광범위한 입법재량 내지 형성의 자유가 인정되어야 할 분야이다. 따라서 어느 범죄에 대한 법정형이 그 죄질의 경중과 이에 대한 행위자의 책임에 비하여 지나치게 가혹한 것이어서 전체 형벌체계상 현저히 균형을 잃게 되고 이로 인하여 다른 범죄자와의 관계에 있어서 헌법상 평등의 원리에 반하게 된다거나, 그러한 유형의 범죄에 대한 형벌 본래의 기능과 목적을 달성함에 있어 필요한 정도를 일탈함으로써 헌법 제37조 제2항으로부터 파생되는 비례의 원칙 혹은 과잉금지의 원칙에 반하는 것으로 평가되는 등 입법재량권이 헌법규정이나 헌법상의 제 원리에 반하여 자의적으로 행사된 경우가 아닌 한, 법정형의 높고 낮음은 단순한 입법정책의 당부의 문제에 불과하고 헌법위반의 문제는 아니라 할 것이다.

공무원의 쟁의행위에 대한 형사처벌을 규정한 공노법 제18조는 위 조항의 보호법익, 형법상 업무방해죄에 관한 대법원의 해석 등을 참조하여 통상의 해석방법에 의하여 그 보호법익과 금지된 행위 및 처벌의 종류와 정도를 알 수 있어, 죄형법정주의의 한 내용인 형벌법규의 명확성의 원칙에 반한다고 할 수 없다.

어떤 행위를 범죄로 규정하고 이에 대하여 어떠한 형벌을 과할 것인가는 원칙적으로 국가의 입법정책에 관한 사항으로서 입법자에게 광범위한 입법재량 내지 형성의 자유가 인정되어야 할 분야인 점, 공무원인 근로자의 업무의 공공성·공익성, 형법상 업무방해죄의 법정형에 견주어 볼 때, 위 조항의 법정형이 입법재량의 한계를 벗어난 과중한 처벌이라고 볼 수 없다.

또한 공무원이 쟁의행위를 할 경우 단순히 행정질서에 장해를 줄 위험성이 있는 정도가 아니라 국민생활의 전반에 영향을 미쳐서 일반의 공익을 침해할 고도의 개연성이 있으므로, 이에 대하여 행정형벌을 과하도록 한 공노법 제18조가 입법재량의 한계를 일탈하여 헌법에 위반된다고 할 수 없다.

5. 공노법 제17조 제3항 중 '제89조 제2호' 및 '제90조 중 제81조' 부분의 위헌 여부

공노법 제17조 제3항은 '노동조합 및 노동관계조정법'의 적용이 배제되는 경우를 규정하면서, 사용자의 부당노동행위 및 그에 대한 구제명령을 이행하지 아니한 경우의 처벌규정인 '노조법 제89조 2호 내지 제90조'를 들어, 공무원인 노동조합원의 쟁의행위를 처벌하는데 반하여 사용자 측인 정부교섭대표의 부당노동행위에 대하여는 처벌하지 아니하고 있다.

그러나 어떤 행위를 범죄로 규정하고 이에 대하여 어떠한 형벌을 과할 것인가 하는 문제는 원칙적으로 입법정책에 관한 사항으로서 입법자에게 광범위한 입법재량 내지 형성의 자유가 인정되어야 할 문제이므로, 사용자의 부당노동행위에 대한 구제수단으로서 민사상의 구제절차를 마련하는 데 그치고 형사처벌까지 규정하지 아니하였다고 하여 청구인들의 단체교섭권을 침해하여 헌법에 위반된다고 할 수는 없다.

또한, 공노법이 공무원의 쟁의행위를 금지하고 이를 위반한 자를 형사처벌하는 것과 정부교섭대표 등 사용자의 부당노동행위와 구제명령위반에 대한 형사처벌규정의 적용을 배제하는 것은 그 입법목적이 서로 다르고, 공무원 노사관계의 특성을 고려한 합리적인 근거에 기한 것으로서, 청구인들의 평등권을 침해한 것으로 볼 수 없다. 그리고 입법자가 사용자의 부당노동행위에 대한 구제방법으로 민사상의 원상회복주의를 채택하고 형사상의 처벌을 배제한 것은, 정부교섭대표를 형사처벌하지 않는다고 하여 부당노동행위가 남발할 우려는 현실적으로 크지 않음에 반하여, 형사처벌을 할 경우 부당노동행위를 둘러싼 형사고발 등으로 불필요한 행정력이 소모되고 공직사회가 갈등에 휩싸이게 되는 등의 부작용이 우려되기 때문으로, 공노법 제17조 제3항 해당부분이 사용자의 부당노동행위를 형사처벌하는 문제에 있어서 일반 근로자와 공무원인 근로자를 차별하는 데는 합리적인 이유가 있으므로, 청구인들의 평등권을 침해하는 것으로 볼 수 없다.

6. 심판대상조항들의 국제법규 위반 여부

청구인들은 심판대상조항들이 세계인권선언, 국제노동기구 협약·권고 등에 반함으로써 헌법에 위반된다고 주장한다.

가. 세계인권선언 및 국제규약과의 관계

세계인권선언은 그 전문에 나타나 있듯이 "인권 및 기본적 자유의 보편적인 존중과 준수의 촉진을 위하여 …… 사회의 각 개인과 사회 각 기관이 국제연합 가맹국 자신의 국민 사이에 또 가맹국 관할하의 지역에 있는 시민들 사이에 기본적인 인권과 자유의 존중을 지도교육함으로써 촉진하고 또한 그러한 보편적, 효과적인 승인과 준수를 국내적·국제적인 점진적 조치에 따라 확보할 것을 노력하도록, 모든 국민과 모든 나라가 달성하여야할 공통의 기준"으로 선언하는 의미는 있으나, 그 선언내용인 각 조항이 바로 보편적인 법적 구속력을 가지거나 국제법적 효력을 갖는 것으로 볼 것은 아니다.

한편 위 선언의 실효성을 뒷받침하기 위하여 마련된 '경제적·사회적 및 문화적 권리에 관한 국제규약'은 제4조에서 "…… 국가가 이 규약에 따라 부여하는 권리를 향유함에 있어서, 그러한 권리의 본질과 양립할 수 있는 한도 내에서, 또한 오직 민주사회에서의 공공복리증진의 목적으로 반드시 법률에 의하여 정하여지는 제한에 의해서만, 그러한 권리를 제한할 수 있음을 인정한다."라고 하여 일반적 법률유보조항을 두고 있고, 제8조 제1항 (a)호에서 국가안보 또는 공공질서를 위하여 또는 타인의 권리와 자유를 보호하기 위하여 민주사회에서 필요한 범위 내에서는 법률에 의하여 노동조합을 결성하고 그가 선택한 노동조합에 가입하는 권리의 행사를 제한할 수 있다는 것을 예정하고 있다.

나아가 '시민적 및 정치적 권리에 관한 국제규약' 제22조 제1항은 "모든 사람은 자기의 이익을 보호하기 위하여 노동조합을 결성하고 이에 가입하는 권리를 포함하여 다른 사람과의 결사의 자유에 대한 권리를 갖는다."고 규정하고 있으나, 같은 조 제2항에서 그와 같은 권리의 행사에 대하여는 법률에 의하여 규정되고, 국가안보 또는 공공의 안전, 공공질서, 공중보건 또는 도덕의 보호 또는 타인의 권리 및 자유의 보호를 위하여 민주사회에서 필요한 범위 내에서는 합법적인 제한을 가하는 것을 용인한다고 하는 유보조항을 두고 있을 뿐만 아니라, 위 제22조는 우리나라의 국내법적 수정의 필요에 따라 가입 당시 유보되었기 때문에 직접적으로 국내법적 효력을 가지는 것도 아니다.

따라서 위 규약들도 권리의 본질을 침해하지 아니하는 한 국내의 민주적인 대의절차에 따라 필요한 범위 안에서 노동기본권에 대한 법률에 의한 제한은 용인하고 있는 것으로서, 위에서 본 공무원의 노동기본권을 제한하는 위 법률조항과 정면으로 배치되는 것은 아니라고 할 것이다.

나. 국제노동기구의 협약들과의 관계

국제노동기구 제87호 협약(결사의 자유 및 단결권 보장에 관한 협약), 제98호 협약(단결권 및 단체교섭권에 대한 원칙의 적용에 관한 협약), 제151호 협약(공공부문에서의 단결권 보호 및 고용조건의 결정을 위한 절차에 관한 협약)에 대하여는 우리나라가 비준한 바가 없고, 헌법 제6조 제1항에서 말하는 일반적으로 승인된 국제법규로서 헌법적 효력을 갖는 것이라고 볼 만한 근거도 없으므로, 이 사건 심판대상조항들에 대한 위헌심사의 척도가 될 수 없다.

다. 국제기구의 권고들과의 관계

국제노동기구 '결사의 자유위원회', 국제연합 '경제적·사회적 및 문화적 권리위원회', 또는 경제협력개발기구(OECD) '노동조합자문위원회' 등이 우리나라에 대하여 가능한 한 빨리 모든 영역의 공무원들에게 근로3권을 보장할 것을 권고하고 있다고 하더라도 이는 권고에 불과한 것으로서 이를 심판대상조항들의 위헌심사 척도로 삼을 수는 없다.

라. 소 결

따라서 심판대상조항들이 국제법규에 위반됨을 이유로 한 청구인들의 주장도 받아들일 수 없다.

III. 결 론

그렇다면, 청구인 지식경제부 공무원노동조합의 이 사건 심판청구는 기본권침해의 자기관련성이 없어 부적법하므로 이를 각하하고, 위 청구인을 제외한 나머지 청구인들의 이 사건 심판청구는 심판대상조항들이 헌법에 위반되지 아니하여 이유 없으므로 이를 모두 기각하기로 하여, 주문과 같이 결정한다.

제6절 환경권

제7절 혼인과 가족생활의 보장

 **235** 호주제 사건 [헌법불합치]
— 2005. 2. 3. 선고 2001헌가9,10,11,12,13,14,15, 2004헌가5(병합)

판시사항 및 결정요지

1. 헌법과 전통의 관계

헌법은 국가사회의 최고규범이므로 가족제도가 비록 역사적·사회적 산물이라는 특성을 지니고 있다 하더라도 헌법의 우위로부터 벗어날 수 없으며, 가족법이 헌법이념의 실현에 장애를 초래하고, 헌법규범과 현실과의 괴리를 고착시키는데 일조하고 있다면 그러한 가족법은 수정되어야 한다. 우리 헌법은 제정 당시부터 특별히 혼인의 남녀동권을 헌법적 혼인질서의 기초로 선언함으로써 우리 사회 전래의 가부장적인 봉건적 혼인질서를 더 이상 용인하지 않겠다는 헌법적 결단을 표현하였으며, 현행 헌법에 이르러 양성평등과 개인의 존엄은 혼인과 가족제도에 관한 최고의 가치규범으로 확고히 자리잡았다. 한편, 헌법 전문과 헌법 제9조에서 말하는 '전통', '전통문화'란 역사성과 시대성을 띤 개념으로서 헌법의 가치질서, 인류의 보편가치, 정의와 인도정신 등을 고려하여 오늘날의 의미로 포착하여야 하며, 가족제도에 관한 전통·전통문화란 적어도 그것이 가족제도에 관한 헌법이념인 개인의 존엄과 양성의 평등에 반하는 것이어서는 안 된다는 한계가 도출되므로, 전래의 어떤 가족제도가 헌법 제36조 제1항이 요구하는 개인의 존엄과 양성평등에 반한다면 헌법 제9조를 근거로 그 헌법적 정당성을 주장할 수는 없다.

2. 호주제가 헌법에 위반되는지 여부(적극)

심판대상조항인 민법 제778조, 제781조 제1항 본문 후단, 제826조 제3항 본문이 그 근거와 골격을 이루고 있는 호주제는 '호주를 정점으로 가라는 관념적 집합체를 구성하고, 이러한 가를 직계비속남자를 통하여 승계시키는 제도', 달리 말하면 남계혈통을 중심으로 가족집단을 구성하고 이를 대대로 영속시키는데 필요한 여러 법적 장치로서, 단순히 집안의 대표자를 정하여 이를 호주라는 명칭으로 부르고 호주를 기준으로 호적을 편제하는 제도는 아니다.

호주제는 성역할에 관한 고정관념에 기초한 차별로서, 호주승계 순위, 혼인 시 신분관계 형성, 자녀의 신분관계 형성에 있어서 정당한 이유없이 남녀를 차별하는 제도이고, 이로 인하여 많은 가족들이 현실적 가족생활과 가족의 복리에 맞는 법률적 가족관계를 형성하지 못하여 여러모로 불편과 고통을 겪고 있다. 숭조사상, 경로효친, 가족화합과 같은 전통사상이나 미풍양속은 문화와 윤리의 측면에서 얼마든지 계승, 발전시킬 수 있으므로 이를 근거로 호주제의 명백한 남녀차별성을 정당화하기 어렵다.

호주제는 당사자의 의사나 복리와 무관하게 남계혈통 중심의 가의 유지와 계승이라는 관념에 뿌리박은 특정한 가족관계의 형태를 일방적으로 규정·강요함으로써 개인을 가족 내에서 존엄한 인격체로 존중하는 것이 아니라 가의 유지와 계승을 위한 도구적 존재로 취급하고 있는데, 이는 혼인·가족생활을 어떻게 꾸려나갈 것인지에 관한 개인과 가족의 자율적 결정권을 존중하라는 헌법 제36조 제1항에 부합하지 않는다.

오늘날 가족관계는 한 사람의 가장(호주)과 그에 복속하는 가속으로 분리되는 권위주의적인 관계가 아니라, 가족원 모두가 인격을 가진 개인으로서 성별을 떠나 평등하게 존중되는 민주적인 관계로 변화하고 있고, 사회의 분화에 따라 가족의 형태도 모와 자녀로 구성되는 가족, 재혼부부와 그들의 전혼소생자녀로 구성되는 가족 등으로 매우 다변화되었으며, 여성의 경제력 향상, 이혼율 증가 등으로 여성이 가구주로서 가장의 역할을 맡는 비율이 점증하고 있다. 호주제가 설사 부계혈통주의에 입각한 전래의 가족제도와 일정한 연관성을 지닌다고 가정하더라도, 이와 같이 그 존립의 기반이 붕괴되어 더 이상 변화된 사회환경 및 가족관계와 조화되기 어렵고 오히려 현실적 가족공동체를 질곡하기도 하는 호주제를 존치할 이유를 찾아보기 어렵다.

3. 위헌결정으로 초래되는 다른 법제도의 공백을 이유로 헌법불합치결정을 한 사례

호주제의 골격을 이루는 심판대상조항들이 위헌으로 되면 호주제는 존속하기 어렵고, 그 결과 호주를 기준으로 가별로 편제토록 되어 있는 현행 호적법이 그대로 시행되기 어려워 신분관계를 공시·증명하는 공적 기록에 중대한 공백이 발생하게 되므로, 호주제를 전제하지 않는 새로운 호적체계로 호적법을 개정할 때까지 심판대상조항들을 잠정적으로 계속 적용케 하기 위하여 헌법불합치결정을 선고한다.

심판대상조항 및 관련조항

민법

제778조(호주의 정의) 일가의 계통을 계승한 자, 분가한 자 또는 기타 사유로 인하여 일가를 창립하거나 부흥한 자는 호주가 된다.

제781조(자의 입적, 성과 본) ① 자는 부의 성과 본을 따르고 부가에 입적한다. 다만, 부가 외국인인 때에는 모의 성과 본을 따를 수 있고 모가에 입적한다.

제826조(부부간의 의무) ③ 처는 부의 가에 입적한다. 그러나 처가 친가의 호주 또는 호주승계인인 때에는 부가 처의 가에 입적할 수 있다.

주문

1. 민법 제778조, 제781조 제1항 본문 후단, 제826조 제3항 본문은 헌법에 합치되지 아니한다.
2. 위 법률조항들은 입법자가 호적법을 개정할 때까지 계속 적용된다.

236  자녀에게 부의 성과 본을 따르도록 한 민법 규정 사건 [헌법불합치]
― 2005. 12. 22. 선고 2003헌가5,6(병합)

판시사항 및 결정요지

1. 민법 제781조 제1항 본문 중 "자(子)는 부(父)의 성(姓)과 본(本)을 따르고" 부분이 헌법에 위반되는지 여부(적극)

가. 재판관 윤영철, 재판관 김효종, 재판관 김경일, 재판관 주선회, 재판관 이공현의 의견

양계 혈통을 모두 성으로 반영하기 곤란한 점, 부성의 사용에 관한 사회 일반의 의식, 성의 사용이 개인의 구체적인 권리의무에 영향을 미치지 않는 점 등을 고려할 때 민법 제781조 제1항 본문 중 "자(子)는 부(父)의 성(姓)과 본(本)을 따르고" 부분(이하 '이 사건 법률조항'이라 한다)이 성의 사용 기준에 대해 부성주의를 원칙으로 규정한 것은 입법형성의 한계를 벗어난 것으로 볼 수 없다.

출생 직후의 자(子)에게 성을 부여할 당시 부(父)가 이미 사망하였거나 부모가 이혼하여 모가 단독으로 친권을 행사하고 양육할 것이 예상되는 경우, 혼인외의 자를 부가 인지하였으나 여전히 모가 단독으로 양육하는 경우 등과 같은 사례에 있어서도 일방적으로 부의 성을 사용할 것을 강제하면서 모의 성의 사용을 허용하지 않고 있는 것은 개인의 존엄과 양성의 평등을 침해한다.

입양이나 재혼 등과 같이 가족관계의 변동과 새로운 가족관계의 형성에 있어서 구체적인 사정들에 따라서는 양부 또는 계부 성으로의 변경이 개인의 인격적 이익과 매우 밀접한 관계를 가짐에도 부성의 사용만을 강요하여 성의 변경을 허용하지 않는 것은 개인의 인격권을 침해한다.

이 사건 법률조항의 위헌성은 부성주의의 원칙을 규정한 것 자체에 있는 것이 아니라 부성의 사용을 강제하는 것이 부당한 것으로 판단되는 경우에 대해서까지 부성주의의 예외를 규정하지 않고 있는 것에 있으므로 이 사건 법률조항에 대해 헌법불합치결정을 선고하되 이 사건 법률조항에 대한 개정 법률이 공포되어 2008. 1. 1. 그 시행이 예정되어 있으므로 2007. 12. 31.까지 이 사건 법률조항의 잠정적인 적용을 명함이 상당하다.

나. 재판관 송인준, 재판관 전효숙의 의견

이 사건 법률조항은 모든 개인으로 하여금 부의 성을 따르도록 하고 모의 성을 사용할 수 없도록 하여 남성과 여성을 차별취급하고 있으면서도 그와 같은 차별취급에 대한 정당한 입법목적을 찾을 수 없어 혼인과 가족생활에 있어서의 양성의 평등을 명하고 있는 헌법 제36조 제1항에 위반된다.

이 사건 법률조항은 혼인과 가족생활에 있어 개인의 성을 어떻게 결정하고 사용할 것인지에 대해 개인과 가족의 구체적인 상황이나 의사를 전혀 고려하지 않고 국가가 일방적으로 부성의 사용을 강제하고 있음에도 그와 같은 부성 사용의 강제에 대한 구체적인 이익을 찾을 수 없어 혼인과 가족생활에 있어서의 개인의 존엄을 보장한 헌법 제36조 제1항에 위반된다.

이 사건 법률조항이 헌법에 위반되므로 위헌결정을 하여야 할 것이지만 헌법재판소가 이 사건 법률조항에 대해 위헌결정을 선고한다면 성의 결정과 사용에 대한 아무런 기준이 없어지게 되어 법적 공백과 혼란이 예상되므로 이 사건 법률조항이 개정되어 시행되기 전까지는 그 효력을 유지시켜 잠정적인 적용을 허용하는 내용의 헌법불합치결정을 선고함이 상당하다.

2. 심판대상 법률조항에 대해 헌법불합치를 선고하면서 그 법률조항의 잠정적용을 명하였으나 헌법불합치 주문에 대한 이유에 있어 재판관들의 의견이 상이한 사례

이 사건 법률조항이 부성주의를 원칙으로 규정한 것 자체는 헌법에 위반되지 아니하나 부성주의를 강요하는 것이 부당한 경우에 대해서도 예외를 규정하지 않은 것이 헌법에 위반되므로 헌법불합치를 선고하고 잠정적용을 명하여야 한다는 재판관 5인의 의견과 이 사건 법률조항이 부성주의(父姓主義)를 원칙으로 규정하고 있는 것이 헌법에 위반되므로 위헌을 선고하여야 하지만 법적 공백과 혼란의 방지를 위해 헌법불합치를 선고하고 잠정적용을 명하여야 한다는 재판관 2인의 의견으로 헌법불합치를 선고하고 잠정적용을 명한 사례

심판대상조항 및 관련조항

민법(2005. 3. 31. 법률 제7427호로 개정되기 전의 것)

제781조(자의 입적, 성과 본) 자는 부(父)의 성과 본을 따르고 부가(父家)에 입적한다. 다만 부가 외국인인 때에는 모의 성과 본을 따를 수 있고 모가(母家)에 입적한다.

주문

1. 민법 제781조 제1항 본문(2005. 3. 31. 법률 제7427호로 개정되기 전의 것) 중 "자는 부의 성과 본을 따르고" 부분은 헌법에 합치되지 아니한다.
2. 위 법률조항은 2007. 12. 31.까지 계속 적용된다.

237. 민법 제844조 제2항 중 "혼인관계종료의 날로부터 300일 내에 출생한 자"의 위헌 여부 [헌법불합치]

― 2015. 4. 30. 선고 2013헌마623

판시사항

1. 혼인 종료 후 300일 이내에 출생한 자를 전남편의 친생자로 추정하는 민법(1958. 2. 22. 법률 제471호로 제정된 것) 제844조 제2항 중 "혼인관계종료의 날로부터 300일 내에 출생한 자"에 관한 부분(이하 '심판대상조항'이라 한다)이 모가 가정생활과 신분관계에서 누려야 할 인격권, 혼인과 가족생활에 관한 기본권을 침해하는지 여부(적극)
2. 잠정적용을 명하는 헌법불합치결정을 한 사례

사건의 개요

청구인은 2005. 4. 25. 유○술과 혼인하였다가 2011. 12. 19. 이혼에 합의하고 서울가정법원으로부터 협의이혼의사 확인을 받은 다음 2012. 2. 28. 관할 구청에 이혼신고를 하였다. 이후 청구인은 송○민과 동거하면서 2012. 10. 22. 딸을 출산하였다. 청구인은 2013. 5. 6. 관할 구청을 방문하여 송○윤이라는 이름으로 딸의 출생신고를 하려고 하였다. 그런데 담당 공무원으로부터 민법 제844조에 따라 혼인관계종료의 날로부터 300일 내에 출생한 자녀는 전남편의 친생자로 가족관계등록부에 기재되므로 전남편의 성(姓)에 따라 유○윤으로 기재되며, 이를 해소하기 위하여는 친생부인의 소를 제기하여야 한다는 말을 듣고 출생신고를 보류하였다. 한편, 2013. 5. 8. 서울의대 법의학교실의 유전자검사 결과 송○윤은 송○민의 친생자로 확인되었고, 송○민은 송○윤을 자신의 친생자로 인지하려고 한다. 이에 청구인은 민법 제844조가 청구인의 기본권을 침해한다고 주장하면서, 2013. 9. 5. 이 사건 헌법소원심판을 청구하였다.

심판대상조항 및 관련조항

민법(1958. 2. 22. 법률 제471호로 제정된 것)

제844조(부의 친생자의 추정) ② 혼인성립의 날로부터 200일 후 또는 혼인관계종료의 날로부터 300일 내에 출생한 자는 혼인중에 포태한 것으로 추정한다.

주문

1. 민법(1958. 2. 22. 법률 제471호로 제정된 것) 제844조 제2항 중 "혼인관계종료의 날로부터 300일 내에 출생한 자"에 관한 부분은 헌법에 합치되지 아니한다.
2. 위 법률조항 부분은 입법자가 개정할 때까지 계속 적용된다.

I 판단

1. 쟁점 정리

　모든 국민은 인격권을 바탕으로 스스로 자신의 생활 영역을 형성해 나갈 수 있는 권리를 가지며, 혈통에 입각한 가족관계 형성은 개인의 인격 발현을 위한 자율영역을 보장하는 데 중요한 요소이다. 그런데 심판대상조항은 혼인 종료 후 300일 이내에 자녀가 출생하면 그 친아버지가 누구인지 명백한 경우에도 무조건 전남편의 친생자로 추정하고 이를 부인하기 위해서는 친생부인의 소를 제기하여야만 하므로, 진실한 혈연에 따라 가족관계를 이루고자 하는 청구인의 인격권과 행복추구권을 제한한다. 또한, 헌법 제36조 제1항은 개인의 자율적 의사와 양성의 평등에 기초한 혼인과 가족생활의 자유로운 형성을 국가가 보장할 것을 규정하고 있다. 그런데 심판대상조항은 진실한 혈연관계에 부합하지 아니하고 당사자들이 원하지도 아니하는 친자관계를 강요하고 있으므로, 개인의 존엄과 양성의 평등에 기초한 혼인과 가족생활에 관한 기본권을 제한한다.

　청구인은 심판대상조항으로 인하여 사생활의 비밀과 자유, 혼인의 자유, 성적자기결정권, 재산권, 평등권이 침해된다고 주장한다. 그러나 친생부인의 소 진행과정에서 발생할 수 있는 사생활 공개의 문제는 소송법상 변론 및 소송기록 비공개 제도의 운영에 관련된 문제로서 심판대상조항으로 말미암아 청구인의 사생활의 비밀과 자유가 제한된다고 보기는 어렵다. 또 여성의 재혼금지기간을 규정하던 구 민법 제811조가 폐지된 이상 심판대상조항으로 인하여 청구인의 혼인의 자유 및 성적자기결정권이 제한된다고 보기도 어렵다. 그리고 심판대상조항으로 인하여 청구인이 절차가 간단한 유전자검사 대신 절차가 복잡하고 상대적으로 많은 비용이 들어가는 친생부인의 소를 거치게 됨으로써 경제적 부담이 발생한다고 할지라도, 이러한 불이익은 친생부인의 소를 제기함에 따른 간접효과로서 반사적 불이익에 불과할 뿐 이를 헌법이 보장하는 재산권의 제한으로 보기는 어렵다. 나아가 심판대상조항이 혼인 해소 후 300일 이전에 출산한 여성과 그 이후에 출산한 여성에 차이를 두는 것은 심판대상조항이 혼인 해소 후 300일을 친생추정의 기준으로 삼고 있기 때문인데, 그 기준이 합리적인가에 관하여 인격권 등의 침해 여부를 검토하면서 판단하는 이상 이에 관한 평등권 침해 주장은 다시 별도로 판단하지 아니한다.

2. 입법형성 및 한계

　혼인 종료 후 출생한 자에 대한 친생추정의 기준을 어떻게 정할 것인가의 문제는 모뿐만 아니라 자·생부·부(夫)의 법적 지위와 관계되므로, '법률적인 친자관계를 진실에 부합시키고자 하는 모·자·생부·부(夫)의 이익'과 '친자관계의 신속한 확정을 통하여 법적 안정을 찾고자 하는 자의 이익'을 어떻게 그 사회 실정과 전통적 관념에 맞게 조화시킬 것인가에 관한 문제이다. 따라서 이는 이해관계인들의 기본권과 혼인 및 가족생활에 관한 헌법적 결단을 고려하여 결정할 문제로서 원칙적으로 입법자의 재량에 맡겨져 있다.

　그런데 민법 제844조에 따라 인정되는 친생추정의 효력은 법률에서 인정하는 다른 추정에 비하여 강한 효력을 갖는다. 친생추정이 유지되는 한 모가 가족관계등록부에 자를 생부의 친생자로 등록하거나, 자가 생부를 상대로 인지청구하거나, 생부가 자를 인지하거나, 부(夫)가 자에 대한 양육 및 상속의무에서 벗어나는 것 모두 허용되지 아니한다. 이처럼 민법상 친생추정이 모·자·생부·부(夫)의 법적 지위에 미치는 영향이 크므로, 엄격한 요건에서만 인정되는 친생부인의 소 제기 부담을 국민에게 지우기 위해서는 그러한 친생추정이 얼마나 합리적인지가 검토되어야 한다. 소송을 통하여 친생부인을 할 수 있다는 것만으로 친생추정의 비합리성이 치유된다고 보기는 어렵다. 따라서 혼인 종료 후 출생한 자의 친생추정 여부와 방법을 정하는 문제는 원칙적으로 입법재량에 속한다 하더라도, 그 친생추정의 기준이 지나치게 불합리하거나 그로부터 벗어날 수 있는 방법이 지나치게 제한적이어서 진실한 혈연관계에 반하는 친자관계를 강요하는 것이라면, 이는 입법형성의 한계를 넘어서는 것으로서 위헌이라 아니할 수 없다.

3. 심판대상조항의 위헌 여부

오늘날 이혼 및 재혼이 크게 증가하였고, 여성의 재혼금지기간이 2005년 민법개정으로 삭제되었으며, 이혼숙려기간 및 조정전치주의가 도입됨에 따라 혼인 파탄으로부터 법률상 이혼까지의 시간간격이 크게 늘어나게 됨에 따라, 여성이 전남편 아닌 생부의 자를 포태하여 혼인 종료일로부터 300일 이내에 그 자를 출산할 가능성이 과거에 비하여 크게 증가하게 되었으며, 유전자검사 기술의 발달로 부자관계를 의학적으로 확인하는 것이 쉽게 되었다.

그런데 심판대상조항에 따르면, 혼인 종료 후 300일 내에 출생한 자녀가 전남편의 친생자가 아님이 명백하고, 전남편이 친생추정을 원하지도 않으며, 생부가 그 자를 인지하려는 경우에도, 그 자녀는 전남편의 친생자로 추정되어 가족관계등록부에 전남편의 친생자로 등록되고, 이는 엄격한 친생부인의 소를 통해서만 번복될 수 있다. 그 결과 심판대상조항은 이혼한 모와 전남편이 새로운 가정을 꾸리는 데 부담이 되고, 자녀와 생부가 진실한 혈연관계를 회복하는 데 장애가 되고 있다.

이와 같이 민법 제정 이후의 사회적·법률적·의학적 사정변경을 전혀 반영하지 아니한 채, 이미 혼인관계가 해소된 이후에 자가 출생하고 생부가 출생한 자를 인지하려는 경우마저도, 아무런 예외 없이 그 자를 전남편의 친생자로 추정함으로써 친생부인의 소를 거치도록 하는 심판대상조항은 입법형성의 한계를 벗어나 모가 가정생활과 신분관계에서 누려야 할 인격권, 혼인과 가족생활에 관한 기본권을 침해한다.

■ II 헌법불합치결정과 잠정적용명령

심판대상조항이 청구인의 기본권을 침해하는 것이지만 이 조항이 위헌으로 선언되어 즉시 효력을 상실하면 혼인 종료 후 300일 이내에 출생한 자에 대해서는 친생추정이 없어지게 된다. 그렇게 되면 혼인 종료 후 300일 이내에 출생한 자가 부(夫)의 친생자임이 명백한 경우에도 친생추정이 소멸되어 자의 법적 지위에 공백이 발생한다. 또한, 심판대상조항이 위헌이라도 그 위헌 상태를 헌법에 맞게 조정하기 위한 구체적 개선안을 어떤 기준과 요건에 따라 마련할 것인지는 원칙적으로 입법자의 형성재량에 속한다. 따라서 입법자가 심판대상조항을 국민의 기본권을 보장하는 방향으로 개선할 때까지 일정 기간 이를 잠정적으로 적용할 필요가 있다. 그러므로 심판대상조항에 대하여 헌법불합치결정을 선고하되, 다만 입법자의 개선입법이 있을 때까지 계속적용을 명하기로 한다.

238 친생부인의 소의 제척기간을 출생을 안 날로부터 1년내로 규정한 사건
[헌법불합치]
— 1997. 03. 27. 선고 95헌가14,96헌가7(병합)

판시사항 및 결정요지

1. 민법 제847조 제1항 중 '그 출생을 안 날로부터 1년내' 부분의 위헌 여부

친생부인의 소에 관하여 어느 정도의 제척기간을 둘 것인가는 법률적인 친자관계를 진실에 부합시키고자 하는 부의 이익과 친자관계의 신속한 확정을 통하여 법적 안정을 찾고자 하는 자의 이익을 어떻게 그 사회의 실정과 전통적 관념에 맞게 조화시킬 것인가에 관한 문제로서 이해관계인들의 기본권적 지위와 혼인 및 가족생활에 관한 헌법적 결단을 고려하여 결정되어야 할 것이므로 원칙적으로 입법권자의 재량에 맡겨져 있다 할 수 있다. 다만 그 제소기간이 지나치게 단기간이거나 불합리하여 부가 자의 친생자 여부에 대한 확신을 가지기도 전에 그 제척기간이 경과하여 버림으로써 친생을 부인하고자 하는 부로 하여금 제소를 현저히 곤란하게 하거나 사실상 불가능하게 하여 진실한 혈연관계에 반하는 친자관계를 부인할 수 있는 기회를 극단적으로 제한하는 것이라면 이는 입법재량의 한계를 넘어서는 것으로서 위헌이라 아니할 수 없다.

민법 제847조 제1항은 친생부인의 소의 제척기간과 그 기산점에 관하여 '그 출생을 안 날로부터 1년내'라고 규정하고 있으나, 일반적으로 친자관계의 존부는 특별한 사정이나 어떤 계기가 없으면 이를 의심하지 아니하는 것이 통례임에 비추어 볼 때, 친생부인의 소의 제척기간의 기산점을 단지 그 '출생을 안 날로부터'라고 규정한 것은 부에게 매우 불리한 규정일 뿐만 아니라, '1년'이라는 제척기간 그 자체도 그 동안에 변화된 사회현실여건과 혈통을 중시하는 전통관습 등 여러 사정을 고려하면 현저히 짧은 것이어서, 결과적으로 위 법률조항은 입법재량의 범위를 넘어서 친자관계를 부인하고자 하는 부로부터 이를 부인할 수 있는 기회를 극단적으로 제한함으로써 자유로운 의사에 따라 친자관계를 부인하고자 하는 부의 가정생활과 신분관계에서 누려야 할 인격권, 행복추구권 및 개인의 존엄과 양성의 평등에 기초한 혼인과 가족생활에 관한 기본권을 침해하는 것이다.

2. 위헌상태의 제거방안으로 헌법불합치결정을 선고한 예

민법 제847조 제1항이 입법재량의 한계를 넘어서 기본권을 침해한 것으로서 헌법에 위반되는 규정이라 하더라도 이에 대하여 단순위헌선언을 한다면 친생부인의 소의 제척기간의 제한이 일시적으로 전혀 없게 되는 법적 공백상태가 되고 이로 인하여 적지 않은 법적 혼란을 초래할 우려가 있을 뿐만 아니라 위헌적인 규정에 대하여 합헌적으로 조정하는 임무는 원칙적으로 입법자의 형성재량에 속하는 사항인 것이므로, 우리 재판소는 입법자가 이 사건 심판대상조항을 새로이 개정할 때까지는 법원 기타 국가기관은 이를 더 이상 적용·시행할 수 없도록 중지하되 그 형식적 존속만을 잠정적으로 유지하게 하기 위하여 단순위헌결정 대신 헌법불합치결정을 선고한다.

239 8촌 이내 혈족 사이의 혼인 금지 및 무효 사건 [헌법불합치,합헌]
— 2022. 10. 27. 선고 2018헌바115

주문

1. 민법(2005. 3. 31. 법률 제7427호로 개정된 것) 제809조 제1항은 헌법에 위반되지 아니한다.
2. 민법(2005. 3. 31. 법률 제7427호로 개정된 것) 제815조 제2호는 헌법에 합치되지 아니한다. 위 법률조항은 2024. 12. 31.을 시한으로 개정될 때까지 계속 적용된다.

심판대상

민법(2005. 3. 31. 법률 제7427호로 개정된 것)

제809조(근친혼 등의 금지) ① 8촌 이내의 혈족(친양자의 입양 전의 혈족을 포함한다) 사이에서는 혼인하지 못한다.

제815조(혼인의 무효) 혼인은 다음 각 호의 어느 하나의 경우에는 무효로 한다.
  2. 혼인이 제809조 제1항의 규정을 위반한 때

판시사항 및 결정요지

1. **8촌 이내의 혈족 사이에서는 혼인할 수 없도록 하는 민법 제809조 제1항**(이하 '이 사건 금혼조항'이라 한다)**이 혼인의 자유를 침해하는지 여부**(소극)

가. 혼인과 가족생활을 스스로 결정하고 형성할 자유의 제한과 한계

(1) 헌법 제36조 제1항은 "혼인과 가족생활은 개인의 존엄과 양성의 평등을 기초로 성립되고 유지되어야 하며, 국가는 이를 보장한다."라고 규정하여, 혼인과 가족생활을 스스로 결정하고 형성할 수 있는 자유를 기본권으로서 보장하고, 혼인과 가족에 대한 제도를 보장한다. 즉, 소극적으로는 국가권력의 부당한 침해에 대한 개인의 주관적 방어권으로서 국가권력이 혼인과 가정이란 사적인 영역을 침해하는 것을 금지하면서, 적극적으로는 혼인과 가정을 제3자 등으로부터 보호해야 할 뿐만 아니라 개인의 존엄과 양성의 평등을 바탕으로 성립되고 유지되는 혼인·가족제도를 실현해야 할 국가의 과제를 부과하고 있다.

따라서 입법자는 혼인 및 가족관계가 가지는 고유한 특성, 예컨대 계속적·포괄적 생활공동체, 당사자의 의사와 관계없는 친족 등 신분관계의 형성과 확장가능성, 구성원 상호간의 이타(利他)적 유대관계의 성격이나 상호 신뢰·협력의 중요성, 시대와 사회의 변화에 따른 공동체의 다양성 증진 및 인식·기능의 변화 등을 두루 고려하여, 사회의 기초단위이자 구성원을 보호하고 부양하는 자율적 공동체로서의 가족의 순기능이 더욱 고양될 수 있도록 혼인과 가정을 보호하고, 개인의 존엄과 양성의 평등에 기초한 혼인·가족제도를 실현해야 한다. 이를 위해 개인이 혼인과 가족생활을 스스로 결정하고 형성할 수 있는 자유를 제한하는 경우에는 기본권 제한의 헌법적 한계를 준수하여야 함은 물론이다.

(2) 심판대상조항은 8촌 이내의 혈족 사이의 혼인을 금지하고, 이에 위반한 혼인은 무효로 하여 '혼인과 가족생활을 스스로 결정하고 형성할 수 있는 자유'(이하 '혼인의 자유'라 한다)를 제한하고 있다. 이러한 제한이 헌법 제37조 제2항이 정한 기본권 제한의 한계 원리 내의 것인지 살펴본다.

나. 이 사건 금혼조항의 혼인의 자유 침해 여부

이 사건 금혼조항은 근친혼으로 인하여 가까운 혈족 사이의 상호관계 및 역할, 지위와 관련하여 발생할 수 있는 혼란을 방지하고 가족제도의 기능을 유지하기 위한 것으로서 정당한 입법목적 달성을 위한 적합한 수단에 해당한다. 이 사건 금혼조항은, 촌수를 불문하고 부계혈족 간의 혼인을 금지한 구 민법상 동성동본금혼 조항에 대한 헌법재판소의 헌법불합치 결정의 취지를 존중하는 한편, 우리 사회에서 통용되는 친족의 범위 및 양성평등에 기초한 가족관계 형성에 관한 인식과 합의에 기초하여 혼인이 금지되는 근친의 범위를 한정한 것이므로 그 합리성이 인정되며, 입법목적 달성에 불필요하거나 과도한 제한을 가하는 것이라고는 볼 수 없으므로 침해의 최소성에 반한다고 할 수 없다. 나아가 이 사건 금혼조항으로 인하여 법률상의 배우자 선택이 제한되는 범위는 친족관계 내에서도 8촌 이내의 혈족으로, 넓다고 보기 어렵다. 그에 비하여 8촌 이내 혈족 사이의 혼인을 금지함으로써 가족질서를 보호하고 유지한다는 공익은 매우 중요하므로 이 사건 금혼조항은 법익균형성에 위반되지 아니한다. 그렇다면 이 사건 금혼조항은 과잉금지원칙에 위배하여 혼인의 자유를 침해하지 않는다.

2. 이 사건 금혼조항을 위반한 혼인을 무효로 하는 민법 제815조 제2호(이하 '이 사건 무효조항'이라 한다)가 혼인의 자유를 침해하는지 여부(적극)

가. 재판관 이선애, 재판관 이은애, 재판관 이종석, 재판관 이영진, 재판관 이미선의 헌법불합치의견

이 사건 무효조항은 이 사건 금혼조항의 실효성을 보장하기 위한 것으로서 정당한 입법목적 달성을 위한 적합한 수단에 해당한다. 다만, 이미 근친혼이 이루어져 당사자 사이에 부부간의 권리와 의무의 이행이 이루어지고 있고, 자녀를 출산하거나 가족 내 신뢰와 협력에 대한 기대가 발생하였다고 볼 사정이 있는 때에 일률적으로 그 효력을 소급하여 상실시킨다면, 이는 가족제도의 기능 유지라는 본래의 입법목적에 반하는 결과를 초래할 가능성이 있다. 이 사건 무효조항의 입법목적은 근친혼이 가까운 혈족 사이의 신분관계 등에 현저한 혼란을 초래하고 가족제도의 기능을 심각하게 훼손하는 경우에 한정하여 무효로 하더라도 충분히 달성 가능하고, 위와 같은 경우에 해당하는지 여부가 명백하지 않다면 혼인의 취소를 통해 장래를 향하여 혼인을 해소할 수 있도록 규정함으로써 가족의 기능을 보호하는 것이 가능하므로, 이 사건 무효조항은 입법목적 달성에 필요한 범위를 넘는 과도한 제한으로서 침해의 최소성을 충족하지 못한다. 나아가 이 사건 무효조항을 통하여 달성되는 공익은 결코 적지 아니하나, 이 사건 무효조항으로 인하여 제한되는 사익 역시 중대함을 고려하면, 이 사건 무효조항은 법익균형성을 충족하지 못한다. 그렇다면, 이 사건 무효조항은 과잉금지원칙에 위배하여 혼인의 자유를 침해한다.

나. 재판관 유남석, 재판관 이석태, 재판관 김기영, 재판관 문형배의 헌법불합치의견

이 사건 금혼조항에 대한 반대의견에서 밝히는 바와 같이 이 사건 금혼조항은 그 금지의 범위가 지나치게 광범위하여 헌법에 합치되지 아니하므로, 이 사건 무효조항도 무효로 하는 근친혼의 범위가 너무 광범위하여 헌법에 합치되지 아니한다. 이 사건 금혼조항의 개선입법으로 금지되는 근친혼의 범위가 합헌적으로 축소되는 경우에 그와 같이 축소된 금혼 범위 내에서 이 사건 무효조항은 그 입법목적의 정당성과 수단의 적합성이 인정된다. 이 사건 무효조항의 입법목적은 가령 직계혈족 및 형제자매 사이의 혼인과 같이 근친혼이 가족제도의 기능을 심각하게 훼손하는 경우에 한정하여 그 혼인을 무효로 하고 그 밖의 근친혼에 대하여는 혼인의 취소를 통해 장래를 향하여 혼인이 해소될 수 있도록 규정함으로써 기왕에 형성된 당사자나 그 자녀의 법적 지위를 보장하더라도 충분히 달성될 수 있다. 그럼에도 이 사건 무효조항은 이 사건 금혼조항을 위반한 경우를 전부 무효로 하고 있어서 침해최소성과 법익균형성에 반한다. 그렇다면 이 사건 무효조항은 과잉금지원칙에 위배하여 혼인의 자유를 침해한다.

3. 이 사건 무효조항에 대하여 헌법불합치 결정을 선고하면서 계속 적용을 명한 사례

240 부부의 자산소득을 합산하여 과세하도록 규정한 소득세법 사건 [위헌]
― 2002. 8. 29. 2001헌바82

판시사항

1. 헌법 제36조 제1항의 규범내용
2. 부부의 자산소득을 합산하여 과세하도록 규정하고 있는 소득세법 제61조 제1항이 헌법 제36조 제1항에 위반되는지 여부(적극)
3. 심판대상에 부수되는 관련조항에 대하여도 위헌선언을 한 사례

심판대상조항 및 관련조항

소득세법 제61조(자산소득합산과세) ① 거주자 또는 그 배우자가 이자소득·배당소득 또는 부동산임대소득(이하 "자산소득"이라 한다)이 있는 경우에는 당해 거주자와 그 배우자중 대통령령이 정하는 주된 소득자(이하 "주된 소득자"라 한다)에게 그 배우자(이하 "자산합산대상배우자"라 한다)의 자산소득이 있는 것으로 보고 이를 주된 소득자의 종합소득에 합산하여 세액을 계산한다.
② 주된 소득자의 판정은 당해연도 과세기간 종료일 현재의 상황에 의한다.
③ 제1항의 규정에 의하여 자산소득을 주된 소득자의 종합소득에 합산하여 세액을 계산하는 경우에 자산합산대상배우자에 대하여는 그 자산소득 외의 소득에 한하여 세액을 계산한다.
④ 제1항에 규정하는 주된 소득자의 종합소득금액에 대한 세액의 계산에 있어서는 주된 소득자의 종합소득금액과 자산합산대상배우자의 자산소득금액의 합계액을 주된 소득자의 종합소득금액으로 보고 대통령령이 정하는 바에 의하여 계산한 금액에서 주된 소득자의 종합소득금액과 자산합산대상배우자의 자산소득금액에 대하여 이미 납부한 세액(가산세액을 제외한다)의 합계액을 공제한 금액을 그 세액으로 한다.

주문

소득세법 제61조(1994. 12. 22. 법률 제4803호로 전문 개정된 것)는 헌법에 위반된다.

I 판 단

1. 이 사건 법률조항의 위헌여부

가. 이 사건 법률조항의 법적 효과 및 법률상 쟁점

이 사건 법률조항은 거주자 또는 그 배우자가 자산소득을 가진 경우에 자산합산대상배우자의 자산소득을 주된 소득자의 종합소득에 합산하여 세액을 계산하도록 규정하고 있다.

이 사건 법률조항에 의거하여 주된 소득자의 종합소득에 합산되는 자산합산대상배우자의 자산소득에는 개인 납세의무자의 종합소득에 대해 적용하는 누진적 소득세율이 적용된다. 이 사건에서 적용되는 구 소득세법 제55조 제1항은 종합소득과세표준 대비 세율을 1천만원 이하 부분은 10%, 1천만원 초과 4천만원 이하 부분은 20%, 4천만원 초과 8천만원 이하 부분은 30%, 8천만원 초과 부분은 40%로 규정하고 있다.

자산소득합산대상배우자의 자산소득이 주된 소득자의 연간 종합소득에 합산되면 합산전의 경우보다 일반적으로 더 높은 누진세율을 적용받기 때문에, 더 높은 세율이 적용되는 만큼 소득세액이 더 증가하게 되어 합산대상소득을 가진 부부는 자산소득이 개인과세되는 독신자 또는 혼인하지 않은 부부보다 더 많은 조세를 부담하게 된다.

그러므로 이 사건에서의 법률상 쟁점은 이 사건 법률조항으로 인하여 혼인한 부부에게 더 많은 조세를 부과하는 것이 헌법에 위반되는지 여부이다.

나. 이 사건 법률조항이 헌법 제36조 제1항에 위반되는지 여부

1) 헌법 제36조 제1항의 규범내용

가) 헌법 제36조 제1항은 "혼인과 가족생활은 개인의 존엄과 양성의 평등을 기초로 성립되고 유지되어야 하며, 국가는 이를 보장한다."라고 규정하고 있는데, 헌법 제36조 제1항은 혼인과 가족생활을 스스로 결정하고 형성할 수 있는 자유를 기본권으로서 보장하고, 혼인과 가족에 대한 제도를 보장한다. 그리고 헌법 제36조 제1항은 혼인과 가족에 관련되는 공법 및 사법의 모든 영역에 영향을 미치는 헌법원리 내지 원칙규범으로서의 성격도 가지는데, 이는 적극적으로는 적절한 조치를 통해서 혼인과 가족을 지원하고 제삼자에 의한 침해 앞에서 혼인과 가족을 보호해야 할 국가의 과제를 포함하며, 소극적으로는 불이익을 야기하는 제한조치를 통해서 혼인과 가족을 차별하는 것을 금지해야 할 국가의 의무를 포함한다. 이러한 헌법원리로부터 도출되는 차별금지명령은 헌법 제11조 제1항에서 보장되는 평등원칙을 혼인과 가족생활영역에서 더욱 더 구체화함으로써 혼인과 가족을 부당한 차별로부터 특별히 더 보호하려는 목적을 가진다. 이 때 특정한 법률조항이 혼인한 자를 불리하게 하는 차별취급은 중대한 합리적 근거가 존재하여 헌법상 정당화되는 경우에만 헌법 제36조 제1항에 위배되지 아니한다.

나) 조세법률은 혼인한 자에게 납세의무를 부과하는 것 외에는 혼인생활 자체에 어떠한 명령이나 금지를 직접적으로 가하지 않는다. 따라서 헌법 제36조 제1항이 보장하는 혼인과 가족생활에 관한 기본권이나 혼인과 가족에 대한 제도보장은 조세법률에는 어떠한 법적 영향을 미치지 아니한다. 그러나 헌법 제36조 제1항에서 도출되는 차별금지명령은 조세입법에서 조세부담의 증가라는 경제적 불이익을 통해서 혼인과 가족을 차별하는 것을 금지한다. 그러므로 만약 조세법률이 혼인을 그 구성요건으로 삼아서 일정한 법적효과를 결부시키고자 한다면, 혼인한 자를 경제적으로 불리하게 차별취급해서는 안된다.

이 사건 법률조항은 거주자 또는 그 배우자의 자산소득을 당해 거주자와 그 배우자 중 대통령령이 정하는 주된 소득자의 종합소득에 합산하여 세액을 계산하도록 규정함으로써, 거주자 또는 그 배우자라는 혼인의 구성요건을 근거로 혼인한 부부에게 더 높은 조세를 부과하여 혼인한 부부를 혼인하지 않은 부부나 독신자에 비해서 불리하게 차별취급하고 있다.

2) 이 사건 법률조항에 의한 혼인한 부부의 차별취급이 헌법상 정당화되는지 여부

자산소득합산과세제도가 부부간의 인위적인 소득분산에 의한 조세회피행위를 방지하고자 하는 목적을 추구하고 있지만, 부부간의 인위적인 자산 명의의 분산과 같은 가장행위 등은 상속세및증여세법상 증여의제규정(제44조) 등을 통해서 조세회피행위를 방지할 수 있다.

그리고 부부의 일방이 혼인 전부터 소유하고 있던 재산 또는 혼인 중에 상속 등으로 취득한 재산과 같은 특유재산 등으로부터 생긴 소득은 소득세 부담을 경감 또는 회피하기 위하여 인위적으로 소득을 분산한 결과에 의하여 얻어진 소득이 아니다. 그럼에도 불구하고 자산소득합산과세제도가 부부의 일방이 특유재산에서 발생한 자산소득까지 그 다른 한쪽의 배우자(주된 소득자)의 종합소득으로 보아 합산과세하는 것은 불합리하다.

다른 한편으로 부부자산소득합산제도가 추구하는 '부부의 소득분산으로 인한 조세회피 방지' 등의 행정기술적인 관점은 헌법 제36조 제1항과 관련하여 고찰할 때 그 성질상 법적인 논거로서는 부적절하다. 왜냐하면 헌법 제36조 제1항이 가지는 헌법적 가치가 우선하므로 입법자가 이러한 가치를 반영하지 않고 행정기술적인 관점을 채택하는 것은 허용될 수 없기 때문이다.

그러므로 인위적인 소득분산에 의한 조세회피를 방지하기 위해서 부부의 자산소득을 합산과세하는 것은 부적절하며 합리적이라고 볼 수 없다.

소득불평등의 직접적 원인이 되고 있는 자산소유의 불평등을 소득세에 의하여 시정하기 위하여 누진세율을 적용함으로써 소득의 재분배가 이루어지고 있다. 따라서 자산소득이 있는 자와 없는 자간의 불공평의 해소를 위해서 혼인과는 상관없이 자산소득이 있는 모든 납세의무자에 대하여 누진세율의 적용에 의한 소득세부과를 통해서 소득의 재분배기능을 강화하는 것은 타당하다. 그러나 자산소득이 있는 모든 납세의무자 중에서 혼인한 부부가 혼인하였다는 이유만으로 혼인하지 않은 자산소득자보다 더 많은 조세부담을 하여 소득을 재분배하도록 강요받는 것은 타당하지 않다고 할 것이다.

부부 자산소득 합산과세는 헌법 제36조 제1항에 의해서 보호되는 혼인한 부부에게 조세부담의 증가라는 불이익을 초래한다. 이러한 불이익은 자산소득을 가진 고소득계층뿐만 자산소득을 가진 중간 소득계층에게도 광범위하게 발생한다고 볼 수 있고, 자산소득을 가진 혼인한 부부가 혼인하지 아니한 자산소득자에 비해서 받게 되는 불이익은 상당히 크다고 할 것이다. 이에 반해서 자산소득합산과세를 통하여 인위적인 소득분산에 의한 조세회피를 방지하고, 소비단위별 담세력에 부응한 공평한 세부담을 실현하고, 소득재분배효과를 달성하는 사회적 공익은 기대하는 만큼 그리 크지 않다고 할 것이다. 위 양자를 비교형량하여 볼 때 자산소득합산과세를 통해서 얻게 되는 공익보다는 혼인한 부부의 차별취급으로 인한 불이익이 더 크다고 할 것이므로, 양자간에는 균형적인 관계가 성립한다고 볼 수 없다.

위에서 살펴본 바와 같이, 이 사건 법률조항이 자산소득합산과세제도를 통하여 합산대상 자산소득을 가진 혼인한 부부를 소득세부과에서 차별취급하는 것은 중대한 합리적 근거가 존재하지 아니하므로 헌법상 정당화되지 아니한다. 따라서 혼인관계를 근거로 자산소득합산과세를 규정하고 있는 이 사건 법률조항은 혼인한 자의 차별을 금지하고 있는 헌법 제36조 제1항에 위반된다. 그러므로 이 사건 법률조항이 다른 헌법 조항에 위반되는지 여부에 대한 추가적인 판단은 불필요하다.

2. 소결론

그렇다면 이 사건 법률조항인 소득세법 제61조 제1항은 헌법에 위반된다.

3. 부수적 위헌선언

헌법심판의 대상이 된 법률조항 중 일정한 법률조항이 위헌선언된 경우 같은 법률의 그렇지 아니한 다른 법률조항들은 효력을 그대로 유지하는 것이 원칙이나, 다음과 같은 예외적인 경우에는 위헌인 법률조항 이외의 나머지 법률조항들도 함께 위헌선언할 수가 있다. 즉, 합헌으로 남아 있는 나머지 법률조항만으로는 법적으로 독립된 의미를 가지지 못하거나, 위헌인 법률조항이 나머지 법률조항과 극히 밀접한 관계에 있어서 전체적·종합적으로 양자가 분리될 수 없는 일체를 형성하고 있는 경우, 위헌인 법률조항만을 위헌선언하게 되면 전체규정의 의미와 정당성이 상실되는 때가 이에 해당된다고 할 것이다.

이 사건 법률조항인 소득세법 제61조 제1항은 거주자 또는 그 배우자가 자산소득이 있는 경우에 자산합산대상배우자의 자산소득을 주된 소득자의 종합소득에 합산하여 세액을 계산하도록 정하는 자산소득합산과세제도의 근간을 이루는 핵심적 요소이다.

그런데 같은 조 제2항은 주된 소득자의 판정은 당해연도 과세기간 종료일 현재의 상황에 의하도록 규정하고 있고, 같은 조 제3항은 자산소득을 주된 소득자의 종합소득에 합산하여 세액을 계산하는 경우에 자산합산대상배우자에 대하여는 그 자산소득 외의 소득에 한하여 세액을 계산한다고 규정하고 있으며, 같은 조 제4항은 주된 소득자의 종합소득금액에 대한 세액의 계산에 있어서는 주된 소득자의 종합소득금액과 자산합산대상배우자의 자산소득금액의 합계액을 주된 소득자의 종합소득금액으로 보고 계산한 세액에서 주된 소득자의 종합소득금액과 자산합산대상배우자의 자산소득금액에 대하여 이미 납부한 세액의 합계액을 공제한 금액을 그 세액으로 한다고 규정하고 있다.

따라서 자산합산과세제도의 근간이 되는 소득세법 제61조 제1항이 위헌이라면, 그에 부수되는 같은 조 제2항 내지 제4항은 같은 조 제1항과 전체적·종합적으로 양자가 분리될 수 없는 밀접한 일체를 형성하고 있으므로 독자적인 규범적 존재로서의 의미를 잃게 된다.

그렇다면 소득세법 제61조 제2항 내지 제4항이 비록 심판대상이 아니지만 같은 조 제1항과 함께 위헌선언을 함으로써 법적 명확성을 기하는 것이 타당하므로 그에 대하여도 아울러 위헌선언을 한다.

II 결 론

그렇다면 소득세법 제61조 제1항 내지 제4항은 헌법에 위반되므로 재판관 전원의 일치된 의견으로 주문과 같이 결정한다.

241 1세대 3주택 이상 보유자 양도소득세 중과세 위헌소원 사건 [헌법불합치]
― 2011. 11. 24. 선고 2009헌바146

판시사항 및 결정요지

1. 1세대 3주택 이상에 해당하는 주택에 대하여 양도소득세 중과세를 규정하고 있는 구 소득세법제104조 제1항 제2호의3(이하 '이 사건 법률조항'이라 한다)이 과잉금지원칙에 반하여 재산권을 침해하는지 여부(소극)

이 사건 법률조항에 의한 세율이 일반 양도소득세율과 비교하여 높기는 하지만, 입법자가 1세대 3주택 이상에 해당하는 자의 주택 소유를 억제하여 주택 가격의 안정과 주거생활의 안정을 도모하기 위하여 사실상 1세대 3주택 이상의 주택 소유를 억제할 수 있는 정도의 세율을 정하고 그것도 과세구간에 따른 누진세율이 아니라 고율의 단일세율을 정한 것이므로, 위와 같은 이 사건 법률조항의 입법목적 등을 고려하면, 이 사건 법률조항이 정하고 있는 세율이 일반 양도소득세율에 비하여 고율의 단일세율이라는 이유만으로 침해의 최소성원칙을 벗어났다고 볼 수 없고, 이 사건 법률조항으로 인해 1세대 3주택 이상에 해당하는 납세의무자가 입게 되는 불이익이 이 사건 법률조항이 추구하는 공익에 비하여 균형을 상실할 정도로 크다고 볼 수도 없어 법익의 균형성 원칙에도 위배되지 않는다. 따라서 이 사건 법률조항은 과잉금지원칙에 반하여 청구인의 재산권을 침해하지 않는다.

2. 이 사건 법률조항이 과잉금지원칙에 위배되어 헌법 제36조 제1항에 위배되는지 여부(적극)

주택 양도소득세 과세에 있어 '1세대'를 과세단위로 한 것이 적절한지에 관하여 보면, ① 이 사건 법률조항이 3주택 이상에 해당하는 자의 인적 범위를 정함에 있어 주로 생계를 같이하는 '1세대'를 기준으로 한 것은, 세대별로 주택이 사용되어지고, 세대의 개념상 1주택을 넘는 주택은 일시적 1세대 2주택자 등의 예외를 제외하고는 보유자의 주거용으로 사용되지 않을 개연성이 높은 점을 고려한 것이며, 주택이 다른 재산권과 구별되는 위와 같은 특성을 고려하여 오로지 보유 주택수를 제한하고자 '세대'를 주택 양도소득세의 과세단위로 규정하고 있는 점, ② 이 사건 법률조항이 1세대 3주택 이상 보유자에 대한 양도소득세 중과세로 인하여 사실상 보유 주택수를 제한하는 것은 맞으나, 주택 이외의 다른 재산을 소유하는 것까지 막는 것은 아니어서 세대별 보유 재산권에 대한 제한이 상대적으로 크다고 할 수 없는 점 등을 합쳐 보면, 이 사건 법률조항이 정하고 있는 '1세대'를 기준으로 하여 3주택 이상 보유자에 대해 중과세하는 방법은 보유 주택수를 억제하여 주거생활의 안정을 꾀하고자 하는 이 사건 법률조항의 입법목적을 위하여 일응 합리적인 방법이라 할 수 있다.

그러나 혼인으로 새로이 1세대를 이루는 자를 위하여 상당한 기간 내에 보유 주택수를 줄일 수 있도록 하고 그러한 경과규정이 정하는 기간 내에 양도하는 주택에 대해서는 혼인 전의 보유 주택수에 따라 양도소득세를 정하는 등의 완화규정을 두는 것과 같은 손쉬운 방법이 있음에도 이러한 완화규정을 두지 아니한 것은 최소침해성원칙에 위배된다고 할 것이고, 이 사건 법률조항으로 인하여 침해되는 것은 헌법이 강도 높게 보호하고자 하는 헌법 제36조 제1항에 근거하는 혼인에 따른 차별금지 또는 혼인의 자유라는 헌법적 가치라 할 것이므로 이 사건 법률조항이 달성하고자 하는 공익과 침해되는 사익 사이에 적절한 균형관계를 인정할 수 없어 법익균형성원칙에도 반한다.

결국 이 사건 법률조항은 과잉금지원칙에 반하여 헌법 제36조 제1항이 정하고 있는 혼인에 따른 차별금지원칙에 위배되고, 혼인의 자유를 침해한다.

3. 소득세법(2009. 12. 31. 법률 제9897호로 개정된 것) 제104조 제1항 제4호에 대한 심판대상 확장과 헌법불합치 결정의 필요성

국회는 2009. 12. 31. 법률 제9897호로 이 사건 소득세법을 개정하여 위 구 소득세법 제104조 제1항 제2호의3이 개정 소득세법 제104조 제1항 제4호로 변경되었는데, 그 규율 내용에는 변함이 없으므로 위 규정 역시 과잉금지원칙에 위배되어 헌법 제36조 제1항 등에 근거하는 혼인에 따른 차별금지원칙에 반하고 혼인의 자유를 침해하므로 헌법에 위반된다.

그런데 위와 같은 이 사건 심판대상조항들에 대해 단순위헌결정을 하여 당장 그 효력을 상실시킬 경우에는 혼인에 따라 새로이 1세대 3주택 이상 보유자가 된 자 이외의 일반적인 1세대 3주택 이상 보유자에 대한 양도소득세 중과세의 근거 규정이 사라져 법적 공백상태가 발생하게 될 것이므로 헌법불합치결정을 한다.

242 종합부동산세법 사건 [헌법불합치, 합헌]
- 2008. 11. 13. 선고 2006헌바112,2007헌바71,88,94,2008헌바3,62,2008헌가12(병합)

판시사항 및 결정요지

1. 종합부동산세의 과세방법을 '인별합산'이 아니라 '세대별 합산'으로 규정한 종합부동산세법 제7조 제1항 중 전문의 괄호 부분 및 후문, 제2항, 제3항, 제12조 제1항 제1호 중 본문의 괄호 부분 및 단서 부분, 제2항(이하 '이 사건 세대별 합산규정'이라 한다)이 헌법 제36조 제1항에 위반되는 것인지 여부(적극)

가. 헌법 제36조 제1항의 의미와 심사기준

헌법 제36조 제1항은 "혼인과 가족생활은 개인의 존엄과 양성의 평등을 기초로 성립되고 유지되어야 하며, 국가는 이를 보장한다."고 규정하여 혼인과 가족생활에 불이익을 주지 않을 것을 명하고 있고, 이는 적극적으로 적절한 조치를 통하여 혼인과 가족을 지원하고 제3자에 의한 침해로부터 혼인과 가족을 보호해야 할 국가의 과제와, 소극적으로 불이익을 야기하는 제한 조치를 통하여 혼인과 가족생활을 차별하는 것을 금지해야 할 국가의 의무를 포함하는 것이다.

이러한 헌법원리로부터 도출되는 차별금지의 명령은 헌법 제11조 제1항의 평등원칙과 결합하여 혼인과 가족을 부당한 차별로부터 보호하고자 하는 목적을 지니고 있고, 따라서 특정한 조세 법률조항이 혼인이나 가족생활을 근거로 부부 등 가족이 있는 자를 혼인하지 아니한 자 등에 비하여 차별 취급하는 것이라면 비례의 원칙에 의한 심사에 의하여 정당화되지 않는 한 헌법 제36조 제1항에 위반된다 할 것이다.

이는 단지 차별의 합리적인 이유의 유무만을 확인하는 정도를 넘어, 차별의 이유와 차별의 내용 사이에 적정한 비례적 균형관계가 이루어져 있는지에 대해서도 심사하여야 한다는 것을 의미하고, 위와 같은 헌법원리는 조세 관련 법령에서 과세단위를 정하는 것이 입법자의 입법형성의 재량에 속하는 정책적 문제라고 하더라도 그 한계로서 적용되는 것이다.

나. 이 사건 세대별 합산규정의 헌법 제36조 제1항 위반 여부

이 사건 세대별 합산규정은 생활실태에 부합하는 과세를 실현하고 조세회피를 방지하고자 하는 것으로 그 입법목적의 정당성은 수긍할 수 있으나, 가족 간의 증여를 통하여 재산의 소유 형태를 형성하였다고 하여 모두 조세회피의 의도가 있었다고 단정할 수 없고, 정당한 증여의 의사에 따라 가족 간에 소유권을 이전하는 것도 국민의 권리에 속하는 것이며, 우리 민법은 부부별산제를 채택하고 있고 배우자를 제외한 가족의 재산까지 공유로 추정할 근거규정이 없고, 공유재산이라고 하여 세대별로 합산하여 과세할 당위성도 없으며, 부동산 가격의 앙등은 여러 가지 요인이 복합적으로 작용하여 발생하는 것으로서 오로지 세제의 불비 때문에 발생하는 것만이 아니며, 이미 헌법재판소는 자산소득에 대하여 부부간 합산과세에 대하여 위헌 선언한바 있으므로 적절한 차별취급이라 할 수 없다.

또한 부동산실명법상의 명의신탁 무효 조항이나 과징금 부과 조항, 상속세 및 증여세법상의 증여 추정규정 등에 의해서도 조세회피의 방지라는 입법목적을 충분히 달성할 수 있어 반드시 필요한 수단이라고 볼 수 없다.

이 사건 세대별 합산규정으로 인한 조세부담의 증가라는 불이익은 이를 통하여 달성하고자 하는 조세회피의 방지 등 공익에 비하여 훨씬 크고, 조세회피의 방지와 경제생활 단위별 과세의 실현 및 부동산 가격의 안정이라는 공익은 입법정책상의 법익인데 반해 혼인과 가족생활의 보호는 헌법적 가치라는 것을 고려할 때 법익균형성도 인정하기 어렵다. 따라서 이 사건 세대별 합산규정은 혼인한 자 또는 가족과 함께 세대를 구성한 자를 비례의 원칙에 반하여 개인별로 과세되는 독신자, 사실혼 관계의 부부, 세대원이 아닌 주택 등의 소유자 등에 비하여 불리하게 차별하여 취급하고 있으므로, 헌법 제36조 제1항에 위반된다.

2. 주택분 종합부동산세의 납세의무자와 과세표준, 세율 및 세액을 규정한 구 종합부동산세법 '이 사건 주택분 종합부동산세 부과규정'과 종합합산과세 대상 토지분 종합부동산세의 납세의무자와 과세표준, 세율 및 세액을 규정한 구 종합부동산세법 '이 사건 종합토지분 종합부동산세 부과규정'이 납세의무자의 재산권을 침해하는지 여부(이 사건 주택분 종합부동산세 부과규정은 적극, 이 사건 종합토지분 종합부동산세 부과규정은 소극)

종합부동산세는 부동산 보유에 대한 조세부담의 형평성을 제고하고, 부동산 가격을 안정시키려는데 목표가 있고, 아울러 지방재정의 균형발전과 국민경제의 건전한 발전에 이바지하고자 하는 것으로 이러한 입법목적의 정당성과 방법의 적절성을 수긍할 수 있다. 또한 전체 재산세 납세의무자나 인구, 세대 중 종합부동산세의 납세의무자가 차지하는 비율, 1인당 또는 1세대당 평균세액, 세액 단계별 납세자 및 납세액의 분포, 부동산 가격 대비 조세부담률, 직전년도 총세액 부담액에 대한 150% 내지 300%의 세액 상한의 설정 등에 비추어 보면, 종합부동산세법이 규정한 조세의 부담은 재산권의 본질적 내용인 사적 유용성과 원칙적인 처분권한을 여전히 부동산 소유자에게 남겨 놓는 한도 내에서의 재산권의 제한이고, 위 가격 대비 부담률에 비추어 보면, 매년 종합부동산세가 부과된다고 하더라도 상당히 짧은 기간 내에 사실상 부동산가액 전부를 조세 명목으로 무상으로 몰수하는 결과를 가져 오게 되는 것이라고 보기도 어려우므로, 이 사건 주택분 및 종합토지분 종합부동산세의 과세표준 및 세율로 인한 납세의무자의 세부담 정도는 종합부동산세의 입법 목적에 비추어 일반적으로는 과도하다고 보기 어려운 것으로 입법재량의 범위를 일탈하였다고 단정할 수는 없을 것이다.

그러나, 이 사건 주택분 종합부동산세 부과규정은, 납세의무자 중 적어도 주거 목적으로 한 채의 주택만을 보유하고 있는 자로서, 그 중에서도 특히 일정한 기간 이상 이를 보유하거나 또는 그 보유기간이 이에 미치지 않는다 하더라도 과세 대상 주택 이외에 별다른 재산이나 수입이 없어 조세지불 능력이 낮거나 사실상 거의 없는 자 등에 대하여 주택분 종합부동산세를 부과함에 있어서는 그 보유의 동기나 기간, 조세 지불능력 등과 같이 정책적 과세의 필요성 및 주거생활에 영향을 미치는 정황 등을 고려하여 납세의무자의 예외를 두거나 과세표준 또는 세율을 조정하여 납세의무를 감면하는 등의 과세 예외조항이나 조정장치를 두어야 할 것임에도 이와 같은 주택 보유의 정황을 고려하지 아니한 채 다른 일반 주택 보유자와 동일하게 취급하여 일률적 또는 무차별적으로, 그것도 재산세에 비하여 상대적으로 고율인 누진세율을 적용하여 결과적으로 다액의 종합부동산세를 부과하는 것이므로, 그 입법 목적의 달성에 필요한 정책수단의 범위를 넘어 과도하게 주택 보유자의 재산권을 제한하는 것으로서 피해의 최소성 및 법익 균형성의 원칙에 어긋난다고 보지 않을 수 없다.

이와 달리, 이 사건 종합토지분 종합부동산세 부과규정은, 매년 종합합산 과세대상인 토지에 대한 종합부동산세가 반복적으로 부과되어 재산권에 대한 제한이 있다 하더라도 종합부동산세 납세의무자의 세부담의 정도 및 주택과는 또 다른 토지의 특수성 등을 종합하면, 부동산에 대한 과도한 보유 및 투기적 수요 등을 억제함으로써 부동산의 가격안정을 꾀하며, 징수한 종합부동산세의 지방양여를 통하여 지방재정의 균형발전과 국민경제의 건전한 발전을 도모함으로써 얻을 수 있는 공익이 보다 크다고 할 것이므로, 피해의 최소성 및 법익 균형성의 원칙에 어긋난다고 보기는 어렵다 할 것이다.

3. 종합부동산세를 국세로 규정한 구 종합부동산세법 제16조 제1항 및 제17조 중 '납세지 관할 세무서장', '납세지 관할 지방국세청장' 부분(이하 '이 사건 국세규정'이라 한다)이 자치재정권을 침해하는지 여부(소극)

부동산 보유세를 국세로 할 것인지 지방세로 할 것인지는 입법정책의 문제에 해당되고, 입법정책상 종합부동산세법이 부동산 보유세인 종합부동산세를 국세로 규정하였다 하더라도 지방자치단체의 자치재정권의 본질을 훼손하는 것이라고 보기 어려우므로 이 사건 국세 규정은 헌법에 위반된다고 볼 수 없다.

4. 종합부동산세 제도가 이중과세, 소급입법 과세, 미실현 이득에 대한 과세 및 원본잠식, 헌법 제119조 위반, 헌법상 체계정당성 원리 위반, 입법권 남용에 해당하는지 여부(소극)

가. 종합부동산세는 재산세와 사이에서는 동일한 과세대상 부동산이라고 할지라도 지방자치단체에서 재산세로 과세되는 부분과 국가에서 종합부동산세로 과세되는 부분이 서로 나뉘어져 재산세를 납부한 부분에 대하여 다시 종합부동산세를 납부하는 것이 아니고, 양도소득세와 사이에서는 각각 그 과세의 목적 또는 과세 물건을 달리하는 것이므로, 이중과세의 문제는 발생하지 아니한다.

나. 구 종합부동산세법 부칙 제2조는 구 종합부동산세법이 그 시행 후 최초로 납세의무가 성립하는 종합부동산세에 대하여 적용됨을 명백히 규정하고 있으므로, 구 종합부동산세법이 시행된 후 과세기준일 현재 과세대상 부동산에 대하여 종합부동산세를 부과하는 것은 소급입법에 의한 과세라고 하기는 어렵다.

다. 종합부동산세는 본질적으로 부동산의 보유사실 그 자체에 담세력을 인정하고 그 가액을 과세표준으로 삼아 과세하는 것으로서, 일부 수익세적 성격이 있다 하더라도 미실현 이득에 대한 과세의 문제가 전면적으로 드러난다고 보기 어렵고, 그 부과로 인하여 원본인 부동산가액의 일부가 잠식되는 경우가 있다 하더라도 그러한 사유만으로 곧바로 위헌이라 할 수는 없을 것이다.

라. 국가에 대하여 경제에 관한 규제와 조정을 할 수 있도록 규정한 헌법 제119조 제2항이 보유세 부과 그 자체를 금지하는 취지로 보이지 아니하므로 주택 등에 보유세인 종합부동산세를 부과하는 그 자체를 헌법 제119조에 위반된다고 보기 어렵다.

마. 종합부동산세는 지방세인 재산세와는 별개의 독립된 국세로서 구 조세특례제한법상의 중과세 특례라고 할 수 없을 뿐만 아니라, 종합부동산세가 재산세나 다른 조세와의 관계에서도 규범의 구조나 내용 또는 규범의 근거가 되는 원칙 면에서 상호 배치되거나 모순된다고 보기도 어려우므로, 입법 체계의 정당성에 위반된다고 할 수 없다.

바. 조세 관련 법률이라 하여 정부가 제출하는 방식으로 입법하여야 한다는 헌법적인 관행이 확립되어 있다고 보기 어렵고, 헌법 제40조에 의하면 입법권은 본래 국회에 속하는 것이므로, 종합부동산세법이 비록 국회의원이 제출하는 형식으로 입법되었다 하여 이를 들어 입법권의 남용이라 하기도 어렵다.

5. 종합부동산세 부과로 인한 평등권 또는 평등원칙 위배, 거주 이전의 자유 침해, 생존권 또는 인간다운 생활을 할 권리 침해, 개발제한구역 내 토지와 관련한 재산권 등 침해에 해당하는지 여부(소극)

가. (1) 일정 가액 이상의 부동산에 대하여 각각 부채를 고려함이 없이 누진세율에 의하여 과세하도록 한 것은, 입법재량의 범위 내에서 부동산의 가격안정과 담세능력에 상응한 과세를 도모하기 위한 것으로 합리적인 이유 없이 차별대우하는 것이 아니고, (2) 토지와 주택의 사회적 기능이나 국민경제의 측면, 특히 주택은 인간의 기본적인 생존의 조건이 되는 생활공간인 점을 고려할 때, 토지와 주택을 다른 재산권과 달리 취급하더라도 합리성이 없다 할 수 없으며, (3) 종합부동산세법은 전국의 모든 부동산을 소유자별로 합산한 가액을 과세표준으로 하는 재산세의 일종이므로, 사회·경제적인 여건으로 종합부동산세의 부과대상이 수도권에 편중되어 있다 하여 이를 들어 수도권을 비수도권에 비하여 차별한다고 할 수는 없고, (4) 임대주택, 기숙사, 사원용 주택, 건설사업자의 미분양 주택 등은 주거생활의 안정을 위한 주택의 공급에 기여하여 부동산의 가격안정에 도움을 주는 것으로 이를 과세표준 합산대상에 배제하는 것이 합리적이라 할 것이므로, 평등의 원칙에 반한다고 보기 어렵다.

나. 주택 등에 대한 종합부동산세의 부과로 거주 이전의 자유가 사실상 제약당할 여지가 있으나, 이는 위의 기본권에 대한 침해가 아니라 주택 등의 재산권에 대한 제한이 수반하는 반사적인 불이익에 지나지 아니하므로 이 사건 주택분 종합부동산세 부과규정이 거주 이전의 자유를 침해한다고 보기 어렵다할 것이다.

다. 종합부동산세법은 공시가격을 기준으로 주택분의 경우에는 6억 내지 9억 원, 종합합산 토지분의 경우에는 3억 내지 6억 원을 초과하여 보유한 자를 납세의무자로 하고 있는바, 위 과세대상 주택 등의 가액에 비추어 보면, 종합부동산세의 납세의무자는 인간의 존엄에 상응하는 최소한의 물질적인 생활을 유지할 수 있는 지위에 있다 할 것이므로, 이 사건 종합부동산세 부과규정으로 인하여 납세의무자의 생존권이나 인간다운 생활을 할 권리를 제한하거나 침해한다고 보기 어렵다 할 것이다.

라. 종합합산 과세대상 토지가 '개발제한구역의 지정 및 관리에 관한 특별조치법'상의 개발제한구역의 지정으로 인하여 재산권 행사에 제한을 받고 있다 하더라도, 그 토지의 재산적 가치가 완전히 소멸되는 것이 아니라 그러한 재산권의 제한은 당해 토지의 개별공시지가에 반영되어 과세표준이 감액 평가됨으로써 일반토지와 비교할 때 감액된 종합부동산세를 부담하게 될 것이므로, 개발제한구역으로 지정된 토지에 대하여 재산세에 더하여 다른 일반토지와 같은 세율의 종합부동산세를 부과한다 하여 다른 일반 토지에 비하여 특별히 청구인의 재산권이 침해되었다거나, 평등원칙에 위반된다고 보기는 어렵다 할 것이다.

6. 헌법불합치결정 및 잠정적용을 명한 사례

이 사건 주택분 종합부동산세 부과규정을 단순위헌으로 선언하여 즉시 효력을 상실하게 할 경우에는, 단순위헌의 선언에도 불구하고 인별 합산규정에 따라 종합부동산세를 부과할 수 있는 이 사건 세대별 합산규정의 경우와는 달리, 주택분에 대한 종합부동산세를 전혀 부과할 수 없게 되는 등 법적인 공백 상태를 초래하게 되고, 이는 일정한 경우에 과세 예외조항이나 조정장치를 두지 않은 것이 납세의무자의 재산권을 침해한다는 이 사건 위헌 결정의 취지와 달리 모든 주택분 종합부동산세 납세의무자에 대해서까지 주택분 종합부동산세를 부과하지 못하게 하는 부당한 결과에 이르게 될 뿐만 아니라, 조세수입을 감소시키고 국가재정에 상당한 영향을 줌으로써, 일부 위헌적인 요소가 있는 이 사건 주택분 종합부동산세 부과규정을 존속시킬 때보다 단순위헌의 결정으로 인하여 더욱 헌법적 질서와 멀어지는 법적 상태가 초래될 우려가 있고, 위헌적인 규정을 구체적으로 어떠한 내용으로 합헌적으로 조정할 것인지는 원칙적으로 입법자의 형성재량에 속하고, 특히 일률적·장기적으로 다수의 국민을 대상으로 하는 세법규정에 있어서는 입법자로 하여금 정책적 판단을 숙고할 수 있는 여유를 주어 충분한 사회적인 합의를 거쳐 위헌적인 문제점을 해결하도록 함이 상당하다 할 것이므로, 이 사건 주택분 종합부동산세 부과규정에 대하여는 헌법불합치 결정을 선고하되, 다만 입법자의 개선입법이 있을 때까지 계속 적용을 명하기로 한다.

243 남성단기복무장교를 육아휴직 허용대상에서 제외하고 있는 군인사법 사건
[기각]

판시사항

1. 기본권으로서의 양육권의 성격
2. 육아휴직신청권의 법적 성격
3. 남성 단기복무장교를 육아휴직 허용 대상에서 제외하고 있는 구 군인사법 제48조 제3항 본문 제4호 중 육아휴직 부분(이하 '이 사건 법률조항'이라 한다)이 남성 단기복무장교의 양육권을 침해하는지 여부(소극)
4. 직업군인에게만 육아휴직을 허용하는 것이 의무복무군인인 남성 단기복무장교의 평등권을 침해하는지 여부(소극)
5. 단기복무군인 중 여성에게만 육아휴직을 허용하는 것이 성별에 의한 차별인지 여부(소극)

사건의 개요

청구인은 제43회 사법시험에 합격하고, 2005. 1. 31. 사법연수원을 수료한 후 2005. 4. 1. 단기복무장교인 군법무관으로 임용된 자로서, 2005. 9. 3. 딸 이○영이 출생하여 육아휴직을 신청하고자 하였으나, 구 군인사법 제48조 제3항 본문 제4호가 장기복무장교, 준사관 및 장기복무부사관, 단기복무 중인 여자군인만 육아휴직을 신청할 수 있도록 규정하고 있을 뿐 청구인과 같은 남성 단기복무장교에 관하여는 아무런 규정을 두고 있지 않아서 그 신청을 할 수 없었다.

청구인은 육아휴직을 신청할 수 있는 군인의 범위에 남성 단기복무장교를 포함하고 있지 아니한 구 군인사법 제48조 제3항이 청구인의 자녀 양육권과 교육권, 인격권과 행복추구권, 평등권을 침해하는 것이라며 2005. 11. 27. 이 사건 헌법소원을 청구하였다.

심판대상조항 및 관련조항

청구인은 구 군인사법 제48조 제3항 전부를 심판대상으로 삼고 있으나, 위 조항 제1호 내지 제3호와 제4호 중 '여자군인이 임신 또는 출산하게 되어 필요한 때' 부분은 청구인과 무관하다. 또한 제48조 제3항 단서는 여자군인이 제4호에 해당하는 사유로 휴직을 신청한 경우 임용권자는 대통령령으로 정하는 특별한 사정이 없는 한 휴직을 명하여야 한다는 것인데, 청구인은 남성 단기복무장교의 경우 육아휴직신청을 할 수 없게 하는 것이 위헌이라는 것일 뿐 위 단서 부분을 다투고 있지는 아니하다.

따라서 이 사건의 심판대상은 군인의 육아휴직과 관련한 사항을 규정하는 구 군인사법(2004. 1. 20. 법률 제7269호로 개정되고, 2007. 12. 21. 법률 제8732호로 개정되기 전의 것) 제48조 제3항 본문 제4호 중 '자녀(휴직신청 당시 3세 미만인 자녀에 한한다)를 양육하게 되어 필요한 때' 부분(이하 '이 사건 법률조항'이라 한다)이 청구인의 기본권을 침해하는지 여부이고, 심판대상조항 및 관련규정의 내용은 다음과 같다.

【심판대상조항】
구 군인사법(2004. 1. 20. 법률 제7269호로 개정되고, 2007. 12. 21. 법률 제8732호로 개정되기 전의 것)
제48조(휴직) ③ 임용권자는 장기복무장교, 준사관 및 장기복무부사관이 다음 각 호의 1에 해당하는 사유로 휴직을 원하는 경우와 단기복무중인 여자군인이 제4호의 사유로 휴직을 원하는 경우에는 업무수행 및 인력운영상 지장을 초래하지 아니하는 범위 안에서 휴직을 명할 수 있다. 다만, 여자군인이 제4호에 해당하는 사유로 휴직을 신청한 경우에는 대통령령이 정하는 특별한 사정이 없는 한 휴직을 명하여야 한다.
  4. 자녀(휴직신청 당시 3세 미만인 자녀에 한한다)를 양육하거나 여자군인이 임신 또는 출산하게 되어 필요한 때

주문
이 사건 심판청구를 기각한다.

I 권리보호이익의 존부에 관한 판단

국방부에서 송부한 자료에 의하면, 청구인은 이 사건 심판 계속중인 2008. 3. 31.자로 이미 전역하여 이 사건 법률조항에 의한 주관적인 기본권의 침해상태는 종료되었다 할 것이다.
그러나 이 사건 법률조항의 위헌 여부에 관하여 아직 그 해명이 이루어진 바가 없고 앞으로도 청구인과 같은 지위에 있는 남성 단기복무장교가 동일한 헌법적 의문을 제기할 가능성이 있으므로, 예외적으로 심판청구의 이익을 인정할 수 있는 경우에 해당한다.

II 본안에 관한 판단

1. 군인에 대한 육아휴직제도의 구체적 내용

육아휴직한 군인에 대하여는 육아휴직수당이 지급되고, 임용권자 등은 육아휴직에 따라 결원을 보충하거나, 육아휴직한 군인의 업무를 소속 군인 등에게 대행하게 할 수 있으며, 이 경우 그 업무대행 군인에게는 수당을 지급할 수 있다. 임용권자는 육아휴직을 이유로 인사상 불리한 처우를 하여서는 아니되고, 육아휴직기간은 의무복무기간에는 산입되지 아니하나, 진급최저복무기간에는 산입된다.

2. 행복추구권, 인격권, 교육권의 침해 여부

청구인은 이 사건 법률조항이 청구인의 행복추구권, 인격권, 교육권을 침해한다고 주장한다.
그러나 헌법 제10조 전문의 행복추구권은 다른 개별적 기본권이 적용되지 않는 경우에 한하여 보충적으로 적용되는 기본권이어서, 양육권과 평등권의 침해 여부를 판단하는 이 사건에 있어서는 행복추구권 침해 여부를 독자적으로 판단할 필요가 없다.

또한 기본권경합의 경우에는 기본권침해를 주장하는 청구인의 의도 및 기본권 침해 여부가 문제되는 법률의 입법동기 등을 참작하여 사안과 가장 밀접한 관계에 있고 또 침해의 정도가 큰 주된 기본권을 중심으로 해서 그 제한의 한계를 따져 보아야 할 것인바, 인격권은 청구인의 주장에 의하더라도 자녀에 대한 양육권을 행사하는 과정에서 또는 그 행사의 결과에 부수하는 기본권에 불과하고, 자녀에 대한 교육권 역시 이 사건 법률조항이 정하고 있는 육아휴직의 대상자녀의 연령이 3세 미만이라는 점에서, 양육권과 별도로 인격권이나 교육권의 침해 여부를 판단할 필요는 없다.

3. 양육권의 침해 여부

가. 기본권으로서의 양육권의 의의

자녀에 대한 부모의 양육권은 비록 헌법에 명문으로 규정되어 있지는 아니하지만, 이는 모든 인간이 누리는 불가침의 인권으로서 혼인과 가족생활을 보장하는 헌법 제36조 제1항, 행복추구권을 보장하는 헌법 제10조 및 '국민의 자유와 권리는 헌법에 열거되지 아니한 이유로 경시되지 아니한다.'고 규정한 헌법 제37조 제1항에서 나오는 중요한 기본권이다. 부모는 자녀의 양육에 관하여 전반적인 계획을 세우고 자신의 인생관·사회관·교육관에 따라 자녀의 양육을 자유롭게 형성할 권리를 가진다. 헌법은 제36조 제1항에서 혼인과 가정생활을 보장함으로써 가족의 자율영역이 국가의 간섭에 의하여 획일화·평준화되고 이념화되는 것으로부터 보호하고 있는데, 가족생활을 구성하는 핵심적 내용 중의 하나가 바로 자녀의 양육이다.

한편 헌법 제36조 제1항은 혼인과 가족에 관련되는 공법 및 사법의 모든 영역에 영향을 미치는 헌법원리 내지 원칙규범으로서의 성격도 가지는데, 이는 적극적으로는 적절한 조치를 통해서 혼인과 가족을 지원하고 제3자에 의한 침해 앞에서 혼인과 가족을 보호해야 할 국가의 과제를 포함하며, 소극적으로는 불이익을 야기하는 제한조치를 통해서 혼인과 가족을 차별하는 것을 금지해야 할 국가의 의무를 포함한다.

따라서 양육권은 공권력으로부터 자녀의 양육을 방해받지 않을 권리라는 점에서는 자유권적 기본권으로서의 성격을, 자녀의 양육에 관하여 국가의 지원을 요구할 수 있는 권리라는 점에서는 사회권적 기본권으로서의 성격을 아울러 가지고 있다고 할 수 있고, 이 사건 법률조항과 같이 육아휴직을 신청할 수 있는 대상 군인을 제한하는 것은 사회권적 기본권으로서의 양육권을 제한하는 것으로 볼 수 있다.

나. 육아휴직신청권의 법적 성격

앞에서 본 바와 같이 헌법 제36조 제1항이 국가에게 자녀 양육을 지원할 의무를 부과하고 있고, 이 사건 법률조항이 규정하고 있는 육아휴직제도의 헌법적 근거를 위 헌법 조항에서 찾을 수 있다 하더라도, 그것만으로는 개인에게 국가에 대하여 육아휴직제도의 전면적 시행과 같은 적극적 급부를 요구할 수 있는 청구권을 부여하고 있다거나 국가에게 그에 관한 입법의무를 지우고 있다고는 할 수 없다. 즉, 육아휴직신청권은 헌법 제36조 제1항 등으로부터 개인에게 직접 주어지는 헌법적 차원의 권리라고 볼 수는 없고, 입법자가 입법의 목적, 수혜자의 상황, 국가예산, 전체적인 사회보장수준, 국민정서 등 여러 요소를 고려하여 제정하는 입법에 적용요건, 적용대상, 기간 등 구체적인 사항이 규정될 때 비로소 형성되는 법률상의 권리에 불과하다 할 것이다.

다. 심사기준

국가에게 혼인과 가족생활의 보호자로서 부모의 자녀양육을 지원할 헌법상 과제가 부여되어 있다 하더라도 그로부터 곧바로 헌법이 국가에게 육아휴직제도를 전면적으로 도입하여 그 신청대상에 청구인과 같이 병역법에 따라 의무복무 중인 현역 군인도 포함하는 규정을 만들어야 할 명시적인 입법의무를 부여하였다고 할 수는 없다. 입법자는 군인의 육아휴직에 관한 입법을 함에 있어 제도의 목적, 대상 군인의 복무형태와 수행업무 및 지위, 군의 인력운영 상황, 국가예산, 국민정서 등 제반 사정을 고려하여야 하므로, 군인에 대한 육아휴직의 허용 요건이나 허용 대상, 허용 기간 등을 어떻게 정할 것인지는 입법자의 재량에 맡겨져 있다고 보아야 할 것이다. 따라서 이 사건 법률조항이 육아휴직을 신청할 수 있는 군인의 범위에 청구인과 같은 남성 단기복무장교를 포함하고 있지 아니한 것이 현저히 불합리하여 헌법상 용인될 수 있는 재량의 범위를 명백히 일탈함으로써 사회적 기본권으로서의 양육권을 보장하여야 할 국가의 최소한 보장의무의 불이행으로 볼 수 있는 경우에 한하여 헌법에 위반된다고 할 수 있다.

라. 판 단

육아휴직제도는 양육권이 갖는 사회권적 기본권으로서의 측면이 입법자에 의하여 제도로 도입된 것으로 볼 수 있지만, 육아의 수단으로 휴직제도를 이용한다는 점에서는 근로자의 권리로서의 측면도 아울러 가지고 있다고 할 수 있다. 그런데 장기복무장교, 준사관, 장기복무부사관 및 단기복무중인 여자군인은 병역법상의 병역의무를 이행하는 남성 단기복무군인과 달리 직업군인이므로, 그들의 근로자로서의 권리 역시 고려되어야 한다.

또한 앞에서 본 바와 같이 국가는 육아휴직한 군인에 대하여 육아휴직수당을 지급하여야 하고, 육아휴직에 따른 결원을 보충하거나 업무대행자를 선정하여 그 수당을 지급하여야 하므로 육아휴직에 따른 예산과 인력이 추가로 소요되는 점 및 남성 단기복무부사관이나 사병도 병역법상의 병역의무를 이행한다는 점에서는 남성 단기복무장교와 다를 바 없어 이들 사이의 형평성도 고려하여야 한다는 점을 생각해 보면, 이 사건 법률조항이 직업군인과 의무복무군인을 구분하여 청구인과 같은 남성 단기복무장교에게 육아휴직을 허용하지 아니하는 것이 헌법상 용인될 수 있는 재량의 범위를 명백히 일탈하여 청구인의 양육권을 침해한다고 볼 수 없다.

4. 평등권 침해 여부

가. 현역 군인의 복무구분

군인사법에 의하면, 현역에 복무하는 군인은 장교·준사관·부사관 및 병으로 구분되고, 현역 군인 중 장교와 부사관의 복무형태를 장기복무와 단기복무로 구분하고 있는바, 이는 직업군인으로 복무할 자와 병역법상의 의무연한기간 만큼 복무하다가 전역할 자를 구분하여 장기복무자에게는 장기간의 신분보장과 상위계급으로의 진출을 보장하기 위함이다.

장교의 경우, 장기복무장교의 의무복무기간은 원칙적으로 10년이고, 단기복무장교는 3년이나, 단기복무장교 중 육군3사관학교 및 국군간호사관학교를 졸업한 자는 6년이다. 부사관의 경우, 장기복무부사관의 의무복무기간은 7년, 일반 단기복무부사관은 4년이되, 여자 및 학생군사교육단 부사관후보생과정 출신 부사관은 3년이다.

나. 심사기준

이 사건 법률조항은 입법자에게 광범위한 재량이 부여되는 육아휴직제도에 관한 것으로 여성군인이나 남성 직업군인에 대하여만 육아휴직을 허용한다 하여 그로부터 배제된 남성 단기복무장교의 양육권이 새삼스레 중대한 제한을 받게 되는 것은 아니라 할 것이고, 병역의무이행의 일환으로 복무하는 남성 단기복무장교와 장기복무장교, 장기복무부사관 및 준사관 등 직업군인을 차별하는 것이 헌법에서 특별히 평등을 요구하고 있는 영역에서의 차별도 아니므로, 이를 심사함에 있어서는 자의금지원칙 위반 여부를 판단함으로써 족하다고 할 것이다(다만 남성 단기복무장교와 여성 단기복무장교의 차별에 관하여는, 만일 이것이 헌법이 금지하고 있는 성별에 의한 차별에 해당한다면 적용되는 심사기준도 달라질 수 있다).

다. 직업군인과의 차별

1) 차별의 발생

이 사건 법률조항에 의하여 육아휴직의 허용대상에서 배제된 남성 단기복무장교와 장기복무장교·준사관·장기군법무관 등의 직업군인들은 모두 현역 군인으로서 이 사건 법률조항이 포함된 군인사법의 적용대상이 될 뿐만 아니라 영유아 자녀를 두고 있는 경우 그 양육을 위하여 육아휴직을 신청할 필요가 있다는 점에서 동일한 지위에 있으므로, 남성 단기복무장교와 위 직업군인들 사이에 이 사건 법률조항으로 인한 차별이 발생한다.

2) 차별의 합리성

헌법상 평등의 원칙은 국가가 언제, 어디에서 어떤 계층을 대상으로 하여 제도의 개선을 시작할 것인지를 선택하는 것을 방해하지 않는다. 말하자면 국가는 합리적인 기준에 따라 능력이 허용하는 범위 내에서 법적 가치의 상향적 구현을 위한 제도의 단계적인 개선을 추진할 수 있는 길을 선택할 수 있어야 한다. 그것이 허용되지 않는다면 모든 사항과 계층을 대상으로 하여 동시에 제도의 개선을 추진하는 예외적인 경우를 제외하고는 어떠한 제도의 개선도 평등의 원칙 때문에 그 시행이 불가능하다는 결과에 이르게 되어 불합리할 뿐만 아니라 평등의 원칙이 실현하고자 하는 가치에도 어긋나기 때문이다.

장교를 포함한 남성 단기복무군인은 병역법상의 병역의무 이행을 위하여 한정된 기간 동안만 복무하는 데 반하여 직업군인은 군인을 직업으로 선택하여 상대적으로 장기간 복무한다는 점에서 중요한 차이가 있으므로, 입법자가 그와 같은 복무형태의 차이 및 육아휴직신청권이 갖는 근로자로서의 권리성, 제도의 전면적 실시에 따른 국가부담의 증가, 의무복무군인 사이의 형평성, 국방력의 유지 등 국가가 추구하는 다른 정책적 목표를 고려하여, 육아휴직의 적용대상으로부터

의무복무 중인 단기장교를 제외한 것이 입법재량의 범위를 벗어났다거나 의무복무군인인 남성 단기복무장교의 평등권을 침해한다고 볼 수 없다.

라. 여성 단기복무장교와의 차별

1) 성별에 의한 차별인지 여부

헌법 제11조 제1항 후문은 헌법이 차별의 근거로 삼아서는 아니되는 기준의 하나로 '성별'에 의한 차별을 명시하고 있다. 이 사건 법률조항은 그 문언상 육아휴직과 관련하여 단기복무군인 중 '여자군인'에게만 육아휴직을 허용할 수 있는 것으로 되어 있는바, 이것이 헌법이 금지하고 있는 성별에 의한 차별에 해당하는 것이 아닌가 하는 의문이 있을 수 있다.

그러나 이 사건 법률조항이 육아휴직과 관련하여 단기복무군인 중 남성과 여성을 차별하는 것은 성별에 근거한 차별이 아니라 의무복무군인과 직업군인이라는 복무형태에 따른 차별로 봄이 타당하다. 즉, 앞에서 본 바와 같이 병역법은 남자에게만 병역의무를 부과하고 있고, 여성은 지원에 의하여 현역에 복무할 수 있을 뿐이므로, 병역의무를 이행하고 있는 남성 단기복무군인과 달리 장교를 포함한 여성 단기복무군인은 지원에 의하여 직업으로서 군인을 선택한 것이기 때문이다.

따라서 남성 단기복무군인과 여성 단기복무군인과의 차별은 다른 직업군인과의 차별과 마찬가지로 자의성 심사로 족하다 할 것인바, 육아휴직과 관련하여 남성 단기복무장교와 직업군인과의 차별을 정당화할 합리적 이유가 있음은 앞에서 본 바와 같다.

마. 기타 주장에 대한 판단

청구인은 남성 단기복무장교의 가정에 있어서 남편의 육아휴직이 허용되지 아니함으로 인하여 그 처가 자녀의 양육을 전담할 수밖에 없게 됨으로써, 자녀의 양육에 있어서 부부 간에 차별이 발생한다고 주장하나, 이러한 차별의 발생은 병역의무 이행에 따른 결과일 뿐 이 사건 법률조항으로 인한 것은 아니라 할 것이다.

또한 청구인은 육아휴직과 관련하여 남성 단기복무장교와 공무원 사이에 차별이 발생한다고 주장하나, 이와 같이 직업인으로서의 공무원과 병역법상의 병역의무를 이행하고 있는 단기복무장교를 달리 취급하는 데에는 앞에서 본 바와 같이 그 차별을 정당화할 합리적 이유가 있다.

그러므로 청구인의 위 주장들도 모두 이유 없다.

바. 소 결

이처럼 남성 단기복무장교인 청구인을 육아휴직에 있어서 직업군인들 및 다른 공무원과 달리 취급하는 데에는 합리적인 근거가 있으므로, 결국 이 사건 법률조항은 청구인의 평등권을 침해하지 아니한다.

244 '혼인 중 여자와 남편 아닌 남자 사이에서 출생한 자녀'에 대한 출생신고 사건 [헌법불합치, 기각]
— — 2023. 3. 23. 선고 2021헌마975

사건의 개요

甲은 남편과 혼인관계가 해소되지 아니한 상태에서 청구인 乙과 동거하여 청구인 丙을 출산하였다. '가족관계의 등록 등에 관한 법률' 제46조 제2항은 혼인 외의 출생자의 출생신고는 모가 하여야 한다고 규정하여 혼인 외 생부에 의한 출생신고를 규정하지 아니하고, 제57조 제1항은 본문에서 생부가 혼인 외의 자녀에 대하여 인지의 효력이 있는 친생자출생의 신고를 할 수 있도록 하면서도, 같은 항 단서와 제57조 제2항에 따라 가정법원의 확인을 받아 친생자출생의 신고를 할 수 있는 범위를 좁게 규정하여, 모가 혼인 관계에 있을 경우에 그의 혼인 외 자녀를 양육하고 있는 생부가 그 혼인 외 자녀에 대한 출생신고를 하기 어렵게 규정되어 있다.

생부인 청구인 乙은 자신의 혼인 외 출생자인 丙에 대한 출생신고를 하려고 하였으나 위 조항들로 인하여 곧바로 출생신고를 할 수 없게 되었다.

이에 청구인들은 '가족관계의 등록 등에 관한 법률' 제46조 제2항과 제57조 제1항 단서, 제2항이 혼인 외 출생자인 丙의 즉시 출생등록될 권리, 생부인 청구인 乙의 양육권, 가족생활의 자유, 평등권 등을 침해한다고 주장하며 2021. 8. 17. 이 사건 헌법소원심판을 청구하였다.

심판대상조항 및 관련조항

가족관계의 등록 등에 관한 법률(2007. 5. 17. 법률 제8435호로 제정된 것)
제46조(신고의무자) ② 혼인 외 출생자의 신고는 모가 하여야 한다.

가족관계의 등록 등에 관한 법률(2021. 3. 16. 법률 제17928호로 개정된 것)
제57조(친생자출생의 신고에 의한 인지) ① 부가 혼인 외의 자녀에 대하여 친생자출생의 신고를 한 때에는 그 신고는 인지의 효력이 있다. 다만, 모가 특정됨에도 불구하고 부가 본문에 따른 신고를 함에 있어 모의 소재불명 또는 모가 정당한 사유 없이 출생신고에 필요한 서류 제출에 협조하지 아니하는 등의 장애가 있는 경우에는 부의 등록기준지 또는 주소지를 관할하는 가정법원의 확인을 받아 신고를 할 수 있다.
② 모의 성명·등록기준지 및 주민등록번호의 전부 또는 일부를 알 수 없어 모를 특정할 수 없는 경우 또는 모가 공적 서류·증명서·장부 등에 의하여 특정될 수 없는 경우에는 부의 등록기준지 또는 주소지를 관할하는 가정법원의 확인을 받아 제1항에 따른 신고를 할 수 있다.

주문

1. 가족관계의 등록 등에 관한 법률(2007. 5. 17. 법률 제8435호로 제정된 것) 제46조 제2항, 가족관계의 등록 등에 관한 법률(2021. 3. 16. 법률 제17928호로 개정된 것) 제57조 제1항, 제2항은 모두 헌법에 합치되지 아니한다. 위 법률조항들은 2025. 5. 31.을 시한으로 입법자가 개정할 때까지 계속 적용된다.
2. 생부인 청구인들의 심판청구를 모두 기각한다.

1. 쟁점

심판대상조항들이 '혼인 중 여자와 남편 아닌 남자 사이에서 출생한 자녀에 대한 생부의 출생신고'를 허용하는 규정을 두지 아니한 것이 청구인들의 기본권을 침해하였는지 여부가 문제된다.

먼저 심판대상조항들이 '혼인 중 여자와 남편 아닌 남자 사이에서 출생한 자녀'인 청구인 丙의 기본권을 침해하는지 여부와 관련하여, 丙은 혼인 외 출생자인 청구인 丙의 즉시 출생등록될 권리가 침해되었다고 주장하는바, 태어난 즉시 '출생등록될 권리'가 기본권인지 여부 및 태어난 즉시 '출생등록될 권리'를 기본권으로 볼 경우에, 심판대상조항들이 丙의 태어난 즉시 '출생등록될 권리'를 침해하는지 여부를 살펴본다.

다음으로 심판대상조항들이 '혼인 외 출생자인 청구인 丙'의 생부인 청구인 乙의 기본권을 침해하는지 여부와 관련하여, 乙은 심판대상조항들이 생부인 乙과 생모를 합리적인 이유 없이 차별하여 생부인 乙의 평등권을 침해한다고 주장하므로, 심판대상조항들이 생부인 乙의 평등권을 침해하는지 여부를 살펴본다.

한편, 혼인 외 출생자인 청구인 丙은 침해되는 기본권으로 생명권, 인격권, 인간으로서의 존엄과 가치도 주장하고 있으나, 인격권, 인간으로서의 존엄과 가치는 태어난 즉시 '출생등록될 권리'의 헌법적 근거가 되는 것이고, 청구인들이 주장하는 생명권은 부모와 가족 등의 보호하에 건강한 성장과 발달을 할 아동의 권리의 측면과 관련된 것으로, 태어난 즉시 '출생등록될 권리'에 대한 침해 여부를 판단함으로써 위 기본권들의 침해 여부에 대한 판단이 함께 이루어지는 것으로 볼 수 있어 그 침해 여부는 별도로 판단하지 아니한다.

또한 생부인 乙은 침해되는 기본권으로 양육권 및 가족생활의 자유도 주장하고 있다. 심판대상조항들은 출생신고에 관한 조항으로서 생부인 乙이 혼인 외 출생자인 청구인 丙을 양육하는 것을 직접 제한하지 아니한다. 아울러 생부가 생래적 혈연관계에 있는 그 자녀와 가족관계를 형성하는 것은 민법상 친생추정과 부인, 인지에 관한 규정들에 의하여 제한되는 것일 뿐, 심판대상조항들에 의하여 제한되는 것이 아니다. 따라서 이에 대해서는 나아가 판단하지 아니한다.

2. 태어난 즉시 '출생등록될 권리'가 기본권인지 여부(적극)

출생신고는 사람의 출생과 관련된 사실을 공적 장부인 가족관계등록부에 기록할 것을 요구하는 행위이다. 출생등록은 개인의 인격을 발현하는 첫 단계이자 인격을 형성해 나아가는 전제로서 중요한 역할을 담당한다. 태어난 즉시 출생등록이 되지 않는다면, 독자적으로 행동할 수 있는 능력이 없는 아동으로서는 이러한 관계 형성의 기회가 완전히 박탈될 수 있다.

출생등록을 통하여 아동을 다른 아동과 구별할 수 있게 되므로, 출생등록에는 최소한의 기본적인 정보인 아동의 출생일시, 출생지, 아동의 성명, 아동의 부모에 관한 정보 등이 포함되어야 한다. 특히 아동의 부모에 관한 정보는 아동을 양육할 권리와 의무가 당해 부모에게 있음을 대외적으로 공표하는 의미를 갖는다. 이처럼 출생등록은 아동이 부모와 가족 등의 보호 하에 건강한 성장과 발달을 할 수 있도록 최소한의 보호장치를 마련할 수 있도록 한다.

태어난 즉시 '출생등록될 권리'는 '출생 후 아동이 보호를 받을 수 있을 최대한 빠른 시점'에 아동의 출생과 관련된 기본적인 정보를 국가가 관리할 수 있도록 등록할 권리로서, 아동이 사람으로서 인격을 자유로이 발현하고, 부모와 가족 등의 보호 하에 건강한 성장과 발달을 할 수 있도록 최소한의 보호장치를 마련하도록 요구할 수 있는 권리이다. 이는 헌법 제10조의 인간의 존엄과 가치 및 행복추구권으로부터 도출되는 일반적 인격권을 실현하기 위한 기본적인 전제로서 헌법 제10조뿐만 아니라, 헌법 제34조 제1항의 인간다운 생활을 할 권리, 헌법 제36조 제1항의 가족생활의 보장, 헌법 제34조 제4항의 국가의 청소년 복지향상을 위한 정책실시의무 등에도 근거가 있다. 이와 같은 태어난 즉시 '출생등록될 권리'는 앞서 언급한 기본권 등의 어느 하나에 완전히 포섭되지 않으며, 이들을 이념적 기초로 하는 헌법에 명시되지 아니한 독자적 기본권으로서, 자유로운 인격실현을 보장하는 자유권적 성격과 아동의 건강한 성장과 발달을 보장하는 사회적 기본권의 성격을 함께 지닌다.

3. '혼인 중 여자와 남편 아닌 남자 사이에서 출생한 자녀에 대한 생부의 출생신고'를 허용하는 규정을 두지 아니한 '가족관계의 등록 등에 관한 법률' 제46조 제2항, 제57조 제1항, 제2항이 혼인 외 출생자인 청구인 丙(②)의 태어난 즉시 '출생등록될 권리'를 침해하는지 여부(적극)

앞서 살핀 것과 같이, 태어난 즉시 '출생등록될 권리'는 개인의 인격을 발현하는 첫단계로 행사되는 권리이자 인격을 형성해 나가는 전제가 되는 권리이고, 아동이 부모와 가족 등의 보호하에 건강한 성장과 발달을 할 수 있도록 보장을 요구할 수 있는 권리로서 자유권과 사회적 기본권의 복합적 성격을 갖는다. 이러한 점에서 태어난 즉시 '출생등록될 권리'는 입법자가 출생등록제도를 통하여 형성하고 구체화하여야 할 권리이다. 그러나 태어난 즉시 '출생등록될 권리'의 실현은 일반적인 사회적 기본권과 달리 국가 자원 배분의 문제와는 직접적인 관련이 없고, 이를 제한하여야 할 다른 공익을 상정하기 어려우며, 출생등록이 개인의 인격 발현에 미치는 중요한 의미를 고려할 때, 입법자는 출생등록제도를 형성함에 있어 단지 출생등록의 이론적 가능성을 허용하는 것에 그쳐서는 아니되며, 실효적으로 출생등록될 권리가 보장되도록 하여야 한다.

혼인 중인 여자와 남편이 아닌 남자 사이에서 출생한 자녀의 경우, 혼인 중인 여자와 그 남편이 출생신고의 의무자에 해당한다(가족관계등록법 제46조 제1항). 생부는 모의 남편의 친생자로 추정되는 자신의 혼인 외 자녀에 대하여 곧바로 인지의 효력이 있는 친생자출생신고를 할 수 없다. 그런데 모가 장기간 남편 아닌 남자와 살면서 혼인 외 자녀의 출생신고를 한다는 것은 자신이 아직 혼인

관계가 해소되지 않은 상황에서 부정한 행위를 하였다는 점을 자백하는 것이고, 혼인 외 출생한 자녀가 모의 남편의 자녀로 추정됨으로써 남편이 자신의 가족관계등록부를 통하여 쉽게 아내의 부정한 행위를 확인할 수 있다는 점에서 모가 신고의무를 이행할 것이라는 점이 담보되지 않는다. 그리고 그 남편이 해당 자녀의 출생의 경위를 알고도 출생신고를 하는 것은 사실상 기대하기 어렵다. 한편, 신고적격자로 규정된 검사 또는 지방자치단체의 장은 자녀의 복리가 위태롭게 될 우려가 있을 때 출생신고를 할 수 있으나, 이는 의무적인 것이 아니며, 검사 또는 지방자치단체의 장이 혼인 외 출생자의 구체적 사정을 출생 즉시 파악할 수 있다고 보기도 어렵다. 현실을 살펴보더라도, 검사 또는 지방자치단체의 장의 출생신고는 대부분 아동학대로 인하여 수사가 진행되는 과정이나 아동을 보호하고 있는 사회단체의 요청으로 출생신고가 된 것이지, 생부가 검사나 지방자치단체장에게 출생신고를 요청한 경우는 한 건도 없었다. 이처럼 혼인 외 출생자에 대한 현행 출생신고제도는 혼인 중 여자와 남편 아닌 남자 사이에서 출생한 자녀인 청구인들과 같은 경우 출생신고가 실효적으로 이루어질 수 있도록 보장하지 못하고 있다.

가족관계등록제도는 민법에 따른 신분관계를 등록·공시하여야 하므로, 심판대상조항들은 민법상 친생추정과의 관계에서 발생하는 모순을 방지하고자, 혼인 외 출생자의 생부에게 출생신고의무를 부여하지 않고, 인지의 효력이 있는 친생자출생신고만을 할 수 있도록 한다. 그러나 신고기간 내에 모나 그 남편이 출생신고를 하지 않는 경우 생부가 생래적 혈연관계를 소명하여 인지의 효력이 없는 출생신고를 할 수 있도록 하거나, 출산을 담당한 의료기관 등이 의무적으로 모와 자녀에 관한 정보 등을 포함한 출생신고의 기재사항을 미리 수집하고, 그 정보를 출생신고를 담당하는 기관에 송부하도록 하여 출생신고가 이루어지도록 한다면, 민법상 신분관계와 모순되는 내용이 가족관계등록부에 기재되는 것을 방지하면서도 출생신고가 이루어질 수 있다.

혼인 중 여자가 남편 아닌 남자와의 사이에서 출생한 자녀의 경우 출생신고가 현저히 곤란한 상황이 발생함에 따라 사회보험, 사회보장 수급을 제대로 받지 못하고, 주민등록이나 신분확인이 필요한 거래를 하기도 어려우며, 상대적으로 학대당하거나 유기되기 쉽고, 범죄의 표적이 될 가능성이 높다. 이처럼 출생등록이 혼인 외 출생자의 인격 형성 및 부모와 가족 등의 보호 하에 건강한 성장과 발달에 미치는 영향은 매우 크다.

따라서 심판대상조항들은 입법형성권의 한계를 넘어서서 실효적으로 출생등록될 권리를 보장하고 있다고 볼 수 없으므로, 혼인 중 여자와 남편 아닌 남자 사이에서 출생한 자녀에 해당하는 혼인 외 출생자인 청구인 丙의 태어난 즉시 '출생등록될 권리'를 침해한다.

4. 심판대상조항들이 생부인 乙(①)의 평등권을 침해하는지 여부(소극)

심판대상조항들은 혼인 외 출생자에 대한 출생신고의무자와 적격자를 규정함에 있어서, 혼인 중인 여자와 남편 아닌 남자 사이에서 출생한 자녀의 경우, 남편 아닌 남자인 생부가 자신의 혼인 외 자녀에 대해서 출생신고를 허용하도록 규정하지 아니하였다. 특히 이 사건 출생신고의무자 조항이 혼인 외 출생자의 출생신고의무자를 모로 한정한 것은, 모는 출산으로 인하여 그 출생자와 혈연관계가 형성되는 반면에, 생부는 그 출생자와의 혈연관계에 대한 확인이 필요할 수도 있고, 그 출생자의 출생사실을 모를 수도 있다는 점에 있다. 이에 가족관계등록부는 모를 중심으로 출생신고를 규정하고, 모가 혼인 중일 경우에 그 출생자는 모의 남편의 자녀로 추정하도록 한 민법의 체계에 따르도록 규정하고 있다. 따라서 심판대상조항들이 혼인 외 출생자의 신고의무를 모에게만 부과하고, 남편 아닌 남자인 생부에게 자신의 혼인 외 자녀에 대해서 출생신고를 할 수 있도록 규정하지 아니한 것은 합리적인 이유가 있다. 그렇다면, 심판대상조항들은 생부인 乙의 평등권을 침해하지 않는다.

5. 헌법불합치 결정 및 계속 적용 명령

심판대상조항들의 위헌성은 심판대상조항들이 혼인 중인 여자와 남편 아닌 남자 사이에서 출생한 자녀에 대해서 '남편 아닌 남자'인 생부의 출생신고 자체를 허용하지 아니하는 등 혼인 외 출생자인 청구인 丙의 출생등록을 실효적으로 보장하지 못하는 점에 있다. 그런데 이 사건 출생신고의무자조항에 대하여 단순위헌결정을 하게 되면, 혼인 외 출생자에 대한 1차적 신고의무자가 사라지게 되고, 이 사건 친생자출생신고조항에 대하여 단순위헌결정을 하게 되면, 모가 혼인 중이 아님에도 생부가 혼인 외 출생자에 대한 출생신고를 할 수 없게 되는 불합리한 결과가 발생한다. 나아가 입법자는 출생등록을 실효적으로 보장하면서도 법적 부자관계의 형성에 혼란이 생기지 않도록 방안을 마련할 일차적 책임과 재량이 있다.

따라서 심판대상조항들에 대하여 입법자의 개선입법이 이루어질 때까지 계속 적용을 명하는 헌법불합치결정을 선고한다. 입법자는 늦어도 2025. 5. 31.까지는 개선입법을 이행하여야 한다.

제8절 모성의 보호

제9절 보건권

 **245** 수용자에 대한 국민기초생활 보장법상 급여 정지 사건 [기각]
― 2012. 2. 23. 선고 2011헌마123

판시사항 및 결정요지

1. 기초생활보장제도의 보장단위인 개별가구에서 교도소·구치소에 수용 중인 자를 제외토록 규정한 구 '국민기초생활 보장법 시행령'(2008. 10. 29. 대통령령 제21095호로 개정되고, 2011. 9. 8. 대통령령 제23128호로 개정되기 전의 것) 제2조 제2항 제3호 중 "형의 집행 및 수용자의 처우에 관한 법률" 및 치료감호법에 의한 구치소·치료감호시설에 수용 중인 자" 부분(이하 '이 사건 심판대상조항'이라 한다)이 구치소·치료감호시설에 수용 중인 자를 '국민기초생활 보장법' 상 급여의 지급 대상에서 제외시켜 청구인의 인간다운 생활을 할 권리와 보건권을 침해하는지 여부(소극)

가. 인간다운 생활을 할 권리와 보건권의 법적 성격

헌법은 제34조 제1항에서 국민에게 인간다운 생활을 할 권리를 보장하는 한편, 동조 제2항에서는 국가의 사회보장 및 사회복지증진의무를 천명하고 있는바, '인간다운 생활을 할 권리'는 인간의 존엄에 상응하는 최소한의 물질적인 생활의 유지에 필요한 급부를 요구할 수 있는 권리를 의미하는 것이고, '국가의 사회보장 및 사회복지증진 의무'는 국가가 물질적 궁핍이나 각종 재난으로부터 국민을 보호할 의무로서 '인간다운 생활을 할 권리' 실현을 위한 수단적인 성격을 갖는 것이다.

한편, 헌법 제36조 제3항이 규정하고 있는 국민의 보건에 관한 권리는 국민이 자신의 건강을 유지하는 데 필요한 국가적 급부와 배려를 요구할 수 있는 권리를 말하는 것으로서, 국가는 국민의 건강을 소극적으로 침해하여서는 아니 될 의무를 부담하는 것에서 한걸음 더 나아가 적극적으로 국민의 보건을 위한 정책을 수립하고 시행하여야 할 의무를 부담한다는 것을 의미한다.

특히 이 사건에서 청구인이 주장하는 보건권의 내용은 소극적으로 국민의 건강에 대한 국가의 침해를 배제하고자 하는 것이 아니라, 적극적으로 인간다운 생활을 하기 위하여 필요한 의료적 급부의 제공을 요구하는 것으로서, 인간다운 생활을 할 권리의 내용과 중첩된다. 따라서 이하에서는 인간다운 생활을 할 권리와 보건권의 침해 여부를 함께 판단한다.

나. 심사기준

이와 같은 헌법의 규정에 의거하여 국민에게 주어지게 되는 사회보장에 따른 국민의 수급권은 국가에게 적극적으로 급부를 요구할 수 있는 권리를 주된 내용으로 하기 때문에, 국가가 국민에게 '인간다운 생활을 할 권리' 또는 보건권을 보장하기 위하여 국민들에게 한정된 가용자원을 분배하는 사회보장수급권에 관한 입법을 할 경우에는 국가의 재정부담 능력, 전체적인 사회보장수준과 국민감정 등 사회정책적인 고려, 상충하는 국민 각 계층의 갖가지 이해관계 등 복잡 다양한 요소를 함께 고려해야 하는 것이어서, 이 부분은 입법부 또는 입법에 의하여 다시 위임을 받은 행정부 등 해당기관의 광범위한 입법재량에 맡겨져 있다고 보아야 할 것이다.

그러므로 국가가 인간다운 생활을 보장하기 위한 헌법적 의무를 다하였는지의 여부가 사법적 심사의 대상이 된 경우에는, 국가가 최저생활보장에 관한 입법을 전혀 하지 아니하였다든가 그 내용이 현저히 불합리하여 헌법상 용인될 수 있는 재량의 범위를 명백히 일탈한 경우에 한하여 헌법에 위반된다고 할 수 있다.

다. 판 단

생활이 어려운 국민에게 필요한 급여를 행하여 이들의 최저생활을 보장하기 위해 제정된 '국민기초생활 보장법'은 부양의무자에 의한 부양과 다른 법령에 의한 보호가 이 법에 의한 급여에 우선하여 행하여지도록 하는 보충급여의 원칙을 채택하고 있는바, '형의 집행 및 수용자의 처우에 관한 법률' 및 치료감호법에 의한 구치소·치료감호시설에 수용 중인 자는 당해 법률에 의하여 생계유지의 보호와 의료적 처우를 받고 있으므로 이러한 구치소·치료감호시설에 수용 중인 자에 대하여 '국민기초생활 보장법'에 의한 중복적인 보장을 피하기 위하여 개별가구에서 제외하기로 한 입법자의 판단이 헌법상 용인될 수 있는 재량의 범위를 일탈하여 인간다운 생활을 할 권리와 보건권을 침해한다고 볼 수 없다

2. 이 사건 심판대상조항이 청구인의 평등권을 침해하는지 여부(소극)

이 사건 심판대상조항은 '국민기초생활 보장법'상의 급여와의 중복적 보장을 방지하기 위한 것인 점 등을 고려하면 수용자에 대한 급여를 일시 정지하는 것에 합리적 이유가 있다 할 것이므로 이 사건 심판대상 조항이 청구인의 평등권을 침해한다고 할 수 없다.

판례색인

[헌법재판소 결정]

헌재 1989.7.14. 선고 88헌가5, 8, 89헌가44(병합) 242
헌재 1989.12.22. 선고 88헌가13 44
헌재 1990.6.25. 선고 89헌마107 145
헌재 1990.9.3. 선고 89헌가5 43
헌재 1991.6.3. 선고 89헌마204 99
헌재 1991.4.1. 선고 89헌마160 329
헌재 1992.6.26. 선고 90헌바25 656
헌재 1992.2.25. 선고 89헌가104 43
헌재 1992.11.12. 선고 89헌마88 737
헌재 1993.12.23. 선고 93헌가2 190
헌재 1994.12.29. 선고 93헌마120 19
헌재 1994.12.29. 선고 93헌바21 679
헌재 1995.9.28. 선고 92헌가11, 93헌가8·9·10(병합) 653
헌재 1995.1.20. 선고 90헌바1 657
헌재 1995.4.20. 선고 92헌마264,279 567
헌재 1996.1.25. 선고 93헌바5 44
헌재 1996.6.13. 선고 94헌바20 678
헌재 1996.2.16. 선고 96헌가2,96헌바7,96헌바13 157
헌재 1996.4.25. 선고 92헌마47 44
헌재 1996.12.26. 선고 96헌가18 100
헌재 1997.7.16. 선고 95헌가6 45
헌재 1997.8.21. 선고 94헌바19,95헌바34,97헌가11 470
헌재 1997.3.27. 선고 95헌가14,96헌가7(병합) 795
헌재 1997.3.27. 선고 96헌가11 223
헌재 1997.3.27. 선고 94헌마196 537
헌재 1997.10.30. 선고 97헌바37, 95헌마142·215, 96헌마95(병합) 654
헌재 1997.11.27. 선고 97헌바10 465
헌재 1997.12.24. 선고 95헌마247 242
헌재 1998.7.16. 선고 96헌마246 539
헌재 1998.3.26. 선고 93헌바12 497
헌재 1998.5.28. 선고 96헌가5 44
헌재 1998.5.28. 선고 96헌가12 44, 221
헌재 1998.12.24. 선고 89헌마214,90헌바16,97헌바78(병합) 475
헌재 1999.4.29. 선고 94헌바37외66건(병합) 482

헌재 1999.7.22. 선고 98헌가5 104
헌재 1999.11.25. 선고 97헌마54 611
헌재 1999.12.23. 선고 98헌마363 123
헌재 2000.7.20. 선고 99헌가7 239
헌재 2000.4.27. 선고 98헌가16,98헌마429(병합) 114
헌재 2000.2.24. 선고 99헌바17·18·19(병합) 650
헌재 2000.6.1. 선고 98헌바8 651
헌재 2000.6.1. 선고 99헌마553 19
헌재 2000.12.14. 선고 99헌마112·137(병합) 608
헌재 2001.2.22. 선고 2000헌마25 139, 140
헌재 2001.6.28. 선고 2001헌마132 571
헌재 2001.6.28. 선고 2000헌바30 649
헌재 2001.6.28. 선고 99헌마516 705
헌재 2001.8.30. 선고 2000헌바36 398
헌재 2001.8.30. 선고 2000헌가9 395
헌재 2001.9.27. 선고 2000헌마159 353
헌재 2002.4.25. 선고 98헌마425, 99헌마170·498(병합) 325
헌재 2002.1.31. 선고 2001헌바43 66
헌재 2002.8.29. 선고 2001헌바82 799
헌재 2002.8.29. 선고 2001헌마788, 2002헌마173(병합) 597
헌재 2002.2.28. 선고 2001헌가18 652
헌재 2002.9.19. 선고 2000헌바84 547
헌재 2002.4.25. 선고 2001헌마614 588
헌재 2002.6.27. 선고 99헌마480 380
헌재 2002.8.29. 선고 2000헌가5·6, 2001헌가26, 2000헌바34, 2002헌가3·7·9·12(병합) 446
헌재 2002.10.31. 선고 2000헌가12 191
헌재 2002.10.31. 선고 99헌바76, 2000헌마505(병합) 575
헌재 2002.11.28. 선고 2002헌가5 165
헌재 2003.2.27. 선고 2000헌바26 741
헌재 2003.6.26. 선고 2002헌마677 573
헌재 2003.7.24. 선고 2002헌바51 697
헌재 2003.6.26. 선고 2002헌가14 168
헌재 2003.1.30. 선고 2001헌바95 658
헌재 2003.10.30. 선고 2002헌마518 80
헌재 2003.11.27. 선고 2002헌마193 234
헌재 2003.12.18. 선고 2002헌바1 694
헌재 2003.12.18. 선고 2002헌가2 505
헌재 2004.9.23. 선고 2002헌가17·18(병합) 178
헌재 2004.8.26. 선고 2003헌마457 23

헌재 2004.1.29. 선고 2001헌마894	358
헌재 2004.3.25. 선고 2002헌바104	194
헌재 2004.5.27. 선고 2003헌가1,2004헌가4(병합)	527
헌재 2004.7.15. 선고 2002헌바42	517
헌재 2004.8.26. 선고 2002헌가1	330
헌재 2004.9.23. 선고 2000헌마138	200
헌재 2004.10.28. 선고 2002헌마328	689
헌재 2004.12.16. 선고 2002헌마478	53
헌재 2005.7.21. 선고 2003헌마282,425(병합)	290
헌재 2005.5.26. 선고 99헌마513,2004헌마190(병합)	261
헌재 2005.3.31. 선고 2003헌가20	725
헌재 2005.3.11. 선고 2002도4278	462
헌재 2005.2.3. 선고 2001헌가9,10,11,12,13,14,15,2004헌가5(병합)	788
헌재 2005.10.27. 선고 2003헌가3	356
헌재 2005.11.24. 선고 2004헌가28	88
헌재 2005.11.24. 선고 2003헌바108	613
헌재 2005.11.24. 선고 2002헌바95,96,2003헌바9(병합)	26
헌재 2005.12.22. 선고 2003헌가5,6(병합)	790
헌재 2005.12.22. 선고 2005헌마19	175
헌재 2005.12.22. 선고 2004헌바25	226
헌재 2006.2.23. 선고 2004헌바50	19
헌재 2006.2.23. 선고 2005헌가7,2005헌마1163(병합)	646
헌재 2006.4.27. 선고 2005헌마1047,1048(병합)	454
헌재 2006.5.25. 선고 2004헌바12	221
헌재 2007.5.31. 선고 2005헌마1139	243
헌재 2007.8.30. 선고 2004헌마670	130
헌재 2007.11.29. 선고 2004헌마290	34
헌재 2007.11.29. 선고 2005헌마12	657
헌재 2008.1.10. 선고 2007헌마1468	181
헌재 2008.6.26. 선고 2007헌마1366	299
헌재 2008.1.17. 선고 2007헌마700	15
헌재 2008.7.31. 선고 2007헌가4	163
헌재 2008.9.25. 선고 2007헌가1	732
헌재 2008.5.29. 선고 2007헌마1105	601
헌재 2008.7.31. 선고 2006헌마711	49
헌재 2008.7.31. 선고 2004헌마1010,2005헌바90(병합)	70
헌재 2008.2.28. 선고 2006헌바70	498
헌재 2008.5.29. 선고 2007헌마712	432
헌재 2008.10.30. 선고 2005헌마1156	810
헌재 2008.10.30. 선고 2006헌마1401,1409(병합)	340
헌재 2008.11.13. 선고 2006헌바112,2007헌바71,88,94,2008헌바3,62,2008헌가12(병합)	805
헌재 2008.11.27. 선고 2006헌마352	524
헌재 2008.12.26. 선고 2008헌마419,423,436(병합)	51
헌재 2008.12.26. 선고 2005헌마971,1193,2006헌마198(병합)	780
헌재 2009.5.28. 선고 2006헌바109,2007헌바49,57,83,129(병합)	360
헌재 2009.9.24. 선고 2008헌가25	414
헌재 2009.7.30. 선고 2008헌가2	538
헌재 2009.2.26. 선고 2005헌마764,2008헌마118(병합)	666
헌재 2009.2.26. 선고 2007헌바8	617
헌재 2009.7.30. 선고 2008헌바162	663
헌재 2009.5.28. 선고 2006헌마618	79
헌재 2009.10.29. 선고 2007헌마1359	756
헌재 2009.10.29. 선고 2007헌마667	251
헌재 2009.11.26. 선고 2008헌바58,2009헌바191(병합)	44
헌재 2010.2.25. 선고 2008헌가23	38
헌재 2010.5.27. 선고 2005헌마346	12
헌재 2010.2.25. 선고 2008헌바160	43
헌재 2010.6.24. 선고 2009헌마257	202
헌재 2010.2.25. 선고 2008헌바83	83
헌재 2010.3.25. 선고 2009헌마170	111
헌재 2010.10.28. 선고 2007헌가23	14
헌재 2010.10.28. 선고 2008헌마638	400
헌재 2010.10.28. 선고 2010헌마111	428
헌재 2010.10.28. 선고 2008헌마514,2010헌마220(병합)	685
헌재 2010.11.25. 선고 2006헌마328	127
헌재 2010.12.28. 선고 2008헌바157,2009헌바88(병합)	385
헌재 2011.6.30. 선고 2008헌바166,2011헌바35(병합)	494
헌재 2011.9.29. 선고 2010헌마413	250
헌재 2011.9.29. 선고 2007헌마1083,2009헌마230,352(병합)	3
헌재 2011.8.30. 선고 2009헌바42	321
헌재 2011.6.30. 선고 2009헌마406	84

헌재 2011.2.24. 선고 2008헌바56	129
헌재 2011.5.26. 선고 2009헌마341	196
헌재 2011.11.24. 선고 2009헌바146	803
헌재 2011.12.29. 선고 2010헌바54,407(병합)	592
헌재 2011.12.29. 선고 2010헌마293	270
헌재 2011.12.29. 선고 2009헌마527	345
헌재 2011.12.29. 선고 2011헌가20,21(병합)	164
헌재 2012.2.23. 선고 2009헌마333	304
헌재 2012.5.31. 선고 2010헌마139,157,408,409,423(병합)	710
헌재 2012.8.23. 선고 2010헌마47,252(병합)	364
헌재 2012.2.23. 선고 2011헌마123	821
헌재 2012.3.29. 선고 2011헌바53	761
헌재 2012.4.24. 선고 2010헌바164	720
헌재 2012.8.23. 선고 2010헌바220	723
헌재 2012.8.23. 선고 2009헌가27	9
헌재 2012.8.23. 선고 2008헌마430	296
헌재 2012.11.29. 선고 2011헌마827	713
헌재 2012.12.27. 선고 2010헌마153	252
헌재 2013.6.27. 선고 2011헌마315·509, 2012헌마386(병합)	463
헌재 2013.8.29. 선고 2011헌마122	619
헌재 2013.5.30. 선고 2009헌마514	583
헌재 2013.10.24. 선고 2012헌마832	718
헌재 2013.12.26. 선고 2009헌마747	386
헌재 2014.1.28. 선고 2011헌바174,282,285,2012헌바39,64,240(병합)	437
헌재 2014.3.27. 선고 2010헌가2,2012헌가13(병합)	417
헌재 2014.3.27. 선고 2012헌마652	63
헌재 2014.8.28. 선고 2012헌마623	59
헌재 2014.4.24. 선고 2011헌마659,683(병합)	564
헌재 2014.4.24. 선고 2011헌마612	451
헌재 2014.5.29. 선고 2010헌마606	749
헌재 2014.6.26. 선고 2012헌마331	245
헌재 2014.8.28. 선고 2013헌마553	144
헌재 2014.8.28. 선고 2011헌마28,106,141,156,326,2013헌마215,360(병합)	275
헌재 2014.10.30. 선고 2011헌바129·172(병합)	490
헌재 2015.9.24. 선고 2015헌바35	172
헌재 2015.7.30. 선고 2014헌마340·672, 2015헌마99(병합)	257
헌재 2015.9.24. 선고 2012헌마302	302
헌재 2015.4.30. 선고 2013헌마623	792
헌재 2015.9.24. 선고 2013헌가21	228
헌재 2015.4.30. 선고 2012헌마38	50
헌재 2015.2.26. 선고 2009헌바17 등(병합)	105
헌재 2015.3.25. 선고 2014헌바156	145
헌재 2015.3.26. 선고 2013헌517	278
헌재 2015.4.30. 선고 2014헌마360	388
헌재 2015.6.25. 선고 2011헌마769, 2012헌마209·536(병합)	406
헌재 2015.5.28. 선고 2013헌바129	237
헌재 2015.5.28. 선고 2013헌마671,2014헌가21(병합)	770
헌재 2015.5.28. 선고 2013헌가6	90
헌재 2015.5.28. 선고 2013헌마799	544
헌재 2015.11.26. 선고 2012헌마858	625
헌재 2015.12.23. 선고 2013헌가9	229
헌재 2015.12.23. 선고 2013헌바68, 2014헌마449(병합)	267
헌재 2015.12.23. 선고 2013헌마712	628
헌재 2015.12.23. 선고 2014헌바3	743
헌재 2015.12.23. 선고 2014헌마1149	459
헌재 2016.3.31. 선고 2013헌마585·786, 2013헌바394, 2015헌마199·1034·1107(병합)	553
헌재 2016.3.31. 선고 2013헌가2	522
헌재 2016.6.30. 선고 2015헌마924	286
헌재 2016.9.29. 선고 2014헌바254	701
헌재 2016.3.31. 선고 2015헌마688	256
헌재 2016.3.31. 선고 2014헌마367	746
헌재 2016.9.29. 선고 2014헌가9	227
헌재 2016.7.28. 선고 2015헌마236·412·662·673(병합)	94
헌재 2016.4.28. 선고 2015헌마243	206
헌재 2016.5.26. 선고 2014헌마45	54
헌재 2016.10.27. 선고 2015헌마1206, 2016헌마277(병합)	371
헌재 2016.11.24. 선고 2015헌바62	441
헌재 2016.12.29. 선고 2013헌마142	61
헌재 2016.12.29. 선고 2015헌바182	467
헌재 2017.9.28. 선고 2015헌마653	757
헌재 2017.6.29. 선고 2015헌마654	31
헌재 2017.10.26. 선고 2015헌바239, 2016헌마177(병합)	152
헌재 2017.11.30. 선고 2016헌마503	212
헌재 2017.12.28. 선고 2016헌마649	707

헌재 2017.12.28.자 2015헌마994	247	헌재 2020.9.24. 선고 2017헌바157, 2018헌가10(병합)	232
헌재 2018.2.22. 선고 2017헌마691	120	헌재 2020.9.24. 선고 2017헌마643	132
헌재 2018.4.26. 선고 2014헌마274	604	헌재 2021.2.25. 선고 2017헌마1113	387
헌재 2018.4.26. 선고 2015헌가19	552	헌재 2021.6.24. 선고 2017헌바479	291
헌재 2018.4.26. 선고 2015헌바370, 2016헌가7(병합)	293	헌재 2021.1.28. 선고 2018헌마456, 2020헌마406, 2018헌가16(병합)	368
헌재 2018.5.31. 선고 2014헌마346	208	헌재 2021.11.25. 선고 2019헌마446	166
헌재 2018.5.31. 선고 2013헌바322, 2016헌바354, 2017헌바360·398·471, 2018헌가3·4·9(병합)	422	헌재 2021.12.23. 선고 2019헌마825	606
헌재 2018.5.31. 선고 2012헌바90	751	헌재 2021.12.23. 선고 2018헌바524	659
헌재 2018.5.31. 선고 2015헌마476	36	헌재 2022.2.24. 선고 2020헌가12	146
헌재 2018.6.28. 선고 2012헌마538	314	헌재 2022.1.27. 선고 2019헌바161	472
헌재 2018.6.28. 선고 2016헌가8, 2017헌바476(병합)	390	헌재 2022.10.27. 선고 2018헌바115	796
헌재 2018.6.28. 선고 2012헌마191, 550(병합), 2014헌마357(병합)	308	헌재 2022.11.24. 선고 2019헌마941	350
헌재 2018.6.28. 선고 2015헌가28, 2016헌가5(병합)	426	헌재 2023.3.23. 선고 2020헌가1	240
헌재 2018.6.28. 선고 2016헌바77, 78, 79(병합)	558	헌재 2023.3.23. 선고 2021헌마975	816
헌재 2018.6.28. 선고 2011헌바379, 2012헌가17	332	헌재 2023.9.26. 선고 2019헌마1417	429
헌재 2018.7.26. 선고 2018헌바137	427	헌재 2024.2.28. 선고 2022헌마356	75
헌재 2018.8.30. 선고 2016헌마344·2017헌마630(병합)	632		
헌재 2018.8.30. 선고 2016헌마263	316	[대법원 판결]	
헌재 2018.8.30. 선고 2014헌마843	409	대법원 2007.4.26. 선고 2006다87903	355
헌재 2018.8.30. 선고 2014헌마368	281	대법원 2010.4.22. 선고 2008다38288 전원합의체	21
헌재 2018.8.30. 선고 2014헌바148·162·219·466, 2015헌바50·440(병합); 2014헌바223·290, 2016헌바419(병합)	674	대법원 2011.1.27. 선고 2009다19864	22
헌재 2018.8.30. 선고 2014헌바180 등 (병합)	641	대법원 2017.2.15. 선고 2014다230535	683
헌재 2018.8.30. 선고 2015헌가38	766	대법원 2020.9.3. 선고 2016두32992	775
헌재 2019.4.11. 선고 2017헌바127	106		
헌재 2019.4.11. 선고 2018헌마221	133		
헌재 2019.2.28. 선고 2015헌마1204	218		
헌재 2019.11.28. 선고 2017헌마1356	377		
헌재 2019.12.27. 선고 2018헌마730	46		
헌재 2019.12.27. 선고 2017헌가21	512		
헌재 2020.3.26. 선고 2018헌마77·283·1024(병합)	280		
헌재 2020.4.23. 선고 2015헌마1149	148		
헌재 2020.6.25. 선고 2019헌가9, 10(병합)	92		
헌재 2020.8.28. 선고 2018헌마927	287		

제4판
SIGNATURE
헌법 판례 ❶ 기본권론

초판발행	2021년 06월 25일
2판발행	2022년 06월 27일
3판발행	2023년 06월 19일
4판발행	2024년 06월 28일

지은이	강성민
디자인	이나영
발행처	주식회사 필통북스
등록	제2019-000085호
주소	서울특별시 관악구 신림로59길 23, 1201호(신림동)
전화	1544-1967
팩스	02-6499-0839
homepage	http://www.feeltongbooks.com/

개별 ISBN	979-11-6792-170-3 [14360]	정가 **39,000원**
세트 ISBN	979-11-6792-169-7 [14360]	세트정가 **65,000원**

| 세트로만 판매 판매 됩니다.
| 이 책은 저자와의 협의 하에 인지를 생략합니다.
| 이 책은 저작권법에 의해 보호를 받는 저작물이므로 주식회사 필통북스의 허락 없는 무단전제 및 복제를 금합니다.